懸吐新譯 附 按說 孟子集註

懸 吐 新 譯

孟子集註
附 按說

成百曉 著

한국인문고전연구소

차
례

간행사   006

추천사   008

이 책을 내면서   011

序說 ---------------------------------- 024

梁惠王章句 上 ------------------------- 033

梁惠王章句 下 ------------------------- 092

公孫丑章句 上 ------------------------- 156

公孫丑章句 下 ------------------------- 239

滕文公章句 上 ------------------------- 289

滕文公章句 下 ------------------------- 353

離婁章句 上--------------------------- 407

離婁章句 下--------------------------- 476

萬章章句 上--------------------------- 545

萬章章句 下--------------------------- 598

告子章句 上 ------------------------------- 650

告子章句 下 ------------------------------- 714

盡心章句 上 ------------------------------- 768

盡心章句 下 ------------------------------- 847

朝鮮朝 內閣本 銅活字 刊行 來歷   914

跋文   916

편집후기   918

간행사

　평소 東洋古典에 관심을 두던 차에 寒松 成百曉 선생을 모시고 四書三經을 강독하는 모임의 일원이 되는 행운을 가지게 된 지 벌써 16년의 세월이 흘렀다. 지금도 寒松 선생을 모시고 처음 《論語》를 배울 때의 신선한 충격을 잊을 수가 없다. 법을 전공하는 몇 분과 함께 《論語》를 배우면서 모임의 명칭을 지어주실 것을 청했으나, 선생은 즉답을 피하셨다. 얼마 후, 〈爲政〉18장에 "많이 듣고서 의심나는 것을 제쳐놓고 그 나머지 자신이 있는 것도 삼가서 말하면 허물이 적고, 많이 보고서 위태로운 것을 제쳐놓고 그 나머지 불안하지 않은 것도 삼가서 행하면 후회가 적을 것이다.〔多聞闕疑 愼言其餘則寡尤 多見闕殆 愼行其餘則寡悔〕"를 講하시고는 우리들의 모임을 '寡尤會'로 하는 것이 좋겠다고 하셨다. 그 이유는 법조인들이 대부분 변호를 직업으로 삼기 때문이었다. 그리고 '蘇齋선생의 諱가 守愼이고 字가 寡悔인 것도 바로 「愼行其餘則寡悔」에서 온 것'이라고 말씀해주셨다. 평소 先祖의 字야 알고 있었지만 이런 깊은 뜻이 있으리라고는 생각하지 못하였다. 우리 先祖들의 名과 字에도 이처럼 깊은 뜻이 있음을 우리들은 알아야 할 것이다. 그러나 經書를 배우지 않고는 불가능한 일이다.

　선생은 모두가 인정하는 우리시대 漢學의 大家이실 뿐만 아니라 선비이시다. 본래 不敏하고 게으르기도 한데다 세간의 번잡함 속에 있다 보니 선생의 가르침을 제대로 배우지 못하고 세월만 흘려보낸 것이 못내 부끄럽고 송구스럽다.

　선생은 옛날이나 지금이나 한결같은 熱情으로 古典의 講讀과 國譯에 전념하고 계신다. 작년에 《附按說 論語集註》를 출간하신 데 이어 이번에 《附按說 孟子集註》를 출간하시게 되니 선생의 가르침을 받은 한 사람으로서 기쁜 마음 금할 길 없다.

孟子는 주지하는 바와 같이 仁義思想과 民本主義를 강조하였다. 2,400여 년 전 戰國時代 혼란 속에서 인간의 기본 道理와 共同體로서 국가가 나아가야 할 올바른 길을 명쾌한 논리와 특유의 비유로 제시하고 있다.

특히 大丈夫의 삶을 표현하여 "천하의 넓은 집인 仁에 거처하며 천하의 바른 자리인 禮에 서며 천하의 큰 道인 義를 행하여 뜻을 얻어 높은 지위에 있으면 백성들과 함께 이것을 행하고 뜻을 얻지 못하면 홀로 이 道를 행해서 지조와 절개를 지켜 부귀하여도 방탕하지 않고 빈천하여도 동요되지 않고 위세나 무력에도 굴복되지 않는 것을 大丈夫라 이른다.〔居天下之廣居 立天下之正位 行天下之大道 得志 與民由之 不得志 獨行其道 富貴不能淫 貧賤不能移 威武不能屈 此之謂大丈夫〕"라 하였다. 그리고 선비는 "아무리 궁색한 처지에 놓여도 義를 잃지 않고 영달하여도 道를 벗어나지 않는다.〔窮不失義 達不離道〕"라 하였으며, "궁할 적에는 홀로 그 몸을 善하게 하고, 영달하면 세상과 더불어 善하게 한다.〔窮則獨善其身 達則兼善天下〕"라는 구절에 이르러서는 누구나 가슴속에 커다란 울림이 있었으리라. 이러한 孟子의 말씀은 2,400여 년이 흐른 지금에도 여전히 소중한 가르침이 아닐 수 없다. 어쩌면 오히려 利를 추구하기에 급급하여 義를 하찮게 여기며, 民을 근본으로 하기보다는 黨利黨略을 중시하는 오늘날의 世態에 警鐘을 울리는 큰 교훈이 되고 있다고 생각한다.

이번에 寒松 成百曉 선생께서 출간하시는 《附按說 孟子集註》에는 일반 번역서와 달리 經文의 해석에 관한 여러 說과 함께 선생의 견해를 덧붙인 按說과 集註를 부연하거나 비판한 諸家의 說 등 集註에 대한 상세한 주석을 단 脚註가 돋보인다.

여러가지 어려움 속에서도 仁, 義, 禮, 智가 具現되는 세상을 위해 四書五經을 비롯한 東洋古典을 두루 硏究, 講論, 國譯 하시는 데 일생을 바쳐 오신 선생의 苦心과 獻身에 깊은 존경과 감사를 드리며, 앞으로 附按說 《大學》, 《中庸》이 계속 출간됨으로써 선생의 思惟가 담긴 附按說 四書集註가 완간되어 보다 많은 분들이 읽어 心性을 涵養하고 더 나아가 우리 先祖들의 思想과 精神을 제대로 인식하여 人間의 道德性을 되찾기를 바라마지 않는다.

2014년 10월
前 법무연수원장 사단법인 해동경사연구소 이사
盧丸均

추천사

　이렇게 말하는 사람이 있을지도 모르겠습니다. 첨단과학과 정보화시대에 漢學은 무엇이며 먼지 냄새 나는 옛 책은 또 무엇이냐고. 분명 지금 우리는 첨단의 정보화 시대를 살고 있습니다. 또한 지난 수십 년간 괄목할 경제발전을 이루었고 막 선진국의 문턱에 이르렀습니다.

　그러나 뜻있는 많은 분들이 우리 사회를 우려와 근심어린 시선으로 바라보고 있는 것도 사실입니다. 현재 우리 사회는 국민소득 3만 불에 근접하고 세계 10위권의 경제대국이라는 성취와 성공에도 불구하고, 물질만능주의의 팽배, 빈부격차의 심화, 도덕의식의 약화, 가정의 붕괴, 사회적 갈등의 심화 등 각종 사회경제적 모순의 그림자가 짙게 드리워져 있기 때문입니다.

　돌아보면 이러한 모순의 씨앗은 이미 100여 년 전 우리 스스로가 뿌린 결과입니다. 물질문명에서 압도적 우위에 있었던 서구제국의 위협에 직면해 우리가 택한 생존전략이 그들의 장점인 물질문명을 따라 배우는 것이었기 때문입니다. 안타깝게도 그 과정에 우리는 정신문명조차 서구의 것만이 옳고 좋은 것이라 생각함으로써 자랑스런 우리의 전통 문화와 정신가치를 도외시하는 愚를 범하였습니다.

　그러나 21세기에 이르러 상황이 달라졌습니다. 서구 물질문명의 질주는 결국 생태계 파괴, 도덕가치의 몰락, 지역간·종교간 대립과 투쟁 등의 한계를 드러냈고, 서구의 정신문명은 대안과 해결책을 제시하지 못하고 있습니다. 오늘날 우리 사회가 안고 있는 사회경제적 제 모순 역시 그간 우리 사회를 지배한 서구 중심적 물질문명의 한계가 드러난 현상들이라고 할 수 있습니다.

이제 동양의 전통문화와 가치로 눈을 돌려야 합니다. 동양적 전통문화와 가치의 근간은 儒學입니다. 儒學은 더 이상 버려야 할 낡은 유산이 아니라, 오늘날 우리 사회는 물론이고 인류가 직면한 모순과 위기를 해결해 줄 대안으로 떠오르고 있습니다. 그 유학의 정수가 바로 孔子를 비롯한 선현들의 생각과 뜻을 오롯이 담고 있는 고전입니다.

《孟子》에 이러한 장면이 나옵니다. 梁 惠王이 孟子를 접견하고서 대뜸 "어르신께서 천 리를 멀다 않고 찾아주셨으니 장차 이 나라에 이익이 있을 것 같습니다."라고 기대를 전하자, 孟子는 "왕께서는 하필이면 이익을 말씀하십니까? 오직 仁義가 있을 뿐입니다." 라고 대답합니다. 이어지는 孟子의 설명은 이렇습니다. 왕이 어떻게 하면 내 나라에 이익이 될까를 생각하면, 그 아래의 대부들은 어떻게 하면 내 집안에 이익이 될까를 생각하고, 또 그 아래 백성들은 어떻게 하면 내 한 몸에 이익이 될까를 생각하게 된다는 겁니다. 이렇게 아래위의 사람들이 서로 다투어 이익을 추구하게 되면, 서로 배신하고 죽이며 자식은 부모를 버리고 선비들은 공동체를 뒷전으로 돌리는 풍조가 만연하게 되어 결국은 나라가 위태로워진다는 겁니다. 그래서 孟子는 이익의 추구 대신 仁과 義를 사람다운 세상의 중심 가치로 삼을 것을 강조했습니다.

이것이 어찌 2천여 년 전 전국시대만의 상황이겠습니까? 지금 우리 사회가 바로 그러한 위기에 처해 있습니다. 이러한 상황에서 문제해결의 열쇠를 멀리서 찾을 필요는 없을 것 같습니다. 비록 시대는 달라도 사회와 인간의 문제로 인한 고민은 마찬가지이고, 이에 대한 해결방안을 찾으려던 선현들의 그 생각과 정신이 글로써 전해져 오기 때문입니다. 고전의 가치란 그런 것입니다. 수천 년이 흘렀지만 고전 속 지혜는 여전히 오늘의 우리가 귀 기울여 할 소중한 가르침으로 남아있습니다.

문제는 고전의 세계에 들어서기가 쉽지 않다는 것입니다. 거기로 건너가기 위해서는 반드시 漢文이라는 관문을 거쳐야 하기 때문입니다. 특히 우리는 옛날과 오늘날 문자 사이의 단절로 인해 세계에서 유일하게 불과 100여 년 전 선조들이 남긴 문헌을 자력으로 읽고 이해하지 못하는 나라가 되었습니다. 번역의 중요성과 번역을 담당할 한학자 양성의 필요성은 그래서 더욱 절실합니다.

《附按說 孟子集註》의 저자 成百曉 선생은 어려서 가정에서 부친과 스승을 사사해 전통한학에 대한 조예를 깊이 한 이래 한학 후속세대를 양성하는 한편, 고전을 우리말로 옮기는 일을 필생의 사업으로 삼아 한 길을 걸어 오셨습니다. 그런 점에서 선생의 필생의 사업은, 지난 시간 전통에 대한 경시를 이겨내며 利慾의 橫流를 거슬러 의연히 우리문화와 전통적 지혜의 源頭處를 향해 올라간 외로운 분투였습니다.

《附按說 孟子集註》는 그러한 선생의 온축을 온전히 드러낸 노작이라 할 만합니다. 이 책의 가치는 按說에서 두드러집니다. 朱子의 集註를 대본으로 하되 거기에 그치지 않고 경학과 전통사상에 대한 선생의 해박한 지식을 토대로 제가의 해석을 주체적으로 소화해냄으로써 경전의 원의에 한 걸음 다가설 수 있게 했기 때문입니다. 실로 溫故知新과 法古創新의 사례를 여기에서 볼 수 있습니다.

이로써 일반인은 물론이고 연구자들이 고전으로 건너갈 든든한 다리가 놓여졌습니다. 선생의 국역 작업은 여기에서 그치지 않고 《중용》과 《대학》에 이르러 《附按說 四書》를 완성하고, 더 넓은 고전의 세계로 계속 나아갈 것입니다. 우리 전통문화와 가치를 아끼는 한 사람으로서, 선생의 노력이 맺은 큰 결실을 진심으로 축하드립니다. 그리고 건강을 잘 지켜 오래도록 전통의 지혜에 목마른 우리 사회를 단비로 적셔주시길 기대합니다.

2014년 10월
도산서원 선비문화수련원 이사장
金炳日

이 책을 내면서

孟子는 이름이 軻로, 鄒나라 사람이다. 孟子는 부모는 물론이요, 字나 생몰연도도 정확하지 않다. 《春秋演孔圖》와 《闕里誌》 등에는 아버지의 이름이 激, 자가 公宜이며, 어머니는 仉(장)氏라 하였다. 당시에는 字를 소중히 여겨 모두 字로 불렀으나 孟子의 字는 《史記》 등에 분명한 기록이 없으며, 字가 子車, 또는 子輿라 하나 이는 후인이 軻라는 名字와 맞추어 만들어낸 것이라 하기도 한다.

前漢 때 韓嬰이 지은 《漢詩外傳》에는 孟子가 학업을 게을리 하자 모친이 짜던 베를 잘라 훈계시킨 일과 동쪽 집에서 돼지를 잡자 "무엇하러 잡느냐?"는 孟子의 물음에 모친이 "너에게 먹이기 위해 잡는 것이다."라고 농담을 하고는 즉시 후회하고 어린이에게 거짓말을 하면 안 된다 하여 돼지고기를 사다가 먹인 일이 실려 있으며, 劉向의 《列女傳》에는 '孟母三遷之敎'의 고사가 실려 있다. 朱子가 편집한 《小學》 〈稽古〉편에도 '三遷之敎'와 동쪽 이웃집의 돼지고기를 사다가 먹인 고사가 실려 있다. 이로 인해 孟子는 어려서 아버지를 여의고 홀어머니의 지극한 가르침을 받은 것으로 널리 알려져 있다.

楊伯峻은 孟子의 생몰연대를 대체로 기원전 385년(周 安王 17)에 출생하여 기원전 304년(周 赧王 11)에 별세한 것으로 추정하였으나 일설에는 기원전 372년에 출생하여 기원전 289년에 별세한 것으로 추정하기도 한다. 孟子 스스로 "孔子로부터 지금까지 백여 년이다."라고 말씀하였는바, 공자의 생몰연대는 기원전 551년~기원전 479년이다. 孟子의 스승이 누구인지도 확실하지 않다. 《史記》에는 子思의 문인에게서 수학한 것으로 기록되었으며, 《列女傳》과 趙岐의 〈孟子題辭〉(序)에는 직접 子思에게 수학한 것으로 기록되어 있다.

孟子는 "나는 孔子의 문도가 될 수 없어 남에게 私淑하였다."고 말씀한 바 있다. 楊伯峻은 《孟子譯註》〈導言〉에서 "孟子가 말씀한 사숙한 분이 어떠한 사람인지 일찍이 밝히지 않았으니, 반드시 명망이 있는 사람이거나 孔子의 嫡系자손은 아니었을 것이다."라고 단정하였다. 다만 《荀子》의 〈非十二子〉편에는 子思와 孟子를 동일한 學派로 나열하였는바, 孟子의 학설이 子思에게서 나왔음은 분명한 듯하다. 孟子의 일생에 대하여 楊伯峻은 《孟子》 책을 근거로 활동 연도를 대략 다음과 같이 추정하였다.

孟子가 1차로 齊나라에 간 것은 齊 威王 때였다. 당시에 匡章은 그리 명성이 나지 않았고, 또 不孝子란 명칭을 갖고 있었으나 孟子는 그와 교유하고 또 따라서 禮貌를 하였다.(〈離婁下〉 30章) 孟子가 齊나라에 있을 때에는 대체로 뜻을 얻지 못하여 威王이 선물하는 兼金 100鎰을 거절하였다.(〈公孫丑下〉 3章) 威王 30년에 宋王 偃이 王을 참칭하고 또 仁政을 행하려 하니, 이 때문에 孟子가 宋나라에 갔다. 戴不勝에게 어진 선비를 많이 추천할 것을 권고하고 戴盈之의 질문에 답한 것은 모두 이 시기였다.(〈滕文公下〉 5·6·8章) 《孟子》로 볼 때 宋王 偃은 대체로 좌우에 어질지 못한 사람이 많았으므로 孟子는 "한 명의 薛居州가 宋王으로 하여금 善하게 할 수 없다."라고 하였으며,(〈滕文公下〉 4章) 孟子는 또 宋나라에서 선물하는 황금 70鎰을 받고 떠나갔다. 孟子가 宋나라에 머물 무렵 滕 文公은 太子로 있었는데, 楚나라에 가다가 宋나라의 수도인 彭城을 지나면서 두 차례 孟子와 만났다.(〈公孫丑下〉 3章) 오래지 않아 孟子가 鄒나라로 돌아갔으니, 鄒 穆公과의 문답은 대체로 이때[1]였을 것이다.(〈梁惠王下〉 12章) 滕 定公이 죽자 文公은 然友로 하여금 鄒나라에 가서 孟子에게 喪禮를 묻게 하였다.(〈滕文公上〉 2章) 季任이 사람을 보내어 와서 禮物을 올린 것은(〈告子下〉 5章) 이때 있었는지 확정하기 어렵다. 孟子가 고국인 鄒나라에 머문 것은 절대로 한 차례뿐만이 아니기 때문이다. 魯 平公이 즉위하자 孟子의 제자인 樂正克으로 정사를 하게 하니,(〈告子下〉 13章) 孟子가 魯나라에 갔으나 臧倉의 훼방으로 인하여 孟子는 "내가 魯나라 임금을 만나지 못함은 天命이다."라는 개탄을 하게 되었다.(〈梁惠王下〉 16章) 滕 文公이 즉위하자 孟子

1　鄒 穆公과의……이때:淸代 사람 狄子奇의 저술인 《孟子編年》에는 孟子의 생년을 楊伯峻의 추정보다 13년 늦은 기원전 372년으로 보기 때문에 孟子 행적의 순서가 일부 달라지는바, 鄒 穆公과의 문답을 1차로 齊나라에 가기 전의 일로 추정하였다.

가 滕나라에 이르니, 文公이 나라를 다스리는 방법을 물었고, 또 畢戰으로 하여금 井田
法을 물었다.(〈滕文公上〉3章) 齊나라 사람들이 薛邑에다가 築城을 하려 하자 文公이
두려워하여 孟子에게 가르침을 청하고,(〈梁惠王下〉14章) 許行의 새 信徒인 陳相과의
辯論 역시 이때에 있었을 것이다.(〈滕文公上〉4章) 梁 惠王 後元 15년에 梁나라에 갔
는데, 이때 孟子는 나이가 70세에 가까웠다. 梁 惠王은 재위한 지가 이미 50년으로 연세
가 70세 전후였을 터인데도 孟子를 호칭하여 叟(노인)라 하였다. 梁 惠王과의 문답은 이
해에 있었을 것이다.(〈梁惠王上〉1·2·3·4·5章) 다음 해에 惠王이 죽고 襄王이 즉위하
니 맹자는 그와 한 차례 만났다.(〈梁惠王上〉6章) 이때 齊 威王이 죽고 宣王이 즉위하
자 孟子는 梁나라에서 齊나라로 갔으니, 齊나라의 卿相에 오름과 나가 滕나라에 조문
함은 모두 이 몇 년 사이에 있었을 것이다.(〈公孫丑上〉1·2章) 齊나라가 燕나라를 정벌
한 것은 宣王 5년[2]이었는데, 2년 뒤에 諸侯들이 장차 燕나라를 구원할 것을 도모하자
(〈梁惠王下〉11章) 孟子는 宣王에게 포로와 귀중한 보물을 반환하고 燕나라 사람들과
상의하여 군주를 세운 뒤에 撤兵할 것을 권하였으나 宣王은 듣지 않았다. 다음 해 燕나
라는 諸侯들과 군대를 연합하여 齊나라를 공격해서 齊軍이 대패하니, 齊 宣王은 "내 孟
子에 매우 부끄럽다."라는 말을 하였다.(〈公孫丑下〉9章) 孟子는 이 때문에 辭職하니,
宣王은 孟子에게 도성에 큰 집을 지어줄 것을 요청하였으나 孟子는 받지 않고 齊나라를
떠났는데,[3] 晝란 땅에서 사흘 동안 체류하였다.(〈公孫丑下〉10·11章) 孟子는 이때 나이
가 이미 70여 세로 이 뒤로는 다시 外國에 나가지 않고[4] 萬章의 무리와 詩·書의 뜻을
서술하고 仲尼의 뜻을 기술하여《孟子》7편을 지었다.

1.《孟子》의 작자에 대하여

작자에 관해서는 대체로 세 종류의 설이 있다. 첫째는 孟子가 직접 지었다는 설이다.

---

2   宣王 5년:楊寬의《戰國史》에는 齊 宣王 6년으로 보았다. 〈梁惠王下〉10-2절의 각주 참조.
3   齊나라를 떠났는데:狄子奇의《孟子編年》에는 齊나라가 燕나라를 쳐 승리한 해에 孟子가 齊나라를
    떠난 것으로 보았다. 〈公孫丑下〉9-1절의 안설 참조.
4   外國에 나가지 않고:《孟子編年》에는 齊나라를 떠난 후에 宋·薛·魯나라에 갔다가 鄒나라로 돌아온
    것으로 보았다.

趙岐는《孟子》〈序〉에서 "이 책은 孟子가 지은 것이므로, 총괄하여《孟子》라 한 것이다." 하였다. 焦循의《孟子正義》에는 元나라 사람 何異孫의《十一經問對》를 인용하여《論語》는 孔子의 여러 제자들이 좋은 말씀을 기록하여 책을 만들었으므로《論語》라 이름하고 孔子라 하지 않은 것이며,《孟子》는 孟軻가 직접 지은 책이어서《荀子》와 같기 때문에《孟子》라 한 것이다." 하였다. 趙岐는 孟子가 "高弟인 公孫丑, 萬章의 무리와 함께 논란하고 문답하였으며, 또 직접 법도의 말씀을 찬하여《孟子》7편을 만들었다." 하였다. 특히 朱子는 "7편의 筆勢를 보면 한 번에 쇳물을 녹여 만든 것과 같으니, 여러 사람이 엮어 모아서 이루어질 수 있는 것이 아니다.〔觀其筆勢 如鎔鑄而成 非綴緝所就也〕" 하였으며, 그후 元나라의 金履祥, 明나라의 郝敬이 모두 이에 찬동하였다. 그러나 朱子는〈滕文公上〉의 '言必稱堯舜'은 문인들이 孟子의 말씀을 요약한 것으로 보았으며, 역시〈滕文公上〉의 '禹決汝漢 排淮泗而注之江'을 기록한 자의 오류라 하여 문인이 함께 참여하였음을 부정하지 않았다.

둘째는 이와 정반대로 孟子가 별세한 뒤에 문하의 제자들이 공동 기술한 것으로 보는 견해이다. 이러한 주장을 최초에 한 사람은 韓愈였으며, 이에 동조한 자는 唐나라의 林愼思와 宋나라의 蘇轍이었으나 분명한 증거를 대지는 못하였다. 그러다가 宋나라의 晁公武가 梁 襄王, 滕 文公, 魯 平公 등이 孟子보다 뒤에 죽었는데도 이들의 諡號가《孟子》에 보이는 것을 증거로 삼았다. 淸나라의 崔述은《孟子事實錄》에서 "《孟子》7편 가운데 종종 비판할 부분이 있다." 하여《孟子》의 疏漏한 부분을 지적하고, "孟子가 직접 지은 것이 아니요 제자들이 刪定했다." 하였다. 우리나라의 茶山 丁若鏞도《孟子》는 완전한 책이 아니라고 비판하였다.(지면 관계로 자세히 밝히지 않는 바, 萬章이 물은 舜과 瞽瞍의 일 등에서 按說로 밝혔다. 中國學者들의 說을 자세히 알려면 楊伯峻의《孟子譯註》를 참고하기 바란다.)

세 번째는 司馬遷이〈孟子列傳〉에서 말한 대로 孟子가 물러가 萬章의 무리와 함께 詩書의 내용을 서술하고 仲尼의 뜻을 기술하여《孟子》7편을 지었다는 것이다. 하지만 비록 萬章의 무리가 참여하였다고 하더라도 주요 저자는 역시 孟子인 것이다. 朱子說 역시 이와 크게 다르지 않다 할 것이다. 그리하여 이 세 번째가 가장 近理한 것으로 알려져 있다.

《史記列傳》에는《孟子》7편이라고 말하였으나 應劭의《風俗通》〈窮通〉편에는 中

外 11편으로 되어 있으며, 班固의 《漢書》〈藝文志〉에도 《孟子》11편이라 하였다. 中外는 內外와 같은 말로, 《孟子》 7편은 內篇이며, 이 밖의 外書인 〈性善辯〉·〈文說〉·〈孝經〉(일설에는 〈性善〉·〈辯文〉·〈說孝經〉으로 읽기도 함)·〈爲政〉의 4편이 있었다 하는데, 이는 文體가 內篇과 완전히 달라 후세에서 가탁하여 지은 것이라 한다. 그러나 지금은 모두 逸失되어 전하지 않는다.

원래 《孟子》는 7편이었으나 簡帙이 너무 크다 하여 上·下로 나누어 지금의 14편이 되었다. 편명은 《論語》와 같이 별 뜻이 없고 편 앞에 나오는 글자를 뽑아 편명으로 삼았다. 《孟子》는 漢 文帝 때에 《論語》·《孝經》·《爾雅》와 함께 學官에 세워져 四博士의 하나가 되었다. 그 후 武帝 때 四博士가 五經博士로 대체되면서, 諸子書의 하나로 격하되었으나 五代時代 後蜀의 孟昶이 《易》·《詩》·《書》·《儀禮》·《周禮》·《禮記》·《公羊》·《穀梁》·《左傳》·《論語》·《孟子》의 11經을 비석에 새겼으며, 宋 太宗이 또 翻刻하면서 經書의 반열에 들게 되었다. 또한 南宋의 朱子가 《禮記》의 《中庸》·《大學》을 뽑아 《論語》·《孟子》를 묶어 四書라 하고, 集註를 냄으로써 中國은 물론이요 고려 후기와 조선조의 과거에 필수과목이 되었으며, 특히 조선조에서는 四書가 士子의 필독서가 되었다.

《孟子》의 주석서로는 漢代에 趙岐의 《孟子章句》14편이 가장 오래되었다. 이외에도 《呂氏春秋》에 실려 있는 高誘의 註에는 高誘 자신이 《孟子章句》를 정정하였음을 밝히고 있으며, 《後漢書》〈儒林傳〉에는 程曾이 《孟子章句》를 지었다 하였다. 《隋書》〈經籍志〉에는 後漢의 鄭玄과 劉熙가 각각 註解한 것으로 기록되어 있으나 지금은 모두 산일되어 전하지 않는다. 趙岐의 註는 일부 訓詁와 名物이 불확실하다는 비평을 받고 있지만 孟子의 眞價를 세상에 처음으로 알린 사람은 바로 趙岐였다. 朱子의 集註에도 상당수 채택되었다. 趙岐의 註와 이에 의거하여 지어진 孫奭의 疏가 十三經에 들어 있으며, 焦循의 《孟子正義》도 많이 읽혀지는 편이나 朱子의 《集註》가 가장 잘 알려져 있다. 특히 程朱學을 수용한 조선조에서는 朱子 集註가 金科玉條로 인식되어 우리나라 선조들의 思想과 文集을 제대로 알려면 朱子 集註를 정확히 알지 않고는 불가능하다.

2. 孟子의 사상과 이념

孟子는 철저한 孔子의 信奉者였다. 스스로 말씀하기를 "生民이 있은 이래로 孔子와 같은 분은 있지 않았다." 하고, "자신이 원하는 바는 바로 孔子이다." 하였다. 그러나 孔子와 백 년 이상의 시대적 차이가 나는 만큼 상황이 바뀜에 따라 주장도 약간 다르게 되었다. 孔子는 仁만을 강조하였는데 孟子는 仁義를 함께 말씀하였다.

程伊川은 "孟子가 세상에 큰 功이 있는 것은 性善을 말씀하였기 때문이다.〔孟子有大功於世 以其言性善也〕" 하였으며, 孟子의 性善과 養氣(浩然之氣를 기름)의 의논은 모두 옛 聖人이 미처 발명하지 못한 것이다.〔孟子性善養氣之論 皆前聖所未發〕" 하였다.

孟子는 위에서 밝혔듯이 子思의 학통을 이은 것으로 알려졌다. 子思는 "하늘이 명한 것을 性이라 하고, 性을 따르는 것을 道라 한다.〔天命之謂性 率性之謂道〕" 하여, 孟子의 性善說의 본바탕이 되었다. 이 性은 仁義禮智를 가리킨다. 仁義禮智 역시 體와 用으로 나뉜다. 사람이 처음 부여받은 본성은 體이고, 사람이 이것을 행하면 仁은 사랑이 되고 義는 일의 마땅함이 되고 禮는 예의바른 행동이 되고 智는 시비를 판단하는 지혜가 되는데, 이것을 用이라 한다.

그러나 茶山은 본성을 인정하지 않고 행동에 나타나는 것만을 性이라 하여, 善을 좋아하고 惡을 미워하는 것을 天性으로 보았다. 그리하여 〈滕文公上〉의 孟子가 性善을 말씀한 것에 대해 《書經》〈召誥〉에서 말한 節性(성질을 절제함)과 《禮記》〈王制〉에서 말한 '修六禮以節民性(六禮를 닦아 백성들의 성질을 절제함)'과 《孟子》에서 말한 '動心忍性(마음을 동하고 성질을 참음)'은 人心의 嗜好이며, 《書經》〈西伯戡黎〉에서 말한 '不虞天性(天性을 헤아리지 않음)'과 子思의 '率性(본성을 따름)'과 《孟子》의 性善은 道心의 嗜好이다. 비록 말한 것은 똑같지 않으나 嗜好를 가지고 性이라 한 것은 똑같다 하였다.《孟子要義》

茶山이 말한 道心의 嗜好는 程朱學에서 주장하는 本然之性이요 人心의 嗜好는 氣質之性이다. 사람은 누구나 본래 선한 性을 부여받았지만 기질의 받음이 각기 달라 성질이 급한 사람도 있고 느린 사람도 있으며, 탐욕스런 사람도 있고 청렴한 사람도 있어 똑같지 않은바 이것이 氣質之性이다. 현실주의자인 茶山은 근본적으로 心性理氣

의 철학을 부정한 것으로 보인다. 물론 이것은 독창적인 것이 아니요, 당시 先秦儒學과 程朱學을 분리시킨 淸代 考證學의 영향을 받은 것으로 보인다. 이에 대해서는 《附按 說 論語集註》에서 이미 밝힌 바 있으므로 여기서는 이만 줄인다.

孟子의 民本主義는 義의 사상에서 나왔다고 보여진다. 그리고 富國强兵의 이익만을 추구하는 당시의 병폐를 바로잡기 위해 義와 利, 善과 利의 구별을 강조하였다.

첫 번째 章에 보이는 一喝이 바로 "王은 하필 利를 말씀하십니까. 또한 仁義가 있을 뿐입니다.〔王何必曰利 亦有仁義而已矣〕"였다. 이로 말미암아 《孟子》의 전체를 '遏人慾 存天理'로 요약한다. 人慾을 막고 天理를 보존한다는 뜻이다. 天理는 바로 仁義이고 人慾은 利이다. 栗谷도 《擊蒙要訣》〈讀書章〉에서

《論語》다음으로 《孟子》를 읽어 義와 利를 밝게 분별하며, 人慾을 막고 天理를 보존해야 한다는 말씀에 하나하나 밝게 살펴 확충해야 한다.〔次讀孟子 於明辨義利 遏人慾 存天理之說 一一明察而擴充之〕

하였다.

이렇듯 義를 강조한 孟子는 管仲과 武王에 대하여 孔子와 다른 평가를 하였다. 孔子는 齊 桓公을 霸者로 만든 管仲을 높이 평가하였으나 孟子는 管仲을 비하하였으며, 孔子는 武力으로 천하를 통일한 周 武王의 음악인 大武를 盡善하지 못한 것으로 폄하하였으나 孟子는 武王이 군주를 시해하였다는 齊 宣王의 물음에 "仁을 해치는 자를 賊이라 하고 義를 해치는 자를 殘이라 하고 殘賊한 사람을 一夫라 하니, 一夫인 紂 王을 죽였다는 말은 들었어도 군주를 시해했다는 말은 듣지 못했습니다." 하였다. 이러한 革命主義的 思想은 후세 東坡 蘇軾으로부터도 비난을 받았다.

孟子는 도탄에 빠진 백성들을 구원하고 포악한 군주를 토벌한 湯王과 武王을 天吏라 하였으며, 군주의 벼슬자리를 天位, 군주가 맡기는 직책을 天職, 군주의 녹봉을 天祿이라 하고, 선행을 닦아 자연적으로 신분이 높아지는 것을 天爵이라 하였다. 이 경우의 天은 民을 기준한 것이다.

孟子는 또 "백성이 제일 귀하고 사직이 그 다음이고 군주가 가볍다.〔民爲貴 社稷次之 君爲輕〕" 하고, 또 "貴戚之卿은 나쁜 군주를 갈아치우고 賢者를 옹립해야 한다."고

강조하였다. 또한 孔子는 周나라 왕실을 높이는 것을 大義로 보았으나 孟子는 누구든 도탄에 빠진 백성을 구제하면 王者가 될 수 있다고 주장하였다. 당시 군주들의 시각에서 보면 가위 쿠데타적 발상이라고 볼 수밖에 없었을 것이다. 이러한 연유로 宋代의 명재상인 司馬光은 《孟子》를 좋아하지 않았으며, 明 太祖인 朱元璋은 《孟子》를 교과목에서 삭제하기도 하였다.

《孟子》는 仁義를 행하지 않는 군주를 도와주는 신하는 모두 나쁜 자라고까지 주장하였다. 그리하여 "전쟁을 잘하는 자는 극형을 받아야 하고, 외교를 잘하여 제후들과 연합하는 자가 그 다음의 형벌을 받아야 하고, 황무지를 개간하여 훌륭한 농업인에게 맡겨주어 농지를 나라를 부유하게 하는 자가 그 다음의 형벌을 받아야 한다.〔善戰者服上刑 連諸侯者次之 辟草萊任土地者次之〕"고까지 하였다. 또한 井田法 시행을 강조하였다. 과연 실용성이 있었는지는 알 수 없지만 '耕者九一'의 稅法을 시행하기 위해서였다.

楊伯峻은 富國強兵하는 자를 형벌에 처해야 한다는 孟子의 주장과 井田法을 비현실적이라 하여, '당시 우활하다는 지탄을 받았다.'는 司馬遷의 비판이 적중한 것으로 보았다. 그러나 소규모적이었지만 井田法은 滕 文公이 시행하여 당시 許行으로부터 仁政을 행하는 聖君이란 평가를 받았으며, 부국강병 역시 당시 제후들끼리의 쟁탈전이었던 만큼 孟子의 仁義思想보다 앞설 수는 없다고 생각한다.

《孟子》는 민주주의의 시대인 지금에 더욱 가치가 있다고 하겠다. 2,400년 전에 이러한 사상이 있었다는 것이 놀랍기만 하다. 요즘 각계각층의 인사들이 이 《孟子》를 읽고 반성해 주었으면 하는 마음 간절하다.

우리 선조들이 가장 많이 외고 읽은 책이 바로 《論語》와 《孟子》이다. 梅山 洪直弼은 外從弟 金鏐에게 답한 편지에서 다음과 같이 말하였다.

> 《鄒經(孟子)》은 몇 번이나 읽었는가? 孟子는 孔子와의 거리가 다소 멀어서 異端의 말이 시끄럽게 떠들어 서로 공격하는 때에 태어나 天理를 밝히고 人心을 바로잡으며 異端을 변론하고 부정한 학설을 물리치는 것을 자신의 임무로 삼아 털끝만한 차이에서 善과 이익을 분석하기를 마치 예리한 칼로 물건을 잘라 바로 두 쪽을 내듯이 하였으니, 단지 性善과 養氣가 聖門에 功이 있을 뿐만이 아니네.

지금 사람들은 곧 人慾을 막고 天理를 보존하는 것이 《孟子》의 宗旨가 된다고 말하나 《孟子》를 읽는 자들이 자기 일과는 무관한 것처럼 여기니, 程子가 말씀한 '비록 많이 읽으나 또한 무슨 소용이 있겠는가.'라는 것이네. 朱先生이 일찍이 말씀하기를 《孟子》는 단락마다 痛切하고 句句마다 的確하여 잘 읽으면 必然的인 효험이 있다.' 하셨네. 그러나 만약 辛苦하여 쾌활하지 못한 境界를 겪어보지 못하면 어떠한 것이 痛切한 것이며, 어떠한 것이 的確한 것이며, 어떠한 것이 필연적인 효험이 되는지를 모른다네.

단지 잘 읽을 뿐만 아니라 반드시 모름지기 외워야 하고, 단지 외울 뿐만 아니라 반드시 정밀하게 생각하여야 하고, 단지 정밀하게 생각할 뿐만 아니라 반드시 마음을 길러 이치를 함양하고 몸에 돌이켜 실천하여야 孟子께서 밝은 눈과 큰 膽力으로 苦心하여 강력히 변론한 뜻에 부응할 수 있네. 내 평생 이 《孟子》 책을 몹시 좋아하였으나 읽기 전에도 똑같은 사람이요 이미 읽고 나서도 똑같은 사람이어서 우리 아우에게 말해줄 만한 것이 없네.〔鄒經讀至幾回否 孟子生於去聖稍遠 異言喧豗之日 以明天理正人心辨異端闢邪說爲己任 其所以析善利於毫釐之末者 如快刀切物 卽成兩片 非直性善養氣之爲有功於聖門也 今人便說遏人慾存天理 爲孟子宗旨 而讀者若無與於己事 程子所云 雖多亦奚以爲者也 朱先生嘗云孟子段段痛切 句句的確 有必然之效 苟不經辛苦不快活境界 不知如何爲痛切 如何爲的確 如何爲必然之效也 不徒能讀 必須成誦 不徒能誦 必須精思 不徒精思 必須養心以涵其理 反躬以踐其實 克副其明目張膽苦口力辨之意焉 吾平生酷好是書 而未讀猶是人 已讀猶是人 無足爲吾弟道也〕《梅山集 答金鏤》)

옛분들은 四書三經을 거의 모두 외웠다. 梅山은 역시 외종제 金鏤에게 준 편지에서

龜峯(宋翼弼), 重峯(趙憲), 晦谷(曺漢英) 등 諸賢들은 《朱子大全》 한 질을 모두 외웠으니, 그 총명함과 역량을 진실로 따를 수가 없네. 그러나 《朱書百選》처럼 요약한 것은 반드시 외워야 하니, 외우면 자기의 소유가 되고 외지 못하면 자기의 소유가 되지 못하네. 그러나 한갓 외기만 하고 그 뜻을 연구하지 않으면 또한 盲人이 經을 외는 것과 다름이 없으니, 반드시 읽으면 외우고 외면 깊이 생각하여 聖賢의 책을 자기 입으로 말한 듯이 하고 經傳의 뜻을 자기 마음에서 나온 듯이 하여야 하니, 그런 뒤에야 비로소 참다운 독

서라고 할 수 있네.〔龜峯重峯晦谷諸賢 誦盡大全一部 其聰明力量 固不敢望 而如百
選 約而又約者 必須成誦 誦則爲己有 不誦則非己有也 徒誦而不究厥旨 亦無異盲
者之誦經 必要讀而誦 誦而思 使聖賢之書 若自我口 經傳之意 如出我心 然後方可
謂眞讀書也〕

　라고 하였다. 經傳을 대충 몇 번 읽어보고는 달통했다고 생각하는 오늘날의 학습 형
태와는 너무도 달랐던 것이다.

3. 《附按說 孟子集註》의 특징

　이 책의 특징은 작년에 출간한 바 있는 《附按說 論語集註》와 크게 다르지 않다. 《孟
子》의 주석서는 상대적으로 《論語》에 비하여 적으며, 《孟子》가 직접 내용을 자세히 설
명하였으므로 異說 역시 《論語》에 비하여 적은 것이 사실이다. 이 책은 체제 역시 《附
按說 論語集註》를 그대로 따랐는바, 茶山의 《孟子要義》와 壺山 朴文鎬의 《孟子詳
說》, 楊伯峻의 《孟子譯註》 등을 참고하였다. 그리고 《論語集註》와 마찬가지로 內閣
本 諺解와 栗谷 諺解를 참고하여 經文의 현토를 환원한 것이 있으며, 지난번 전통문
화연구회에서 출간하였던 《孟子集註》와 마찬가지로 集註의 현토는 艮齋 田愚 선생의
것을 대체로 따랐음을 밝혀둔다. 楊伯峻의 《孟子譯註》는 焦循의 註 등을 참고하여
많은 도움을 받았다.
　《附按說 論語集註》와 약간 다른 점이 있다면 각 章에 제목을 붙인 점이다. 예로부
터 〈梁惠王上〉의 7장을 '觳觫章'이라 하고 〈公孫丑上〉의 2장을 '不動心章' 또는 '浩
然章'이라 하였다. 이제 朱子의 《語類》와 陶菴 李縡의 《孟子講說》, 東巖 柳長源의
《四書纂註增補》와 壺山의 《孟子集註詳說》 등을 참고하여 章의 이름을 붙였는데, 때
로는 두 제목을 중복으로 표기하여 이용에 편리하게 하였다. 또한 章節이 길므로 章節
을 다 표기해 주었다.
　이 책에서 본인의 역주에 해당하는 부분은 按說과 각주이다. 按說에서는 經文의 해
석에 대한 여러 설들을 소개하고 정리하였으며, 때로는 각 설에 대한 본인의 의견을 덧
붙였다. 按說은 經文에 대한 주석이므로 經文과 集註의 사이에 배치하였다.

반면 각주는 集註에 대한 주석이라고 할 수 있다. 集註를 이해하는 데 도움이 되고자 인용문의 出典, 集註를 부연한 諸家의 설, 集註를 비판한 설, 大全本의 小註까지 다방면으로 900여 개의 상세한 주석을 달았다. 集註가 우리에게 워낙 친숙하다 보니, 사람들은 集註의 내용을 자신이 잘 이해하고 있다고 여기는 듯하다. 그러나 막상 그 내용에 대하여 질문을 해보면 제대로 이해하고 있지 못한 경우가 많다. 集註를 비판하거나 넘어서고자 한다면 먼저 그것을 제대로 이해해야 할 것이다.

자신의 견해를 덧붙인 《附按說 四書集註》를 내려던 본인의 오랜 염원이 내년 말이면 끝나리라고 생각된다.

지난번 《附按說 論語集註》 출간에 뜨거운 성원을 아끼지 않은 선후배 제현께 다시 한번 감사드린다. 인문학이 고사위기에 처한 우리나라의 척박한 토양에서 몇 분이나 관심 있게 읽어줄지 의문되지 않을 수 없으나 단 한 분이라도 본인의 苦心을 이해해주고 학습에 도움을 받는다면 더 이상 바랄 것이 없겠다.

《附按說 論語集註》와 마찬가지로 이 책 역시 (社)海東經史研究所의 理事 여러분의 적극적인 지원의 결과라 하겠다. 특히 權五春 理事長과 申正澤 理事님께 감사드린다. 원고정리와 校正을 맡아준 李常娥, 申相厚, 金炯奭, 朴成子, 尹銀淑 다섯 분에게 감사드린다. 특히 典故까지 일일이 찾아내어 수정해준 李常娥 氏의 노고를 치하하며, 이번에도 출간을 맡아준 한국인문고전연구소의 權熙俊 사장에게도 감사드리는 바이다.

2014년 甲午 菊秋에 海東經史研究所에서

成百曉

凡 例

1. 本書는 한문문리습득을 위한 자습서나 강독교재로 활용할 수 있도록 만든 책으로, 이를 위하여 모든 원문에 懸吐하고 原義에 충실하게 번역하였다. 또 按說과 각주에 역자의 설명을 첨가하여 《孟子》나 《孟子集註》를 이해하고 연구하는 데 도움이 되도록 하였다.

2. 本書는 內閣本(學民文化社 影印本 2003)을 國譯底本으로 하고, 中國 中華書局의 《四書章句集注》와 日本의 漢文大系本 등을 교감에 참고하였다.

3. 모든 원문에 懸吐하되, 經文의 吐는 官本諺解를 위주로 하고 栗谷의 四書諺解를 참고하였다. 다만 필요에 따라 調整하였는데, 이에 대한 설명을 按說에 실었다. 集註의 吐는 艮齋(田愚)의 懸吐를 따랐으며 일부는 역주자가 새로이 현토하였다.

4. 번역은 原義에 충실하게 하여 문리습득과 원전강독에 도움이 되도록 하였으며, 필요한 경우 원문에 없는 내용을 〈 〉 안에 보충하였다.

5. 음이 두 개 이상인 글자와 음이 어려운 글자는 ( ) 안에 한글로 음을 표기하였다.

6. 원문의 글자 중 난해한 것은 字義와 음을 하단에 실었다.

7. 각 章에 제목을 붙여 내용을 알기 쉽게 하였는바, 제목은 《朱子語類》와 陶菴 李縡의 《孟子講說》, 東巖 柳長源의 《四書纂註增補》와 壺山 朴文鎬의 《孟子集註詳說》을 참고하였으며, 《孟子》는 문장이 길게 이어지므로 章과 節에 일련번호를 달아 讀者들의 편리를 도모하였다.

8. 集註는 각 節마다 맨 앞에 集註라고 표기하여 구분하였으며, 章下註는 따로 떼어 그 앞에 章下註라고 표기하여 구분하였다.

9. 集註에서 明道(程顥)와 伊川(程頤)을 구분하지 않고 程子曰이라고 표기하였는데, 臺灣 學生書局의 《朱子四書集註典據考》에 의거하고 《孟子集註詳說》을 참고하여 ( ) 안에 號(明道/伊川)를 써주었다. 그 외 尹氏, 謝氏 등 성씨만 밝힌 경우에도 ( ) 안에 이름을 써주었다.

10. 經文의 내용을 해설하거나 經文 해석의 異說을 소개하고자 할 때에는 經文의 밑에 按說로 실었으며, 集註에 대한 해설이나 出典 등은 각주로 자세하게 실었다.

11. 經文의 번역은 集註를 따랐으며, 經文과 集註를 번역하고 해설함에 있어 《朱子大全》, 《論孟精義》, 《四書或問》, 《朱子語類》, 《四書集註大全》 및 壺山(朴文鎬)의 《孟子集註詳說》, 沙溪(金長生)의 《經書辨疑》, 官本 및 栗谷諺解 등을 참고하였다. 그 외에 趙岐의 《孟子章句》, 楊伯峻의 《孟子譯註》 및 茶山(丁若鏞)의 《孟子要義》 등의 해석을 集註와 비교하고 소개하였다.

12. 人名은 성씨나 字·號로 표기되어 있는 경우, ( ) 안에 이름을 써주었다. 다만 茶山과 壺山은 자주 언급되므로 이름을 병기하지 않았다.

13. 書名은 完稱을 기본으로 하되, 몇 가지는 略稱으로 표기하였는바, 다음과 같다.
    《論孟精義》→《精義》　　《四書或問》→《或問》
    《朱子語類》→《語類》　　《四書集註大全》→《大全》

14. 趙岐의 註와 《四書集註大全》의 小註, 楊伯峻의 《孟子譯註》 및 壺山의 《孟子集註詳說》, 茶山의 《孟子要義》는 인용시 人名만 밝히고 書名은 따로 기재하지 않았다.

15. 本書에 사용된 부호는 다음과 같다.
    《 》:書名　　　　　〈 〉:篇章節名, 작품명, 원문 보충자, 보충역
    〔 〕:원문 병기　　　( ):한자의 음, 통용자, 간단한 주석
    【 】:原註　　　　　(誤字)〔正字〕:교감표기

孟子集註

附 按說

序說

史記列傳에 曰 孟軻는【趙氏曰 孟子는 魯公族孟孫之後라 漢書註에 云 字子車라하고 一說에 字子輿
라하니라】 騶人也니【騶는 亦作鄒하니 本邾國也라】 受業子思之門人하다【子思는 孔子之孫이니 名
伋이라 索隱에 云 王劭以人爲衍字라하고 而趙氏註及孔叢子等書에 亦皆云 孟子親受業於子思[1]라하니 未
知是否로라】

《史記》《孟子列傳》에 다음과 같이 기록되어 있다.

"孟軻는【趙氏(趙岐)가 말하였다. '孟子는 魯나라 公族인 孟孫氏의 후손이다.' 《漢書》註에 이르기를 '字는
子車이다.' 하였는데, 一說에는 '字가 子輿이다.' 하였다.】 騶땅 사람이니,【騶字는 또한 鄒로도 쓰니, 본래
邾나라이다.】 子思의 門人에게 受業하였다.【子思는 孔子의 손자로 이름이 伋이다. 《史記索隱》에 이르
기를 '王劭가 「人」을 衍字라 했다.' 하였으며, 趙氏의 註와 《孔叢子》 등에 또한 모두 이르기를 '孟子가 子思에
게 친히 受業했다.' 하였으니, 옳은 지 알 수 없다.】

道旣通에【趙氏曰 孟子通五經하고 尤長於詩書라 程子曰 孟子曰 可以仕則仕하고 可以止則止하고 可以
久則久하고 可以速則速은 孔子니 聖之時者也라하시니 故로 知易者 莫如孟子라 又曰 王者之迹이 熄而詩
亡하고 詩亡然後에 春秋作이라하시고 又曰 春秋에 無義戰이라하시고 又曰 春秋는 天子之事라하시니 故로
知春秋者 莫如孟子라 尹氏曰 以此而言이면 則趙氏謂孟子長於詩書而已라하니 豈知孟子者哉리오】

---

1   孟子親受業於子思 : 子思의 享年과 子思의 아버지 伯魚가 죽은 해를 고찰하면 子思에게 친히 受業
     했다는 說은 믿을 수 없다고 한다. 茶山(丁若鏞)과 楊伯峻도 門人에게 受業하였다는 《史記》《孟子列
     傳》의 說을 따랐다. 楊伯峻은 "《荀子》《非十二子篇》에 子思와 孟子를 一派로 분류하였으니, 이는 孟
     子의 학설이 반드시 子思에게서 나온 것이다." 하였다.

··· 軻 수레 가 輿 수레 여 騶 땅이름 추(鄒同) 邾 나라이름 주 伋 이름급 索 찾을색 隱 숨을은 劭 힘쓸소
     衍 남을연 叢 떨기총 熄 꺼질식

道를 이미 통달하자,【趙氏(趙岐)가 말하였다. '孟子는 五經을 통하였고 특히 詩·書에 뛰어났다.' 程子가 말씀하였다. '孟子가 말씀하기를 「벼슬할 만하면 벼슬하고 그만둘 만하면 그만두고 오래 있을 만하면 오래 있고 속히 떠날 만하면 속히 떠나신 것은 孔子이니, 聖人의 時中인 자이시다.」하였다. 그러므로 《周易》을 안 자는 孟子만한 분이 없는 것이다. 孟子가 또 말씀하기를 「王者의 자취가 종식됨에 《詩》가 망하였고 《詩》가 망한 뒤에 《春秋》가 지어졌다.」하셨고, 또 말씀하기를 「《春秋》에는 의로운 전쟁이 없다.」하셨고, 또 말씀하기를 「《春秋》는 天子의 일이다.」하셨다. 그러므로 《春秋》를 안 자는 孟子만한 분이 없는 것이다.' 尹氏(尹焞)가 말하였다. '이것을 가지고 말하면 趙氏가 「孟子는 詩·書에 뛰어났다.」고 말했을 뿐이니, 어찌 孟子를 안 자이겠는가.'】

游事齊宣王호되 宣王이 不能用하고 適梁호되 梁惠王이 不果所言하니 則見以爲迂遠而濶於事情[2]이라【按史記컨대 梁惠王之三十五年乙酉에 孟子始至梁하고 其後二十三年當齊湣王之十年丁未에 齊人이 伐燕할새 而孟子在齊라 故로 古史謂 孟子先事齊宣王하고 後에 乃見梁惠王, 襄王, 齊湣王이라하니라 獨孟子以伐燕爲宣王時事는 與史記, 荀子等書로 皆不合하고 而通鑑에 以伐燕之歲로 爲宣王十九年하니 則是孟子先游梁而後에 至齊하여 見宣王矣라 然이나 考異亦無他據하니 又未知孰是也[3]로라】

齊나라에 가서 宣王을 섬겼으나 宣王이 쓰지 못하였고, 梁나라에 갔으나 梁 惠王도 말씀한 바를 행하지 못하였으니, 迂遠하여 事情(현실)과 거리가 멀다는 여김을 받았다.【《史記》를 살펴보면 '梁 惠王 35년 乙酉년에 孟子가 처음 梁나라에 이르렀고, 그 후 23년인 齊 湣王 10년 丁未년에 齊나라 사람들이 燕나라를 정벌하였는데, 孟子가 齊나라에 있었다.' 하였다. 그러므로 古史에는 '孟子가 먼저 齊 宣王을 섬긴 뒤에 마침내 梁나라의 惠王과 襄王, 齊나라의 湣王을 만나보았다.' 하였다. 다만 《孟子》에 燕나라를 정벌한 것을 宣王 때의 일이라 한 것은 《史記》와 《荀子》 등 여러 책과 부합하지 않으며, 《資治通鑑》에는 燕나라를 정벌한 해를 宣王 19년이라고 하였으니, 그렇다면 이는 孟子가 먼저 梁나라에 갔고 뒤에 齊나라에 이르러

---

2 見以爲迂遠而濶於事情: '당시 제후왕들이 孟子를 보고서 迂遠하여 事情과 멀다고 여겼다.'라고 보는 견해도 있으나 壺山(朴文鎬)는 見을 받다, 입다의 뜻으로 해석하였다.

3 按史記……未知孰是也: 《史記》의 오류를 《竹書紀年》 등을 통해 淸나라 고증학자들이 고증하였는 바, 崔述은 《洙泗考信錄》에서 孟子가 梁 惠王을 만난 해를 梁 惠王 後元 15년(B.C.320)이나 16년으로 추정하였고,(〈梁惠王上〉 5-1절의 각주 참조.) 狄子奇의 《孟子編年》과 錢穆의 《先秦諸子繫年》에는 後元 15년으로 보았다. 楊伯峻은 "추측하건대 孟子가 梁 襄王을 만난 후 바로 魏나라를 떠나 齊나라로 간 듯하니, 그렇다면 이때 齊 宣王이 즉위한지도 2년을 넘지 않았을 것이다." 하였다. 梁나라를 떠나 齊나라로 간 해를 《孟子編年》과 《先秦諸子繫年》에는 梁 惠王이 죽은 해(B.C.319, 齊 宣王 元年)로 보았다. 또 楊寬의 《戰國史》에 의하면 齊나라가 燕나라를 정벌하여 승리한 것은 齊 宣王 6년(B.C.314)이다.

··· 游 놀유, 갈유 齊 나라이름 제 適 갈 적 果 결행할 과 迂 멀 우, 우회할 우 遠 멀 원 濶 넓을 활
    湣 시호 민, 흐릴 민 襄 멍에 양 荀 성 순 據 근거할 거

宣王을 만난 것이다. 그러나 《考異》에 또한 다른 근거가 없으니, 또 어느 것이 옳은지 알 수 없다.〕

當是之時하여 秦用商鞅하고 楚魏用吳起하고 齊用孫子田忌하여 天下方務於合從(縱)連衡(横)[4]하여 以攻伐爲賢이어늘 而孟軻乃述唐虞三代之德하시니 是以로 所如者不合일새 退而與萬章之徒로 序詩書하고 述仲尼之意하여 作孟子七篇하시니라【趙氏曰 凡二百六十一章에 三萬四千六百八十五字라 韓子曰 孟軻之書는 非軻自著요 軻旣沒에 其徒萬章公孫丑 相與記軻所言焉耳라 愚按 二說不同하니 史記近是[5]라】

---

4 合從連衡:新安陳氏(陳櫟)는 "蘇秦은 合從의 설을 주장하였으니 六國을 합쳐 하나로 만들어서 秦나라를 항거하고자 하였고, 張儀는 連衡의 설을 주장하였으니 六國의 외교를 이산시켜 秦나라를 섬기게 하였다. 六國은 楚·燕·齊·韓·趙·魏의 여섯 나라를 이른다.〔蘇秦主合從之說 欲合六國爲一以抗秦 張儀主連衡之說 則離六國之交以事秦 六國謂楚燕齊韓趙魏也〕" 하였다. 從은 縱과 같고 衡은 橫과 같은바, '合從'은 당시 中國의 楚·燕·齊·韓·魏·趙 등 동쪽과 남쪽에 위치한 6개국이 연합하여 서쪽에 있는 秦에 대항함을 이르며, '連衡'은 이들 6개국이 秦을 섬김을 이른다.

5 二說不同 史記近是:楊伯峻은 《孟子》의 저자에 대해 세 가지 견해를 말하였다. 첫 번째는 孟子 자신이 지었다는 것이고, 두 번째는 孟子의 사후에 제자들이 공동으로 기록했다는 것이고, 세 번째는 主 著者는 孟子이지만 글을 최종 완성한 자는 제자들이라는 것이다. 趙岐와 朱子는 첫 번째 견해를 주장하였는바, 朱子는 문체가 일치하는 점을 들어 孟子의 글로 보았다. 朱子는 "일곱 편을 익숙히 읽어 그 筆勢를 보면 마치 쇠를 녹여 이루어진 것 같으니, 여러 사람이 편집해서 만든 것이 아니다.〔熟讀七篇 觀其筆勢如鎔鑄而成 非綴緝所就也〕" 하였다.《朱子大全 答吳伯豐》 그러나 제자가 참여한 점을 인정하여 "그 사이에 '孟子께서 性의 善함을 말씀하시되 말씀마다 반드시 堯·舜을 칭하셨다.'와 같은 말이 있으니, 아마도 그 제자가 기록한 것을 孟子께서 반드시 일찍이 약간의 删定을 加한 것이다.〔其間有如云 孟子道性善 言必稱堯舜 亦恐是其徒所記 孟子必曾略加删定也〕" 하였다.《朱子大全 答董叔重》 제자들의 기록으로 보는 두 번째 견해는 韓愈, 淸나라의 崔述, 茶山 등이 주장하였는바, 그 근거는 임금의 시호를 사용한 것, 門人을 子로 호칭한 것, 내용에 비판할 부분이 있는 점이다. 茶山은 "'堯가 붕어하시자 삼년상을 마치고 舜이 堯의 아들을 피하였다.'라고 한 것은 《書經》〈堯典〉과 맞지 않는다. '瞽瞍가 사람을 죽였다면 皐陶는 法을 집행하고 舜임금은 몰래 업고 도망하였을 것이다.'라는 것은 情理에 맞지 않는다. 孟子는 亞聖이니 응당 이런 말씀을 하지 않았을 것이다. 《孟子》 7편이 어찌 모두 孟子의 친필이겠는가. 《史記》에도 孟子 혼자서 썼다는 것을 일찍이 분명히 말하지 않았다.〔堯崩三年之喪畢 舜避堯之子 與堯典不合 瞽瞍殺人 皐陶執之 舜竊負而逃 於情理不合 孟子亞聖 不應有此言 七篇豈皆親筆乎 史記亦未嘗明云孟子獨作〕" 하였다. 楊伯峻은 세 번째 견해를 지지하였는데, 그는 《史記》에 '물러나 萬章 등의 門徒들과 더불어……《孟子》 7篇을 지었다.' 한 것에 대해, 비록 제자가 참여하였으나 主 著者는 孟子이며, 孟子 생전에 이미 기본적으로 완성되었으나, 최종적으로 완성된 것은 孟子의 사후인 것으로 보았다. 내용에 비판할 부분이 있으므로 孟子의 글이 아니라는 주장에 대해 楊伯峻은 반박하기를, "孟子가 이른바 亞聖이라고 해도 그가 말하고 쓴 한 글자, 한 구절마다 모두 매우 정확하다고 단정할 수는 없다. 하물며 '汝水와 漢水를 트고 淮水와 泗水를 배수하여 양자강으로 주입하였다'고 한 말은 孟子가 禹王의 治水한 공적을 설명하기 위해 빌려온 것에 불과하며, 정확한 地理 지식을 갖추었는지의 여부는 上古시대의 이른바 聖賢들은 일찍이 중시하지 않은 듯하다.……孟子는 역사적 사실을 끌어다가 인용하여 흔히 주관적으로 바꾸어 자신의 관점을 논증하고자 했다." 하였다. 또, 門人을 子로 호칭한 문제에 대해서는, 萬章과 公孫丑 등이 '직접 孟子의 구술을 받아 쓴 것'이라면

••• 商 장사상 鞅 고삐앙 忌 꺼릴 기 從 세로 종(縱同) 衡 가로 횡(橫同) 唐 나라 당 虞 나라우 如 갈 여
章 문채장 尼 산이름 니 沒 죽을 몰 徒 무리 도

이 때를 당하여 秦나라에서는 商鞅(衛鞅, 公孫鞅)을 등용하고, 楚나라와 魏나라에서는 吳起를 등용하고, 齊나라에서는 孫子(孫臏)와 田忌를 등용해서 天下가 막 合縱과 連橫을 힘써 공격과 정벌을 훌륭한 것으로 여기고 있었는데, 孟軻는 도리어 唐·虞(堯·舜)와 三代의 德을 말씀하였다. 이 때문에 가는 곳마다 뜻이 합하지 못하자, 물러나 萬章 등의 門徒들과 더불어 《詩經》과 《書經》을 서술하고 仲尼의 뜻을 기술하여 《孟子》7篇을 지으셨다." 【趙氏(趙岐)가 말하였다. '모두 2백 61章에 3만 4천 6백 85字이다.' 韓子(韓愈)가 말하였다. '孟軻의 책은 孟軻가 스스로 지은 것이 아니요 孟軻가 죽은 뒤에 그 門徒인 萬章과 公孫丑가, 孟軻가 일찍이 말씀한 것을 서로 기록한 것이다.' 하였다. 내(朱子)가 살펴보건대 두 가지 說이 똑같지 않은바, 《史記》가 옳을 듯하다.】

韓子曰 堯는 以是傳之舜하시고 舜은 以是傳之禹하시고 禹는 以是傳之湯하시고 湯은 以是傳之文武周公하시고 文武周公은 傳之孔子하시고 孔子는 傳之孟軻러시니 軻之死에 不得其傳焉하니 荀與揚也는 擇焉而不精하고 語焉而不詳하니라 【程子曰 韓子此語는 非是踏襲前人이요 又非鑿空撰得出이니 必有所見이라 若無所見이면 不知言所傳者何事라】

韓子(韓愈)가 말하였다. "堯임금은 이것을 舜임금에게 전하시고, 舜임금은 이것을 禹王에게 전하시고, 禹王은 이것을 湯王에게 전하시고, 湯王은 이것을 文王·武王과 周公에게 전하시고, 文王·武王과 周公은 이것을 孔子에게 전하시고, 孔子는 孟軻에게 전하셨는데, 孟軻가 죽자 그 전함을 얻지 못하였다. 荀子(荀況)와 揚子(揚雄)는 선택은 하였으나 精하지 못하고, 말은 하였으나 상세하지 못하였다." 【程子가 말씀하였다. '韓子의 이 말씀은 예전 사람의 말을 踏襲한 것이 아니고 또 억지로 빈 말을 지어낸 것이 아니니, 반드시 본 바가 있었을 것이다. 만약 본 바가 없다면 傳한 바라고 말한 것이 무슨 일인지 알지 못한다.'】

又曰 孟氏는 醇乎醇者也요 荀與揚은 大醇而小疵니라 【程子曰 韓子論孟子는 甚善하니 非見得孟子意면 亦道不到라 其論荀揚則非也니 荀子는 極偏駁하니 只一句性惡에 大本已失이요 揚子는 雖少過나 然亦不識性하니 更說甚(삼)道리오】

또 말하였다. "孟子는 순수하고 순수한 자이고, 荀子와 揚子는 크게는 순수하나 약간의 瑕

자신의 동문들을 '樂正子', '屋廬子'로 호칭할 수 있다고 하였으며, 임금의 시호를 쓴 문제에 대해서는, "孟子가 죽은 후에 책이 門人들에 의해 敍正되었기 때문에 제후왕 들에게 모두 王의 시호를 썼다." 하였다.

疵(병폐)가 있다."【程子가 말씀하였다. "韓子가 孟子를 논한 것이 매우 좋다. 孟子의 뜻을 見得하지 못하였다면 또한 이렇게 말씀하지 못하였을 것이다. 그러나 荀子와 揚子를 논한 것은 잘못되었다. 荀子는 지극히 편벽되고 잡박하니, 다만 性惡이라는 한 句에 큰 근본이 이미 상실되었고, 揚子는 비록 過誤가 적으나 또한 性을 알지 못하였으니, 다시 무엇을 말할 것이 있겠는가.】

又曰 孔子之道 大而能博하니 門弟子不能徧觀而盡識也라 故로 學焉에 而皆得其性之所近이러니 其後離散하여 分處諸侯之國할새 又各以其所能으로 授弟子하니 源遠而末益分이라 惟孟軻師子思而子思之學이 出於曾子하니 自孔子沒로 獨孟軻氏之傳이 得其宗이라 故로 求觀聖人之道者는 必自孟子始니라【程子曰 孔子言參也魯[6]라 然이나 顔子沒後에 終得聖人之道者는 曾子也라 觀其啓手足時之言[7]하면 可以見矣니 所傳者는 子思孟子 皆其學也니라】

또 말하였다. "孔子의 道가 크고도 넓으니, 門下의 弟子들이 두루 보고 다 알지 못하였다. 그러므로 배움에 모두 그 성질(소질)에 가까운 바를 얻었는데, 그후 離散하여 諸侯의 나라에 나누어 거처하면서 또 각각 자신이 능한 것을 가지고 弟子들에게 전수해 주니, 根源이 멀어짐에 끝이 더욱 나누어졌다. 오직 孟軻는 子思를 師事하였는데, 子思의 學問은 曾子에게서 나왔으니, 孔子가 별세한 뒤로는 유독 孟軻氏의 전함이 그 宗統을 얻었다. 그러므로 聖人(孔子)의 道를 관찰하고자 하는 자는 반드시 《孟子》로부터 시작하여야 한다."【程子가 말씀하였다. "孔子께서 '參(曾子)은 노둔하다.'고 말씀하셨다. 그러나 顔子가 별세한 뒤에 마침내 聖人의 道를 얻은 것은 曾子이다. 별세할 적에 弟子들로 하여금 이불을 걷어 자신의 손과 발을 보게 한 말씀을 보면 이것을 알 수 있다. 曾子가 전한 것은 子思와 孟子가 모두 그 학문이다.】

又曰 揚子雲曰 古者에 楊墨塞(색)路어늘 孟子辭而闢之廓如也라하니 夫楊墨行이면

6　孔子言參也魯:參은 曾子의 이름으로 《論語》〈先進〉 17장에 "柴(高柴)는 어리석고 參은 노둔하다.〔柴也愚 參也魯〕"라고 한 孔子의 말씀이 보인다.

7　觀其啓手足時之言:《論語》〈泰伯〉 3장에 曾子가 병환이 위독하시자, 門下의 弟子들을 불러 "〈이불을 헤쳐〉 나의 발과 손을 보아라. 《詩經》에 이르기를 '戰戰하고 兢兢하여 깊은 못에 임한 듯이 하고 얇은 얼음을 밟는 듯이 하라.' 하였으니, 이제야 나는 〈이 몸을 훼상할까 하는 근심에서〉 면한 것을 알겠노라.〔啓予足 啓予手 詩云 戰戰兢兢 如臨深淵 如履薄冰 而今而後 吾知免夫〕" 한 말씀을 가리킨 것이다.

⋯　博 넓을 박　徧 두루 변(편)　離 떠날 리　散 흩을 산　侯 제후 후, 임금 후　授 줄 수　曾 일찍 증　沒 죽을 몰
　　參 참예할 참, 석 삼　啓 열 계　塞 막을 색　闢 물리칠 벽　廓 넓힐 곽

正道廢하나니 孟子雖賢聖이나 不得位하여 空言無施하니 雖切何補리오 然이나 賴其言하여 而今之學者 尙知宗孔氏, 崇仁義, 貴王賤霸而已요 其大經大法은 皆亡滅而不救하고 壞爛而不收하니 所謂存十一於千百[8]이니 安在其能廓如也리오 然이나向無孟氏면 則皆服左袵而言侏離[9]矣리라 故로 愈嘗推尊孟氏하여 以爲功不在禹下者는 爲此也니라

또 말하였다. "揚子雲(揚雄)이 말하기를 '옛날에 楊朱·墨翟이 正道를 막았는데, 孟子께서 말씀하여 물리쳐서 훤하게 열어놓았다.' 하였다. 楊朱·墨翟의 道가 행해지면 正道가폐해진다. 孟子가 비록 賢聖이었으나 지위를 얻지 못해서 빈 말씀뿐이었고 시행함이 없었으니, 비록 간절한들 무슨 보탬이 있었겠는가. 그러나 그 말씀을 힘입어서 지금의 배우는 자들이 아직도 孔氏를 宗主로 삼고 仁義를 높이며, 王道를 귀하게 여기고 霸道를 천히 여길 줄을 알고 있다. 〈그러나〉이 뿐이요, 그 大經大法은 모두 없어져 구원하지 못하고 파괴되어 수습하지 못하였으니, 이른바 千과 百에 十과 一이 남아 있다는 것이니, '훤하게 열어놓았다.'는 것이 어디에 있는가. 그러나 지난번에 孟氏가 없었더라면 우리들은 다 왼쪽으로 옷깃을 하는[左袵] 오랑캐 옷을 입고 오랑캐 말을 하였을 것이다. 그러므로 내 일찍이 孟子를 추존하여 공로가 禹王의 아래에 있지 않다고 말한 것은 이 때문이다."

或問於程子曰 孟子를 還可謂聖人否잇가 程子曰 未敢便道他是聖人이라 然이나學已到至[聖]處니라【愚按 至字는 恐當作聖字라】
程子又曰 孟子有功於聖門을 不可勝言이라 仲尼는 只說一箇仁字어시늘 孟子는 開口便說仁義하시고 仲尼는 只說一箇志어시늘 孟子는 便說許多養氣出來하시니 只此二字 其功이 甚多니라
又曰 孟子有大功於世는 以其言性善也니라
又曰 孟子性善養氣之論은 皆前聖所未發[10]이니라

---

8 存十一於千百: 千 중에 十이 남아 있고 百 중에 一이 남아 있음을 뜻한다.

9 侏離: 말뜻이 통하지 않는 오랑캐의 언어를 가리킨다.

10 孟子性善養氣之論 皆前聖所未發: 慶源輔氏(輔廣)는 〈孟子는〉性이 善함을 말씀하여 자질이 아름다운 자로 하여금 이 말씀을 들으면 반드시 그 本然을 회복하여 善을 확충하려 하고, 자질이 아름답지 못한 자가 이 말씀을 들으면 또한 스스로 경계할 바를 알아 惡에 흐르지 않으며, 浩然之氣를 기름을 말씀하여 기질의 剛과 柔가 똑같지 않은 자로 하여금 道義에 용맹하게 분발하여 나약하고 겁먹는

··· 廢 폐할 폐 賴 힘입을 뢰 霸 으뜸 패 壞 무너질 괴 爛 문드러질 란 安 어찌 안 向 지난번 향 袵 옷깃 임
侏 난장이 주 離 떠날 리 愈 나을 유,사람이름(韓愈) 유 嘗 일찍이 상 程 노정정 還 다시 환 便 문득 변,곧 변
道 말할 도 志 뜻 지

又曰 學者全要識時니 若不識時면 不足以言學이라 顔子陋巷自樂은 以有孔子在焉이라 若孟子之時엔 世旣無人하니 安可不以道自任이리오

或者가 程子(伊川)에게 묻기를 "孟子 또한 聖人이라고 이를 수 있습니까?" 하자, 程子가 말씀하였다. "감히 이 분이 곧 聖人이라고 말할 수는 없으나 학문이 이미 聖人의 경지에 이르셨다.【내(朱子)가 살펴보건대 '至'字는 마땅히 聖字가 되어야 할 듯하다.】

程子(伊川)가 또 말씀하였다. "孟子가 聖門에 공로가 있음을 이루 다 말할 수 없다. 仲尼는 다만 하나의 仁字만을 말씀하셨는데 孟子는 입을 여시면 곧 仁義를 말씀하셨으며, 仲尼는 다만 하나의 志만을 말씀하셨는데 孟子는 곧 허다한 養氣를 말씀하셨으니, 다만 이 〈義와 氣〉두 글자가 그 공로가 매우 크다."

〈程子가〉또 말씀하였다. "孟子가 세상에 큰 공로가 있는 것은 性善을 말씀하셨기 때문이다."

〈程子가〉또 말씀하였다. "孟子의 性善과 養氣에 대한 의논은 모두 이전의 聖人들이 미처 發明하지 못하신 것이다."

〈程子가〉또 말씀하였다. "배우는 자들은 온전히 때를 알아야 하니, 만일 때를 알지 못한다면 학문을 말할 수 없다. 顔子가 누추한 골목에서 스스로 즐긴 것은 孔子가 계셨기 때문이다. 孟子 때로 말하면 세상에 이미 그러한 사람이 없었으니, 어찌 道로써 自任하지 않을 수 있었겠는가?"

又曰 孟子는 有些英氣하시니 才(纔)有英氣면 便有圭角이니 英氣甚害事[11]라 如顔子便渾厚不同하시니 顔子는 去聖人只毫髮間이요 孟子는 大賢이니 亞聖之次也니라 或曰 英氣見(현)於甚(삼)處잇가 曰 但以孔子之言比之하면 便可見이라 且如冰與水精이 非不光이로되 比之玉하면 自是有溫潤含蓄氣象이요 無許多光耀也니라

병폐가 없게 하였다. 이는 모두 夫子(孔子)께서 발명하지 못하신 것을 발명하여 그 공로의 많음이 여기에 있으니, 이 때문에 세상에 큰 공로가 있는 것이다.【言性善 使資質美者聞之 必求復其本然而充其善 資質不美者聞之 亦知所自警而不流於惡 言養氣 使氣質剛柔不齊者 勇猛奮發於道義 而無巽懦怯弱之弊 皆發夫子所未發 其功多蓋在此 此所以有大功於世也】하였다.

11 英氣甚害事: 新安陳氏(陳櫟)는 "英氣가 일에 매우 해롭다는 것은 賢者에게 완비함을 책망한 말씀이다.【英氣甚害事 蓋責賢者備之辭】" 하였다. '責賢者備'는 '賢者責備'로도 표기하는바, 賢者에게 聖人처럼 完備하기를 요구함을 이른다. 예를 들어 孟子에게 英氣가 있음은 큰 잘못이 아니요 단지 孔子나 顔子처럼 渾厚하지 못함을 지적했을 뿐인 것이다.

⋯ 要 하고자할 요 陋 누추할루 巷 골목길 항 安 어찌 안 些 작을 사 才 겨우 재 (纔同) 圭 모서리 규 角 모서리 각 渾 온전할 혼 毫 터럭 호 亞 버금 아 甚 무엇 삼, 심할 심 冰 얼음 빙 潤 윤택할 윤 숨 머금을 함 蓄 쌓을 축 耀 빛날 요

〈程子(伊川)가〉 또 말씀하였다. "孟子는 英氣가 있었으니, 조금이라도 英氣가 있으면 곧 圭角이 있으니, 英氣는 매우 일에 해롭다. 顔子는 渾厚하여 이와 같지 않으시니, 顔子는 聖人(孔子)과의 거리가 다만 털끝 만한 사이였고, 孟子는 大賢이니 亞聖의 다음이시다." 혹자가 묻기를 "英氣가 어느 곳에 나타납니까?" 하니, 〈程子가〉 대답하였다. "다만 孔子의 말씀을 가지고 비교하면 곧 볼 수 있다. 또 예컨대 얼음과 水精이 광채가 나지 않는 것은 아니지만 이것을 玉에 비교하면 玉은 자연히 따뜻하고 윤택하고 함축한 氣象이 있고 허다한 광채가 없는 것과 같다."

楊氏曰 孟子一書는 只是要正人心이니 教人存心養性하여 收其放心이라 至論仁義禮智하는 則以惻隱羞惡辭讓是非之心으로 爲之端하시고 論邪說之害하는 則曰 生於其心하여 害於其政이라하시고 論事君하는 則曰 格君心之非니 一正君而國定이라하사 千變萬化[12] 只說從心上來라 人能正心이면 則事無足爲者矣라 大學之修身, 齊家, 治國, 平天下는 其本이 只是正心誠意而已니 心得其正然後에 知性之善이라 故로 孟子遇人에 便道性善[13]이어시늘 歐陽永叔은 却言 聖人之教人에 性非所先이라하니 可謂誤矣로다 人性上엔 不可添一物이니 堯舜所以爲萬世法은 亦是率性

---

12 千變萬化 : 천만 가지 變化로 곧 聖人의 千言萬語(천만 가지 말씀)를 가리킨 것이다.

13 孟子遇人 便道性善 : 壺山은 이 〈序說〉에 대하여 다음과 같이 밝히고 있다. "살펴보건대 이 〈序說〉은 《論語》의 〈序說〉과 똑같으니, 처음에는 《史記》〈列傳〉을 인용하여 孟子의 평생 出處를 표현하였고, 다음에는 韓子·程子·楊氏의 말씀을 인용하여 《孟子》책을 읽는 법을 구비하였는데, 오직 '性善' 두 글자가 바로 《孟子》7편의 綱領으로서 萬世에 학문하는 宗旨이다. 그러므로 〈序說〉의 끝에 특별히 중점을 돌려 말씀하였다. 그리하여 먼저 程子의 말씀을 취하여 綱領을 만들어 제시하고, 다시 楊氏의 설을 취하여 條目을 만들어 자세히 밝혔고, 〈滕文公〉首章의 註에 이르러서는 또다시 총괄하여 말씀하기를 "묵묵히 알고 사방으로 통하면 7편의 가운데가 이(性善) 이치 아닌 것이 없다."라고 하였으니, 그 丁寧한 뜻을 알 수 있다. 그렇다면 7편을 다 읽고도 '人性之善' 네 글자에 실제로 보고 실제로 얻음이 있지 못하다면 이는 일찍이 읽지 않은 것과 똑같은 것이니, 끝내 또한 무슨 방법으로 스스로 저 橫生하는 無知한 禽獸와 다르겠는가.〔按此序說 一如論語之序說 始引列傳 以著其平生出處 次引韓程楊三子 以備其讀法 惟是性善二字 是七篇之綱領而萬世爲學之宗旨 故序說之末 特歸重言之 先取程子說 爲綱而挈之 復取楊氏說 爲目而詳之 至滕文公首章註 又總括之曰 默識而旁通之 則七篇之中 無非此理 其丁寧之意 有可知也 然則讀了七篇 而未能於人性之善四字上 有實見實得 則是與不曾讀同焉 終亦何由而自別於彼橫生之蠢然者乎〕"
橫生은 옆으로(가로로) 걸어가며 사는 것으로 禽獸를 가리킨다. 性理說에 "사람은 바르고 통한 기운을 얻고 태어나서 일어서면 위의 머리는 하늘을 형상하고 가슴은 宇宙를 형상하고 아래의 발은 땅을 형상한다. 그러나 禽獸와 草木은 편벽되고 막힌 기운을 얻고 태어나서 禽獸는 橫生을 하고 草木은 뿌리가 아래에 있고 끝이 위에 있어 倒生(거꾸로 자람)한다."라고 한다.

••• 放 놓을 방 惻 슬플 측 隱 불쌍할 은 羞 부끄러울 수 惡 미워할 오 端 단서 단 格 바로잡을 격
非 그를 비, 나쁠 비 齊 가지런할 제 道 말할 도 歐 성구 誤 그르칠 오 添 더할 첨 率 따를 솔

而已니 所謂率性은 循天理 是也라 外邊에 用計用數하면 假饒立得功業이라도 只是
人欲之私니 與聖賢作處[14]로 天地懸隔이니라

楊氏(楊時)가 말하였다. "《孟子》 한 책은 디만 사람의 마음을 바로집고자 하셨으니, 사람
들로 하여금 마음을 보존하고 性을 길러 그 放心을 거두려고 하였다. 仁·義·禮·智를 논
함에 있어서는 惻隱·羞惡·辭讓·是非의 마음으로써 그 端緖를 삼으셨고, 부정한 학설의
폐해를 논함에 있어서는 '그 마음에 생겨나서 그 政事에 해를 끼친다.' 하셨고, 君主를 섬
김을 논함에 있어서는 '君主의 마음의 그릇됨(나쁨)을 바로잡아야 하니, 한 번 君主의 마음
을 바로잡으면 나라가 정해진다.' 하시어, 천만 가지 변화를 다만 마음으로부터 말씀하였다.
사람이 마음을 바로잡으면 일은 족히 할 것이 없다. 《大學》의 修身·齊家·治國·平天下는
그 근본이 다만 마음을 바루고 뜻을 성실히 하는 것일 뿐이니, 마음이 그 바름을 얻은 뒤에
야 性의 善함을 알 수 있다. 그러므로 孟子께서 사람을 만나면 곧 性善을 말씀하신 것이다.
그런데 歐陽永叔(歐陽脩)은 '聖人이 사람을 가르침에 性은 먼저 한 것이 아니다.' 라고 말
하였으니, 이것은 잘못되었다고 이를 만하다. 人性의 위에는 한 가지 일도 더할 수가 없으
니, 堯·舜이 萬世의 法이 되심도 또한 이 本性을 따르셨을 뿐이다. 이른바 本性을 따른다
는 것은 天理를 따르는 것이 이것이다. 이외에 計策을 쓰고 術數를 쓰면 假饒(假使) 功業
을 세운다 하더라도 이것은 다만 人慾의 私일 뿐이니, 聖賢이 하시는 것과는 하늘과 땅처
럼 현격한 차이가 있는 것이다."

---

14 聖賢作處: '作處'는 壺山은 作用하는 곳으로 해석하였는바, 作用은 곧 作爲로 '聖賢이 일하는 것'을
말한다.

··· 循 따를 순 邊 가 변 假 가령 가 饒 설령 요 懸 매달 현 隔 막힐 격

梁惠王章句 上

集註 | 凡七章이라

모두 7章이다.

|孟子見梁惠王章(亦有仁義章)|

1-1. 孟子見梁惠王하신대

孟子께서 梁 惠王을 만나보셨는데,

集註 | 梁惠王은 魏侯罃(앵)也니 都大梁[1]하고 僭稱王하고 諡曰惠라 史記惠王三十五年[2]에 卑禮厚幣하여 以招賢者할새 而孟軻至梁이라하니라

1　梁惠王……都大梁:趙氏(趙順孫)는 "살펴보건대 魏나라가 처음 安邑에 도읍하였으니 漢나라의 河東郡 安邑縣에 있었고, 惠王에 이르러 〈도읍을〉 大梁으로 옮기니 漢나라의 陳留郡 浚儀縣에 있었다.〔按魏初都安邑 在漢河東郡安邑縣 至惠王 徙大梁 在漢陳留郡浚儀縣〕"하였다. 楊伯峻도 梁惠王은 본래 魏나라 惠王인데, 수도를 지금의 開封인 大梁으로 천도하였으므로 '梁惠王'이라고 부른 것이라고 하였다.

2　史記惠王三十五年:《史記》의 〈六國年表〉에는 惠王 35년 즉 周 顯王 33년(B.C.336)에 孟子가 梁惠王을 만난 것으로 기록하였으나, 東壁(崔述)은 《洙泗考信錄》에서 惠王 後元 15년(B.C.320)이나 16년일 것으로 추정하였다. 자세한 내용은 아래 5-1절의 주석 참조. 狄子奇의 《孟子編年》과 錢穆의 《先秦諸子繫年》에는 後元 15년으로 보았다.

…　孟 맏 맹 梁 나라이름 량 魏 나라이름 위 侯 제후 후 罃 병 앵 僭 참람할 참 諡 시호 시 幣 비단 폐 招 부를 초 軻 수레 가

梁 惠王은 魏나라 侯인 罃이다. 大梁에 도읍하고 王을 僭稱(참람하게 칭함)하였으며, 시호가 惠이다. 《史記》〈魏世家〉에 "惠王 35年에 禮를 낮추고(겸손하게 禮를 갖추고) 폐백을 厚히 하여 賢者를 초청하자, 孟軻가 梁땅에 이르렀다." 하였다.

1-2. 王曰 叟不遠千里而來하시니 亦將有以利吾國乎잇가

王이 말씀하였다. "老人께서 千里를 멀다 여기지 않고 오셨으니, 또한 장차 내 나라를 이롭게 함이 있겠습니까?"

按說 | '亦將有以利吾國乎'에 대하여, 壺山은

위에서 받은 일이 없는데도 '亦'字를 말한 것은 그 뜻이 아마도 이 몇 사람(商鞅·吳起·孫臏·田忌)을 가지고 孟子에게 바란 듯하다. 이때 列國이 오직 富國强兵을 힘써서 말할 때마다 반드시 富國强兵을 일컬었으니, 비록 말하지 않았으나 말한 것과 같다. 이 '亦'字는 그 말하지 않은 뜻을 이은 것이다.〔上無所承之事 而言亦字者 其意蓋以此數子望於孟子耳 時列國惟富强是務 言必稱之 雖不言 猶言也 此亦字 所以承其不言之意也〕

라고 하였다. 본인의 생각에도 이때 孟子와 함께 초청된 자들이 이미 모두 富國强兵을 말하였으므로 '老人께서도'의 뜻으로 '亦'을 놓은 것이라 여겨진다.

集註 | 叟는 長老之稱이라 王所謂利는 蓋富國彊兵之類라

'叟'는 長老의 칭호이다. 惠王이 말한 '利'는 나라를 부유하게 하고 군대를 강하게 하는 따위이다.

1-3. 孟子對曰 王은 何必曰利잇고 亦有仁義而已矣니이다

孟子께서 대답하셨다. "王께서는 하필 利를 말씀하십니까? 또한 仁義가 있을 뿐입니다.

··· 叟 늙은이 수 稱 일컬을 칭 彊 강할 강(强通)

集註 | 仁者는 心之德이요 愛之理[3]며 義者는 心之制요 事之宜也라 此二句는 乃一章之大指니 下文에 乃詳言之하시니 後多放(倣)此하니라

'仁'이란 마음의 德이요 사랑의 원리이며, '義'란 마음의 제재요 일의 마땅함이다. 이 두 句는 바로 이 한 章의 大指인데, 아랫글에 비로소 상세히 말씀하였으니, 뒤에도 이와 같은 것이 많다.

1-4. 王曰 何以利吾國고하시면 大夫曰 何以利吾家오하며 士庶人曰 何以利吾身고하여 上下交征利면 而國이 危矣리이다 萬乘之國에 弑其君者는 必千乘之家요 千乘之國에 弑其君者는 必百乘之家니 萬取千焉하며 千取百焉이 不爲不多矣언마는 苟爲後義而先利면 不奪하여는 不饜이니이다

王께서 '어떻게 하면 내 나라를 이롭게 할까' 하시면 大夫들은 '어떻게 하면 내 집안을 이롭게 할까' 하며, 士와 庶人들은 '어떻게 하면 내 몸을 이롭게 할까' 하여, 윗사람과 아랫사람이 서로 利를 취한다면 나라가 위태로울 것입니다. 萬乘의 나라에 그 君主를 시해하는 자는 반드시 千乘을 가진 公卿의 집안이요, 千乘의 나라에 그 군주를 시해하는 자는 반드시 百乘을 가진 大夫의 집안이니, 萬乘에서 千乘을 취하며 千乘에서 百乘을 취함이 많지 않은 것이 아닌데도 만일 義를 뒤에 하고 利를 먼저 한다면 〈모두〉 빼앗지 않으면 만족해하지 않습니다.

按說 | 萬乘之國에 대하여, 아래 《集註》에 '萬乘之國'은 천자의 땅으로 方千里이고,

3 　仁者……愛之理:《論語》〈學而〉2장의 "孝와 弟는 아마도 仁을 행하는 근본일 것이다.〔孝弟也者 其爲仁之本與〕" 한 것의 《集註》에는 "仁者 愛之理 心之德也"라고 하여 이곳의 주석과 순서가 다르다. 이에 대하여 諸葛氏(諸葛泰)는 《論語》의 '爲仁'은 '仁을 행한다'는 말과 같으니, 仁의 用을 가지고 말하였으므로 《集註》에 사랑하는 이치를 먼저 말하였고, 《孟子》의 이 章은 仁의 體를 가지고 말하였으므로 《集註》에 마음의 德을 먼저 말하였다.〔語之爲仁 猶曰行仁 以仁之用言 故集註先言愛之理 孟子此章 以仁之體言 故集註先言心之德〕" 하였다.

··· 指 뜻 지 詳 자세할 상 倣 같을 방 交 서로 교 征 취할 정 利 이로울 리 危 위태할 위 乘 수레 승 弑 시해할 시 苟 만일 구 奪 빼앗을 탈 饜 만족할 염

'千乘'은 天子의 公卿의 采地나 諸侯의 나라로 方百里라고 하였으니, 나오는 수레의 수가 萬乘과 千乘의 차이라면 땅의 넓이가 10배 차이여야 하므로, 方을 넓이의 개념으로 보고 말한 것이다. 아래〈萬章下〉2장에도

> 天子의 제도는 땅이 方千里요 公과 侯는 모두 方百里요 伯은 70리요 子와 男은 50리이다.〔天子之制 地方千里 公侯皆方百里 伯七十里 子男五十里〕

하여 方을 넓이로 보았다.

반면,《禮記》〈王制〉에는

> 무릇 四海의 안이 9州이니, 9州는 州마다 사방 천 리이다. 州에는 100리의 나라 30개와 70리의 나라 60개와 50리의 나라 120개를 세워 모두 210개국이다. 유명한 산과 큰 냇물은 봉해 주지 않으며, 그 나머지는 閒田과 附庸으로 삼았다.〔凡四海之內 九州 州方千里 州建百里之國三十 七十里之國六十 五十里之國百有二十 凡二百一十國 名山大澤 不以封 其餘以爲附庸閒田〕

라고 하여 方을 길이로 보았고, 朱子도《詩經集傳》〈魯頌 閟宮〉에서

> 千乘의 땅은 316里가 조금 넘는다.〔千乘之地 則三百十六里有奇也〕

하여 方을 한 변의 길이로 보았으며, 壺山은《詩經集傳》〈魯頌 閟宮〉의 말을 인용하여

> 《詩經集傳》〈魯頌 閟宮〉에 '方316里가 조금 넘는다'고 말한 것이 定論이 되니,《孟子》의 이 註는 우연히 잘못 살펴 헤아린 듯하다.〔詩閟宮集傳 作方三百十六里有奇者 爲定論 此註恐偶失照檢〕

하여, 方을 길이로 보아야 함을 주장하였다. 또한《漢書》〈刑法志〉에도 方1里를 井이라 하고 方百里를 百乘之家, 方316里를 千乘之國, 方千里를 萬乘이라고 하여 한 변의 길이로 方을 말하였다. 이에 따르면, 100×100＝1만, 316×316≒10만, 1000×1000＝100만이므로 百乘, 千乘, 萬乘이 각각 10배 차이가 된다.

朱子는 '萬乘之國'을 天子의 나라로 보았으나, 茶山은 '萬乘之國'을 春秋戰國의 큰 나라로 보았다. 茶山은 "《集註》의 '方千里에서 萬乘이 나오고 方百里에서 千乘이 나온다.' 한 것은 통할 수 없다." 하고,《漢書》〈刑法志〉에 '方百里에서 百乘이 나오고 方千里에서 萬乘이 나온다"는 說을 취하였다. 또,〈梁惠王下〉10장에 '燕과 齊를 萬乘之

國'이라 한 것과 아래 7章에 "海內의 땅이 方千里 되는 것이 아홉인데, 齊나라가 전체를 모음에 그 하나를 소유하였다.〔海內之地 方千里者九 齊集有其一〕"라고 한 것을 들어 朱子의 說은 이 책의 用例에 맞지 않는 것으로 보았다. 그리하여 茶山은

> 晉나라는 본래 萬乘之國이었고 韓·魏·趙는 모두 千乘之家였는데 三家가 끝내 簒逆을 하였다. 孟子의 이 말씀은 은근히 梁惠王을 핍박하여 惠王 자신의 집안일에서 취하여 경계를 삼기를 청한 것이지, 아득한 先古의 제도에 의거하여 말씀한 것은 아니다.……孟子는 으레 春秋戰國의 참람한 법으로 萬乘을 논하였다.〔晉本萬乘之國 韓魏趙皆千乘之家 而三家竟爲簒逆 孟子此語 隱隱拶逼梁王 請取自己家事 以作殷鑑 非據蒼蒼先古之 制而言之者……孟子例以春秋戰國僭亂之法論萬乘〕

라고 하였다.

그러나 朱子의 《集註》는 周나라 制度의 일반적인 것을 말씀했을 뿐이요 강대국이 약소국을 병탄한 戰國時代를 기준한 것이 아니다. 茶山의 '은근히 惠王을 핍박하였다'는 주장도 의심이 없지 못하다. 孟子 당시 魏나라는 이미 魏斯가 天子인 周나라 威烈王으로부터 공식적으로 제후에 봉해진 지 이미 3代가 되었는데, 孟子가 처음 惠王을 만난 자리에서 대뜸 이 문제를 거론하지는 않았을 것이다. 그리고 《禮記》〈王制〉의 내용은 더더욱 신빙하기 어려우니, '9州가 州마다 사방 千里이고 州마다 210개의 제후국을 봉했다'는 말은 이해할 수 없는 이야기이다. 州를 나눌 적에는 반드시 山川의 경계를 따라 大小의 차이가 있고 田地도 多少의 차이가 있게 마련이어서 일률로 정할 수 없는 것이니, 이 문제는 미결의 문제로 남겨둘 수밖에 없다.

한편 楊伯峻은 "劉向이 지은 《戰國策》의 序에 '전국시대 후기에 萬乘之國이 일곱이고 千乘之國이 다섯이었다.' 하였으니, 韓·趙·魏(梁)·燕·齊·楚·秦 일곱 나라가 萬乘이고 宋·衛·中山·東周·西周가 千乘이다." 하였고, 《周禮》〈夏官司馬 大司馬〉의 鄭玄의 註에 "'家'는 采地를 식읍으로 받은 자(공경대부)의 신하를 이른다.〔家謂食采地 者之臣也〕" 한 것을 들어

> 封邑을 采地라고도 부르는데 이러한 封邑을 소유한 大夫를 '家'라고 부른다. 封邑이 있으면 당연히 兵車도 있었다. 公卿의 封邑은 커서 兵車 千乘을 낼 수 있었고 大夫의 封邑은 작아서 兵車 百乘을 낼 수 있었다.

하였다. 참고를 위해 《大全》에 실려 있는 《前漢書》〈刑法志〉를 편 끝에 번역, 수록하였다.

集註 | 此는 言求利之害하여 以明上文何必曰利之意也라 征은 取也니 上取乎下하고 下取乎上이라 故로 曰交征이라 國危는 謂將有弑奪之禍라 乘은 車數也라 萬乘之國者는 天子畿內地方千里에 出車萬乘이요 千乘之家者는 天子之公卿采地方百里에 出車千乘也라 千乘之國은 諸侯之國이요 百乘之家는 諸侯之大夫也라 弑는 下殺上也라 饜은 足也라 言 臣之於君에 每十分而取其一分하니 亦已多矣로되 若又以義爲後而以利爲先이면 則不弑其君而盡奪之하여는 其心에 未肯以爲足也라

이것은 利를 구하는 害를 말씀하여, 윗글에 '하필 利를 말씀하십니까.'라고 한 뜻을 밝힌 것이다. '征'은 取함이니, 윗사람은 아랫사람에게서 취하고 아랫사람은 윗사람에게서 취하므로 交征이라고 말한 것이다. '國危'는 장차 君主를 시해하고 찬탈하는 화가 있음을 이른다. '乘'은 수레의 數이다. '萬乘之國'은 天子의 畿內에 땅이 方千里여서 수레(兵車) 萬乘이 나올 수 있는 것이요, '千乘之家'는 天子의 公卿으로 采地가 方百里여서 수레 千乘이 나올 수 있는 것이다. '千乘之國'는 諸侯의 나라이고 '百乘之家'는 諸侯의 大夫이다. '弑'는 아랫사람이 윗사람을 죽이는 것이다. '饜'은 만족함이다. 신하가 군주에 대하여 매양 10分의 1을 취했으니 이것도 이미 많은데, 만일 또 義를 뒤로 하고 利를 우선으로 삼는다면, 군주를 시해하여 다 빼앗지 않고서는 그 마음에 즐겨 만족해하지 않음을 말씀한 것이다.

1-5. 未有仁而遺其親者也며 未有義而後其君者也니이다

仁하고서 그 어버이를 버리는 자는 있지 않으며, 義롭고서 그 군주를 뒤에 하는 자는 있지 않습니다.

集註 | 此는 言仁義未嘗不利하여 以明上文亦有仁義而已之意也라 遺는 猶棄也요 後는 不急也라 言 仁者는 必愛其親하고 義者는 必急其君이라 故로 人君이 躬行仁義而無求利之心이면 則其下化之하여 自親戴於己也라

이것은 仁義가 일찍이 이롭지 않은 것이 아님을 말씀하여, 윗글의 '또한 仁義가 있을 뿐입니다.'라고 한 뜻을 밝힌 것이다. '遺'는 棄와 같고, '後'는 급하게 여기지 않음이다. 仁한

⋯ 畿 경기 기, 지경 기 卿 벼슬 경 采 식읍 채 殺 죽일 살 肯 즐길 긍 遺 버릴 유 親 어버이 친 嘗 일찍이상
猶 같을 유 棄 버릴 기 急 급할급 躬 몸궁 戴 떠받들 대

자는 반드시 그 어버이를 사랑하고 義로운 자는 반드시 그 군주를 우선으로 하므로, 人君이 몸소 仁義를 행하고 利를 구하는 마음이 없으면 그 아랫사람들이 교화되어 스스로 자신(君主)을 친애하고 떠받듦을 말씀한 것이다.

1-6. 王은 亦曰仁義而已矣시니 何必曰利잇고

王께서는 또한 仁義를 말씀하실 따름이니, 하필 利를 말씀하십니까?"

集註 │ 重言之하여 以結上文兩節之意하시니라

거듭 말씀하여 윗글 두 節의 뜻을 맺으신 것이다.

章下註 │ ○ 此章은 言 仁義는 根於人心之固有하니 天理之公也요 利心은 生於物我之相形[4]하니 人欲之私也라 循天理면 則不求利而自無不利하고 徇人欲이면 則求利未得而害已隨之[5]하나니 所謂毫釐之差 千里之繆[6]라 此는 孟子之書 所以造端託始[7]之深意니 學者所宜精察而明辨也니라

---

4 物我之相形: '物'은 남(他人)을 이르며 '形'은 나타나는 것으로, 곧 남과 내가 서로 드러남을 말한 것이다.

5 循天理……害已隨之: 慶源輔氏(輔廣)는 "天理를 따르는 자는 위하는 바가 없이 하므로 이익을 구하지 않으나, 자기를 이루고 남을 이루어 주어서 각각 그 마땅함을 얻으므로 자연히 이롭지 않음이 없는 것이다. 人欲을 따르는 자는 위하는 바가 있어 하므로 비록 이로움을 구하나 반드시 얻지는 못한다. 그러나 사람을 해치고 물건을 해롭게 하고 허물을 부르고 화를 취하므로 해로움이 항상 뒤따르는 것이다.〔循天理者 無所爲而爲 故不求利 然成己成物 各得其宜 故自無不利 徇人欲者 有所爲而爲 故雖求利而未必得 然妨人害物 招尤取禍 故害常隨之〕" 하였다. '위하는 바가 없이 한다.〔無所爲而爲之〕'는 것은 아무런 목적이 없이 순수하게 當然한 이치를 따르는 것으로 義를 가리킨다. 南軒 張栻은 義와 利를 분별하여, "위하는 바가 없이 하는 것은 義이고, 위하는 바가 있어서 하는 것은 利이다.〔無所爲而爲之者 義也 有所爲而爲之者 利也〕" 하였는데,《近思錄集註 卷7》), 朱子는 이 말씀을 극구 칭찬하여 자주 인용하였다.

6 毫釐之差 千里之繆: 처음의 작은 잘못이 결과적으로 엄청난 차이를 초래한다는 뜻으로 처음에 잘해야 함을 강조한 말이다.《禮記》〈經解〉에《易》을 인용하여 "君子는 처음을 삼가니, 毫釐와 같은 차이가 千里나 어긋난다.〔君子愼始 差若豪氂(毫釐) 繆以千里〕" 하였다. '毫釐'는 극소수의 單位로, 누에가 실을 토한 것을 '忽'이라 하고 10忽을 '絲'라 하고 10絲를 '毫'라 하고 10毫를 '釐'라 하고 10釐를 '分'이라 한다.

7 造端託始: '造端'은 단서(시작)를 만듦을 이르고 '託始'는 開始와 같은 말로, 모두 시작을 열어놓았다는 뜻인바, 오늘날의 '첫 페이지를 장식했다'는 말과 같다.

••• 形 나타날 형 循 따를 순 徇 따를 순 隨 따를 수 毫 터럭 호 釐 털끝 리 繆 그릇될 류(무) 造 지을 조
端 단서 단, 끝 단 託 의탁할 탁, 붙일 탁 辨 분별할 변

○太史公[8]曰 余讀孟子書라가 至梁惠王問何以利吾國하여는 未嘗不廢書而歎也[9]
로라 曰 嗟乎라 利는 誠亂之始也니 夫子罕言利[10]는 常防其源也라 故로 曰 放於利
而行이면 多怨[11]이라하시니 自天子로 以至於庶人히 好利之弊 何以異哉리오
程子曰 君子未嘗不欲利언마는 但專以利爲心이면 則有害요 惟仁義則不求利而未
嘗不利也라 當是之時하여 天下之人이 惟利是求하고 而不復知有仁義라 故로 孟子
言仁義而不言利하시니 所以拔本塞源而救其弊시니 此는 聖賢之心也[12]시니라

○이 章은, 仁義는 人心의 固有한 것에서 근원하였으니 天理의 公이요, 利心은 남과 내가
서로 나타남에서 생겼으니 人欲의 私이다. 天理를 따르면 利를 구하지 않아도 저절로 이롭
지 않음이 없고, 人欲을 따르면 利를 구하여도 얻지 못하고 害가 이미 따름을 말씀하였으
니, 이른바 '毫釐(털끝만함)의 차이가 千里나 어긋난다.'는 것이다. 이것은 孟子가 단서를
만들고 시작을 의탁한 바의 깊은 뜻이니, 배우는 자가 마땅히 정하게 살피고 밝게 분별하여
야 할 것이다.

○太史公이 말하였다. "내가 《孟子》를 읽다가 梁 惠王이 '어떻게 하면 내 나라를 이롭게
하겠습니까?' 하는 물음에 이르러서는 일찍이 읽던 책을 덮고 탄식하지 않은 적이 없었다.
아, 利는 진실로 亂의 시초이다. 夫子(孔子)께서 利를 드물게 말씀하신 것은 항상 그 亂의
근원을 막으려 하신 것이다. 그러므로 말씀하시기를 '利에 따라 행동하면 원망이 많다.' 하
셨으니, 天子로부터 庶人에 이르기까지 利를 좋아하는 폐단이 어찌 다르겠는가."
程子(伊川)가 말씀하였다. "君子가 일찍이 利롭고자 하지 않는 것은 아니나 다만 오로지

---

8   太史公:新安陳氏(陳櫟)는 "司馬談이 太史令이었으므로 아들 遷(司馬遷)이 자기 아버지를 높여 公
     이라고 칭하였다. 遷이 그 관직을 계승하여 그대로 遷을 太史公이라고 일컬었으니, 西漢의 龍門 사람
     이다.〔司馬談爲太史令 子遷尊其父 故謂之公 遷繼其職 仍稱太史公 西漢龍門人〕"하였다. 여기서
     말한 太史公은 바로 司馬遷을 가리킨 것이다.

9   未嘗不廢書而歎也:壺山은 "이 아래는 그가 탄식한 말이다. 그러므로 또 '曰'字로 말의 단서를 바꾸었
     다.〔此下 其所歎之語 故又以曰字更端〕"하였다.

10   夫子罕言利:이 내용은 《論語》〈子罕〉 1장에 "孔子께서는 利와 命과 仁을 드물게 말씀하셨다.〔子罕言
     利與命與仁〕"라고 보인다.

11   放於利而行 多怨:《論語》〈里仁〉 12장에 보이는 孔子의 말씀으로, '放'은 '依(따름)'의 뜻이다.

12   孟子言仁義……聖賢之心也:新安陳氏(陳櫟)는 《孟子》 한 책은 人欲을 막고 天理를 보전하는 것을
     위주로 하니, '하필 利를 말씀하십니까?' 한 것은 人欲을 막은 것이요, '또한 仁義가 있을 뿐입니다.' 한
     것은 天理를 보존한 것이다. 이로부터 이후로 '遏人欲 存天理' 이 여섯 글자를 가지고 章의 뜻을 꿰뚫
     을 수 없는 것이 적다.〔孟子一書 以遏人欲存天理爲主 何必曰利 遏人欲也 亦有仁義 存天理也 自此
     以後 鮮有不可以此六字 該貫章旨者〕"하였다.

••• 余 나 여 歎 탄식할 탄 誠 진실로 성 罕 드물 한 放 의지할 방 庶 많을 서, 서인 서 弊 폐단 폐 復 다시 부
     拔 뽑을 발 塞 막을 색 救 바로잡을 구

利를 마음으로 삼으면 害가 있고, 仁義를 따르면 利를 구하지 않아도 일찍이 이롭지 않음이 없는 것이다. 이때를 당하여 天下 사람들이 오직 利만을 추구하고 다시 仁義가 있음을 알지 못하였다. 그러므로 孟子께서 仁義를 말씀하시고 利를 말씀하지 않았으니, 〈亂의〉 뿌리를 뽑고 근원을 막아서 그 폐단을 바로잡으신 것이니, 이는 聖賢의 마음이다."

|立於沼上章(與民偕樂章)|

2-1. 孟子見梁惠王하신대 王이 立於沼上이러니 顧鴻雁麋鹿曰 賢者도 亦樂(락)此乎잇가

孟子께서 梁 惠王을 만나보실 적에 王이 못가에 있었는데, 鴻雁과 麋鹿을 돌아보고 말씀하였다. "賢者도 또한 이것을 즐거워합니까?"

集註 | 沼는 池也라 鴻은 雁之大者요 麋는 鹿之大者라

'沼'는 못이다. '鴻'은 기러기 중에 큰 것이요, '麋'는 사슴 중에 큰 것이다.

2-2. 孟子對曰 賢者而後에 樂此니 不賢者는 雖有此나 不樂也니이다

孟子께서 대답하셨다. "賢者인 뒤에야 이것을 즐거워할 수 있으니, 어질지 못한 자는 비록 이것을 가지고 있더라도 즐거워하지 못합니다.

集註 | 此는 一章之大指[13]라

이것은 한 章의 大指이다.

2-3. 詩云 經始靈臺하여 經之營之하시니 庶民攻之라 不日成之로다 經

---

13 此 一章之大指:新安陳氏(陳櫟)는 "大指를 앞에 게시하고 뒤에서 분별하여 열고 照應하였으니, 이는 《孟子》의 여러 章의 준례이다. 맨 처음의 章과 이 章이 모두 이와 같다. 이 뒤로는 마땅히 이 法例로 보아야 하니, 하나하나 제시하지 않는다.〔揭大指於前 而分開照應於後 此孟子諸章例也 首章及此章 皆如此 此後 當以此法觀之 不一一提掇〕"하였다.

… 沼 못소 顧 돌아볼고 鴻 큰기러기홍 雁 기러기안 麋 큰사슴미 鹿 사슴록 池 못지 經 헤아릴경
靈 영특할령 臺 집대 營 도모할영 攻 다스릴공

始勿亟(극)하시나 庶民子來로다 王在靈囿하시니 麀鹿攸伏이로다 麀鹿濯濯이어늘 白鳥鶴鶴이로다 王在靈沼하시니 於(오)牣魚躍이라하니 文王이 以民力爲臺爲沼하시나 而民이 歡樂之하여 謂其臺曰靈臺라하고 謂其沼曰靈沼라하여 樂其有麋鹿魚鼈하니 古之人이 與民偕樂이라 故로 能樂也니이다

《詩經》에 이르기를 '靈臺를 처음으로 經營하여 이것을 헤아리고 도모하시니, 庶民들이 와서 일하는지라 〈일을 시작하여〉 하루가 못되어 완성하였도다. 經始하기를 급히 하지 말라고 경계하셨으나 庶民들은 아들이 아버지 일에 달려오듯이 하는도다. 王이 靈囿에 계시니, 사슴들이 그 곳에 가만히 엎드려 있도다. 사슴들은 濯濯하거늘 백조는 鶴鶴하도다. 王이 靈沼에 계시니, 아! 〈연못에〉 가득히 물고기들이 뛰노는도다.' 하였으니, 文王이 백성의 힘을 이용하여 臺를 만들고 沼를 만들었으나, 백성들이 이것을 즐거워하여 臺를 일러 靈臺라 하고 沼를 일러 靈沼라 하여, 그(文王)가 麋鹿과 고기와 자라를 소유함을 좋아하였습니다. 〈이처럼〉 옛사람들은 백성과 더불어 즐겼기 때문에 능히 즐길 수 있었던 것입니다.

按說 | '經之營之'의 '經'은 처음 계획하는 것이고 '營'은 여기에 필요한 財政과 物資를 마련함을 이른다.

'麀鹿攸伏'에 대하여 朱子는 《集註》에서

伏은 놀라 움직이지 않는 것이다.〔不驚動也〕

라고 하였으나, 趙岐는

암사슴이 임신하여 그 곳을 편안히 여겨 엎드려 있으면서 놀라 움직이지 않는 것이다.〔麀鹿懷妊 安其所而伏 不驚動也〕

라고 하였다. 茶山은

'伏(부)'는 去聲으로 읽어야 한다. 새가 알을 품은 것을 伏(孵)라 하고 짐승이 임신한 것도 伏라 한다. '囿(유)'와 '伏(부)'가 叶韻(韻이 맞음)이고 '濯(탁)'과 '鶴(학)'이 叶韻이니, 그 법

··· 亟 빠를 극 囿 동산 유 麀 암사슴 우 攸 배(장소) 유 濯 살찐모양 탁 鶴 흴 학 於 감탄할 오 牣 가득할 인 躍 뛸 약 歡 기뻐할 환 鼈 자라 별 偕 함께 해

이 엄격하다. 趙岐의 註에 굳이 '懷妊'이라고 말한 것은 이것이 암사슴이기 때문이다. 그런데 《集註》에서 '懷妊' 두 글자를 없앴으니, 《詩經》에서 암사슴이라고 한 것에 뜻이 없게 되었다.〔伏當去聲讀 鳥抱卵曰伏 獸懷妊亦曰伏 囿伏叶韻 濯鶴叶韻 其法嚴矣 趙注必言懷妊 以其牝鹿也 集註去懷妊二字 則詩稱牝鹿無意〕

하였다. 茶山의 說이 옳은 것으로 보인다.

集註 | 此는 引詩而釋之하여 以明賢者而後樂此之意라 詩는 大雅靈臺之篇이라 經은 量度(탁)也라 靈臺는 文王臺名也[14]라 營은 謀爲也라 攻은 治也라 不日은 不終日也[15]라 亟은 速也니 言文王戒以勿亟也라 子來는 如子來趨父事也라 靈囿, 靈沼는 臺下有囿[16]하고 囿中有沼也라 麀는 牝鹿也라 伏은 安其所하여 不驚動也라 濯濯은 肥澤貌요 鶴鶴은 潔白貌라 於는 歎美辭라 牣은 滿也라 孟子言 文王이 雖用民力이나 而民이 反歡樂之하여 旣加以美名하고 而又樂其所有하니 蓋由文王能愛其民이라 故로 民樂其樂하여 而文王亦得以享其樂也라

이것은 《詩經》을 인용하고 이를 해석하여, '賢者인 뒤에야 이것을 즐거워할 수 있다.'는 뜻을 밝힌 것이다. '詩'는 〈大雅 靈臺〉篇이다. '經'은 헤아림이다. '靈臺'는 文王의 臺 이름이다. '營'은 도모함이다. '攻'은 다스림이다. '不日'은 하루를 마치지 않음이다. '亟'은 速함이니, 文王이 빨리 하지 말라고 경계함을 말한 것이다. '子來'는 자식이 와서 아버지의 일에 달려오듯이 하는 것이다. '靈囿'와 '靈沼'는 臺 아래에 동산이 있고, 동산 가운데 연못이 있는 것이다. '麀'는 암사슴이다. '伏'은 그 곳을 편안히 여겨 놀라고 움직이지 않음이다. '濯濯'은 살찌고 윤택한 모양이요, '鶴鶴'은 깨끗하고 흰 모양이다. '於'는 탄미하는 말이다. '牣'은 가득함이다.

---

[14] 靈臺 文王臺名也:《詩經集傳》에 〈大雅 靈臺〉를 해석하면서 "나라에 臺가 있음은 좋고 나쁜 기운(구름의 기운)을 관망하여 재앙과 상서를 살피고, 때로 구경하고 놀아 수고로움과 편안함을 조절하는 것이다. 靈이라고 이름한 것은 마치 신령이 만든 것처럼 순식간에 만들어진 것을 말한 것이다.〔國之有臺 所以望氣祲 察災祥 時觀游 節勞佚也 謂之靈者 言其倏然而成 如神靈所爲也〕" 하였다.

[15] 不日 不終日也:鄭玄은 "〈不日〉은 期日을 설정하지 않고 완성한 것이다.〔不設期日而成之〕"하였고 《國語》에서 이 시에 대해 韋昭가 "不日은 日時를 한정하지 않은 것이다.〔不日 不程課以時日也〕"라고 註하였는데, 茶山은 이 글들을 인용하여 "古註가 모두 같으니 바꿀 수 없다.〔古註皆同 不可易也〕" 하였다.

[16] 臺下有囿:《大全》에는 "'囿'는 구역을 정하여 새와 짐승을 기르는 곳이다.〔囿 所以域養禽獸〕" 하였다.

••• 釋 풀 석 度 헤아릴 탁, 법도 도 速 빠를 속 趨 달릴 추 牝 암컷 빈 驚 놀랄 경 肥 살찔 비 滿 찰 만 享 누릴 향

孟子께서 文王이 비록 백성의 힘을 이용하였으나 백성들이 도리어 이것을 즐거워하여, 이미 아름다운 명칭을 가해 주고 또 그(文王)가 소유한 것을 즐거워하였으니, 이는 文王이 백성을 사랑하였기 때문에 백성들이 그의 즐거워함을 좋아하여 文王 또한 그 즐거움을 누릴 수 있었음을 말씀한 것이다.

2-4. 湯誓에 曰 時日은 害(갈)喪고 予及女(汝)로 偕亡이라하니 民欲與之偕亡이면 雖有臺池鳥獸나 豈能獨樂哉리잇고

〈湯誓〉에 이르기를 '이 해(태양)는 언제나 없어질고. 내 너와 더불어 망하겠다(없어지겠다).' 하였으니, 백성들이 그와 함께 망하고자 한다면 비록 臺池와 鳥獸를 가지고 있은들 어찌 홀로 즐거워할 수 있겠습니까."

集註 | 此는 引書而釋之하여 以明不賢者雖有此不樂之意也라 湯誓는 商書篇名이라 時는 是也라 日은 指夏桀이라 害은 何也라 桀嘗自言 吾有天下는 如天之有日하니 日亡이라야 吾乃亡耳[17]라하니 民怨其虐이라 故로 因其自言하여 而目之曰 此日이 何時亡乎아 若亡則我寧與之俱亡이라하니 蓋欲其亡之甚也라 孟子引此하여 以明君獨樂而不恤其民이면 則民怨之하여 而不能保其樂也라

이것은 《書經》을 인용하고 이를 해석하여, '어질지 못한 자는 비록 이것을 가지고 있더라도 즐거워하지 못한다.'는 뜻을 밝힌 것이다. '湯誓'는 《書經》의 篇名이다. '時'는 이것이다. '日'은 夏나라 桀王을 가리킨다. '害'은 어찌이다. 桀王이 일찍이 스스로 말하기를 "내가 天下를 소유함은 하늘에 해가 있는 것과 같으니, 해가 없어져야 내 비로소 망할 것이다." 하였다. 백성들이 그의 虐政을 원망하였으므로, 그가 스스로 말한 것을 인해서 〈해를 가리켜〉 桀王을 지목하기를 "이 해는 언제나 없어지려는가. 만일 없어진다면 내 차라리 그와 함께 없어지겠다." 하였으니, 이것은 그가 망하기를 바람이 심한 것이다. 孟子는 이것을 인용하여, 君主가 홀로 즐기고 백성을 구휼하지 않으면 백성들이 그를 원망하여 그 즐거움을 보전할 수 없음을 밝힌 것이다.

---

17 桀嘗自言……吾乃亡耳:趙氏(趙順孫)는 "인용한 桀王의 말은 《尙書大傳》에서 나온다.〔所引桀語 出尙書大傳〕" 하였다.

··· 誓 맹세할 서 時 이시(是同) 害 어찌 갈 喪 망할 상 及 더불 급 桀 횃대 걸 虐 모질 학 目 지목할 목
寧 차라리 녕 俱 함께 구 恤 구휼할 휼

|移民移粟章|

3-1. 梁惠王曰 寡人之於國也에 盡心焉耳矣로니 河內凶이어든 則移其民於河東하고 移其粟於河內하며 河東凶이어든 亦然하노니 察鄰國之政컨대 無如寡人之用心者로되 鄰國之民이 不加少하며 寡人之民이 不加多는 何也잇고

梁 惠王이 말씀하였다. "寡人은 나라에 대하여 마음을 다하고 있습니다. 河內 지방이 흉년들면 그(河內) 백성을 河東 지방으로 이주시키고 그(河東) 곡식을 河內 지방으로 옮겨가며, 河東 지방이 흉년들면 또한 이렇게 하고 있습니다. 이웃 나라의 정사를 살펴보건대 寡人처럼 마음을 쓰는 자가 없는데도 이웃 나라의 백성들이 더 적어지지 않으며 寡人의 백성들이 더 많아지지 않음은 어째서입니까?"

> 集註ㅣ寡人은 諸侯自稱이니 言寡德之人也라 河內, 河東은 皆魏地라 凶은 歲不熟也라 移民以就食하고 移粟以給其老稚之不能移者[18]라
>
> '寡人'은 諸侯의 자칭이니, 德이 적은 사람이라는 말이다. 河內와 河東은 모두 魏나라 땅이다. '凶'은 年事(그 해의 농사)가 제대로 성숙하지 못함이다. 백성을 옮겨서 나아가 먹게 하고, 곡식을 옮겨서 이동하지 못하는 늙은이와 어린이에게 준 것이다.

3-2. 孟子對曰 王이 好戰하시니 請以戰喻호리이다 塡然鼓之하여 兵刃既接이어든 棄甲曳兵而走호되 或百步而後止하며 或五十步而後止하여 以五十步로 笑百步하면 則何如하니잇고 曰 不可하니 直不百步耳언정 是亦走也니이다 曰 王如知此시면 則無望民之多於鄰國也하소서

孟子께서 대답하셨다. "王께서 전투를 좋아하시니, 청컨대 전투를 가지고 비유하겠습니다. 둥둥 북을 쳐서 병기와 칼날이 이미 맞붙었거든 갑옷을 버리고 병기를 끌고 도망하되 혹은 100步를 도망한 뒤에 멈추며 혹은 50步를 도망한 뒤에 멈추고서 〈자신은〉

---

18 移粟以給其老稚之不能移者:《大全》에는 "곡식을 옮긴 것은 백성들이 스스로 그 곡식을 옮겼을 뿐이다.〔移粟 民自移其粟耳〕" 하였다.

··· 寡 적을 과 凶 흉년 흉 移 옮길 이 粟 곡식 속 鄰 이웃 린 稱 일컬을 칭 熟 성숙할 숙 給 줄 급 稚 어릴 치
請 청할 청 喻 비유할 유 塡 북소리 전 鼓 북고, 북칠 고 刃 칼날 인 曳 끌 예 笑 웃을 소 直 다만 직
望 바랄 망

50步를 도망했다 하여 100步를 도망한 자를 비웃으면 어떻습니까?"

王이 말씀하였다. "不可하니, 다만 100步를 도망하지 않았을 뿐이지 이 또한 도망한 것입니다."

孟子께서 말씀하셨다. "王께서 만일 이것을 아신다면 백성들이 이웃나라보다 많아지기를 바라지 마소서.

> 集註│ 塡은 鼓音也니 兵은 以鼓進하고 以金退라 直은 猶但也라 言此하여 以譬鄰國不恤其民하고 惠王能行小惠라 然이나 皆不能行王道以養其民하니 不可以此而笑彼也라
>
> 楊氏曰 移民, 移粟은 荒政之所不廢也라 然이나 不能行先王之道하고 而徒以是爲盡心焉이면 則末[19]矣니라
>
> '塡'은 북소리이니, 군대는 북소리에 따라 전진하고 쇳(징)소리에 따라 후퇴한다. '直'은 但(다만)과 같다. 이것을 말씀하여, 이웃 나라는 그 백성을 구휼하지 않고 惠王은 작은 은혜를 행하였으나, 모두 王道를 행하여 백성을 기르지 못하였으니, 이것을 가지고 저것을 비웃을 수 없음을 비유한 것이다.
>
> 楊氏(楊時)가 말하였다. "백성을 옮기고 곡식을 옮김은 흉년든 정사에 폐할 수 없는 것이다. 그러나 先王의 道를 행하지 못하고서 다만 이것을 가지고 마음을 다했다고 한다면 末(枝葉)이다."

3-3. 不違農時면 穀不可勝食也며 數(촉)罟를 不入洿池면 魚鼈을 不可勝食也며 斧斤을 以時入山林이면 材木을 不可勝用也니 穀與魚鼈을 不可勝食하며 材木을 不可勝用이면 是는 使民養生喪死에 無憾也니 養生喪死에 無憾이 王道之始也니이다

---

19 末:壺山은 "'非'와 같다."고 하였으나, '末'은 나무의 枝葉으로 근본이 아님을 이른다. 《論語》〈子張〉에 "子夏의 門人小子(弟子)들이 물 뿌리고 청소하며 應對하고 進退하는 예절을 당해서는 괜찮지만 이는 지엽적인 일이다. 근본적인 것은 없으니, 어찌하겠는가?〔子夏之門人小子 當灑掃應對進退則可矣 抑末也 本之則無 如之何〕"라고 보인다.

••• 譬 비유할 비 荒 흉년들 황 廢 폐할 폐 徒 다만 도, 한갓 도 違 어길 위 穀 곡식 곡 勝 이길 승 數 빽빽할 촉
罟 그물 고 洿 웅덩이 오 鼈 자라 별 斧 도끼 부 斤 자귀 근 憾 한할 감

〈농사철에 부역을 시키지 않아〉 농사철을 놓치지 않게 하면 곡식이 많아 이루 다 먹을 수 없으며, 촘촘한 그물을 웅덩이와 못에 넣지 않으면 물고기와 자라를 이루 다 먹을 수 없으며, 도끼와 자귀를 철에 따라 山林에 들어가게 하면 재목을 이루 다 쓸 수 없을 것입니다. 곡식과 물고기와 자라를 이루 다 먹을 수 없으며 재목을 이루 다 쓸 수 없으면 이는 백성들로 하여금 산 이를 봉양하고 죽은 이를 葬送함에 유감이 없게 하는 것이니, 산 이를 봉양하고 죽은 이를 장송함에 유감이 없게 하는 것이 王道의 시작입니다.

集註 | 農時는 謂春耕, 夏耘, 秋收之時니 凡有興作에 不違此時하고 至冬乃役之也라 不可勝食은 言多也라 數은 密也요 罟는 網也라 洿는 窊下之地니 水所聚也라 古者에 網罟를 必用四寸之目하여 魚不滿尺이면 市不得粥(육)하고 人不得食이라 山林川澤을 與民共之호되 而有厲禁[20]하여 草木零落然後에 斧斤入焉[21]하니 此皆爲治之初에 法制未備하여 且因天地自然之利하야 而撙節愛養之事也라 然이나 飮食宮室은 所以養生이요 祭祀棺槨은 所以送死니 皆民所急而不可無者어늘 今皆有以資之면 則人無所恨矣라 王道는 以得民心爲本이라 故로 以此爲王道之始하니라

'農時'는 봄에 밭 갈고 여름에 김매고 가을에 수확하는 때를 이르니, 모든 〈土木工事와 부역을〉 일으킴에 이 농사철을 놓치지 않게 하고 겨울에 이르러서야 부역을 시키는 것이다. '不可勝食'은 많음을 말한다. '數'은 촘촘함이요, '罟'는 그물이다. '洿'는 우묵하게 들어간 곳(웅덩이)이니, 물이 모이는 곳이다. 옛날에는 그물을 반드시 네 치의 눈을 써서 물고기가 한 자[尺]가 되지 않으면 시장에서 팔 수 없고 사람들이 먹을 수 없었다. 그리하여 山林과

---

20 山林川澤……而有厲禁:《周禮》〈地官司徒 山虞〉에 "山虞가 山林의 政令을 관장하여 물건마다 번식하는 구역을 만들고 지켜 금지하였다. 仲冬에 陽木을 베고 仲夏에 陰木을 베며【혹자는 이르기를 '陽木은 山의 남쪽에서 자란 것이고 陰木은 山의 북쪽에서 자란 것이다.' 하였다.】 무릇 服(수레의 양 옆의 橫木)과 耡(보습)을 만들 때에는 어린나무를 베어서 철에 맞추어 들인다.' 하였다.【服은 牝服이니 수레의 재목이다. 季는 稺와 같다. 服과 耡는 마땅히 어린 나무를 사용하여야 하니, 부드럽고 질긴 것을 숭상하였다.】 그리하여 萬民으로 하여금 철에 따라 재목을 벰에 期日이 있게 했다.〔山虞掌山林之政令 物爲之厲而爲之守禁 仲冬斬陽木 仲夏斬陰木【或謂 陽木 生山南者 陰木 生山北者】 凡服耡 斬季材 以時入之【服 牝服 車之材也 季 猶稺也 服與 耡 宜用穉材 尙柔韌也】 令萬民 時斬材 有期日〕" 하였다.

21 草木零落然後 斧斤入焉:《禮記》〈王制〉에 "수달이 물고기로 제사지낸 뒤에 고기 잡는 사람이 못과 魚梁에 들어가고, 승냥이가 짐승으로 제사한 뒤에 사냥을 하고, 비둘기(뻐꾸기)가 변화하여 새매가 된 뒤에 그물을 설치하고, 초목의 잎이 떨어진 뒤에 산림에 들어간다.〔獺祭魚然後 漁人入澤梁 豺祭獸然後 田獵 鳩化爲鷹然後 設罻羅 草木零落然後 入山林〕"라고 보인다.

··· 耕 밭갈 경 耘 김맬 운 密 빽빽할 밀 網 그물 망 窊 우묵할 와 聚 모을 취 粥 팔 육(鬻同) 澤 못 택 厲 엄할 려 禁 금할 금 零 떨어질 령 備 갖출 비 撙 절제할 준 棺 널 관 槨 널 곽 送 보낼 송 資 의뢰할 자

川澤을 백성과 함께 이용하되 엄격한 금지가 있어서 草木의 잎이 떨어진 뒤에야 도끼와 자귀를 가지고 山林에 들어가게 하였다.

이것은 모두, 정치하는 초기에 法制가 아직 未備한 까닭에 우선 天地自然의 이로움을 인하여 撙節(절제)하고 아껴 기르는 일이다. 그러나 飮食과 宮室은 산 이를 봉양하는 것이요, 祭祀와 棺槨은 죽은 이를 장송하는 것이니, 모두 백성들에게 시급한 바여서 없을 수 없는 것인데, 지금 모두 이것을 이용할 수 있다면 사람들이 恨하는 바가 없을 것이다. 王道는 民心을 얻는 것을 근본으로 여기기 때문에 이것을 王道의 시작으로 삼은 것이다.

3-4. 五畝之宅에 樹之以桑이면 五十者可以衣帛矣며 鷄豚狗彘之畜(휵)을 無失其時면 七十者可以食肉矣며 百畝之田을 勿奪其時면 數口之家 可以無飢矣며 謹庠序之敎하여 申之以孝悌之義면 頒(班)白者不負戴於道路矣리니 七十者衣帛食肉하며 黎民이 不飢不寒이요 然而不王者 未之有也니이다

5畝의 집 주변에 뽕나무를 심게 한다면 50세가 된 자가 비단옷을 입을 수 있으며, 닭과 돼지와 개와 큰 돼지를 기름에 새끼 칠 때를 놓치지 않게 한다면 70세가 된 자가 고기를 먹을 수 있으며, 100畝의 토지에 농사철을 빼앗지 않는다면 몇 식구의 집안이 굶주림이 없을 수 있으며, 庠序의 가르침을 삼가서 孝悌의 의리로써 거듭한다면 〈머리가〉 頒白이 된 자가 도로에서 짐을 지거나 이지 않을 것입니다. 70세가 된 자가 비단옷을 입고 고기를 먹으며, 黎民(젊은 백성)이 굶주리지 않고 추위에 떨지 않는데, 이렇게 하고서도 왕 노릇 하지 못하는 자는 있지 않습니다.

按說 | '五畝之宅'의 '畝'는 시대에 따라 약간 다르다. 《漢語大詞典》에는

周나라 제도는 6尺(혹은 6척 4촌, 혹은 8척이라고도 함)을 1步라 하고 100步를 1畝라 하였으며, 秦나라 때에는 5尺을 1步라 하고 240步를 1畝라 하였는데 漢나라도 秦나라 제도를 인습하였다. 唐나라는 너비 1步에 길이 240步를 1畝라 하였으며, 淸나라는 5方尺을 1步라 하고 240步를 1畝라 하였다. 지금의 1畝는 60平方丈과 같은데, 6.6667公畝에 해당된

⋯ 畝 밭이랑 묘(무) 樹 심을 수 桑 뽕나무 상 帛 흰비단 백 豚 돼지 돈 狗 개 구 彘 큰돼지 체 畜 기를 휵(축)
庠 학교이름 상 申 거듭할 신 悌 공경할 제 頒 머리반쯤셀 반 班 아롱질 반, 머리반쯤셀 반 負 질 부
戴 머리에일 대 黎 검을 려 飢 굶주릴 기 王 임금노릇할 왕

다.〔周制 六尺爲步(或曰六尺四寸, 八尺) 百步爲畝 秦時以五尺爲步 二百四十步爲畝

漢因秦制 唐以廣一步 長二百四十步爲畝 淸以五方尺爲步 二百四十步爲畝 今一畝

等於六十平方丈 合6.6667公畝〕

하였다. 公畝는 100평방미터를 가리킨다. 寒洲(李震相)는 〈擬陳時弊仍進畝忠錄疏〉

에서

옛날에 周尺 6尺을 1步라 하고, 너비 1步에 길이 100步를 1畝라 하며, 100畝를 1頃이라

하였으니, 1頃의 토지는 지금의 논 40두락(마지기)이다.〔古制以周尺六尺爲一步 廣一步

長百步爲一畝 百畝爲一頃 一頃之田 卽今種稻四十斗之地也〕

하였다.

'鷄豚狗彘'에 대하여, 楊伯峻은

豚은 새끼돼지로, 잡아서 제사에만 쓸 수 있었다. 이는 王筠의 《說文釋例》에 '옛 사람들은

돼지가 크지 않으면 먹지 않았고 새끼돼지는 오직 제사에만 바쳤다.〔古人之豕 非大不食 小

豕惟以致祭也〕'한 것과 같다. 이 때문에 여기서 彘를 말하고 또 豚을 말한 것이다.

하였다.

集註丨五畝之宅은 一夫所受니 二畝半은 在田하고 二畝半은 在邑[22]이라 田中에 不得

有木이니 恐妨五穀[23]이라 故로 於墻下植桑하여 以供蠶事라 五十始衰하여 非帛不煖

---

22 五畝之宅……在邑:趙氏(趙順孫)는 "옛날에 한 남편과 부인이 私田 100畝와 公田 10畝를 받았으니,
여덟 집이 880畝가 되고 나머지 公田 20畝는 여덟 집이 나누어서 2畝 半을 얻어 집(농막)을 만들었으
며, 城邑의 사는 곳도 또한 각각 2畝 半을 얻어 봄에는 백성들로 하여금 모두 나와 들에 있게 하고, 겨
울에는 모두 邑에 들어가 살게 하였다. 들에 있는 것을 廬라 하고 읍에 있는 것을 里라 하니, 廬는 각각
농사짓는 밭 가운데에 있고 里는 모여 사는 곳이다.〔古者一夫一婦受私田百畝 公田十畝 八家是爲
八百八十畝 餘公田二十畝 八家分之 得二畝半 以爲廬舍 城邑之居 亦各得二畝半 春令民畢出在野
冬則畢入於邑 在野曰廬 在邑曰里 廬各在其田中 而里聚居也〕"하였으며, 壺山은 《漢書》〈食貨志〉
의 "들에 있는 것을 廬라 하고 邑에 있는 것을 里라 한다.〔在壄(野)曰廬 在邑曰里〕"라고 한 것을 인용
하였다. 그러나 茶山은 '5畝의 집이 2畝 半은 농지에 있고 2畝 半은 읍내에 있다'는 說을 취하지 않고,
'5畝의 집'을 '邑里에 있는 항상 거주하는 집〔邑里恒居之室〕'으로 보았다. 여기서 邑里는 《論語》의 '十
室之邑'과 같은 邑이지, 君牧이 거처하는 都邑이 아니라고 하였다.

23 五穀:다섯 가지 곡식으로 稻(벼)·黍(기장)·稷(피, 조)·麥(보리)·菽(콩)을 이른다.

··· 妨 해로울 방 墻 담 장 蠶 누에 잠 衰 쇠할 쇠 煖 따뜻할 난

하니 未五十者는 不得衣也라 畜은 養也라 時는 謂孕字之時니 如孟春犧牲毋用牝[24] 之類也라 七十엔 非肉不飽하니 未七十者는 不得食也라 百畝之田은 亦一夫所受니 至此면 則經界正[25]하고 井地均하여 無不受用之家矣라 庠序는 皆學名也라 申은 重 也니 丁寧反覆之意라 善事父母爲孝요 善事兄長爲悌라 頒은 與班(斑)同하니 老人 頭半白黑者也라 負는 任在背요 戴는 任在首라 夫民이 衣食不足이면 則不暇治禮義 요 而飽煖無敎면 則又近於禽獸라 故로 旣富而敎以孝悌면 則人知愛親敬長而代 其勞하여 不使之負戴於道路矣라 衣帛食肉을 但言七十은 舉重以見(현)輕也라 黎 는 黑也라 黎民은 黑髮之人이니 猶秦言黔首也라 少壯之人은 雖不得衣帛食肉이나 然亦不至於飢寒也라 此는 言 盡法制品節之詳[26]하고 極財(裁)成輔相之道하여 以 左右民[27]이니 是는 王道之成也라

'5畝의 집'은 한 家長이 받는 것이니, 2畝 半은 농지에 있고 2畝 半은 읍내에 있다. 농지 (밭) 가운데는 나무가 있을 수 없으니, 五穀에 해로울까 두려워해서이다. 그러므로 담장 아 래에 뽕나무를 심어서 누에치는 일에 공급하는 것이다. 50세가 되면 노쇠하기 시작하여 비 단옷이 아니면 따뜻하지 않으니, 50세가 되지 못한 자는 비단옷을 입을 수 없다. '畜'은 기 름이다. '時'는 새끼를 배는 때를 이르니, 〈無失其時 는〉孟春에 犧牲은 암컷을 쓰지 말라

---

24 孟春犧牲毋用牝:《禮記》〈月令〉에 "〈孟春의 달에〉樂正에게 명하여 學校에 들어가서 춤을 익히게 하 였으며, 마침내 祭典을 닦아서 명하여 山林과 川澤에 祭祀지내되 犧牲은 암컷을 사용하지 못하게 하 고 伐木을 금지하였으며, 새의 둥지를 뒤엎지 못하게 하고 어린 벌레와 뱃속에 있거나 막 태어난 것(짐 승)과 날기를 익히는 새끼 새를 죽이지 못하게 했다.〔命樂正 入學習舞 乃脩祭典 命祀山林川澤 犧牲 毋用牝 禁止伐木 毋覆巢 毋殺孩蟲胎夭飛鳥〕"하였다. 孟春은 지금 陰曆의 正月이다.

25 百畝之田……則經界正: 趙氏(趙順孫)는 "옛날에는 100步를 1畝라 하였는데 지금은 240步를 1畝라 하니, 옛날 100畝는 지금의 41畝에 해당한다. 經界는 땅을 다스리고 田地를 나누어 주어 도랑과 길과 封하고 심는 경계를 經畫함을 이른다.〔古以百步爲畝 今以二百四十步爲畝 古百畝 當今之四十一畝 也 經界 謂治地分田 經畫其溝塗封植之界也〕"하였다.

26 法制品節之詳: 雙峰饒氏(饒魯)는 "5畝의 집과 100畝의 田地는 바로 法制이고, 50세에 비단옷을 입 고 70세에 고기를 먹음은 바로 品節이니, 法制만 있고 品節이 없으면 범범하여 쓰기에 부족하고, 품절 만 있고 법제가 없으면 어느 곳에서 취하여 쓰겠는가.〔五畝宅百畝田 是法制 五十衣帛七十食肉 是品 節 有法制 無品節 則泛而不足用 有品節 無法制 則於何處取用〕"하였다.

27 極財成輔相之道 以左右民: '財成輔相'은《周易》〈泰卦 象〉에 "하늘과 땅의 사귐이 泰卦이니, 임금이 이것을 보고서 天地의 道를 財成(제재하여 이룸)하고 天地의 마땅함을 輔相하여 백성을 돕는다.〔天 地交泰 后以 財成天地之道 輔相天地之宜 以左右民〕"라고 보인다. '財'는 '裁'와 통하며 '相'은 '돕 다'의 뜻으로, '財成'은 지나침을 억제하는 것이고 '輔相'은 부족함을 돕는 것이다. '左右'는 佐佑와 같 은바, 백성을 가르치고 도와주는 것이다.

… 孕 애밸 잉 字 새끼자 犧 짐승 희 牲 짐승 생 毋 말 무 牝 암컷 빈 飽 배부를 포 重 거듭 중 覆 반복할 복 斑 아롱질 반 任 짐 임 暇 겨를 가 禽 새금, 짐승금 獸 짐승 수 擧 들 거 輕 가벼울 경 髮 터럭 발 黔 검을 검 裁 옷마를 재 輔 도울 보 相 도울 상 左 도울 좌 右 도울 우

는 것과 같은 따위이다. 70세에는 고기가 아니면 배부르지 않으니, 70세가 되지 못한 자는 고기를 먹을 수 없다. '100畝의 토지' 또한 한 家長이 받는 것이니, 이에 이르면 經界가 바루어지고 井地가 균등해져서 토지를 받지 않은 집이 없게 된다. '庠'과 '序'는 모두 學校의 이름이다. '申'은 거듭함이니, 丁寧하고 반복하는 뜻이다. 父母를 잘 섬김을 '孝'라 하고, 兄과 어른을 잘 섬김을 '悌'라 한다. '頒'은 斑과 같으니, 老人으로 머리가 반쯤 희고 검은 자이다. '負'는 짐을 등에 지는 것이요, '戴'는 짐을 머리에 이는 것이다.

백성은 衣食이 부족하면 禮義를 다스릴 겨를이 없고, 배불리 먹고 따뜻이 입기만 하고 가르침이 없으면 또 금수에 가까워진다. 그러므로 이미 부유하게 해주고 나서 孝悌를 가르치면 사람들이 어버이를 사랑하고 어른을 공경할 줄 알아서, 그의 수고로움을 대신하여 老人으로 하여금 道路에서 짐을 지거나 이지 않게 하는 것이다. 비단옷을 입고 고기를 먹는 것을 70세만 말한 것은 重한 것을 들어서 輕한 것을 나타낸 것이다. '黎'는 검음이다. '黎民'은 모발이 검은 사람이니, 秦나라 때에 黔首라는 말과 같다. 젊고 건장한 사람들은 비록 비단옷을 입고 고기를 먹지 못하더라도 굶주림과 추위에는 이르지 않는다. 이는 法制와 品節의 상세함을 다하고 財成輔相의 道를 지극히 해서 백성을 도와줌을 말한 것이니, 이것은 王道의 完成이다.

3-5. 狗彘食人食而不知檢하며 塗有餓莩而不知發하고 人死어든 則曰 非我也라 歲也라하나니 是何異於刺(척)人而殺之曰 非我也라 兵也리오 王無罪歲하시면 斯天下之民이 至焉하리이다

개와 돼지가 사람이 먹을 것(양식)을 먹는데도 단속할 줄 모르며, 길에 굶어 죽은 시체가 있어도 창고를 열 줄 모르고, 사람들이 굶어 죽으면 군주가 말하기를 '내가 그렇게 한 것이 아니요 年事 때문이다.' 하니, 이 어찌 사람을 찔러 죽이고서 '내가 그렇게 한 것이 아니요 병기 때문이다.'라고 말하는 것과 다르겠습니까? 王께서 年事에 죄를 돌리지 않으시면 天下의 백성들이 〈魏나라로〉 올 것입니다.”

按說 | ''檢'에 대하여, 朱子는 檢束 즉 제재의 뜻으로 해석하였으나, 趙岐는

임금이 단지 개와 돼지만을 길러 사람의 먹을 것을 먹게 하고, 法度(制度)로 〈남는 곡식을〉

••• 彘 큰돼지 체 檢 단속할 검 塗 길 도(途同) 餓 굶주릴 아 莩 굶어죽은시체 표 發 열 발 異 다를 이
刺 찌를 자(척) 兵 병기 병 罪 허물 죄, 책망할 죄 焉 어조사 언

거두어들일 줄 모르는 것이다.〔人君但養狗彘 使食人食 不知以法度檢斂也〕

하였으며, 《漢書》〈食貨志〉에도

孟子도 개와 돼지가 사람이 먹을 것을 먹는데도 거두어들일 줄 모르는 것을 비난하였다.〔孟子亦非狗彘食人之食不知斂〕

하여 '檢'이 '斂'으로 되어 있다. 茶山은

개나 돼지가 사람의 먹을 것을 먹는 것은 풍년이고, 길에 굶어 죽은 시체가 있는 것은 흉년이다.……趙岐의 舊說에 '檢'을 '斂(거두다)'이라 하였으니, 이것은 옳으나 임금이 개와 돼지를 기른다고 한 것은 잘못이다. 이는 〈아래 4장의〉 〈임금의〉 푸줏간에는 살진 고기가 있고 마구간에는 살찐 말이 있다.'와는 뜻이 다르다.〔狗彘食人食 豐年也 塗有餓莩 凶年也……舊說以檢爲斂 此則是矣 但云人君養狗彘 非矣 此與庖有肥肉 廐有肥馬 意不同〕

하였다. 楊伯峻은 '檢'을 '斂'으로 보는 해석에 대해 李悝가 말한 平糶(官에서 풍년에 적절한 가격〔平價〕으로 식량을 구입·저장해 두어 흉년에 대비하는 것)과 같은 뜻이니, 閻若璩의 《四書釋地三續》에

옛날에 비록 풍년이라 하더라도 사람이 먹는 것으로 개와 돼지를 먹이는 경우는 없었다. '狗彘食人食'은 아래 章의 〈임금의〉 푸줏간에는 살진 고기가 있다.〔庖有肥肉〕'의 뜻이다.

라고 한 說이 따를 만하다고 하여, 朱子처럼 '檢'을 '제재하다'의 뜻으로 해석하였다.
'檢'을 '斂'의 뜻으로 보아 풍년에 곡식을 거두고 흉년에 흩어주는 것으로 보는 해석은 얼핏 보기에 매우 편리한 것처럼 보이지만 실제는 이 역시 시행하기 어려운 제도이다. 아래 〈梁惠王下〉 17장 章下註에 范祖禹가 말한 "倉廩과 府庫가 있는 것은 백성을 위한 것이다. 豐年에는 거두고 凶年에는 흩어 준다." 한 것도 그 제도가 확실하지 않으니, 公田의 수입만을 거두어 보관한 것인지 알 수 없다. 본인은 1965년부터 1976년까지 대략 12년 동안 직접 농사를 지으며 농촌지도자(자원봉사자)로서 활약하였는데, 당시 작농하는 규모가 3,000평 미만이었는데도 농한기가 거의 없었다. 가을 수확이 11월까지 이어지고, 農地稅와 水稅 등 국가에 납부해야 할 세금은 의무적으로 현물인 租穀(벼 1가마 54kg)으로 납부하였는데, 조곡을 그냥 납부하는 것이 아니라 건조율이 수분 14% 이내가 되어야 했다. 곡식을 이처럼 건조시키지 않으면 장기간 보관할 경우 부패하기 때문이

다. 그러나 초겨울 날씨에는 며칠을 말려도 이 수준이 되지 않으며, 마을에 창고가 없어 면사무소가 있는 곳까지 정해진 날짜에 맞추어 지게로 지고 가서 검사를 받아야 하는데, 합격하지 못하면 다시 되짊어지고 와야 했다. 또한 군량 등 비축미를 위하여 정부에서 租穀을 똑같은 방식으로 '買上'이란 이름으로 수매하였는데, 정부의 매입 가격이 시중의 쌀값보다 결코 낮지 않았는데도 농민들이 매상에 호응하지 않아 면사무소와 농촌지도소의 직원들이 본인에게까지 도움을 요청하여 매상에 응할 것을 권유한 일이 있었다. 보관 창고와 수송 수단이 원만하지 못했을 당시 풍년에 곡식을 거둔다는 것은 결코 용이한 일이 아니다. 강제성을 띠면 아전들의 무리한 독려가 이어져 민원이 발생하고, 자율에 맡기면 호응하는 자가 적음은 明若觀火하다. 더구나 옛날 추수가 끝나면 띠풀을 베어다가 지붕을 해 이고 군사훈련과 교량 등 토목공사의 부역이 뒤따름에 있어서랴.

集註 | 檢은 制也라 莩는 餓死人也라 發은 發倉廩以賑[28]貸也라 歲는 謂歲之豐凶也라 惠王이 不能制民之産하고 又使狗彘로 得以食人之食하니 則與先王制度品節[29]之意로 異矣라 至於民飢而死로되 猶不知發하니 則其所移는 特民間之粟而已어늘 乃以民不加多로 歸罪於歲凶하니 是는 知刃之殺人이요 而不知操刃者之殺人也라 不罪歲면 則必能自反而益修其政[30]하여 天下之民이 至焉하리니 則不但多於鄰國而已니라

'檢'은 제재함이다. '莩'는 굶어죽은 사람이다. '發'은 倉廩을 열어서 구휼하고 대여해 주는 것이다. '歲'는 年事의 豐凶을 이른다.

惠王이 백성들의 재산을 제정해 주지 못하고, 또 개와 돼지로 하여금 사람의 먹을 것을 먹게 하였으니, 先王이 制度하고 品節한 뜻과는 다른 것이다. 백성이 굶주려 죽어 가는데도 창고를 열 줄 몰랐으니, 그렇다면 그 옮겨간 것은 다만 民間의 곡식일 뿐이다. 그런데 백성들이 더 많아지지 않는 것을 가지고 年事에 죄를 돌리니, 이는 칼날이 사람을 죽인 것만 알고, 칼날을 잡은 자가 사람을 죽인 것은 모르는 것이다. 年事에 죄를 돌리지 않는다면 반드

---

28 賑:《大全》에 "음이 震으로 '振'字와 통용하여 쓰니, 일으킴이요 구원함이다.〔音震 通作振 起也 救也〕" 하였다.

29 制度品節:'制度'는 井田法 등을 이르며 '品節'은 품격에 따라 제한하는 것으로 작은 물고기는 잡지 않으며 70세가 된 자만 고기를 먹는 따위를 이른다.

30 政:《大全》에는 "바로 윗글에서 말한 王道이다.〔卽上文所言王道〕" 하였다.

••• 制 제재할 재 倉 창고 창 廩 창고 름 賑 구휼할 진 貸 꾸어줄 대 豐 풍년 풍 猶 오히려유, 아직 유 特 다만 특 操 잡을 조

시 스스로 돌이켜 더욱 정사를 닦아서 天下의 백성이 올 것이니, 이렇게 된다면 비단 이웃 나라보다 백성이 많아질 뿐만이 아닐 것이다.

章下註｜○程子曰 孟子之論王道 不過如此하시니 可謂實矣[31]로다

又曰 孔子之時에 周室雖微나 天下猶知尊周之爲義라 故로 春秋엔 以尊周爲本하고 至孟子時하여는 七國[32]爭雄하여 天下不復知有周하고 而生民之塗炭이 已極하니 當是時하여 諸侯能行王道면 則可以王矣니 此는 孟子所以勸齊梁之君也라 蓋王者는 天下之義主[33]也니 聖賢亦何心哉[34]시리오 視天命之改與未改[35]耳시니라

○程子(伊川)가 말씀하였다. "孟子께서 王道를 논하심이 이와 같음에 지나지 않았으니, 진실하다고 이를 만하다."

또 말씀하였다. "孔子 때엔 周나라 王室이 비록 미약하였으나 天下가 아직은 周나라를 높임이 大義가 됨을 알고 있었다. 그러므로 《春秋》에는 周나라를 높임을 근본으로 삼았다. 그러나 孟子 때에 이르러서는 七國이 패권을 다투어 天下가 다시는 周나라가 있음을 알지 못하였고 生民의 도탄에 빠짐이 이미 지극하였으니, 이때를 당하여 諸侯들이 능히 王道를 행한다면 왕 노릇 할 수 있었으니, 이것이 孟子께서 齊나라와 梁나라의 군주에게 권고하신 이유이다. 王者는 天下의 의로운 君主이니, 聖賢께서는 무슨 마음이셨겠는가? 天命이 옮겨갔는가 옮겨가지 않았는가를 보셨을 뿐이다."

---

31 孟子之論王道……可謂實矣:新安陳氏(陳櫟)는 "王道는 농사짓고 누에치고 가르치고 기르는 등의 실제 일에서 벗어나지 않으니, 어찌 높고 멀어 행하기 어려운 데에서 구하겠는가.〔王道不出農桑敎養等實事 豈求之高遠難行者哉〕"하였다.

32 七國:戰國時代의 强大國인 秦·楚·燕·齊·韓·魏·趙의 7개국을 가리킨다.

33 義主:壺山은 "義의 宗主〔義之宗主〕"로 보았다.

34 聖賢亦何心哉:壺山은 "그 사이에 사사로운 마음을 용납하지 않는다.〔不容私心於其間〕"하였다. '聖'은 孔子를, '賢'은 孟子를 가리킨 것이다.

35 視天命之改與未改:雲峰胡氏(胡炳文)는 "孔子의 論이 있지 않았으면 아래에 있는 자가 임금을 높이는 義理를 알지 못하여 백성들이 군주를 무시할 것이요, 孟子의 論이 있지 않았으면 위에 있는 자가 天命의 바뀌고 바뀌지 않음이 민심의 향하고 배반함에 있음을 알지 못해서 군주가 백성을 무시할 것이다.〔不有孔子之論 則在下者不知有尊王之義 而民可以無君矣 不有孟子之論 則在上者不知天命之改不改在民心之向背 而君可以無民矣〕"하였다. '改'는 바뀌는 것으로 天命이 바뀌면 비록 天子國의 군주라도 天子가 아니며, 天命이 아직 바뀌지 않았으면 비록 미약하더라도 天子인 것이다.

••• 過 지날 과 雖 비록 수 微 작을 미 雄 우두머리 웅 復 다시 부 塗 진흙 도 炭 숯 탄 極 극진할 극 勸 권할 권 改 고칠 개

|願安承敎章(以政殺人章)|

4-1. 梁惠王曰 寡人이 願安承敎하노이다

梁 惠王이 말씀하였다. "寡人이 마음을 편안히 하여 가르침을 받들기 원합니다."

集註 | 承上章하여 言願安意以受敎라

윗장을 이어서 마음을 편안히 하여 가르침을 받기를 원한다고 말한 것이다.

4-2. 孟子對曰 殺人以挺與刃이 有以異乎잇가 曰 無以異也니이다

孟子께서 대답하셨다. "사람을 죽임에 몽둥이와 칼날을 사용하는 것이 차이가 있습니까?"
王이 "차이가 없습니다."라고 대답하였다.

集註 | 挺은 杖也라

'挺'은 몽둥이이다.

4-3. 以刃與政이 有以異乎잇가 曰 無以異也니이다

〈孟子께서 물으셨다.〉 "칼날과 정사를 가지고 사람을 죽이는 것이 차이가 있습니까?"
王이 "차이가 없습니다."라고 대답하였다.

集註 | 孟子又問에 而王答也라

孟子가 다시 물으심에 王이 답한 것이다.

4-4. 曰 庖有肥肉하며 廏有肥馬요 民有飢色하며 野有餓莩면 此는 率獸而食人也니이다

孟子께서 말씀하셨다. "〈임금의〉 푸줏간에는 살진 고기가 있고 마구간에는 살찐 말이

··· 願 원할 원 挺 몽둥이 정 刃 칼날 인 杖 몽둥이 장 庖 푸줏간 포 肥 살찔 비 廏 마구간 구 莩 굶어죽을 표
率 거느릴 솔

있으면서 백성들이 굶주린 기색이 있고 들에 굶어 죽은 시체가 있다면 이것은 짐승을 몰아서 사람을 잡아먹게 한 것입니다.

集註 | 厚斂於民[36]하여 以養禽獸하여 而使民飢以死하면 則無異於驅獸以食人矣라

人民들에게 세금을 많이 거두어 禽獸를 길러서 백성들로 하여금 굶주려 죽게 한다면 짐승을 몰아서 사람을 잡아먹게 함과 다름이 없는 것이다.

4-5. 獸相食을 且人이 惡(오)之하나니 爲民父母라 行政호되 不免於率獸而食人이면 惡(오)在其爲民父母也리잇고

짐승끼리 서로 잡아먹는 것도 사람들이 미워하는데, 백성의 父母가 되어 정사를 행하되 짐승을 몰아 사람을 잡아먹게 함을 면치 못한다면 백성의 父母된 것이 어디에 있습니까?

集註 | 君者는 民之父母也라 惡在는 猶言何在也라

人君은 백성의 父母이다. '惡在'는 '어디에 있는가'라는 말과 같다.

4-6. 仲尼曰 始作俑者 其無後乎인저하시니 爲其象人而用之也시니 如之何其使斯民飢而死也리잇고

仲尼께서 말씀하시기를 '처음으로 俑을 만든 자는 아마도 後孫이 없을 것이다.' 하셨으니, 이는 사람을 형상하여 장례에 사용하였기 때문입니다. 어찌하여 이 백성들로 하여금 굶주려 죽게 한단 말입니까."

集註 | 俑은 從葬木偶人也라 古之葬者 束草爲人하여 以爲從衛하고 謂之芻靈하니

---

36 厚斂於民:內閣本에는 '厚斂於人'으로 되어 있는 것을, 中國本(《四書章句集注》)을 따라 바로잡았는바, '斂'은 內閣本에 모두 '歛'으로 잘못되어 있다.

… 厚 두터울 후 斂 거둘 렴 惡 싫어할 오, 어찌 오 免 면할 면 尼 산이름 니 俑 허수아비 용 象 형상할 상
葬 장사지낼 장 偶 허수아비 우 束 묶을 속 衛 호위할 위 芻 꼴 추

略似人形而已러니 中古에 易之以俑하니 則有面目機發하여 而太似人矣[37]라 故로 孔子惡其不仁하사 而言其必無後也[38]라 孟子言 此作俑者는 但用象人以葬이로되 孔子猶惡之하시니 況實使民飢而死乎아

'俑'은 附葬用 나무인형이다. 옛날 장사지내는 자들은 풀단을 묶어 사람(인형)을 만들어서 상여를 호위하게 하고는 芻靈이라 일렀으니, 대략 사람의 모습과 같을 뿐이었다. 그러다가 中古에 俑으로 바꾸니, 얼굴과 눈, 機發(움직임)이 있어서 너무도 사람과 유사하였다. 그러므로 孔子께서 그 不仁함을 미워하시어 〈이것을 처음 만든 자는〉 반드시 後孫이 없을 것이라고 말씀하신 것이다. 孟子께서 말씀하시기를 "이 俑을 만든 자는 사람을 형상하여 장례에 썼을 뿐인데도 孔子께서 오히려 미워하셨는데, 하물며 실제 백성들로 하여금 굶주려 죽게 한단 말입니까." 하신 것이다.

章下註 | ○李氏[39]曰 爲人君者 固未嘗有率獸食人之心이라 然이나 徇一己之欲하여 而不恤其民이면 則其流必至於此라 故로 以爲民父母로 告之하시니 夫父母之於子에 爲之就利避害하여 未嘗頃刻而忘于懷하니 何至視之不如犬馬乎아

○李氏(李郁)가 말하였다. "人君된 자가 진실로 일찍이 짐승을 몰아서 사람을 잡아먹게 하려는 마음이 있는 것은 아니다. 그러나 一身의 욕심만을 따라 백성을 구휼하지 않는다면 그 흐름의 폐단이 반드시 여기에 이를 것이다. 그러므로 '백성의 父母가 되었다.'는 것으로 말씀하신 것이다. 父母가 자식에 대해서는 그를 위하여 이로운 데로 나아가게 하고 해로움을 피하게 하여 일찍이 頃刻(잠시)이라도 마음속에 잊지 않으니, 어찌 자식을 개나 말만도 못하게 보는 지경에 이르겠는가."

---

37 中古……而太似人矣:趙氏(趙順孫)는 "나무로 만든 사람에 기계를 설치하여 능히 뛸 수 있었다. 그러므로 이름을 '俑'이라 한 것이다.〔木人設機 而能踊跳 故名曰俑〕" 하였다.

38 孔子惡其不仁 而言其必無後也:新安陳氏(陳櫟)는 "俑을 만든 자는 사람을 죽여 殉葬하는 단초가 되었으니, 孔子가 그를 미워하신 것은 이 때문이다.〔作俑者 殺人殉葬之漸 孔子惡之者 以此〕" 하였다.

39 李氏:壺山은 "이 책의 註 가운데 '諸儒의 관작과 거주한 곳'은 모두 《論語集註》를 그대로 이어받고 《大全》에 별도로 드러내지 않았으니, 이는 《論語集註》의 '李氏'이고, 반드시 〈離婁上〉 28장 註의 李氏는 아닐 것이다.〔此書註中諸儒爵里 皆蒙語註 而大全不別著 此蓋語註之李氏 必非離婁篇註之李氏〕" 하였다. 《論語集註》의 李氏는 李郁인데 여기에서는 《大全》에 그에 대한 언급이 없고, 〈離婁上〉 28장 註의 李氏는 《大全》에 李侗이라고 밝혔다. 李侗은 朱子의 스승으로 號는 延平이다.

··· 略 대략 략 已 그칠 이 易 바꿀 역 機 기틀 기 太 너무 태 猶 오히려 유 徇 따를 순 就 나아갈 취 避 피할 피 頃 잠깐 경 刻 시간 각 懷 품을 회

|晉國天下莫强焉章|

5-1. 梁惠王曰 晉國이 天下莫强焉은 叟之所知也라 及寡人之身하여
東敗於齊에 長子死焉하고 西喪地於秦七百里하고 南辱於楚하니 寡人
이 恥之하여 願比死者하여 一洒之하노니 如之何則可니잇고

梁 惠王이 말씀하였다. "우리 晉나라가 天下에 막강함은 老人께서도 아시는 바입니
다. 〈그러나〉 寡人의 몸에 이르러 동쪽으로 齊나라에게 패전함에 長子가 전사하였고,
서쪽으로는 秦나라에게 땅 700里를 잃었고, 남쪽으로는 楚나라에게 모욕을 당하였습
니다. 寡人이 이것을 부끄러워하여 戰死한 자들을 위해서 한번 설욕하고자 하니, 어떻
게 하면 되겠습니까?"

集註 | 魏는 本晉大夫魏斯 與韓氏趙氏로 共分晉地하여 號曰三晉이라 故로 惠王[40]
이 猶自謂晉國이라 惠王三十年에 齊擊魏하여 破其軍하고 虜太子申[41]하며 十七年에
秦取魏少梁[42]하고 後에 魏又數(삭)獻地於秦[43]하며 又與楚將昭陽戰敗하여 亡其七

---

40 惠王: 魏斯(魏文侯)의 손자이다.

41 惠王三十年……虜太子申: 《大全》에는 《史記》〈魏世家〉의 기록을 다음과 같이 인용하고 있다. "惠王
30년에 魏나라가 趙나라를 정벌하자, 趙나라가 齊나라에 위급함을 알렸다. 齊 宣王이 孫子(孫臏)의
계책을 따라 趙나라를 구원하고자 魏나라를 공격하니, 魏나라가 크게 군대를 일으켜 龐涓을 장수로,
太子 申을 上將軍으로 삼아서 齊나라 사람과 싸우게 하였는데, 馬陵에서 패배하였다. 齊나라가 魏나
라의 太子 申을 사로잡고 장군 龐涓을 죽여서 魏나라 군대가 마침내 대패하였다.〔惠王三十年 魏伐趙
趙告急齊 齊宣王用孫子計 救趙擊魏 魏遂大興師 使龐涓(방연)將 而令太子申爲上將軍 與齊人戰
敗於馬陵 齊虜魏太子申 殺將軍涓 軍遂大破〕" 이것이 魏나라 장수 龐涓이 齊나라 軍師인 孫臏의
계략에 걸려 대패한 馬陵 전투이다.

42 十七年 秦取魏少梁: 《史記》〈魏世家〉에 "惠王 17년에 魏나라가 秦나라와 元里에서 싸워 秦나라가
魏나라의 少梁을 점령했다.〔十七年 與秦戰元里 秦取我少梁〕"하였으니, 元里와 少梁은 모두 魏나라
의 고을 이름이다.

43 魏又數獻地於秦: 《大全》에는 《史記》〈商君列傳〉의 기록을 다음과 같이 인용하고 있다. "秦 孝公이
衛鞅으로 하여금 군대를 거느리고 魏나라를 정벌하게 하자, 魏나라가 公子卬으로 하여금 군대를 거
느리고 맞아 싸우게 하였다. 兩軍이 서로 대치하자, 衛鞅이 魏나라 장수 公子卬에게 편지를 보내어
'내 처음에 公子와 친하게 지냈는데 이제 우리가 모두 두 나라의 장수가 되었으니, 차마 서로 공격할
수가 없다. 公子와 서로 만나 맹약하고 즐겁게 술 마시고서 군대를 해산하여 秦나라와 魏나라를 편안
하게 할 수 있겠는가?'라고 제의하였다. 公子卬은 그의 말을 옳게 여겼다. 회맹이 끝나고 술을 마시는
데, 衛鞅이 갑옷 입은 군사를 매복시켰다가 기습하여 公子卬을 사로잡고 인하여 魏나라 군대를 공격
해서 모두 격파하고 秦나라로 돌아갔다. 魏惠王이 두려워하여 使臣을 보내어 河西의 땅을 떼어 秦나
라에 바치고 和親하였다. 魏나라는 마침내 安邑을 버리고 도읍을 大梁으로 옮겼다.〔秦孝公使衛鞅將

⋯ 晉 나라이름 진 莫 없을 막 敗 패할 패 喪 잃을 상 辱 욕될 욕 比 위할 비 洒 씻을 세(洗同) 破 깨뜨릴 파
虜 사로잡을 로 數 자주 삭 獻 바칠 헌

邑⁴⁴하니라 比는 猶爲也⁴⁵니 言欲爲死者하여 雪其恥也라

兵伐魏 魏使公子卬 將而擊之 軍旣相距 衛鞅遺魏將公子卬書曰 吾始與公子驩 今俱爲兩國將 不
忍相攻 可與公子面相見盟 樂飮而罷兵 以安秦魏 魏公子卬以爲然 會盟已 飮 而衛鞅伏甲士 襲虜
公子卬 因攻其軍 盡破之 以歸秦 魏惠王恐 使使割河西之地 獻於秦以和 而魏遂去安邑 徙都大
梁〕"

44 與楚將昭陽戰敗 亡其七邑:《史記》〈楚世家〉에 "懷王 6년에 楚나라가 柱國 昭陽으로 하여금 군대를
거느리고 魏나라를 공격하게 하여 襄陵에서 격파하고 8개 邑을 얻었다.〔六年 楚使柱國昭陽 將兵而
攻魏 破之於襄陵 得八邑〕" 하였다. 그러나 《史記》〈六國年表〉에 의하면 楚 懷王 6년은 梁 襄王 12년
이니, 梁 惠王 때에는 '楚나라에게 모욕을 당한 일'이 없게 된다. 이는 《史記》〈六國年表〉의 오류이니,
《中國歷史大辭典》의 年表에는 楚 懷王 6년은 梁 惠王 後元 12년이고 이해에 楚나라가 魏나라를 襄
陵에서 격파한 것으로 기록하고 있다. 또 《史記》에는 楚나라에 8개 邑을 잃은 것으로 되어 있어 《集
註》와 다르다. 이에 대하여 崔東壁(崔述)의 《洙泗考信錄》의 惠王條에,《史記》〈魏世家〉의 "惠王이
여러 번 싸움에서 패하자, 자신의 禮를 낮추고 폐백을 후하게 보내어 賢者를 초빙하니, 騶衍·淳于髡·
孟子가 모두 梁나라에 갔다."라고 한 내용을 소개하고 《史記》의 잘못된 年度를 지적하였는바, 그 내용
은 다음과 같다.
《史記》에는 이 내용이 〈魏世家〉惠王 35년에 기재되어 있는데, 〈六國年表〉를 가지고 상고해 보면, 바
로 周 顯王 33년 乙酉이다. 내가 《史記》를 살펴보니, '惠王은 재위한지 36년에 죽었고 아들 襄王이 즉
위하여 재위한지 16년에 죽었다. 襄王 원년은 바로 周 顯王 35년 丁亥로 諸侯들과 徐州에 모이니 서
로 王을 僭稱하기 위한 것으로 이때 아버지 惠王을 추존하여 王으로 삼은 것'으로 되어 있다. 그렇다면
丁亥 이전에는 梁나라가 王을 참칭하지 않은 것인데,《孟子》에는 孟子가 梁 惠王을 보고 바로 '王何必
曰利', '王好戰請以戰喩', '王往而征之', '夫誰與王敵'이라고 한 내용이 보인다. 惠王이 과연 王을 참
칭하지 않았다면 孟子가 무슨 이유로 미리 王이라 칭했겠는가. 또 《史記》를 살펴보면, 梁나라가 秦나라
에 河西 땅을 준 것이 襄王 5년에 있었고 上郡을 모두 秦나라에 빼앗긴 것이 襄王 7년에 있었고 楚나
라가 魏(梁)나라를 襄陵에서 패퇴시킨 것이 襄王 12년에 있었으니, 모두 惠王이 죽은 뒤의 일이다. 그
런데 《孟子》에는 惠王이 孟子에게 말하기를 '서쪽으로는 秦나라에게 700리를 잃었고 남쪽으로는 楚나
라에게 치욕을 받았다.'고 하였으니, 미래의 일을 惠王이 어떻게 알고 미리 말하였겠는가. 杜預의 〈左傳
後序〉를 살펴보면, 옛책인 《竹書紀年》에 "惠王 36년에 改元하여 이 해를 원년으로 시작하고 16년에
이르러 惠成王이 죽었다 하였으니, 惠成王은 바로 惠王이다. 의심컨대 《史記》에 惠成王(惠王)의 세대
를 잘못 나누어 後王(襄王)의 연도로 삼은 듯하다." 하였다. 그렇다면 《史記》에서 말한 '徐州에서 모여
서로 王을 칭하기로 했다.'는 것은 바로 惠王이요 襄王이 아니다. 《史記》에서 襄王의 元年이라고 칭한
것은 바로 惠王의 後元年으로 河西 땅을 주고 上郡을 빼앗기고 襄陵에서 패한 것이 모두 惠王 때의
일이요 襄王 때의 일이 아니다. 惠王이 본래 魏侯라고 칭하였다가 王이라고 참칭하였으면 이해가 바로
王을 칭한 첫 해이므로 37년이라고 칭하지 않고 또다시 원년이라고 칭한 것이다. 그런데 《史記》에는 惠
王이 改元한 사실을 알지 못하고 다만 36년 이후에 또다시 원년이라고 기록된 것을 보고는 마침내 잘못
하여 後元年을 襄王의 원년이라고 한 것이다. 그렇다면 孟子가 梁나라에 간 것은 惠王 35년에 있었던
것이 아니요 後元 12년 襄陵에서 패한 뒤에 있었으니, 이렇게 보면 孟子와 惠王이 말한 것이 한 말씀도
부합하지 않음이 없다. 孟子가 齊 宣王과 문답한 것은 매우 많으나, 梁 惠王과 문답한 것은 매우 적으
며, 梁나라에 계실 적에 딴 일이 없었으니, 孟子가 梁나라에 있었던 기간은 오래지 않은 것이다. 그런데
도 襄王을 만나본 뒤에 떠나가셨으니, 孟子가 梁나라에 간 것은 마땅히 惠王이 죽기 1~2년 전인 辛丑
과 壬寅 두 해 사이로, 〈六國年表〉로 보면 周 愼靚王 원년이나 2년일 것이다. 《史記》에서 말한 것은 옳
지 않다. 이 내용은 다음 章 襄王條 아래에도 자세히 보인다.〔史記此文載於魏世家惠王三十五年 以
年表考之 乃周顯王之三十三年乙酉也 余按史記惠王在位三十六年而卒 子襄王立 在位十六年卒
襄王元年 乃周顯王三十五年丁亥 與諸侯會徐州 相王也 追尊父惠王爲王 是丁亥以前梁未稱王也

··· 雪 씻을 설

魏나라는 본래 晉나라 大夫인 魏斯가 韓氏·趙氏와 함께 晉나라 땅을 나누고서 '三晉'이라고 불렀다. 그러므로 惠王이 아직도 자기 나라를 晉나라라고 말한 것이다. 惠王 30년에 齊나라가 魏나라를 공격하여 魏나라 군대를 격파하고 太子 申을 사로잡았으며, 17년에 秦나라가 魏나라의 少梁 땅을 탈취하였고, 그 후 魏나라는 또 여러 번 秦나라에게 땅을 바쳤으며, 또 楚나라 장수 昭陽과 싸워 패전하여 7개 邑을 잃었다. '比'는 爲와 같으니, 죽은 자

而孟子之見梁王乃云 王何必曰利 王好戰 請以戰喩 王往而征之 夫誰與王敵 惠王果未稱王 孟子何由豫稱之曰 王乎 又按史記 梁予秦河西地 在襄王五年 盡入上郡於秦 在襄王七年 楚敗魏襄陵 在襄王十二年 皆惠王身後事 而惠王之告孟子 乃云 西喪地秦於七百里 南辱於楚 未來之事 惠王何由豫知之而豫言之乎 按杜預左傳後序云 古書紀年篇 惠王三十六年改元 從一年始 至十六年而稱惠成王卒 卽惠王也 疑史記誤分惠成之世以爲後王年也 然則史記所稱 會徐州相王者卽惠王 非襄王矣 所稱襄王之元年 卽惠王之後元年而予河西 入上郡 敗於襄陵 皆惠王時事 非襄王時事矣 蓋惠王本稱魏侯 旣僭稱王 則是年乃稱王之始年 故不稱三十七年而稱元年 史記不知惠王改元之故 但見其於三十六年之後又書元年 遂誤以爲襄王之元年耳 然則孟子之至梁 不在惠王三十五年 而在後元十二年襄陵旣敗之後 則孟子與惠王之所云者無一語不符矣 孟子與齊宣問答甚多而與梁惠殊少 在梁亦無他事 則孟子居梁蓋不久也 然猶及見襄王而後去 則孟子之至梁 當在惠王之卒前一二年 辛丑壬寅兩歲之中 於年表 則周愼靚王之元年二年也 史記所云 非是 說并見後襄王條下〕
또 襄王條의 내용은 다음과 같다.
《史記》에는 梁 惠王 36년에 惠王이 죽고 아들 襄王이 즉위하였고 16년에 襄王이 죽고 아들 哀王이 즉위한 것으로 되어 있다. 그런데《竹書紀年》에는 梁 惠王이 즉위한 지 36년에 改元을 하고 또 16년에 죽고 그 뒤에는 今王이라고 칭하여 20년에 이르러 그 기록이 끝났으며, 杜預의〈左傳後序〉에는《史記》에 惠成王(바로 惠王)의 세대를 잘못 나누어 後王의 연도로 삼았다. 哀王은 23년에 비로소 죽었으므로 특별히 시호를 칭하지 않고 今王이라 칭한 것이다.' 하였다. 내가 살펴보니, 杜預가《史記》襄王의 연도를 惠王 後元의 연도로 삼은 것은 옳고,《竹書紀年》에 今王을 哀王이라 칭하고 襄王이 없다고 한 것은 옳지 않다. 《孟子》에는 '梁 襄王을 만나보았다.' 하였는데, 孟子의 門人으로서 이 책을 기록한 자들은 모두 당시에 직접 본 사람이니, 哀를 襄으로 잘못 쓸 리가 없다. 그렇다면 梁나라에는 진실로 襄王이 있었던 것이다.《世本》에 '惠王이 襄王을 낳고 襄王이 昭王을 낳았다.'고 하였으니, 그렇다면 梁나라에는 襄王만 있고 哀王이 없는 것이다. '襄'과 '哀' 두 글자는 字形이 비슷하여 襄王을 잘못 哀王으로 쓴 것인데,《史記》에는 梁나라에 襄王과 哀王 두 왕이 있는 것으로 의심하였고, 또 惠王이 改元한 것을 알지 못하였다. 그러므로 惠王 後元의 16년을 잘못 襄王의 연도로 하고 襄王 23년을 哀王의 연도로 삼은 것이다. 그렇다면《竹書紀年》에 이른바 今王은 바로《孟子》에 기록한 襄王이니, 哀王이라고 할 수 없는 것이다. 이 내용은 윗장 惠王條에도 자세히 보인다.〔史記梁惠王三十六年卒 子襄王立 十六年卒 子哀王立 竹書紀年 梁惠王立三十六年改元 又十六年而卒 其後稱爲今王 至二十年而其書止 杜氏左傳後序謂 史記誤分惠成(卽惠王)之世 以爲後王之年 哀王二十三年乃卒 故特不稱諡 謂之今王 余按 杜氏以史記襄王之年爲惠王後元之年 是已 至謂竹書之今王爲哀王而無襄王 則非也 孟子書稱見梁襄王 孟子門人記此書者 皆當時目覩之人 不容誤哀爲襄 則是梁固有襄王也 世本稱 惠王生襄王 襄王生昭王 則是梁有襄王 無哀王也 襄哀二字 其形相似 蓋有誤書襄王爲哀王者 史記因疑梁有襄哀兩王 又不知惠王之改元 故誤以惠王後元之十六年爲襄王之年 以襄王之二十三年爲哀王之年耳 然則紀年之所謂今王 卽孟子所記之襄王 不得以爲哀王也 說并見前惠王條下〕

를 위하여 그 수치를 설욕하고자 함을 말한 것이다.

5-2. 孟子對曰 地方百里而可以王이니이다

孟子께서 대답하셨다. "땅이 方百里만 되어도 왕 노릇 할 수 있습니다.

> 集註 | 百里는 小國也라 然이나 能行仁政이면 則天下之民이 歸之矣라
>
> '百里'는 작은 나라이다. 그러나 능히 仁政을 행한다면 天下의 백성이 돌아올 것이다.

5-3. 王如施仁政於民하사 省(생)刑罰하시며 薄稅斂하시면 深耕易(이)耨하고 壯者以暇日로 修其孝悌忠信하여 入以事其父兄하며 出以事其長上하리니 可使制梃하여 以撻秦楚之堅甲利兵矣리이다

王께서 만일 仁政을 백성들에게 베푸시어 형벌을 줄이시며 세금을 적게 거두시면, 백성들이 깊이 밭 갈고 잘 김매고, 장성한 자들이 여가를 이용하여 孝悌와 忠信을 닦아서 들어가서는 父兄을 섬기며 나가서는 長上을 섬길 것이니, 이들로 하여금 몽둥이를 만들어 秦나라와 楚나라의 견고한 갑옷과 예리한 병기를 매질하게 할 수 있을 것입니다.

> 按說 | 艮齋(田愚)는 '省'字의 音을 '성'으로 보아 형벌을 살펴 신중히 하는 뜻으로 해석하였으나, 諺解本에는 音이 '생'으로 표기되어 있고 中國本《四書章句集注》에도 減의 뜻으로 설명하였으므로 '형벌을 줄이다'로 해석하였음을 밝혀둔다. 朱子가 직접 단《集註》의 反切에는 '所梗反'으로 되어 있으며, 아래 春省耕에는 '悉井反'으로 표시하고 '省視也'라 하였다. 《廣韻》에는 音을 성으로 읽을 때에는 '息井切'로, 생으로 읽을 때에는 '所景切'로 표시하였다.
>
> 壺山은
>
> > '省'을 讀者들이 찰(察)의 뜻으로 잘못 읽을까 염려하여 〈朱子가 《集註》에〉 특별히 音을

---

45 比 猶爲也:楊伯峻은 '比'는 '대신하여(替·代·給)'의 뜻이라고 하였다.

··· 歸 돌아갈 귀 省 덜 생, 살필 성 薄 적을 박 稅 세금 세 斂 거둘 렴 耕 밭갈 경 易 다스릴 이 耨 김맬 누 暇 한가할 가 事 섬길 사 梃 몽둥이 정 撻 종아리칠 달 利 날카로울 리

드러낸 것이다.〔省恐讀者作察義 故特著音〕

하였다.

集註 | 省刑罰, 薄稅斂此二者는 仁政之大目也라 易는 治也요 耨는 耘也[46]라 盡己
之謂忠이요 以實之謂信이라 君行仁政이면 則民得盡力於農畝하고 而又有暇日以
修禮義[47]라 是以로 尊君親上하여 而樂於效死也라

형벌을 줄이고 세금을 적게 거두는 이 두 가지는 仁政의 큰 조목이다. '易'는 다스림이요
'耨'는 김맴이다. 자기 마음을 다함을 '忠'이라 이르고, 성실히 함을 '信'이라 이른다. 君主
가 仁政을 행하면 백성들이 농사일에 힘을 다할 수 있고, 또 한가한 날로써 禮義를 닦을 수
있다. 이 때문에 君主를 높이고 윗사람을 친애해서 기꺼이 목숨을 바치는 것이다.

5-4. 彼奪其民時하여 使不得耕耨하여 以養其父母하면 父母凍餓하며 兄弟妻子離散하리니

저들이 백성의 농사철을 빼앗아 백성들로 하여금 밭 갈고 김매서 그 父母를 봉양하지
못하게 하면, 父母가 얼고 굶주리며 兄弟와 妻子가 離散될 것이니,

集註 | 彼는 謂敵國也라

'彼'는 敵國을 이른다.

5-5. 彼陷溺其民이어든 王이 往而征之하시면 夫誰與王敵이리잇고

저들이 그 백성을 함정에 빠뜨리고 도탄에 빠뜨리거든 王께서 가서 바로잡으신다면 그
누가 王과 대적하겠습니까.

集註 | 陷은 陷於阱이요 溺은 溺於水니 暴虐之意라 征은 正也라 以彼暴虐其民으로

46　易治也 耨耘也:壺山은 "'易耨'는 깨끗하게 김매는 것을 말한다.〔言淨耨也〕" 하였다.

47　以修禮義:一本에는 '義'가 '教'로 되어 있다.

···　耨 김맬운　效 바칠효　凍 얼동　餓 굶주릴아　散 흩을산　敵 대적할적　彼 저피　陷 함정에빠질함
溺 물에빠질닉　征 바로잡을정　誰 누구수　阱 함정정　暴 사나울포　虐 모질학

而率吾尊君親上之民하여 往正其罪하면 彼民이 方怨其上하여 而樂歸於我하리니 則誰與我爲敵哉리오

'陷'은 함정에 빠짐이요 '溺'은 물에 빠짐이니, 포학히 한다는 뜻이다. '征'은 바로잡는 것이다. 저들이 그 백성에게 포학하게 하므로 君主를 높이고 윗사람을 친애하는 나의 백성을 거느리고 가서 그 죄를 바로잡는다면, 저 백성들이 그 윗사람을 원망하고 있어서 기꺼이 나에게 돌아올 것이니, 그렇다면 누가 나와 대적하겠는가.

5-6. 故로 曰 仁者는 無敵이라하니 王請勿疑하소서

그러므로 〈옛말에〉 '仁者는 대적할 사람이 없다.' 한 것이니, 王은 청컨대 의심하지 마소서."

集註 | 仁者無敵은 蓋古語也라 百里可王은 以此而已니 恐王疑其迂闊이라 故로 勉使勿疑也라

'仁者無敵'은 옛 말씀인 듯하다. 百里를 가지고 왕 노릇 할 수 있는 것은 이 때문일 뿐이니, 王이 우활하다고 의심할까 두려워하였으므로 의심하지 말라고 권면한 것이다.

章下註 | ○ 孔氏[48]曰 惠王之志는 在於報怨하고 孟子之論은 在於救民하니 所謂唯天吏則可以伐之[49]니 蓋孟子之本意시니라

○ 孔氏(孔文仲)가 말하였다. "惠王의 뜻은 원한을 보복함에 있었고, 孟子의 의논은 백성을 구제함에 있었으니, 이른바 '오직 天吏라야 정벌할 수 있다.'는 것이니, 이것이 孟子의 本意이다."

---

48 孔氏:孔子의 47대손인 孔文仲(1033~1088)으로, 자는 經父이며, 江西省 新喩 사람이다. 저서에 《淸江三孔集》이 있다.

49 唯天吏則可以伐之:'天吏'는 王者가 하늘의 뜻을 받들어 죄가 있는 자를 토벌하고 덕이 있는 자를 높여주는 것으로, 이 내용은 아래 〈公孫丑下〉 8장에 "爲天吏則可以伐之"라고 보인다.

··· 率 거느릴 솔 疑 의심할 의 迂 멀 우 闊 넓을 활 救 구원할 구

|孟子見梁襄王章(不嗜殺人章)|

6-1. 孟子見梁襄王하시고

孟子께서 梁 襄王을 만나보시고,

> 集註 | 襄王은 惠王子니 名赫[50]이라

襄王은 惠王의 아들이니, 이름이 赫이다.

6-2. 出語人日 望之不似人君이요 就之而不見所畏焉이러니 卒然問日 天下惡乎定고하여늘 吾對日 定于一이라호라

나와서 사람들에게 말씀하셨다. "바라보아도 人君 같지 않고, 그 앞으로 나아가도 두려 워할 만한 것을 볼 수 없었는데, 갑자기 '天下가 어느 곳(나라)에 정해지겠습니까?' 하 고 묻기에, 내 대답하기를 '한 곳에 정해질 것입니다.' 하였노라.

> 集註 | 語는 告也라 不似人君, 不見所畏는 言其無威儀也[51]라 卒然은 急遽之貌라 蓋容貌辭氣는 乃德之符[52]니 其外如此면 則其中之所存者를 可知라 王問 列國分 爭하니 天下當何所定고한대 孟子對以必合于一然後定也시니라

'語'는 말함이다. '人君 같지 않고 두려워할 만한 것을 볼 수 없다.'는 것은 威儀가 없음을 말한 것이다. '卒然'은 急遽한 모양이다. 容貌와 辭氣는 바로 德의 징험(상징)이니, 그 외

---

50 襄王……名赫:新安倪氏(倪士毅)는 "《資治通鑑》을 살펴보건대 愼靚王 2년 壬寅년(B.C.319)에 惠 王이 죽자, 孟子가 魏나라를 떠나 齊나라로 가셨으니, 이는 襄王을 한 번 만나본 뒤에 즉시 떠나신 것 이다.〔按通鑑 愼靚王二年壬寅 惠王卒 孟子去魏適齊 是一見襄王後 卽去也〕" 하였다. 《史記》〈魏世 家〉索隱에 "《世本》에 襄王의 이름은 嗣이다." 하였는데, 楊伯峻도 이를 따랐다.

51 不似人君……言其無威儀也:新安倪氏는 "《春秋左傳》襄公 31년에 '위엄이 있어 두려워할만한 것을 威라 하고 거동이 있어 따라 할 만한 것을 儀라 한다.' 하였으니, '人君 같지 않다'는 것은 따라 할 만한 거동이 없는 것이요, '두려워할 만한 것을 볼 수 없다'는 것은 두려워할 만한 위엄이 없는 것이다.〔左氏 傳云 有威而可畏 謂之威 有儀而可象 謂之儀 不似人君 無可象之儀也 不見所畏 無可畏之威也〕" 하였다.

52 容貌辭氣 乃德之符:新安陳氏(陳櫟)는 "德은 마음속에 있는데, 容貌와 辭氣는 바로 德의 징험이므 로 밖에서 볼 수 있는 것이다.〔德存於中 容貌辭氣 乃德之符驗 可見於外者〕" 하였다.

⋯ 襄 도울 양 赫 빛날 혁 望 바랄 망 就 나아갈 취 卒 갑자기 졸(猝同) 惡 어찌 오 威 위엄 위 儀 거동 의 遽 급할 거 貌 모양 모 辭 말씀 사 符 상징 부 列 벌릴 렬 爭 다툴 쟁

모가 이와 같다면 그 가슴속에 보전한 것을 알 수 있다. 王이 "列國이 나누어져 다투고 있으니, 天下가 마땅히 어느 곳에 정해지겠습니까?" 하고 묻자, 孟子께서 "반드시 한 곳에 합해진 뒤에 정해질 것입니다." 하고 대답하신 것이다.

6-3. 孰能一之오하여늘

'누가 능히 통일시키겠습니까?' 하고 묻거늘

集註 | 王問也라

왕이 물은 것이다.

6-4. 對曰 不嗜殺人者 能一之라호라

'사람 죽이기를 좋아하지 않는 자가 능히 통일할 수 있습니다.' 하고 대답하였노라.

集註 | 嗜는 甘也라

'嗜'는 달게 여기는 것이다.

6-5. 孰能與之오하여늘

'누가 그에게 돌아가게 하겠습니까?' 하고 묻거늘

按說 | "孰能與之'에 대하여, 壺山은

'누가 그에게 돌아가게 하겠는가〔孰能與之〕'는 군주를 위주하여 백성들로 하여금 돌아가게 함을 말하였으니 그 문세가 순하지 않고,〈아래의〉'돌아가지 않을 이가 없다〔莫不與也〕'는 것은 백성들을 위주하여 스스로 돌아감을 말하였으니 그 문세가 순하다.〔孰能與之 主君而 言使之歸也 其勢逆 莫不與也 主民而言自歸也 其勢順〕

라고 하였다. 그러나 '能'字가 있으므로 '누가 그에게 돌아가게 하겠는가?'를 따랐음을 밝

··· 孰 누구 숙 嗜 즐길 기

혀 둔다. 《國語》〈齊語〉에 "桓公이 천하의 제후들이 대부분 자기를 따른다는 것을 알았다.[桓公知天下諸侯多與己也]" 하였는데, 韋昭의 註에 "'與'는 '從(따르다)'이다." 하였는바, 楊伯峻은 이를 취하였다.

集註 | 王復問也라 與는 猶歸也라

왕이 다시 물은 것이다. '與'는 歸와 같다.

6-6. 對曰 天下莫不與也니 王은 知夫苗乎잇가 七八月之間에 旱則苗槁矣라가 天이 油然作雲하여 沛然下雨면 則苗浡然興之矣나니 其如是면 孰能禦之리오 今夫天下之人牧이 未有不嗜殺人者也니 如有不嗜殺人者면 則天下之民이 皆引領而望之矣리니 誠如是也면 民歸之 由(猶)水之就下하리니 沛然을 誰能禦之리오호라

대답하기를 '天下에 돌아가지 않는 이가 없을 것이니, 王은 벼싹을 아십니까? 7, 8월 사이에 날씨가 가물면 벼싹이 마르다가 하늘이 油然히 구름을 일으켜 沛然히 비를 내리면 벼싹이 수북이 일어나니, 이와 같으면 누가 이것을 막겠습니까. 지금 天下의 人牧(人君)이 사람 죽이기를 좋아하지 않는 자가 있지 않으니, 만일 사람 죽이기를 좋아하지 않는 자가 있으면 天下의 백성들이 모두 목을 늘이고 바라볼 것입니다. 진실로 이와 같다면 백성들이 그에게 돌아감이 물이 아래로 내려가는 것과 같을 것이니, 沛然함을 누가 막겠습니까?' 하였노라."

集註 | 周七八月은 夏五六月也[53]라 油然은 雲盛貌요 沛然은 雨盛貌요 浡然은 興起貌라 禦는 禁止也라 人牧은 謂牧民之君也라 領은 頸也라 蓋好生惡(오)死는 人心所

---

53 周七八月 夏五六月也:夏나라는 寅月을 正月로 한 반면, 周나라는 子月을 正月로 하여 두 달이 앞서가므로 말한 것이다. 子月은 지금의 음력 동짓달에 해당된다. 子月은 초저녁에 北斗星의 자루가 북방(子方)을 가리키는 달로, 十二支는 바로 이 열두 달을 기준한 것이다. 《大全》에 "《孟子》에는 모두 周나라의 달을 가지고 말하였으니, 《春秋左傳》과 같다.〔孟子內 並以周月言 與春秋左傳同〕" 하였다. 아래 〈離婁下〉 2장에 "11월에 徒杠이 이루어지며 12월에 輿梁이 이루어진다.〔歲十一月 徒杠成 十二月 輿梁成〕" 한 것도 그러하다.

••• 苗 벼싹 묘 旱 가물 한 槁 마를 고 油 구름일 유 沛 물쏟아질 패 浡 일어날 발(勃同) 禦 막을 어 牧 기를 목
引 늘일 인 領 목 령 由 같을 유(猶同) 頸 목 경 惡 미워할 오

同이라 故로 人君이 不嗜殺人이면 則天下悅而歸之라

周나라의 7, 8월은 夏나라의 5, 6월이다. '油然'은 구름이 성한 모양이요, '沛然'은 비가 성한 모양이요, '浡然'은 興起하는 모양이다. '禦'는 금지함이다. '人牧'은 백성을 기르는 君主를 이른다. '領'은 목이다. 삶을 좋아하고 죽음을 싫어하는 것은 人心의 똑같은 바이므로 人君이 사람 죽이기를 좋아하지 않으면 天下가 기뻐하여 그에게 돌아가는 것이다.

章下註 | ○ 蘇氏曰 孟子之言이 非苟爲大而已라 然이나 不深原其意而詳究其實이면 未有不以爲迂者矣라 予觀孟子以來로 自漢高祖及光武及唐太宗及我太祖皇帝히 能一天下者四君이 皆以不嗜殺人致之[54]요 其餘는 殺人愈多而天下愈亂하며 秦晉及隋는 力能合之나 而好殺不已라 故로 或合而復分[55]하고 或遂以亡國[56]하니 孟子之言이 豈偶然而已哉[57]리오

○ 蘇氏(蘇轍)가 말하였다. "孟子의 말씀은 구차히 큰소리만 칠 뿐이 아니었다. 그러나 그 뜻을 깊이 근원하고 그 실제를 상세히 연구하지 않으면 迂闊하다고 여기지 않을 자가 있지 않을 것이다. 내가 보건대 孟子 이래로 漢 高祖로부터 光武帝와 唐 太宗과 우리 太祖皇帝(宋 太祖)에 이르기까지 天下를 통일한 자가 네 君主인데, 이들은 모두 사람 죽이기를 좋아하지 않음으로써 통일천하를 이룩하였고, 그 나머지는 사람 죽이기를 더욱 많이 함에 天下가 더욱 혼란하였다. 秦나라와 晉나라 및 隋나라는 힘은 능히 통합하였으나 끊임없이 죽이기를 좋아하였으므로 혹은 합하였다가 다시 나누어지고 혹은 마침내 나라가 멸망하였으니, 孟子의 말씀이 어찌 우연일 뿐이겠는가."

---

54 能一天下者四君 皆以不嗜殺人致之:茶山은 "여기서 말한 '사람을 죽인다'는 것은 병기와 刑杖으로 죽임을 말한 것이 아니다. 王政을 행하지 아니하여 풍년에 남은 곡식을 거두어들일 줄 모르고, 흉년에 창고를 열 줄 모르면 '사람 죽이기를 좋아하는 것'이다.〔殺人者 非謂兵刃刑杖而殺之也 不行王政 豐年不知檢 凶年不知發 則嗜殺人者也〕하였다.

55 或合而復分:《大全》에 "晉 武帝가 합하였는데, 후일 漢(前趙) 高祖가 된 劉淵과 後趙 高祖가 된 石勒의 난리에 나뉘어 江東에 王 노릇하였다.〔晉武合之 劉石亂 而分王江東〕하였다.

56 亡國:《大全》에 "秦나라와 隋나라이다." 하였다.

57 豈偶然而已哉:'偶然'은 별의미가 없음을 이른다.

··· 悅 기쁠 열 苟 구차할 구 究 연구할 구 致 이룰 치 愈 더욱 유 隋 나라이름 수 遂 마침내 수 豈 어찌 기
偶 우연 우

| 保民章(穀觫章) |

7-1. 齊宣王이 問曰 齊桓晉文之事를 可得聞乎잇가

齊 宣王이 물었다. "齊 桓公과 晉 文公의 일을 얻어 들을 수 있겠습니까?"

集註 | 齊宣王은 姓田氏요 名辟彊[58]이니 諸侯僭稱王也라 齊桓公, 晉文公은 皆霸諸
侯者라

齊 宣王은 姓이 田氏이고 이름이 辟彊이니, 諸侯로서 王을 僭稱하였다. 齊 桓公과 晉 文
公은 모두 諸侯의 霸者이다.

7-2. 孟子對曰 仲尼之徒 無道桓文之事者라 是以로 後世에 無傳焉하니 臣이 未之聞也로니 無以則王乎인저

孟子께서 대답하셨다. "仲尼의 門徒들은 齊 桓公과 晉 文公의 일을 말한 자가 없습
니다. 이 때문에 후세에 전해진 것이 없어 臣이 아직 듣지 못하였습니다. 그만두지 말고
기어이 말하라 하신다면 王道를 말하겠습니다."

集註 | 道는 言也라 董子曰 仲尼之門에 五尺童子 羞稱五伯(패)는 爲其先詐力而後
仁義也라하니 亦此意也[59]라 以는 已通用이니 無已는 必欲言之而不止也라 王은 謂
王天下之道라

58　齊宣王……名辟彊:趙氏(趙順孫)는 "田氏는 본래 陳나라 公子 完의 후손이니 처음에 陳을 氏로 하
였다가 뒤에 姓을 田氏로 고쳤는데, 田和에 이르러 비로소 齊나라를 찬탈하여 소유하였다. 辟彊은 田
和의 曾孫이니, 이분이 바로 宣王이다.〔田氏 本陳公子完之後 初以陳爲氏 後改姓田氏 至田和 始簒
齊而有之 辟彊 和之曾孫 是爲宣王〕"하였다.

59　董子曰……亦此意也:新安倪氏(倪士毅)는 "董子는 이름이 仲舒로 西漢 廣川 사람이니, 이 말은《漢
書》〈董仲舒傳〉에 보인다. 〈董仲舒가〉 江都 易王의 '越나라에 三仁이 있느냐?'는 물음에 대답하여 이
르기를 '仁人은 誼를 바르게 하고 이익을 도모하지 않으며 道를 밝히고 功을 계산하지 않습니다. 이 때
문에 仲尼(孔子)의 門下에 五尺童子도 五伯를 말하는 것을 부끄러워하였으니, 속임수와 무력을 앞세
우고 仁義를 뒤로 하였기 때문입니다.'하였다.〔董子 名仲舒 西漢廣川人 此語 見漢書本傳 對江都易
(역)王問粤(越)有三仁 而曰 仁人者 正其誼 不謀其利 明其道 不計其功 是以仲尼之門 五尺童子
羞稱五伯 爲其先詐力而後仁義也〕"하였다. 三仁은 세 仁者(仁人)로,《論語》〈微子〉에 '殷有三仁焉'
이라고 보이는바, 殷나라의 세 仁者는 微子·比干·箕子이다.

…　宣 베풀 선　桓 굳셀 환　辟 열 벽　彊 굳셀 강　僭 참람할 참　霸 으뜸 패　仲 버금 중　尼 산이름 니　道 말할 도
以 그칠 이　董 성 동　羞 부끄러울 수　伯 으뜸 패(霸同)　詐 속일 사

'道'는 말함이다. 董子(董仲舒)가 말하기를 "仲尼의 門下에서 五尺童子들도 五伯(五霸)를 칭하기를 부끄러워한 것은 속임수와 무력을 앞세우고 仁義를 뒤로 하였기 때문이다." 하였는데, 또한 이 뜻이다. '以'는 已와 통용되니, 無已는 반드시 이것을 말하고자 하여 그만두지 않는 것이다. '王'은 天下에 왕 노릇하는 道를 말한다.

7-3. 曰 德이 何如면 則可以王矣리잇고 曰 保民而王이면 莫之能禦也리이다

王이 "德이 어떠하면 왕 노릇 할 수 있습니까?" 하고 묻자, 孟子께서 "백성을 보호하고 왕 노릇하면 이것을 막을 자가 없을 것입니다."라고 대답하셨다.

集註 | 保는 愛護也라

'保'는 愛護함이다.

7-4. 曰 若寡人者도 可以保民乎哉잇가 曰 可하니이다 曰 何由로 知吾의 可也잇고 曰 臣이 聞之胡齕하니 曰 王이 坐於堂上이어시늘 有牽牛而過堂下者러니 王見之하시고 曰 牛何之오 對曰 將以釁鍾이니이다 王曰 舍之하라 吾不忍其觳觫若無罪而就死地하노라 對曰 然則廢釁鍾與잇가 曰 何可廢也리오 以羊易之라하니 不識케이다 有諸잇가

王이 말씀하였다. "寡人과 같은 자도 백성을 보호할 수 있습니까?"
孟子께서 말씀하셨다. "가능합니다."
"무슨 이유로 나의 가능함을 아십니까?"
"臣이 다음과 같은 내용을 胡齕에게 들었습니다. '王께서 堂上에 앉아 계시는데, 소를 끌고 堂下로 지나가는 자가 있었습니다. 王께서 이를 보시고 「소는 어디로 가는가?」하고 물으시자, 대답하기를 「장차 〈도살하여 그 피로〉 鍾의 틈을 바르는 데 쓰려고 합니다.」 하였습니다. 王께서 「놓아주어라. 내가 그 두려워 벌벌 떨며 죄없이 死地에 나아감

··· 禦 막을 어 護 보호할 호 胡 오랑캐 호 齕 깨물 흘 牽 끌 견 將 장차 장 釁 틈 흔 鍾 종종 舍 놓아줄 사
忍 차마할 인 觳 두려울 곡 觫 두려울 속 廢 폐할 폐 與 어조사 여(歟通) 易 바꿀 역

을 차마 볼 수 없다.」하시자, 대답하기를 「그렇다면 釁鍾을 폐지하오리까?」하니, 왕께서 「어찌 폐지할 수 있겠는가? 羊으로 바꾸어 쓰라.」하셨다.' 합니다. 알지 못하겠습니다. 이러한 일이 있었습니까?"

按說 | "'何由'의 句讀에 대하여 壺山은

'何由'를 諺解에 句를 떼었으니, 다시 헤아려보아야 한다.〔何由諺解句絶 恐合更商〕

하였고, 壺山은 또

'何之'를 諺解의 해석에 '어디로 가는가〔何往〕'로 해석하였는데, 혹자는 '무엇하려고 해서인 가〔何爲〕'라고 말한 것과 같다고 하니, 다시 헤아려 보아야 한다.〔何之 諺釋作何往 或云猶 言何爲也 更詳之〕

하였다.
'其觳觫若無罪而就死地'를 官本諺解에는 '觳觫히 無罪한 것이 死地에 就하는 듯함 을'로 해석하여 '若'을 '無罪而就死地'에 붙여 '같다'의 뜻으로 쓰인 것으로 보았으나, 月川(趙穆)은 '若'을 '然'으로 보아 '觳觫히'에 포함된 것으로 보았으며, 退溪(李滉) 또한 이에 찬동하였다. 沙溪(金長生)는

栗谷(李珥)은 '觳觫若'에서 句를 떼어야 한다고 하셨는데, 나는 생각하건대, 금수에게 어 찌 죄가 있다 없다를 말할 것이 있겠는가, 죄 없는 사람이 死地에 나아가는 것과 같다고 말 한 것인 듯하다. 혹자는 말하기를 "그 두려워 떠는 모양을 보면 마치 본디 죄 없이 死地로 나 아가는 것과 같은 뜻이 있는 듯하다."라고 한다.〔栗谷以觳觫若爲句絶 愚以爲禽獸有何有 罪無罪之可言乎 似謂如無罪之人就死地也 或曰其觳觫之狀 見之 似若有自以無罪 而就死之意云〕《經書辨疑》

하였다. 栗谷諺解에는 이 句에 대한 懸吐는 없고 '그 觳觫히 죄 없이 死地에 나아감을 참지 못하는지라'로 해석하였다. 반면에 壺山은

살펴보건대 沙溪의 말씀이 諺解와 합치한다. 다만 뒷절의 '隱其無罪而就死地'에 더 이상 '若'字를 말하지 않고 註 또한 '牛羊無罪'를 가지고 말하였으니, 그렇다면 '若'字를 윗글에 붙여 읽어야 하니, 栗谷의 句讀를 따라야 할 듯하다. '若'은 然과 같으니, '觳觫若'은 그 글

의 문세가 《周易》의 〈離卦 九五〉 爻辭의 '戚嗟若(두려워하며 걱정함)'과 같다.〔按沙溪說 與諺解合 但後節隱其無罪而就死地 不復言若字 註亦以牛羊無罪言之 則若字之屬 上文讀 恐當從栗谷也 若 猶然也 觳觫若 其文勢與易之戚嗟若同云〕 하였다.

集註 | 胡齕[60]은 齊臣也라 釁鍾은 新鑄鍾成이면 而殺牲取血하여 以塗其釁郤(隙)也[61]라 觳觫은 恐懼貌라 孟子述所聞胡齕之語而問王하사되 不知果有此事否아하시니라

胡齕은 齊나라 신하이다. '釁鍾'은 새로 종을 주조하여 완성되면 짐승을 잡아 피를 내어서 그 틈을 바르는 것이다. '觳觫'은 恐懼하는 모양이다. 孟子께서 胡齕에게 들은 말씀을 서술하고, 王께 물으시기를 "과연 이러한 일이 있었는지 알지 못하겠습니다."라고 하신 것이다.

7-5. 曰 有之하니이다 曰 是心이 足以王矣리이다 百姓은 皆以王爲愛也어니와 臣은 固知王之不忍也하노이다

王이 말씀하였다. "그러한 일이 있었습니다."
孟子께서 말씀하셨다. "이 마음이 족히 왕 노릇 하실 수 있습니다. 백성들은 모두 王더러 재물을 아낀다고 하겠지만 臣은 진실로 王께서 차마 못하신 것을 알고 있습니다."

集註 | 王見牛之觳觫而不忍殺은 卽所謂惻隱之心仁之端也니 擴而充之면 則可以保四海矣라 故로 孟子指而言之하사 欲王察識於此而擴充之也시니라 愛는 猶吝也라

---

60 胡齕:《大全》에 "'齕'은 下沒反(홀)이다. 《集註》에 음이 核이니, '核'字는 두 음이 있으므로 마땅히 살펴야 한다.〔齕 下沒反 集註 音核 核字有二音 宜審〕" 하였다.

61 釁鍾……以塗其釁郤(隙)也: '釁鍾'은 새로 종을 주조하여 완성되면 짐승을 잡아 피를 내어서 그 틈에 바르는 것으로, 예전에는 종뿐만 아니라 어떤 기물이든 완성이 되면 피를 칠하였다. 《禮記》〈月令〉에 "이 달(孟冬의 달)에는 太史에게 명하여 점칠 때 사용하는 거북과 蓍草에 피를 바른다.〔是月也 命太史 釁龜筴〕" 하였는데, 陳澔의 《禮記集說》에 馮氏의 說을 인용하여 해설하기를 "옛날에는 器物이 완성되면 피를 칠하였으니, 이는 상서롭지 못한 것을 물리치기 위한 것이다.〔古者 器成而釁以血 所以攘卻不祥也〕" 하였다. 楊伯峻은 釁鍾을 器物에 지내는 제사 이름이라고 하였다.

··· 鑄 쇠녹일주 牲 짐승생 血 피혈 塗 바를도 郤 틈극(隙同) 恐 두려울공 愛 아낄애 惻 슬플측 隱 측은할은 擴 넓힐확 吝 아낄린

王이 소가 두려워 떠는 모습을 보고 차마 죽이지 못한 것은 곧 이른바 '惻隱之心은 仁의 단서' 라는 것이니, 이것을 擴充한다면 四海를 보전할 수 있다. 그러므로 孟子께서 가리켜 말씀하시어 王이 이에 대해 살펴 알아서 확충하게 하고자 하신 것이다. '愛'는 吝(아낌)과 같다.

7-6. 王曰 然하다 誠有百姓者로다마는 齊國이 雖褊小나 吾何愛一牛리오 卽不忍其觳觫若無罪而就死地라 故로 以羊易之也하니이다

王이 말씀하였다. "그렇습니다. 진실로 백성 중에 비난하는 자가 있겠습니다마는 齊나라가 비록 좁고 작으나 내 어찌 한 마리 소를 아끼겠습니까? 다만 소가 두려워 떨면서 죄없이 死地에 나아가는 것을 차마 볼 수 없었습니다. 그러므로 羊으로 바꾸게 한 것입니다."

> 集註 | 言 以羊易牛는 其迹似吝하여 實有如百姓所譏者라 然이나 我之心은 不如是也라
>
> 羊을 가지고 소와 바꾼 것은 그 자취가 재물을 아낀 듯하여 실제로 백성들이 비난하는 바와 같은 것이 있겠으나 나(왕)의 마음은 이와 같지 않다고 말씀한 것이다.

7-7. 曰 王은 無異於百姓之以王爲愛也하소서 以小易大어니 彼惡(오)知之리잇고 王若隱其無罪而就死地면 則牛羊을 何擇焉이니잇고 王이 笑曰 是誠何心哉런고 我非愛其財而易之以羊也언마는 宜乎百姓之謂我愛也로다

孟子께서 말씀하셨다. "王은 백성들이 王더러 재물을 아낀다고 말하는 것을 괴이하게 여기지 마소서. 작은 양을 가지고 큰 소와 바꾸었으니, 저들이 어찌 이것을 알겠습니까? 왕께서 만일 소가 죄 없이 死地로 나아가는 것을 측은히 여기셨다면 소와 양을 어찌 구별하셨습니까?"
王이 웃으며 말씀하였다. "이 진실로 무슨 마음이었던가? 내 재물을 아껴서 양으로 바꾸게 한 것은 아니었지만 당연히 백성들이 나더러 재물을 아낀다고 말하겠구나."

··· 誠 진실로 성 褊 좁을 편 卽 다만 즉 迹 자취 적 譏 기롱할 기 異 괴이할 이 擇 가릴 택 宜 마땅할 의

集註 | 異는 怪也라 隱은 痛也라 擇은 猶分也라 言牛羊이 皆無罪而死어늘 何所分別而以羊易牛乎아 孟子故設此難하여 欲王反求而得其本心이러시니 王不能然이라 故로 卒無以自解於百姓之言也라

'異'는 괴이하게 여김이다. '隱'은 애통해 함이다. '擇'은 分(분별)과 같다. 소와 양이 모두 죄 없이 죽는데, 어느 것을 분별하여 양으로써 소와 바꿨느냐고 말씀한 것이다. 孟子께서 고의로 이 질문을 가설하여 왕이 돌이켜 찾아서 그 本心을 깨닫게 하고자 하셨는데, 왕이 그렇게 하지 못하였다. 이 때문에 끝내 백성들의 비난하는 말을 스스로 해명할 수 없었던 것이다.

7-8. 曰 無傷也라 是乃仁術也니 見牛코 未見羊也일새니이다 君子之於禽獸也에 見其生하고 不忍見其死하며 聞其聲하고 不忍食其肉하나니 是以로 君子遠庖廚也니이다

孟子께서 말씀하셨다. "나쁠(해로울) 것이 없습니다. 이것이 바로 仁을 하는 방법이니, 소는 보았고 양은 아직 보지 못하였기 때문입니다. 君子는 禽獸에 대해서 산 것을 보고는 차마 그 죽는 것을 보지 못하며, 〈죽으면서 애처롭게 울부짖는〉 소리를 듣고는 차마 그 고기를 먹지 못합니다. 이 때문에 君子는 푸줏간을 멀리하는 것입니다."

集註 | 無傷은 言雖有百姓之言이나 不爲害也라 術은 謂法之巧者라 蓋殺牛는 旣所不忍이요 釁鍾은 又不可廢니 於此에 無以處之면 則此心雖發이나 而終不得施矣라 然이나 見牛則此心已發而不可遏이요 未見羊則其理未形而無所妨이라 故로 以羊易牛면 則二者得以兩全而無害니 此所以爲仁之術也라 聲은 謂將死而哀鳴也라 蓋人之於禽獸에 同生而異類라 故로 用之以禮하고 而不忍之心이 施於見聞之所及이니 其所以必遠庖廚者는 亦以預養是心而廣爲仁之術也라

'無傷'은 비록 백성들의 비난하는 말이 있으나 害가 되지 않음을 말씀한 것이다. '術'은 공교한 法을 이른다. 소를 죽이는 것은 이미 차마 하지 못할 바이고 釁鍾 또한 폐지할 수 없으니, 이에 대해서 대처할 수 없으면 惻隱之心이 비록 發하였더라도 끝내 시행할 수 없는 것이다. 그러나 소는 보았으니 이 惻隱之心이 發하여 막을 수 없고, 羊은 아직 보지 않았으니

··· 怪 괴이할 괴 故 짐짓 고 難 힐난할 난 傷 해로울 상 術 방법 술 聲 소리 성 肉 고기 육 庖 푸줏간 포
廚 부엌 주 巧 공교할 교 施 베풀 시 遏 막을 알 哀 슬플 애 類 종류 류 預 미리 예

그 이치가 드러나지 않아서 해로울 것이 없다. 그러므로 양으로써 소와 바꾸게 하면 이 두 가지가 모두 온전하여 해로운 바가 없게 되니, 이것이 仁을 하는 방법인 것이다. '聲'은 짐 승이 죽을 때에 슬피 울부짖는 소리이다. 사람은 禽獸에 대해서 똑같이 살면서(생명체라는 점에서는 같지만) 종류가 다르다. 그러므로 금수를 禮로써 사용하고, 차마 못하는 마음이 보고 들음이 미치는 곳에 베풀어지니, 반드시 푸줏간을 멀리하는 까닭은 미리 이 마음(惻隱 之心)을 길러서 仁을 하는 방법을 넓히려고 해서이다.

7-9. 王이 說(열)曰 詩云 他人有心을 予忖度(탁)之라하니 夫子之謂也로소 이다 夫我乃行之하고 反而求之호되 不得吾心이러니 夫子言之하시니 於我 心에 有戚戚焉하여이다 此心之所以合於王者는 何也잇고

王이 기뻐하며 말씀하였다. "《詩經》에 이르기를 '他人이 가지고 있는 마음을 내가 헤 아린다.' 하였으니, 夫子를 두고 말한 것입니다. 내가 마침 이것을 행하고 돌이켜 찾았으 나 내 마음을 알지 못하였는데, 夫子께서 말씀해 주시니, 내 마음에 戚戚함이 있습니 다. 이 마음이 王道에 부합되는 까닭은 무엇입니까?"

集註 | 詩는 小雅巧言之篇이라 戚戚은 心動貌라 王因孟子之言하여 而前日之心이 復萌하여 乃知此心不從外得이라 然이나 猶未知所以反其本而推之也라

'詩'는 〈小雅 巧言〉篇이다. '戚戚'은 마음이 감동하는 모양(가슴이 뭉클함)이다. 王이 孟 子의 말씀으로 인하여 전날의 마음이 다시 싹터서 마침내 이 마음이 밖으로부터 얻어지지 않음을 알았다. 그러나 아직도 그 근본을 돌이켜 미룰 줄은 알지 못하였다.

7-10. 曰 有復(복)於王者曰 吾力足以擧百鈞이로되 而不足以擧一羽하며 明足以察秋毫之末이로되 而不見輿薪이라하면 則王은 許之乎잇가 曰 否 라 今에 恩足以及禽獸로되 而功不至於百姓者는 獨何與잇고 然則一羽 之不擧는 爲不用力焉이며 輿薪之不見은 爲不用明焉이며 百姓之不見 保는 爲不用恩焉이니 故로 王之不王은 不爲也언정 非不能也니이다

··· 說 기쁠 열 忖 헤아릴 촌 度 헤아릴 탁 戚 가슴뭉클할 척 雅 바를 아 復 다시 부, 아뢸 복 萌 싹틀 맹 擧 들 거 鈞 무게 균 毫 터럭 호 輿 수레 여 薪 나무섶 신 許 허여할 허

孟子께서 말씀하셨다. "王에게 아뢰는 자가 말하기를 '내 힘이 충분히 百鈞을 들 수 있으나 깃털 하나를 들 수 없으며, 시력이 秋毫의 끝을 살필 수 있으나 수레에 실은 나무 섶을 보지 못한다.'고 한다면 王은 이것을 인정하시겠습니까?"

王이 말씀하였다. "아닙니다."

〈孟子께서 말씀하셨다.〉 "지금 은혜가 충분히 禽獸에게 미치면서도 功效가 백성들에게 이르지 않는 것은 유독 어째서입니까? 그렇다면 깃털 하나를 들지 못하는 것은 힘을 쓰지 않기 때문이며, 수레에 실은 나무 섶을 보지 못하는 것은 시력을 쓰지 않기 때문이며, 백성들이 보호를 받지 못하는 것은 은혜를 쓰지 않기 때문입니다. 그러므로 王께서 왕 노릇 하지 않음은 하지 않는 것일지언정 불가능한 것이 아닙니다."

集註 | 復은 白也라 鈞은 三十斤이니 百鈞은 至重難擧也라 羽는 鳥羽니 一羽는 至輕易擧也라 秋毫之末은 毛至秋而末銳하니 小而難見也요 輿薪은 以車載薪이니 大而易見也라 許는 猶可也라 今恩以下는 又孟子之言也라 蓋天地之性에 人爲貴[62]라 故로 人之與人은 又爲同類而相親이라 是以로 惻隱之發은 則於民切而於物緩하고 推廣仁術은 則仁民易而愛物難이어늘 今王此心이 能及物矣면 則其保民而王은 非不能也요 但自不肯爲耳[63]라

'復'은 아룀이다. '鈞'은 30斤이니, 百鈞은 지극히 무거워 들기가 어렵다. '羽'는 새의 깃

---

62 天地之性 人爲貴:壺山은 "天地의 性은 천지에서 稟受한 바가 性이라는 말이다. 貴는 五常이 온전히 구비된 것을 이른다.〔天地之性 謂所稟受於天地者 性也 貴 謂五常全具也〕"하였다. 五常은 仁·義·禮·智·信의 다섯 가지 떳떳한 本性을 이른다.

63 惻隱之發……但自不肯爲耳:南軒張氏(張栻)는 "친척을 친애하고서 백성을 사랑하며 백성을 사랑하고서 물건을 아끼는 것은 天理로 크게 같은 것이다. 근본이 하나임으로 말미암아 그 베풂이 차례가 있으니, 어찌 소 한 마리는 차마 해치지 못하면서 백성은 보호하지 못하는 자가 있겠는가. 소를 보고 차마 해치지 못하는 것은 이것을 가릴 수가 없어서 물건을 아끼는 단서가 발현된 것이요, 백성에게 은혜를 加하지 못하는 것은 가린 것이 있어서 백성을 사랑하는 이치가 드러나지 못한 것이다. 그러나 물건을 아끼는 단서에 나아가보면 백성을 사랑하는 이치가 본래 갖추어져 있음을 알 수 있으니, 능히 돌이켜서 차마 해치지 못하는 실제를 따른다면 이른바 백성을 사랑한다는 것을 진실로 알 수 있을 것이다.〔親親而仁民 仁民而愛物 此天理之大同 由一本而其施有序也 豈有於一牛則能不忍 而不能保民者 蓋方見牛而不忍者 無以蔽之 而其愛物之端發見也 其不能加恩於民者 有以蔽之 而仁民之理不著也 然卽夫愛物之端 可以知夫仁民之理素具 能反而循其不忍之實 則其所謂仁民者 固可得也〕"하였다. '근본이 하나'란 것은 父母를 가리킨 것으로, 사람은 누구나 한 부모에게서 태어나 뿌리가 하나임을 말한 것이다. 아래 〈滕文公上〉의 맨 끝장(5장)에 "또 하늘이 物을 냄은 그로 하여금 근본이 하나이게 하였는데, 夷子는 근본이 둘이기 때문이다.〔且天之生物也 使之一本 而夷子二本故也〕"라고 보인다.

··· 白 아뢸 백 銳 날카로울 예 載 실을 재 緩 느슨할 완 肯 즐길 긍

털이니, 깃털 하나는 지극히 가벼워 들기가 쉽다. '秋毫之末'은 터럭이 가을에 이르면 끝이 예리해지니 작아서 보기가 어렵고, '輿薪'은 수레에 섶을 실은 것이니 커서 보기가 쉽다. '許'는 可(認定)와 같다. '今恩' 이하는 다시 孟子의 말씀이다. 天地의 性 중에 사람이 가장 귀함이 된다. 그러므로, 사람과 사람은 또 同類가 되어서 서로 친하다. 이 때문에 惻隱之心의 發함은 백성(사람)에게는 간절하고 물건에게는 느슨하며, 仁을 하는 방법을 미루어 넓힘은 백성을 사랑하기는 쉽고 물건을 사랑하기는 어려운 것이다. 그런데 지금 王의 이 마음(惻隱之心)이 능히 물건에 미쳤으니, 그렇다면 백성을 보호하고 왕 노릇하는 것은 불가능한 것이 아니요, 다만 스스로 하려 하지 않을 뿐인 것이다.

7-11. 曰 不爲者와 與不能者之形이 何以異잇고 曰 挾太山하여 以超北海를 語人曰 我不能이라하면 是는 誠不能也어니와 爲長者折枝를 語人曰 我不能이라하면 是는 不爲也언정 非不能也니 故로 王之不王은 非挾太山以超北海之類也라 王之不王은 是折枝之類也니이다

王이 말씀하였다. "하지 않는 것과 불가능한 것의 형상이 어떻게 다릅니까?"
孟子께서 말씀하셨다. "太山을 옆에 끼고 北海를 뛰어넘는 것을 사람들에게 말하기를 '내 불가능하다.'고 한다면 이것은 진실로 불가능한 것이지만, 長者를 위하여 나뭇가지를 꺾는 것을 사람들에게 말하기를 '내 불가능하다.'고 한다면 이것은 하지 않는 것일지언정 불가능한 것이 아닙니다. 그러므로 王께서 왕 노릇 하지 않으시는 것은 太山을 옆에 끼고 北海를 뛰어넘는 것과 같은 종류가 아니라, 王께서 왕 노릇 하지 않으시는 것은 바로 나뭇가지를 꺾는 것과 같은 종류입니다.

按說 | '太山'에 대하여, 楊伯峻은

　'太山'은 泰山이고 '北海'는 渤海이다.

하였다. 옛날 '太'와 '泰'는 혼용하였다. 《論語》의 〈泰伯〉 역시 〈太伯〉으로 표기된 곳이 많다. 泰山은 中國 五嶽의 하나로 岱宗이라고도 하였는바, 齊나라에 있다.
'折枝'에 대하여, 朱子는 '나뭇가지를 꺾는 것'으로 해석하였으나 趙岐의 註에는 '枝'

··· 挾 낄 협 超 뛰어넘을 초 折 꺾을 절 枝 가지 지

를 '肢'로 보아 '四肢를 굽혀 안마하는 것'으로 풀이하였는바, 이는 孟子가 出生한 지방의 方言이라 한다. 茶山은 '折枝'를 '안마'로 해석하는 것은 옛 증거가 비록 많지만 온당하지 않다고 보고 朱子의 說을 취하였다. 楊伯峻은 '나뭇가지를 꺾다'로 해석하고, 위의 두 說 외에 '허리를 굽혀 인사하다'는 해석도 있음을 소개하였다.

集註 | 形은 狀也라 挾은 以腋持物也라 超는 躍而過也라 爲長者折枝는 以長者之命으로 折草木之枝니 言不難也라 是心固有하여 不待外求니 擴而充之는 在我而已니 何難之有리오

'形'은 형상이다. '挾'은 겨드랑이에 물건을 끼는 것이다. '超'는 뛰어서 지나가는 것이다. '長者를 위해서 나뭇가지를 꺾는다.'는 것은 長者의 명령에 따라 草木의 가지를 꺾는 것이니, 어렵지 않음을 말한 것이다. 이 惻隱之心이 본디 나에게 있어서 밖에서 구할 필요가 없으니, 이것을 확충함은 나에게 달려있을 뿐이다. 무슨 어려움이 있겠는가.

7-12. 老吾老하여 以及人之老하며 幼吾幼하여 以及人之幼하면 天下는 可運於掌이니 詩云 刑于寡妻하여 至于兄弟하여 以御于家邦이라하니 言擧斯心하여 加諸彼而已라 故로 推恩이면 足以保四海요 不推恩이면 無以保妻子니 古之人이 所以大過人者는 無他焉이라 善推其所爲而已矣니 今에 恩足以及禽獸로되 而功不至於百姓者는 獨何與니잇고

내 노인(父兄)을 노인으로 섬겨서 남의 노인에게까지 미치며 내 어린이(子弟)를 어린이로 사랑해서 남의 어린이에게까지 미친다면, 天下는 손바닥에 놓고 움직일 수 있습니다. 《詩經》에 이르기를 '寡妻에게 모범이 되어서 兄弟에 이르고 이러한 방법으로써 집과 나라를 다스린다.' 하였으니, 이 마음을 들어서 저기에 加할 뿐임을 말한 것입니다. 그러므로 은혜를 미루면 충분히 四海를 보호할 수 있고, 은혜를 미루지 않으면 妻子도 보호할 수 없는 것입니다. 옛사람이 보통 사람보다 크게 뛰어난 까닭은 딴 것이 없으니, 그 하는 바를 잘 미루었을 뿐입니다. 지금 은혜가 충분히 禽獸에게 미쳤으나 功效가 백성에게 이르지 않는 것은 유독 어째서입니까?

···　狀 형상 상　腋 겨드랑이 액　持 가질 지　躍 뛸 약　老 경로(敬老)할 로　幼 사랑할 유　運 옮길 운　掌 손바닥 장
刑 법 형　御 다스릴 어　擧 들 거　過 뛰어날 과　善 잘할 선

按說ㅣ "刑于寡妻 至于兄弟 以御于家邦'의 세 개의 '于'에 대하여, 壺山은

　　'御于'의 '于'는 앞의 두 '于'와는 그 文勢가 조금 다르니, 諺解의 해석을 상고할 만하다.〔御
　　于之于 與上二于 其勢微異 諺釋可考〕

하였는데, 諺解에서는 같은 '于'이지만 '寡妻'와 '兄弟' 앞에서는 '~에'로 해석하였고,
'家邦' 앞에서는 '~을'로 해석하여 용법을 달리하고 있다.

集註ㅣ 老는 以老事之也니 吾老는 謂我之父兄이요 人之老는 謂人之父兄이라 幼는
以幼畜(휵)之也니 吾幼는 謂我之子弟요 人之幼는 謂人之子弟라 運於掌은 言易也
라 詩는 大雅思齊之篇이라 刑은 法也라 寡妻[64]는 寡德之妻니 謙辭也라 御는 治也라
不能推恩이면 則衆叛親離라 故로 無以保妻子라 蓋骨肉之親은 本同一氣하니 又非
但若人之同類而已라 故로 古人이 必由親親推之然後에 及於仁民하고 又推其餘
然後에 及於愛物하니 皆由近以及遠하고 自易以及難이어늘 今王反之하니 則必有故
矣라 故로 復推本而再問之하시니라

'老'는 늙은이를 섬기는 禮로써 섬기는 것이니, '吾老'는 나의 父兄을 이르고 '人之老'는
남의 父兄을 이른다. '幼'는 어린이를 기르는 禮로써 기르는 것이니, '吾幼'는 나의 子弟를
이르고 '人之幼'는 남의 子弟를 이른다. '運於掌'은 쉬움을 말한다. '詩'는〈大雅 思齊〉篇
이다. '刑'은 法(모범)이다. '寡妻'는 寡德한 이의 아내이니, 謙辭이다. '御'는 다스림이다.
은혜를 미루지 못하면 민중이 배반하고 친척이 이산되므로 妻子를 보호할 수 없는 것이다.
骨肉의 친척은 본래 한 氣를 함께하였으니, 단지 사람의 同類와 같을 뿐만이 아니다. 그러
므로 옛사람은 반드시 親親으로 말미암아 미루어나간 뒤에 仁民에 미치고 또 그 나머지를
미룬 뒤에 愛物에 미쳤으니, 모두 가까운 데로부터 먼 데로 미치고, 쉬운 것으로부터 어려
운 것에 미친 것이다. 그런데 지금 王은 이것을 뒤집어 하였으니, 그렇다면 반드시 이유가
있을 것이다. 그러므로 다시 근본을 미루어서 재차 물으신 것이다.

7-13. 權然後에 知輕重하며 度(도)然後에 知長短이니 物皆然이어니와 心

64　寡妻:楊伯峻은 '寡'를 大의 뜻으로 보아 嫡妻라고 하였으며,《詩經》〈大雅 思齊〉의 毛傳에서도 嫡妻
　　라고 하였다.

⋯　畜 기를 휵　叛 배반할 반　骨 뼈 골　權 저울 권　度 자 도, 잴 도, 헤아릴 탁

爲甚하니 王請度(탁)之하소서

저울질을 한 뒤에 輕重을 알며, 재어본 뒤에 長短을 알 수 있습니다. 사물이 다 그러하지만 그중에도 마음이 유독 심하니, 王은 청컨대 이것을 헤아리소서.

集註 | 權은 稱錘也[65]요 度(도)는 丈尺也라 度(탁)之는 謂稱量之也[66]라 言 物之輕重長短은 人所難齊라 必以權度度(도탁)之而後可見이니 若心之應物은 則其輕重長短之難齊하여 而不可不度(탁)以本然之權度[67]가 又有甚於物者[68]라 今王이 恩及禽獸而功不至於百姓하니 是는 其愛物之心이 重且長하고 而仁民之心이 輕且短하여 失其當然之序[69]而不自知也라 故로 上文에 旣發其端[70]하시고 而於此에 請王度之也하시니라

'權'은 저울의 추요, '度'는 길과 자이다. '度之'는 저울질하고 헤아림을 이른다. 물건의 輕重과 長短은 사람들이 똑같이 하기 어려운 것이니, 반드시 저울과 자를 가지고 헤아린 뒤에야 〈輕重과 長短을〉 알 수 있다. 마음이 사물에 응함으로 말하면 그 輕重과 長短을 가지런히 하기가 어려워서 本然의 權度(마음)로써 헤아리지 않을 수 없는 것이 물건보다도 더욱 심한 점이 있다. 지금 王은 은혜가 禽獸에게 미쳤으나 功效가 백성들에게 이르지 않았으니, 이는 물건을 아끼는 마음이 무겁고 또 길며 백성을 사랑하는 마음이 가볍고 또 짧아서,

---

65 權 稱錘也:'稱錘'는 '저울의 추'를 가리키나 뒤의 '丈尺'에 맞추어 '저울과 저울추'로 해석하기도 한다.

66 度……謂稱量之也:茶山은 "아래 '度'字는 윗글을 이었으므로 굳이 入聲(탁)으로 읽지 않아도 될 듯하다.〔下度字 承上文 恐不必入聲讀〕" 하였다.

67 本然之權度:朱子는 "本然의 權度는 바로 이 마음이니, 이 마음의 本然에 만 가지 이치가 구비되었다.〔本然之權度 亦只是此心 此心本然 萬理皆具〕" 하였다.《語類》

68 若心之應物……又有甚於物者:朱子는 "물건은 보기가 쉽고 마음은 형체가 없으니, 물건의 輕重과 長短을 헤아리기는 쉽고 마음의 輕重과 長短을 헤아리기는 어렵다. 또한 물건을 헤아림에 잘못되면 다만 한 가지 일이 잘못되지만, 마음을 헤아림에 잘못되면 만 가지 일이 모두 잘못되니, 이 때문에 마음이 더 심하다고 한 것이다.〔物易見 心無形 度物之輕重長短易 度心之輕重長短難 度物差了 只是一事差 心差了時 萬事差 所以心爲甚〕" 하였다.《語類》

69 其當然之序:朱子는 "물건을 사랑함은 가볍게 해야 하고 백성을 사랑함은 중하게 해야 하니, 이것이 바로 權度인바, 이 權度를 가지고 헤아리는 것이다.〔愛物宜輕 仁民宜重 此是權度 以此去度〕" 하였다.《語類》

70 旣發其端:新安陳氏(陳櫟)는 "'은혜가 충분히 禽獸에게 미쳤으나 功效가 백성들에게 이르지 않았다.〔恩足以及禽獸 而功不至於百姓〕'는 두 句를 가리킨 것이다." 하였다.

⋯ 稱 저울 칭, 저울질할 칭 錘 저울추 추 丈 길 장 尺 자 척 齊 가지런할 제 端 단서 단

그 당연한 순서를 잃었으면서도 스스로 알지 못하였다. 그러므로 윗글에서 그 端緖를 말씀하셨고, 여기에서는 王이 헤아리기를 청하신 것이다.

7-14. 抑王은 興甲兵하며 危士臣하여 構怨於諸侯然後에 快於心與잇가

王은 甲兵을 일으키며 군사와 신하들을 위태롭게 해서 諸侯들과 원한을 맺은 뒤에야 마음이 흔쾌하시겠습니까?"

按說 | 朱子는 이 節을 윗글과 연계시켜 "孟子는 王이 백성을 사랑하는 마음이 가볍고 또 짧은 까닭은 반드시 이 세 가지를 흔쾌하게 여기기 때문일 것이다."라고 하였다. 이에 대해 壺山은 朱子의 說을 따라 윗글과 이 節을 연관시키려 노력한 흔적이 역력하다. 그리하여

이 이하는 甲兵을 일으키는 일을 말하여 王의 욕심을 다스렸으니, 소를 바꾸는 마음을 미루면 충분히 백성을 보호할 수 있으나, 욕심을 다스려 제거하지 않으면 백성 또한 보호할 수 없기 때문이다.〔此以下 說出興甲事 以攻王之慾心 蓋推易牛之心 則足以保民 然不攻去 其慾心 則民亦不可保故耳〕

하였고, 또

윗 節에 조응하여 위아래 글의 뜻을 접속하였으니, 위아래 글의 뜻이 끊어졌으나 두 개의 '心'字는 그 접속의 線脉이 된다.〔照應上節 以接屬上下文義 蓋上下文義斷落 而兩箇心 字 爲其接續之線脉〕

하였다. 그러나 이 節은 윗글과 연계시키지 않고, 齊 宣王이 처음 물었던 齊 桓公과 晉 文公의 일을 孟子가 제기하여 王道政治로 연결시키기 위해 한 말씀으로 보아야 할 것이다.

集註 | 抑은 發語辭라 士는 戰士也라 構는 結也라 孟子以王愛民之心이 所以輕且短 者는 必其以是三者爲快也라 然이나 三事는 實非人心之所快니 有甚於殺觳觫之 牛者라 故로 指以問王하여 欲其以此而度之也라

'抑'은 발어사이다. '士'는 戰士이다. '構'는 맺음이다. 孟子는 王이 백성을 사랑하는 마음

··· 抑 꺾을 억 危 위태할 위 構 맺을 구 快 쾌할 쾌

이 가볍고 또 짧은 까닭은 반드시 이 세 가지를 흔쾌하게 여기기 때문일 것이라고 생각하였다. 그러나 세 가지 일은 실로 사람의 마음에 흔쾌하게 여길 바가 아니니, 이것은 두려워 떠는 소를 죽이는 것보다도 심한 점이 있다. 그러므로 이것을 지적하여 王에게 물어서 이로써 헤아리게 하고자 하신 것이다.

7-15. 王曰 否라 吾何快於是리오 將以求吾所大欲也로이다

王이 말씀하였다. "아닙니다. 내 어찌 이것을 흔쾌하게 여기겠습니까? 장차 내가 크게 하고자 하는 바를 구하려고 해서입니다."

> 按說 | 朱子가 '抑王' 이하를 위와 연결시켜 계속 이어지는 내용으로 본 것은, 아마도 '將以求吾所大欲也'의 '將以' 때문으로 보인다. 그리하여 《集註》에 "이 때문에 그 마음이 오히려 다른 곳에는 밝으나 홀로 여기에는 어두웠다."라고 한 것이다. '將以'는 대체로 '무엇을 하려 하기 때문'이란 뜻으로 쓰이는 경우가 허다하나, 여기서는 '장차 크게 하고자 하는 바를 구하려고 하다'로 해석해도 될 듯하다. 이 글을 殺牛, 不忍之心과 계속 연결시키면 그 뜻이 제대로 통하지 않는다.

> 集註 | 不快於此者는 心之正也요 而必爲此者는 欲誘之也니 欲之所誘者 獨在於是라 是以로 其心이 尙明於他而獨暗於此하니 此其愛民之心이 所以輕短而功不至於百姓也라

이것을 흔쾌하게 여기지 않는 것은 마음의 올바름이요, 반드시 이것을 하려고 하는 것은 욕심이 유인한 것이다. 욕심의 유인하는 바가 유독 여기에 있었기 때문에 그 마음이 오히려 다른 곳에는 밝으나 홀로 여기에는 어두운 것이니, 이 때문에 백성을 사랑하는 마음이 가볍고 짧아서 功效가 백성들에게 이르지 않는 것이다.

7-16. 曰 王之所大欲을 可得聞與잇가 王이 笑而不言하신대 曰 爲肥甘이 不足於口與며 輕煖이 不足於體與잇가 抑爲采色이 不足視於目與며 聲音이 不足聽於耳與며 便嬖不足使令於前與잇가 王之諸臣이 皆足以

··· 誘 유혹할 유 肥 살찔 비 煖 따뜻할 난 采 채색 채 便 익숙할 편 嬖 총애할 폐

供之하나니 而王은 豈爲是哉시리잇고 曰 否라 吾不爲是也로이다 曰 然則
王之所大欲을 可知已니 欲辟(闢)土地하며 朝秦楚하여 莅中國而撫四
夷也로소이나 以若所爲로 求若所欲이면 猶緣木而求魚也니이다

孟子께서 말씀하셨다. "王께서 크게 하고자 하시는 바를 얻어 들을 수 있겠습니까?"

王이 웃으면서 말씀하지 않자, 孟子께서 말씀하셨다. "살지고 단 음식이 입에 부족하며, 가볍고 따뜻한 옷이 몸에 부족하기 때문입니까? 아니면 采色이 눈으로 보기에 부족하며, 아름다운 음악이 귀로 듣기에 부족하며, 친숙하고 총애하는 사람들이 앞에서 使令함에 부족하기 때문입니까? 王의 여러 신하들이 모두 충분히 이것을 공급하니, 王이 어찌 이것 때문이겠습니까?"

王이 말씀하였다. "아닙니다. 나는 이것 때문이 아닙니다."

孟子께서 말씀하셨다. "그렇다면 왕이 크게 하고자 하시는 바를 알 수 있겠습니다. 토지를 개척하며 秦나라와 楚나라에게 조회를 받아 中國에 임하여 사방의 오랑캐들을 어루만지고자 하시는 것입니다. 이와 같은 소행으로써 이와 같은 소원을 구하신다면 나무에 올라가서 물고기를 구하는 것과 같습니다."

按說 | '王之所大欲……莅中國而撫四夷也'에 대하여, 新安陳氏(陳櫟)는

〈齊 宣王이〉 크게 하고자 하는 것이 여기에 있었으므로, 처음 물음에 곧 齊 桓公과 晉 文
公의 霸者의 일을 듣고자 한 것이다.〔所大欲在此 所以初發問 便欲聞桓文霸圖事〕

하였다. '왕이 크게 하고자 하는 것'이란 왕의 큰 야망을 말한 것이다.

集註 | 便嬖는 近習嬖幸之人也라 已는 語助辭라 辟은 開廣也라 朝는 致其來朝也라
秦楚는 皆大國이라 莅는 臨也라 若은 如此也라 所爲는 指興兵結怨之事라 緣木求魚
는 言必不可得이라

'便嬖'는 가까이 모셔 익숙(친숙)하고 총애하는 사람이다. '已'는 어조사이다. '辟'은 열어 넓힘이다. '朝'는 와서 조회하게 하는 것이다. 秦과 楚는 모두 강대국이다. '莅'는 임함이다. '若'은 이와 같음이다. '所爲'는 군대를 일으키고 원망을 맺는 일을 가리킨다. '나무에

… 辟 개척할벽 莅 임할리 撫 어루만질무 猶 같을유 緣 오를연 致 부를치 臨 임할림

올라가 물고기를 구함'은 반드시 얻을 수 없음을 말한 것이다.

7-17. 王曰 若是其甚與잇가 曰 殆有甚焉하니 緣木求魚는 雖不得魚나 無後災어니와 以若所爲로 求若所欲이면 盡心力而爲之라도 後必有災하리이다 曰 可得聞與잇가 曰 鄒人이 與楚人戰이면 則王은 以爲孰勝이니잇고 曰 楚人이 勝하리이다 曰 然則小固不可以敵大며 寡固不可以敵衆이며 弱固不可以敵强이니 海內之地 方千里者九에 齊集有其一하니 以一服八이 何以異於鄒敵楚哉리잇고 蓋亦反其本矣니이다

王이 말씀하였다. "이와 같이 심합니까?"

孟子께서 말씀하셨다. "이보다도 더 심하니, 나무에 올라가 물고기를 구하는 것은 비록 물고기를 얻지 못하더라도 뒤에 재앙은 없지만, 이와 같은 소행으로 이와 같은 소원을 구한다면 마음과 힘을 다하여 하더라도 뒤에 반드시 재앙이 있을 것입니다."

王이 "얻어들을 수 있겠습니까?" 하고 물었다.

이에 孟子께서 되물으셨다. "鄒나라 사람이 楚나라 사람과 싸운다면 王은 누가 이기리라고 여기십니까?"

"楚나라 사람이 이길 것입니다."

"그렇다면 작은 나라는 진실로 큰 나라를 대적할 수 없으며, 병력이 적은 나라는 진실로 병력이 많은 나라를 대적할 수 없으며, 약한 나라는 진실로 강한 나라를 대적할 수 없습니다. 海內의 땅이 方千里 되는 것이 아홉인데, 齊나라가 〈국토〉 전체를 모으면 그 하나를 소유하였으니, 하나를 가지고 여덟을 복종시키는 것이 어찌 鄒나라가 楚나라를 대적함과 다르겠습니까. 또한 그 근본을 돌이켜야 합니다.

按說 | 鄒人과 楚人의 '人'은 일반인을 가리킨 것이 아니고, 大夫가 장수가 되어 소수의 병력을 거느리고 출전하는 경우를 가리키는바, 《春秋釋例》에

《周禮》에 '병사 1만 2천 5백 명을 軍이라 하고, 2천 5백 명을 師라 하고, 5백 명을 旅라 한다.' 하였는데,……大夫가 장수가 되어 출전할 적에 병력이 師에 차면 師라 칭하고, 師에 차

··· 殆 자못 태 災 재앙 재 鄒 나라이름 추 孰 누구 숙 寡 적을 과 集 모을 집 反 돌이킬 반

지 못하면 人이라 칭한다.〔周禮 萬二千五百人爲軍 二千五百人爲師 五百人爲旅……大
夫將滿師 稱師 不滿稱人而已〕

라고 보인다.

集註 | 殆, 蓋는 皆發語辭[71]라 鄒는 小國이요 楚는 大國이라 齊集有其一은 言集合齊
地면 其方千里니 是는 有天下九分之一也[72]라 以一服八은 必不能勝이니 所謂後災
也라 反本은 說見(현)下文하니라

'殆'와 '蓋'는 모두 發語辭이다. 鄒는 작은 나라이고 楚는 큰 나라이다. '齊集有其一'은 齊
나라 땅을 모두 집합하면 方千里니, 이는 천하의 9분의 1을 소유함을 말한 것이다. '하나
를 가지고 여덟을 복종시킴'은 반드시 이길 수 없으니, 이것이 이른바 '뒤의 재앙'이라는 것
이다. '反本'은 내용(해설)이 아랫글에 보인다.

7-18. 今王이 發政施仁하사 使天下仕者로 皆欲立於王之朝하며 耕者
로 皆欲耕於王之野하며 商賈(고)로 皆欲藏於王之市하며 行旅로 皆欲
出於王之途하시면 天下之欲疾其君者 皆欲赴愬於王하리니 其如是면
孰能禦之리잇고

지금 王께서 훌륭한 정치를 펴고 仁을 베푸시어 천하에 벼슬하는 자들로 하여금 모두
왕의 조정에서 벼슬하고자 하게 하며, 경작하는 자들로 하여금 모두 왕의 들에서 경작
하고자 하게 하며, 장사꾼들로 하여금 모두 왕의 시장에 물건을 저장하고자 하게 하며,
여행하는 자들로 하여금 모두 왕의 길에 나아가고자 하게 한다면, 천하에 그 君主를 미
워하는 자들이 모두 왕에게 달려와 하소연하고자 할 것이니, 이와 같으면 누가 이것을
막겠습니까."

---

71 殆蓋 皆發語辭 : 楊伯峻은 "'殆'는 확정적이지 않음을 나타내는 부사로 '아마도', '거의' 등으로 해석되
며, '蓋'는 '盍'과 같으니 '何不'의 合音이다." 하였다.

72 是 有天下九分之一也 : 新安陳氏(陳櫟)는 "천 리되는 나라가 아홉이니, 齊·楚·燕·秦·趙·魏·韓·
宋·中山이다.〔千里者九 齊楚燕秦趙魏韓宋中山也〕" 하였다.

··· 耕 밭갈 경 商 장사 상 賈 장사 고 藏 저장할 장 旅 나그네 려 途 길 도 疾 미워할 질 赴 달려갈 부
愬 하소연할 소 禦 막을 어

集註 | 行貨曰商이요 居貨曰賈라 發政施仁은 所以王天下之本也라 近者悅하고 遠者來[73]하면 則大小彊弱은 非所論矣라 蓋力求所欲이면 則所欲者를 反不可得이요 能反其本이면 則所欲者不求而至니 與首章意同[74]하니라

재물을 가지고 다니면서 파는 것을 '商'이라 하고, 재물을 한 곳에 쌓아놓고 파는 것을 '賈'라 한다. '發政施仁'은 天下에 왕 노릇 하는 바의 근본이다. 가까이 있는 자가 기뻐하고 멀리 있는 자가 온다면 大小와 强弱은 논할 바가 아니다. 자신의 하고자 하는 바를 힘써 구한다면 하고자 하는 바를 도리어 얻지 못하고, 그 근본을 돌이킨다면 하고자 하는 바가 구하지 않아도 올 것이니, 首章의 뜻과 같다.

7-19. 王曰 吾惛하여 不能進於是矣로니 願夫子는 輔吾志하여 明以教我하소서 我雖不敏이나 請嘗試之호리이다 曰 無恒産而有恒心者는 惟士爲能이어니와 若民則無恒産이면 因無恒心이니 苟無恒心이면 放辟(僻)邪侈를 無不爲已니 及陷於罪然後에 從而刑之면 是는 罔民也니 焉有仁人在位하여 罔民을 而可爲也리오

王이 말씀하였다. "나는 어두워서 여기에 나아갈 수 없으니, 원컨대 夫子께서는 나의 뜻을 도와서 밝게 나를 가르쳐 주소서. 내 비록 不敏하나 한번 시험해 보겠습니다."
孟子께서 말씀하셨다. "떳떳한(일정한) 生業(재산)이 없으면서도 떳떳한 마음을 가지고 있는 것은 오직 선비만이 능할 수 있습니다. 백성으로 말하면 떳떳이 살 수 있는 生業이 없으면 따라서 떳떳한 마음도 없어집니다. 만일 떳떳한 마음이 없어진다면 放僻하고 邪侈한 일을 하지 않음이 없을 것이니, 그리하여 罪에 빠진 뒤에 따라서 이들을 형벌한다면 이것은 백성을 그물질하는 것입니다.(백성을 속여 法網에 들어가게 하는 것입니다.) 어찌 仁人이 지위에 있으면서 백성을 그물질하는 짓을 할 수 있겠습니까.

集註 | 恒은 常也요 産은 生業也니 恒産은 可常生之業也요 恒心은 人所常有之善心

---

73 近者悅 遠者來:이 내용은 《論語》〈子路〉 16장에 보인다.

74 與首章意同:本篇의 첫 장에서 利를 구하면 도리어 利를 얻지 못하고 仁義를 힘써 행하면 利를 추구하지 않아도 저절로 利를 얻게 됨을 말씀하였으므로 뜻이 같다고 한 것이다.

••• 居 쌓아놓을 거 貨 재화화 惛 어두울 혼 輔 도울보 敏 민첩할민 嘗 일찍이상, 한번상 試 시험할시
恒 떳떳할항 放 방탕할방 辟 간사할벽 侈 클치, 사치할치 陷 빠질함 罔 그물망 焉 어찌언

也[75]라 士嘗學問하여 知義理라 故로 雖無恒産이나 而有常心이어니와 民則不能然矣라 罔은 猶羅罔이니 欺其不見而取之也라

'恒'은 떳떳함이요, '産'은 生業이다. '恒産'은 떳떳이 살 수 있는 生業이고, '恒心'은 사람이 떳떳이 가지고 있는 善心이다. 선비는 일찍이 學問을 해서 義理를 알므로 비록 떳떳이 살 수 있는 生業이 없더라도 떳떳한 마음을 가지고 있지만, 백성은 그렇지 못하다. '罔'은 羅罔(그물)과 같으니, 그 보지 못함을 속여서 취하는 것이다.

7-20. 是故로 明君이 制民之産호되 必使仰足以事父母하며 俯足以畜(휵)妻子하여 樂歲에 終身飽하고 凶年에 免於死亡하나니 然後에 驅而之善이라 故로 民之從之也輕하니이다

그러므로 현명한 군주는 백성들의 생업을 제정해 주되, 반드시 위로는 충분히 父母를 섬길 수 있고 아래로는 충분히 妻子를 기를 수 있어서, 풍년에는 종신토록(일 년 내내) 배부르고 흉년에는 死亡을 면하게 합니다. 그런 뒤에야 백성들을 몰아서 善에 가게 하므로 백성들이 명령을 따르기가 쉬운 것입니다.

按說 | '終身'에 대하여, 退溪(李滉)는

樂歲는 단지 1년이 아니다. 사람이 사는 일생 가운데에 무릇 樂歲를 만나면 모두 배부르고 즐거울 수 있으니, 이것이 終身飽이다.(樂歲非只一年也 民生一世之中 凡遇樂歲 皆得飽樂 是終身飽也)《經書辨疑》

하였고, 沙溪(金長生)는

---

75 恒産……人所常有之善心也:慶源輔氏(輔廣)는 "恒産은 떳떳이 살 수 있는 生業이니 곧 아래 글에 말한바 '5畝의 집과 100畝의 田地'가 이것이요, 恒心은 떳떳이 가지고 있는 善心이니 아래 글에 말한바 '善과 禮義'가 이것인데, 善은 또 禮義를 총괄하여 칭한 것이다. 백성이 떳떳한 生業이 없으므로 인하여 떳떳한 마음이 없는 것이다. 그러므로 예의를 알지 못하여 放辟함과 邪侈함에 빠지는데, 만약 마침내 따라 형벌을 한다면 이는 진실로 그물을 가지고 백성을 그물질하여 그 보지 못하는 것을 속여서 취하는 것과 다름이 없는 것이다.(恒産 常生之業 則下文所言五畝之宅百畝之田 是也 恒心 常有之善心 則下文所言善與禮義是也 善 又禮義之總名 緣民無常産 所以無常心 故不知禮義而陷於放辟邪侈也 若遂從而刑之 是誠無異於以羅網罔民 欺其不見而取之也)" 하였다.

··· 羅 그물 라 俯 구부릴 부, 아래 부 飽 배부를 포 驅 몰 구

'終'은 '끝까지〔極〕'라는 뜻이니, '終身飽'와 '終身苦'는 그 몸과 마음의 괴로움과 즐거움을 지극히 하여 남음이 없는 뜻을 말한 것이다.〔終 極也 終身而飽苦者 謂極其身心之苦樂而 無餘之意也〕《經書辨疑》

하였는데, 壺山은 退溪와 沙溪의 말을 인용하고,

살펴보건대 '終身' 두 글자는 다만 마땅히 평상대로 읽어야 할 것이요, 굳이 1년 안에서 '終 身'이라고 말한 것을 혐의할 필요는 없을 듯하다. 만일 '종신토록 풍년에는 배부르다.〔終身樂 歲飽〕'로 읽으면 가할 것이니 옛 사람의 말은 도치된 것이 많다.〔按終身二字 恐只當依常 讀之 不必嫌於一歲中言終身耳 如作終身樂歲飽讀 則可矣 古人語多倒〕

하였다. 한편 茶山은

'終身'은 '항상 그러함〔恒然〕'의 뜻이다. 《論語》〈子罕〉 26장에 '子路가 〈위의 詩句를〉 終 身토록 외우다.' 한 것은 子路가 죽지 않았는데도 이미 '終身'이라고 칭한 것이니 당시의 語 法이다.〔終身者 恒然之意 子路終身誦之 子路未死 已稱終身 蓋當時之語法也〕

하였다.

集註 | 輕은 猶易也라 此는 言民有常産而有常心也라

'輕'은 易(쉬움)와 같다. 이것은 백성들이 떳떳한 생업이 있어서 떳떳한 마음을 가지고 있음을 말씀한 것이다.

7-21. 今也에 制民之産호되 仰不足以事父母하며 俯不足以畜妻子하여 樂歲에 終身苦하고 凶年에 不免於死亡하나니 此惟救死而恐不贍이어니 奚暇에 治禮義哉리오

지금은 백성의 生業을 제정해 주되, 위로는 父母를 섬기기에 충분하지 못하며 아래로는 妻子를 기르기에 충분하지 못하여 풍년에는 일 년 내내 고생하고 흉년에는 死亡을 면치 못합니다. 이와 같은 형편에서는 오직 죽음을 구제하기에도 부족할까 두려우니, 어느 겨를에 禮義를 다스리겠습니까.

··· 贍 넉넉할 섬 奚 어찌 해

集註 | 瞻은 足也라 此는 所謂無常産而無常心者也라

'瞻'은 족함이다. 이것은 이른바 '떳떳한 生業이 없어서 떳떳한 마음이 없다.'는 것이다.

7-22. 王欲行之시면 則盍反其本矣니잇고

王이 이것을 행하고자 하신다면 어찌 그 근본을 돌이키지 않습니까?

集註 | 盍은 何不也라 使民有常産者는 又發政施仁之本也니 說見下文하니라

'盍'은 何不(어찌 아니)이다. 백성들로 하여금 떳떳한 생업이 있게 하는 것은 또 훌륭한 정사를 펴고 仁을 베푸는 근본이니, 그 내용이 아랫글에 보인다.

7-23. 五畝之宅에 樹之以桑이면 五十者可以衣帛矣며 鷄豚狗彘之畜(휵)을 無失其時면 七十者可以食肉矣며 百畝之田을 勿奪其時면 八口之家 可以無飢矣며 謹庠序之敎하여 申之以孝悌之義면 頒白者不負戴於道路矣리니 老者衣帛食肉하며 黎民이 不飢不寒이요 然而不王者 未之有也니이다

5畝의 집 주변에 뽕나무를 심게 한다면 50세가 된 자가 비단옷을 입을 수 있으며, 닭과 돼지와 개와 큰 돼지를 기름에 새끼 칠 때를 놓치지 않게 한다면 70세가 된 자가 고기를 먹을 수 있으며, 100畝의 토지에 농사철을 빼앗지 않는다면 여덟 식구의 집안이 굶주림이 없을 수 있으며, 庠序의 가르침을 삼가서 孝悌의 義理로써 거듭한다면 〈머리가〉頒白이 된 자가 道路에서 짐을 지거나 이지 않을 것입니다. 늙은 자가 비단옷을 입고 고기를 먹으며 黎民이 굶주리지 않고 추위에 떨지 않고, 이렇게 하고서도 왕 노릇 하지 못하는 자는 있지 않습니다."

集註 | 此는 言 制民之産之法也라

··· 盍 어찌아니 합 樹 심을 수 彘 큰돼지 체 庠 학교이름 상 頒 머리반쯤셀 반 黎 검을 려

趙氏曰 八口之家는 次上農夫[76]也라 此는 王政之本이요 常生之道라 故로 孟子爲齊梁之君하여 各陳之也시니라

楊氏曰 爲天下者는 擧斯心하여 加諸彼而已라 然이나 雖有仁心仁聞이라도 而民不被其澤者는 不行先王之道故也라 故로 以制民之産으로 告之하시니라

이것은 백성의 생업을 제정해 주는 법을 말씀한 것이다.

趙氏(趙岐)가 말하였다. "'여덟 식구의 집안'은 次上農夫이다. 이것은 王政의 根本이요, 떳떳이 살 수 있는 방법이다. 그러므로 孟子께서 齊나라와 梁나라의 군주를 위해서 각각 말씀한 것이다."

楊氏(楊時)가 말하였다. "天下를 다스리는 것은 이 마음을 들어서 저기에 加할 뿐이다. 그러나 비록 어진 마음과 어진 소문이 있더라도 백성들이 그 혜택을 입지 못하는 것은 先王의 道(制度)를 행하지 않기 때문이다. 그러므로 백성의 생업을 제정해 주는 것으로써 말씀하신 것이다."

章下註 │ ○ 此章은 言 人君이 當黜霸功하고 行王道요 而王道之要는 不過推其不忍之心하여 以行不忍之政而已라 齊王이 非無此心이로되 而奪於功利之私하여 不能擴充以行仁政이라 雖以孟子反覆曉告하사 精切如此로되 而蔽固已深하여 終不能悟하니 是可歎也로다

○ 이 章은, 人君이 마땅히 霸功을 내치고 王道를 행해야 할 것이요, 王道의 요점은 不忍한 마음을 미루어서 不忍한 정사를 행함에 불과할 뿐임을 말씀하였다. 齊 宣王은 이러한 마음이 없는 것은 아니었으나 功利의 私慾에 빼앗겨서 확충하여 仁政을 행하지 못하였다. 비록 孟子께서 이와 같이 정미하고 간절하게 반복하여 깨우쳐 주셨으나, 私慾에 가려짐이 너무 깊어서 끝내 깨닫지 못하였으니, 탄식할 만하다.

---

76 次上農夫:한 집안에 식구가 아홉인 것을 '上農夫'라 하기 때문에 여덟 식구를 '次上農夫'라 한 것이다. 古代에는 농사일이 모두 사람의 손을 필요로 하였으므로, 식구가 많으면 노동력이 풍부해서 肥培管理를 잘하기 때문에 식구가 많은 집안을 '上農夫'라 하였다. 자세한 내용은 아래 〈萬章下〉 2장 참조.

··· 陳 아뢸 진 黜 내칠 출 霸 으뜸 패 奪 빼앗을 탈 曉 깨달을 효 切 간절할 절 蔽 가릴 폐 悟 깨달을 오

亦有仁義章(1장)의 萬乘之國에 대하여, 참고를 위해 《大全》에 《前漢書》〈刑法志〉를 인용한 글을 소개하면 다음과 같다.

殷나라와 周나라는 무력으로 천하를 평정하였다. 천하가 이미 평정되자, 방패와 창을 거두어 보관하고 文德으로 가르치면서도 司馬의 관직을 세워서 六軍의 군대를 설치하였다.【司馬는 나라의 정사를 관장하여 軍旅가 소속되었다. 12,500명을 軍이라 하니 王(天子)은 6軍이다.】 井田을 인하여 군대〔軍賦〕를 제정하였다. 田地 方1里가 井이 되니, 10井이 通이 되고 10通이 成이 되니 成은 方10里이고, 10成이 終이 되고 10終이 同이 되니 同은 方百里이고, 10同이 封이 되고 10封이 畿가 되니 畿는 方千里이다. 稅가 있고 賦가 있어서 稅로써 식량을 풍족하게 하고 賦로써 군대를 충족하게 하였다. 4井이 邑이 되고 4邑이 丘가 되니 丘는 16井인데 戎馬(軍馬) 1匹과 소 3마리가 있고, 4丘가 甸이 되니 甸은 64井인데 戎馬 4匹과 兵車 1대와 소 12마리와 兵車를 타는 甲士 3명과 보졸 72명이 있고 방패와 창이 모두 구비되어 있으니, 이것을 乘馬의 법이라 한다.【1井은 8가호이고 1甸은 64井이니, 田地를 계산해보면 576頃이다. 512家戶가 士卒 75명을 내니, 殷나라와 周나라의 제도는 채 7家戶가 못되는 家戶에서 병사 1명씩을 내었다. 또 兵車 한 대에 소와 말이 모두 16匹이 있으니, 계산해보면 32家戶에 또 말 1匹이나 혹은 소 1마리를 내게 된다.】 1同 百里에 境內를 모두 들면 1萬井이니【提는 든다는 뜻이니 4封의 안을 모두 든 것이다.】 山川과 沈斥과 鹽田과 城池와 거주하는 邑과 園囿와 큰 길 3,600井을 제한다.【沈斥은 논과 염전이니, 이 沈은 깊은 연못의 아래를 이르고 斥은 염전이며 術은 큰 길이다.】 賦 6,400井을 내어서 戎馬 4百匹과 兵車 百乘을 내니, 이는 卿大夫의 采地 중에 큰 것으로【采는 官이니, 官職을 인하여 田地의 수입을 먹으므로 采地라 하였다.】 이것을 百乘之家라 이른다. 1封 316里에 境內를 모두 들면 10萬井이니, 賦 64,000井을 내어서 戎馬 4千匹과 兵車 千乘을 내니, 이는 諸侯 중에 큰 것으로, 이것을 千乘之國이라 한다. 天子는 畿內의 넓이가 千里로, 국경 안을 모두 들면 100萬井이니 賦 64萬井을 내어서 戎馬 4萬匹과 兵車 1萬乘을 낸다. 그러므로 萬乘之主라 일컬으니, 戎馬와 戰車와 步兵과 방패와 창이 평소에 갖추어져 있다.〔殷周以兵定天下矣 天下旣定 戢藏干戈 教以文德 而猶立司馬之官 設六軍之衆【司馬掌邦政 軍旅屬焉 萬二千五百人爲軍 王則六軍也】 因井田而制軍賦 地方一里爲井 井十爲通 通十爲成 成方十里 成十爲終 終十爲同 同方百里 同十爲封 封十爲畿 畿方千里 有稅有賦 稅以足食 賦以足兵 四井爲邑 四邑爲丘 丘十六井也 有戎馬一匹 牛三頭

四丘爲甸 甸六十四井也 有戎馬四匹 兵車一乘 牛十二頭 甲士三人 在車上者 卒七十二人 干戈備具 是謂乘馬之法【一井八家 一甸六十四井 計田五百七十六頃 五百一十二家 出士卒七十五 人 則殷周之制 不及七家 給一兵也 又兵車一乘 有牛馬共十六 計三十二家 又出一馬或牛也】一同百 里 提封萬井【提 擧也 擧四封之內也】除山川沈斥 城池邑居 園囿術路三千六百井【沈斥 水田潟 鹵也 此謂淵深水之下也 斥 鹹鹵之地 術 大道也】定出賦六千四百井 戎馬四百匹 兵車百乘 此卿 大夫采地之大者也【采 官也 因官食地 故曰采地】是謂百乘之家 一封三百一十六里 提封十萬 井 定出賦六萬四千井 戎馬四千匹 兵車千乘 此諸侯之大者也 是謂千乘之國 天子畿方千 里 提封百萬井 定出賦六十四萬井 戎馬四萬匹 兵車萬乘 故稱萬乘之主 戎馬車徒干戈素 具〕

梁惠王章句 下

集註 | 凡十六章이라
모두 16章이다.

|好樂章|

1-1. 莊暴(포)見孟子曰 暴見(현)於王호니 王이 語暴以好樂이어시늘 暴未
有以對也호니 曰 好樂이 何如하니잇고 孟子曰 王之好樂이 甚이면 則齊
國은 其庶幾乎인저

莊暴가 孟子를 뵙고 말하였다. "暴가 王을 뵈었는데, 王께서 저에게 音樂을 좋아한
다고 말씀하셨으나 저는 여기에 대답하지 못하였습니다. 음악을 좋아하는 것이 어떻습
니까?"
孟子께서 말씀하셨다. "王께서 음악을 매우 좋아하신다면, 齊나라는 거의 다스려질 것
입니다."

按說 | 楊伯峻은

'見孟子'는 '찾아와서 맹자를 만나보다(來看孟子)'의 뜻이고 '見於王'은 '왕에게 접견을 받

··· 莊 엄숙할 장 暴 사나울 포 見 볼 견, 뵈올 현 甚 심할 심 庶 거의 서 幾 거의 기

다[被王接見]의 뜻이다.

하였다.

集註 | 莊暴는 齊臣也라 庶幾는 近辭也니 言近於治라

莊暴는 齊나라 신하이다. '庶幾'는 가깝다는 말이니, 다스려짐에 가까움을 말한 것이다.

1-2. 他日에 見於王曰 王이 嘗語莊子以好樂이라하시니 有諸잇가 王이 變乎色曰 寡人이 非能好先王之樂也라 直好世俗之樂耳로소이다

後日에 孟子께서 王을 보고 말씀하셨다. "王께서 일찍이 莊子(莊暴)에게 음악을 좋아한다고 말씀하셨다 하니, 그러한 일이 있습니까?"
王이 얼굴빛을 변하고 말씀하였다. "寡人은 先王의 음악을 좋아하는 것이 아니라 다만 世俗의 음악을 좋아할 뿐입니다."

集註 | 變色者는 慚其好之不正也라

얼굴빛을 변한 것은 그 좋아함이 올바르지 못함을 부끄러워한 것이다.

1-3. 曰 王之好樂이 甚이면 則齊其庶幾乎인저 今之樂이 由(猶)古之樂也니이다

孟子께서 말씀하셨다. "王께서 음악을 좋아함이 심하시다면, 齊나라는 거의 다스려질 것입니다. 지금의 음악이 옛날의 음악과 같습니다."

集註 | 今樂은 世俗之樂이요 古樂은 先王之樂이라

'지금의 음악'은 世俗의 음악이요, '옛날의 음악'은 先王의 음악이다.

1-4. 曰 可得聞與잇가 曰 獨樂樂과 與人樂樂이 孰樂이니잇고 曰 不若

··· 治 다스려질 치 諸 어조사 저 變 변할 변 直 다만 직 慚 부끄러울 참 由 같을 유(猶同) 樂 음악 악, 즐거울 락

與人이니이다 曰 與少樂樂과 與衆樂樂이 孰樂이니잇고 曰 不若與衆이니이다

王이 말씀하였다. "얻어 들을 수 있겠습니까?"

孟子께서 말씀하셨다. "홀로 음악을 즐기는 것과 다른 사람과 함께 음악을 즐기는 것이 어느 것이 더 즐겁습니까?"

"다른 사람과 함께하는 것만 못합니다."

"적은 사람과 음악을 즐기는 것과 많은 사람과 음악을 즐기는 것이 어느 것이 더 즐겁습니까?"

"많은 사람과 함께하는 것만 못합니다."

> 按說 | '樂樂'은 朱子의《集註》에는 '악락'으로 音이 표시되어 있어 諺解에 모두 이렇게 표기되어 있으나 文法에 맞게 '락악'으로 읽어야 한다는 주장이 있다. 그러나 壺山은
>
>> '樂樂'은 '음악을 즐거워하다〔樂之樂〕', '음악으로써 즐거워한다〔樂以樂〕'라는 말과 같다.〔樂樂 猶言樂之樂, 樂以樂〕
>
> 라고 하여 朱子의 音讀을 따랐다. 즉 앞의 '樂'을 음악으로, 뒤의 '樂'을 즐거워함으로 보아 '樂樂(악락)'으로 읽은 것이다.

> 集註 | 獨樂이 不若與人이요 與少樂이 不若與衆은 亦人之常情也라
>
> 홀로 즐기는 것이 남과 함께하는 것만 못하고, 적은 사람과 즐기는 것이 많은 사람과 함께하는 것만 못함은 또한 사람의 떳떳한 情이다.

1-5. 臣이 請爲王言樂호리이다

〈孟子께서 말씀하셨다.〉"臣이 청컨대 王을 위하여 음악을 말씀드리겠습니다.

> 集註 | 此以下는 皆孟子之言也라
>
> 이 이하는 모두 孟子의 말씀이다.

··· 請 청할 청

1-6. 今王이 鼓樂於此어시든 百姓이 聞王의 鍾鼓之聲과 管籥之音하고 擧疾首蹙頞而相告曰 吾王之好鼓樂이여 夫何使我로 至於此極也하여 父子不相見하며 兄弟妻子離散고하며 今王이 田獵於此어시든 百姓이 聞王의 車馬之音하며 見羽旄之美하고 擧疾首蹙頞而相告曰 吾王之好田獵이여 夫何使我로 至於此極也하여 父子不相見하며 兄弟妻子離散고하면 此는 無他라 不與民同樂也니이다

지금 王이 이곳에서 음악을 타시면 백성들이 王의 종소리·북소리와 피리소리·젓대소리를 듣고는 모두 머리를 아파하고 이마를 찌푸리며 서로 말하기를 '우리 王께서 음악을 타시기 좋아하심이여! 어찌 우리들로 하여금 이 곤궁함에 이르게 해서 父子間이 서로 만나보지 못하며 兄弟妻子가 離散되게 하는가.'라고 원망하며, 지금 王이 이곳에서 사냥을 하시면 백성들이 王의 수레소리, 말[馬]소리를 듣고 깃털과 들소꼬리로 만든 깃발의 아름다움을 보고는 모두 머리를 아파하고 이마를 찌푸리며 서로 말하기를 '우리 王께서 사냥을 좋아하심이여! 어찌 우리들로 하여금 이 곤궁함에 이르게 해서 父子間이 서로 만나보지 못하며 兄弟妻子가 서로 離散되게 하는가.'라고 원망한다면, 이것은 다름이 아니라 임금께서 백성과 더불어 함께 즐기시지 않기 때문입니다.

按說 | '鼓樂'에 대하여, 壺山은

> 음악에는 부는 것이 있는데, 치는(두드리는) 것이 더욱 많기 때문에 '鼓樂'이라 했다.〔樂有吹者 而其擊者尤多 故云鼓樂〕

하였다.
官本諺解에는 모두 '至於此極也오하야……離散하며'로 懸吐하였으나, 中國本(《四書章句集注》) 등을 참고하여 修正하였다. 아래 節에 '何以能鼓樂也오하며' 하고 '今王'이 바로 뒤를 이은 것을 보더라도 官本諺解가 잘못되었음을 알 수 있다.
茶山은

> '父子不相見 兄弟妻子離散'의 11글자는 바로 〈至於此極〉의 '極'字를 해설하는 脚註이

⋯ 鼓 연주할 고, 북 고 鍾 종종 聲 소리 성 管 피리 관 籥 피리 약 擧 모두 거 疾 병질, 괴로울 질 蹙 찌푸릴 축 頞 이마 알 極 곤궁할 극 田 사냥 전 獵 사냥 렵 旄 깃발 모

다.〔父子不相見 兄弟妻子離散十一字 乃極字之註脚〕

라고 하고, 이는 아래 〈萬章上〉 1장에 "저 公明高는 생각하기를 '효자의 마음은 이처럼 무관심할 수 없다. 무관심하게 「나는 힘을 다해 밭을 갈아 공손히 자식된 직분을 할 따름이니, 부모가 나를 사랑하지 않음은 나와 무슨 상관이 있는가.」라고 할 수 없다.'라고 여긴 것이다.〔夫公明高 以孝子之心 爲不若是恝 我竭力耕田 共爲子職而已矣 父母之不我愛 於我何哉〕"라고 한 것에서 '我竭力耕田……於我何哉'의 22글자가 '恝'의 脚註인 것과 같다고 하였다. 茶山의 이 說 역시 '兄弟妻子離散'과 '何以能鼓樂也'까지를 한 語勢로 본 것으로 생각된다.

'田獵'에 대하여, 新安陳氏(陳櫟)는

음악을 좋아함을 인하여 田獵에 미침은 王 또한 田獵을 좋아하였기 때문이다.〔因好樂而及田獵 以王亦好田獵故也〕

하였다.

集註 | 鍾鼓管籥은 皆樂器也[77]라 擧는 皆也라 疾首는 頭痛也라 蹙은 聚也요 頞은 額也니 人憂戚則蹙其額이라 極은 窮也라 羽旄는 旌屬[78]이라 不與民同樂은 謂獨樂其身하고 而不恤其民하여 使之窮困也라

'鍾·鼓'와 '管·籥'은 모두 樂器이다. '擧'는 모두이다. '疾首'는 머리가 아픔이다. '蹙'은 모임이요 '頞'은 이마이니, 사람이 근심하면 이마를 찌푸리게 된다. '極'은 곤궁함이다. '羽旄'는 깃발의 등속이다. '백성과 더불어 함께 즐기지 않는다.'는 것은 자신만 홀로 즐기고 백성을 구휼하지 않아서 곤궁하게 함을 이른다.

1-7. 今王이 鼓樂於此어시든 百姓이 聞王의 鍾鼓之聲과 管籥之音하고 擧

---

77 鍾鼓管籥 皆樂器也:新安陳氏(陳櫟)는 "管은 笙이다. 籥은 젓대와 같은데 구멍이 여섯 개로, 혹자는 통소라 한다.〔管 笙也 籥 如笛而六孔 或曰 簫也〕" 하였다.

78 羽旄 旌屬:趙氏(趙順孫)는 《春秋左傳》에 '范宣子가 羽旄(새의 깃털과 旄牛의 꼬리)를 齊나라에서 빌렸다.' 하였고,(襄公 14年) '晉나라 사람이 羽旄를 鄭나라에서 빌렸다.' 하였는데,(定公 4年) 杜預의 註에 '꿩의 깃털을 쪼개어 매단 것을 旄라 하니, 王者의 游車에 세우는 것이다.' 했다.〔春秋傳 范宣子假羽旄於齊 晉人假羽旄於鄭 註析羽爲旄 王者游車所建也〕" 하였다.

··· 器 도구 기 皆 모두 개 聚 모을 취 額 이마 액 戚 근심할 척 旄 깃발 정 恤 구휼할 휼

欣欣然有喜色而相告曰 吾王이 庶幾無疾病與아 何以能鼓樂也오하며 今王이 田獵於此어시든 百姓이 聞王의 車馬之音하며 見羽旄之美하고 擧欣欣然有喜色而相告曰 吾王이 庶幾無疾病與아 何以能田獵也오하면 此는 無他라 與民同樂也니이다

지금 王이 이곳에서 음악을 타시면 백성들이 王의 종소리·북소리와 피리소리·젓대소리를 듣고는 모두 欣然히 기뻐하는 기색을 띠고 서로 말하기를 '우리 王께서 아마도 疾病이 없으신가. 〈그렇지 않다면〉 어떻게 음악을 타시겠는가.'라고 하며, 지금 王이 이곳에서 사냥을 하시면 백성들이 王의 수레소리와 말(馬)소리를 듣고 깃발의 아름다움을 보고는 모두 欣然히 기뻐하는 기색을 띠고 서로 말하기를 '우리 王이 아마도 疾病이 없으신가. 〈그렇지 않다면〉 어떻게 사냥을 하시겠는가.'라고 한다면, 이것은 다름이 아니라 백성들과 더불어 함께 즐거워하시기 때문입니다.

集註 | 與民同樂者는 推好樂之心하여 以行仁政하여 使民各得其所也라

'백성들과 더불어 함께 즐거워한다.'는 것은 음악을 좋아하는 마음을 미루어 仁政을 행해서 백성들로 하여금 각기 그 살 곳을 얻게 하는 것이다.

1-8. 今王이 與百姓同樂하시면 則王矣시리이다

지금 왕께서 백성들과 더불어 함께 즐거워하신다면 왕 노릇 하실 것입니다."

集註 | 好樂而能與百姓同之하면 則天下之民이 歸之矣리니 所謂齊其庶幾者如此라

음악을 좋아하면서 백성들과 함께한다면 天下의 백성이 〈齊나라로〉 돌아올 것이니, 이른바 '齊나라가 다스려짐에 가까워진다'는 것이 이와 같은 것이다.

章下註 | ○范氏曰 戰國之時에 民窮財盡은 人君이 獨以南面之樂[79]으로 自奉其身이니 孟子切於救民이라 故로 因齊王之好樂하여 開導其善心하여 深勸其與民同樂하

··· 欣 기쁠흔

여 而謂今樂猶古樂이라하시니 其實은 今樂, 古樂이 何可同也리오 但與民同樂之意
는 則無古今之異耳라 若必欲以禮樂治天下인댄 當如孔子之言하여 必用韶舞하고
必放鄭聲[80]이니 蓋孔子之言은 爲邦之正道요 孟子之言은 救時之急務니 所以不同
이니라

○ 楊氏曰 樂은 以和爲主하니 使人聞鍾鼓管絃之音하고 而疾首蹙頞이면 則雖奏以
咸英韶濩라도 無補於治也[81]라 故로 孟子告齊王以此하사 姑正其本而已시니라

○ 范氏(范祖禹)가 말하였다. "戰國時代에 백성들이 곤궁하고 재물이 다한 것은 人君이
南面의 즐거움으로써 스스로 자기 몸만을 받들어서이다. 孟子는 백성들을 구제함에 간절
하셨으므로 齊王이 음악을 좋아하는 것을 인하여 그 善한 마음을 開導해서 백성들과 함께
즐길 것을 깊이 권하시어 지금 음악이 옛 음악과 같다고 말씀하셨으니, 그 실제는 지금 음악
과 옛 음악이 어찌 같을 수 있겠는가, 다만 백성들과 함께 즐거워하는 뜻은 古今의 차이가
없을 뿐이다. 만일 반드시 禮樂을 가지고 天下를 다스리고자 한다면 마땅히 孔子의 말씀과
같이하여 반드시 韶舞를 쓰고 반드시 鄭나라의 음악을 추방해야 할 것이다. 孔子의 말씀은
나라를 다스리는 正道요, 孟子의 말씀은 당시를 구제하는 急先務이니, 이 때문에 똑같지
않은 것이다."

○ 楊氏(楊時)가 말하였다. "음악은 和함을 위주하니, 사람들로 하여금 鍾·鼓와 管·絃의
음악을 듣고는 머리를 아파하고 이마를 찌푸리게 한다면, 비록 〈咸池〉·〈五英〉·〈韶〉·〈濩〉

---

79 南面之樂:'南面'은 南向으로 君王이 정사를 보는 자리를 이르는바, 곧 군왕이 누리는 즐거움을 뜻
    한다.
80 當如孔子之言……必放鄭聲:'韶舞'는 舜임금의 음악인데 가장 좋은 음악으로 알려져 있으며, '鄭聲'
    은 鄭나라의 음악인데, 鄭나라에는 淫風이 유행하여 詩와 음악이 모두 음탕하였다. 이 내용은 《論語》
    〈衛靈公〉 10장에 "음악은 韶舞를 쓸 것이요 鄭나라 음악을 추방해야 한다.〔樂則韶舞 放鄭聲〕"라고 보
    인다.
81 咸英韶濩……無補於治也:咸·英·韶·濩는 고대 훌륭한 음악의 대명사로, 《前漢書》〈禮樂志〉에 "옛
    날 黃帝가 〈咸池〉를 만들고 顓頊이 〈六莖〉을 만들고 帝嚳이 〈五英〉을 만들고 帝堯가 〈大章〉을 만들
    고 帝舜이 〈招(韶)〉를 만들고 禹王이 〈夏〉를 만들고 湯王이 〈濩〉를 만들고 武王이 〈武〉를 만들고 周
    公이 〈勺〉을 만들었으니, 〈勺〉은 능히 先祖의 道를 취함을 말한 것이요, 〈武〉는 武功으로써 天下를 안
    정시킴을 말한 것이요, 〈濩〉는 백성을 구원함을 말한 것이요, 〈夏〉는 帝堯와 帝舜을 크게 이은 것이요,
    〈招〉는 帝堯를 계승한 것이요, 〈大章〉은 밝힘이요, 〈五英〉은 영화가 무성한 것이요, 〈六莖〉은 뿌리와
    줄기에 미친 것이요, 〈咸池〉는 모두 구비한 것이다.〔昔黃帝作咸池 顓頊作六莖 帝嚳作五英 堯作大章
    舜作招 禹作夏 湯作濩 武王作武 周公作勺 勺 言能勺先祖之道也 武 言以功定天下也 濩 言救民
    也 夏 大承二帝也 招 繼堯也 大章 章之也 五英 英華茂也 六莖 及根莖也 咸池 備矣〕"하였다.

··· 勸 권할 권 韶 순임금음악 소 舞 춤출 무 放 쫓을 방 管 대통 관 絃 줄 현 韶 풍류이름 소 濩 풍류이름 호
    補 기울 보 姑 우선 고

를 연주한다 하더라도 政治에 보탬이 없을 것이다. 그러므로 孟子께서 齊王에게 이것으로써 말씀하시어 우선 그 근본을 바로잡으신 것이다."

|文王之囿章|

2-1. 齊宣王이 問曰 文王之囿 方七十里라하니 有諸잇가 孟子對曰 於傳에 有之하니이다

齊 宣王이 물었다. "文王의 동산이 方70里라 하니, 그러한 일이 있었습니까?"
孟子께서 대답하셨다. "傳(옛 책)에 그러한 것이 있습니다."

集註 | 囿者는 蕃育鳥獸之所라 古者에 四時之田을 皆於農隙에 以講武事[82]라 然이나 不欲馳騖於稼穡場圃之中이라 故로 度(탁)閒曠之地하여 以爲囿라 然이나 文王七十里之囿는 其亦三分天下有其二之後也與[83]인저 傳은 謂古書[84]라

---

82 古者……以講武事:《大全》에는《春秋左傳》隱公 5년의 기록을 다음과 같이 인용하고 있다. "公이 장차 棠邑에 가서 물고기 잡는 것을 구경하려 하자, 臧僖伯이 간하기를 '물건이 大事를 강습하기에 적합하지 않거나【大事는 제사와 전쟁을 이른다.】材料가 大事의 器用에 적합하지 않으면 군주는 거동하지 않습니다. 군주는 장차 백성을 軌와 物로 들도록 인도하는 자입니다. 그러므로 大事를 강습하여 軌量(법도)을 바로잡음을 軌라 이르고, 재료를 취하여 물건의 채색을 밝힘을 物이라 이르고, 軌에 맞지 않고 물건에 맞지 않음을 亂政이라 이르니, 亂政이 자주 행해짐은 실패하는 원인입니다. 그러므로 봄에 蒐라는 사냥을 하고 여름에 苗라는 사냥을 하고 가을에 獮(선)이라는 사냥을 하고 겨울에 狩라는 사냥을 하니,【네 가지는 모두 사냥의 이름으로, 蒐는 새끼 배지 않은 짐승을 찾아서 취하는 것이요, 苗는 벼의 새싹을 해치는 짐승을 제거하는 것이요, 獮은 죽임이니 죽임으로 이름을 삼은 것은 가을의 기운을 순히 한 것이요, 狩는 포위하여 지킴이니 겨울에 물건이 모두 성숙되어 수확하게 되면 가리는 바가 없이 취하는 것이다.】 모두 농한기에 하여 무예의 일을 익힙니다.〔公將如棠觀魚者 臧僖伯諫曰 凡物不足以講大事【大事 謂祀與戎】其材不足以備器用 則君不擧焉 君將納民於軌物者也 故講事以度軌量 謂之軌 取材以章物采 謂之物 不軌不物 謂之亂政 亂政亟行 所以敗也 故春蒐夏苗 秋獮冬狩【四者 皆田獵之名 蒐 索擇取不孕者 苗 爲除害也 獮 殺也 以殺爲名 順秋氣也 狩 圍守也 冬物畢成種 則取之 無所擇】 皆於農隙 以講事也〕"

83 文王七十里之囿……其二之後也與:南軒張氏(張栻)는 "짐작컨대 齊王이 동산을 넓히려 하자, 아첨하는 무리들이 반드시 文王의 일을 빌어 齊王의 뜻을 맞춘 자가 있었을 것이다. 文王이 어찌 동산을 숭상하기를 이와 같이 하였겠는가. 문왕이 사냥하는 곳을 백성들이 王의 동산이라고 말했던 것일 뿐이니, '꼴을 베고 꿩을 잡는 자가 갈 수 있었다.'는 것으로 그러함을 알 수 있다.〔意齊王欲廣其囿 諛佞之徒 必有假文王事以逢之者 文王豈崇囿如此 蓋其蒐田所及 民以爲王之囿耳 以芻雉得往 知其然也〕" 하였다.

84 傳 謂古書:慶源輔氏(輔廣)는 "孟子의 때에는 있었으나 지금은 다시 남아있지 않다.《孟子》에 이른바 '傳에 있다'는 것은 또한 古書를 근거해 봄에 이러한 말이 있었음을 말씀하신 것이다. 그러나 반드시 그러한지는 기필할 수 없다.〔孟子時有之 今不復存 孟子所謂於傳有之 亦言據古書 有此說耳 然未必

··· 囿 동산유 傳 전할전, 고서(古書) 전 蕃 번성할번 育 기를육 隙 틈극 馳 달릴치 騖 달릴무 稼 심을가 穡 거둘색 場 마당장 圃 채전포 度 헤아릴탁 曠 빌광

'囿'는 새와 짐승을 번식시키고 기르는 곳이다. 옛날에 四時의 田獵(사냥)을 모두 농한기에 해서 武藝의 일을 익혔다. 그러나 곡식을 심는 〈농토와 채소를 가꾸는〉 場圃 가운데로는 말을 달리고자 하지 않았으므로 한가롭고 빈 땅을 헤려 동산을 만든 것이다. 그러나 文王의 70里가 되는 동산은 이 또한 天下의 3분의 2를 소유한 뒤였을 것이다. '傳'은 옛 책을 이른다.

2-2. 曰 若是其大乎잇가 曰 民이 猶以爲小也니이다 曰 寡人之囿는 方四十里로되 民이 猶以爲大는 何也잇고 曰 文王之囿 方七十里에 芻蕘者往焉하며 雉兔者往焉하여 與民同之하시니 民以爲小 不亦宜乎잇가

王이 말씀하였다. "이와 같이 컸습니까?"

孟子께서 말씀하셨다. "백성들은 오히려 작다고 여겼습니다."

"寡人의 동산은 方40里인데도 백성들이 오히려 크다고 여기는 것은 어째서입니까?"

"文王의 동산은 方70里에 꼴 베고 나무하는 자들이 그리로 갔으며, 꿩을 잡고 토끼를 잡는 자들이 그리로 가서 백성들과 함께 소유하셨으니, 백성들이 작다고 여기는 것이 당연하지 않습니까?

按說 | '寡人之囿 方四十里'에 대하여, 茶山은

《後漢書》〈楊震列傳〉에 "옛날에 文王의 동산이 100里였는데 사람들이 작다고 여겼고, 齊宣王의 동산은 5里였으나 사람들이 크다고 여겼다.〔昔文王之囿百里 人以爲小 齊宣五里 人以爲大〕" 하였다.

라고 하여 《孟子》와 차이가 있음을 언급하였는데, 이 내용은 《後漢書》 권84 〈楊震列傳〉 李賢의 註에도 보인다.

集註 | 芻는 草也요 蕘는 薪也라

'芻'는 풀이요, '蕘'는 나무섶(땔감)이다.

其然否也〕" 하였다.

··· 芻 꼴 추 蕘 나무할 요 雉 꿩 치 兔 토끼 토 薪 나무섶 신

2-3. 臣이 始至於境하여 問國之大禁然後에 敢入하니 臣聞郊關之內에 有囿方四十里에 殺其麋鹿者를 如殺人之罪라하니 則是方四十里로 爲 阱於國中이니 民以爲大 不亦宜乎잇가

臣이 처음 국경에 이르러 齊나라에서 크게 금하는 것을 물은 뒤에야 감히 들어왔습니다. 臣이 그때 들으니, 郊關의 안에 동산이 方40里인데, 동산에 있는 사슴을 죽이는 자를 殺人의 罪와 같이 다스린다 하였습니다. 이는 方40里로 나라 가운데에 함정을 만든 것이니, 백성들이 크다고 여기는 것이 당연하지 않습니까."

> 集註 | 禮에 入國而問禁[85]이라 國外百里爲郊요 郊外有關이라 阱은 坎地以陷獸者니 言陷民於死也라
>
> 禮에 "他國에 들어갈 때에는 〈그 나라에서〉 금하는 것을 묻는다." 하였다. 國都(서울) 밖 100里를 '郊'라 하고, 郊 밖에 關門이 있다. '阱'은 땅을 파서 짐승을 빠지게 하는 것이니, 백성을 죽음에 빠뜨림을 말한 것이다.

| 交鄰國章(好勇章) |

3-1. 齊宣王이 問曰 交鄰國이 有道乎잇가 孟子對曰 有하니 惟仁者라야 爲能以大事小하나니 是故로 湯이 事葛하시고 文王이 事昆夷하시니이다 惟 智者라야 爲能以小事大하나니 故로 大(太)王이 事獯鬻(훈육)하시고 句踐이 事吳하니이다

齊 宣王이 물었다. "이웃나라와 사귐에 道(방법)가 있습니까?"
孟子께서 대답하셨다. "있습니다. 오직 仁者여야 大國을 가지고 小國을 섬길 수 있습니다. 그러므로 湯王이 葛나라를 섬기시고 文王이 昆夷를 섬기신 것입니다. 오직 智者여야 小國을 가지고 大國을 섬길 수 있습니다. 그러므로 太王이 獯鬻을 섬기시고

---

85 入國而問禁:《禮記》〈曲禮上〉에 "〈他國의〉 國境에 들어가면 금지하는 것을 묻고, 〈他國의〉 國都에 들어가면 풍속을 묻고, 〈他人의〉 家門에 들어가면 諱하는 것을 묻는다.〔入境而問禁 入國而問俗 入門而問諱〕"라고 보인다.

··· 境 지경 경 禁 금할 금 郊 성밖 교 關 관문 관 麋 큰사슴 미 阱 함정 정 坎 구덩이 감 陷 빠질 함 鄰 이웃 린 葛 칡갈 昆 맏곤 獯 오랑캐 훈 鬻 팔육 踐 밟을 천

句踐이 吳나라를 섬긴 것입니다.

集註 | 仁人之心은 寬洪惻怛[86]하여 而無較計大小彊弱之私라 故로 小國이 雖或不
恭이나 而吾所以字之之心이 自不能已요 智者는 明義理하고 識時勢라 故로 大國이
雖見侵陵[87]이나 而吾所以事之之禮를 尤不敢廢라 湯事는 見(현)後篇하고 文王事는
見詩大雅[88]하고 大王事는 見後章하니 所謂狄人은 卽獯鬻也라 句踐은 越王名이니
事見國語, 史記[89]하니라

---

86 寬洪惻怛:慶源輔氏(輔廣)는 "'寬洪'은 仁한 자의 度量이고 '惻怛'은 仁한 자의 情意이다.〔寬洪 仁者
之量 惻怛 仁者之意〕" 하였다.

87 雖見侵陵:'見'은 원래 被動으로 '입다'의 뜻이나 여기서는 '加하다'의 뜻으로 해석하였다. '見'은 자신의
입장에서는 '보다', '입다'가 되고, 상대방의 입장에서는 '입히다', '加하다'의 뜻이 된다.

88 文王事 見詩大雅:《詩經》〈綿〉 8장에 "이러므로 오랑캐들의 성냄을 끊지 못하셨으나 그 명성을 실추하
지 않으셨다. 갈참나무와 떡갈나무가 쑥쑥 뻗어 올라가 다니는 길이 통하니 昆夷들이 도망하여 오직 숨
만 쉰다.〔肆不殄厥慍 亦不隕厥問 柞棫扰(패)矣 行道兌(태)矣 混(곤)夷駾(태)矣 維其喙(훼)矣〕"라
고 하였는데,《詩經集傳》에 이는 "太王이 비록 昆夷의 성냄을 끊지는 못했으나 또한 자기의 명성을 실
추하지 않은 것이다. 비록 聖賢이라도 남들이 자기에게 노여워하지 않음을 기필하지는 못하고, 다만 스
스로 닦는 실제를 폐하지 않을 뿐이다. 그러나 太王이 처음 이 岐山 아래에 이르렀을 때에는 숲과 나무
가 깊이 우거져 길이 막혀 있고 사람과 물건이 매우 적었는데, 그 뒤에 백성들이 점점 많아지고 歸附하
는 자가 날로 많아지자, 나무가 위로 뻗어 올라가서 〈그 밑으로〉 길이 통하니, 昆夷들이 두려워하여 도
망하고 숨어 엎드려서 오직 숨만 쉴 뿐이었다. 이는 德이 盛함에 昆夷가 스스로 복종함을 말한 것이니,
이미 文王의 때가 된 것이다.〔言大王雖不能殄絶混夷之慍怒 亦不隕墜己之聲問 蓋雖聖賢 不能必
人之不怒己 但不廢其自修之實耳 然大王始至此岐下之時 林木深阻 人物鮮少 至於其後 生齒漸
繁 歸附日衆 則木扰道通 昆夷畏之 而奔突竄伏 維其喙息而已 言德盛而昆夷自服也 蓋已爲文王
之時矣〕" 하였다.

89 句踐……事見國語史記:《大全》에는《史記》〈越王句踐世家〉의 기록을 다음과 같이 인용하고 있다.
"越王 句踐이 군대를 일으켜 吳나라를 정벌하자, 吳王 夫差가 이 말을 듣고 정예병을 모두 징발해서
越나라를 공격하여 句踐을 夫椒에서 패퇴시켰다. 越王은 남은 병사 5천 명을 거느리고 會稽山에 농성
하고 있었는데, 吳王이 추격하여 포위하니, 越王은 마침내 大夫인 文種을 보내 吳나라에 화평을 청하
였다. 文種이 무릎으로 기어가서 머리를 조아리고 말하기를 '君王의 도망한 신하 句踐이 陪臣인 文種
을 보내 감히 下執事에게 고합니다. 句踐은 신하가 되고 아내는 妾이 되기를 청합니다.'라고 하자, 吳王
이 장차 허락하려 하였는데, 吳子胥가 '하늘이 越나라를 吳나라에 주신 것이니, 허락하지 마소서.' 하
였다. 文種이 돌아와서 보고하자, 句踐은 자기의 처자식을 죽이고 寶器를 불태우고 저촉하여 싸우다가
죽고자 하였다. 文種이 句踐을 만류하여 말하기를 '吳나라 太宰 嚭가 탐욕스러워서 이익으로 유인할
수 있으니, 제가 몰래 가서 말해보겠습니다.' 하였다. 이에 句踐이 文種으로 하여금 몰래 가서 吳나라
太宰 嚭에게 美女와 寶器를 바치게 하니, 嚭가 뇌물을 받고 마침내 大夫 文種을 吳王에게 알현시켰
다. 문종이 머리를 조아리며 말하기를 '원컨대 大王은 句踐의 죄를 용서하고 寶器를 모두 받아주소서.
불행히 용서하지 않으시면 구천이 장차 자기의 처자식을 모두 죽이고 寶器를 불태우고서 5천 명의 군사
를 거느리고 결사적으로 싸울 것이니, 이렇게 되면 반드시 吳軍을 당해낼 수 있을 것입니다.' 하였다. 嚭
가 인하여 吳王을 설득하기를 '越나라가 굴복하여 신하가 되었으니, 만약 장차 句踐을 용서한다면 이

··· 惻 슬플 측 怛 슬플 달 較 비교할 교 字 사랑할 자 已 그칠 이 見 당할 견, 가할 견 侵 침범할 침
陵 업신여길 릉 廢 폐할 폐 雅 바를 아 狄 북쪽오랑캐 적 越 나라 월

仁人의 마음은 너그럽고 크며 惻怛(仁慈)해서 大小와 强弱을 計較(따지고 비교함)하는
사사로움이 없다. 그러므로 小國이 혹 不恭하더라도 내가 그들을 사랑하는 마음은 스스로
그만둘 수 없는 것이다. 지혜로운 자는 義理에 밝고 時勢를 안다. 그러므로 大國이 비록 침
략과 능멸을 가하더라도 내가 그를 섬기는 禮를 더욱 폐할 수 없는 것이다. 湯王의 일은
뒷편(滕文公 下)에 보이고, 文王의 일은《詩經》〈大雅〉에 보이고, 太王의 일은 뒷장에 보
이니, 뒷장의 이른바 '狄人'이 바로 獯鬻이다. 句踐은 越王의 이름이니, 이 사실은《國語》
와《史記》에 보인다.

3-2. 以大事小者는 樂天者也요 以小事大者는 畏天者也니 樂天者는 保天下하고 畏天者는 保其國이니이다

大國을 가지고 小國을 섬기는 자는 天理를 즐거워하는 자요, 小國을 가지고 人國을
섬기는 자는 天理를 두려워하는 자이니, 천리를 즐거워하는 자는 온 천하를 보전하고,
천리를 두려워하는 자는 자기 나라를 보전합니다.

> 集註 | 天者는 理而已矣니 大之字小와 小之事大가 皆理之當然也라 自然合理故로
> 曰樂天이요 不敢違理故로 曰畏天이라 包含徧覆(변부)하여 無不周徧은 保天下之氣
> 象也요 制節謹度하여 不敢縱逸은 保一國之規模也[90]라

는 吳나라의 이익입니다.' 하였다. 그리하여 마침내 越나라를 용서하고 군대를 해산하고 돌아갔다.〔越
王興兵伐吳 吳王聞之 悉發精兵擊越 敗之夫椒 越王乃以餘兵五千人 保棲於會稽 吳王追而圍之
越王乃令大夫種 行成於吳 膝行頓首曰 君王亡臣句踐 使臣種敢告下執事 句踐請爲臣 妻爲妾 吳
王將許之 子胥言於吳王曰 天以越賜吳 勿許也 種還以報 句踐欲殺其妻子 燔寶器 觸戰而死 種止
句踐曰 夫吳太宰嚭貪 可誘以利 請行言之 於是 句踐乃以美女寶器 令種間以獻吳大宰嚭 嚭受 乃
見大夫種於吳王 種頓首言曰 願大王赦句踐之罪 盡入其寶器 不幸不赦 句踐將盡殺其妻子 燔其
寶器 五千人觸戰 必有當也 嚭因說吳王曰 越以服爲臣 若將赦之 此國之利也 卒赦越 罷兵歸〕
楊伯峻은 이 내용을 요약하여 "越王 句踐이 吳王 夫差에게 대패하고 會稽山에 도주하게 되자, 치욕
적인 화친을 吳나라에 요청하고 자신은 吳王이 타는 말 앞에서 길을 인도하였다. 句踐은 뒤에 국력을
길러 吳나라를 멸망시켰다." 하였다.

90 自然合理……保一國之規模也:《朱子大全》〈答潘謙之〉에, 潘謙之가 묻기를 "樂天과 畏天이 똑같지
않으니, 仁한 자가 小國에 살면 진실로 어쩔 수 없이 지혜로운 자의 일을 하지만, 만일 지혜로운 자가 大
國에 살면 반드시 仁한 자의 일을 하지는 못하는 것은 어째서입니까? 지혜로운 자는 曲直을 분별하니,
반드시 容忍하여 남과 비교하지 않음을 仁한 자가 하는 것처럼 하지는 못하기 때문입니까?〔問樂天畏
天不同 以仁者而居小國 固不免爲智者之事 使智者而居大國 則未必能爲仁者之擧 何者 智者分別

··· 畏 두려워할 외 違 어길 위 含 머금을 함 徧 두루 변(편) 覆 덮어줄 부 周 두루 주 制 절제할 제, 따를 제
縱 방종할 종 逸 편안할 일 規 법규, 그림쇠 규 模 법 모, 본뜰 모

天은 理일 뿐이니, 大國이 小國을 사랑하는 것과 小國이 大國을 섬기는 것은 모두 理의 당연함이다. 자연스럽게 理에 합하므로 '樂天'이라 말하고, 감히 理를 어기지 못하므로 '畏天'이라 말한 것이다. 널리 포함하고 두루 덮어주어(감싸주어) 두루 미치지 않음이 없는 것은 天下를 보전하는 氣象이요, 禮節을 따르고 法度를 삼가서 삼히 방종하고 안일하지 못하는 것은 一國을 보전하는 規模이다.

3-3. 詩云 畏天之威하여 于時保之라하나이다

《詩經》에 이르기를 '하늘의 위엄을 두려워하여 이에 보전한다.' 하였습니다."

> 集註 | 詩는 周頌我將之篇이라 時는 是也라
>
> '詩'는 〈周頌 我將〉篇이다. '時'는 '이에'이다.

3-4. 王曰 大哉라 言矣여 寡人이 有疾하니 寡人은 好勇하노이다

王이 말씀하였다. "훌륭합니다. 〈선생님의〉 말씀이여. 寡人에게 병통이 있으니, 寡人은 勇을 좋아합니다."

> 集註 | 言 以好勇故로 不能事大而恤小也라
>
> 勇을 좋아하기 때문에 大國을 섬기고 小國을 구휼하지 못함을 말한 것이다.

3-5. 對曰 王請無好小勇하소서 夫撫劍疾視曰 彼惡(오)敢當我哉리오하나니 此는 匹夫之勇이라 敵一人者也니 王請大之하소서

孟子께서 대답하셨다. "王은 청컨대 작은 勇을 좋아하지 마소서. 劍을 어루만지고 상대방을 노려보며 말하기를 '네가 어찌 감히 나를 당하겠는가.'라고 하면, 이것은 匹夫의 勇으로서 한 사람을 상대하는 것이니, 王은 청컨대 勇을 크게 하소서.

曲直 未必能容忍而不與之較 如仁者之爲也〕" 한 것에 대하여, 朱子가 "맞다." 하였다.

··· 時 이 시(是同) 頌 기릴 송 撫 어루만질 무 劍 칼 검 疾 원망할 질 惡 어찌 오 匹 짝 필

按說ㅣ '彼惡敢當我哉리오하나니'는 栗谷諺解에 '彼惡敢當我哉리오ᄒᆞ면'으로 懸吐하였는바, 큰 차이가 없으나 全體 文脈은 이렇게 읽는 것이 더욱 분명하므로 해석에는 이를 따랐다.

集註ㅣ 疾視는 怒目而視也라 小勇은 血氣所爲요 大勇은 義理所發[91]이라

'疾視'는 눈을 부릅뜨고 보는 것이다. 小勇은 血氣가 하는 것이고, 大勇은 義理에서 나온 것이다.

3-6. 詩云 王赫斯怒하사 爰整其旅하여 以遏徂莒(조려)하여 以篤周祜하여 以對于天下라하니 此는 文王之勇也니 文王이 一怒而安天下之民하시니이다

《詩經》에 이르기를 '王께서 赫然히 怒하사 이에 그 군대를 정돈하여 침략하러 가는 무리들을 막아서 周나라의 福을 돈독히 하여 天下에 보답하셨다.'고 하였습니다. 이것은 文王의 勇이니, 文王이 한번 노하시어 天下의 백성을 편안히 하셨습니다.

集註ㅣ 詩는 大雅皇矣篇이라 赫은 赫然怒貌라 爰은 於也라 旅는 衆也라 遏은 詩作按하니 止也라 徂는 往也요 莒는 詩作旅[92]하니 徂旅는 謂密人侵阮徂共之衆也[93]라 篤은

---

91 大勇 義理所發:壺山은 "살펴보건대 뒤편(《公孫丑上》不動心章)에서 夫子가 말씀하신 '大勇'은 바로 君子의 大勇이고 여기에서 말한 '大勇'은 바로 王者의 大勇이니, 용맹이 큼에 이르면 天下의 백성을 편안하게 할 수 있어서, 작은 나라를 사랑하는 仁과 大國을 섬기는 智에 그칠뿐만이 아니다. 大勇은 이章의 綱領이다.[按後篇夫子所言大勇 是君子之大勇也 此云大勇 是王者之大勇 勇至於大 則天下之民可安 而不止於字小之仁, 事大之智而已 大勇 是此章之綱領也]" 하였다.

92 莒 詩作旅:楊伯峻은 '莒'를 나라 이름으로 보아 '以遏徂莒'를 '莒나라를 침략하는 적을 저지하다.'로 번역하였다.

93 徂旅 密人侵阮徂共之衆也:《詩經》〈大雅 皇矣〉에 "上帝께서 文王에게 이르시기를 '그렇게 이것을 버리고 저것을 잡지 말며 그렇게 흠모하고 부러워하지 말아서 크게 먼저 道의 지극한 경지에 오르라.' 하시었다. 密나라 사람이 不恭하여 감히 큰 나라를 항거해서 阮나라를 침공하려 阮나라의 共땅으로 가자, 文王이 크게 怒하시어 이에 그 군대를 정돈하여 침략하러 가는 무리들을 막아서 周나라의 福을 돈독히 하여 天下의 기대에 보답했다.[帝謂文王 無然畔援 無然歆羨 誕先登于岸 密人不恭 敢距大邦 侵阮徂共 王赫斯怒 爰整其旅 以按(알)徂旅 以篤周祜 以對于天下]" 하였는데, 《詩經集傳》에 "密은 密須氏로 姞姓의 나라이니 지금 寧州에 있고, 阮은 나라 이름이니 지금 涇州에 있고, 共은 阮國의 地

⋯ 赫 노할혁 爰 이에 원 整 가지런할정 旅 군대 려, 무리 려 遏 막을 알 徂 갈조 莒 무리 려(旅同) 篤 두터울 독 祜 복호 按 막을 안 阮 땅이름 완(원)

厚也라 祜는 福也라 對는 答也니 以答天下仰望之心也라 此는 文王之大勇也라

詩는 〈大雅 皇矣〉篇이다. '赫'은 赫然히 〈얼굴빛을 붉혀〉 노한 모양이다. '爰'은 '이에'이다. '旅'는 무리(군대)이다. '遏'은 《詩經》에는 '按'으로 되어 있으니, 저지한다는 뜻이다. '徂'는 감이요 '莒'는 《詩經》에는 '旅'로 되어 있으니, '徂旅'는 密나라 사람이 阮나라를 침략하기 위해서 阮나라의 共땅으로 가는 무리를 이른다. '篤'은 두터움이다. '祜'는 福이다. '對'는 보답함이니, 天下의 仰望하는 마음에 보답하는 것이다. 이것은 文王의 大勇이다.

3-7. 書曰 天降下民하사 作之君, 作之師하심은 惟曰其助上帝라 寵之四方이시니 有罪, 無罪에 惟我在커니 天下曷敢有越厥志리오하니 一人이 衡(橫)行於天下어늘 武王이 恥之하시니 此는 武王之勇也니 而武王이 亦一怒而安天下之民하시니이다

《書經》에 이르기를 '하늘이 下民을 내리사 그 군주를 세워주고 그 스승을 세워준 것은, 〈군주와 스승이 된 자가〉 上帝를 돕기 때문에 그를 사방에 특별히 총애해서이다. 〈제후들에게〉 죄가 있든 죄가 없든 내가 있으니, 天下에 어찌 감히 그 마음을 지나치게 하는 자가 있겠는가.' 하였습니다. 한 사람이 天下에 橫行하자 武王이 이것을 부끄러워하셨으니, 이것은 武王의 勇이니, 武王 또한 한번 노하여 天下의 백성들을 편안히 하셨습니다.

按說 | '惟曰其助上帝 寵之四方'에 대하여, 楊伯峻은 '惟曰其助上帝寵之'로 句讀를 끊고 〈군주와 스승의 유일한 책임은〉 上帝를 도와 백성을 愛護하는 것이다.'로 해석하였다.

'一人'에 대하여, 沙溪(金長生)는

名이니 지금 涇州의 共池가 바로 이것이다. 이는 文王이 정벌하실 처음에 이것을 버리고 저것을 잡으며 흠모하고 부러워한 바가 없었고, 크게 먼저 〈알고 깨달아〉道의 지극한 경지에 나아가신 것이요, 인하여 密나라 사람들이 不恭하였기 때문에 이와 같이 정벌하였음을 말한 것이다.〔密 密須氏 姞姓之國 在今 寧州 阮 國名 在今涇州 共 阮國之地名 今涇州共池 是也 此言文王征伐之始也 無所畔援歆羨 大能先造道之極 因密人不恭 是以如此〕"하였다.

··· 仰 우러를 앙 寵 총애할 총 曷 어찌 갈 越 지나칠 월, 넘을 월 厥 그 궐 衡 제멋대로할 횡(橫同)

‘一人’은 紂王을 말한 것이 아니다. 天下에 비록 한 사람이 난을 일으키더라도 武王이 부끄러워하신 것이다.〔一人 非謂紂也 天下雖有一人作亂 而武王恥之也〕《經書辨疑》

라고 하였으나, 壺山은

살펴보건대 諺解의 뜻은 아마도 ‘一人’을 ‘一夫紂’로 여긴 듯하다. 이렇게 해석한 뒤에야 武王의 노하신 뜻이 비로소 온전해지니, 다시 살펴보아야 한다.〔按諺解之意 蓋以一人爲一夫紂 然後武王之怒意方專 更詳之〕

하였다.

集註┃書는 周書泰誓之篇也라 然이나 所引이 與今書文小異[94]하니 今且依此解之하노라 寵之四方은 寵異之於四方也라 有罪者를 我得而誅之하고 無罪者를 我得而安

---

94 書……與今書文小異:여기의 《書經》을 朱子는 〈泰誓〉라 하였으나 내용이 다르므로 趙岐는 逸書로 보았다. 〈泰誓〉에는 "하늘이 下民들을 도우시어 군주를 만들고 스승을 만듦은 능히 上帝를 도와서 四方을 사랑하고 편안하게 하신 것이니, 죄가 있는 자를 토벌하고 죄가 없는 자를 사면함에 내 어찌 감히 그 마음을 잘못함이 있겠는가.〔天佑下民 作之君 作之師 惟其克相上帝 寵綏四方 有罪無罪 予曷敢有越厥志〕"로 되어 있다. 옛날 군주는 治와 敎를 함께 맡았으므로 君·師라 한 것이다. 그러나 이 내용은 뜻이 분명치 않다. 官本諺解에는 "天降下民ᄒᆞ샤 作之君作之師ᄒᆞ샨든 惟曰 其助上帝라 寵之四方이시니"로 현토하고, "天이 下民을 降ᄒᆞ샤 君을 作ᄒᆞ시며 師를 作ᄒᆞ샨든 오직 굴오ᄃᆡ 上帝를 助ᄒᆞ논다라 四方애 寵케 ᄒᆞ시니"로 해석하였으며, 栗谷諺解에는 "天降下民에 作之君作之師는 惟曰其助上帝라"로 懸吐하고, "天이 下民을 降하심에 君을 作하며 師를 作하심은 오직 갈온 上帝를 돕는지라. 四方의(에) 寵하심이니"로 해석하였으며, 餘他 번역본도 이와 비슷하다. 이에 위와 같이 번역하였다. 그러나 楊伯峻은 "하늘이 下民을 내시고는 그들의 군주를 세워주고 그들의 스승을 세워주었으니, 군주와 스승의 유일한 책임은 上帝를 도와 백성들을 愛護하는 것이다."라고 하였다. 雙峰饒氏(饒魯)는 "《書經》에서 말한 '寵綏四方'은 군주를 가리켜 말한 것이고《孟子》에서 말한 '寵之四方'은 하늘을 가리켜 말한 것이며,《書經》의 '有罪無罪'는 紂王을 가리켜 말한 것이고《孟子》의 '有罪無罪'는 諸侯를 가리켜 말한 것이며,《書經》의 '越厥志'는 군주를 가리켜 말한 것이고《孟子》의 '越厥志'는 백성을 가리켜 말한 것이어서 두 가지가 크게 같지 않다. 생각하건대 옛사람의 책은 지금의 〈책과〉 같지 않은 것이 많으니, 대부분 사람들이 기억한 것이고 사람들의 집에 항상 이러한 책이 있지는 않았던 듯하다.〔書言寵綏四方 指君而言 孟子言寵之四方 指天而言 書之有罪無罪 指紂而言 孟子之有罪無罪 指諸侯而言 書之越厥志 指君而言 孟子之越厥志 指民而言 二者大段不同 想古人之書 與今多不同 多是人記得 人家不常有此本〕" 하였다.
壺山은 "살펴보건대 《論語》와 《孟子》 가운데에 《書經》을 인용함에 차이가 있는 것은 모두 古文으로 된 《尙書》이니, 古文은 믿을 수 없는 것이 많은데 〈泰誓〉가 특별히 심하다. 朱子가 《書經》을 註낼 적에 반드시 今文과 古文의 있고 없음을 드러낸 것은 아마도 이 때문일 것이다.〔按語孟中 引書而有同異者 皆古文也 古文多有不可信者 而泰誓爲甚 朱子註書 必著今古文有無 蓋爲是故耳〕" 하였다.

··· 泰 클 태 誓 맹세할 서 異 다를 이, 특별히우대할 이 誅 벨 주

之하니 我旣在此하면 則天下何敢有過越其心志而作亂者乎아 衡行은 謂作亂也⁹⁵라 孟子釋書意如此하시고 而言武王亦大勇也하시니라

書는 《書經》 〈周書 泰誓〉篇이다. 그러나 여기에 인용한 것은 지금 《書經》의 글과는 약간 다르니, 지금 우선 이에 의거하여 해석하겠다. '寵之四方'은 그를 사방에 총애하고 특이하게 대우하는 것이다. 죄가 있는 자를 내가 誅罰할 수 있고 죄가 없는 자를 내가 편안하게 해줄 수 있으니, 내가 이미 여기에 있다면 天下에 어찌 감히 그 心志를 지나치게 해서 亂을 일으키는 자가 있겠는가. '衡行'은 亂을 일으킴을 말한다. 孟子께서 《書經》의 뜻을 해석하기를 이와 같이 하시고, 武王 또한 大勇이라고 말씀한 것이다.

3-8. 今王이 亦一怒而安天下之民하시면 民이 惟恐王之不好勇也하리이다

지금 王께서 또한 한번 노하시어 天下의 백성들을 편안하게 해주신다면, 백성들은 행여 王께서 勇을 좋아하지 않을까 두려워할 것입니다."

集註 | 王若能如文武之爲면 則天下之民이 望其一怒以除暴亂하여 而拯己於水火之中하여 惟恐王之不好勇耳라

王이 만일 文王과 武王이 하신 것과 같이 한다면 天下의 백성은 王이 한번 노해서 포악한 자와 난을 일으키는 자를 제거하여, 자신들을 水火(塗炭)의 가운데에서 구제해 주기를 바라서, 행여 王이 勇을 좋아하지 않을까 두려워할 것이다.

章下註 | ○ 此章은 言人君이 能懲小忿이면 則能恤小事大하여 以交隣國이요 能養

---

95 寵之四方……謂作亂也:慶源輔氏(輔廣)는 "'寵異'는 武王을 천하에 총애하여 특별히 대우함을 말한 것이다. 武王은 진실로 聰明하였기 때문에 하늘의 德으로써 특별히 총애한 것이요, 元后가 되셨기 때문에 천자의 지위로써 특별히 총애한 것이다. '心志'는 天下의 心志를 이르니, 사람이 亂을 일으킴은 모두 그 心志를 넘거나 지나치게 한 때문이다. 만약 그 心志를 지켜서 넘거나 지나치는 바가 없다면 어찌 亂을 일으키는 일이 있을 수 있겠는가. 이는 武王이 천하의 重함을 自任하신 것이다.〔寵異 謂天寵異武王於天下也 亶聰明 是以天德寵異之也 作元后 是以天位寵異之也 心志 謂天下之心志也 人之作亂 皆過越其心志之故耳 若守其心志 無所過越 則何至有作亂之事乎 此武王以天下之重自任也〕"하였다. 원문의 '亶聰明 作元后'는 《書經》 〈泰誓上〉에 보이는 내용이다.

••• 釋풀 석 除덜 제 暴사나울 포 拯구원할 증 懲징계할 징 忿성낼 분

大勇이면 則能除暴救民하여 以安天下니라

張敬夫曰 小勇者는 血氣之怒也요 大勇者는 理義之怒也니 血氣之怒는 不可有요 理義之怒는 不可無니 知此면 則可以見性情之正이요 而識天理人欲之分矣리라

○이 章은 人君이 작은 忿을 징계하면 능히 小國을 구휼하고 大國을 섬겨서 이웃 나라와 사귈 수 있고, 큰 勇을 기르면 능히 포악한 자를 제거하고 백성을 구제해서 天下를 편안하게 할 수 있음을 말씀한 것이다.

張敬夫(張栻)가 말하였다. "小勇이란 血氣의 노여움이고 大勇이란 義理의 노여움이니, 血氣의 노여움은 있어서는 안되고 義理의 노여움은 없어서는 안 된다. 이것을 알면 性情의 올바름을 보고, 天理와 人慾의 분별을 알 수 있을 것이다."

|雪宮章(畜君章)|

4-1. 齊宣王이 見孟子於雪宮이러니 王曰 賢者도 亦有此樂乎잇가 孟子對曰 有하니 人不得則非其上矣니이다

齊 宣王이 孟子를 雪宮에서 만나보았는데, 王이 말씀하였다. "賢者에게도 이러한 즐거움이 있습니까?"
孟子께서 대답하셨다. "있습니다. 사람들이 이것을 얻지 못하면 자기의 윗사람을 비난합니다.

集註 | 雪宮은 離宮[96]名이라 言 人君이 能與民同樂이면 則人皆有此樂이요 不然이면 則下之不得此樂者 必有非其君上之心[97]이니 明人君當與民同樂하여 不可使人有不得者요 非但當與賢者共之而已也라

'雪宮'은 離宮(行宮)의 이름이다. 人君이 백성과 함께 즐거워하면 백성들이 모두 이러한

---

[96] 離宮:慶源輔氏(輔廣)는 "離는 別과 같으니, 왕이 거처하는 宮室의 밖에 별도로 있다. 그러므로 離宮이라 한 것이다.〔離 猶別也 別在其所居宮室之外 故曰離宮〕" 하였다.

[97] 人君……必有非其君上之心:慶源輔氏는 "《集註》의 '君能與民同樂 則人皆有此樂'은 經文의 '有'한 글자를 해석한 것이고, 《集註》의 '下不得此樂者 必有非君上之心'은 經文의 '人不得則非其上矣'한 句를 해석한 것이다.〔君能與民同樂 則人皆有此樂 此釋有之一字 下不得此樂者 必有非君上之心 此釋人不得則非其上矣一句〕" 하였다.

··· 識 알 식 雪 눈 설 離 떠날 리

즐거움을 가질 것이요, 그렇지 못하면 아래에서 이러한 즐거움을 얻지 못한 자들이 반드시 그 君上을 비난하는 마음을 가짐을 말씀한 것이다. 人君은 마땅히 백성들과 함께 즐거워하여 백성으로 하여금 얻지 못한 자가 있게 해서는 안 될 것이요, 다만 마땅히 賢者와 함께해야 할 뿐만이 아님을 밝힌 것이다.

4-2. 不得而非其上者도 非也며 爲民上而不與民同樂者도 亦非也니이다

〈즐거움을〉 얻지 못했다 하여 그 윗사람을 비난하는 자(백성)도 잘못이요, 백성의 윗사람이 되어 백성과 함께 즐거워하지 않는 자(君上)도 또한 잘못입니다.

集註 | 下不安分과 上不恤民이 皆非理也[98]라

아랫사람이 분수를 편안히 여기지 않는 것과 윗사람이 백성들을 구휼하지 않는 것은 모두 道理가 아니다.

4-3. 樂民之樂者는 民亦樂其樂하고 憂民之憂者는 民亦憂其憂하나니 樂以天下하며 憂以天下하고 然而不王者 未之有也니이다

백성들의 즐거움을 즐거워하는 자는 백성들 또한 그 君主의 즐거움을 즐거워하고, 백성들의 근심을 근심하는 자는 백성들 또한 그 君主의 근심을 근심합니다. 즐거워하기를 온 천하로써 하며 근심하기를 온 천하로써 하고, 이렇게 하고도 왕 노릇 하지 못하는 자는 있지 않습니다.

集註 | 樂民之樂而民樂其樂이면 則樂以天下矣요 憂民之憂而民憂其憂면 則憂以天下矣라

---

98 下不安分……皆非理也:慶源輔氏(輔廣)는 "아랫사람이 〈즐거움을〉 얻지 못한다 하여 그 윗사람을 비난하는 자는 命을 알지 못하는 것이다. 그러므로 '분수를 편안히 여기지 않는다.'라고 말하였고, 백성의 윗사람이 되어 백성과 함께 즐거워하지 않는 자는 義를 알지 못하는 것이다. 그러므로 '백성을 구휼하지 않는다.'라고 말한 것이다.〔下不得而非其上者 不知命也 故謂之不安分 爲民上而不與民同樂者 不知義也 故謂之不恤民〕" 하였다.

백성들의 즐거움을 즐거워해서 백성들이 그 君主의 즐거움을 즐거워한다면 즐거워하기를 천하로써 하는 것이요, 백성들의 근심을 근심해서 백성들이 그 君主의 근심을 근심한다면 근심하기를 천하로써 하는 것이다.

4-4. 昔者에 齊景公이 問於晏子曰 吾欲觀於轉附朝儛하여 遵海而南하여 放于琅邪(야)하노니 吾何修而可以比於先王觀也오

옛날에 齊 景公이 晏子에게 묻기를 '내 轉附山과 朝儛山을 구경하고서 바닷가를 따라 남쪽으로 가서 琅邪에 이르고자 하노니, 내 어떻게 닦아야 先王의 觀光에 견줄 수 있겠는가?' 하였습니다.

> 集註 | 晏子는 齊臣이니 名嬰이라 轉附, 朝儛는 皆山名也라 遵은 循也요 放은 至也라 琅邪는 齊東南境上邑名이라 觀은 遊也라
>
> 晏子는 齊나라 신하이니, 이름이 嬰이다. 轉附와 朝儛는 모두 山 이름이다. '遵'은 따름이요, '放'은 이름이다. 琅邪는 齊나라 東南쪽 국경 가에 있는 고을 이름이다. '觀'은 유람이다.

4-5. 晏子對曰 善哉라 問也여 天子適諸侯曰巡狩니 巡狩者는 巡所守也요 諸侯朝於天子曰述職이니 述職者는 述所職也니 無非事者요 春省耕而補不足하며 秋省斂而助不給하나니 夏諺曰 吾王이 不遊면 吾何以休며 吾王이 不豫면 吾何以助리오 一遊一豫 爲諸侯度라하니이다

이에 晏子가 다음과 같이 대답하였습니다. '좋습니다, 군주의 질문이여. 天子가 諸侯國에 가는 것을 '巡狩'라 하니 巡狩란 〈諸侯가〉 지키는 경내를 巡行한다는 뜻이요, 諸侯가 天子國에 조회 가는 것을 '述職'이라 하니 述職이란 자기가 맡은 직책을 편다는 뜻이니, 〈巡狩와 述職이 모두〉 일(정사)이 아님이 없습니다. 그리고 봄에는 나가서 경작하는 상태를 살펴보아 부족한 것을 보충해 주며, 가을에는 수확하는 상태를 살펴보아 부족한 것을 도와줍니다. 夏나라 속담에 이르기를 「우리 임금님이 유람하지 않으면 우리들이 어떻게 쉬며, 우리 임금님이 즐기지 않으면 우리들이 어떻게 도움을 받겠

··· 景 볕 경 晏 늦을 안 轉 구를 전 附 붙을 부 儛 춤출 무 遵 따를 준 琅 옥소리 랑 邪 땅이름 야(琊同)
觀 구경할 관 適 갈 적 巡 순행할 순 狩 순행할 수 述 펼 술 職 직책 직 斂 거둘 렴 給 넉넉할 급 諺 속담 언
遊 놀 유 休 쉴 휴 豫 즐길 예

는가. 한 번 유람하고 한 번 즐김이 諸侯들의 법도가 된다.」하였습니다.

按說│ '夏諺'에 대하여, 朱子는 '夏나라의 太平한 시대에 있었던 俗言'으로 보고, '吾王不遊……爲諸侯度'까지를 夏諺으로 보아 이렇게 설명하였으나, 中國의 일부 번역본에는 '吾王不遊 吾何以休 吾王不豫 吾何以助'까지만 夏諺으로 보고, 그 다음은 晏子의 말로 본 것이 있음을 밝혀둔다. 한편 茶山은 夏諺을 '吾王不遊'부터 아래 節의 '爲諸侯憂'까지로 보고, '今也 不然'의 '지금'을 夏나라 太康이나 桀王의 때로 보았다. 그 이유에 대해 茶山은,

'食'과 '息', '流'와 '憂'가 모두 叶韻이어서 윗절의 游·休·予·助의 말한 例와 비슷하고, 게다가 景公의 악함이 아랫절과 같이 심하지 않기 때문이다.……'流連荒亡'은 원래 夏諺의 글이다. 그러므로 晏子가 이어서 訓詁하여 임금으로 하여금 이해하게 한 것이다. 만일 〈流連荒亡'이〉晏子 스스로 말한 것이라면 자기가 말하고 자기가 註를 낸 것이니, 너무 수고롭다.〔蓋以食息流憂 並皆叶韻 與上節之游休予助 詞例相肯 兼之景公之惡 不若是之甚也……流連荒亡 原是夏諺之文 故晏子繼爲訓詁 使君曉解 若是晏子之所自言 則自言自註 亦太勞矣〕

하였다. 楊伯峻도 夏諺이 '吾王不遊'부터 '爲諸侯憂'까지라는 蕭穆의 《敬孚類稿》의 說을 소개하였는데,《敬孚類稿》에

어찌 신하가 임금에게 대답하는 말에도 속담을 본떠서 韻을 사용하여 스스로 말하고 스스로 해석하는 자가 있겠는가?〔豈臣子對君之辭 亦仿諺語用韻 自言之 且自解之者耶〕

하였고, 또

앞에서 '巡狩'와 '述職'을 해설한 말도 먼저 前人의 말을 인용한 것이지, 자신이 곧바로 지어낸 것이 아닐 것이다.〔蓋前解巡狩述職之說 亦是先引前人成說 非己率爾造出也〕

하였다. 그러나 楊伯峻은 이 說을 참고로 소개하였을 뿐, 인용부호는 朱子의 說을 따랐다. '遊'와 '予'에 대하여, 楊伯峻은

'予'는 '遊'와 같은 뜻이다.《晏子春秋》〈內篇問下〉에 "봄에 경작하는 상태를 살펴보아 부족한 것을 보충해 주는 것을 遊라 하고, 가을에 수확을 살펴보아 부족한 것을 도와주는 것을

予라 한다.〔春省耕而補不足者謂之遊 秋省實而助不給者謂之予〕"했다.

하였다.

> 集註 | 述은 陳也라 省은 視也라 斂은 收穫也라 給은 亦足也라 夏諺은 夏時之俗語也라 豫는 樂也라 巡所守는 巡行諸侯所守之土也요 述所職은 陳其所受之職也[99]니 皆無有無事而空行者요 而又春秋循行郊野하여 察民之所不足而補助之라 故로 夏諺에 以爲 王者一遊一豫 皆有恩惠以及民하여 而諸侯皆取法焉하여 不敢無事慢遊以病其民也라하니라

'述'은 베풂(폄)이다. '省'은 살펴봄이다. '斂'은 수확이다. '給' 또한 족함이다. '夏諺'은 夏나라 때의 속담이다. '豫'는 즐거워함이다. '巡所守'는 諸侯들이 지키고 있는 곳의 토지를 巡行하는 것이요, '述所職'은 天子에게서 받은 직책을 펴는 것이니, 모두 일없이 헛되이 다님이 없는 것이다. 또 봄과 가을로 郊野를 순행해서 백성들의 부족한 바를 살펴보아 보조해준다. 그러므로 夏나라 속담에 이르기를 "王者가 한 번 유람하고 한 번 즐기는 것이 모두 은혜가 백성들에게 미침이 있어, 諸侯들이 모두 법을 취해서 감히 일없이 태만히 유람함으로써 백성들을 해롭게 하지 못한다." 한 것이다.

4-6. 今也엔 不然하여 師行而糧食하여 飢者弗食하며 勞者弗息하여 睊睊胥讒하여 民乃作慝이어늘 方命虐民하여 飮食若流하여 流連荒亡하여 爲諸侯憂하나니이다

지금은 그렇지 않아서 군대를 데리고 다니면서 양식을 먹어, 굶주린 자가 먹지 못하며 수고로운 자가 쉬지 못해서 눈을 흘겨보며 서로 비방하여 백성들이 마침내 원망을 하는데도, 王의 命을 거역하고 백성을 학대해서 술 마시고 음식 먹는 것을 마치 물 흐르듯이 하여 流·連하고 荒·亡해서 諸侯들의 걱정거리가 되고 있습니다.

---

99 巡所守……陳其所受之職也 : 趙氏(趙順孫)는 "지키는 곳을 순행하는 것은 위에서 아래를 살피는 것이요, 맡은 직책을 폄은 아래로부터 위에 도달하는 것이다. 王은 12년에 한 번 지키는 곳을 순행하고, 諸侯는 6년에 한 번 조회한다.〔巡所守者 自上察下也 述所職者 自下達上也 王十二年一巡狩 諸侯六年一朝〕" 하였다.

··· 收 거둘 수 穫 거둘 확 循 돌 순 郊 들 교 慢 태만할 만 病 해칠 병 師 군대 사 糧 양식 량 睊 흘겨볼 견
胥 서로 서 讒 참소할 참 慝 간사할 특 方 거역할 방 流 빠질 류 連 빠질 련 荒 빠질 황

按說 | 朱子는 '諸侯들의 걱정거리가 된다.'에서의 '諸侯'를, 附庸의 나라와 縣邑의 長으로 보아 强大한 제후국의 임금이 弱小한 자신의 나라를 순행하는 것으로 보았다.

茶山은 '諸侯들의 법도가 된다.'와 '諸侯들의 걱정거리가 된다.'의 제후는 다르지 않은데, 아래의 諸侯를 附庸의 나라와 縣邑의 長으로 본 朱子의 설은 위아래가 서로 어긋난다고 비판하였다.

朱子가 위아래의 제후를 다르게 본 것은 '今也 不然'의 '지금'이 晏子의 시대이므로, 이때에 周나라 왕실이 쇠약하여 제후국에 대한 천자의 巡狩가 없었기 때문이다.

'糧食'에 대하여, 壺山은

> 살펴보건대 諺解에 '糧을 食하다.'로 해석하였으니, 아마도 文勢를 잃은 듯하다.〔按諺解釋作食糧 恐失文勢〕

하였는바, '糧食'을 '양식을 먹는 것'으로 해석한 것은 문법에 맞지 않는다. 壺山은 '糧食'을 어떻게 해석해야 하는지를 분명히 설파하지 않았으나 糧과 食을 나누어 糧은 미숫가루의 비상식량으로, 食은 음식물로 보고, 이를 운반해가는 것으로 풀이한 듯하다.

集註 | 今은 謂晏子時也라 師는 衆也니 二千五百人이 爲師니 春秋傳曰 君行師從[100]이라하니라 糧은 謂糗糒之屬이라 睍睍은 側目貌라 胥는 相也라 讒은 謗也요 慝은 怨惡(오)也니 言民不勝其勞하여 而起怨謗也라 方은 逆也요 命은 王命也라 若流는 如水之流 無窮極也라 流連荒亡은 解見下文하니라 諸侯는 謂附庸之國, 縣邑之長[101]이라

---

100 春秋傳曰 君行師從:《大全》에는《春秋左傳》定公 4년의 기록을 다음과 같이 인용하고 있다. "劉 文公이 諸侯들과 召陵에서 會合하였으니, 楚나라 정벌을 도모한 것이었다. 衛侯가 祝鮀로 하여금 따르게 하였으나, 〈祝鮀는〉 사양하기를 '군주가 軍을 거느리고 出行을 하면 社에 祗祭를 지내고 북〔鼓〕에 피로 틈을 바르고, 祝이 社의 신주를 받들고 따르니, 이에 국경을 나갑니다. 만약 조회 등의 아름다운 일에는 군주가 가면 師가 따라가고 卿이 가면 旅가 따라가니, 臣은 할 일이 없습니다.〔劉文公合諸侯于召陵 謀伐楚 衛侯令祝鮀從 辭曰 君以軍行 祗社釁鼓 祝奉以從 於是乎出竟(境) 若嘉好之事 君行師從 卿行旅從 臣無事焉〕' 하였다." 군대가 출동할 적에는 먼저 社에 祗祭하는 일이 있으니, 이것을 宜社라 이른다. 이에 짐승을 잡아 피를 가지고 북과 작은 북에 바르니, 이것을 釁鼓라 한다. 軍은 1만 2천 5백 명의 군대이고 師는 2천 5백 명의 군대이고 旅는 5백 명의 군대이다.

101 附庸之國 縣邑之長: '附庸'은 方50리가 못되는 작은 나라를 이른다. 壺山은 "齊나라는 본래 方伯의 나라이니, 작은 제후국은 方伯의 나라에 있어 또한 부용국으로 보는 것이다.〔齊本方伯之國也 諸侯之於方伯 亦當視附庸云〕" 하였다.

··· 糗 미숫가루 구 糒 말린밥 비 屬 무리 속 側 흘겨볼 측 謗 비방할 방 怨 원망할 원 附 붙일 부 庸 따를 용

'今'은 晏子 당시를 이른다. '師'는 군대이다. 2천 5백 명을 師라 하니, 《春秋左傳》에 이르기를 "군주가 出行하면 師가 따라간다." 하였다. '糧'은 糗糒의 등속을 이른다. '睊睊'은 反目(側目)하는 모양이다. '胥'는 서로이다. '讒'은 비방이요 '慝'은 원망하고 미워함이니, 백성들이 그 수고로움을 이기지 못하여 원망과 비방을 일으킴을 말한다. '方'은 거역함이요, '命'은 王의 命이다. '若流'는 물의 흐름이 다함이 없음과 같은 것이다. '流·連·荒·亡'은 해석이 아랫글에 보인다. '諸侯'는 附庸의 나라와 縣邑의 長을 이른다.

4-7. 從流下而忘反을 謂之流요 從流上而忘反을 謂之連이요 從獸無厭을 謂之荒이요 樂酒無厭을 謂之亡이니

〈뱃놀이에〉 물길을 따라 아래로 내려가서 돌아옴을 잊음을 '流'라 이르고, 물길을 거슬러 위로 올라가서 돌아옴을 잊음을 '連'이라 이르고, 짐승을 쫓아 사냥함에 만족함이 없음을 '荒'이라 이르고, 술을 즐겨 만족함이 없음을 '亡'이라 이릅니다.

按說 | 趙岐는

'連'은 '끌다'의 뜻이다. 일꾼들로 하여금 배를 끌게 하여 위로 올라가서 돌아옴을 잊고 즐거워하므로, 이를 일러 '連'이라 한다.〔連 引也 使人徒引舟船 上行而忘反 以爲樂 故謂之連〕

하였다. 茶山은 趙岐의 說을 취하고, 《周易》의 '拔茅連茹(띠풀을 뽑는데 그 뿌리가 서로 엉켜 이끌려 나옴)'라는 말의 '連'도 牽連의 뜻이라고 하였다.

集註 | 此는 釋上文之義也라 從流下는 謂放舟隨水而下요 從流上은 謂挽舟逆水而上이라 從獸는 田獵也라 荒은 廢也라 樂酒는 以飮酒爲樂也라 亡은 猶失也니 言廢時失事也[102]라

이는 윗글의 뜻을 해석한 것이다. '從流下'는 배를 풀어놓아 물길을 따라 아래로 내려감을

---

[102] 廢時失事也:雙峰饒氏(饒魯)는 "荒이 '廢時'이고, 亡이 '失事'이다.〔荒是廢時 亡是失事〕" 하였다. 이는 농사철을 놓치고 政事를 제때에 하지 못하는 것으로, 荒과 亡을 합하여 해석한 것이다.

··· 獸 짐승 수 厭 만족할 염 放 놓을 방 隨 따를 수 挽 당길 만

이르고, '從流上'은 배를 挽回하여 물길을 거슬러 올라감을 이른다. '從獸'는 田獵(사냥)이다. '荒'은 폐함이다. '樂酒'는 술을 마시는 것을 樂으로 삼는 것이다. '亡'은 失과 같으니, 때를 폐하고 일을 잃음을 말한다.

4-8. 先王은 無流連之樂과 荒亡之行하시니 惟君所行也니이다

先王은 流·連의 즐거움과 荒·亡한 행실이 없으셨으니, 오직 君主께서 행하실 바입니다.'

集註 | 言先王之法, 今時之弊 二者 惟在君所行耳라

先王의 法과 지금의 폐단 이 두 가지가 오직 君主의 행할 바에 달려있음을 말한 것이다.

4-9. 景公이 說(열)하여 大戒於國하고 出舍於郊하여 於是에 始興發하여 補不足하고 召大(太)師하여 日 爲我하여 作君臣相說(열)之樂하라하니 蓋 徵招(치소)角招是也라 其詩曰 畜君何尤리오하니 畜君者는 好君也니이다

景公이 기뻐하여 국중에 크게 告命을 내리고 郊外로 나가 머물면서 이에 비로소 창고를 열어 부족한 백성들을 보조해 주고, 太師를 불러 말하기를 '나를 위하여 군주와 신하가 서로 좋아하는 음악을 지으라.' 하였으니, 지금의 徵招와 角招가 이것입니다. 이 詩에 이르기를 '군주의 욕심을 저지함이 무슨 잘못이랴.' 하였으니, 군주의 욕심을 저지함은 군주를 사랑한 것입니다.'

按說 | "出舍於郊'에 대하여, 壺山은

'出舍'는 自責하는 것이고, '於郊'는 백성들을 살피는 것이다.〔出舍 自責也 於郊 省民也〕

라고 풀이하였다.

··· 弊 폐단 폐 興 일으킬 흥 發 열 발 召 부를 소 徵 소리치 招 풍류이름 소(韶同) 畜 그칠 축 尤 허물 우

集註 | 戒는 告命也[103]라 出舍는 自責以省民也라 興發은 發倉廩也라 大師는 樂官也라 君臣은 己與晏子也라 樂有五聲하니 三曰角이니 爲民이요 四曰徵니 爲事[104]라 招는 舜樂也라 其詩는 徵招角招之詩也라 尤는 過也라 言 晏子能畜止其君之欲하니 宜爲君之所尤라 然이나 其心則何過哉리오 孟子釋之하사 以爲臣能畜止其君之欲은 乃是愛其君者也라하시니라

'戒'는 告命하는 것이다. '出舍'는 自責하여 백성을 살핀 것이다. '興發'은 倉廩을 여는 것이다. '太師'는 樂官이다. '君臣'은 景公 자신과 晏子이다. 음악은 五聲이 있으니, 세 번째를 '角'이라 하니 백성이 되고, 네 번째를 '徵'라 하니 일이 된다. '招(韶)'는 舜임금의 음악이다. '其詩'는 徵招와 角招의 詩이다. '尤'는 허물이다. '晏子가 그 군주의 욕망(관광하려던 욕망)을 저지하였으니, 마땅히 군주의 허물하는 바가(책망을 듣게) 될 것이다. 그러나 그 마음이 무슨 허물이 있겠는가.'라고 말한 것이다. 孟子께서 이것을 해석하여 신하가 그 군주의 욕심을 저지함은 바로 그 군주를 사랑한 것이라고 말씀하신 것이다.

章下註 | ○尹氏曰 君之與民이 貴賤雖不同이나 然其心은 未始有異也라 孟子之言이 可謂深切矣어늘 齊王이 不能推而用之하니 惜哉라

○尹氏(尹焞)가 말하였다. "군주와 백성은 신분의 貴賤이 비록 똑같지 않으나 그 마음은

---

103 戒 告命也:趙岐는 '戒'는 '備'라고 하였다. 楊伯峻은 이에 대해 "이는 戒備(경비·경계)의 뜻이 아니라, 《詩經》〈小雅 大田〉에 '이미 씨앗을 가리고 연장을 챙겨 이미 구비하고서 일한다.〔旣種旣戒 旣備乃事〕'의 戒와 같이 읽어야 하니, 준비의 뜻이다." 하였다. 壺山은 '命'을 自責의 命으로 보았다.

104 樂有五聲……爲事:《大全》에 《禮記》〈樂記〉에 "宮은 군주가 되고 商은 신하가 되고 角은 백성이 되고 徵는 일이 되고 羽는 물건이 된다.〔宮爲君 商爲臣 角爲民 徵爲事 羽爲物〕" 하였는데, 註에 "宮絃은 가장 커서 81개의 生絲를 사용하니 소리가 무겁고 높기 때문에 군주가 되는 것이다. 商은 金에 속하고 金은 決斷함이 되니, 신하의 일이다. 商絃은 72개의 생사를 사용하여 宮의 다음이니, 신하가 군주 다음인 것과 같은 것이다. 角은 抵觸함이니 물건이 땅을 저촉하고(뚫고) 나올 적에 까끄라기와 뿔을 이고 있다. 角絃은 64개의 생사를 사용하니, 소리가 宮과 羽의 중간에 있으므로 木에 속하니, 淸과 濁의 중간이어서 백성의 象이 되는 것이다. 徵는 여름에 속하니 여름철에는 만물이 모두 자라나서 형체를 이루고 일 또한 체통이 있으므로 일에 배합하니, 徵絃은 54개의 生絲를 사용한다. 羽는 물〔水〕이 되어서 가장 맑으니 물건의 象이다. 그러므로 물건이 되니, 羽絃은 48개의 생사를 사용한다.〔宮絃最大 用八十一絲 聲重而尊 故爲君 商屬金 金爲決斷 臣事也 絃用七十二絲 次宮 如君次君者也 角 觸也 物觸地而出 戴芒角也 絃用六十四絲 聲居宮羽之中 屬木 以其淸濁中 民之象也 徵屬夏 夏時生長萬物 皆成形體 事亦有體 故配事 絃用五十四絲 羽爲水 最淸 物之象 故爲物 絃用四十八絲〕" 하였다. 《大全》에 인용한 위의 내용은 《史記》〈樂書〉의 註인 司馬貞의 《索隱》을 대부분 節錄한 것이며, 아랫 부분은 〈樂記〉의 孔穎達의 疏에서 인용한 것이다.

⋯ 倉 창고 창 廩 창고 름 賤 천할 천 雖 비록 수 惜 아낄 석

일찍이 다름이 있지 않다. 孟子의 말씀이 깊고 간절하다고 할 만한데, 齊王이 능히 미루어 쓰지 못하였으니, 애석하다."

好貨章(明堂章)

5-1. 齊宣王이 問曰 人皆謂我毁明堂이라하나니 毁諸잇가 已乎잇가

齊 宣王이 물었다. "사람들이 모두 나더러 明堂을 부수라(철거하라) 하니, 부수어야 합니까? 그만두어야(부수지 말아야) 합니까?"

> 集註 | 趙氏曰 明堂은 泰山明堂[105]이니 周天子東巡守朝諸侯之處라하니 漢時遺址尙在하니라 人欲毁之者는 蓋以天子不復巡守하고 諸侯又不當居之也[106]라 王問 當毁之乎아 且止乎아
>
> 趙氏(趙岐)가 말하기를 "明堂은 泰山에 있는 明堂이니, 周나라 天子가 동쪽 지방을 巡守하면서 諸侯들에게 조회 받던 곳이다." 하였으니, 漢나라 때까지도 遺址가 남아있었다. 사람들이 이것을 부수려고 한 것은 天子가 다시 巡守하지 않고, 諸侯가 또 거처할 수 없기 때문이었다. 王이 "마땅히 부수어야 합니까? 아니면 그만두어야 합니까?" 하고 물은 것이다.

5-2. 孟子對曰 夫明堂者는 王者之堂也니 王欲行王政이면 則勿毁之矣소서

孟子께서 대답하셨다. "明堂은 王者의 堂이니, 王께서 王政을 행하고자 하신다면 부수지 마소서."

---

105 明堂 泰山明堂:壺山은 "살펴보건대 이는 天子가 항상 거처하는 明堂이니 泰山에 있는 明堂의 제도 또한 아마도 이와 같지 않았겠는가.〔按此 天子所常居之明堂也 若泰山明堂之制 豈亦如是歟〕" 하였다.

106 漢時遺址尙在……諸侯又不當居之也:慶源輔氏(輔廣)는 《漢書》〈郊祀志下〉에 '武帝 元封 元年(B.C.110)에 泰山에 단을 쌓고 하늘에 제사하였는데, 泰山의 동북쪽 터에 옛날 明堂이었던 곳이 있었다.' 하였다. 明堂을 부수고자 한 것은 바로 子貢이 초하룻날에 바치는 희생 羊을 제거하고자 한 뜻과 같으니, 쓸모가 없기 때문에 제거하고자 한 것이다.〔武帝元封元年 封泰山 泰山東北址 古有明堂處云 欲毁明堂 正與子貢欲去告朔餼羊之意同 以其無用 故欲去之也〕" 하였다. 子貢이 초하룻날에 바치는 희생 羊을 제거하고자 한 내용은 《論語》〈八佾〉에 보인다.

··· 毁 부술 훼 已 그만둘 이 巡 순행할 순 朝 조회받을 조 遺 남을 유 址 터 지

集註 | 明堂은 王者所居以出政令之所也[107]라 能行王政이면 則亦可以王矣니 何必毀哉리오

明堂은 王者가 거처하면서 政令을 내던 곳이다. 王政을 행한다면 또한 왕 노릇 할 수 있으니, 어찌 굳이 부술 것이 있겠는가.

5-3. 王曰 王政을 可得聞與잇가 對曰 昔者文王之治岐也에 耕者를 九一하며 仕者를 世祿하며 關市를 譏而不征하며 澤梁을 無禁하며 罪人을 不孥하더시니 老而無妻曰鰥이요 老而無夫曰寡요 老而無子曰獨이요 幼而無父曰孤니 此四者는 天下之窮民而無告者어늘 文王이 發政施仁하시되 必先斯四者하시니 詩云 哿矣富人이어니와 哀此煢獨이라하니이다

王이 말씀하였다. "王政을 얻어 들을 수 있겠습니까?"
孟子께서 대답하셨다. "옛적에 文王이 岐周를 다스릴 적에 경작하는 자들에게는 9분의 1의 세금을 받았으며, 벼슬하는 자들에게는 대대로 祿을 주었으며, 關門과 市場을 譏察하기만 하고 세금을 징수하지 않았으며, 澤梁을 금하지 않았으며, 죄인을 처벌하되 妻子에게까지 미치지 않게 하였습니다. 늙고서 아내가 없는 것을 '鰥(홀아비)'이라 하고, 늙고서 남편이 없는 것을 '寡(과부)'라 하고, 늙고서 자식이 없는 것을 '獨(무의탁자)'이라 하고, 어리면서 父母가 없는 것을 '孤(고아)'라 하니, 이 네 부류는 天下의 곤궁한 백성으로서 하소연할 곳이 없는 자들입니다. 文王은 善政을 펴고 仁을 베푸시되 반드시 이 네 부류의 사람들을 우선하셨습니다. 《詩經》에 이르기를 '富者는 괜찮지만 이 곤궁한 자가 가엾다.' 하였습니다."

集註 | 岐는 周之舊國也[108]라 九一者는 井田之制也라 方一里爲一井이니 其田九百

---

107 明堂 王者所居以出政令之所也:壺山은 "天子가 항상 거처하는 明堂은 진실로 이와 같고, 泰山에 있는 明堂 또한 《書經》에서 말한 '協·正·同·修' 등의 일이 있었다.〔天子所常居之明堂 固然 而泰山明堂 亦有書云所云協正同修等事〕" 하였다. '協正同修'는 《書經》〈舜典〉에 "四時와 달을 맞추어 날짜를 바로잡으며, 律·度·量·衡을 통일시키며, 吉·凶·軍·賓·嘉의 다섯 가지 예를 닦았다.〔協時月 正日 同律度量衡 修五禮〕"라는 내용을 축약한 것이다.

108 岐 周之舊國也:趙氏(趙順孫)는 "살펴보건대 岐山은 漢나라 右扶風 美陽縣 서북쪽에 있으니, 唐나

··· 岐 산이름 기 祿 녹봉 록 譏 살필 기 征 세금낼 정 澤 못 택 梁 돌다리 량 孥 처자식 노 鰥 홀아비 환
寡 과부 과 獨 홀로 독 孤 고아 고 哿 가할 가(可同) 富 부유할 부 煢 외로울 경, 곤궁할 경 舊 옛 구 井 우물 정

畝라 中畫井字하여 界爲九區하여 一區之中에 爲田百畝하여 中百畝는 爲公田하고 外
八百畝는 爲私田하여 八家各受私田百畝하고 而同養公田하니 是九分而稅其一也
라 世祿者는 先王之世에 仕者之子孫을 皆敎之하여 敎之而成材면 則官之하고 如不
足用이어든 亦使之不失其祿[109]하니 蓋其先世嘗有功德於民이라 故로 報之如此하니
忠厚之至也라 關은 謂道路之關이요 市는 謂都邑之市라 譏는 察也요 征은 稅也니 關
市之吏 察異服異言之人하고 而不征商賈之稅也라 澤은 謂瀦水요 梁은 謂魚梁[110]
이니 與民同利하여 不設禁也라 孥는 妻子也니 惡惡(오악)이 止其身이요 不及妻子也
라 先王養民之政은 導其妻子하여 使之養其老而恤其幼하시니 不幸而有鰥寡孤獨
之人하여 無父母妻子之養이면 則尤宜憐恤이라 故로 必以爲先也라 詩는 小雅正月
之篇이라 哿는 可也라 煢은 困悴貌라

岐는 周나라의 옛 國都이다. '九一'이란 井田의 제도이다. 方1里가 1井이 되니, 그 토지는
900畝이다. 가운데에 井字를 그어서 경계를 나누어 아홉 개의 구역으로 만들어 한 구역에
토지 100畝를 만들어서, 가운데 100畝는 公田으로 삼고 바깥에 있는 800畝는 私田으로
삼아 여덟 집이 각기 私田 100畝를 받고 함께 公田을 가꾸니, 이것은 9분의 1을 세금으로
내는 것이다. '世祿'이란 先王의 세대에 벼슬한 자의 子孫을 모두 가르쳐서, 가르쳐 훌륭한
인재가 되면 벼슬을 시키고, 만일 등용할 수 없더라도 이들로 하여금 그 祿을 잃지 않게 하
였다. 이는 그 先代가 일찍이 백성들에게 功德이 있었기 때문에 보답하기를 이와 같이 한
것이니, 忠厚함이 지극한 것이다. '關'은 도로의 關門이요, '市'는 都邑의 시장이다. '譏'는
譏察이요 '征'은 세금을 징수하는 것이니, 관문과 시장의 관리들이 이상한 복장과 이상한
말을 하는 사람들을 기찰하기만 하고 商賈의 세금을 징수하지 않은 것이다. '澤'은 瀦水(저
수지)를 이르고 '梁'은 魚梁(물고기를 잡는 여울목)을 이르니, 백성과 이익을 함께하고 금
함을 설치하지 않는 것이다. '孥'는 妻子이니, 惡을 미워함이 그 자신에게만 그치고 妻子에
게는 미치지 않은 것이다.

라 때에는 岐州 岐山縣에 속했다. 山의 남쪽에 周原이 있으니, 아마도 周나라의 옛 國都인 듯하다.〔按
岐山在漢右扶風美陽縣西北 唐屬岐州岐山縣 山之南 有周原 蓋周之舊國〕" 하였다.

109 如不足用 亦使之不失其祿:壺山은 "일을 다스리는 관직에는 있지 못하더라도 녹을 먹는 대열에는 있
는 것이다.〔不得居治事之官 而猶居食祿之列〕" 하였다.

110 澤謂瀦水 梁謂魚梁:朱子는 '澤'과 '梁'으로 보았고, 諺解에도 '澤'과 '梁'으로 되어 있는데, 楊伯峻은
'澤梁'을 한 단어로 보아 '흐르는 물속에서 고기를 막아 잡는 장치'라고 하였다.

••• 畫 그을 획(劃同) 界 지경 계 區 구역 구 稅 세금 세 賈 장수 고 瀦 웅덩이 저 導 인도할 도 尤 더욱 우
憐 불쌍할 련 困 곤할 곤 悴 곤할 췌

先王이 백성을 기르는 정사는 그 妻子를 인도해서 늙은이를 봉양하고 어린이를 구휼하게 하였는데, 불행히도 父母와 妻子의 봉양을 받지 못하는 鰥·寡와 孤·獨의 사람이 있으면 더욱 가엾게 여기고 구휼해야 하므로 반드시 이들을 우선한 것이다. 詩는 〈小雅 正月〉篇이다. '哿'는 可함(괜찮음)이다. '瘁'은 곤하고 파리한 모양이다.

5-4. 王曰 善哉라 言乎여 曰 王如善之시면 則何爲不行이시니잇고 王曰 寡人이 有疾하니 寡人은 好貨하노이다 對曰 昔者에 公劉好貨하더시니 詩云 乃積乃倉이어늘 乃裹餱糧을 于橐于囊이오사 思戢用光하여 弓矢斯張하여 干戈戚揚으로 爰方啓行이라하니 故로 居者有積倉하며 行者有裹糧也然後에야 可以爰方啓行이니 王如好貨어시든 與百姓同之하시면 於王에 何有리잇고

王이 말씀하였다. "좋습니다, 선생님의 말씀이여."
孟子께서 말씀하셨다. "王이 만일 좋게 여기신다면 어찌하여 행하지 않습니까."
王이 말씀하였다. "寡人은 병통이 있으니, 寡人은 재물을 좋아합니다."
孟子께서 대답하셨다. "옛적에 公劉가 재물을 좋아하였습니다. 《詩經》에 이르기를 '露積을 쌓고 창고에 쌓았는데, 마른 양식을 싸기를 전대에 넣고 자루에 넣고서 백성을 편안히 하여 이로써 국가를 빛낼 것을 생각하여, 활과 화살을 준비하며 창과 방패와 도끼를 가지고서 이에 비로소 길을 떠난다.'고 하였습니다. 그러므로 집안에 거주하는 자들은 노적과 창고가 있으며 길을 떠나는 자들은 싼 양식이 있은 뒤에야 비로소 길을 떠날 수 있는 것입니다. 王께서 만일 재물을 좋아하시거든 백성들과 함께하신다면 왕 노릇 하심에 무슨 어려움이 있겠습니까."

集註 | 王自以爲好貨라 故로 取民無制하여 而不能行此王政이라하니라 公劉는 后稷之曾孫也라 詩는 大雅公劉之篇이라 積은 露積也요 餱는 乾糧也라 無底曰橐이요 有底曰囊이니 皆所以盛餱糧也라 戢은 安集也니 言思安集其民人하여 以光大其國家也라 戚은 斧也요 揚은 鉞也라 爰은 於也라 啓行은 言往遷于豳(빈)也라 何有는 言不

··· 疾 병질 貨 재화화 劉 묘금도류 積 노적적 裹 쌀과 餱 말린밥후 糧 양식량 橐 전대탁 囊 주머니낭
戢 모을집 戈 창과 戚 도끼척 揚 도끼양 爰 이에원 啓 열계 后 임금후 稷 조직직 露 이슬로
乾 마를간(건) 底 밑저 盛 담을성 斧 도끼부 鉞 도끼월 遷 옮길천 豳 땅이름 빈(邠同)

難也¹¹¹라 孟子言 公劉之民이 富足如此하니 是는 公劉好貨而能推己之心하여 以及民也라 今王이 好貨어시든 亦能如此면 則其於王天下也에 何難之有리오

王이 스스로 말씀하기를 "재물을 좋아하기 때문에 백성들에게 취함이 제한이 없어서 이 王政을 행할 수 없다."라고 한 것이다. 公劉는 后稷의 曾孫이다. 詩는 〈大雅 公劉〉篇이다. '積'은 노적이요, '餱'는 마른 양식(말린 밥이나 미숫가루)이다. 밑이 없는 것을 '橐(전대)'이라 하고 밑이 있는 것을 '囊(자루)'이라 하니, 두 가지는 모두 餱와 糧을 담는 것이다. '戢'은 安集(편안히 모여 삶)하는 것이니, 백성을 安集하여 국가를 빛내고 크게 할 것을 생각함을 말한다. '戚'은 날이 아래로 굽은 도끼요, '揚'은 날이 위로 솟은 도끼이다. '爰'은 '이에'이다. '啓行'은 豳땅으로 천도하러 가는 것을 말한다. '何有'는 어렵지 않음을 말한다.

孟子께서 "公劉의 백성이 부유하고 풍족함이 이와 같았으니, 이는 公劉가 재물을 좋아하되 능히 자기 마음을 미루어서 백성들에게 미쳤기 때문입니다. 이제 王이 재물을 좋아하시거든 또한 이와 같이 하신다면 천하에 왕 노릇 함에 무슨 어려움이 있겠습니까."라고 말씀하신 것이다.

5-5. 王曰 寡人이 有疾하니 寡人은 好色하노이다 對曰 昔者에 大(太)王이 好色하사 愛厥妃하더시니 詩云 古公亶父(단보) 來朝走馬하사 率西水滸하여 至于岐下하여 爰及姜女로 聿來胥宇라하니 當是時也하여 內無怨女하며 外無曠夫하니 王如好色이어시든 與百姓同之하시면 於王에 何有리잇고

王이 말씀하였다. "寡人은 병통이 있으니, 寡人은 女色을 좋아합니다."
孟子께서 대답하셨다. "옛적에 太王이 女色을 좋아하시어 그 后妃를 사랑하였습니다. 《詩經》에 이르기를 '古公亶父(太王)가 아침에 말을 달려와서 서쪽 물가를 따라 岐山 아래에 이르러 이에 姜女와 함께 와서 집터를 보았다.' 하였으니, 이때를 당하여 안에는 〈남편에게 버림받아〉 원망하는 여자가 없었으며 밖에는 홀아비가 없었으니, 王께서 만일 女色을 좋아하시거든 백성과 함께하신다면 왕 노릇 하심에 무슨 어려움이 있겠습니까."

---

111 何有 言不難也：經文의 '何有'는 '何難之有'의 줄임말이다.

··· 厥 그 궐 妃 왕비 비 亶 믿을 단 父 남자이름 보(甫同) 率 따를 솔 滸 물가 호 于 어조사 우 岐 산이름 기 聿 드디어 율 胥 볼 서 宇 집 우 怨 원망할 원 曠 빌 광

集註ㅣ王又言此者는 好色이면 則心志蠱惑(고혹)하고 用度奢侈하여 而不能行王政也라 大王은 公劉九世孫이라 詩는 大雅縣之篇也라 古公은 大王之本號니 後乃追尊爲大王也라 亶父는 大王名也라 來朝走馬[112]는 避狄人之難也라 率은 循也라 滸는 水厓(涯)也라 岐下는 岐山之下也라 姜女는 大王之妃也라 胥는 相也요 宇는 居也라 曠은 空也니 無怨曠[113]者는 是大王好色而能推己之心하여 以及民也라

王이 또 이것을 말씀한 것은 女色을 좋아하면 心志가 蠱惑되고 用度가 사치해져서 王政을 행할 수 없기 때문이다. 太王은 公劉의 九世孫이다. '詩'는 〈大雅 縣〉篇이다. 古公은 太王의 본래 칭호이니, 뒤에 마침내 追尊하여 太王이라 한 것이다. 亶父는 太王의 이름이다. '來朝走馬'는 狄人의 亂을 피한 것이다. '率'은 따름이다. '滸'는 물가이다. '岐下'는 岐山 아래이다. '姜女'는 太王의 后妃이다. '胥'는 봄이요, '宇'는 집터이다. '曠'은 빔이니, 원망하는 여자와 홀아비가 없었던 것은, 太王이 女色을 좋아하되 능히 자기 마음을 미루어서 백성들에게 미쳤기 때문이다.

章下註ㅣ○楊氏曰 孟子與人君言에 皆所以擴充其善心하여 而格其非心이요 不止就事論事하시니 若使爲人臣者 論事를 每如此면 豈不能堯舜其君乎아
愚謂 此篇은 自首章至此히 大意皆同하니 蓋鍾鼓, 苑囿, 遊觀之樂과 與夫好勇, 好貨, 好色之心은 皆天理之所有요 而人情之所不能無者라 然이나 天理人欲이 同行異情[114]하니 循理而公於天下者는 聖賢之所以盡其性也요 縱欲而私於一己者는 衆人之所以滅其天也라 二者之間이 不能以髮이로되 而其是非得失之歸는 相去遠矣라 故로 孟子因時君之問하사 而剖析於幾微之際하시니 皆所以遏人欲而存天理

---

112 來朝走馬:新安陳氏(陳櫟)는 "'來朝'는 오기를 아침에 한 것이다. 옛사람의 記事에 이러한 例가 있으니, 예컨대 《書經》〈武成〉과 〈召誥〉에 '王이 아침에 周(鎬京)로부터 출발하였다.' 한 것과 '周公이 아침에 洛邑에 이르렀다.' 한 것이다.〔來朝 其來以朝也 古人記事 蓋有此例 如書曰 王朝步自周 周公朝至于洛〕" 하였다.

113 怨曠:壺山은 "怨은 남편에게 사랑을 잃어 원망하는 것이고, 曠은 홀아비이다.〔怨 是失愛於夫者也 曠 是無妻者也〕" 하였다.

114 天理人欲 同行異情:외형적인 행위는 聖賢과 衆人이 똑같으나 그 실제는 서로 다름을 이른다. 사람의 욕망은 食·色보다 더한 것이 없다. 聖賢도 衆人과 똑같이 음식을 먹고 부부 생활을 하지만 聖賢은 욕심을 부리지 않아 절도에 맞게 하니, 이것이 바로 禮이고 天理이다. 그러나 衆人은 이렇게 하지 못하므로 말한 것이다.

··· 蠱 좀먹을 고 惑 미혹할 혹 奢 사치할 사 侈 사치할 치 縣 이을 면 追 쫓을 추 尊 높일 존 避 피할 피
狄 북쪽오랑캐 적 循 따를 순 厓 물가 애(涯通) 擴 넓힐 확 充 채울 충 格 바로잡을 격 非 그를 비 就 나아갈 취
苑 동산 원 囿 동산 유 縱 방종할 종 滅 멸할 멸 髮 터럭 발 剖 쪼갤 부 析 분석할 석

라 其法似疏而實密하고 其事似易而實難[115]하니 學者以身體之[116]면 則有以識其非曲學阿世[117]之言이요 而知所以克己復禮之端矣리라

○ 楊氏(楊時)가 말하였다. "孟子께서 人君과 더불어 말씀할 적에 모두 그 善한 마음을 확충하여 나쁜 마음을 바로잡으려 하셨고, 일에 나아가 일을 논함에 그치지 않았으니, 만일 신하된 자가 일을 논하기를 매양 이와 같이 한다면 어찌 그 君主를 堯·舜으로 만들지 못하겠는가."

내(朱子)가 생각하건대 이 篇은 首章으로부터 여기까지 大意가 모두 같으니, 鍾鼓와 苑囿와 遊觀의 즐거움과 勇을 좋아하고 재물을 좋아하고 女色을 좋아하는 마음은 모두 天理에 있는 바이고 人情에 없을 수 없는 것이다. 그러나 天理와 人欲이 행동은 같으나 實情은 다르니, 天理를 따라서 天下에 公正하게 하는 것은 聖賢이 本性을 다하는 것이요, 人欲을 함부로 부려 자신의 한 몸에만 사사롭게 하는 것은 衆人이 天理를 멸하는 것이다. 이 두 가지의 간격은 털끝만한 차이도 못되나 그 是非와 得失의 귀결은 거리가 매우 멀다. 그러므로 孟子께서 당시 君主의 질문으로 인하여 이것을 幾微의 즈음에서 분석하셨으니, 모두 人欲을 막고 天理를 보전하는 것이었다. 그 法이 엉성한 듯하나 실제는 치밀하고 그 일이 쉬운 듯하나 실제는 어려우니, 배우는 자가 몸으로써 체행한다면 曲學阿世한 말씀이 아님을 알 것이요, 克己復禮하는 단서임을 알게 될 것이다.

---

115 其法似疏而實密 其事似易而實難:慶源輔氏(輔廣)는 "勇을 좋아하고 女色을 좋아함을 곧바로 금지하지 않았으니, 이것이 엉성하고 또 쉬운 듯한 것이다. 그러나 반드시 齊王으로 하여금 公劉와 太王의 일을 하게 하여, 자기의 마음을 미루어 백성들에게 이르러서 天理를 따르고 人欲을 부리지 아니하여 천하를 공정하게 하고 자기의 한 몸을 사사롭게 하지 않았으니, 그 실제는 매우 치밀하고 또 어려운 것이다. 法은 孟子의 말씀을 가리킨 것이고, 일(事)은 公劉와 太王의 일을 가리킨 것이니, 이치의 至極함에 근거하고 말의 요체를 아신 孟子가 아니면 어찌 능히 그 精微함을 분별하여 분석하기를 이와 같이 할 수 있었겠는가.〔蓋不直禁其好勇好色 則似若踈且易矣 然必使爲公劉太王之事 推己之心以及民 循理而不縱欲 公天下而不私一己 則其實又甚密而且難矣 法 指孟子之說 事 指公劉太王之事 非孟子據理之極, 知言之要 何能辨析其精微如此哉〕" 하였다.
116 體之:壺山은 "'體之'는 자신이 그 입장에 처한 것으로 가설하여 생각함을 이른다.〔體之 謂設以身當其地而思之〕" 하였다. 《中庸》20장의 九經 가운데 '體群臣'을 《集註》에 "體는 자기 몸을 그 자리에 처한 것으로 가설하여 그 마음을 살피는 것이다.〔體 謂設以身處其地而察其心也〕"라고 보인다.
117 曲學阿世:부정한 학설로 세속에 영합함을 이른다.

··· 疏 성글 소 密 빽빽할 밀 曲 굽을 곡 阿 아첨할 아

|王之臣章(四境之內章)|

6-1. 孟子謂齊宣王曰 王之臣이 有託其妻子於其友而之楚遊者 比其反也하여 則凍餒其妻子어든 則如之何잇고 王曰 棄之니이다

孟子께서 齊 宣王에게 말씀하셨다. "王의 신하 중에 그 妻子를 친구에게 맡기고 楚나라에 가서 놀던 자가 있었는데, 돌아옴에 미쳐서 친구가 그 妻子를 얼고 굶주리게 하였다면 〈임금께서는〉 그를 어떻게 하시겠습니까?"
王이 말씀하였다. "끊어버리겠습니다."

集註 | 託은 寄也라 比는 及也라 棄는 絕也라

'託'은 맡김이다. '比'는 미침이다. '棄'는 끊는 것이다.

6-2. 曰 士師不能治士어든 則如之何잇고 王曰 已之니이다

孟子께서 말씀하셨다. "士師가 士를 다스리지 못하면 〈임금께서는〉 어떻게 하시겠습니까?"
王이 말씀하였다. "벼슬을 그만두게 하겠습니다."

集註 | 士師는 獄官也니 其屬이 有鄉士遂士之官하여 士師皆當治之[118]라 已는 罷去也라

'士師'는 獄官이니, 그 官屬에 鄉士와 遂士의 관원이 있어서 士師가 이들을 모두 다스려야 한다. '已'는 파면하여 떠나게 하는 것이다.

6-3. 曰 四境之內不治어든 則如之何잇고 王이 顧左右而言他하시다

孟子께서 말씀하셨다. "四境의 안이 다스려지지 않으면 어찌 하여야 합니까?"

---

118 有鄉士遂士之官 士師皆當治之:《周禮》〈秋官司寇〉의 鄭玄의 註에 의하면 鄉士는 六鄉의 獄事를 관장하고 遂士는 六遂의 獄事를 관장한다. 士師는 옛날 刑法을 맡은 장관으로 그 밑에 鄉士와 遂士가 있었는바, 周代에는 王城에서 100리 이내의 지역을 鄉이라 하여 六鄉으로 나누고, 100里 밖 200리 이내의 지역을 遂라 하여 六遂로 나누어 여기에 鄉士와 遂士를 두었다.

••• 託 맡길 탁 比 미칠 비 反 돌아올 반 凍 얼 동 餒 굶주릴 뇌 棄 버릴 기 寄 맡길 기 已 그만둘 이
鄉 행정구역단위 향 遂 행정구역단위 수 罷 그만둘 파 顧 돌아볼 고

이에 王이 좌우를 돌아보고 다른 것을 말씀하였다.

集註ㅣ孟子將問此而先設上二事하여 以發之러시니 及此而王不能答也라 其憚於
自責하고 恥於下問이 如此하니 不足與有爲를 可知矣로다

孟子께서 이것을 물으려고 하시면서 먼저 위의 두 가지 일을 가설하여 말씀하셨는데, 이에
이르러 王이 대답하지 못한 것이다. 王이 자책하기를 꺼리고 아랫사람에게 묻기를 부끄러
워함이 이와 같았으니, 그와 더불어 훌륭한 일을 할 수 없음을 알 수 있다.

章下註ㅣ○ 趙氏[119]曰 言 君臣上下 各勤其任하고 無墮(휴)其職이라야 乃安其身이
니라

○ 趙氏(趙岐)가 말하였다. "君臣과 上下가 각기 자기 임무를 부지런히 하고 맡은 직책을
실추시키지 말아야 몸을 편안히 할 수 있음을 말씀한 것이다."

|喬木章|

7-1. 孟子見齊宣王曰 所謂故國者는 非謂有喬木之謂也라 有世臣之
謂也니 王無親臣矣로소이다 昔者所進을 今日에 不知其亡也온여

孟子께서 齊 宣王을 만나보고 말씀하셨다. "이른바 故國이란 것은 喬木이 있음을 말
함이 아니요 世臣이 있음을 말한 것입니다. 그런데 王은 친한 신하도 없으십니다. 前日
에 등용한 사람 중에 오늘 도망한 자가 있는 것을 모르고 계십니다."

集註ㅣ世臣은 累世勳舊之臣이니 與國同休戚[120]者也요 親臣은 君所親信之臣이니
與君同休戚者也라 此는 言 喬木世臣은 皆故國所宜有라 然이나 所以爲故國者는
則在此而不在彼[121]也라 昨日所進用之人이 今日有亡去而不知者면 則無親臣矣

119　趙氏曰:아래 내용은 趙岐의 註가 아니고 孫奭의 疏인 《孟子正義》에 보이는바, 《集註》에 잘못 표기한
것으로 보인다.
120　休戚:壺山은 "休戚'은 福禍란 말과 같다.〔休戚 猶言福禍〕" 하였다.
121　在此而不在彼:《大全》에 "'此'는 世臣을 이르고 '彼'는 喬木을 이른다.〔此謂世臣 彼謂喬木〕" 하였다.

···　答 대답할답 憚 꺼릴탄 恥 부끄러울치 墮 무너뜨릴휴(隳同) 喬 높을교 昔 옛석 累 포갤루 勳 공훈
舊 옛구 休 아름다울휴 戚 슬플척 昨 어제작

니 況世臣乎아

'世臣'은 累代 勳舊의 신하이니 국가와 더불어 좋고 나쁨을 함께하는 자요, '親臣'은 君主가 친애하고 신임하는 신하이니 군주와 더불어 좋고 나쁨을 함께하는 자이다.

이것은 "喬木과 世臣은 모두 故國에 마땅히 있어야 할 것이나 故國이 되는 이유는 이 世臣에 있고 저 喬木에 있지 않은 것이다. 어제 등용한 사람 중에 오늘 도망한 자가 있는데도 알지 못한다면 이것은 친한 신하도 없는 것이니, 하물며 世臣에 있어서랴."라고 말씀한 것이다.

7-2. 王曰 吾何以識其不才而舍之리잇고

王이 말씀하였다. "내 어떻게 그의 재주 없음을 알아서 버린단 말입니까?"

集註 | 王意以爲 此亡去者 皆不才之人이어늘 我初不知而誤用之라 故로 今不以其去爲意耳라 因問何以先識其不才而舍之邪아하니라

王의 뜻은 '도망한 자들은 모두 재주 없는 사람인데, 내가 애당초 이들을 알지 못하고 잘못 등용하였다.'고 생각하였다. 그러므로 지금 그들이 떠나간 것을 개의치 않은 것이다. 인하여 묻기를 "어떻게 하면 그의 재주 없음을 미리 알아서 버린단 말입니까?" 한 것이다.

7-3. 曰 國君이 進賢호되 如不得已니 將使卑蹄尊하며 疏蹄戚이니 可不愼與잇가

孟子께서 말씀하셨다. "나라의 君主는 어진이를 등용하되 부득이한 것처럼 해야 합니다. 장차 지위가 낮은 자로 하여금 높은 이를 넘게 하며 소원한 자로 하여금 친한 이를 넘게 하는 것이니, 신중히 하지 않을 수 있겠습니까.

集註 | 如不得已는 言謹之至也라 蓋尊尊, 親親[122]은 禮之常也라 然이나 或尊者親者未必賢이면 則必進疏遠之賢而用之니 是는 使卑者蹄尊하고 疏者蹄戚이니 非禮

---

122 尊尊親親:《大全》에 "世臣을 등용하면 높은 이를 높이고 친한 이를 친히 하는 것이다.〔用世臣 而尊其尊 親其親〕" 하였다.

··· 況 하물며황 舍 버릴사 誤 그르칠오 邪 의문할야 卑 낮을비 蹄 넘을유 尊 높을존 疏 소원할소
戚 친척척

之常이라 故로 不可不謹也라

'부득이한 것처럼 한다.'는 것은 삼가기를 지극히 함을 말한다. 높은 이를 높이고 친한 이를 친히 함은 禮의 떳떳함이다. 그러나 혹 높은 자와 친한 자가 반드시 어질지는 못하니, 그렇다면 반드시 소원한 어진 이를 등용하여 써야 한다. 이는 낮은 자로 하여금 높은 이를 넘게 하고 소원한 자로 하여금 친한 이를 넘게 하는 것이니, 禮의 떳떳함이 아니다. 그러므로 삼가지 않을 수 없는 것이다.

7-4. 左右皆曰賢이라도 未可也하며 諸大夫皆曰賢이라도 未可也하고 國人이 皆曰賢然後에 察之하여 見賢焉然後에 用之하며 左右皆曰不可라도 勿聽하며 諸大夫皆曰不可라도 勿聽하고 國人이 皆曰不可然後에 察之하여 見不可焉然後에 去之하며

左右의 신하들이 모두 〈그를〉 어질다고 말하더라도 허락하지 말고 여러 大夫들이 모두 어질다고 말하더라도 허락하지 말고, 國人이 모두 어질다고 말한 뒤에 〈군주가〉 살펴보아서 어짊을 본(발견한) 뒤에 등용하며, 左右의 신하들이 모두 〈그를〉 不可하다고 말하더라도 듣지 말고 여러 大夫들이 모두 不可하다고 말하더라도 듣지 말고, 國人이 모두 不可하다고 말한 뒤에 〈군주가〉 살펴보아서 不可한 점을 본 뒤에 버려야 합니다.

集註 | 左右는 近臣이니 其言이 固未可信이요 諸大夫之言은 宜可信矣라 然이나 猶恐其蔽於私也요 至於國人하여는 則其論이 公矣라 然이나 猶必察之者는 蓋人有同俗而爲衆所悅者[123]하고 亦有特立而爲俗所憎者[124]라 故로 必自察之하여 而親見其賢否之實然後에 從而用舍之면 則於賢者에 知之深하고 任之重이요 而不才者不得以

---

[123] 人有同俗而爲衆所悅者:新安陳氏(陳櫟)는 《孟子》에 논한 '鄕原을 온 지방 사람들이 모두 謹厚한 사람이라고 이른다.'고 한 것이 이것이다.〔若孟子所論鄕原一鄕皆稱原人 是也〕" 하였다. 이에 대한 자세한 내용은 〈盡心下〉 37장 참조.

[124] 亦有特立而爲俗所憎者:新安陳氏(陳櫟)는 "韓子(韓愈)가 논한 '伯夷가 우뚝하게 서고 홀로 행함에 온 세상이 비난했다.'는 것이 이것이다.〔若韓子所論伯夷特立獨行而擧世非之 是也〕" 하였다. 이 내용은 韓愈의 〈伯夷頌〉에 "士는 우뚝하게 서고 홀로 행함에 義에 맞게 할 뿐이다.……온 세상이 비난하여도 힘써 행하여 미혹되지 않은 자는 천백 년에 한 사람뿐이다.〔士之特立獨行 適於義而已……若至於 擧世非之 力行而不惑者 則千百年乃一人而已矣〕"라고 보인다.

⋯ 聽 들을 청 猶 오히려 유 蔽 가릴 폐 悅 기쁠 열 特 특별할 특 憎 미워할 증 否 아닐 부

幸進矣니 所謂進賢如不得已者 如此니라

'左右'는 가까운 신하이니 그 말이 진실로 믿을 만하지 못하고, 여러 大夫들의 말은 마땅히 믿을 만하나 그 私에 가리울까 두려운 것이요, 國人에 이르러서는 그 議論이 公正하나 그럼에도 반드시 살피는 것은, 사람 중에 세속과 함께하여 사람들로부터 좋아함을 받는 자도 있고, 홀로 우뚝하게 서서 세속으로부터 미움을 받는 자도 있다. 그러므로 반드시 군주가 스스로 살펴보아 그 賢否의 실제를 친히 본 뒤에 따라서 등용하고 버린다면, 어진 자에 대해서 앎이 깊고 맡기는 것이 중하고, 재주가 없는 자들이 요행으로 등용될 수 없을 것이니, 이른바 '어진 이를 등용하되 부득이한 것처럼 한다.'는 것은 이와 같은 것이다.

7-5. 左右皆曰可殺이라도 勿聽하며 諸大夫皆曰可殺이라도 勿聽하고 國人이 皆曰可殺然後에 察之하여 見可殺焉然後에 殺之니 故로 曰國人殺之也라하나이다

左右의 신하들이 모두 〈그의 죄가〉 죽일 만하다고 말하더라도 듣지 말고, 여러 大夫들이 모두 죽일 만하다고 말하더라도 듣지 말고, 國人이 모두 죽일 만하다고 말한 뒤에 〈군주가〉 살펴보아서 죽일 만한 점을 본 뒤에 죽여야 합니다. 그러므로 國人이 죽였다고 말하는 것입니다.

集註 | 此는 言非獨以此進退人才라 至於用刑에도 亦以此道니 蓋所謂天命天討[125]니 皆非人君之所得私也라

이는, 홀로(다만) 이 방법으로 인재를 등용하고 물리칠 뿐만 아니라, 刑을 씀에 있어서도 이 방법을 써야 함을 말씀한 것이다. 이는 이른바 '하늘이 〈벼슬을〉 명해 주고 하늘이 〈죄를〉 토벌한다.'는 것이니, 모두 군주가 사사로이 할 수 있는 것이 아니다.

---

125 天命天討:《書經》〈皐陶謨〉에 "하늘이 덕이 있는 자에게 관작을 명하시면 다섯 가지 복식으로 다섯 가지 등급을 드러내며, 하늘이 죄가 있는 자를 토벌하시면 다섯 가지 형벌로 다섯 가지 등급을 써서 징계한다.〔天命有德 五服五章哉 天討有罪 五刑五用哉〕"라고 한 말을 축약한 것이다.《大全》에는 '天命'에 대하여 '윗글의 '進人才'를 맺은 것이다.〔結上文進人才〕" 하였고, '天討'는 "이 한 節을 맺은 것이다.〔結此一節〕" 하였다.

••• 幸 요행행 獨 다만독 討 칠토 私 사사로이할사

7-6. 如此然後에 可以爲民父母니이다

이와 같이 한 뒤에야 백성의 父母라 할 수 있습니다."

集註 | 傳曰 民之所好를 好之하고 民之所惡(오)를 惡之 此之謂民之父母라하니라

傳(《大學》)에 이르기를 "백성이 좋아하는 것을 좋아하고 백성이 미워하는 것을 미워하니, 이를 일러 백성의 父母라 한다." 하였다.

|一夫紂章(湯放桀章)|

8-1. 齊宣王이 問曰 湯이 放桀하시고 武王이 伐紂라하니 有諸잇가 孟子對曰 於傳에 有之하니이다

齊 宣王이 물었다. "湯王이 桀王을 留置하고(가두어 두고) 武王이 紂王을 정벌하였다 하니, 그러한 일이 있습니까?"
孟子께서 대답하셨다. "傳(옛 책)에 있습니다."

集註 | 放은 置也라 書云 成湯이 放桀于南巢라하니라

'放'은 留置함이다. 《書經》〈仲虺之誥〉에 "成湯이 桀王을 南巢에 유치했다." 하였다.

8-2. 曰 臣弑其君이 可乎잇가

王이 말씀하였다. "신하가 그 군주를 시해함이 可합니까?"

集註 | 桀紂는 天子요 湯武는 諸侯라

桀·紂는 天子였고, 湯·武는 諸侯였다.

8-3. 曰 賊仁者를 謂之賊이요 賊義者를 謂之殘이요 殘賊之人을 謂之一夫니 聞誅一夫紂矣요 未聞弑君也니이다

··· 放 留置할 방 桀 횃대 걸 紂 고삐 주 置 둘 치 巢 둥지 소 弑 시해할 시 賊 해칠 적 殘 해칠 잔 誅 벨 주

孟子께서 말씀하셨다. "仁을 해치는 자를 賊이라 이르고, 義를 해치는 자를 殘이라 이르고, 殘賊한 사람을 一夫라 이르니, 一夫인 紂를 죽였다는 말은 들었고 君主를 시해하였다는 말은 듣지 못하였습니다."

按說 | '一夫紂'에 대하여, 新安陳氏(陳櫟)는

> 紂王의 죄가 桀王보다 더하였다. 그러므로 아랫글에 오직 紂王을 말한 것이다.〔紂罪浮於桀 故下文單說紂〕

하였다.

'謂之殘'에 대하여, 壺山은

> 살펴보건대 '賊'은 '殘'을 포함할 수 있기 때문에 '義를 해친다〔殘義〕'고 말하지 않고 또한 '義를 해친다〔賊義〕'고 말한 것이다.〔按賊可以該殘 故不云殘義而亦云賊義〕

하였다.

集註 | 賊은 害也요 殘은 傷也라 害仁者는 凶暴淫虐하여 滅絶天理라 故로 謂之賊이요 害義者는 顚倒錯亂하여 傷敗彝倫[126]이라 故로 謂之殘이라 一夫는 言衆叛親離하여 不復以爲君也라 書曰 獨夫紂라하니 蓋四海歸之면 則爲天子요 天下叛之면 則爲獨夫니 所以深警齊王하여 垂戒後世也시니라

'賊'은 해침이요 '殘'은 상함이다. 仁을 해치는 자는 凶暴하고 淫虐(지나치게 포학함)해서

---

126 害仁者……傷敗彝倫:朱子는《語類》에서, "人倫을 상하고 무너뜨린다는 것은 다만 소소하게 떳떳한 이치를 해치고 무너뜨린 것이니, 예컨대 '禮대로 먹지 않고, 아내를 친히 맞이하지 않은 따위'이고, 만약 '형의 팔뚝을 비틀어 빼앗아 먹고', '동쪽집의 담장을 넘어 處子를 낚아채 오는 것'은 바로 天理를 滅絶하는 것이다.〔傷敗彝倫 只是小小傷敗常理 如不以禮食, 不親迎之類 若紾兄之臂, 踰東家墻底 便是絶滅天理〕" 하였고, 또 〈丹書〉에 '태만함이 공경을 이기는 자는 멸망한다.'는 것은 바로 '賊仁者 謂之賊'의 뜻이요, '욕심이 義理를 이기는 자는 凶하다.'는 것은 바로 '賊義者 謂之殘'의 뜻이다. 義를 해친다는 것은 한 가지 일에 나아가 말한 것이요, 仁을 해친다는 것은 바로 마음에 나아가 말한 것이니, 그 실제는 義를 해치면 곧 仁을 해치게 되는데, 다만 나누어 말하면 이와 같은 것이다.〔丹書怠勝敬者滅 卽賊仁者謂之賊意 欲勝義者凶 卽賊義者謂之殘意 賊義 是就一事上說 賊仁 是就心上說 其實賊義 便卽是賊那仁底 但分而言之 則如此〕" 하였다. 위의 '禮대로 먹지 않고……처자를 낚아채오는 등'의 내용은 아래 〈告子上〉 첫장에 보인다.

··· 傷 해칠 상 淫 음란할 음 虐 모질 학 顚 엎어질 전 倒 쓰러질 도 錯 어그러질 착 彝 떳떳할 이 叛 배반할 반 警 경계할 경 垂 드리울 수

天理를 끊어버리므로 賊이라 이르고, 義를 해치는 자는 顚倒하고 錯亂해서 떳떳한 人倫을 상하고 무너뜨리므로 殘이라 이른다. '一夫'는 民衆이 배반하고 親戚들이 이반해서 다시는 군주로 여기지 않음을 말한다. 《書經》〈泰誓〉에 '獨夫紂'라 하였으니, 四海가 돌아오면 天子가 되고 天下가 배반하면 獨夫가 되는 것이니, 齊王을 깊이 경계해서 후세에 경계를 남기신 것이다.

章下註 | ○ 王勉曰 斯言也는 惟在下者有湯武之仁하고 而在上者有桀紂之暴면 則可커니와 不然이면 是未免於簒弑之罪也[127]니라

○ 王勉이 말하였다. "이 말씀은 오직 아랫자리에 있는 자에게 湯·武의 仁이 있고 윗자리에 있는 자에게 桀·紂의 포악함이 있는 경우이면 可하지만, 그렇지 않으면 簒弑의 죄를 면치 못한다."

|爲巨室章|

9-1. 孟子見齊宣王曰 爲巨室인댄 則必使工師로 求大木하시리니 工師得大木이면 則王喜하여 以爲能勝其任也라하시고 匠人이 斲而小之면 則王怒하여 以爲不勝其任矣라하시리니 夫人이 幼而學之는 壯而欲行之니 王曰 姑舍女(汝)所學하고 而從我라하시면 則何如하니잇고

孟子께서 齊 宣王을 보고 말씀하셨다. "큰 궁궐을 지으시려면 반드시 工師(도목수)로 하여금 큰 나무를 구하게 하실 것이니, 工師가 큰 나무를 얻으면 王은 기뻐하여 〈이 사람은〉 그 임무를 감당할 수 있다고 여기시고, 匠人이 〈이 나무를〉 깎아서 작게 만들면 王은 노하여 〈이 사람은〉 그 임무를 감당하지 못한다고 여기실 것입니다. 사람이 어려서 배우는 것은 장성해서 배운 것을 행하고자 해서이니, 王께서 우선 네가 배운 것을 버리고 나를 따르라 하신다면 어떻겠습니까?

---

127 王勉曰……是未免於簒弑之罪也:雲峰胡氏(胡炳文)는 "孟子의 말씀이 없으면 후세에 人君이 된 자를 경계할 수가 없고, 王氏의 말이 없으면 후세에 신하된 자를 경계할 수가 없다. 그러나 孟子가 말씀하시기를 '伊尹의 뜻이 있으면 괜찮지만 伊尹의 뜻이 없으면 찬탈인 것이다.' 하셨으니, 王氏의 말이 일찍이 《孟子》에서 나오지 않은 것이 아니다.〔無孟子之說 無以警後世之爲人君者 無王氏之說 無以警後世之爲人臣者 然孟子曰 有伊尹之志則可 無伊尹之志則簒 王氏之說未嘗不自孟子中來〕"하였다.

··· 勉 힘쓸 면 簒 빼앗을 찬 師 우두머리 사 勝 이길 승, 감당할 승 匠 목수 장 斲 깎을 착 壯 장할 장 姑 우선 고 舍 버릴 사

集註 | 巨室은 大宮也라 工師는 匠人之長이요 匠人은 衆工人也라 姑는 且也라 言賢人所學者大어늘 而王欲小之也라

'巨室'은 큰 궁궐이다. '工師'는 匠人의 우두머리요, '匠人'은 여러 工人들이다. '姑'는 우선이다. 賢人이 배운 것이 큰데 王이 이것을 작게 하고자 함을 말씀한 것이다.

9-2. 今有璞玉於此하면 雖萬鎰이라도 必使玉人彫琢之하시리니 至於治國家하여는 則日 姑舍女所學하고 而從我라하시면 則何以異於敎玉人彫琢玉哉잇고

지금 여기에 璞玉이 있으면 비록 〈그 값어치가 黃金〉 萬鎰이라도 반드시 玉人(玉工)으로 하여금 彫琢(쪼아내어 다듬음)하게 하실 것이니, 국가를 다스림에 있어서는 우선 네가 배운 것을 버리고 나를 따르라 하신다면, 玉人에게 玉을 彫琢하는 방법을 가르치는 것과 무엇이 다르겠습니까."

按說 | '何以異'는 '어찌하여 다르게 하는가'와 '무엇이 다르겠는가'로 해석할 수 있으며, '敎' 또한 '하여금'과 '가르치다'로 해석할 수 있는바, 전자에 의하면 '玉人으로 하여금 玉을 彫琢하게 하는 것과 어찌하여 다르게 하는가'로 해석되며, 후자에 의하면 위의 번역문과 같이 해석된다.
官本諺解와 栗谷諺解에는 후자의 해석을 따라 '玉人에게 玉을 彫琢하는 방법을 가르치는 것과 무엇이 다르겠는가'의 뜻으로 해석하여, 玉을 다룰 줄 모르는 王이 玉工에게 이래라 저래라 훈수하는 것과 다를 것이 없다는 내용으로 보았는바, 이는 〈梁惠王上〉 3장에 '何異於刺人而殺之日 非我也 兵也'와 文法이 同一하다.
壺山 역시 《語類》의 朱子의 말씀과 '敎'를 '하여금'의 사역형으로 볼 경우 平聲으로 읽어야 하는데, 朱子의 讀音 표시가 없음을 들어 다음과 같이 주장하였다.

··· 且 우선 차 璞 옥덩어리 박 鎰 스물네냥 일 彫 새길 조 琢 쪼을 탁 敎 하여금 교, 가르칠 교

이는 마지막 구절의 말의 뜻을 해석한 것이요 문장의 뜻을 바르게 해석한 것이 아니다. 살펴보건대, 《語類》에 이르기를, "玉人은 본래 玉을 다룰 줄 아니 어찌 그에게 〈옥 다듬는 방법〉을 가르칠 필요가 있으며, 현자는 본디 배운 바가 있으니 어찌 굳이 그를 가르쳐서 그가 이미 배운 것을 버리게 하겠는가." 하였으니, 우선 이에 따라 해석하면, 아마도 前篇의 '無以異' '何以異'의 어세와 諺解의 해석과 어긋나지 않을 것이다. 이 글에서 '何以異'라고 말한 것은 모두 '어찌 다른가'로 '以'字를 虛字로 본 것이니, 여기의 '敎'字는 바로 後篇의 '자신이 가르칠 수 있는 신하를 좋아한다'의 '敎'字와 용법이 같다. 그런데 '何以異'의 뜻으로 해석한다면, 비록 '愛玉'의 글에 가장 걸맞을 듯하나, 만일 이런 뜻이라면, '敎'字는 '하여금 使'의 뜻이 되어야 하고 또 平聲이 되어야 하는데 音訓이 없으니, 이를 통해 朱子의 뜻을 알 수 있다.〔此 釋末句之語意耳 非正釋其文義也 按語類 有曰 玉人自會琢玉 何消敎他 賢者自有所學 何用敎佗 舍其所學 姑依此讀之 庶無悖於前篇無以異何以異之語勢 與諺解之釋矣 此書凡言何以異 猶言是何異也 皆以以字 作虛字用 而此敎字 卽後篇好臣其所敎之敎字也 若讀作何以異之之義 則雖於不如愛玉之文 似爲捷徑 然如此 則敎字當爲使義 且音平聲 而音訓無之 朱子之意 有可知耳〕

楊伯峻 역시 '가르치다'로 해석하였다.

반면 艮齋(田愚)의 懸吐本에는 "'敎字'는 마땅히 去聲으로 읽어야 한다.〔敎字當作去聲讀〕"라고 표기하여 '하여금'으로 해석해야 함을 밝히고 있으며, 本人이 師事했던 瑞巖(金熙鎭) 先生 역시 '敎'를 '하여금'으로 보아 "玉人으로 하여금 玉을 彫琢하게 하는 것과 왜 다르게 하십니까."로 해석하였다. 그리하여 지난번 傳統文化硏究會에서 刊行한 譯本에는 瑞巖 先生의 說을 따라 번역하였음을 밝혀둔다.

集註 | 璞은 玉之在石中者라 鎰은 二十兩[128]也라 玉人은 玉工也라 不敢自治而付之能者는 愛之甚也라 治國家는 則徇私欲而不任賢하니 是는 愛國家不如愛玉也라

'璞'은 玉이 돌 속에 들어 있는 것이다. '鎰'은 20兩이다. '玉人'은 玉工이다. 감히 스스로

---

128 鎰 二十兩:東陽許氏(許謙)는 "萬鎰은 璞玉의 가치가 萬鎰의 金과 같음을 말한 것이다.〔萬鎰 謂璞玉之價直(値) 萬鎰之金也〕" 하였으며, 趙氏(趙順孫)는 "《國語》에 '24냥이 鎰이 된다.' 하였으니, 趙岐의 註가 잘못되었는데, 《集註》가 그대로 따른 것이다.〔國語云 二十四兩爲鎰 趙岐誤註 集註因之〕" 하였다. 趙岐와 焦循은 '萬鎰'을 '많음(衆多)'을 뜻하는 것으로 보았으나, 楊伯峻은 "귀중함을 말한 것이지 많음을 말한 것이 아니다." 하였다. 24兩이 정설이며, 萬鎰은 그 값어치가 黃金 萬鎰임을 뜻한다.

••• 付 맡길 부 徇 따를 순

직접 다스리지 못하고 유능한 자에게 맡기는 것은 사랑하기를 심히 하는 것이다. 국가를 다스림에는 사욕을 따르고 어진 이에게 맡기지 않으니, 이는 국가를 사랑함이 玉을 사랑함만 못한 것이다.

章下註 | ○范氏曰 古之賢者는 常患人君不能行其所學하고 而世之庸君은 亦常患賢者不能從其所好라 是以로 君臣相遇를 自古以爲難[129]하니 孔孟이 終身而不遇는 蓋以此耳시니라

○范氏(范祖禹)가 말하였다. "옛날의 賢者들은 항상 人君이 자신의 배운 바를 행하지 못할까 걱정하였고, 세상의 庸君(용렬한 군주들)은 항상 賢者가 자신의 좋아하는 바를 따르지 못할까 걱정하였다. 이 때문에 〈어진〉 군주와 신하가 서로 만나는 것을 예로부터 어렵게 여겼으니, 孔子와 孟子가 종신토록 〈어진 군주를〉 만나지 못한 것은 이 때문이었다."

|齊人伐燕勝之章|

10-1. 齊人이 伐燕勝之어늘

齊나라 사람이 燕나라를 쳐서 승리하였다.

按說 | 《大全》에는 《史記》〈燕召公世家〉의 기록을 다음과 같이 인용하고 있다.

燕王 噲(쾌)가 정승인 子之를 등용하였는데, 蘇代가 齊나라를 위하여 燕나라에 사신 가서 일로써 燕王을 격동시켜 子之를 높이도록 하니, 이에 燕王이 子之를 크게 신임하였다. 鹿毛壽가 燕王에게 이르기를 "나라를 정승 子之에게 사양하는 것만 못합니다. 사람들이 堯임금을 현자라고 이르는 것은 천하를 許由에게 사양하였기 때문이니, 許由가 〈천하를〉 받지 아니하여, 堯임금은 천하를 사양했다는 이름은 있으나 실제는 천하를 잃지 않았습니다. 지금

---

129 古之賢者……自古以爲難:新安陳氏(陳櫟)는 "앞에는 王이 賢者를 작게 등용함(써 먹음)을 비유하였고, 뒤에는 왕이 賢者를 오로지 등용하지 않음을 비유하였으니, 賢者를 제대로 등용하지 못함은 모두 자기의 사욕이 해친 것이다. 용렬한 군주는 반드시 賢者의 배운 바를 행하지 못하고, 賢者는 반드시 용렬한 군주의 좋아하는 바를 따르려 하지 않으니, 이 때문에 賢者와 훌륭한 군주가 만나 부합하기가 어려운 것이다.〔前譬王欲小用賢者 後譬王不專用賢者 所以不能用賢 皆己之私欲害之 庸君必不能行賢者之所學 賢者必不肯從庸君之所好 此遇合所以難也〕"하였다.

··· 庸 어리석을용 遇 만날 우 燕 나라 연 勝 이길 승

왕께서 나라를 子之에게 사양하시면 子之가 반드시 감히 받지 못할 것이니, 이는 왕께서 堯임금과 똑같은 행실을 하시는 것입니다." 하였다. 燕王이 이로 인해 나라를 子之에게 부탁하였다. 子之는 〈燕王의 사양을 그대로 받아들여〉 南面하여 왕의 일을 행하고, 噲는 늙어서 정사를 다스리지 않고 도리어 신하가 되니, 國事가 모두 子之에 의해 결정되었다. 3년 만에 나라가 크게 혼란하여 백성들이 애통해하고 두려워하였다. 將軍 市被가 太子 平과 도모하여 子之를 공격하려 하였는데, 여러 장수가 齊나라 湣王[130]에게 이르기를 "이틈에 공격하면 燕나라를 격파할 것이 틀림없습니다." 하였다. 齊王이 사람을 시켜 燕나라 太子에게 알리자, 太子가 인하여 市被와 함께 公宮을 포위하여 子之를 공격하였으나 이기지 못하였다. 장군 市被는 백성들과 함께 도리어 太子 平을 공격하다가 죽임을 당하여 조리돌려지니, 인하여 난리가 일어나 몇 달 만에 죽은 자가 수만 명이었다. 사람들이 애통해하고 두려워하였으며, 백성들이 離叛하고 원망하였다. 孟軻(孟子)가 齊王에게 이르기를 "지금 燕나라를 정벌하면 이는 文王과 武王의 시기이니, 놓쳐서는 안 됩니다." 하였다. 王이 이 말을 듣고서 章子로 하여금 五都의 군대를 거느리고 北地의 무리(군대)를 이용하여 燕나라를 정벌하니, 연나라 士卒들이 싸우지도 않고 城門을 닫지도 아니하여, 燕王 噲가 죽고 齊나라가 크게 승리하였다. 연나라 子之가 죽은 지 2년에 연나라 사람들이 함께 太子 平을 세우니, 이분이 燕昭王이다.[131]〔燕王噲用其相子之 蘇代爲齊使於燕 以事激燕王 以尊子之 於是燕王大信子之 鹿毛壽謂燕王 不如以國讓相子之 人之謂堯賢者 以其讓天下於許由 許由不受 有讓天下之名 而實不失天下 今王以國讓於子之 子之必不敢受 是王與堯同行也 燕王因屬國於子之 子之南面行王事 而噲老 不聽政 顧爲臣 國事皆決於子之 三年 國大亂 百姓恫恐 將軍市被 與太子平謀 將攻子之 諸將謂齊湣王曰 因而赴之 破燕必矣 齊王令人告燕太子 太子因與市被圍公宮 攻子之 不克 將軍市被及百姓 反攻太子平 市被死以徇 因構難數月 死者數萬 衆人恫恐 百姓離怨 孟軻謂齊王曰 今伐燕 此文武之時 不可失也 王因令章子 將五都之兵 因北地之衆 以伐燕 士卒不戰 城門不閉 燕王噲死 齊大勝 燕子之亡二年 而燕人共立太子平 是爲燕昭王〕

---

130 齊나라 湣王 : 湣王이 아니라 宣王으로 보는 說이 많다. 아래 2절의 각주 참조.

131 이분이 燕 昭王이다 : 錢穆은 《先秦諸子繫年》에서, 燕 昭王은 公子 職이고 太子 平은 子之의 공격을 받아 將軍 市被와 함께 죽은 것으로 보았다. 〈公孫丑下〉 9-1절 按說 참조.

集註 | 按史記에 燕王噲(쾌)讓國於其相子之에 而國大亂이어늘 齊因伐之한대 燕士
卒不戰하고 城門不閉하여 遂大勝燕하니라

《史記》를 살펴보면, 燕王 噲가 정승인 子之에게 나라를 양보하자, 燕나라가 크게 혼란하였
다. 齊나라가 이 틈을 타 정벌하자, 燕나라 士卒들은 싸우지도 않고 城門을 닫지도 않았다.
그리하여 마침내 燕나라를 크게 이겼다.

10-2. 宣王이 問曰 或謂寡人勿取라하며 或謂寡人取之라하나니 以萬乘
之國으로 伐萬乘之國하여 五旬而擧之하니 人力으론 不至於此니 不取하
면 必有天殃이니 取之何如하니잇고

宣王이 물었다. "혹자는 寡人더러 〈燕나라를〉 취하지 말라 하고, 혹자는 寡人더러 취
하라 합니다. 萬乘의 나라(齊)를 가지고 萬乘의 나라(燕)를 정벌하였는데 50일 만에
완전히 점령하였으니, 人力으로는 이에 이르지 못합니다. 취하지 않는다면 반드시 하늘
의 재앙이 있을 것이니, 취하는 것이 어떠합니까?"

按說 | '不取 必有天殃'에 대하여, 楊伯峻은

《國語》〈越語〉에, "좋은 시기를 얻으면 게을리하지 말아야 하니 기회는 두 번 다시 오지 않
고, 하늘이 주는 것을 받지 않으면 도리어 재앙이 된다.〔得時無怠 時不再來 天予不取 反
爲之災〕"하였고, 《春秋左傳》僖公 33년 조에, "하늘이 우리에게 기회를 준 것입니다. 하늘
이 준 기회를 놓쳐서도 안 되고, 적을 놓아주어서도 안 됩니다. 적을 놓아주면 환난이 생기고
하늘의 뜻을 어기면 상서롭지 못합니다.〔天奉我也 奉不可失 敵不可縱 縱敵患生 違天
不祥〕" 하였으니, 이를 통해 '하늘이 주는 것을 취하지 않으면 반드시 하늘의 재앙이 있다.'
는 것이 당시 유행하였던 관념임을 알 수 있다.

하였다.
'伐萬乘之國'의 懸吐를, 官本諺解에는 '伐萬乘之國호딕'로 되어 있으나, 栗谷諺解의
'伐萬乘之國ㅎ야'를 따라 '하여'로 수정하였다.

··· 按 살필 안 噲 목구멍 쾌 讓 사양할 양 相 정승 상 閉 닫을 폐 遂 마침내 수 旬 열흘 순 擧 함락할 거
殃 재앙 앙

集註 | 以伐燕爲宣王事는 與史記諸書不同하니 已見序說¹³²하니라

燕나라를 정벌한 것을 宣王의 일이라 한 것은 《史記》 등 여러 책과 똑같지 않으니, 이미 〈序說〉에 보인다.

10-3. 孟子對曰 取之而燕民悅則取之하소서 古之人이 有行之者하니 武王이 是也니이다 取之而燕民不悅則勿取하소서 古之人이 有行之者하니 文王이 是也니이다

孟子께서 대답하셨다. "취해서 燕나라 백성들이 기뻐하면 취하소서. 옛 사람 중에 이것을 행하신 분이 있으니, 武王이 바로 그 분입니다. 취해서 燕나라 백성들이 기뻐하지 않으면 취하지 마소서. 옛 사람 중에 이것을 행하신 분이 있으니, 文王이 바로 그 분입니다.

集註 | 商紂之世에 文王이 三分天下에 有其二로되 以服事商¹³³이러시니 至武王十三年하여 乃伐紂而有天下하시니라

張子曰 此事는 間不容髮이니 一日之間에 天命未絶이면 則是君臣이요 當日命絶이면 則爲獨夫라 然이나 命之絶否를 何以知之오 人情而已라 諸侯不期而會者 八百¹³⁴이니 武王이 安得而止之哉시리오

---

132 伐燕爲宣王事……已見序說:《史記》에는 齊 湣王 10년에 燕나라를 친 것으로 되어 있다. 朱子는 앞의 〈序說〉에서 《史記》와 《荀子》 등에는 湣王 때의 일이라 하고 《孟子》와 《通鑑》에는 宣王 때의 일이라 하는데 어느 것이 옳은지 알 수 없다고 하였다. 茶山은 《戰國策》에 의거하여 《孟子》의 기록이 옳다고 하였고, 楊伯峻은 齊 宣王 5년(B.C.315)으로 보았고, 楊寬의 《戰國史》에는 齊 宣王 6년으로 보았다.

133 商紂之世……以服事商:《論語》〈泰伯〉에 孔子께서 文王의 덕을 칭송하여 "천하를 三分함에 그 둘을 소유하시고도 복종하여 殷나라를 섬기셨다.〔三分天下 有其二 以服事商〕" 하셨는데, 《集註》에 "《春秋左傳》에 '文王이 商나라를 배반한 나라들을 거느리고서 紂王을 섬겼다.' 하였으니, 天下에서 文王에게 귀속한 州가 여섯이니, 荊州·梁州·雍州·豫州·徐州·揚州이고, 오직 青州·兗州·冀州만이 아직도 紂王에게 소속해 있었다.〔春秋傳曰 文王 率商之畔國 以事紂 蓋天下 歸文王者六州 荊梁雍豫徐揚也 惟青兗冀 尙屬紂耳〕"라고 자세히 보인다.

134 諸侯不期而會者八百:《史記》〈秦楚之際月表〉에 "諸侯들이 날짜를 기약하지 않고 孟津에 모인 자가 8백이었는데, 武王은 그런데도 '아직 紂王을 정벌해서는 안 된다.'라고 하였다. 그러다가 그 뒤에서야 비로소 紂王을 放置하여 시해하였다.〔不期而會孟津八百諸侯 猶以爲未可 其後乃放弑〕"라고 보인다.

··· 商 나라상 紂 고삐주 否 아닐부 期 기약할기 安 어찌안

商나라 紂王의 세대에 文王이 天下를 3분함에 그 둘을 소유하셨는데도 商나라를 섬기셨는데, 武王 13년에 이르러서야 비로소 紂王을 정벌하여 天下를 소유하였다.

張子(張載)가 말씀하였다. "이 일은 사이에 털끝 하나도 용납할 수 없으니, 하룻동안이라도 天命이 끊기지 않았으면 君臣間이요, 당일에 天命이 끊기면 獨夫가 되는 것이다. 그러나 命의 끊기고 끊기지 않음을 무엇으로 아는가? 사람의 마음일 뿐이다. 諸侯들이 〈정벌하기를〉 기약하지 않았는데도 모인 자가 8백이나 되었으니, 武王이 어떻게 〈정벌을〉 중지할 수 있었겠는가."

10-4. 以萬乘之國으로 伐萬乘之國이어늘 簞食(사)壺漿으로 以迎王師는 豈有他哉리오 避水火也니 如水益深하며 如火益熱이면 亦運而已矣니이다

萬乘의 나라를 가지고 萬乘의 나라를 정벌하였는데, 〈燕나라 백성들이〉 대바구니에 밥을 담고 병에 장물을 담아서 王의 군대를 환영한 것은 어찌 딴 이유가 있겠습니까. 물과 불을 피한 것이니, 만일 물이 더욱 깊어지며 불이 더욱 뜨거워진다면 또한 딴 곳으로 轉向할 뿐입니다."

按說 | 壺山은 "'漿'은 醋와 醬이다.〔漿 醋醬也〕" 하였다.

'亦運而已矣'에 대하여, 朱子는 '백성들이 장차 전향해서 타인에게 구원을 바랄 것이다.'로 보았으나, 楊伯峻은 '亦'은 '단지〔祇〕'라 하고 '이는 단지 통치자가 燕나라에서 齊나라로 바뀌는 것 뿐이다.'로 번역하였다. 이는 燕나라 백성들이 齊나라의 구원을 바라 齊나라 군대가 無血入城을 하였는데, 齊나라가 기대에 부응하지 못하고 단지 통치자만 바뀌었을 뿐임을 말한 것이다.

集註 | 簞은 竹器요 食는 飯也라 運은 轉也라 言 齊若更爲暴虐[135]이면 則民將轉而望

---

135 齊若更爲暴虐:壺山은 "이 '若'字는 바로 아랫장 '若殺'의 '若(만약)'字와 같으니, 經文의 두 '如'字의 뜻을 해석한 것이다. 諺解에는 '似'의 뜻으로 해석한 듯하니 아마도 잘못된 듯하다." 하였다. '如水益深 如火益熱'을, 官本諺解에는 '水ㅣ 더욱 深툿 ᄒ며 火ㅣ 더욱 熱툿 ᄒ면'으로 되어 있고, 栗谷諺解에는 '水ㅣ 더 깁툿 ᄒ며 火ㅣ 더 덥툿 ᄒ면'으로 되어 있으므로, 壺山이 이렇게 말한 것이다.

··· 簞 대그릇 단 食 밥 사 壺 병 호 漿 장물 장 迎 맞이할 영 熱 더울 열 運 옮길 운 飯 밥 반 轉 옮길 전 更 다시 갱

救於他人矣라

'簞'은 대나무 그릇이요, '食'는 밥이다. '運'은 轉向함이다. 齊나라가 만일 다시 포악한 짓을 한다면 백성들이 장차 전향해서 타인에게 구원을 바랄 것임을 말씀한 것이다.

章下註ㅣ ○ 趙氏曰[136] 征伐之道는 當順民心이니 民心悅이면 則天意得矣니라

○ 趙氏(趙岐)가 말하였다. "정벌하는 방법은 마땅히 民心에 순응해야 하니, 民心이 기뻐하면 하늘의 뜻에 맞는다."

| 齊人伐燕取之章(千里畏人章) |

11-1. 齊人이 伐燕取之한대 諸侯將謀救燕이러니 宣王曰 諸侯多謀伐寡人者하니 何以待之잇고 孟子對曰 臣聞 七十里로 爲政於天下者는 湯이 是也니 未聞以千里畏人者也니이다

齊나라 사람이 燕나라를 정벌하여 취하자(점령하자), 제후들이 장차 燕나라를 구원할 것을 도모하였다. 宣王이 물었다. "제후들이 寡人을 정벌할 것을 도모하는 자가 많으니, 어떻게 이들을 대해야 합니까?"
孟子께서 대답하셨다. "臣이 들으니, 70里로 천하에 정사를 한 자는 湯王이 이 분이니, 千里를 가지고 남을 두려워했다는 자는 듣지 못하였습니다.

集註ㅣ 千里畏人은 指齊王也라

'千里를 가지고 남을 두려워한다.'는 것은 齊王을 가리킨 것이다.

11-2. 書曰 湯이 一征을 自葛始하신대 天下信之하여 東面而征에 西夷怨하며 南面而征에 北狄怨하여 曰 奚爲後我오하여 民이 望之호되 若大旱之望雲霓也하여 歸市者不止하며 耕者不變이어늘 誅其君而弔其民하신

---

136 趙氏曰:이 내용 역시 趙岐의 註가 아니고 孫奭의 疏에 보인다.

••• 謀 꾀할 모 待 대할 대 葛 칡 갈, 나라이름 갈 面 향할 면 征 칠 정 狄 북쪽오랑캐 적 霓 무지개 예 耕 밭갈 경
弔 위로할 조

대 若時雨降이라 民이 大悅하니 書曰 奚我后하다소니 后來하시니 其蘇라하니이다

《書經》에 이르기를 '湯王이 첫 번째 정벌을 葛나라로부터 시작하시자, 天下 사람들이 믿어서 동쪽을 향하여 정벌함에 서쪽 오랑캐가 원망하며, 남쪽을 향하여 정벌함에 북쪽 오랑캐가 원망하여 말하기를 「어찌하여 우리나라를 뒤에 정벌하는가.」 하여, 백성들이 湯王이 정벌해 주기를 바라되 마치 큰 가뭄에 구름과 무지개를 바라듯이 하여, 시장으로 돌아가는 자가 멈추지 않고 밭가는 자가 변동하지 않자, 포악한 군주를 誅罰하고 백성들을 위문하시니, 단비가 내린 듯이 백성들이 크게 기뻐했다.' 하였습니다. 《書經》에 이르기를 '우리 임금님을 기다리니, 임금님이 오시면 소생하게 되겠지.' 하였습니다.

按說 │ "后來其蘇"에 대하여 栗谷諺解에는 '后來其蘇ㅣ라 ㅎ니이다'라고 하여 '后來' 아래 懸吐가 없으나, 해석에는 '님금이 오시면'으로 되어 있다.

集註 │ 兩引書는 皆商書仲虺之誥文也니 與今書文으로 亦小異라 一征은 初征也라 天下信之는 信其志在救民이요 不爲暴也라 奚爲後我는 言湯何爲不先來征我之國也라 霓는 虹也니 雲合則雨하고 虹見(현)則止라 變은 動也라 徯는 待也라 后는 君也라 蘇는 復生也라 他國之民이 皆以湯爲我君而待其來하여 使己得蘇息也라 此는 言湯之所以七十里而爲政於天下也라

두 번 인용한 《書經》은 모두 《商書》〈仲虺之誥〉에 있는 글이니, 지금 《書經》의 글과는 약간 다르다. '一征'은 첫 번째 정벌이다. '천하가 믿었다'는 것은 그 뜻이 백성을 구제함에 있고 포악한 짓을 하지 않을 것임을 믿은 것이다. '奚爲後我'는 '湯王이 어찌하여 먼저 와서 우리나라를 정벌하지 않는가.'라는 말이다. '霓'는 무지개이니, 구름이 모이면 비가 내리고 무지개가 나타나면 멈춘다. '變'은 변동함이다. '徯'는 기다림이다. '后'는 군주이다. '蘇'는 다시 살아남이다.

他國의 백성들이 모두 湯王을 우리 군주라 하고, 그가 오기를 기다려서 자신들로 하여금 소생할 수 있게 하기를 바란 것이다. 이것은 湯王이 70里를 가지고 천하에 정사하게 된 이유를 말씀한 것이다.

··· 徯 기다릴 혜 后 임금 후 蘇 소생할 소 虺 뱀 훼 誥 가르칠 고 虹 무지개 홍 待 기다릴 대 息 숨쉴 식

11-3. 今에 燕虐其民이어늘 王이 往而征之하시니 民以爲將拯己於水火
之中也라하여 簞食壺漿으로 以迎王師어늘 若殺其父兄하며 係累其子弟
하며 毀其宗廟하며 遷其重器하면 如之何其可也리오 天下固畏齊之彊
也니 今又倍地而不行仁政이면 是는 動天下之兵也니이다

지금 燕나라가 백성들에게 포학하게 하므로 王께서 가서 정벌하시니, 燕나라 백성들은
장차 자신들을 水火(塗炭)의 가운데에서 구원해 줄 것이라고 여겨, 대바구니에 밥을
담고 병에 장물을 담아서 王의 군대를 환영한 것입니다. 그런데 만일 그 父兄을 죽이고
子弟들을 구속하며 宗廟를 부수고 중요한 기물들을 옮겨온다면 어찌 可하겠습니까.
천하가 진실로 齊나라의 강함을 꺼리고 있는데, 지금 또다시 땅을 배로 확장하고 仁政
을 행하지 않는다면 이것은 천하의 군대(전쟁)를 움직이게 하는 것입니다.

集註 | 拯은 救也라 係累는 縶縛也라 重器는 寶器也라 畏는 忌也라 倍地는 幷燕而增
一倍之地也라 齊之取燕을 若能如湯之征葛이면 則燕人悅之하여 而齊可爲政於天
下矣어늘 今乃不行仁政하고 而肆爲殘虐하니 則無以慰燕民之望而服諸侯之心이
라 是以로 不免乎以千里而畏人也라

'拯'은 구원함이다. '係累'는 묶는 것이다. '重器'는 寶器이다. '畏'는 꺼리는 것이다. '倍
地'는 燕나라를 겸병해서 땅을 두 배로 늘린 것이다. 齊나라가 燕나라를 취하기를 만일 湯
王이 葛나라를 정벌한 것과 같이 하였더라면, 燕나라 사람들이 기뻐해서 齊나라가 천하에
정사를 할 수 있었을 것이다. 그런데 지금 마침내 仁政을 행하지 않고 함부로 잔학한 짓을
하였으니, 그렇다면 燕나라 백성들의 소망을 위안하고 제후들의 마음을 복종시킬 수가 없
다. 이 때문에 千里를 가지고도 남을 두려워함을 면치 못하는 것이다.

11-4. 王速出令하사 反其旄倪하시며 止其重器하시고 謀於燕衆하여 置
君而後에 去之하시면 則猶可及止也리이다

王께서 속히 명령을 내리시어 〈포로로 잡은〉 노약자들을 돌려보내시며 중요한 기물들
을 〈수송해오던 것을〉 중지하시고 燕나라 민중들과 상의해서 군주를 세워준 뒤에 떠나
오신다면 오히려 〈전란이 일어나기 전에〉 전란을 중지시킬 수 있을 것입니다."

··· 拯 구원할증 壺 병호 漿 장물장 係 묶을계 累 묶을루 毀 부술훼 廟 사당묘 遷 옮길천 縶 묶을칩
縛 묶을박 肆 방자할사 殘 해칠잔 慰 위로할위 反 돌이킬반 旄 늙은이 모(耄同) 倪 어린이 예 置 세울 치

集註 | 反은 還也라 旄는 老人也요 倪는 小兒也니 謂所虜略之老小也라 猶는 尙也라 及止는 及其未發而止之也라

'反'은 반환이다. '旄'는 노인이요 '倪'는 소아이니, 노략질한 노인과 소아를 이른다. '猶'는 오히려이다. '及止'는 전란이 발발하기 전에 미쳐 중지하는 것이다.

章下註 | ○范氏曰 孟子事齊梁之君에 論道德則必稱堯舜하시고 論征伐則必稱湯武하시니 蓋治民을 不法堯舜이면 則是爲暴요 行師를 不法湯武면 則是爲亂이니 豈可謂吾君不能하여 而舍(捨)所學以徇之哉아

○范氏(范祖禹)가 말하였다. "孟子께서 齊나라와 梁나라의 군주를 섬기실 적에 道德을 논하면 반드시 堯·舜을 칭하셨고 征伐을 논하면 반드시 湯·武를 칭하셨으니, 백성을 다스림을 堯·舜을 본받지 않는다면 이것은 포악함이 되고, 군대를 출동함을 湯·武를 본받지 않는다면 이것은 亂이 되니, 어찌 우리 君主는 불가능하다 하여 자신의 배운 바를 버리고 군주의 하고자 함을 따르겠는가."

|得反之章(鄒與魯鬨章)|

12-1. 鄒與魯鬨(홍)이러니 穆公이 問曰 吾有司死者 三十三人이로되 而民은 莫之死也하니 誅之則不可勝誅요 不誅則疾視其長上之死而不救하니 如之何則可也잇고

鄒나라가 魯나라와 함께 싸웠는데, 〈鄒나라〉穆公이 물었다. "내 有司로서 죽은 자가 33명이나 되지만 백성들은 죽은 자가 없으니, 이들을 베려(처벌하려) 한다면 이루 다 벨 수가 없고, 베지 않는다면 長上들이 죽는 것을 疾視하면서 구원하지 않았으니, 어찌하면 좋겠습니까?"

按說 | '莫之死也'에 대하여, 楊伯峻은

'莫之死'는 '莫死之'의 도치이고, '之'는 有司를 가리킨다. '莫之死'의 의미는 '그들을 위

··· 虜 사로잡을로 略 노략질할략 尙 오히려상 舍 버릴 사(捨同) 鬨 싸울 홍 穆 화목할목 勝 이길승
疾 미워할질

하여 희생한 사람이 아무도 없었다.'는 뜻이다.

하였다.

集註ㅣ鬨은 鬪聲也라 穆公은 鄒君也라 不可勝誅는 言人衆하여 不可盡誅也라 長上은 謂有司也라 民怨其上이라 故로 疾視其死而不救也라

'鬨'은 싸우는 소리이다. 穆公은 鄒나라 군주이다. '不可勝誅'는 사람이 많아서 다 벨 수 없음을 말한다. '長上'은 有司를 이른다. 백성이 長上을 원망하였으므로 그가 죽는 것을 疾視하여 구원하지 않은 것이다.

12-2. 孟子對曰 凶年饑歲에 君之民이 老弱은 轉乎溝壑하고 壯者는 散而之四方者 幾千人矣요 而君之倉廩實하며 府庫充이어늘 有司莫以告하니 是는 上慢而殘下也라 曾子曰 戒之戒之하라 出乎爾者 反乎爾者也라하시니 夫民이 今而後에 得反之也로소니 君無尤焉하소서

孟子께서 대답하셨다. "凶年과 기근이 든 해에 군주의 백성이 노약자들은 전전하다가 죽어서 시신이 溝壑에 뒹굴고, 장성한 자들은 흩어져서 사방으로 간 자가 몇 천 명이나 됩니다. 그런데도 군주의 倉廩은 곡식이 꽉 차 있으며 府庫에는 재화가 충만하였으나 有司 중에 이것을 아뢴 자가 없었으니, 이것은 윗사람이 태만해서 아랫사람을 殘害한 것입니다. 曾子께서 말씀하시기를 '경계하고 경계하라. 네게서 나온 것이 네게로 돌아간다.' 하셨으니, 백성들이 지금에야 되갚음을 한 것이니, 君主께서는 허물하지 마소서.

集註ㅣ轉은 飢餓輾轉而死也라 充은 滿也라 上은 謂君及有司也라 尤는 過也라

'轉'은 굶주려 전전하다가 죽는 것이다. '充'은 충만함이다. '上'은 임금과 有司를 이른다. '尤'는 허물함이다.

12-3. 君行仁政하시면 斯民이 親其上하여 死其長矣리이다

君主께서 仁政을 행하시면 이 백성들이 윗사람을 친애해서 어른(官長)을 위해 죽을

··· 鬨 싸울 투 衆 많을 중 饑 흉년 기 轉 구를 전 溝 도랑 구 壑 골짜기 학 廩 창고 름 庫 창고 고 殘 해칠 잔
尤 허물 우 餓 굶주릴 아 滿 찰 만

것입니다."

集註 | 君不仁而求富라 是以로 有司知重斂而不知恤民이라 故로 君行仁政이면 則
有司皆愛其民하여 而民亦愛之矣리라

君主가 仁하지 못하여 부유하기를 구하였다. 이 때문에 有司가 세금을 무겁게 거둘 줄만
알고 백성을 구휼할 줄을 알지 못하였다. 그러므로 君主가 仁政을 행하면 有司들이 모두
그 백성을 사랑해서 백성 또한 有司를 사랑할 것이다.

章下註 | ○ 范氏曰 書曰 民惟邦本이니 本固邦寧이라하니 有倉廩府庫는 所以爲民
也니 豊年則斂之하고 凶年則散之하여 恤其飢寒하고 救其疾苦라 是以로 民親愛其
上하여 有危難則赴救之를 如子弟之衛父兄하고 手足之捍頭目也라 穆公이 不能反
己하고 猶欲歸罪於民하니 豈不誤哉아

○ 范氏(范祖禹)가 말하였다. "《書經》〈五子之歌〉에 이르기를 '백성은 나라의 뿌리이니, 뿌
리가 튼튼해야 나라가 편안하다.' 하였다. 倉廩과 府庫를 둔 것은 백성을 위해서이니, 풍년
에는 거둬들이고 흉년에는 흩어주어서 굶주리고 추운 사람을 구휼하며 병들고 고생하는 자
들을 구제한다. 이 때문에 백성들이 윗사람을 친애하여 위태로움과 난리가 있으면 달려가
구원하기를, 子弟들이 父兄을 보위하듯이 하고 手足이 頭目을 막듯이 하는 것이다. 穆公
은 자신에게 돌이켜 찾지 못하고 오히려 백성들에게 죄를 돌리고자 하였으니, 어찌 잘못이
아니겠는가."

|間於齊楚章|

13-1. 滕文公이 問曰 滕은 小國也라 間於齊楚하니 事齊乎잇가 事楚乎
잇가

滕 文公이 물었다. "우리 滕나라는 작은 나라입니다. 齊나라와 楚나라 사이에 끼어 있
으니, 齊나라를 섬겨야 합니까? 楚나라를 섬겨야 합니까?"

集註 | 滕은 國名이라

··· 斂 거둘 렴 恤 구휼할 휼 豊 풍년 풍 赴 달려갈 부 衛 지킬 위 捍 막을 한 豈 어찌 기 誤 그르칠 오
滕 나라이름 등 間 끼일 간

滕은 나라 이름이다.

13-2. 孟子對日 是謀는 非吾所能及也로소이다 無已則有一焉하니 鑿斯池也하며 築斯城也하여 與民守之하여 效死而民弗去면 則是可爲也니이다

孟子께서 대답하셨다. "이 계책은 내가 미칠 수 있는 바가 아닙니다. 그러나 기어이 말하라고 하신다면 한 가지 방법이 있으니, 못(해자)을 깊이 파고 성을 높이 쌓아 백성들과 더불어 지켜서 백성들이 죽음(목숨)을 바치고 떠나가지 않는다면 이것은 해볼 만한 일입니다."

按說 | '鑿斯池也 築斯城也'에 대하여, 壺山은

'여기에 못을 깊이 파고 여기에 城을 쌓는다'는 말과 같다.〔猶言鑿池於斯 築城於斯也〕

하였다.

集註 | 無已는 見前篇하니라 一은 謂一說也라 效는 猶致也라 國君은 死社稷[137]이라 故로 致死守國이요 至於民亦爲之死守而不去면 則非有以深得其心者면 不能也라

'無已'는 〈해석이〉 前篇(梁惠王上)에 보인다. '一'은 一說을 이른다. '效'는 致(바침)와 같다. 國君은 社稷을 위해서 죽어야 하므로 목숨을 바쳐 나라를 지키는 것이요, 백성들 또한 군주를 위해서 死守하고 떠나지 않음에 이른다면, 이는 그 마음을 깊이 얻은 자가 아니면 불가능하다.

章下註 | ○ 此章은 言有國者 當守義而愛民이요 不可僥倖而苟免이니라

---

137 國君 死社稷:《禮記》〈曲禮下〉에 "國君은 社稷을 위하여 죽고 大夫는 무리〔衆〕를 위하여 죽고 士는 명령〔制〕에 죽는다.〔國君死社稷 大夫死衆 士死制〕" 하였다. 《大全》에 "'衆'은 군대의 무리를 이른다. 大夫가 군대를 거느리고 출전하였다가 패하면 죽는다. '制'는 명령을 이르니, 士가 명령을 받고서 혹 죽음으로써 핍박받게 되면 차라리 죽을지언정 군주의 명령을 버릴 수 없는 것이다.〔衆 謂師衆 大夫率師 敗 則死之 制 謂命令 士受命 或迫以死 寧死而不可棄君命也〕" 하였다.

··· 鑿 팔착 池 해자지 築 쌓을축 效 바칠효 致 바칠치 稷 곡신(穀神)직 僥 바랄요 倖 요행행 苟 구차할구 免 면할면

○이 章은 국가를 소유한 자는 마땅히 義를 지켜 백성을 사랑해야 할 것이요, 요행을 바라 구차히 면하려고 해서는 안 됨을 말씀한 것이다.

|齊人將築薛章(彊爲善章)|

14-1. 滕文公이 問曰 齊人이 將築薛하니 吾甚恐하노니 如之何則可잇고

滕 文公이 물었다. "齊나라 사람이 장차 薛땅에 축성을 하려고 하니, 내 매우 두렵습니다. 어찌하면 좋습니까?"

集註 | 薛은 國名이니 近滕이러니 齊取其地而城之라 故로 文公이 以其偪已而恐也라

薛은 國名이니 滕나라와 가까웠는데, 齊나라가 그 땅을 점령하고 성을 쌓았다. 그러므로 文公이 자기 나라를 핍박한다고 여겨 두려워한 것이다.

14-2. 孟子對曰 昔者에 大(太)王이 居邠하실새 狄人이 侵之어늘 去하시고 之岐山之下하사 居焉하시니 非擇而取之라 不得已也시니이다

孟子께서 대답하셨다. "옛적에 太王이 邠땅에 거주하실 적에 狄人이 침략하자, 이곳을 떠나시고 岐山의 아래에 가서 거주하셨으니, 이곳을 가려서 취한 것이 아니라 부득이해서였습니다.

按說 | "去 之岐山之下 居焉"에 대하여, 壺山은

諺解에 '去'字 하나만 가지고 한 句를 떼었으니, 아마도 다시 헤아려 보아야 할 듯하다.〔諺解 以去字獨爲一句 恐合更商〕

하였다. 官本諺解에는 '之'를 '가다'로 해석하였으며, 栗谷諺解에는 '去之岐山之下居焉ᄒ시니'로 이어 懸吐하고 '去ᄒ시고 岐山 아래 가 사릇시니(사셨으니)'로 해석하였는바, 현토는 다르지만 모두 '之'를 '가다'로 본 것이다. 반면 壺山은 이를 '去之하시고 岐山之下

··· 薛 나라이름 설 甚 심할 심 恐 두려울 공 偪 핍박할 핍 邠 땅이름 빈 狄 북쪽오랑캐 적 侵 침범할 침
岐 산이름 기 擇 가릴 택

에 '居焉하시니'로 보고 '之'를 대명사로 보아 '이곳을 떠나시고 岐山 아래에 사셨으니'로 해석하여 이렇게 말한 듯하다.

集註 | 邠은 地名이라 言 大王이 非以岐卜爲善하여 擇取而居之也니 詳見下章하니라

邠은 地名이다. 太王이 岐山 아래를 좋게 여겨 선택하여 취해서 거주한 것이 아님을 말씀한 것이니, 아랫장에 자세히 보인다.

14-3. 苟爲善이면 後世子孫이 必有王者矣리니 君子創業垂統하여 爲可繼也라 若夫成功則天也니 君如彼何哉리오 彊爲善而已矣니이다

만일 善行을 한다면 후세의 자손 중에 반드시 왕 노릇 하는 자가 있을 것입니다. 君子는 基業을 창건하고 전통을 드리워서 〈후손들로 하여금〉 계속할 수 있게 할 뿐입니다. 成功으로 말하면 天運이니, 君主께서 저들(齊人)에게 어찌하시겠습니까. 善을 행하기를 힘쓸 뿐입니다."

按說 | "君如彼何哉'에 대하여, 諺解에는 모두 '君如彼에 何哉리오'로 현토되어 있다. 그러나 이는 '如'와 '何' 사이에 '彼'를 넣은 것으로 《集註》 역시 '無如之何'로 해석하였는바, 굳이 '에' 토를 달 필요가 없다고 사료되어 제거하였다. 《論語》〈八佾〉의 '人而不仁 如禮何 人而不仁 如樂何'도 이와 같은 문법이다.

集註 | 創은 造也라 統은 緒也라 言 能爲善이면 則如大王雖失其地나 而其後世遂有天下하니 乃天理也라 然이나 君子造基業於前하고 而垂統緒於後하되 但能不失其正하여 令後世可繼續而行耳라 若夫成功則豈可必乎아 彼齊也를 君之力이 旣無如之何면 則但彊於爲善하여 使其可繼而俟命於天耳니라

'創'은 창조이다. '統'은 실마리(전통)이다. '능히 善行을 하면 太王과 같이 비록 그 땅을 잃더라도 후세에 마침내 天下를 소유할 것이니, 이것이 바로 天理이다. 그러나 君子가 基業을 앞에서 만들고 傳統을 뒤에 드리우되 다만 그 올바름을 잃지 아니하여 후세로 하여금 계속하여 행하게 할 뿐이다. 成功으로 말하면 어찌 기필할 수 있겠는가. 저 齊나라를 군주

··· 創 창건할 창 彊 힘쓸 강 緒 실마리 서 繼 이을 계 續 이을 속 俟 기다릴 사

의 힘이 이미 어떻게 할 수 없다면 다만 善을 행하기를 힘써서 계속하게 하고 하늘에 命을
기다릴 뿐이다.'라고 말씀한 것이다.

章下註 | ○ 此章은 言 人君이 但當竭力於其所當爲요 不可徼幸[138]於其所難必이
니라

○ 이 章은 人君은 다만 당연히 해야 할 일에 힘을 다할 것이요, 기필하기 어려운 것(운명)
에 요행을 바라서는 안 됨을 말씀한 것이다.

|效死勿去章|

15-1. 滕文公이 問曰 滕은 小國也라 竭力以事大國이라도 則不得免焉이
로소니 如之何則可잇고 孟子對曰 昔者에 大(太)王이 居邠하실새 狄人이
侵之어늘 事之以皮幣라도 不得免焉하며 事之以犬馬라도 不得免焉하며
事之以珠玉이라도 不得免焉하여 乃屬(촉)其耆老而告之曰 狄人之所欲
者는 吾土地也라 吾聞之也호니 君子는 不以其所以養人者로 害人이라하
니 二三子는 何患乎無君이리오 我將去之호리라하시고 去邠하시고 踰梁山하
사 邑于岐山之下하여 居焉하신대 邠人曰 仁人也라 不可失也라하고 從之
者 如歸市하니이다

滕 文公이 물었다. "우리 滕나라는 작은 나라입니다. 힘을 다하여 大國을 섬기더라도
화를 면할 수 없으니, 어찌하면 좋습니까?"
孟子께서 대답하셨다. "옛적에 太王이 邠땅에 거주하실 적에 狄人이 침략하였는데,
그들을 皮幣(모피와 비단)로써 섬겨도 화를 면치 못하였고, 개와 말로써 섬겨도 화를
면치 못하였고, 珠玉으로써 섬겨도 화를 면치 못하였습니다. 이에 耆老들을 모아놓고
말씀하기를 '狄人들이 원하는 것은 우리의 토지이다. 내가 들으니 君子는 사람을 기르
는 토지를 가지고 사람을 해치지 않는다 하니, 여러분들은 어찌 군주가 없음을 걱정하겠

---

138 徼幸:《大全》에는 "僥倖과 통한다.〔與僥倖通〕"하였다.

··· 但 다만 단 竭 다할 갈 徼 바랄 요 幸 요행행 皮 가죽 피 幣 비단 폐 珠 구슬 주 屬 모을 촉 耆 늙은이 기
養 기를 양 害 해칠 해 踰 넘을 유 梁 다리 량

는가. 내 장차 이 곳을 떠나겠다.' 하고는 邠땅을 버리고 梁山을 넘어서 岐山 아래에 도읍 터를 만들어 거주하시자, 邠땅 사람들이 말하기를 '仁人이다. 놓쳐서는 안 된다.' 하고, 따르는 자가 시장에 돌아가듯 하였습니다.

集註 | 皮는 謂虎豹麋鹿之皮也[139]라 幣는 帛也라 屬은 會集也라 土地는 本生物以養人이어늘 今爭地而殺人이면 是는 以其所以養人者로 害人也라 邑은 作邑也라 歸市는 人衆而爭先也라

'皮'는 호랑이와 표범, 사슴의 가죽을 이른다. '幣'는 비단이다. '屬'은 모음이다. 토지는 본래 물건을 생산하여 사람을 기르는 것인데, 지금 토지를 다투어 사람을 죽인다면 이것은 사람을 기르는 것을 가지고 사람을 해치는 것이다. '邑'은 도읍을 만드는 것이다. '歸市'는 사람이 많아서 앞을 다투는 것이다.

15-2. 或曰 世守也라 非身之所能爲也니 效死勿去라하나니

혹자는 말하기를 '土地는 대대로 지켜오는 것이라서 자신이 마음대로 할 수 있는 것이 아니니, 목숨을 바치고 떠나지 말라.'고 하니,

集註 | 又言 或謂土地는 乃先人所受而世守之者라 非己所能專이니 但當致死守之요 不可舍去라하니 此는 國君死社稷之常法이니 傳所謂國滅君死之正也[140] 正謂此也니라

또 말씀하시기를 "혹자는 '토지(영토)는 바로 先人이 받아서 대대로 지켜오는 것이어서 자신이 마음대로 할 수 있는 것이 아니니, 다만 목숨을 바쳐 지킬 것이요, 버리고 떠나서는 안 된다.'고 말한다." 하셨다. 이는 國君이 社稷을 위해 죽는 떳떳한 법이니, 傳(옛 책)에 이른

---

139 皮 謂虎豹麋鹿之皮也:楊伯峻은 "'皮'는 毛皮로 만든 갖옷이다." 하였다.

140 傳所謂國滅君死之正也:《春秋公羊傳》襄公 6년 조에 "12월에 齊侯가 萊를 멸망시켰다〔十有二月 齊侯滅萊〕."고 한 經文의 傳에 "어찌하여 萊나라 군주가 出奔함을 말하지 않았는가? 나라가 멸망하면 君主가 죽는 올바른 법이기 때문이다. 萊나라 군주를 죽임을 쓰지 않은 것은 나라가 멸망함을 들어 重함을 삼은 것이다.〔曷爲不言萊君出奔 國滅君死之正也 不書殺萊君者 擧滅國爲重〕"하였다. 壺山은 "所謂國滅 다음에서 句를 떼어야 한다.〔所謂國滅 句〕"라고 하였는데, '國滅君死' 네 글자를 연결시켜 읽을 경우, '나라가 멸망하고 군주가 죽었다.'로 잘못 해석할까 염려해서 말한 것으로 보인다.

··· 虎 범호 豹 표범표 麋 큰사슴 미 帛 비단 백 效 바칠효 專 마음대로할 전 舍 버릴 사

바 '國家가 멸망하면 君主가 죽는 올바른 법'이라는 것은 바로 이것을 이른다.

15-3. 君請擇於斯二者하소서

君主께서는 이 두 가지 중에서 선택하소서."

集註ㅣ能如大王則避之요 不能則謹守常法이니 蓋遷國以圖存者는 權也요 守正而俟死者는 義也니 審己量力하여 擇而處之 可也[141]니라

능히 太王과 같이 할 수 있으면 피할 것이요, 그렇지 못하면 떳떳한 법을 삼가 지킬 것이니, 나라를 옮겨 보전하기를 도모하는 것은 權이요, 正道를 지키면서 죽음을 기다리는 것은 義이다. 자신을 헤아리고 능력을 헤아려서 선택하여 처하는 것이 옳다.

章下註ㅣ○楊氏曰 孟子之於文公에 始告之以效死而已하시니 禮之正也요 至其甚恐하여는 則以大王之事告之하시니 非得已也라 然이나 無大王之德而去면 則民或不從하여 而遂至於亡하리니 則又不若效死之爲愈라 故로 又請擇於斯二者하시니라
又曰 孟子所論을 自世俗觀之하면 則可謂無謀矣라 然이나 理之可爲者는 不過如此하니 舍此則必爲儀秦之爲矣리라 凡事求可, 功求成하여 取必於智謀之末하고 而

---

[141] 遷國以圖存者……可也:《禮記》〈禮運〉에 "나라에 患亂이 있을 적에 군주가 社稷을 위해 죽는 것을 義라 이르고, 大夫가 宗廟를 위해 죽는 것을 變이라 한다.〔國有患 君死社稷 謂之義 大夫死宗廟 謂之變〕" 하였다. "여기《集註》의 '義'字는 마땅히 '經'字로 고쳐야 한다.〔義字 當改作經〕"라는 질문에 朱子는 "생각해 보니 참으로 옳다. 義는 곧 權道와 가까워서 혹 이와 같이 할 수 있고 혹 저와 같이 할 수 있는 것이 모두 義이고, 經은 한번 정하여 바꿀 수가 없으니, 이미 '權'字와 상대가 되었다면 모름지기 '經'字를 써야 한다.〔思之誠是 蓋義便近權 如或可如此 或可如彼 皆義也 經則一定而不易 旣對權字 須著用經字〕" 하였다.《語類 易 繫辭下》) 이에 대하여 壺山은 "살펴보건대 註 가운데 모든 이와 같은 부분은 마땅히 고쳐 바로잡아야 하는데 미처 고쳐 바로잡지 못한 것이니, 讀者가 살펴야 한다.〔按註中凡如此處 是當釐正 而未及釐正者也 讀者察之〕" 하였다. 慶源輔氏(輔廣)는 "國都를 옮겨 보존하기를 도모하는 것은 太王이 이것이요, 正道를 지키면서 죽음을 기다리는 것은 군주가 社稷에 죽는 것이 이것이다. 文公에게는 오직 이 두 방법이 있을 뿐이다. 그러므로 함께 들어 告하셨다. 그러나 權은 大賢 이상이 아니면 능히 하지 못하고, 經은 사람들이 모두 마땅히 힘써야 한다. 그러므로 文公으로 하여금 자기를 살피고 힘을 헤아려서 그중 한 가지를 선택하여 취하게 한 것이다. 太王의 일은 文公이 능히 할 수 있는 바가 아니니, 그렇다면 孟子의 뜻은 진실로 文公이 떳떳한 法을 힘써 지키기를 바랐을 뿐이다.〔遷國以圖存者 太王是也 守正而俟死者 國君死社稷 是也 在文公 唯有此二法 故倂擧以告之 然權非大賢以上 不能爲 經則人皆當勉也 故使文公審己量力 擇而取其一焉 夫太王之事 非文公所能爲 然則孟子之意 固欲文公勉守其常法耳〕" 하였다.

··· 斯 이 사 避 피할 피 遷 옮길 천 圖 도모할 도 權 저울질할 권, 권도 권 俟 기다릴 사 審 살필 심 處 머물 처
遂 마침내 수 愈 나을 유 謀 꾀할 모 儀 거동 의

不循天理之正者는 非聖賢之道也니라

○ 楊氏(楊時)가 말하였다. "孟子께서 文公에게 처음에는 목숨을 바칠 뿐임을 말씀하셨으니 이것은 禮의 올바름이요, 심히 두려워함에 이르러서는 太王의 일을 말씀하셨으니 이것은 부득이해서였다. 그러나 太王의 德이 없으면서 떠나간다면 백성들이 혹 따라오지 않아서 마침내 멸망에 이를 것이니, 그렇다면 또 목숨을 바침이 나은 것만 못하다. 그러므로 또이 두 가지 중에서 선택하라고 청하신 것이다."

또 말하였다. "孟子께서 논하신 것을 세속의 입장에서 본다면 無謀하다고 이를 만하다. 그러나 이치로써 할 수 있는 것은 이와 같음에 지나지 않으니, 이것을 버린다면 반드시 蘇秦·張儀의 행위를 할 것이다. 무릇 일은 가능함을 구하고 功은 이룸을 구하여, 智謀의 지엽적인 것에서 기필함을 취하고 天理의 올바름을 따르지 않는 것은 聖賢의 道가 아니다."

|魯平公將出章|

16-1. 魯平公이 將出할새 嬖人 臧倉者請曰 他日에 君出이면 則必命有司所之러시니 今에 乘輿已駕矣로되 有司未知所之하니 敢請하노이다 公曰將見孟子호리라 曰 何哉잇고 君所爲輕身하여 以先於匹夫者는 以爲賢乎잇가 禮義는 由賢者出이어늘 而孟子之後喪이 踰前喪하니 君無見焉하소서 公曰 諾다

魯平公이 장차 외출하려 할 적에 嬖人(총애하는 환관)인 臧倉이란 자가 청하였다. "他日에는 君主께서 외출하시게 되면 반드시 有司에게 갈 곳을 명령하시더니, 지금은 乘輿가 이미 말을 멍에하였으나 有司가 갈 곳을 알지 못하니, 감히 청하옵니다."
公이 말하였다. "장차 孟子를 보려고 하노라."
臧倉이 말하였다. "어째서입니까? 군주께서 몸을 가벼이 하여 匹夫에게 먼저 禮를 베푸시는 까닭은 그가 어질다고 여겨서입니까? 禮義는 賢者에게서 나오는데 孟子의 뒷초상이 앞초상보다 더하였으니, 군주께서는 그를 만나보지 마소서."
公이 말하였다. "그렇겠다."

··· 循 따를 순 嬖 총애할 폐 臧 어질 장 輿 수레 여 駕 말멍에할 가 輕 가벼이할 경 匹 짝 필 踰 넘을 유
諾 허락할 낙

集註 | 乘輿는 君車也라 駕는 駕馬也라 孟子前喪父하고 後喪母하시니라 踰는 過也니
言其厚母薄父也라 諾은 應辭也라

'乘輿'는 군주의 수레이다. '駕'는 말을 멍에하는 것이다. 孟子는 먼저 아버지를 잃고 뒤에
어머니를 잃었다. '踰'는 지남(더함)이니, 어머니에게 후하게 하고 아버지에게 박하게 함을
말한 것이다. '諾'은 응하는 말이다.

16-2. 樂正子入見(현)日 君이 奚爲不見孟軻也잇고 日 或이 告寡人日 孟子之後喪이 踰前喪이라할새 是以로 不往見也호라 日 何哉잇고 君所謂踰者는 前以士요 後以大夫며 前以三鼎而後以五鼎與잇가 日 否라 謂棺槨衣衾之美也니라 日 非所謂踰也라 貧富不同也니이다

樂正子가 들어가 平公을 뵙고 말하였다. "君主께서 어찌하여 孟軻를 만나보지 않으
셨습니까?"

公이 말하였다. "혹자가 寡人에게 말하기를 '孟子의 뒷초상이 앞초상보다 더하였다.'
하므로 이 때문에 가서 보지 않았노라."

"무엇입니까? 君主께서 이른바 '더하다.'는 것은 앞에는 士의 禮로써 하고 뒤에는 大夫
의 禮로써 하며, 앞에는 三鼎을 쓰고 뒤에는 五鼎을 쓴 것을 말씀하십니까?"

"아니다. 棺槨과 衣衾의 아름다움을 말한 것이다."

"아닙니다. 이것은 이른바 더하다는 것이 아니라 가난하고 부유함이 똑같지 않기 때문입
니다."

··· 厚 두터울 후 薄 엷을 박, 야박할박 應 응할응 奚 어찌해 鼎 솥 정 棺 널 관 槨 널 곽 衾 이불 금
貧 가난할 빈

將見孟子 必得之於樂克 所以阻於臧倉後 克入見 審問不見之故〕

하였다.

한편 茶山은 孟子가 아버지를 잃었을 때에 士였으므로 趙岐의 〈孟子題辭〉에 '일찍 아
버지를 잃고 어려서 어머니의 三遷之敎를 받았다.〔夙喪其父 幼被慈母三遷之敎〕'한
말과 《列女傳》에서 말한 '孟母三遷'의 說을 믿을 수 없는 것으로 보았다. 그 이유는 孟
子가 어려서 아버지를 여의었다면, 아버지의 喪에 衣衾과 棺槨이 아름답지 못함을 비판
할 수 없기 때문이다.

集註 | 樂正子는 孟子弟子也니 仕於魯하니라 三鼎은 士祭禮요 五鼎은 大夫祭禮[142]라

樂正子는 孟子의 弟子이니, 魯나라에서 벼슬하였다. '三鼎'은 士의 祭禮요, '五鼎'은 大
夫의 祭禮이다.

16-3. 樂正子見(현)孟子曰 克이 告於君호니 君이 爲來見也러시니 嬖人有
臧倉者沮君이라 君이 是以不果來也하시니이다 曰 行或使之며 止或尼
(닐)之나 行止는 非人所能也라 吾之不遇魯侯는 天也니 臧氏之子 焉能
使子로 不遇哉리오

樂正子가 孟子를 뵙고 말하였다. "제가 군주께 아뢰니, 군주께서 와서 뵈려고 하셨는
데, 嬖人 중에 臧倉이라는 자가 군주를 저지하였습니다. 군주께서 이 때문에 끝내 오

---

142 三鼎……大夫祭禮:雙峰饒氏(饒魯)는 "五鼎은 大夫의 禮이니 羊과 돼지와 물고기와 말린 들짐승과
살코기〔膚〕요, 三鼎은 士의 禮이니 特豕(돼지 한 마리)와 물고기와 말린 들짐승이다.〔五鼎 是大夫之
禮 羊豕魚腊膚 三鼎 是士之禮 特豕魚腊〕" 하였다. 朱子가 士와 大夫의 祭禮로 해석한 것은 趙岐의
註를 따른 것이다. 그러나 茶山은 樂正子의 질문은 喪奠과 喪祭에 관한 것인데, 단지 祭禮로써 주석
한 趙岐의 註는 소략하다고 비판하고, 《儀禮》〈士喪禮〉에 의하면, 士는 大斂의 奠에 特豚三鼎을 쓰
고 朔日의 奠에 特豚三鼎을 쓰고 薦新의 奠에 特豚三鼎을 쓰고 朝祖의 奠에도 特豚三鼎을 쓰며 虞
祭, 祔祭, 練祭, 大祥에 모두 特豕三鼎을 쓰는데 반해, 이 모든 奠에 大夫는 모두 少牢五鼎을 쓴다.
오직 遣奠에는 士는 五鼎을 쓰고 大夫는 七鼎을 쓰며, 卒哭과 祔祭에는 太牢에 이르기도 한다. 樂正
子가 질문한 것은 喪奠과 喪祭에 鼎의 숫자인데, 祭禮라고만 말하면 어떻게 분별하겠는가.〔據士喪禮
大斂之奠 特豚三鼎 朔日之奠 特豚三鼎 薦新之奠 特豚三鼎 朝祖之奠 特豚三鼎 虞祔練祥 皆用
特豕三鼎 凡此諸奠 大夫之禮 皆少牢五鼎 唯遣奠士用五鼎 大夫用七鼎 卒哭祔祭 或至太牢 樂正
子所質問者 蓋喪奠喪祭之鼎數也 第言祭禮 何以別矣〕라고 하였다. 楊伯峻은 "고대의 제사에서는
鼎을 사용하여 육류의 제물을 담았다." 하였다.

··· 魯 나라이름 로 克 사람이름극, 이길 극 沮 막을 저 果 과연 과, 결행할 과 尼 막을 닐(柅通) 焉 어찌 언

지 않으신 것입니다."

孟子께서 말씀하셨다. "길을 감은 누가 혹 시켜서이며 멈춤은 누가 혹 저지해서이다. 그러나 가고 그침은 사람이 시킬 수 있는 것이 아니다. 내가 魯나라 임금을 만나지 못함은 天命이니, 臧氏의 아들이 어찌 나로 하여금 만나지 못하게 할 수 있겠는가."

集註 │ 克은 樂正子名이라 沮, 尼는 皆止之之意也라 言 人之行에 必有人使之者하며 其止에 必有人尼之者라 然이나 其所以行, 所以止는 則固有天命이니 而非此人所能使요 亦非此人所能尼也라 然則我之不遇 豈臧倉之所能爲哉아

克은 樂正子의 이름이다. '沮'와 '尼'은 모두 그치게 하는 뜻이다. '사람이 길을 감에는 반드시 그렇게 시키는 사람이 있으며, 그 멈춤에는 반드시 그치게 하는 사람이 있다. 그러나 가게 되는 所以와 멈추게 되는 所以는 진실로 天命에 달려 있는 것이니, 이 사람이 시킬 수 있는 바도 아니요 이 사람이 그치게 할 수 있는 바도 아니다. 그렇다면 내가 魯나라 임금을 만나지 못한 것이 어찌 臧倉이 능히 할 수 있는 바이겠는가.' 라고 말씀한 것이다.

章下註 │ ○ 此章은 言 聖賢之出處는 關時運之盛衰하니 乃天命之所爲요 非人力之可及[143]이니라

○ 이 章은 聖賢의 出處는 시운의 盛衰에 관계되니, 바로 天命이 하는 것이요 人力으로 미칠 수 있는 것이 아님을 말씀한 것이다.

---

143 聖賢之出處……非人力之可及:龜山楊氏(楊時)는 "孟子가 〈魯平公을〉 만나고 만나지 못함은 治亂과 興衰가 관계된 것이니, 하늘이 실제로 한 것이요 사람이 능히 할 수 있는 바가 아니다. 무슨 원망과 허물함이 있겠는가.〔孟子之遇不遇 治亂興衰之所繫 天實爲之 非人所能也 夫何怨尤之有〕" 하였다.

••• 關 관계할 관 盛 성할 성 衰 쇠할 쇠

公孫丑章句 上

| 凡九章이라

모두 9章이다.

|夫子當路章|

1-1. 公孫丑㈜問曰 夫子當路於齊하시면 管仲, 晏子之功을 可復許乎잇가

公孫丑가 물었다. "夫子께서 〈만일〉 齊나라에서 要路를 담당하신다면 管仲과 晏子의 공적을 다시 기대할 수 있겠습니까?"

集註 | 公孫丑는 孟子弟子니 齊人也라 當路는 居要地也라 管仲은 齊大夫니 名夷吾니 相桓公하여 霸諸侯하니라 許는 猶期也라[144] 孟子未嘗得政하시니 丑蓋設辭以問也[145]라

---

144 許 猶期也:朱子는《集註》에서 '許'를 '期(기대함)'로 본 반면, 楊伯峻은 趙岐의 "'許'는 興(일으키다)과 같다.〔許猶興也〕"라고 한 說을 취하였다.

145 孟子未嘗得政 丑蓋設辭以問也:'夫子當路於齊하시니'로 懸吐할 경우 이미 要路에 거한 것이 되어 '夫子當路於齊'를 기정사실로 받아들일까 염려하여 말한 것이다.

··· 丑 이름추 當 맡을당 管 대통관 晏 늦을안 許 기약할허 相 도울상 期 기약할기 設 베풀설

公孫丑는 孟子의 弟子이니, 齊나라 사람이다. '當路'는 要地(要職)에 거하는 것이다. 管仲은 齊나라 大夫로 이름이 夷吾이니, 桓公을 도와서 諸侯에 霸者가 되게 하였다. '許'는 期(기대함)와 같다. 孟子께서 일찍이 정권을 얻은 적이 없으시니, 公孫丑가 假設하여 물은 것이다.

1-2. 孟子曰 子誠齊人也_{로다} 知管仲.晏子而已矣_{온여}

孟子께서 말씀하셨다. "그대는 진실로 齊나라 사람이로다. 管仲과 晏子만을 알 뿐이로구나.

集註 | 齊人은 但知其國有二子而已요 不復知有聖賢之事라

齊나라 사람은 단지 그 나라에 두 사람이 있음을 알 뿐이요, 다시 聖賢의 일이 있음을 알지 못하였다.

1-3. 或이 問乎曾西曰 吾子與子路孰賢고 曾西蹴然曰 吾先子之所畏也_{니라} 曰 然則吾子與管仲孰賢고 曾西艴然不悅曰 爾何曾比子於管仲고 管仲得君이 如彼其專也며 行乎國政이 如彼其久也_{로되} 功烈이 如彼其卑也_{하니} 爾何曾比子於是_{오하니라}

或者가 曾西에게 묻기를 '그대와 子路 중에 누가 더 어진가(나은가)?' 하니, 曾西가 불안해하면서 말하기를 '子路는 우리 先子(先親)께서 존경하신 분이다.' 하였다. '그렇다면 그대와 管仲 중에 누가 더 어진가?' 하니, 曾西가 艴然하여(노여운 얼굴빛을 띠며) 기뻐하지 않고 말하기를 '네 어찌 곧 나를 管仲에게 비하는가. 管仲은 군주의 신임을 얻음이 저와 같이 오로지(독차지)하였으며 국정을 시행함이 저와 같이 오래하였는데도 功烈이 저와 같이 낮으니, 네 어찌 곧 나를 이 사람에게 비하는가.' 하였다.

集註 | 孟子引曾西與或人問答如此_{하시니라} 曾西는 曾子之孫[146]이라 蹴은 不安貌라

---

146 曾西 曾子之孫:趙岐의 註에 '曾西는 曾子의 孫子'라고 한 것을 《集註》에서는 그대로 따랐으나, 沙溪

··· 誠 진실로 성 蹴 위축될 축 艴 발끈할 불(勃通) 爾 너 이 曾 일찍증, 곧 증 專 오로지 전 烈 빛날 렬 貌 모양 모

先子는 曾子也라 蹵은 怒色也라 曾之言은 則也라 烈은 猶光也라 桓公이 獨任管仲
四十餘年하니 是專且久也라 管仲이 不知王道而行霸術이라 故로 言功烈之卑也라
楊氏曰 孔子言子路之才曰 千乘之國에 可使治其賦也[147]라하시니 使其見(현)於施
爲라도 如是而已니 其於九(糾)合諸侯하여 一匡天下[148]에는 固有所不逮也라 然則
曾西推尊子路如此하고 而羞比管仲者는 何哉오 譬之御者컨대 子路則範我馳驅而
不獲者也요 管仲之功은 詭遇而獲禽[149]耳라 曾西는 仲尼之徒也라 故로 不道管仲
之事하니라

孟子께서 曾西와 혹자의 문답을 인용하기를 이와 같이 하셨다. 曾西는 曾子의 孫子이다.
'蹵'은 불안해 하는 모양이다. '先子'는 曾子이다. '蹵'은 성내는 빛이다. '曾'이란 말은 則
(곧)의 뜻이다. '烈'은 光과 같다. 桓公이 管仲에게만 40여 년 맡겼으니, 이것은 오로지하
고 또 오래한 것이다. 그런데도 管仲이 王道를 알지 못하고 霸術을 행하였으므로 功烈이
낮다고 말씀한 것이다.

楊氏(楊時)가 말하였다. "孔子께서 子路의 재주를 말씀하시기를 '千乘의 나라에 賦(兵)
를 다스리게 할 만하다.' 하셨으니, 가령 그가 〈재능을〉 시행함에 드러났다 하더라도 이와
같을 뿐이니, 〈管仲이〉 諸侯들을 규합하여 한번 天下를 바로잡음에는 진실로 미치지 못하
는 바가 있는 것이다. 그렇다면 曾西가 子路를 추존하기를 이와 같이 하고, 管仲에게 비하
기를 부끄럽게 여긴 것은 어째서인가? 이것을 말(수레)을 모는 자에게 비교하면, 子路는 자
신의 수레를 법도대로 몰아서 짐승을 잡지 못한 것이요, 管仲의 공로는 부정한 방법으로 짐
승을 만나게 해서 짐승을 잡은 것일 뿐이다. 曾西는 仲尼의 무리였으므로 管仲의 일을 말
하지 않은 것이다."

(金長生)는 "先君子(先親)께서 '曾西는 曾子의 孫子가 아니고 바로 曾子의 아들 曾申의 字이니, 春
秋 때에 楚나라 子西의 이름 또한 申이다.' 하셨다.[先君子曰 曾西非曾子孫 乃曾子之子曾申之字也
春秋時子西之名亦申也]" 하였다.《經書辨疑》申은 五行上 西方이기 때문에 子西라는 字가 붙은
것으로 보인다. 淸나라 學者들과 楊伯峻도 曾子의 아들로 보았다.

147 千乘之國 可使治其賦也:'賦'는 토지에 대한 세금으로 兵을 이른다. 옛날 토지의 세금에 따라 군사를
    내었기 때문에 이렇게 말한 것으로, 이 내용은 《論語》〈公冶長〉7장에 보인다.

148 九(糾)合諸侯 一匡天下:'九合'은 '糾合'과 같은 말로, 이것은 孔子께서 管仲의 功을 칭찬하신 말씀인
    바, 《論語》〈憲問〉17장과 18장에 각각 보인다.

149 譬之御者……詭遇而獲禽:여기에서 비유한 내용은 뒤의 〈滕文公下〉1장에 보이는바, 王良의 말이다.

··· 術 방법술 賦 군사부 九 규합할규(糾同) 匡 바로잡을광 逮 미칠체 羞 부끄러울수 譬 비유할비 御 말몰어
    範 법범 馳 달릴치 驅 말몰구 獲 잡을획 詭 속일궤 禽 새금, 짐승금 徒 무리도 道 말할도

1-4. 曰 管仲은 曾西之所不爲也어늘 而子爲我願之乎아

管仲은 曾西도 하지 않은 것인데, 그대가 나를 위해서 원한단 말인가."

按說 | '子爲我願之乎'의 '爲'에 대하여 楊伯峻은 '謂'와 같다고 하였다. 이 경우 "그
대는 내가 이를 원한다고 생각하느냐."로 해석하여야 한다.

集註 | 曰은 孟子言也라 願은 望也라

'曰'은 孟子의 말씀이다. '願'은 바라는 것이다.

1-5. 曰 管仲은 以其君霸하고 晏子는 以其君顯하니 管仲, 晏子도 猶不足爲與잇가

公孫丑가 말하였다. "管仲은 그 군주를 〈天下에〉 霸者가 되게 하였고 晏子는 그 군
주를 이름이 드러나게 하였으니, 管仲과 晏子도 오히려 해볼 만하지 않습니까?"

集註 | 顯은 顯名也라

'顯'은 이름을 드러냄이다.

1-6. 曰 以齊로 王이 由(猶)反手也니라

孟子께서 말씀하셨다. "齊나라를 가지고 왕 노릇 함은 손을 뒤집는 것과 같이 쉬운 것
이다."

按說 | '以齊王由(猶)反手也'에 대하여, 沙溪(金長生)는

孟子 때를 이른다.[謂孟子時也]《經書辨疑》

하였는데, 壺山은

··· 望 바랄 망 反 뒤집을 반

마땅히 桓公 때와 지금(孟子 때)을 통하여 보아야 할 것이니, 토지와 백성이 앞뒤가 똑같기 때문이다. 이와 같이 본 뒤에야 이 節이 윗절을 잇고 또 아랫글을 내게 된다.〔恐當通桓公時 與今時看 蓋地與民前後同也 如此看然後 此節旣爲承上而又爲生下耳〕

하였다.

集註 | 反手는 言易也라

'反手'는 쉬움을 말한다.

1-7. 曰 若是則弟子之惑이 滋甚케이다 且以文王之德으로 百年而後崩하사되 猶未洽於天下어시늘 武王周公이 繼之然後에 大行하니 今言王若易然하시니 則文王은 不足法與잇가

公孫丑가 말하였다. "그렇다면 弟子(저)의 의혹이 더욱 심해집니다. 또 文王의 덕으로 백 년 뒤에 崩하셨는데도 天下에 敎化가 아직 흡족하지 못하였는데, 武王과 周公이 계속한 뒤에야 크게 행해졌습니다. 그런데 지금 왕 노릇 하는 것을 쉬운 것처럼 말씀하시니, 그렇다면 文王은 본받을 만한 것이 못됩니까?"

集註 | 滋는 益也라 文王이 九十七而崩하시니 言百年은 擧成數也[150]라 文王은 三分天下에 才(纔)有其二러시니 武王이 克商하여 乃有天下하시고 周公이 相成王하여 制禮作樂然後에 敎化大行하니라

'滋'는 더함(더욱)이다. 文王이 97歲에 崩하셨는데, 백 년이라 말한 것은 완성된 수를 들어 말한 것이다. 文王은 天下를 3분함에 겨우 그 둘을 소유하셨는데, 武王이 商나라를 이겨 마침내 天下를 소유하였고 周公이 成王을 도와 禮와 樂을 만든 뒤에야 교화가 크게 행해졌다.

---

150 文王……擧成數也:《禮記》〈文王世子〉에 "文王이 97세에 별세했다.〔文王九十七而終〕"라고 보인다. 成數는 작은 수를 들지 않고 큰 수를 듦을 이른다.

••• 惑 의혹할 혹 滋 더욱 자 崩 죽을 붕 洽 무젖을 흡 擧 들 거 才 겨우 재(纔同)

1-8. 曰 文王을 何可當也리오 由湯으로 至於武丁히 賢聖之君이 六七이 作하여 天下歸殷이 久矣니 久則難變也라 武丁이 朝諸侯, 有天下호되 猶運之掌也하시니 紂之去武丁이 未久也라 其故家遺俗과 流風善政이 猶有存者하며 又有微子, 微仲, 王子比干, 箕子, 膠鬲이 皆賢人也니 相與輔相之라 故로 久而後에 失之也하니 尺地도 莫非其有也며 一民도 莫非其臣也어늘 然而文王이 猶方百里起하시니 是以難也니라

孟子께서 말씀하셨다. "文王을 내 어찌 당할 수 있겠는가. 湯王으로부터 武丁에 이르기까지 어질고 성스러운 군주가 6, 7명이 나와서 천하가 殷나라에 돌아간 지가 오래되었으니, 오래면 변하기 어렵다. 武丁이 諸侯들에게 조회 받고 天下를 소유하되 마치 이것을 손바닥에 놓고 움직이듯이 하였으니, 紂王은 武丁과의 거리가 오래지 않다. 그 故家와 남은 풍속과 流風과 善政이 아직도 남은 것이 있었으며, 또 微子·微仲과 王子 比干과 箕子·膠鬲이 있었는데, 이들은 다 賢人이었다. 이들이 서로 더불어 그(紂王)를 보좌하였으므로 오랜 뒤에야 나라를 잃었으니, 한 자 되는 땅도 그의 소유 아님이 없었으며 한 사람의 백성도 그의 신하 아닌 이가 없었는데, 그런데도 文王이 方百里를 가지고 일어나셨으니, 이 때문에 어려웠던 것이다.

按說 | '文王何可當也'에 대하여, 趙岐는

文王의 시대에는 功을 세우기 어려웠다. 그러므로 "어찌 당하실 수 있었겠는가."라고 말씀한 것이다.〔文王之時難爲功 故言何可當也〕

하였으니, 즉 文王이 殷나라를 당할 수 없었다는 뜻으로 본 것이다. 茶山은 혹자의 說로

殷나라의 德이 저와 같고 文王은 方百里에서 일어나셨으니, 이것이 文王을 당하기 어려운 것이다.〔殷德如彼 文王由方百里起 是文王難當也〕

라고 한 것을 소개하고,

〈趙岐의〉註의 說은 '文王이 殷나라의 德을 당할 수 없다.'고 한 것이고, 혹자의 說은 '後人이 文王을 당할 수 없다.'고 한 것이니, 혹자의 說이 나은 듯하다. 文王이 殷나라를 당하지

··· 當 대적할 당 難 어려울 난 朝 조회받을 조 掌 손바닥 장 遺 남을 유 箕 키 기 膠 아교 교 鬲 오지병 격

못한다고 말한다면 '可'字가 온당하지 않다.〔註說 謂文王不可當殷德也 或說 謂後人不可當文王也 或說似長 若云文王不當殷 則可字未安〕

하였다. 沙溪(金長生)는

'文王何可當'을 官本諺解에서는 退溪(李滉)의 說을 따라 '文王이 殷나라를 대적하지 못하신다.'는 뜻으로 해석하였는데, 나의 생각에는 文王의 德을 後人들이 당해내지 못한다고 여긴 것이니, 이는 윗글에 '文王은 본받을 것이 못 된다.'는 물음을 인하여 답하신 것이다.〔諺解從退溪說 以文王不能當殷之意釋之 愚意以爲文王之德 後人不能當也 蓋此因上文文王不足法之問而答之也〕《經書辨疑》

하였다. 한편 尤菴(宋時烈)은

本註(集註)에 이에 대해 해석하지 않았으니, 官本諺解와 沙溪의 《經書辨疑》가 누가 옳은지 알지 못하겠다. 그러나 '然而'라는 글자를 가지고 보면 《經書辨疑》의 말씀이 마땅한 듯하고 '是以難也'를 가지고 보면 官本諺解의 말이 順한 듯하니, 우선 두 가지로 보는 것이 무방할 듯하다.〔本註 於此不爲解釋 未知諺解與辨疑 孰爲得失也 然以然而字見之 則辨疑說似當 以是以難也見之 則諺解說似順 姑爲兩下看 恐無妨〕《宋子大全 答三錫》

그러나 壺山은

살펴보건대 沙溪의 說은 栗谷諺解와 부합하니, 마땅히 따라야 함이 의심할 것이 없다. '是以難也' 한 句는 '그 어려움이 이와 같은데도 文王이 능히 하셨으니, 이것이 후인이 당할 수 없는 이유이다.'라고 말한 것이다. 또 '不足法'과 '何可當'은 위아래의 글이 서로 호응되어 굳이 해석하지 않고도 알 수 있으므로 《集註》에서 생략한 것이다.〔按沙溪說 與栗谷諺解合 當從無疑 是以難也一句 其意蓋曰其難如此 而文王能之 此後人所以不可當也 且不足法 何可當 上下之文 相爲呼應 有不待解釋而可曉 故註略之耳〕

하였다. 壺山은 栗谷諺解를 따름과 동시에 '是以難也'를 '이 때문에 文王을 당하기가 어려운 것이다.'로 연관지어 尤菴의 說을 반박한 것이다.

趙岐의 註대로 보면 '文王이 何可當也시리오'로 현토하여야 하고, 栗谷諺解대로 해석하면 '文王을 何可當也리오'로 懸吐해야 한다. 일부 人士들은 官本諺解에 집착하여

‘文王은 何可當也시리오’를 고집하나, ‘文王은’으로 懸吐할 경우 主語가 분명치 않게 됨을 밝혀둔다.

楊伯峻은 ‘文王何可當也’를 ‘文王에 어찌 비교될 수 있겠는가.〔文王怎麼能够比得上呢〕’로 해석하였다.

‘紂之去武丁 未久也’에 대하여, 楊伯峻은

> 《史記》〈殷本紀〉에 의하면 武丁에서 紂王에 이르기까지 祖庚·祖甲·廩辛·庚丁·武乙·太丁·帝乙의 일곱 황제를 거쳤으나, 《書經》〈無逸〉에 “이로부터(祖甲으로부터) 그 뒤로 또한 능히 장수한 이가 없어 혹은 10년, 혹은 7~8년, 혹은 5~6년, 혹은 3~4년이었다.〔自時厥後 亦罔或克壽 或十年 或七八年 或五六年 或四三年〕” 하였으니, 廩辛·庚丁·武乙·太丁·帝乙등의 여러 황제는 재위기간이 매우 짧았음을 알 수 있다.

라고 하였다.

微子와 微仲 등의 인물에 대하여, 楊伯峻은

> 微子는 紂王의 庶兄으로 이름이 啓이고, 微仲은 微子의 아우로 이름이 衍이고, 王子 比干과 箕子는 紂의 숙부이고, 膠鬲은 紂의 신하이다.

라고 하였고, 壺山은

> 微仲은 微子의 아우이다. 比干은 미처 봉지를 받지 않았기 때문에 다만 王子라고 칭했을 것이다. 膠鬲은 또 〈告子下〉에 보이니, 文王이 등용하여 紂王의 신하로 삼았다. ‘久而後失’은 紂王이 재위한 지 30여 년에 비로소 망함을 이른 것이다. 위의 한 ‘其’자는 湯王과 武丁을 가리키고 아래의 두 ‘其’字는 紂王을 가리킨 것이다.〔微仲 微子之弟也 比干 未及受封 故止稱王子歟 膠鬲 又見告子下 蓋文王擧之 以爲紂臣耳 久而後失 謂紂在位三十餘年 乃亡也 上一其字 指湯武丁 下二其字 指紂〕

하였다.

集註 │ 當은 猶敵也라 商은 自成湯으로 至於武丁히 中間에 太甲, 太戊, 祖乙, 盤庚이 皆賢聖之君이라 作은 起也라 自武丁至紂히 凡七世라 故家는 舊臣之家也[151]라

---

151 故家 舊臣之家也:雙峰饒氏(饒魯)는 “故家는 옛 신하이고 遺俗은 옛 백성이니, 이는 아래에 있는 것

••• 敵 대적할적 盤 소반반 庚 서방경

'當'은 敵(맞섬)과 같다. 商나라는 成湯으로부터 武丁에 이르기까지 중간에 太甲·太戊·祖乙·盤庚이 모두 어질고 성스러운 군주였다. '作'은 일어남이다. 武丁으로부터 紂王에 이르기까지는 모두 7世이다. '故家'는 舊臣의 집안이다.

1-9. 齊人이 有言曰 雖有知(智)慧나 不如乘勢며 雖有鎡基나 不如待時라하니 今時則易然也니라

齊나라 사람의 말에 이르기를 '비록 지혜가 있으나 勢를 타는 것만 못하며, 비록 농기구가 있으나 때(철)를 기다리는 것만 못하다.' 하였으니, 지금 때는 그렇게 하기가 쉽다.

> **按說** | '雖有知(智)慧 不如乘勢'에서 楊伯峻은 '慧'와 '勢'는 押韻을 한 것으로 古音은 모두 '祭'部에 속하고, 또 '基'와 '時'가 押韻을 한 것인데 古音은 모두 '之'部에 속한다고 하였다.

> **集註** | 鎡基는 田器也라 時는 謂耕種之時라
>
> '鎡基'는 농사짓는 기구(농기구)이다. '時'는 밭을 갈고 씨를 뿌리는 때를 이른다.

1-10. 夏后殷周之盛에 地未有過千里者也러니 而齊有其地矣며 鷄鳴狗吠 相聞而達乎四境하니 而齊有其民矣니 地不改辟(闢)矣며 民不改聚矣라도 行仁政而王이면 莫之能禦也리라

夏后와 殷·周의 전성기에 땅이 千里를 넘은 자가 있지 않았는데 齊나라가 그만한 땅을 소유하고 있으며, 닭 울음과 개 짖는 소리가 서로 들려서〈國都로부터〉四境에 도달하니 齊나라가 그만한 백성을 가지고 있으니, 땅을 더 다시 개척하지 않고 백성을 더 모으지 않더라도 仁政을 행하고서 왕 노릇 한다면 이것을 막을 자가 없을 것이다.

을 말하였고, 流風의 교화와 善政의 일은 위에 있는 것을 말한 것이다.〔故家舊臣 遺俗舊民 是說在下底 流風之化 善政之事 是說在上底〕" 하였다.

··· 慧 슬기로울 혜 鎡 호미 자 鷄 닭 계 狗 개 구 吠 짖을 폐 達 이를 달 境 지경 경 辟 열 벽 聚 모을 취
禦 막을 어

集註 | 此는 言其勢之易也라 三代盛時에 王畿不過千里러니 今齊已有之하니 異於 文王之百里요 又鷄犬之聲이 相聞하여 自國都로 以至於四境하니 言居民稠密也라

이것은 그 勢의 쉬움을 말한 것이다. 三代의 전성기에 王畿가 千里를 넘지 않았는데 지금 齊나라가 이미 이것을 가지고 있으니 文王의 百里와는 다르며, 또 닭 울음과 개 짖는 소리가 서로 들려서 國都로부터 四境에 이르니 거주하는 백성들이 조밀함을 말한 것이다.

1-11. 且王者之不作이 未有疏於此時者也하며 民之憔悴於虐政이 未 有甚於此時者也하니 飢者에 易爲食이며 渴者에 易爲飮이니라

또 王者가 나오지 않음이 지금보다 더 드문 적이 있지 않으며, 백성들이 虐政에 시달림이 지금보다 더 심한 적이 있지 않았으니, 굶주린 자에게 밥 되기가 쉽고 목마른 자에게 음료 되기가 쉬운 것이다.

按說 | 飢者易爲食 渴者易爲飮의 '爲'의 의미를 《集註》에서는 분명히 설명하지 않고, 다만 전체 의미를 '飢渴이 심할 때에는 달고 아름다운 것을 기다리지 않는 것'으로 해석하였다. 그리하여 中國本《四書章句集注》에 '爲'를 '하다'의 의미로 보아 '굶주린 자는 먹기가 쉽고 목마른 자는 마시기가 쉽다.'로 해석한 경우가 있다. 우리나라 官本諺解에는 '飢者애 易爲食이며 渴者애 易爲飮이니라'으로 懸吐하고 "飢者애 食되옴이 쉬오며 渴者애 飮되옴이 쉬오니라."로 해석하였는바, 이는 뒤의 〈盡心上〉 24장의 "바다를 구경한 자에게는 큰 물이 되기 어렵고, 聖人의 문하에 종유한 자에게는 훌륭한 말이 되기 어렵다.〔觀於海者 難爲水 遊於聖人之門者 難爲言〕"는 것과 같은 文法이다. 역자는 〈離婁上〉 7장의 "仁者 앞에서는 많은 무리가 되기 어렵다.〔仁不可爲衆〕"는 것과 그 註에 인용한 "형 되기가 어렵고 아우 되기가 어렵다.〔難爲兄 難爲弟〕"는 것 역시 '爲'字를 '되다'로 풀이하고 있음을 감안하여 위와 같이 해석하였다. 《集註》에 '仁不可爲衆'에서 '難爲兄 難爲弟'를 인용한 것은 바로 여기에도 적용되는 것으로 보인다.

集註 | 此는 言其時之易也라 自文武至此 七百餘年이니 異於商之賢聖繼作이요 民 苦虐政之甚하니 異於紂之猶有善政이라 易爲飮食은 言飢渴之甚에 不待甘美也라

··· 畿 경기 기 稠 조밀할 조(주) 密 빽빽할 밀 疏 성글 소 憔 파리할초 悴 마를 췌 虐 모질 학 渴 목마를 갈

이것은 그 때의 쉬움을 말한 것이다. 文王·武王으로부터 이에 이르기까지 7백여 년이니 商나라의 어질고 성스러운 군주가 이어서 나온 것과는 다르며, 백성들이 虐政에 시달림이 심하니 紂王 때에 오히려 善政이 있었던 것과는 다르다. 밥과 음료 되기가 쉽다는 것은 飢渴이 심할 저에는 달고 아름다움을 기다리지 않음을 말한 것이다.

1-12. 孔子曰 德之流行이 速於置郵而傳命이라하시니

孔子께서 말씀하시기를 '德의 유행이 파발마로 命을 전달하는 것보다 빠르다.' 하셨으니.

按說 ┃ "置郵"에 대하여, 新安陳氏(陳櫟)는

> 예컨대 漢나라가 5里마다 한 역참을 두었고, 《春秋左傳》에 '楚子가 驛馬를 타고 군대를 만난 것'과 같은 것이다.〔如漢五里一置 左傳楚子乘駒會師〕

하였다. 東陽許氏(許謙)는

> 字書에 "파발마로 전달하는 것을 '置'라 하고 도보로 전달하는 것을 '郵'라 한다." 하였다. 《漢書》〈西域傳〉에 "騎置를 인하여 보고했다." 하였는데, 顏師古가 말하기를 "바로 지금의 驛馬이다." 하였다. 〈黃霸傳〉의 郵亭을, 顏師古가 말하기를 "書舍이니 문서를 전달할 때 유숙하는 곳으로, 지금의 驛館과 같다." 하였다.〔字書 馬遞曰置 步遞曰郵 漢西域傳 因騎置以聞 師古曰 卽今驛馬也 黃霸傳郵亭 師古曰 書舍 謂傳送文書所止處 如今驛館〕

하였다. 楊伯峻은

> '置'와 '郵'는 모두 명사이니, 후대의 명령을 전달하는 驛站에 해당한다. 인하여 고대의 역참을 '置' 또는 '郵'라고 했다.

하였다. '置郵而'의 '而'字에 대하여 壺山은

> 本文의 '而'字는 마땅히 '以'字의 뜻과 같이 읽어야 하니, 官本諺解의 해석을 참고할 만하다.〔本文而字 當讀如以字義 諺釋可考〕

하였는바, 官本諺解의 解釋은 '置郵로 命 傳홈두곤 速다 ᄒ시니'로 되어 있다.

··· 速 빠를 속 置 역마 치 郵 역마 우

集註 | 置는 驛也요 郵는 馹也니 所以傳命也라 孟子引孔子之言이 如此하시니라

'置'는 驛이요 '郵'는 역마이니, 命을 전달하는 것이다. 孟子께서 孔子의 말씀을 인용한 것이 이와 같다.

1-13. 當今之時하여 萬乘之國이 行仁政이면 民之悅之 猶解倒懸也리니 故로 事半古之人이요 功必倍之는 惟此時爲然하니라

지금의 때를 당하여 萬乘의 나라가 仁政을 행한다면 백성들의 기뻐함이 거꾸로 매달린 것을 풀어준 것과 같이 여길 것이다. 그러므로 일은 옛사람의 반만 하고 功(효과)은 반드시 옛사람의 배가 되는 것은 오직 지금만이 그러하다."

集註 | 倒懸은 諭困苦也라 所施之事 半於古人이요 而功倍於古人은 由時勢易而 德行速也라

'倒懸'은 곤궁하고 괴로움을 비유한 것이다. 시행하는 일이 옛사람의 반이요 효과가 옛사람의 배가 되는 것은, 때와 勢가 쉬워서 德의 流行이 빠르기 때문이다.

|不動心章(浩然章)|

2-1. 公孫丑問曰 夫子加齊之卿相하사 得行道焉하시면 雖由此霸王이라도 不異矣리니 如此則動心가 否乎잇가 孟子曰 否라 我는 四十에 不動心호라

公孫丑가 물었다. "夫子께서 齊나라 卿相의 지위에 오르시어 道를 행할 수 있게 되신다면 비록 이로 말미암아 霸者와 王者가 되게 하더라도 이상할 것이 없겠습니다. 이와 같다면 마음이 동하시겠습니까? 않으시겠습니까?"
孟子께서 말씀하셨다. "아니다. 나는 40歲에 不動心(마음이 동하지 않음)을 하였노라."

··· 驛 역마 역 馹 역마 일 倒 거꾸로 도 懸 매달 현 諭 비유할 유

按說 | 이 章에 대하여 尤菴(宋時烈)은

> 사람들은 《周易》이 읽기 어렵지만 《中庸》만큼 어렵지는 않다고 한다. 내 생각에 《中庸》은 오
> 히려 《孟子》의 浩然章만큼 심하게 어렵지는 않다.……내가 늙어서야 비로소 그 대강을 알
> 았다.〔人謂周易難讀 然不如中庸之難 吾意中庸猶不如孟子浩然章之爲尤難也……及
> 到老來 方得其梗槩矣〕《宋子大全 語錄 李喜朝錄》

하였다.

'加齊之卿相'을 官本諺解에서는 '齊의 卿相에 加하사'로 해석하였는데, 이에 대하여
壺山은

> '加以齊之卿相'을 官本諺解의 해석에 '加於'의 뜻으로 해석하였으니, 다시 살펴보아야 한
> 다.〔加以齊之卿相 諺釋作加於之義 更詳之〕

하였는바, '다시 살펴보아야 한다'고 한 것을 미루어 보면, 壺山은 이를 '齊나라의 卿相을
加하여'로 해석한 듯하다. 그러나 楊伯峻은

> 趙岐의 註에 '加는 居와 같다.'고 하였다. 살펴보건대 '加'와 '居'는 古音이 서로 같기 때문
> 에 통용될 수 있다.

하였는바, 趙岐의 註를 따라 官本諺解대로 번역하였다.

'四十 不動心'은 官本諺解에는 '四十이라 不動心호라'로 되어 있어 마치 40세가 되면
누구나 不動心할 수 있는 것처럼 보이므로 栗谷諺解를 따라 '四十에 不動心호라'로 수
정하였다. 壺山 또한

> 살펴보건대 현행 諺解의 뜻은 '지금 40'으로 되어 있는데 栗谷諺解의 뜻은 '40부터'로 되
> 어 있으니, 다시 살펴보아야 한다.〔按見行諺解之意 作今四十 而栗谷諺解意 則作自
> 四十 更詳之〕

하였다.

'動心'에 대하여, 雙峰饒氏(饒魯)는

> 《集註》의 '恐懼疑惑' 네 글자는 비록 마음이 동하는 것을 말하였으나 '恐懼' 두 글자는
> 바로 아랫글에 養氣의 張本이 되고, '疑惑' 두 글자는 바로 아랫글에 知言의 張本이 된다.
> 요컨대 의혹하지 않은 뒤에 두려워하지 않을 수 있다. 그러므로 《集註》에 마음의 동함을 논

하면 恐懼를 앞에 놓고, 마음의 동하지 않음을 논하면 또 疑惑하는 바가 없는 것을 앞에 놓은 것이다.〔集註恐懼疑惑四字 雖是說心之所以動 然恐懼字 是爲下文養氣張本 疑惑字 是爲下文知言張本 要之不疑惑 然後能不恐懼 故集註論心之動 則以恐懼居先 論心之所以不動 則又以無所疑惑居先〕

하였는데, 茶山은

만약 나의 喜·怒·憂·哀·恐·懼의 감정이 사물에 따라 어지럽게 움직여 절제하는 바가 없으면 높은 자리에 처하여 사물을 진정시킬 수 없다. 이 때문에 큰 자리에 있고 큰 임무를 맡은 자는 不動心을 가장 귀하게 여기는 것이다.……古人들은 '국가의 大事와 큰 의논을 결정할 적에 띠를 드리우고 홀을 바로잡고는 말소리나 얼굴빛을 조금도 움직이지 않고 천하를 태산처럼 평안한 곳에 두었다'고 하였으니, 이 장의 〈不動心에 관한〉 一問一答은 마땅히 이것으로 찾아야 한다.〔若吾之喜怒憂哀恐懼之情 隨物亂動 無所節制 則不可以居高鎭物 此所以處大位當大任者 首以不動心爲貴……古人稱定大事決大議 垂紳整笏 不動聲色 而措天下於太山之安 一問一答 當以是求之〕

라고 하여, 不動心을 '감정을 절제하며 태연하게 큰일을 처리하는 德 또는 국량'으로 본 듯하다. 茶山은 또 朱子가 '恐懼하고 疑惑하는 바가 없는 것'으로 不動心을 해석한 것에 대해,

나의 큰 德이 충분히 큰 임무를 받아 大道를 행할 수 있으면 저절로 당연히 두려움이 없을 것이고, 나의 才德이 본래 부족하면 군자는 마땅히 물러나서 賢者에게 기회를 양보해야 한다. 어찌 억지로 두려움이 없기를 구할 수 있겠는가. 하물며 惑과 不惑은 지식에 관계되는 것이니, 지식이 미치지 못하면 어찌 의혹되지 않을 수 있겠는가. 孔子는 '40에 不惑'을 말씀하시고, 孟子는 '40에 不動心'을 말씀하셨으므로, 朱子는 마침내 不動心을 '不惑'으로 여겼으나, 經에서 말한 不動心은 이것을 이른 것이 아니다.〔我之大德 有足以受大任行大道 則自當無懼 我之才德 本自不足 君子宜逡巡退縮 以讓賢路 豈可强求其無懼乎 況惑 與不惑 繫于知識 知所不及 安得不惑 孔子稱四十不惑 孟子稱四十不動心 故朱子遂 以不動心爲不惑 然經所云不動心 非謂是也〕

하였다.

集註 │ 此는 承上章하여 又設問 孟子若得位而行道면 則雖由此而成霸王之業이라
도 亦不足怪어니와 任大責重이 如此면 亦有所恐懼疑惑而動其心乎아하니라 四十은
彊仕[152]니 君子道明德立之時라 孔子四十而不惑도 亦不動心之謂라

이것은 윗장을 이어 또다시 가설하여 묻기를 "孟子께서 만일 지위를 얻어 道를 행하시게 된
다면 비록 이로 말미암아 霸者와 王者의 業을 이룩하더라도 괴이하게 여길 것이 없지만 임
무가 크고 책임이 중함이 이와 같다면 또한 恐懼하고 疑惑하는 바가 있어서 그 마음을 동하
시겠습니까?"라고 한 것이다. 40은 체력이 강하여 벼슬할 때이니, 君子가 道가 밝아지고 德
이 확립되는 때이다. 孔子께서 40歲에 의혹하지 않으신 것도 不動心을 이르신 것이다.

2-2. 曰 若是則夫子過孟賁이 遠矣로소이다 曰 是不難하니 告子도 先我不動心하니라

公孫丑가 말하였다. "이와 같다면 夫子께서는 孟賁보다 더함이 크십니다.(크게 뛰어
나십니다.)"
孟子께서 말씀하셨다. "이것은 어렵지 않으니, 告子도 나보다 먼저 마음을 동하지 않았
다."

> 按說 │ '先我不動心'에 대하여, 茶山은 "말의 맥락을 살펴보면 孟賁은 40세 이후에 不
> 動心을 한 것이고, 告子는 40세 이전에 不動心을 한 것이다." 하였다.

集註 │ 孟賁은 勇士[153]라 告子는 名不害[154]라 孟賁血氣之勇을 丑蓋借之하여 以贊孟

---

152 四十彊仕:《禮記》〈曲禮上〉에 "사람이 태어나 10세가 된 자를 '幼'라 하니 學業을 익힌다. 20세를 '弱'
   이라 하니 冠禮를 하고, 30세를 '壯'이라 하니 아내를 두며, 40세를 '强'이라 하니 벼슬을 한다.〔人生十
   年曰幼 學 二十曰弱 冠 三十曰壯 有室 四十曰强 而仕〕"라고 보이는바, 체력이 강하여 막 벼슬길에 오
   름을 뜻한다.

153 孟賁 勇士:《大全》에 "孟賁은 齊나라 사람이니, 소의 뿔을 맨손으로 뽑을 수 있었는데, 秦나라 武王이
   힘이 센 勇士를 좋아하자, 孟賁이 가서 귀의하였다.〔賁齊人 能生拔牛角 秦武好多力士 賁往歸之〕"
   하였다.

154 告子 名不害:告子에 대하여 趙岐는 〈告子上〉의 註에서 "儒·墨의 道를 겸하여 배우고 일찍이 孟子에
   게 수학한 자이다.〔兼治儒墨之道者 嘗學於孟子〕" 하였다. 楊伯峻은 《墨子》〈公孟〉에 "제자들이 墨

··· 怪 괴이할 괴 恐 두려울 공 懼 두려울 구 彊 굳셀 강(强通) 仕 벼슬할 사 過 뛰어날 과 賁 클 분 遠 멀 원
   借 빌릴 차 贊 칭찬할 찬

子不動心之難이라 孟子言 告子未爲知道로되 乃能先我不動心하니 則此未足爲難
也라

孟賁은 勇士이다. 告子는 이름이 不害이다. 孟賁의 血氣의 勇을 公孫丑가 빌려서 孟子
의 不動心의 어려움을 칭찬한 것이다. 孟子께서 "告子는 道를 알지 못하는데도 나보다 먼
저 不動心을 하였으니, 이것은 족히 어려울 것이 못된다."라고 말씀하신 것이다.

2-3. 曰 不動心이 有道乎잇가 曰 有하니라

公孫丑가 말하였다. "不動心이 방법이 있습니까?"
孟子께서 말씀하셨다. "있다.

集註 | 程子曰 心有主면 則能不動矣니라

程子(伊川)가 말씀하였다. "마음에 주장이 있으면 동하지 않을 수 있는 것이다."

2-4. 北宮黝之養勇也는 不膚撓하며 不目逃하여 思以一毫挫於人이어든 若撻之於市朝하여 不受於褐寬博하며 亦不受於萬乘之君하여 視刺(자) 萬乘之君호되 若刺褐夫하여 無嚴諸侯하여 惡聲이 至커든 必反之하니라

北宮黝가 勇을 기른 것은 피부가 찔려도 움츠리지 않으며 눈동자가 찔려도 피하지 않
아서, 생각하기를 털끝만큼이라도 남에게 挫折(侮辱)을 당하면 마치 市朝에서 종아
리를 맞는 것처럼 여겨, 褐寬博에게서도 〈모욕을〉받지 않고 또한 萬乘의 군주에게서
도 〈모욕을〉받지 않아, 萬乘의 군주를 찌르는 것 보기를 마치 褐夫를 찔러 죽이는 것
처럼 생각하여, 두려워하는 諸侯가 없어서 험담하는 소리가 이르면 반드시 보복하였다.

子에게 고하기를 '告子는 「〈선생님이〉義를 말씀하면서 행실은 매우 나쁘다.」라고 훼방하니, 그를 내쫓
으십시오.' 하자, 墨子는 '불가하다.……이제 告子가 말재주를 크게 부리지만 〈내가 말한〉仁義를 말하
면서 나를 비방하지는 않는다.[二三子復於子墨子曰 告子曰 言義而行甚惡 請棄之 子墨子曰 不可
……今告子言談甚辯 言仁義而不吾毁]" 한 것을 인용하여, 告子가 墨子에게 배웠음을 알 수 있다고
하였다.

··· 黝 검을 유 膚 살갗 부 撓 흔들 요 逃 달아날 도 毫 터럭 호 挫 꺾일 좌 撻 종아리칠 달 褐 털옷 갈 寬 넓을 관
博 넓을 박 刺 찌를 자(척) 嚴 두려울 엄 反 돌이킬 반, 보복할 반

集註 | 北宮은 姓이요 黝는 名[155]이라 膚撓는 肌膚被刺而撓屈也요 目逃는 目被刺而轉睛逃避也라 挫는 猶辱也라 褐은 毛布요 寬博은 寬大之衣니 賤者之服也라 不受者는 不受其挫也라 刺은 殺也라 嚴은 畏憚也니 言無可畏憚之諸侯也라 黝는 蓋刺客之流니 以必勝爲主而不動心者也라

'北宮'은 姓이요, '黝'는 이름이다. '膚撓'는 肌膚가 찔림을 당하여 흔들리고 움츠러드는 것이요, '目逃'는 눈이 찔림을 당하여 눈동자를 굴려 피하는 것이다. '挫'는 辱(치욕, 모욕)과 같다. '褐'은 毛布요 '寬博'은 헐렁하고 큰 옷이니, 천한 자의 의복이다. '받지 않는다'는 것은 그의 모욕을 받지 않는 것이다. '刺'는 찔러 죽임이다. '嚴'은 두려워하고 꺼리는 것이니, 두려워하고 꺼릴 만한 諸侯가 없음을 말한다. 北宮黝는 아마도 刺客의 부류이니, 반드시 이김을 위주하여 마음을 동하지 않은 자일 것이다.

2-5. 孟施舍之所養勇也는 曰 視不勝호되 猶勝也로니 量敵而後進하며 慮勝而後會하면 是는 畏三軍者也니 舍豈能爲必勝哉리오 能無懼而已矣라하니라

孟施舍가 勇을 기른 것은 '이기지 못함을 보되 이기는 것과 같이 여기노니, 적을 헤아린 뒤에 전진하며 승리를 생각한 뒤에 교전한다면 이것은 적의 三軍을 두려워하는 것이다. 내 어찌 필승을 할 수 있겠는가. 두려움이 없을 뿐이다.' 하였다.

集註 | 孟은 姓이요 施는 發語聲이요 舍는 名也[156]라 會는 合戰也라 舍自言 其戰雖不

---

155 北宮……名:《淮南子》〈主術訓〉에 "칼날을 쥐면 北宮子와 司馬蒯蕢라도 적에게 대응하게 하지 못하고, 칼자루를 잡고 그 끝을 휘두르면 보통 사람이라도 적을 제압하여 승리할 수 있다.〔握劍鋒 (以離)〔雖以北宮子司馬蒯蕢 不使應敵 操其觚 招其末 則庸人能以制勝〕"하였는데, 高誘의 註에 "北宮子는 齊나라 사람으로 《孟子》에서 말한 北宮黝이다."하였다.

156 北宮……名:茶山은 "'孟施' 두 글자는 複姓이다. 《禮記》〈雜記〉에 '공자께서 少施氏에게서 밥을 얻어먹을 적에 배불렀다.'고 하였으니, 孟施氏와 少施氏는 형제의 자손인 듯하다.〔孟施二字複姓也 禮記曰 孔子食於少施氏而飽 孟施氏少施氏 似是兄弟之孫〕"하였다. 楊伯峻에 의하면, 閻若璩는 《四書釋地又續》에서 '孟施'는 複姓으로 魯나라의 少施氏와 같은 예라고 하였고, 翟灝는 《四書考異》에서 古人은 이름이 두 자이면 때로 한 자만 부르기도 하니, 〈經文에서〉 '舍'로 칭한 것이 의심할 바가 아니라고 하였다. 그러나 朱子는, 孟施舍는 이름이 孟舍인데, 중간에 '施'가 들어간 것은 發語聲으로 보았으니, 뒤의 〈離婁下〉 24장에 보이는 '庾公之斯', '尹公之他'의 '之'와 같은 것이다. 이들 역시 이름이 庾斯와

··· 肌 살 기 屈 굽힐 굴 睛 눈동자 정 辱 욕될 욕 憚 꺼릴 탄 流 무리 류 舍 집 사 量 헤아릴 량 慮 생각할 려
懼 두려울 구

勝이나 亦無所懼니 若量敵慮勝而後進戰이면 則是無勇而畏三軍矣라하니라 舍는 蓋
力戰之士니 以無懼爲主而不動心者也라

'孟'은 姓이요 '施'는 發語聲이요 '舍'는 이름이다. '會'는 모여 싸우는 것이다. 孟施舍가
스스로 말하기를 "싸움에 비록 승리하지 못하더라도 두려워하는 바가 없으니, 만일 적을 헤
아리고 승리할 것을 생각한 뒤에 나가서 싸운다면, 이것은 勇이 없어서 적의 三軍을 두려워
하는 것이다." 하였다. 孟施舍는 아마도 힘써 싸우는 용사이니, 두려움이 없음을 위주하여
마음을 동하지 않은 자일 것이다.

2-6. 孟施舍는 似曾子하고 北宮黝는 似子夏하니 夫二子之勇이 未知其
孰賢이어니와 然而孟施舍는 守約也니라

孟施舍는 曾子와 유사하고 北宮黝는 子夏와 유사하니, 이 두 사람의 勇은 누가 나
은지 알지 못하겠으나 孟施舍는 지킴이 요약되었다.

> 集註 | 黝는 務敵人하고 舍는 專守己[157]하며 子夏는 篤信聖人하고 曾子는 反求諸己라
> 故로 二子之與[158]曾子子夏는 雖非等倫이나 然論其氣象하면 則各有所似라 賢은 猶
> 勝也라 約은 要也라 言 論二子之勇하면 則未知誰勝이어니와 論其所守하면 則舍比於
> 黝에 爲得其要也라

北宮黝는 남을 대적하기를 힘쓰고 孟施舍는 자신을 지키기를 오로지 하였으며, 子夏는 聖
人(孔子)을 독실하게 믿었고 曾子는 자기 몸에 돌이켜서 찾았다. 그러므로 이 두 사람이 曾
子·子夏와 비록 동등한 무리가 아니나, 그 기상을 논하면 각기 유사한 바가 있는 것이다.
'賢'은 勝(나음)과 같다. '約'은 요약이다. 두 사람의 勇을 논한다면 누가 나은지 알지 못하겠
으나 그 지키는 바를 논한다면 孟施舍가 北宮黝에 비하여 요약을 얻었음을 말씀한 것이다.

尹他인데, 이들을 높여 '公'이라 하고 그 아래에 發語聲으로 '之'를 넣은 것이다.

157 黝務敵人 舍專守己:慶源輔氏(輔廣)는 "北宮黝가 남과 대적하기를 힘썼다는 것은 오로지 기필코 남
을 이기는 것을 위주하여 말한 것이요, 孟施舍가 자신을 지키기를 오로지 하였다는 것은 오로지 자신
이 두려워하는 바가 없음을 위주하여 말한 것이다.[黝務敵人 謂專以必勝於人爲主也 舍專守己 謂專
以我無所懼爲主也]" 하였다.

158 之與:兩者의 관계를 나타낼 때 사용하는 문투로 '君之於民', '子之於父'와 같은 경우이다.

··· 孰 누구 숙 賢 나을 현 約 요약할 약 敵 대적할 적 篤 두터울 독 倫 무리 륜 勝 나을 승

2-7. 昔者에 曾子謂子襄曰 子好勇乎아 吾嘗聞大勇於夫子矣로니 自反而不縮이면 雖褐寬博이라도 吾不惴焉이리오 自反而縮이면 雖千萬人이라도 吾往矣라하시니라

옛적에 曾子가 子襄에게 이르시기를 '그대는 勇을 좋아하는가? 내 일찍이 大勇을 夫子에게 들었으니, 「스스로 돌이켜서 정직하지 못하면 비록 褐寬博이라도 내 두려워하지 않겠는가. 〈그러나〉 스스로 돌이켜서 정직하다면 비록 천만 명이 있더라도 내가 가서 당당히 대적하겠다.」 하셨다.

按說 | '吾不惴焉'에 대한 해석은 '내가 그들을 두렵게 할 수 없다'와 '내가 그들을 두려워하지 않겠는가.'의 두 가지 해석이 가능하다. 《集註》에 '惴 恐懼之也'라 하여 '상대방을 두렵게 하다.'로 해석하였으므로 官本諺解와 栗谷諺解에는 '吾不惴焉이어니와'로 懸吐하여 '내가 상대방을 두렵게 할 수 없거니와'로 해석하였다. 壺山은

"〈'恐懼'에〉 '之'字를 놓은 뒤에 스스로 두려워하지 않는 뜻이 된다.〔下之字然後 不爲自懼之義〕"

하여 官本諺解의 해석을 더욱 증명하였다. 그러나 茶山은

'吾不惴焉'은 '내가 어찌 그를 두려워하지 않겠는가.'이다. 위아래의 節에 두려움이 없는 방법을 논한 것은, 모두 내 마음에 두려움이 없음을 논한 것이니, 대적하는 사람이 두려워하고 두려워하지 않음을 어찌 따지겠는가. 스스로 돌이켜보아 곧지 않으면, 적이 비록 숫자가 적고 약하더라도 군자는 두려워하고 스스로 닦아야 하니, 이것이 큰 용맹은 두려움이 없게 되는 방법이다.〔吾不惴焉者 吾豈不惴焉也 上下節 論無懼之法 皆我心之無懼也 敵人之懼與不懼 豈所問哉 自反而不直 敵雖寡弱 君子當恐懼自修 此大勇無懼之法也〕

하였다. 臺山(金邁淳)은

'吾不惴焉'을 趙岐의 註에 '가볍게 놀래키고 두렵게 하지 못하는 것이다.' 하였는데, 《集註》에 그 뜻을 그대로 사용하여 '惴 恐懼之也'라 하였으니, 이는 온당하지 못한 듯하다. '어찌 두려워하지 않겠는가〔豈不恐懼〕'의 뜻으로 보는 것이 좋을 듯하다.…… 顧亭林(顧炎

··· 襄 멍에양 反 돌이킬반 縮 곧을축 惴 두려워할췌

武)의 《日知錄》에 "'褐寬博吾不惴焉'은 '不'자 위에 한 '豈'자가 생략되었다." 하여 바로 나의 뜻과 같다.〔吾不惴焉 趙註以爲不輕驚懼之也 集註仍用其意曰 惴恐懼之也 此似 未穩 作豈不恐懼意看 恐好……顧亭林日知錄曰 褐寬博吾不惴焉 不上省一豈字 政 同鄙見〕《臺山集 闕餘散筆》

하였다. 艮齋(田愚)는 '吾不惴焉이리오'로 懸吐를 수정하였으며, 中國本《四書章句集注》 역시 대부분 '내가 그를 두려워하지 않을 수 있겠는가.'로 해석하였으므로 번역에서 이를 따랐다. 한편 楊伯峻은

> '惴'는 동사의 使動 용법으로 '그를 두렵게 한다.'는 뜻이다. 아래의 '焉'字는 '之'字의 뜻을 포함하고 있어 목적어로 쓰였다.

하여 官本諺解와 같은 의미로 해석하였다.

集註 | 此는 言曾子之勇也라 子襄은 曾子弟子也라 夫子는 孔子也라 縮은 直也니 檀弓曰 古者에 冠縮縫이러니 今也衡(橫)縫이라하고 又曰 棺束은 縮二衡三[159]이라하니라 惴는 恐懼之也라 往은 往而敵之也라

이것은 曾子의 勇을 말씀한 것이다. 子襄은 曾子의 弟子이다. '夫子'는 孔子이다. '縮'은 곧음이니, 《禮記》〈檀弓〉에 이르기를 "옛적에는 冠을 곧게 꿰맸는데, 지금은 가로로 꿰맨다." 하였고, 또 이르기를 "棺의 묶음은 세로가 둘이요 가로가 셋이다." 하였다. '惴'는 두렵게 함이다. '往'은 가서 대적함이다.

2-8. 孟施舍之守는 氣라 又不如曾子之守約也니라

孟施舍의 지킴은 氣이니, 또 曾子의 지킴이 요약함만 못하다."

集註 | 言 孟施舍雖似曾子나 然其所守는 乃一身之氣니 又不如曾子之反身循理하여 所守尤得其要也라 孟子之不動心은 其原이 蓋出於此하니 下文에 詳之하시니라

---

159 縮二衡三:《大全》에 "'衡'은 '橫'과 같으니 두 說을 인용하여 '縮'이 '直'이 됨을 증명했다.〔衡與橫同 引二說 證縮爲直〕" 하였다.

••• 縫 꿰맬 봉 衡 가로 횡(橫同) 棺 널 관 循 따를 순 詳 자세할 상

孟施舍가 비록 曾子와 유사하나 그가 지킨 것은 바로 한 몸의 氣이니, 또 曾子가 자기 몸에 돌이켜 理를 따라서 지킨 바가 더욱 그 요약함을 얻음만 못함을 말씀한 것이다. 孟子의 不動心은 그 근원이 여기에서 나왔으니, 아랫글에 상세히 말씀하였다.

2-9. 曰 敢問夫子之不動心과 與告子之不動心을 可得聞與잇가 告子曰 不得於言이어든 勿求於心하며 不得於心이어든 勿求於氣라하니 不得於心이어든 勿求於氣는 可커니와 不得於言이어든 勿求於心은 不可하니 夫志는 氣之帥(수)也요 氣는 體之充也니 夫志至焉이요 氣次焉이라 故로 曰 持其志오도 無暴其氣라하니라

公孫丑가 말하였다. "감히 묻겠습니다. 夫子의 不動心과 告子의 不動心을 얻어들을 수 있겠습니까?"

〈孟子께서 말씀하셨다.〉"告子가 말하기를 '말에 이해되지 못하거든 마음에 알려고 구하지 말며, 마음에 〈편안함을〉 얻지 못하거든 기운에 도움을 구하지 말라.' 하였으니, 마음에 〈편안함을〉 얻지 못하거든 기운에 도움을 구하지 말라는 것은 可하지만, 말에 이해되지 못하거든 마음에 알려고 구하지 말라는 것은 不可하다. 意志는 氣의 將帥요 氣는 몸에 꽉 차 있는 것이니, 意志가 최고이고 氣가 그 다음이다. 그러므로 말하기를 '그 意志를 잘 잡고도 또 그 氣를 포악히(무리하게) 하지 말라.'고 한 것이다."

按說 | 茶山은 "'勿求於氣'의 '氣'와 후세 理氣說의 氣를 혼동하여 말해서는 안 된다." 하고, 氣에 대하여 설명하기를,

우리 인간이 낳고 기르고 움직이고 知覺하도록 하는 원인을 궁구해 보면 오직 血과 氣 두 가지가 있다. 그 形質을 논하면 血은 거칠고 氣는 精하며, 血은 무디고 氣는 예리하다. 무릇 喜·怒·哀·懼가 발하는 것은 모두 마음이 발해서 志가 되고, 志는 마침내 氣를 움직이고 氣는 마침내 血을 움직이니, 이에 얼굴에 나타나고 四體에 도달한다. 志는 氣의 장수요, 氣는 血을 거느리는 것이다. 그러므로 孔子가 여색과 싸움을 좋아하는 이치를 논할 적에 血과 氣를 함께 말씀했는데, 孟子가 不動心의 이치를 논할 적에 氣만을 말씀한 것은, 氣라는

··· 帥 장수 수 充 가득할 충 持 잡을 지 暴 포악할 포

물건이 혈액을 움직이게 하나 그 권력은 志의 다음이기 때문이다. 그러므로 孟子가 스스로 주석하기를 '氣는 몸에 꽉 차 있는 것이다.' 한 것이다. 저 몸에 꽉 차있는 것은 무엇인가? 다른 것이 아니다. 바로 氣이다. 이 氣가 사람의 몸속에 있는 것은 마치 游氣가 天地 속에 있는 것과 같다. 그러므로 저것도 氣라 하고 이것도 氣라 하는 것이니, 총괄하자면 여기의 氣는 理氣의 氣와는 다르다.【理氣說에서는 모든 形質이 있는 것을 氣라 한다.】〔原夫吾人之所以 生養動覺 惟有血氣二物 論其形質 血粗而氣精 血鈍而氣銳 凡喜怒哀懼之發 皆心發 爲志 志乃驅氣 氣乃驅血 於是見於顏色 達於四體 志者氣之帥也 氣者血之領也 故 孔子論好色好鬪之理 兼言血氣 而孟子論不動心之理 單言氣 以氣之爲物 驅駕血液 其權力次於志也 故孟子自注曰 氣者體之充 夫充於體者 何物 非他 氣也 是氣之在 人體之中 如游氣之在天地之中 故彼曰氣 此亦曰氣 總與理氣之氣不同【理氣家 凡有 形質者謂之氣】〕

하였다. 楊伯峻은

'勿求於氣'는 趙岐의 註에서 '곧바로 노한다.〔直怒之矣〕'로 '求於氣'를 해석하였으니, 그는 이 '氣'字를 감정과 意氣로 풀이하였음을 알 수 있다. '氣는 몸에 꽉 차 있는 것〔氣 體之 充也〕'이라 한 것은 또 體氣를 가리켜 말한 것이다. 대체로 孟子는 體氣와 意氣를 한가지로 본 것이다.

하였다.
'無暴其氣'에 대하여, 茶山은

'暴'는 急(급함)이며 疾(빠름)이다.……程子의 〈四勿箴〉에 "말을 낼 때에 조급함과 경망함을 금하여야 안이 고요하고 專一해진다." 한 것이 바로 '無暴其氣'이다.〔暴者 急也疾也 程 子四勿箴曰 發禁躁妄 內斯靜專 此正是無暴其氣〕

하였다. 楊伯峻은 趙岐의 註에 "'暴'는 亂(어지럽히다)이다." 한 것을 취하고, '자신의 감정과 意氣를 지나치게 쓰지〔濫用〕말아야 한다.'로 意譯하였다. '無暴其氣'는 '氣'를 무리하게 하지 않는 것으로 표현함이 옳을 듯하다.
'故曰 持其志 無暴其氣'에 대하여, 壺山은

살펴보건대 '持其志, 無暴其氣'를 官本諺解에는 古語로 보았으나《集註》의 뜻은 그대로 孟子가 단정한 말씀으로 보았으니, 孟子가 스스로 말씀하신 것인데도 '故曰'이란 글자를 놓을 수 있는 것이다. 이는 아마도 참고할 만한 것이 있어서 반드시 '我'자를 놓았을 것이다. 아니면 이 章과 〈喬木章〉註는 모두 '一洒'의 註를 이어받아 생략한 것인가 보다.〔持其志 無暴其氣 諺讀作古語 而集註意則仍作孟子斷之之言 蓋自言也 而亦可著故曰字 有可考而必著我字耳 抑此及喬木章註 皆蒙一洒註而略之歟〕

하였다. '一洒의 註'란 〈梁惠王上〉 5장의 '故曰 仁者無敵'에 대해 《集註》에 '仁者無敵 蓋古語也'라 한 것을 가리킨다. '喬木章'은 〈梁惠王下〉 7장을 가리킨 것으로 여기에도 '故曰 國人殺之也'라 하여 '故曰'이 보이나, 여기의 '故曰 持其志 無暴其氣'와 함께 '故曰'에 대한 주석이 없으므로 一洒의 註를 이어 받아 생략한 것으로 본 것이다.

集註 | 此一節은 公孫丑之問에 孟子誦告子之言하시고 又斷以己意而告之也라 告子謂 於言에 有所不達[160]이면 則當舍置其言이요 而不必反求其理於心이며 於心에 有所不安[161]이면 則當力制其心이요 而不必更求其助於氣라하니 此所以固守其心而不動之速也[162]라 孟子旣誦其言而斷之曰 彼謂不得於心而勿求諸氣者는 急於

---

[160] 於言 有所不達:經文의 '不得於言'을 朱子는 '말에 있어 통달하지 못하는 바가 있음'으로 해석하였다. 茶山은 '不得於言'은 '말에 좌절되는 바가 있음'을 이른다.〔不得於言 謂言有所跲〕"하였고, 楊伯峻은 "'不得'은 '이길 수 없다.'는 뜻이다. 이 몇 句는 모두 용기를 기르는 일을 논하였기 때문에 이기고 지는 것으로 말씀하였다. 옛 註釋은 모두 이 뜻을 알지 못하였다. '不得於言'이란 남들이 말로는 나를 굴복시킬 수 있어도 내 생각은 굴복시키지 못함을 이른다." 하였다.

[161] 於心 有所不安:經文의 '不得於心'을 朱子는 '마음에 불안한 바가 있음'으로 해석하였으나 茶山은 "'不得於心'은 '마음에 부족하게 여기는 바가 있음'을 이른다.〔不得於心 謂心有不慊〕"하였고, 楊伯峻은 "'不得於心'과 〈梁惠王上〉 7장의 '돌이켜 찾았으나 내 마음을 알지 못하였다.〔反而求之 不得吾心〕'는 말과 의미가 서로 같으니, 그 이치를 내 마음에서 얻지 못하였음을 이른다." 하였다.

[162] 此所以固守其心而不動之速也:《大全》에 "速은 나이가 아직 40세가 못됨을 이른다.〔速 謂年未四十〕"하였다. 朱子는 "告子의 생각은 '言語의 잘못은 마땅히 곧바로 말에서 구해야 하고 내 마음을 動하게 할 것이 못되며, 念慮의 잘못은 마땅히 곧바로 마음에서 구해야 하고 굳이 다시 기운에서 구할 필요가 없다.'고 여겼으니, 告子는 타고난 자질이 강하고 굳세어서 남보다 뛰어남이 있었다. 힘이 능히 堅忍하고 固執하여 한 偏見을 지켰으니, 이 때문에 학문은 비록 바르지 못하였으나 孟子보다 먼저 마음을 動하지 않은 것이다. 그가 性을 논한 몇 章을 살펴보면 論理가 굽히고 말이 궁하면 자주 자기 말을 바꾸어 상대방을 이기려 하고, 끝내 조용히 반복해서 자세히 생각하고 밝게 분변하여, 그 말한 바의 잘못을 가지고 마음에 돌이켜 지극히 마땅한 귀결을 구하지 못하였으니, 이것이 바로 말에 이해되지 못하면 마음에 구하지 않는 징험일 것이다.〔告子之意 以爲言語之失 當直求之於言 而不足以動吾之心 念慮之失 當直求之於心 而不必更求之於氣 蓋其天資剛勁 有過人者 力能堅忍固執 以守其一偏之見 所以學雖不正 而能先孟子以不動心也 觀其論性數章 理屈詞窮 則屢變其說以取勝 終不能從容反覆審思明辨 因其所言之失而反之於心 以求至當之歸 此其不得於言而不求諸心之驗也歟〕"하였다.《朱子大全 答張敬夫問目》

••• 誦 외울 송 舍 버릴 사(捨同) 置 둘 치

本而緩其末이니 猶之可也어니와 謂不得於言而不求諸心은 則旣失於外而遂遺其內니 其不可也 必矣라 然이나 凡曰可者는 亦僅可而有所未盡之辭耳라 若論其極이면 則志固心之所之而爲氣之將帥라 然이나 氣亦人之所以充滿於身而爲志之卒徒者也라 故로 志固爲至極而氣卽次之니 人固當敬守其志라 然이나 亦不可不致養其氣라 蓋其內外本末이 交相培養이니 此則孟子之心이 所以未嘗必其不動而自然不動之大略也니라

이 한 節은 公孫丑가 물음에 孟子께서 告子의 말을 외우시고, 또 자신의 뜻으로 판단하여 말씀하신 것이다. 告子가 이르기를 "말에 있어 통달하지 못하는 바가 있으면 마땅히 그 말을 버려둘 것이요 굳이 그 이치를 마음속에 돌이켜 찾을 것이 없으며, 마음에 불안한 바가 있으면 마땅히 힘써 그 마음을 제재할 것이요 굳이 다시 기운에 도움을 구할 것이 없다." 하였으니, 이 때문에 그 마음을 굳게 지켜서 동하지 않기를 속히 한 것이다.

孟子께서 이미 그의 말을 외우시고 단정하시기를 "저가 '마음에 〈편안함을〉 얻지 못하거든 기운에 도움을 구하지 말라.'고 한 것은 근본을 급히 여기고 지엽을 느슨히 한 것이니 그래도 可하지만 '말에 이해되지 못하거든 마음에 알기를 구하지 말라.'고 한 것은 이미 밖에서 잃고 마침내 안마저 버렸으니 그 不可함이 틀림없다." 하신 것이다.

그러나 무릇 可란 말은 겨우 可해서 미진한 바가 있는 말이다. 만일 그 지극함을 논한다면 意志는 진실로 마음의 가는 바여서 氣의 장수가 된다. 그러나 氣 또한 사람의 몸에 꽉 차 있어서 意志의 卒徒가 되는 것이다. 그러므로 意志는 진실로 지극함이 되고 氣는 곧 그 다음이 되니, 사람이 진실로 마땅히 그 意志를 공경히 지켜야 하나 또한 그 氣를 기름을 다하지 않으면 안 되는 것이다. 이는 內와 外, 本과 末이 서로 배양되는 것이니, 이는 孟子의 마음이 일찍이 不動心하기를 기필하지 않으셨는데도 자연히 동하지 않으신 바의 대략이다.

2-10. 旣曰 志至焉이요 氣次焉이라하시고 又曰 持其志오도 無暴其氣者는 何也잇고 曰 志壹則動氣하고 氣壹則動志也니 今夫蹶(궤)者趨者 是氣也而反動其心이니라

〈公孫丑가 말하였다.〉 "'이미 意志가 최고이고 氣가 그 다음이다.'고 하시고, 또 '그 意志를 잘 잡고도 그 氣를 포악하게 하지 말라.'고 하심은 무슨 말씀입니까?"

••• 緩 늦을 완 遺 버릴 유 僅 겨우 근 滿 찰 만 培 북돋을 배 壹 전일할 일 蹶 넘어질 궐 趨 달릴 추

孟子께서 말씀하셨다. "意志가 한결같으면 氣를 동하고 氣가 한결같으면 意志를 동하니, 지금 넘어지고 달리는 것은 바로 氣이지만 도리어 그 마음을 동요시킨다."

集註 | 公孫丑見孟子言志至而氣次라 故로 問 如此則專持其志可矣어늘 又言無暴其氣는 何也오하니라 壹은 專一也라 蹶는 顚躓也[163]요 趨는 走也라 孟子言 志之所向이 專一이면 則氣固從之라 然이나 氣之所在專一이면 則志亦反爲之動이니 如人이 顚躓趨走면 則氣專在是而反動其心焉이니 所以旣持其志而又必無暴其氣也라하시니라

程子曰 志動氣者는 什九요 氣動志者는 什一이니라

公孫丑는 孟子께서 意志가 최고이고 氣가 그 다음이라고 말씀하심을 보았다. 그러므로 묻기를 "이와 같다면 오로지 그 意志만 잡으면 可할 것인데 또 그 氣를 포악히 하지 말라고

---

163 蹶 顚躓也:茶山은 "許愼의《說文解字》에 '蹶는 跳(뛰어 오름)의 뜻이다.' 하였다. 經文의 '蹶者趨者'는 '뛰어 오르는 자와 달리는 자'를 이른다. 막 뛰어 오르고 달리는 자는 그 마음이 안정될 수 없다. 이것은 氣가 마음을 동요시켰기 때문이니, 그러므로 마음 또한 따라서 동요된 것이다.〔許愼說文蹶者 跳也 蹶者趨者 謂躍者走者也 方躍方走者 其心不能寧靜 是以氣動之 故心亦隨動也〕" 하였다.

••• 顚 넘어질 전 躓 넘어질 지 什 열 십

말씀하심은 어째서입니까?" 한 것이다. '壹'은 專一함이다. '蹶'는 넘어짐이요, '趨'는 달림이다. 孟子께서 말씀하시기를 "意志의 향하는 바가 專一하면 氣가 진실로 그 뜻을 따른다. 그러나 氣의 있는 바가 專一하면 意志가 또한 도리어 동요되니, 마치 사람이 넘어지고 달려가면 氣가 오로지 여기에 있어 도리어 그 마음을 동요시키는 것과 같은 것이다. 이 때문에 이미 그 意志를 잡고도 또 반드시 그 氣를 포악하게 하지 말아야 하는 것이다." 하셨다.

程子(明道)가 말씀하였다. "意志가 氣를 동하는 것은 열에 아홉이요, 氣가 意志를 동하는 것은 열에 하나이다."

2-11. 敢問夫子는 惡(오)乎長이시니잇고 曰 我는 知言하며 我는 善養吾의 浩然之氣하노라

〈公孫丑가 말하였다.〉"감히 묻겠습니다. 夫子께서는 어느 것이 뛰어나십니까?"
孟子께서 말씀하셨다. "나는 말을 알며, 나는 나의 浩然之氣를 잘 기르노라."

按說 | '我知言 我善養吾浩然之氣'의 '知言'에 대하여, 朱子는

'知言'은 다만 이치를 아는 것이다.〔知言 只是知理〕《語類》

하였고, 尤菴(宋時烈)은

'知言'은 바로 格物·致知의 일이고, '養氣'는 바로 誠意·正心의 일이다.〔知言 是格致之
事 養氣 是誠正之事〕《宋子大全 雜著 浩然章質疑》

하였는데, 이는 孟子가 告子와 다른 점을 밝힌 것이다. 告子는 말에 이해되지 못함이 있으면 그 말을 버려두고 마음에 알려고 노력하지 않았으나 孟子는 말의 옳고 그름을 알았으며, 告子는 마음에 불안한 바가 있으면 그 마음을 그대로 억제하고 기운에 도움을 구하지 않았으나 孟子는 浩然之氣를 잘 길러 용기를 배양함으로써 義理를 과감하게 행하신 것이다. 위의 '不得於言 勿求於心'과 '不得於心 勿求於氣'에 대한 茶山과 楊伯峻의 說은 이것을 제대로 看破하지 못한 것으로 생각된다. 후세에는 이 내용을 知言과 養氣로 축약하여 知言은 眞理를 아는 知工夫로, 養氣는 心身을 수행하는 行工夫로 분류하였

··· 善 잘할 선 浩 넓을 호

다. 그리하여 《大學》의 格物·致知와 誠意·正心·修身, 《中庸》의 擇善과 固執, 明善과 誠身, 《論語》의 博文과 約禮, 《書經》의 惟精과 惟一 등과 함께 知·行을 對擧하는 용어로 사용하였다.

茶山은 不動心과 知言, 養氣의 관계에 대하여

> 마음이 곧지 못하면 氣가 왕성하지 못하고, 氣가 왕성하지 못하면 말이 장엄하지 못하니, 이
> 것이, 講究하는 것은 不動心이나 養氣와 知言이 그 樞紐가 되는 이유이다.〔心不直則氣
> 不旺 氣不旺則辭不壯 此所以所講者不動心 而養氣知言 爲之樞紐也〕

하였다.

集註 | 公孫丑復問 孟子之不動心이 所以異於告子如此者는 有何所長而能然고 하니 而孟子又詳告之以其故也라 知言者는 盡心知性[164]하여 於凡天下之言에 無不有以究極其理而識其是非得失之所以然也[165]라 浩然은 盛大流行之貌라 氣는 卽所謂體之充者니 本自浩然이로되 失養故로 餒니 惟孟子爲善養之하여 以復其初也라 蓋惟知言이면 則有以明夫道義하여 而於天下之事에 無所疑요 養氣면 則有以配夫道義하여 而於天下之事에 無所懼니 此其所以當大任而不動心也라 告子之學은 與此正相反하니 其不動心은 殆亦冥然無覺하고 悍然不顧而已爾니라

公孫丑가 다시 "孟子의 不動心이 告子와 다름이 이와 같은 것은 어느 것에 所長이 있어서 그렇습니까?" 하고 묻자, 孟子께서 또 그 이유를 상세히 말씀해 주신 것이다. '知言'은 마음을 다하여 性을 알아서 모든 天下의 말에 그 이치를 궁구하고 지극히 하여 그 是非와 得失의 所以然을 알지 못함이 없는 것이다. '浩然'은 성대히 유행하는 모양이다. '氣'는 바로 이른바 '몸에 꽉 차 있다.'는 것이니, 본래 스스로 浩然하나 기름을 잃었기 때문에 굶주리게 (不足하게) 된 것이다.

---

164 盡心知性:뒤의 〈盡心上〉 1장에 "盡其心者 知其性也 知其性則知天矣"라고 보이는데, 朱子는 '盡心'은 知至, '知性'은 物格으로 설명하였다.

165 無不有以究極……所以然也:朱子는 "知言은 바로 이치를 궁구하는 것이니, 먼저 이치를 궁구하여 옳고 그름을 분명하게 보지 못하면 어떻게 浩然之氣를 기를 수 있겠는가. 모름지기 道理를 하나하나 살펴서 대처하기를 옳게 하여야 호연지기가 비로소 충만하여 커지는 것이다.〔知言 便是窮理 不先窮理 見得是非 如何養得氣 須是道理 一一審處得是 其氣方充大〕" 하였다.《語類》

··· 極 다할 극 餒 굶주릴 뇌 配 배합할 배 殆 거의 태 冥 어두울 명 悍 사나울 한 顧 돌아볼 고

오직 孟子께서 이것(浩然之氣)을 잘 길러 그 本初의 상태를 회복하신 것이다. 말을 알면 道義에 밝아서 天下의 일에 의심스러운 바가 없고, 氣를 기르면 道義에 배합되어서 天下의 일에 두려운 바가 없으니, 이 때문에 큰 책임을 담당하여도 不動心하는 것이다. 告子의 學問은 이와 정반대였으니, 그의 不動心은 거의 또한 무지몽매하여 깨달음이 없고 고집스러워서 돌아보지 않았을 뿐이다.

2-12. 敢問 何謂浩然之氣잇고 曰 難言也니라

〈公孫丑가 말하였다.〉 "감히 묻겠습니다. 무엇을 浩然之氣라 합니까?"
孟子께서 말씀하셨다. "말하기 어렵다.

按說 | 朱子는 《語類》에서

孟子가 먼저 知言을 말씀하고 뒤에 養氣를 말씀하였는데 公孫丑가 곧바로 養氣를 물은 것에 대해, 나는 그동안 단지 그가 윗글에 막 氣를 논한 것을 이어받아 질문한 것이라고만 여겼다. 그런데 지금 보니 그렇지 않고 바로 公孫丑가 마땅히 물어야 할 곳이다.(제대로 질문한 부분이다.) 知言을 뒤에 남겨 두었다가 물은 것은 '知言'은 최후에 合尖(마무리)하는 일이기 때문이니, 이는 마치 《大學》에서 正心·修身을 말한 것이 바로 '致知在格物' 한 句에서 끝나는 것과 같으니, 이것이 工夫하는 起頭處이기 때문이다.〔孟子先說知言 後說養氣 而公孫丑便問養氣 某向來只以爲是他承上文方論氣而問 今看得不然 乃是公孫丑 會問處 留得知言在後面問者 蓋知言是末後合尖上事 如大學說正心修身 只合殺在 致知在格物一句 蓋是用工夫起頭處〕

하였다. 南塘(韓元震)은

〈먼저 養氣를 물은 것은〉 마땅히 《語類》의 說을 올바름으로 삼아야 하나 《集註》의 '윗글을 이었다.'는 說 또한 완전히 폐해서는 안 될 듯하다.

하였다. 壺山은

살펴보건대 《語類》에 '合尖云云'은 비록 朱子의 晩年의 定論이나 《集註》의 說이 끝내 平易하고 順함을 깨달으니, 朱子께서 《集註》를 개정하지 않은 것이 어쩌면 이 때문이 아니겠는가. 逆으로 미루어 가면 格物·致知가 진실로 끝에 있으나 만약 순히 미루면 格物·致知가 도리어 위에 있으니, 마땅히 《集註》를 바른 뜻으로 삼고 《語類》는 一說로 삼아야 할 듯하다.〔按語類合尖云云 雖是晩年之論 然集註說 終覺平順 其不爲改定 豈非以是耶 蓋逆推 則格致固居末 而若順推 則格致反居上 恐當以集註爲正意 而語類備一說 耳〕

하였다. 合尖은 최상의 한 곳으로 모임(큰일을 끝마무리하는 작업)을 이른다.

集註 | 孟子先言知言이어시늘 而丑先問養氣者는 承上文方論志氣而言也라 難言者는 蓋其心所獨得하여 而無形聲之驗하여 有未易(이)以言語形容者라 故로 程子曰 觀此一言이면 則孟子之實有是氣를 可知矣라하시니라

孟子께서 먼저 知言을 말씀하셨는데, 公孫丑가 먼저 養氣를 물은 것은 윗글에서 막 志·氣를 논한 것을 이어서 말했기 때문이다. '말하기 어렵다.'는 것은 그 마음에 홀로 터득한 바여서 형상과 소리의 징험이 없어 언어로써 형용하기가 쉽지 않은 점이 있기 때문이다. 그러므로 程子(伊川)가 말씀하기를 "이 한 마디 말씀을 보면 孟子께서 실제로 이 浩然之氣를 가지고 계셨음을 알 수 있다." 한 것이다.

2-13. 其爲氣也 至大至剛하니 以直養而無害면 則塞于天地之間이니라

그 氣됨이 지극히 크고 지극히 강하니, 정직함으로써 기르고 해침이 없으면 〈이 浩然之氣가〉 天地의 사이에 꽉 차게 된다.

按說 | '至大至剛 以直養而無害'에 대하여, 程明道와 程伊川은 趙岐의 說을 따라 '至大至剛以直 養而無害'로 句를 떼었으며, 程伊川은 《周易》〈坤卦 六二〉 爻辭의 '곧고 방정하고 커서 익히지 않더라도 이롭지 않음이 없다.〔直方大 不習 无不利〕'를 들어

直方大는 《孟子》에 이른바 '지극히 크고 지극히 강하고 곧다.'는 것이다. 坤卦의 體에 있으므로 方으로 剛과 바꿨으니, 〈坤卦〉 卦辭의 貞에 암말을 加한 것과 같다. 氣를 말하면 大를 먼저 말하였으니, 大는 기운의 體이고, 坤卦에 있어서는 直과 方을 먼저 말하였으니, 直

··· 驗 징험할 험 塞 가득할 색

과 方으로 말미암아 커지는 것이다.〔直方大 孟子所謂至大至剛以直也 在坤體 故以方易剛 猶貞加牝馬也 言氣則先大 大 氣之體也 於坤則先直方 由直方而大也〕《易傳》

하였다. 그러나 朱子는 위와 같이 해석한 이유를《或問》에서 다음과 같이 밝히고 있다.

묻기를 "趙氏는 '至大至剛以直'에서 句를 떼었는데, 程子는 이것을 따르고 이에 대한 구체적인 해설이 있었습니다. 그런데 그대가 따르지 않음은 어째서입니까?" 하니, 나는 다음과 같이 대답하였다. "程子 이전에도 진실로 '至大至剛' 네 글자를 한 句로 삼은 자가 있었으니, 이 句讀는 의심컨대 또한 유래가 있었고, 다만 근세의 俗師에게서만 나오지는 않은 듯하다. 이제 直자를 위 句와 연결시키면 剛자와 말뜻이 중복되어 한갓 군더더기가 되어서 다른(특별한) 발명이 없고, 만일 直자를 아래 句와 연결시키면 이러한 병통이 없고, 윗글의 '스스로 돌이켜보아 정직하다'는 뜻과 首尾가 서로 응하며 맥락이 관통된다. 이 때문에 차라리 趙氏와 程子의 說을 버리고 俗師의 說을 따른 것이니, 이 또한 부득이한 바가 있어서였다. 이 浩然章의 문세는 비록 단절된 것 같으나 뜻은 실로 연관된다. 告子의 '不得於言'의 言과 '勿求於氣'의 氣는 孟子의 知言·養氣(善養吾浩然之氣)와 또한 서로 수십 句가 떨어져 있으면서도 서로 발명되어 이와 서로 유사하다. 만약 趙氏와 程子의 여러 說과 같다면 간단되고 끊겨 首尾가 전혀 상관이 없어서 義理가 어떠함을 논하기 전에 또한 다시 文字(文章)를 이루지 못하게 된다."〔曰 趙氏以至大至剛以直爲句 而程子從之 有成說矣 子之不從 何也 曰 程子之前 固有以至大至剛四字爲句者矣 則此讀疑亦有所自來 不獨出於近世之俗師也 今以直字屬之上句 則與剛字語意重複 徒爲贅剩 而無他發明 若以直字屬之下句 則旣無此病 而與上文自反而縮之意 首尾相應 脈絡貫通 是以寧舍趙程而從俗師之說 蓋亦有所不獲已耳 大抵此章文勢雖若斷絶 而意實連貫 如告子之不得於言之言 勿求於氣之氣 與孟子之知言養氣 亦是隔數十句而互相發明 與此相類 若如諸說 則間斷隔絶 都無干涉 未論義理之如何 亦不復成文字矣〕

集註ㅣ至大는 初無限量이요 至剛은 不可屈撓라 蓋天地之正氣而人得以生者니 其體段이 本如是也[166]라 惟其自反而縮이면 則得其所養이요 而又無所作爲以害之면

---

166 至大……本如是也:慶源輔氏(輔廣)는 "'애당초 한량이 없다.'는 것은 바로 盛大한 것이고, '굽히거나 흔들림이 없다.'는 것은 바로 流行이니, 이는 곧 이른바 '浩然之氣'라는 것이다. 用을 말하지 않은 것은 體를 들면 충분히 다 포함할 수 있기 때문이다.〔初無限量 便是盛大 不可屈撓 便是流行 卽所謂浩然

••• 限 한계 한 撓 흔들요 段 조각 단 縮 곧을 축

則其本體不虧하여 而充塞無間矣리라

程子曰 天人이 一也라 更不分別이니 浩然之氣는 乃吾氣也라 養而無害면 則塞于
天地요 一爲私意所蔽면 則欿然而餒하여 知其小也니라

謝氏曰 浩然之氣는 須於心得其正時에 識取[167]니라

又曰 浩然은 是無虧欠時[168]니라

'지극히 크다'는 것은 애당초 한량이 없는 것이요, '지극히 강하다'는 것은 굽히고 흔들릴 수
없는 것이다. 이는 天地의 正氣로서 사람이 얻어 태어난 것이니, 그 體段(體裁 또는 特性)
이 본래 이와 같다. 오직 스스로 돌이켜 보아 정직하면 기르는 바를 얻고, 또 작위하여 이것
을 해침이 없으면 그 본체가 이지러지지 않아서 충만하여 간격이 없을 것이다.

程子(伊川)가 말씀하였다. "하늘과 인간이 똑같다. 다시 분별이 없으니, 浩然之氣는 바로
나의 氣이다. 이것을 잘 기르고 해침이 없으면 天地에 꽉 차고, 조금이라도 私意에 가려지
면 쑥 꺼져 굶주려서 부족함을 느끼게 될 것이다."

謝氏(謝良佐)가 말하였다. "浩然之氣는 모름지기 마음이 그 바름을 얻었을 때에 알 수 있
는 것이다."

또 말하였다. "浩然은 이지러지거나 부족함이 없는 것이다."

2-14. 其爲氣也 配義與道하니 無是면 餒也니라

그 氣됨이 義와 道에 배합되니, 이것(浩然之氣)이 없으면 〈몸이〉 굶주리게 된다.

> 按說 | '配義與道'에 대하여 官本諺解와 栗谷諺解에 '配義與道하니'로 懸吐하고
> '義와 다못 道를 配하니'로 해석하였는데, 이에 대하여 壺山은
>
> 本文의 '配'字 아래에 '乎'字의 뜻이 있으니, 官本諺解의 解釋은 자세하지 못한 듯하
> 다.〔本文配字下 有乎字意 諺釋恐欠詳〕

之氣也 不言用者 擧體則足以該之矣)" 하였다.

167 識取:'取'는 동사 뒤에 붙는 助詞로, 기록하는 것을 '錄取', 듣는 것을 '聽取'라 하는 것과 같다.

168 是無虧欠時:壺山은 "'時'는 어조사이니, '者'와 같다.〔時 語辭 猶者也〕" 하였다. 이 경우 "浩然은 이지
러지거나 부족함이 없는 것이다."로 해석된다. '時'를 해석할 경우 문장이 어색해진다.

⋯ 蔽 가릴 폐 欿 부족할 감 餒 굶주릴 뇌 虧 이지러질 휴 欠 부족할 흠

하여 '義와 道에 배합되는 것'으로 보았다. 또 壺山은

> 道義는 군주와 같고 氣는 정승과 같고 몸은 나라와 같으니, 군주가 정승이 없으면 나라가 공
> 허하며, 또 道義는 남편과 같고 氣는 아내와 같고 몸은 집과 같으니, 남편이 아내가 없으면
> 집이 쓸쓸해진다.〔道義如君 氣如相 體如國 君無相則國空虛 又道義如夫 氣如妻 體如
> 家 夫無妻則家索矣〕

하였다.

'無是 餒也'에 있어 '是'가 道義를 가리키는가, 浩然之氣를 가리키는가 하는 것은 중요
한 관건이다. 朱子는 呂子約(呂祖儉)에게 답한 편지에서

> 만일 보내주신 편지와 같다면〈無是 餒也'의〉'是'가 道義를 가리켜 말한 것이 됩니다. 만
> 일 '이 道義가 없으면 氣가 이 때문에 굶주린다'는 뜻이라면, 孟子께서 여기에 마땅히 따
> 로 몇 마디를 더 했을 것입니다.……그 아래에도 '是集義所生'이란 말씀을 다시 할 필요가
> 없을 것입니다.〔若如來喩 以是爲指道義而言 若無此道義 卽氣爲之餒 則孟子于此亦
> 當別下數語……其下亦不須更說是集義所生矣〕《朱子大全 答呂子約》

하였다. 朱子가 '無是'의 '是'를 浩然之氣로 본 것은 '配義與道'의 '配'를 '合而有助'의
뜻으로 본 것과 상통한다. 朱子는 不動心의 방법으로 養氣를 제시하고 '氣壹則動志'라
하여 氣와 心 사이의 상호작용을 논한 孟子의 뜻을 따라, 氣와 道義 사이의 연관을 이
단락에서 읽은 것이다. 그래서 浩然之氣가 道義를 행하는 보조라 하고, 有無가 중시되
는 대상을 浩然之氣로 본 것이다. 이에 대하여 茶山은

> 朱子의 뜻은 '浩然之氣가 없으면 몸이 굶주린다'는 것이며, 呂氏의 뜻은 '道義가 없으면
> 氣가 굶주린다'는 것이다.……몸이 굶주리는 것은 君子가 근심할 바가 아니고, 오직 義理
> 를 축적하고 積善하는 공부가 지극하지 않은 바가 있으면, 안으로 살펴보아 하자가 있고 밖
> 으로 부끄러워 정신이 피폐해져 氣가 그 때문에 굶주리게 되는 것이니, 이것이 바로 君子가
> 부끄럽게 여겨야 할 바이다. 孟子는 集義가 氣를 생성하는 근본이라고 여겼고, 朱子는 養
> 氣가 義를 행하는 보조라고 여겼으니, 그 先後와 本末이 전도된 듯하다.〔朱子之意 以爲無
> 浩氣則體餒 呂氏之意 以爲無道義則氣餒……體餒非君子之攸憂也 唯是集義積善
> 之功 有所不至 則內疚外怍 茶然自沮 氣爲之餒 是乃君子之所恥也 孟子以集義爲生

氣之本 而朱子以養氣爲行義之助 其先後本末 似顚倒也〕

하였다. 茶山의 이러한 평은 그가 心과 氣 사이의 상호작용을 心에서 氣로 가는 일방적 작용으로 보는 데에서 연유한다. 浩然之氣는 道義의 축적에서 생기는 것이지, 道義의 실천에 도움을 줄 수 있는 것은 아니라는 말이다. 孟子가 心과 氣를 주종관계로 보는 것은 분명하지만, 心과 氣 사이의 상호작용을 긍정하고 心의 안정에 있어서 氣의 역할을 배제하지 않는 것도 간과할 수 없다. 따라서 이 단락의 해석은 아래의 按說에 보이는 農巖의 說을 참고하기 바란다.

集註ㅣ 配者는 合而有助之意라 義者는 人心之裁制요 道者는 天理之自然이라 餒는 飢乏而氣不充體也라 言 人能養成此氣면 則其氣合乎道義而爲之助하여 使其行之勇決하여 無所疑憚이요 若無此氣면 則其一時所爲 雖未必不出於道義나 然其體有所不充이면 則亦不免於疑懼하여 而不足以有爲矣[169]니라

'配'는 배합되어서 도움이 된다는 뜻이다. '義'는 人心의 裁制요, '道'는 天理의 自然이다. '餒'는 굶주리고 결핍되어 氣가 몸에 충만하지 못한 것이다. 사람이 능히 이 浩然之氣를 양성하면 그 氣가 道義에 배합되어 도움이 되어서 道義를 행하기를 용맹스럽고 결단성 있게 하여 의심하고 꺼리는 바가 없고, 만일 이 浩然之氣가 없으면 한때에 하는 바가 비록 반드시 道義에서 나오지 않는 것은 아니나, 그 몸이 충만하지 못한 바가 있으면 또한 의구심을 면치 못해서 훌륭한 일을 할 수 없음을 말씀한 것이다.

2-15. 是集義所生者라 非義襲而取之也니 行有不慊於心則餒矣라 我故로 曰 告子未嘗知義라하노니 以其外之也일새니라

이 浩然之氣는 義理를 축적하여 생겨나는 것이다. 義로움으로 하루아침에 갑자기 엄습하여 취해지는 것이 아니니, 행할 때 마음에 부족하게 여기는 바가 있으면 〈몸이〉 굶주리게 된다. 내 그러므로 '告子는 일찍이 義를 알지 못했다.'고 말한 것이니, 이는 義를

---

169 無所疑憚……不足以有爲矣: 新安陳氏(陳櫟)는 "'疑憚'과 '疑懼' 네 글자는 앞 註의 글에 '疑惑'과 '恐懼' 네 글자의 뜻을 응한 것이니, '憚'은 바로 恐懼이다.〔疑憚疑懼四字 仍應前註文疑惑恐懼字意 憚卽恐懼也〕" 하였다.

••• 裁 옷마를 재 飢 굶주릴 기 乏 다할 핍 憚 꺼릴 탄 免 면할 면 襲 엄습할 습 慊 만족할 겸

밖이라고 하기 때문이다.

按說 | '是集義所生者 非義襲而取之也'에 대하여, 官本諺解의 解釋은 '이 義를 集
ᄒᆞ야 生흔 배라 義ㅣ 襲ᄒᆞ야 取홈이 아니니'로 되어 있는데, 壺山은

살펴보건대 本文의 非와 義의 사이에 '以'字의 뜻이 있으니, 官本諺解의 해석은 자세하지
못한 듯하다. '生'과 '取'를 모두 氣로써 말하였으니, '者'字는 바로 '浩然之氣'를 가리킨 것
이다.〔按本文非義之間 有以字意 諺釋恐欠詳 生與取 皆以氣言 者字 正指浩然之氣〕

하였다. 栗谷諺解는 '이는 義를 集ᄒᆞ야 生흔 배라 義로 襲ᄒᆞ야 取홈이 아니니'로 되어 있
어 壺山과 같다.
'餒'에 대하여, 農巖(金昌協)은

《集註》의 '氣不充體' 한 句를 잘못보고서 마침내 '그 굶주린 것은 氣이다.'라고 말하니, 朱
子의 뜻은 본래 몸이 충만하지 않은 것으로 '餒'字를 해석하였으나 그 충만하지 못한 이유
를 근원해보면 모름지기 '氣'字를 놓아 말해야 함을 알지 못한 것이다. 아랫글 《集註》에서
'행할 때 마음에 부족하게 여기는 바가 있으면 굶주리게 된다.'는 한 단락을 해석할 경우에는
다만 '몸이 충만하지 않은 바가 있다.'고 하고 다시 氣를 말씀하지 않았으니, 그렇다면 본래
'餒'자를 氣가 굶주린 것으로 여기지 않았음을 알 수 있다.……程子의 이른바 '欿然히 굶
주려서 그 적음을 안다.'는 말씀은 도리어 氣가 굶주림을 말씀한 듯하니, 무슨 說인지 알지
못하겠으나 雙峰饒氏(饒魯)가 논한 두 '餒'字의 구분과 같은 것은 경문의 뜻을 크게 잃은
듯하다.〔由誤看集註氣不充體一句 遂謂其餒者爲氣 而不知朱子之意 本以體不充 釋
餒字 而原其所以不充 則須著氣字說耳 至下文集註釋行有不慊於心則餒一段 則只
曰體有所不充 而更不說氣 則其本不以餒字爲氣餒者 可見矣……程子所謂欿然而餒
知其小也者 却似言氣之餒 未知其何說 而若雙峰饒氏所論兩餒字之分 恐大失經旨
也〕《農巖集 書上尤齋孟子浩然章義問目》

하였다. 程子의 說은 앞 13節의 《集註》에 보이는 "浩然之氣 乃吾氣也 養而無害 則塞
于天地 一爲私意所蔽 則欿然而餒 知其小也"를 가리키며, 雙峰饒氏가 논한 두 餒자
의 구분이란 원문의 '無是餒也'와 '行有不慊於心 則餒矣'의 餒를 가리킨 것으로, 《大
全》에 다음과 같이 보인다.

두 餒자의 구분은, '이것이 없으면 굶주리게 된다〔無是餒也〕'는 것은 浩然之氣가 없으면
道義가 굶주리는 것이고 '행할 때 마음에 부족하게 여기는 바가 있으면 굶주리게 된다〔行有
不慊於心 則餒矣〕'는 것은 道義가 없으면 浩然之氣가 굶주리게 된다는 것이니, 가리키는
바가 똑같지 않다. 〈浩然之氣와 道義〉 두 가지가 서로서로 도움이 되니, 그 用을 논하면 道
義는 浩然之氣가 아니면 행할 수 없고, 그 體를 논하면 浩然之氣는 道義가 아니면 생겨
날 수 없는 것이다.〔二餒字之分 無是餒也 是無氣則道義餒 行有不慊則餒 是無道義則
氣餒 所指不同 蓋二者相資 論其用 則道義非氣無以行 論其體 則氣非道義無以生〕

集註 | 集義는 猶言積善이니 蓋欲事事皆合於義也라 襲은 掩取也니 如齊侯襲莒之
襲[170]이라 言 氣雖可以配乎道義나 而其養之之始에 乃由事皆合義하여 自反常直이
라 是以로 無所愧怍하여 而此氣自然發生於中이요 非由只行一事 偶合於義하여 便
可掩襲於外而得之也라 慊은 快也며 足也라 言 所行이 一有不合於義而自反不直
이면 則不足於心하여 而其體有所不充矣니 然則義豈在外哉리오 告子는 不知此理
하고 乃曰仁內義外라하여 而不復以義爲事하니 則必不能集義以生浩然之氣矣라
上文不得於言勿求於心은 卽外義之意니 詳見(현)告子上篇하니라

'集義'는 積善이란 말과 같으니, 일마다 모두 義에 합하고자 하는 것이다. '襲'은 엄습하여
(덮쳐서) 취하는 것이니, 《春秋左傳》 襄公 23년 조에 "齊나라 임금이 莒나라를 습격했
다."는 襲字와 같다. 氣가 비록 道義에 배합되나 浩然之氣를 기르는 처음에는 마침내 일마
다 모두 義에 합하여 스스로 돌이켜봄에 항상 정직함에서 말미암는다. 이 때문에 마음에 부
끄러운 바가 없어서 이 浩然之氣가 심중에서 자연히 발생되는 것이요, 다만 한 가지 일을
행한 것이 우연히 義에 합함으로 말미암아 곧 밖에서 엄습하여 얻어지는 것이 아니다. '慊'
은 쾌함이며 족함이다. 행하는 바가 조금이라도 義에 합하지 못해서 스스로 돌이켜 봄에 정
직하지 못함이 있으면 마음에 부족해서 그 몸이 충만되지 못한 바가 있게 되니, 그렇다면 義
가 어찌 밖에 있는 것이겠는가.

告子는 이러한 이치를 알지 못하고서 마침내 말하기를 "仁은 내면에 있고 義는 외면에 있

---

170 齊侯襲莒之襲:《春秋》襄公 23년 가을에 齊侯가 晉나라를 정벌하고 겨울에 "齊侯가 莒나라를 습격
했다.〔齊侯襲莒〕" 하였는데, 註에 "경무장하고 가서 덮치는 것을 '襲'이라 한다. 晉나라를 정벌하고 돌
아오는 길에 莒나라를 습격한 것이다.〔輕行掩其不備曰襲 因伐晉 還襲莒〕" 하였다.

••• 掩 가릴 엄 莒 나라이름 거 愧 부끄러울 괴 怍 부끄러울 작 偶 우연 우

다.” 하여 다시는 義를 일삼지 않았으니, 그렇다면 반드시 義로운 일을 축적하여 浩然之氣
를 내지 못하였을 것이다. 윗글에 ‘말에 이해되지 못하거든 마음에 알기를 구하지 말라.’는
것은 바로 義를 밖으로 여긴 뜻이니, 이 내용은 〈告子上〉篇에 자세히 보인다.

2-16. 必有事焉而勿正하여 心勿忘하며 勿助長也하여 無若宋人然이어
다 宋人이 有閔其苗之不長而揠之者러니 芒芒然歸하여 謂其人曰 今日
에 病矣로라 予助苗長矣로라하여늘 其子趨而往視之하니 苗則槁矣러라 天
下之不助苗長者寡矣니 以爲無益而舍之者는 不耘苗者也요 助之長
者는 揠苗者也니 非徒無益이라 而又害之니라

반드시 浩然之氣를 기름에 종사하되 효과를 미리 기대하지 말아서 마음에 잊지도 말
며 억지로 助長하지도 말아서 宋나라 사람과 같이 하지 말지이다. 宋나라 사람 중에
벼싹이 자라지 않는 것을 안타깝게 여겨 뽑아놓은 자가 있었다. 그는 아무 것도 모르고
돌아와서 집안사람들에게 말하기를 ‘오늘 〈내가 매우〉 피곤하다. 내가 벼싹이 자라도록
도왔다.’ 하므로 그 아들이 달려가서 보았더니, 벼싹이 말라 있었다. 天下에 벼싹이 자
라도록 억지로 助長하지 않는 자가 적으니, 유익함이 없다 해서 버려두는 자는 〈비유하
면〉 벼싹을 김매지 않는 자요, 억지로 助長하는 자는 〈비유하면〉 벼싹을 뽑아놓는 자이
니, 이는 비단 유익함이 없을 뿐만 아니라 도리어 해치는 것이다.”

按說 | ‘病矣’와 ‘苗則槁矣’에 대하여, 壺山은

‘病矣’ 두 글자는 어리석은 사람의 모습을 잘 형상(형용)하였으니, ‘苗則槁矣’는 뒷편의 ‘此
其爲厭足之道也’와 말뜻이 대략 같다. 戰國時代에 어리석은 일 중에 싹을 뽑고 나무의 그
루터기를 지킨 것과 같은 것이 모두 宋나라에서 나왔으니, 아마도 山川의 風氣가 그러한 것
인가, 아니면 이른바 ‘下流에 있는 것을 싫어한다는 것’인가.〔病矣二字 善形容痴人情狀
苗則槁矣 與後篇此其爲厭足之道也 語意略同 蓋戰國時痴人之事 如揠苗守株 皆出
於宋 豈山川風氣所然歟 抑所謂惡居下流者歟〕

하였다. ‘此其爲厭足之道也’는 아래 《離婁下》33장에 보인다.

⋯ 正 미리기대할 정 閔 근심할 민 苗 벼싹 묘 揠 뽑을 알 芒 아득할 망(茫同) 病 피곤할 병 趨 달릴 추 槁 마를 고
寡 적을 과 耘 김맬 운 徒 한갓 도

'天下之不助苗長者寡矣'라고 하였으나, 실제로 宋나라 사람처럼 벼싹을 뽑아 놓아 억지로 자라게 하는 자는 드물다. 다만 여기서는 浩然之氣를 기르다가 효과가 나지 않으면 人爲的으로 助長하는 자가 많음을 비유하여 말씀했을 뿐이다.

'揠苗'에 대하여, 茶山은

> 만약 일삼음이 있을 때에 스스로 期必하여 浩然之氣를 發生하려고 하면, 이것이 이른바 '揠苗'이다. 그러므로 孟子가 경계하여 "반드시 浩然之氣를 기름에 종사할 때에 미리 기필하는 바를 설정하지 말고, 다만 마음속으로 바르고 곧은 도리를 잊지 말고, 절대로 助長하여 揠苗의 병을 범하지 말라."고 하셨으니, 이것이 浩然之氣를 기르는 법이다.〔若當有事之時 自期自必 要發浩然之氣 是所謂揠苗也 故孟子戒之曰 必於有事之時 勿先設正 但於心內 勿忘正直底道理 切勿助長以犯揠苗之病 此養浩氣之法也〕

하였다.

集註ㅣ 必有事焉而勿正은 趙氏, 程子는 以七字爲句하고 近世에 或幷下文心字讀之者亦通이라 必有事焉은 有所事也니 如有事於顓臾[171]之有事라 正은 預期也니 春秋傳曰 戰不正勝[172]이 是也라 如作正心이라도 義亦同하니 此與大學之所謂正心者로 語意自不同也라 此는 言養氣者必以集義爲事요 而勿預期其效하며 其或未充이면 則但當勿忘其所有事요 而不可作爲以助其長이니 乃集義養氣之節度也라

---

171 有事於顓臾:'顓臾'는 國名으로, '顓臾에 일함이 있다.'는 것은 顓臾를 정벌할 일이 있음을 뜻하는바, 이 내용은《論語》〈季氏〉1장에 보인다.

172 春秋傳曰 戰不正勝:《春秋》僖公 26년에 "公子 遂가 楚나라에 가서 군대를 청하였다.〔公子遂如楚 乞師〕"하였는데,《春秋公羊傳》에 "乞이란 무엇인가? 말을 낮춘 것이다. 어찌하여 국내와 국외의 기사에 똑같이 '乞師'라고 말하였는가? 군대를 重하게 여긴 것이다. 어찌하여 군대를 중하게 여겼는가? 군대가 출동하면 돌아옴을 기약하지 못하고 전쟁하면 승리를 기약하지 못하기 때문이다.〔'不正'은 기약하지 못하는 것이다. '反'은 돌아오는 것이고 '勝'은 勝戰하는 것이다.〕〔乞者 何 卑辭也 曷爲以外內同若辭 重師也 曷爲重師 師出不正反 戰不正勝也〔不正者 不期也 反 復也 勝 捷也〕〕"하였다.《春秋公羊傳》의 '正'字에 대해 王引之의《經義述聞》에 "'正'이란 말은 定이며 必이다.〔正之言 定也 必也〕"하였다.《春秋穀梁傳》의 同年條에는 '戰不必勝'이라고 보이는데, 이 역시 전쟁은 싸워보아야 勝敗를 알 수 있지, 승리를 미리 기약할 수 없다는 뜻이다. 楊伯峻은《春秋公羊傳》의 '正'을 '定' 또는 '必'의 의미로 보면, 朱子가《春秋公羊傳》을 인용하여 '正'을 '預期'로 해석한 것은 취할 만하지 못하다고 하였다. 楊伯峻은 王夫之가 '正'을《儀禮》〈士婚禮〉의 '必有正焉'의 '正'으로 읽어 "'正'은 徵이며 的이니, '사물을 지적하여 징험할 표준으로 삼아 반드시 그러하도록 하는 것이다.〔正者 徵也 的也 指物以爲徵準使必然也〕"한 說을 취하여, '勿正'을 "특정한 목표를 두지 말아야 한다."로 번역하였다.

⋯ 顓 어리석을 전 臾 잠깐 유 預 미리 예

閔은 憂也라 揠은 拔也라 芒芒은 無知之貌[173]라 其人은 家人也라 病은 疲倦也라 舍之而不耘者는 忘其所有事요 揠而助之長者는 正之不得而妄有作爲者也라 然이나 不耘則失養而已요 揠則反以害之니 無是二者면 則氣得其養而無所害矣리라 如 告子不能集義而欲彊制其心이면 則必不能免於正助之病이니 其於所謂浩然者에 蓋不惟不善養이요 而又反害之矣니라

'必有事焉而勿正'을 趙氏(趙岐)와 程子(明道)는 일곱 字로써 구절을 삼았고, 근세에 혹 아랫글의 心字까지 아울러 읽는 자도 있으니, 또한 통한다. '必有事焉'은 종사하는 바가 있는 것이니, '有事於顓臾'의 有事와 같다. '正'은 미리 기약(기대)함이니,《春秋公羊傳》에 "싸움은 승리를 미리 기약할 수 없다."는 것이 이것이다. 만일 正心으로 쓴다 하더라도 뜻이 또한 같으니, 이것은《大學》의 이른바 '正心'이란 것과는 말뜻이 자연 같지 않다. 이것은 浩然之氣를 기르는 자가 반드시 의로운 일을 많이 축적함으로써 일을 삼고 미리 효과를 기대하지 말아야 하며, 혹시라도 충만되지 못하면 다만 마땅히 종사함이 있음을 잊지 말 것이요 억지로 작위하여 자라도록 돕지 말아야 함을 말씀한 것이니, 이것이 바로 의로운 일을 많이 축적하여 浩然之氣를 기르는 節度이다.

'閔'은 근심함이다. '揠'은 뽑는 것이다. '芒芒(茫茫)'은 無知한 모양이다. '其人'은 집안 사람이다. '病'은 피곤함이다. 버려두고 김매지 않는 자는 종사함이 있는 것을 잊는 것이요, 뽑아서 조장하는 자는 효과를 미리 기대하다가 얻지 못함에 함부로 작위하는 자이다. 그러나 김매지 않으면 기름을 잃을 뿐이지만 뽑는다면 도리어 해치게 되니, 이 두 가지(正과 助)가 없으면 氣가 그 기름을 얻어서 해치는 바가 없을 것이다. 告子와 같이 義理를 축적하지 못하고서 억지로 그 마음을 제재하고자 한다면 반드시 正助(미리 기대하거나 억지로 조장)하는 병통을 면치 못할 것이니, 이른바 浩然之氣란 것에 대해서 잘 기르지 못할 뿐만 아니요, 또 도리어 해치게 된다.

2-17. 何謂知言이니잇고 曰 詖辭에 知其所蔽하며 淫辭에 知其所陷하며 邪辭에 知其所離하며 遁辭에 知其所窮이니 生於其心하여 害於其政하며 發於其政하여 害於其事하나니 聖人이 復起사도 必從吾言矣시리라

---

173 芒芒 無知之貌:趙岐는 "'芒芒'은 피곤한 모양〔罷倦之貌〕이다."라고 해석하였다.

••• 拔 뽑을 발 疲 지칠 피 倦 피곤할 권 妄 함부로 망 彊 억지로 강 詖 편벽될 피 蔽 가릴 폐 淫 방탕할 음
陷 빠질 함 邪 간사할 사 離 떠날 리, 어긋날 리 遁 도망할 둔 窮 곤궁할 궁

〈公孫丑가 말하였다.〉 "무엇을 知言이라 합니까?"

孟子께서 말씀하셨다. "편벽된 말에 그 가린 바를 알며, 방탕한 말에 빠져 있는 바를 알며, 간사(부정)한 말에 괴리된 바를 알며, 도피하는 말에 〈논리가〉 궁함을 알 수 있으니, 마음에서 생거나 정사에 해를 끼치며 정사에 발로되어 일에 해를 끼치니, 聖人이 다시 나오셔도 반드시 내 말을 따르실 것이다."

按說 | '詖辭', '淫辭', '邪辭'에 대하여, 茶山은

> 詖辭, 淫辭, 邪辭는 말에 잘못이 있는 것이니, 이른바 '不得於言'이란 것이다. 말이 편벽된 것에 나아가 그 마음에 가리운 바가 있음을 알며, 말이 방탕한 것에 나아가 그 마음에 빠져 있는 바가 있음을 알며, 말이 간사한 것에 나아가 그 마음에 괴리된 바가 있음을 아니, 이른바 '말에서 얻지 못하면 반드시 마음에서 구한다.'는 것이다.〔詖淫邪者 言之有失者 所謂 不得於言也 卽言之詖而知其心之有所蔽 卽言之淫而知其心之有所陷 卽言之邪而 知其心之有所離 所謂不得於言 必求於心也〕

하였다. 《集註》에서는 말의 병통에 대하여 "마음이 正理에 밝아서 가리움이 없은 뒤에야 말이 公平하고 올바르고 통달하여 병통이 없다." 하였는데, 茶山은 이 註에 대하여

> 理에 밝더라도 말을 알 수 없으니, 반드시 마음이 義를 잡아 정직해서 가림이나 빠짐이 없는 뒤에야 비로소 편벽되거나 방탕한 병통이 없게 된다. 이는 浩然之氣가 義를 모으는 데에서 생기는 것과 같으니, 理에 밝은 것으로 설명해서는 안 된다.〔明理不足以知言 必其心秉義 正直 無所蔽陷 然後乃無詖淫之病 如浩然之氣 生於集義 不可作明理說〕

하였다. 이는 '仁義禮智 즉 性이 心에 내재한다'는 朱子의 心性論을 茶山이 부정하는 것과 같은 맥락이다. 茶山에게 仁은 측은지심을 통해 형성해낸 心의 外在的 도리이다. 따라서 여기에서도 心과 言과의 상관관계를 논할 뿐, 理를 언급한 朱子의 說을 부정한 것이다. 茶山에게 있어 가장 근원적인 것은 性 혹은 理가 아니라 心인바, 이러한 心學이 《孟子要義》 전반에 나타난다.

集註ㅣ 此는 公孫丑復問而孟子答之也라 詖는 偏陂也요 淫은 放蕩也[174]요 邪는 邪僻也[175]요 遁은 逃避也라 四者相因하니 言之病也라 蔽는 遮隔也요 陷은 沈溺也요 離는 叛去也요 窮은 困屈也라 四者亦相因하니 則心之失也라 人之有言이 皆出於心하니 其心이 明乎正理而無蔽然後에 其言이 平正通達而無病이니 苟爲不然이면 則必有是四者之病矣라 卽其言之病하여 而知其心之失하고 又知其害於政事之決然而不可易者如此하니 非心通於道而無疑於天下之理면 其孰能之리오 彼告子者는 不得於言이어든 而不肯求之於心하여 至爲義外之說하니 則自不免於四者之病이니 其何以知天下之言而無所疑哉리오

程子曰 心通乎道然後에 能辨是非를 如持權衡하여 以較輕重이니 孟子所謂知言이 是也니라

又曰 孟子知言은 正如人在堂上이라야 方能辨堂下人曲直[176]이니 若猶未免雜於堂下衆人之中이면 則不能辨決矣리라

이는 公孫丑가 다시 물음에 孟子께서 대답하신 것이다. '詖'는 편벽됨이요, '淫'은 방탕함이요, '邪'는 부정함이요, '遁'은 도피함이다. 이 네 가지는 서로 因하니(이어지니), 말의 병통이다. '蔽'는 가리고 막힘이요, '陷'은 빠짐이요, '離'는 배반이요, '窮'은 곤궁함이다. 이 네 가지 또한 서로 因하니, 이것은 마음의 잘못이다.

사람의 말은 모두 마음에서 나오니, 마음이 正理에 밝아서 가리움이 없은 뒤에야 말이 公平하고 올바르고 통달하여 병통이 없으니, 만일 그렇지 못하면 반드시 이 네 가지의 병통이 있게 된다. 말의 병통에 나아가 마음의 잘못을 알고, 또 정사에 해됨이 결정적이어서 바꿀 수 없음을 앎이 이와 같았으니, 마음이 道를 통달하여 天下의 이치에 의심이 없는 자가 아니면 그 누가 이에 능하겠는가. 저 告子는 말에 이해되지 못하면 이것을 마음에 찾으려 하지 않아서 심지어는 義가 외면에 있다는 말을 하기까지 하였으니, 그렇다면 스스로 이 네 가지의 병통을 면치 못한 것이니, 어떻게 天下의 말을 알아 의심하는 바가 없겠는가.

程子(伊川)가 말씀하였다. "마음이 道를 통달한 뒤에야 是非를 분별하기를, 마치 저울추와

---

174 淫 放蕩也:《書經》〈大禹謨〉의 '罔淫于樂'에 대한 孔安國의 傳에 "淫은 過이다." 하였고, 孔穎達의 疏에 "淫은 過度의 뜻이므로 過가 된다." 하였다. 楊伯峻도 이 說을 취하였다.

175 邪 邪僻也:朱子는 "〈'邪'는〉 正路를 떠난 것이다.〔離了正路〕" 하였다.《語類》

176 方能辨堂下人曲直:新安陳氏(陳櫟)는 "이는 반드시 衆人보다 뛰어난 식견이 있은 뒤에야 능히 衆人의 말을 알 수 있음을 말한 것이다.〔此言必有超於衆人之見 然後能知衆人之言也〕" 하였다.

••• 偏 치우칠 편 陂 편벽될 피 放 방탕할 방 蕩 방탕할 탕 僻 간사할 벽 遮 가릴 차 隔 막을 격 沈 빠질 침
溺 빠질 닉 叛 배반할 반 辨 분별할 변 持 잡을 지 權 저울 권 衡 저울대 형 較 비교할 교 雜 섞일 잡

저울대를 잡고 輕重을 비교하는 것과 같이 할 수 있으니, 孟子의 이른바 '知言'이란 것이 이것이다."

〈程子(明道)가〉 또 말씀하였다. "孟子의 知言은 바로 사람이 堂上에 있어야 비로소 堂下 사람의 曲直을 구별할 수 있는 것과 같으니, 만일 자신이 아직도 堂下의 여러 사람 속에 섞여 있음을 면치 못한다면 曲直을 분별할 수 없는 것과 같다."

2-18. 宰我, 子貢은 善爲說辭하고 冉牛, 閔子, 顔淵은 善言德行이러니 孔子兼之하사되 曰 我於辭命則不能也로라하시니 然則夫子는 旣聖矣乎

신저

〈公孫丑가 말하였다.〉 "宰我와 子貢은 說辭를 잘 하였고 冉牛·閔子·顔淵은 德行을 잘 말씀하였는데, 孔子께서는 이것을 겸하셨으나 말씀하시기를 '나는 辭命에 있어서는 능하지 못하다.' 하셨으니, 그렇다면 夫子께서는 이미 聖人이십니다."

按說 | 혹자가 朱子에게 묻기를

說辭를 잘하면 德行에 혹 지극하지 못한 바가 있고, 德行을 잘 말하면 말한 바가 모두 자기 분수의 일입니까?' 〔善爲說辭 則於德行 或有所未至 善言德行 則所言 皆其自己分上事也〕

하니, 朱子가 '맞다.'고 대답하였다.《朱子大全 答程允夫》 沙溪(金長生)는

'說辭'와 '辭命'은 知言에 속하고, '善言德行'은 浩然之氣에 속한다.〔說辭辭命 屬知言 善言德行 屬浩然之氣〕《經書辨疑》

하였다. 茶山은

'說辭'는 賓과 主人이 논설하는 말이니,《春秋左傳》哀公 7년에 季康子가 子貢을 吳나라에 보내어〉 子貢이 吳나라 太宰 嚭에게 대답한 따위이다. '辭命'은 이웃나라에 朝聘할 때 쓰는 것이니, 大夫가 專對하는 것을 辭라 하고【그 나라에 가서 묻는 것에 따라 대답하는 것이다.】임금이 致辭하는 것을 命이라 한다.【임금이 使臣에게 〈그 내용을〉 命하는 것이다.】《論語》에 "辭는 뜻이 통하게 할 뿐이다." 하고, "命을 만들 적에 裨諶이 초고를 만들었다." 하였

··· 冉 성염 兼 겸할 겸

으며, 《春秋公羊傳》에 "大夫는 命을 받고 辭를 받지 않는다." 한 것이 모두 이런 것이니, 일상적인 言語를 말한 것이 아니다. 오직 "德行을 잘 말씀하였다." 한 것만이 私室에서 道를 논한 말이다.〔說辭者 賓主論說之辭 子貢對吳太宰嚭之類是也 辭命者 鄰國朝聘之所用 大夫專對曰辭【到彼國 隨所問而對者】國君致辭曰命【所以命使臣】論語曰辭達而已 曰爲命 裨諶草創之 春秋傳曰 大夫受命不受辭 皆此物 非尋常言語之謂也 惟善言德行 乃私室論道之言〕

하였다. 茶山은 또

浩然之氣가 어찌 德行이겠는가. 하물며 顔淵과 閔子의 '善言德行'도 중점이 善言에 있고 德行에 있지 않다. 지금 〈朱子의〉 '孟子가 德行을 겸하여 소유하셨다.'고 한 것은 군더더기이다.〔浩氣豈德行乎 況顔閔之善言德行 亦重在善言 不在德行 今云孟子兼德行亦贅矣〕

하여, 이 단락을 知言과 養氣, 言語와 德行 모두에 대한 것으로 본 朱子의 견해를 비판하였다. 그러나 正直으로 길러 얻어지는 '浩然之氣'가 德行이 아니고 무엇이란 말인가. 茶山의 說은 이해할 수 없다.

集註 ㅣ 此一節은 林氏以爲皆公孫丑之問이라하니 是也라 說辭는 言語也요 德行은 得於心而見(현)於行事者也라 三子善言德行者는 身有之故로 言之親切而有味也라 公孫丑言 數子各有所長而孔子兼之라 然이나 猶自謂不能於辭命이어시늘 今孟子 乃自謂我能知言하고 又善養氣라하시니 則是兼言語德行而有之니 然則豈不旣聖矣乎아하니라 此夫子는 指孟子也라
○程子曰 孔子自謂不能於辭命者는 欲使學者務本而已시니라

이 1節은 林氏(林之奇)가 이르기를 "모두 公孫丑의 질문이다." 하였으니, 그 말이 옳다. '說辭'는 言語요, '德行'은 마음에 얻어서 행하는 일에 나타나는 것이다. 세 분이 德行을 잘 말씀한 것은 자신들이 德行을 가지고 있었기 때문에 이것을 말함에 친절해서 맛이 있었던 것이다. 公孫丑가 말하기를 "몇 분은 각기 所長이 있었고, 孔子는 이것을 겸하셨으면서도 스스로 辭命에는 능하지 못하다고 말씀하셨는데, 지금 孟子께서는 스스로 '나는 능히 知言을 하고, 나는 또 養氣를 잘 한다.'고 말씀하셨으니, 이것은 言語와 德行을 겸하여 소

유하신 것입니다. 그렇다면 어찌 이미 聖人이 아니겠습니까." 한 것이다. 여기의 夫子는 孟子를 가리킨다.

○程子(明道)가 말씀하였다. "孔子께서 스스로 辭命에는 능하지 못하다고 말씀한 것은 배우는 자들로 하여금 근본(行實)을 힘쓰게 하고자 하신 것이다."

2-19. 曰 惡(오)라 是何言也오 昔者에 子貢이 問於孔子曰 夫子는 聖矣乎신저 孔子曰 聖則吾不能이어니와 我는 學不厭而敎不倦也로라 子貢曰 學不厭은 智也요 敎不倦은 仁也니 仁且智하시니 夫子는 旣聖矣신저하니 夫聖은 孔子도 不居하시니 是何言也오

孟子께서 말씀하셨다. "아, 이것이 웬 말이냐. 옛적에 子貢이 孔子께 묻기를 '夫子는 聖人이십니다.' 하자, 孔子께서 '聖人은 내 능하지 못하지만 나는 배우기를 싫어하지 않고 가르치기를 게을리하지 않노라.' 하시니, 子貢이 말하기를 '배우기를 싫어하지 않음은 智요 가르치기를 게을리하지 않음은 仁이니, 仁하고 또 智하시니 夫子는 이미 聖人이십니다.' 하였다. 聖人은 孔子께서도 자처하지 않으셨으니, 이것이 웬 말이냐."

集註 | 惡는 驚歎辭也라 昔者以下는 孟子不敢當丑之言하여 而引孔子子貢問答之辭以告之也라 此夫子는 指孔子也라 學不厭者는 智之所以自明이요 敎不倦者는 仁之所以及物[177]이라 再言是何言也하여 以深拒之하시니라

'惡'는 놀라고 탄식하는 말이다. '昔者' 이하는 孟子께서 감히 公孫丑의 말을 감당하지 못해서 孔子와 子貢이 문답하신 말씀을 인용하여 고해준 것이다. 여기의 '夫子'는 孔子를 가

---

177 學不厭者……仁之所以及物:朱子는 《中庸》의 '자기를 이룸이 仁이란 것'은 體이고, '남을 이루어줌이 智라는 것'은 用이며, 여기의 '배우기를 싫어하지 않는 것이 智라는 것'은 體이고, '가르치기를 게을리하지 않는 것이 仁이란 것'은 用이다.〔成己仁也 是體 成物智也 是用 此學不厭知也 是體 敎不倦仁也 是用〕" 하였다.《語類 中庸》) '成己仁也'는 《中庸》 25장에 "誠은 스스로 자신을 이룰 뿐만 아니라 남을 이루어 주니, 자신을 이룸은 仁이요 남을 이루어 줌은 智이다. 이는 性의 德이니, 內外를 합한 道이다. 그러므로 때로 둠에 마땅한 것이다.〔誠者 非自成己而已也 所以成物也 成己 仁也 成物 知(智)也 性之德也 合內外之道也 故時措之宜也〕"라고 보인다. '仁之所以及物'과 '智之所以自明'은 '及物之仁'과 '自明之智'로, 곧 남에게 미침은 仁이요 스스로 밝힘은 智란 뜻인데, 主語인 仁·智를 앞에 놓아 이렇게 표현한 것이다.

⋯ 惡 탄식할 오 厭 싫어할 염 倦 게으를 권 居 있을 거 驚 놀랄 경 歎 탄식할 탄 物 남물 拒 막을 거

리킨다. 배우기를 싫어하지 않음은 智로서 스스로 밝히는 것이요, 가르치기를 게을리하지 않음은 仁으로서 남에게 미치는 것이다. '이것이 웬 말이냐.'고 두 번 말씀하여 깊이 거절하신 것이다.

2-20. 昔者에 竊聞之호니 子夏, 子游, 子張은 皆有聖人之一體하고 冉牛, 閔子, 顔淵은 則具體而微라하니 敢問所安하노이다

〈公孫丑가 말하였다.〉"옛적에 제가 들으니, '子夏·子游·子張은 모두 聖人의 一體(일부분)를 가지고 있었고, 冉牛·閔子·顔淵은 전체를 갖추고 있었으나 미약하다.' 하였습니다. 감히 선생님께서 편안히 자처하시는 바를 묻겠습니다."

集註 | 此一節은 林氏亦以爲皆公孫丑之問이라하니 是也라 一體는 猶一肢也라 具體而微는 謂有其全體로되 但未廣大耳[178]라 安은 處也라 公孫丑復問 孟子旣不敢比孔子면 則於此數子에 欲何所處也오하니라

이 한 節은 林氏(林之奇)가 또 이르기를 '모두 公孫丑의 질문이다.'라고 하였으니, 그 말이 옳다. '一體'는 一肢와 같다. '具體而微'는 그(孔子)의 전체를 소유하였으나 다만 廣大하지 못함을 말한 것이다. '安'은 편안히 처하는 것이다. 公孫丑가 다시 묻기를 "孟子께서 이미 감히 孔子에게 비하지 못하신다면 이 몇 분 중에 어느 곳에 자처하시고자 하십니까?" 한 것이다.

2-21. 曰 姑舍是하라

孟子께서 말씀하셨다. "우선 이분들을 버려두라."

集註 | 孟子言且置是者는 不欲以數子所至者로 自處也라

孟子께서 말씀하시기를 '우선 이분들을 버려두라.'고 하신 것은, 이 몇 분이 이른 경지로써 자처하고자 하지 않으신 것이다.

---

178 但未廣大耳:一本에는 '大'字가 빠져 있다.

··· 竊 사사로울 절 具 갖출 구 微 작을 미 肢 사지 지 姑 우선 고 舍 버릴 사, 놓을 사 且 우선 차

2-22. 曰 伯夷, 伊尹은 何如하니잇고 曰 不同道하니 非其君不事하며 非
其民不使하여 治則進하고 亂則退는 伯夷也요 何事非君이며 何使非民
이리오하여 治亦進하며 亂亦進은 伊尹也요 可以仕則仕하며 可以止則止
하며 可以久則久하며 可以速則速은 孔子也시니 皆古聖人也라 吾未能
有行焉이어니와 乃所願則學孔子也로라

公孫丑가 말하였다. "伯夷와 伊尹은 어떻습니까?"

孟子께서 말씀하셨다. "道가 같지 않으니, 섬길 만한 군주가 아니면 섬기지 않으며 부
릴 만한 백성이 아니면 부리지 않아서 세상이 다스려지면 나아가고 어지러워지면 물러
간 분은 伯夷였고, '어느 분을 섬긴들 내 군주가 아니며 어떤 사람을 부린들 내 백성이
아니겠는가.' 하여 다스려져도 나아가고 혼란해도 나아간 분은 伊尹이었고, 벼슬할 만
하면 벼슬하고 그만둘 만하면 그만두며 오래 머무를 만하면 오래 머물고 빨리 떠날 만
하면 빨리 떠난 분은 孔子이시니, 모두 옛 聖人이시다. 내 능히 행함이 있지 못하지만,
원하는 것은 孔子를 배우는 것이다."

按說 | '可以止則止'의 '止'에 대하여, 楊伯峻은

> 여기에서는 '仕'와 상대적으로 말한 것이다. 〈萬章下〉 1장에 '可以處而處'라 하였으니, 뜻
> 은 '물러나 은둔하다.[退處]'가 되어야 한다.

하였다. '可以久則久 可以速則速'은 아래 〈萬章下〉 1장에

> 孔子께서 齊나라를 떠나실 적에 〈밥을 지으려고〉 쌀을 담갔다가 건져 가지고 떠나셨고, 魯
> 나라를 떠나실 적에는 말씀하시기를 "더디고 더디다. 내 발걸음이여." 하셨으니, 이는 父母
> 의 나라를 떠나는 도리이다. 속히 떠날 만하면 속히 떠나고 오래 머무를 만하면 오래 머무셨
> 다.[孔子之去齊 接淅而行 去魯 曰 遲遲 吾行也 去父母國之道也 可以速而速 可以久
> 而久]

라고 보인다. 楊伯峻은

> 이른바 '久'는 '더디고 더디다. 내 발걸음이여.[遲遲 吾行]'를 가리키니 머물고 지체한다는

··· 使 부릴 사

뜻이고, '速'은 '쌀을 담았다가 건져 가지고 떠나는 것[接淅而行]'을 가리키므로 趙岐의 註
에 '빨리 가는 것이다.[疾行也]'했다.

하였다.

集註 | 伯夷는 孤竹君之長子니 兄弟遜國하고 避紂隱居라가 聞文王之德而歸之러
니 及武王伐紂에 去而餓死하니라 伊尹은 有莘[179]之處士니 湯聘而用之하여 使之就
桀한대 桀不能用이어늘 復歸於湯하여 如是者五라 乃相湯而伐桀也하니라 三聖人
事는 詳見(현)此篇之末及萬章下篇하니라

伯夷는 孤竹國 군주의 長子이니, 형제가 나라를 양보하고 紂王을 피하여 숨어 살다가 文
王의 德을 듣고 文王에게 귀의했었는데, 武王이 紂王을 정벌하자 周나라를 떠나 굶어 죽
었다. 伊尹은 有莘(國名)의 處士이니, 湯王이 초빙히여 등용해서 桀王에게 나아가게 하
였으나 桀王이 등용하지 못하자, 다시 湯王에게 돌아와 이와 같이 하기를 다섯 번 하다가
마침내 湯王을 도와 桀王을 정벌하였다. 이 세 聖人의 일은 이 편의 끝과 〈萬章下〉篇에 자
세히 보인다.

2-23. 伯夷, 伊尹이 於孔子에 若是班乎잇가 曰 否라 自有生民以來로 未有孔子也시니라

〈公孫丑가 말하였다.〉"伯夷와 伊尹이 孔子에 대해서 이와 같이 동등합니까?"
孟子께서 말씀하셨다. "아니다. 生民이 있은 이래로 孔子 같은 분은 계시지 않다."

集註 | 班은 齊等之貌라 公孫丑問에 而孟子答之以不同也하시니라

'班'은 등급이 똑같은 모양이다. 公孫丑가 물음에 孟子께서 같지 않다고 답하신 것이다.

2-24. 曰 然則有同與잇가 曰 有하니 得百里之地而君之면 皆能以朝諸

---

179 有莘:莘은 나라 이름이며, 有는 옛날 나라를 나타낼 적에 虛字로 많이 사용하였는바, 虞나라를 有虞,
窮나라를 有窮, 宋나라를 有宋, 明나라를 有明이라 칭한 것과 같다.

••• 孤 외로울 고 竹 대 죽 遜 양보할손 隱 숨을 은 餓 굶주릴 아 莘 나라이름 신 聘 맞이할빙 就 나아갈 취
相 도울상 班 같을 반 齊 가지런할제 等 등급등 朝 조회받을 조

侯有天下어니와 行一不義하며 殺一不辜而得天下는 皆不爲也시리니 是
則同하니라

公孫丑가 말하였다. "그렇다면 같은 점이 있습니까?"
孟子께서 말씀하셨다. "있으니, 百里되는 땅을 얻어서 人君 노릇을 하시면 모두 諸侯
들을 조회 오게 하여 天下를 소유할 수 있지만, 한 가지 일이라도 不義를 행하고 한 사
람이라도 죄 없는 이를 죽여서 天下를 얻음은 모두 하지 않으실 것이니, 이것은 같다."

> 集註 | 有는 言有同也라 以百里而王天下는 德之盛也요 行一不義, 殺一不辜而得
> 天下를 有所不爲는 心之正也라 聖人之所以爲聖人은 其根本節目之大者 惟在於
> 此하니 於此不同이면 則亦不足以爲聖人矣[180]니라
>
> '有'는 같은 점이 있음을 말한다. 百里를 가지고 天下에 王 노릇함은 德의 성함이요, 한 가
> 지 일이라도 의롭지 않은 일을 행하고 한 사람이라도 죄 없는 이를 죽이고서 天下를 얻음을
> 하지 않는 바가 있음은 마음의 올바름이다. 聖人이 聖人이 되신 이유는 그 根本과 節目의
> 큰 것이 오직 여기에 있으니, 여기에 같지 않다면 또한 聖人이라 할 수 없는 것이다.

2-25. 曰 敢問其所以異하노이다 曰 宰我, 子貢, 有若은 智足以知聖人 이니 汙(와)不至阿其所好니라

公孫丑가 말하였다. "감히 그 다른 점을 묻습니다."
孟子께서 말씀하셨다. "宰我와 子貢과 有若은 지혜가 충분히 聖人을 알았을 것이
니, 이들이 가령 〈지혜가〉 낮다 하더라도 좋아하는 사람(스승)에게 아첨하는 데에는 이
르지 않았을 것이다.

> 集註 | 汙는 下也[181]라 三子智足以知夫子之道하니 假使汙下라도 必不阿私所好而
> 空譽之니 明其言之可信也라

---

180 不足以爲聖人矣:一本에는 '以'字가 빠져 있다.
181 汙 下也:朱子는 "'汙'는 바로 옴폭하게 패여서 평평하지 못한 곳이다.〔汙 是汙下不平處〕"하였다.《語
   類》

••• 辜 죄고 盛 성할성 汙 낮을 와(오) 阿 아첨할아 假 가령 가 空 헛될공

'汙'는 낮음이다. 세 사람의 지혜가 충분히 夫子의 道를 알았을 것이니, 가령 〈지혜가〉 낮더라도 반드시 자기가 좋아하는 사람에게 아첨하여 헛되이 칭찬하지는 않았을 것이다. 이는 그 말이 믿을 만함을 밝히신 것이다.

2-26. 宰我曰 以予觀於夫子컨대 賢於堯舜이 遠矣삿다

宰我가 말하기를 '나로서(내가) 夫子를 관찰하건대 堯·舜보다 나음이 크시다.' 하였다.

按說 | '以予觀於夫子'에 대하여 官本諺解에서는 '내 夫子를 觀ᄒ욤으로써 ᄒ건댄'으로 해석하였는데, 壺山은

'予'字는 宰我의 이름으로 읽는 것과 '나'라는 뜻으로 읽는 것이 있는데, 두 가지 모두 통한다. 다만 官本諺解에 '以'字를 '夫子'에서 解釋한 것은 마땅히 다시 헤아려 보아야 할 듯하다.〔予字 讀作宰我之名 與我吾之義 兩皆通 但諺解 以字釋於夫子者 則恐合更商〕

하였으니, 이는 '以'字를 予에 걸어 '나로서'로 해석해야 함을 강조한 것이다. 한편 栗谷諺解는 '뻐 予의 夫子 보오모론'으로 되어 있어 官本諺解와 마찬가지로 '以'를 '予觀於夫子' 전체에 걸어 해석한 것으로 보인다.

集註 | 程子曰 語聖則不異하고 事功則有異하니 夫子賢於堯舜은 語事功也라 蓋堯舜은 治天下하시고 夫子는 又推其道하사 以垂敎萬世하시니 堯舜之道 非得孔子면 則後世亦何所據哉리오

程子(伊川)가 말씀하였다. "聖人인 것을 말하면 다르지 않고 事功은 다름이 있으니, 夫子가 堯·舜보다 나음은 事功을 말한 것이다. 堯·舜은 天下를 다스리셨고, 夫子는 또 그 道를 미루어 萬世에 가르침을 남기셨으니, 堯·舜의 道가 孔子를 얻지 않았다면 후세에서 또한 무엇을 근거로 삼았겠는가."

2-27. 子貢曰 見其禮而知其政하며 聞其樂而知其德이니 由百世之後하여 等百世之王컨댄 莫之能違也니 自生民以來로 未有夫子也시니라

··· 賢 나을 현 垂 드리울 수, 전할 수 據 근거할 거 等 차등할 등 違 피할 위

子貢이 말하기를 '禮를 보면 그 나라의 政事를 알 수 있고 音樂을 들으면 그 君主의 德을 알 수 있으니, 百世의 뒤에서 百世의 王들을 차등해 보건대 능히 이것을 도피할 자가 없으니, 生民이 있은 이래로 夫子 같은 분은 계시지 않았다.' 하였다.

按說 | '見其禮而知其政'과 '聞其樂而知其德'을 諺解에 모두 '그 禮를 보고'와 '그 樂을 듣고'로 해석하였으나 《集註》에는 모두 '而'를 則으로 바꿨으므로 '면'으로 번역하였다. 而와 則은 같은 뜻으로 쓰인다.

集註 | 言 大凡見人之禮면 則可以知其政이요 聞人之樂이면 則可以知其德이라 是以로 我從百世之後하여 差等百世之王컨대 無有能遁其情者니 而見其皆莫若夫子之盛也라

대체로 사람(君主)의 禮를 보면 그 政事를 알 수 있고, 사람의 音樂을 들으면 그 德을 알 수 있다. 이 때문에 내가 百世의 뒤에서 百世의 王들을 차등해 보건대 그 實情을 도피할 자가 없었으니, 그 모두 夫子와 같이 성한 분이 없음을 볼 수 있다고 말씀한 것이다.

2-28. 有若曰 豈惟民哉리오 麒麟之於走獸와 鳳凰之於飛鳥와 泰山之於丘垤과 河海之於行潦에 類也며 聖人之於民에 亦類也시니 出於其類하며 拔乎其萃나 自生民以來로 未有盛於孔子也시니라

有若이 말하기를 '어찌 다만 백성(사람) 뿐이겠는가. 기린이 달리는 짐승에 있어서와, 봉황새가 나는 새에 있어서와, 泰山이 언덕과 개밋둑에 있어서와, 河海가 길바닥에 고인 물에 있어서와 똑같다. 聖人이 백성(일반사람)에 있어서도 이와 같으시니, 그 종류 중에서 빼어나며 그 무리 중에서 우뚝 솟아났으나 生民이 있은 이래로 孔子보다 더 훌륭한 분은 계시지 않았다.' 하였다."

集註 | 麒麟은 毛蟲之長이요 鳳凰은 羽蟲之長이라 垤은 蟻封也라 行潦는 道上無源之水也라 出은 高出也요 拔은 特起也라 萃는 聚也라 言 自古聖人이 固皆異於衆人이라 然이나 未有如孔子之尤盛者也라

··· 遁 도망할 둔 麒 기린 기 麟 기린 린 鳳 봉황새 봉 凰 봉황새 황 丘 언덕 구 垤 개미둑 질 潦 장마물 로(료) 拔 뽑을 발, 빼어날 발 萃 모을 췌 蟲 벌레 충, 동물 충 蟻 개미 의 封 둑 봉 聚 모을 취

'麒麟'은 毛蟲(털이 있는 짐승)의 으뜸이요 '鳳凰'은 羽蟲(깃이 있는 짐승)의 으뜸이다. '坦'은 개밋둑이다. '行潦'는 길 위의 근원이 없는 물이다. '出'은 빼어남이요, '拔'은 우뚝 솟아남이다. '萃'는 무리이다. 예로부터 聖人은 진실로 모두 衆人보다 특이하였으나 孔子와 같이 더욱 훌륭한 분은 있지 않음을 말씀한 것이다.

章下註 ㅣ ○程子曰 孟子此章은 擴前聖所未發[182]하시니 學者所宜潛心而玩索也니라

○程子(伊川)가 말씀하였다. "《孟子》의 이 章은 前聖(옛 聖人)들이 미처 發明하지 못하신 것을 확충하셨으니, 배우는 자들이 마땅히 마음을 잠겨 玩索하여야 할 것이다."

| 以力假仁章 |

3-1. 孟子曰 以力假仁者는 霸니 霸必有大國이요 以德行仁者는 王이니 王不待大라 湯以七十里하시고 文王以百里하시니라

孟子께서 말씀하셨다. "힘으로써 仁을 빌린 자는 霸者가 되니 霸者는 반드시 大國을 소유하여야 하고, 德으로써 仁을 행한 자는 왕 노릇하니(王者가 되니) 王者는 大國을 기다리지 않는다. 湯王은 70里를 가지고 하셨고, 文王은 百里를 가지고 하셨다.

集註 ㅣ 力은 謂土地甲兵之力이라 假仁者는 本無是心而借其事하여 以爲功者也라 霸는 若齊桓, 晉文이 是也라 以德行仁이면 則自吾之得於心者推之하여 無適而非仁也라

'力'은 土地와 甲兵의 힘을 이른다. '仁을 빌린다'는 것은 본래 仁한 마음이 없으면서 그 일을 빌려 功으로 삼은 것이다. '霸'는 齊 桓公과 晉 文公 같은 이가 이들이다. 德으로써 仁을 행하면 내가 마음에 얻은 것으로부터 미루어서 가는 곳마다 仁이 아님이 없게 된다.

3-2. 以力服人者는 非心服也라 力不贍也요 以德服人者는 中心悅而

---

182 前聖所未發:《大全》에 "養氣와 知言을 가리켜 말한 것이다.〔指養氣與知言而言也〕"하였다.

··· 擴 넓힐 확 潛 잠길 잠 玩 구경할 완 索 찾을 색 適 갈 적 服 복종할복 贍 넉넉할섬

誠服也니 如七十子之服孔子也라 詩云 自西自東하며 自南自北이 無思
不服이라하니 此之謂也니라

힘으로써 남을 복종시키는 자는 〈상대방이〉 진심으로 복종하는 것이 아니라 힘이 부족
해서요, 德으로써 남을 복종시키는 자는 〈상대방이〉 中心으로 기뻐하여 진실로 복종
함이니, 70명의 弟子가 孔子에게 심복함과 같은 것이다. 《詩經》에 이르기를 '서쪽에서
동쪽에서 남쪽에서 북쪽에서 복종하지 않는 이가 없다.' 하였으니 이것을 말한 것이다."

按說 | '以力服人'은 內閣本에는 '人'字가 '仁'으로 잘못되어 있다.

'七十子'는 70명의 弟子로, 《史記》《孔子世家》에 "〈孔子의 門下에〉 몸소 六藝를 통달
한 자가 72명이었다.〔身通六藝者 七十有二人〕" 하였는데, 바로 이들을 가리킨 것이다.

'無思不服'에 대하여 官本諺解와 栗谷諺解에 모두 '思ᄒ야 服디 아니리 업다 ᄒ니'라
고 해석하였는데, 壺山은

官本諺解에서 '思'字를 해석한 것은 다시 헤아려보아야 한다.〔諺釋思字 合更商〕

하였는바, 이는 思를 助辭로 본 것이다.

集註 | 瞻은 足也라 詩는 大雅文王有聲之篇이라 王霸之心은 誠僞不同이라 故로 人
所以應之者 其不同이 亦如此하니라

'瞻'은 족함이다. 詩는 《詩經》《大雅 文王有聲》篇이다. 王者와 霸者의 마음은 진실하고 거
짓됨이 똑같지 않다. 그러므로 사람들이 이에 호응하는 것도 그 똑같지 않음이 이와 같은 것
이다.

章下註 | ○鄒氏曰 以力服人者는 有意於服人하여 而人不敢不服이요 以德服人者
는 無意於服人이로되 而人不能不服이니 從古以來로 論王霸者多矣로되 未有若此
章之深切而著明者也니라

○鄒氏(鄒浩)가 말하였다. "힘으로써 사람을 복종시키는 자는 사람을 복종시킴에 뜻을 두
어서 사람들이 감히 복종하지 않을 수 없는 것이요, 德으로써 사람을 복종시키는 자는 사람

··· 自 부터 자 誠 진실로 성 僞 거짓 위 鄒 나라이름 추 著 드러날 저

을 복종시킴에 뜻이 없으나 사람들이 복종하지 않을 수 없는 것이다. 예로부터 王道와 霸道를 논한 자가 많으나 이 章과 같이 깊고 간절하면서 드러나 분명한 것은 있지 않다."

仁則榮章(陰雨章)

4-1. 孟子曰 仁則榮하고 **不仁則辱**하나니 **今**에 **惡**(오)**辱而居不仁**이 **是猶惡濕而居下也**니라

孟子께서 말씀하셨다. "仁하면 영화롭고 仁하지 않으면 치욕을 받으니, 지금 치욕을 싫어하면서도 不仁에 처하는 것은 마치 습함을 싫어하면서도 낮은 곳에 처함과 같은 것이다.

集註 | 好榮, 惡辱은 人之常情이라 然이나 徒惡之而不去其得之之道면 不能免也니라

영화를 좋아하고 치욕을 싫어함은 사람의 떳떳한 情이다. 그러나 다만 이것(치욕)을 싫어하기만 하고 이것을 얻는 방법을 버리지 않는다면 면할 수 없다.

4-2. 如惡之인댄 **莫如貴德而尊士**니 **賢者在位**하며 **能者在職**하여 **國家閒暇**어든 **及是時**하여 **明其政刑**이면 **雖大國**이라도 **必畏之矣**리라

만일 치욕을 싫어한다면 德을 귀하게 여기고 선비를 높이는 것만 한 것이 없으니, 賢者가 지위에 있고 재능이 있는 자가 직책에 있어서 국가가 한가하거든 이때에 미쳐 그 정사와 刑罰을 밝힌다면, 비록 강대국이라도 반드시 그를 두려워할 것이다.

按說 | '刑'에 대하여, 楊伯峻은 《爾雅》〈釋詁〉에 '刑은 常이다.' 하고, '刑은 法이다.'했다." 하였다.

集註 | 此는 因其惡辱之情하여 而進之以彊仁之事[183]也라 貴德은 猶尙德也니 士는

---

183 彊仁之事:《禮記》〈表記〉에 '죄를 두려워하는 자는 仁을 힘쓴다.〔畏罪者彊仁〕라고 하였는데, 新安倪氏(倪士毅)는 "힘써 仁을 행함을 이르니, '貴德' 이하는 모두 仁을 힘쓰는 일의 조목이다.〔謂勉彊行仁

··· 猶 같을 유　濕 젖을 습　徒 한갓 도　閒 한가할 한　暇 한가할 가　彊 힘쓸 강

則指其人而言之라 賢은 有德者니 使之在位면 則足以正君而善俗이요 能은 有才者니 使之在職이면 則足以修政而立事라 國家閒暇는 可以有爲之時也니 詳昧及字하면 則惟日不足[184]之意를 可見矣니라

이것은 치욕을 싫어하는 마음을 인하여 仁을 힘쓰는 일로써 나아가게 한 것이다. '貴德'은 德을 숭상함과 같으니, '士'는 德이 있는 사람을 가리켜 말한 것이다. '賢'은 德이 있는 자이니 그로 하여금 지위에 있게 하면 군주를 바로잡고 풍속을 좋게 할 수 있고, '能'은 재주가 있는 자이니 그로 하여금 직책에 있게 하면 정사를 닦아서 일(업적)을 세울 수 있다. '국가가 한가함'은 훌륭한 일을 할 수 있는 때이니, '及'字를 자세히 음미해 보면 날마다 부족하게 여기는 뜻을 볼 수 있다.

4-3. 詩云 迨天之未陰雨하여 徹彼桑土(두)하여 綢繆牖戶면 今此下民이 或敢侮予아하여늘 孔子曰 爲此詩者 其知道乎인저 能治其國家면 誰敢侮之리오하시니라

《詩經》에 이르기를 '하늘이 陰雨(날씨가 흐려져 비가 내림)하지 않을 때에 미쳐서 저 뽕나무 뿌리의 껍질을 거두어다가 창문을 칭칭 감아 놓는다면 지금 이 아래에 있는 사람들이 혹시라도 감히 나를 업신여기겠는가.' 하였다. 孔子께서 말씀하시기를 '이 詩를 지은 자는 道를 알 것이다. 자기 국가를 잘 다스린다면 누가 감히 업신여기겠는가.' 하셨다.

集註 | 詩는 豳風鴟鴞之篇이니 周公之所作也라 迨는 及也라 徹은 取也라 桑土는 桑根之皮也라 綢繆는 纏綿補葺也라 牖戶는 巢之通氣出入處也라 予는 鳥自謂也라 言 我之備患이 詳密如此면 今此在下[185]之人이 或敢有侮予者乎아하니라 周公이 以

也 貴德以下 皆彊仁之事目)" 하였다.

184 惟日不足:《書經》〈泰誓〉에 "吉한 사람은 善行을 하되 날마다 부족하게 여기는데, 凶한 사람은 不善을 하되 또한 날마다 부족하게 여긴다.〔吉人爲善 惟日不足 凶人爲不善 亦惟日不足〕"라고 보이는바, 날마다 하여도 부족하게 여김을 이른다.

185 在下:壺山은 "새의 둥지가 나무 위에 있기 때문에 '아래에 있다'라고 말한 것이다.〔巢在木上 故言在下〕" 하였다.

··· 職 직책 직 迨 미칠 태 徹 거둘 철 桑 뽕나무 상 土 뿌리 두 綢 얽을 주 繆 얽을 무 牖 창문 유 侮 업신여길 모 豳 땅이름 빈 鴟 솔개 치 鴞 올빼미 효 纏 묶을 전 綿 얽을 면 補 기울 보 葺 지붕이을 집 巢 둥지 소 密 빽빽할 밀

鳥之爲巢如此로 比君之爲國이 亦當思患而預防之어시늘 孔子讀而贊之하사 以爲
知道也라하시니라

詩는 《詩經》〈豳風 鴟鴞〉篇이니, 周公이 지은 것이다. '迨'는 미침이다. '徹'은 취함이다.
'桑土'는 뽕나무 뿌리의 껍질이다. '綢繆'는 칭칭 감아 집을 완전하게 만드는 것이다. '牖
戶'는 둥지에 공기가 통하고 새가 출입하는 곳이다. '予'는 새가 자신을 말한 것이다. "내가
禍를 대비함에 자세하고 치밀함이 이와 같다면 지금 이 아래에 있는 사람들이 혹시라도 감
히 나를 업신여길 자가 있겠는가."라고 말한 것이다. 周公이 새가 이와 같이 둥지를 만드는
것을 들어서, 군주가 나라를 다스리는 것 또한 마땅히 禍를 생각하여 미리 방비하여야 함을
비유하신 것이다. 孔子는 이 詩를 읽고 칭찬하시어 道를 안다고 말씀하셨다.

4-4. 今國家閒暇어든 及是時하여 般樂怠敖하나니 是는 自求禍也니라

지금 국가가 한가하면 이때에 미쳐 즐기고 태만하고 놀러 다니니, 이것은 스스로 禍를
구하는 것이다.

> 按說 | '國家閒暇'에 대하여, 趙岐는 '이웃나라의 근심이 없는 것〔無鄰國之虞〕'으로
> 해석하였고, 楊伯峻은 "《國語》〈晉語〉를 고찰해보면 內亂이 없는 것도 '閒暇'라고 할 수
> 있다." 하였다.
> '般樂怠敖'에 대하여, 《說文解字》에 '敖'를 "나가서 노는 것이다〔出游也〕" 하였고, 雙
> 峰饒氏(饒魯)는
>
> > 마음껏 놀고 즐기면 정사와 형벌을 밝힐 겨를이 없고, 태만하고 오만하면 德을 귀하게 여기
> > 고 선비를 높일 겨를이 없다〔般樂則不暇明其政刑 怠敖則不暇貴德尊士〕
>
> 하였다.

集註 | 言其縱欲偸安을 亦惟日不足也라

욕심을 부리고 구차히 편안하기를 또한 날마다 부족하게 여김을 말씀한 것이다.

···　贊 칭찬할 찬　般 즐길 반　怠 게으를 태　敖 오만할 오　偸 구차할 투

4-5. 禍福이 無不自己求之者니라

禍와 福은 자기로부터 구하지 않는 자가 없다.

> 按說 │ '禍福'에 대하여, 新安陳氏(陳櫟)는
>
> 仁하여 영화로움은 福이고 不仁하여 恥辱을 받음은 禍이니, 모두 자기로부터 구하는 것이
> 다.〔仁榮 福也 不仁之辱 禍也 皆自己求之〕
>
> 하였다.

> 集註 │ 結上文之意하니라
>
> 윗글의 뜻을 맺은 것이다.

4-6. 詩云 永言配命이 自求多福이라하며 太甲曰 天作孽은 猶可違어니와 自作孽은 不可活이라하니 此之謂也니라

《詩經》에 이르기를 '길이 생각하여 天命에 배합함이 스스로 많은 복을 구하는 것이다.' 하였으며, 《書經》〈太甲〉에 이르기를 '하늘이 지은 재앙은 오히려 피할 수 있지만 스스로 지은 재앙은 살 길이 없다.' 하였으니, 이것을 말한 것이다."

> 按說 │ '自求多福'에 대하여, 蔡氏는
>
> 때에 미쳐(제때에) 정사와 형벌을 밝힘은 스스로 福을 구하는 것이니 仁을 행하여 영화로운
> 것이 이와 같고, 때에 미쳐 즐거워하고 놂은 스스로 재앙을 만드는 것이니 不仁의 치욕이 이
> 와 같다.〔及時明政刑 自求福也 仁榮者如此 及時而樂敖 自作孽也 不仁之辱 如此〕
>
> 하였다.

··· 言 생각할언 孽 재앙얼 違 피할위 活 살활

集註 | 詩는 大雅文王之篇이라 永은 長也요 言은 猶念也[186]요 配는 合也요 命은 天命
也니 此는 言福之自己求者라 太甲은 商書篇名이라 孼은 禍也요 違는 避也요 活은 生
也니 書作逭하니 逭은 猶緩也니 此는 言禍之自己求者라

詩는 《詩經》〈大雅 文王〉篇이다. '永'은 긺이요 '言'은 念과 같고 '配'는 합함이요 '命'은
天命이니, 이것은 福이 자기로부터 구해짐을 말한 것이다. 〈太甲〉은 《書經》〈商書〉의 篇名
이다. '孼'은 禍요 '違'는 피함이요 '活'은 삶이다. 《書經》에는 '活'이 '逭'字로 되어 있으
니, 逭은 緩(늦춤)과 같으니, 이것은 禍가 자기로부터 구해짐을 말한 것이다.

| 尊賢使能章 |

5-1. 孟子曰 尊賢使能하여 俊傑이 在位면 則天下之士 皆悅而願立於 其朝矣리라

孟子께서 말씀하셨다. "賢者를 높이고 재능이 있는 자를 부려서 俊傑들이 지위에 있
으면 천하의 선비가 모두 기뻐하여 그 조정에서 벼슬하기를 원할 것이다.

集註 | 俊傑은 才德之異於衆者라

'俊傑'은 재주와 德이 보통 사람보다 특이한 자이다.

5-2. 市에 廛而不征하며 法而不廛이면 則天下之商이 皆悅而願藏於其 市矣리라

시장의 집에 자릿세만 받고 〈貨物에 대한〉 세금을 징수하지 않으며, 법대로 처리하기만
하고 자릿세도 받지 않으면 천하의 장사꾼들이 모두 기뻐하여 그 시장에 화물을 보관하
기를 원할 것이다.

---

186 言 猶念也 : '永言配命'의 '言'字에 대하여 壺山은 "'言'字는 《詩經》에 본래 助辭였는데 여기의 註에서
는 孟子의 인용한 뜻을 따라서 '念'으로 訓하였으니, 뒷편의 '永言孝思'도 이와 같다.〔言字 詩本爲語辭
此註則從孟子引用之意 而訓爲念 後篇永言孝思放此〕" 하였다.

••• 逭 도망할 환 緩 늦을 완 俊 호걸 준 傑 호걸 걸 廛 자리 전 征 세금낼 정 藏 보관할 장

按說 | '廛'에 대하여《周禮》〈地官司徒 司市〉에 다음과 같이 보인다.

司市(市官)는 시장의 다스림과 가르침과 정사와 형벌과 斗量과 尺度와 禁令을 관장하여, 次와 敍의 설치에 따라 땅을 나누어 시장을 관리하고, 물건이 다른 가게를 진열하여 물건을 분별해서 시장의 물가를 안정시키고, 政令으로써 물건의 사치함을 금지하여 물가를 고르게 하고, 商賈에게 재물을 모아 金錢을 유통시키게 하고, 斗量과 尺度로써 값을 이루어 사고 팔 사람을 불러오게 하고, 質劑(契券 어음)로써 신용을 맺어 송사를 그치게 하고,【《爾雅》에 '劑'는 가지런함이니 質劑는 한 장의 札(竹簡이나 木簡)에 두 가지를 써서 분별함을 이른다. 지금의 手書(수표)와 같으니, 물건을 점유하고 돌려줄 것을 요구하는 것이다.】장사하는 백성에게는 거짓말과 속임수를 쓰지 못하게 하고, 형벌로써 포악한 자와 도적을 제거하고, 泉府(司徒의 속관)에게는 재화를 모아들이고 세금을 거두게 한다. 大市는 해가 기울 적에 시장을 여니 백성이 主가 되고, 朝市는 아침에 시장을 여니 商賈가 主가 되고, 夕市는 저녁에 시장을 여니 물건을 파는 남녀가 主가 된다.〔司市 掌市之治, 教, 政, 刑, 量, 度, 禁令 以次敍分地而經市 以陳肆辨物而平市 以政令禁物靡而均市 以商賈阜貨而行布 以量度成賈(價)而徵債(육) 以質劑結信而止訟【爾雅 劑 齊也 質劑謂兩書一札而別之也 若今手書 言保物要還矣】以賈(고)民禁僞而除詐 以刑罰禁虣(暴)而去盜 以泉府同貨而斂賒(사) 大市 日昃而市 百族(百姓)爲主 朝市 朝時而市 商賈爲主 夕市 夕時而市 販夫販婦爲主〕

'次'와 '敍'는 시장을 관리하는 관리들의 집무실이다. 그리고《周禮》〈地官司徒 廛人〉의 註에

廛은 시장 안에 점포를 가지고 있지 않으면서 貨物을 저장할 수 있는 것을 이른다.〔廛謂市中之地未有肆而可居以畜藏貨物者也〕

하였다. 朱子는《語類》에서

'市廛而不征'은 시장의 가게에 거주하는 자로 하여금 각각 자리(점포)의 세금을 약간씩 내게 하는 것이다. 지금 사람들이 가게를 임대하는 것과 비슷하니, 쌓아둔 물건(재화)에는 세금을 징수하지 않는 것이다. '法而不廛'은 市官의 법으로 다스릴 뿐이요 가게의 자릿세조차도 취하지 않는 것이다.〔市廛而不征 謂使居市之廛者 各出廛賦若干 如今人賃鋪面相似 更不征稅其所貨之物 法而不廛 則但治之以市官之法而已 雖廛賦 亦不取之也〕

하였다. 또 묻기를

옛날에 시장 상인들이 자기가 소유한 물건을 가지고 없는 것과 바꾸게 되면, 有司는 〈분쟁을〉 다스렸을 뿐이니, 이것이 바로 《周禮》 市官의 법입니까?〔古之爲市者 以其所有 易其所無者 有司者治之耳 此便是周禮市官之法否〕

하니, 朱子가 대답하기를

그렇다. 漢나라의 獄市, 軍市와 같은 따위가 모두 옛날의 남은 제도이다.〔然 如漢之獄市 軍市之類 皆是古之遺制〕

하였다.

趙岐의 註와 《集註》에서 모두 '廛'을 시장의 집으로 해석하였다. 그러나 여기의 '廛'은 魚物廛 등의 가게로 보이며, 뒤의 '廛無夫里之布'의 '廛'은 도시의 일반 주택으로 보는 것이 타당할 듯하다. 아래 〈滕文公上〉 4장에 許行이 "한 廛을 받아 백성이 되기를 원합니다.〔願受一廛而爲氓〕"라고 한 것도 도시의 일반 주택을 가리킨 것이다.

楊伯峻은 《周禮》의 註를 따라 '廛而不征'은 貨物을 시장 가운데 저장하여도 세금을 징수하지 않는 것이고, '法而不廛'은 貨物이 오랫동안 팔리지 않으면 官에서 법을 정해 물건을 구입해서 貨物을 오래 쌓아두지 않는 것으로 해석하였다. 楊伯峻은 이곳의 '廛'은 '가게(시장)에 貨物을 저장하다.'의 동사로 보고, 뒤의 '廛無夫里之布'의 '廛'은 '백성들이 사는 곳〔民居〕'으로 보았다.

集註 | 廛은 市宅也[187]라

張子曰 或賦其市地之廛而不征其貨하고 或治以市官之法而不賦其廛하니 蓋逐末者多면 則廛而抑之요 少則不必廛也라

'廛'은 시장의 집이다.

張子(張載)가 말씀하였다. "혹은 그 市地의 집에 대한 세금만 거두고 화물에 대한 세금은

---

187 廛 市宅也:壺山은 "아랫절 註에서도 市宅을 말하였는데 里宅이 이 가운데 포함되어 있으니, 모두 이른바 '五畝之宅'이라는 것이다. 그러므로 아랫편 許行의 註에 다만 백성이 거주하는 것으로 訓하였으니, 참고하면 좋다.〔下節註 亦以市宅言之 而里宅該其中 皆所謂五畝之宅也 故下篇許行註 只以民所居 訓之 參考可也〕" 하였다. 이는 곧 市宅이 시장의 가게일 수도 있고 일반 마을의 집일 수도 있음을 말한 것이다.

••• 宅 집 택 賦 세금 부 逐 쫓을 축 抑 누를 억

징수하지 않으며, 혹은 市官의 법으로써 〈분쟁을〉 다스리기만 하고 자릿세도 받지 않는 것이니, 末業(商工業)을 따르는 자가 많으면 자릿세를 받아서 이를 억제하고, 적으면 굳이 자릿세를 받지 않는 것이다."

5-3. 關에 譏而不征이면 則天下之旅 皆悅而願出於其路矣리라

關門에 譏察하기만 하고 세금을 징수하지 않으면 천하의 여행자들이 모두 기뻐하여 그 길로 나가기를 원할 것이다.

按說 | '關譏而不征'은 《禮記》〈王制〉에

옛날에 公田은 〈백성의〉 힘을 빌려 경작하고 세금을 받지 않았고, 市場은 자릿세만 받고 파는 물건의 稅를 받지 않았고, 關門은 譏察만 하고 세금을 받지 않았다.〔古者 公田藉而不稅 市廛而不稅 關譏而不征〕

하였다.

集註 | 解見(현)前篇하니라

해석이 前篇(梁惠王下)에 보인다.

5-4. 耕者를 助而不稅면 則天下之農이 皆悅而願耕於其野矣리라

농사짓는 자들을 〈公田을〉 도와서 경작하게만 하고 세금을 내지 않게 하면 천하의 농민들이 모두 기뻐하여 그 들에서 경작하기를 원할 것이다.

按說 | '助而不稅'에 대하여, 趙岐는

'助'는 井田의 10분의 1 稅法으로, 公家를 도와 公田을 다스리는 것이고, 〈'不稅'는〉 함부로 세금을 거두지 않는 것이니 履畝와 같은 종류이다.〔助者 井田什一 助佐公家治公田 不橫稅賦 若履畝之類〕

··· 譏 살필 기 旅 나그네 려

하였다. '履畝'는 농지에 직접 가서 조사하고 세금을 부과하는 것이다. 茶山은

'助而不稅'는, 春秋 때에 魯나라 사람이 처음 畝에 稅를 내게 하였는데, 그 뒤에 마침내 여러 나라에 통용되는 제도가 되었으므로 孟子가 말씀한 것이니, 趙岐의 註를 없애서는 안 된다.〔助而不稅者 春秋魯人初稅畝 其後遂爲列國之通制 故孟子言之 趙註不可沒〕

하였다.《春秋》宣公 15년 조의 '初稅畝'는 公田에 대한 10분의 1의 稅 외에, 또 그 餘畝에 대해 직접 가서 조사하고 다시 稅를 거둔 것이다.

集註 | 但使出力하여 以助耕公田하고 而不稅其私田也라

다만 〈농민들로〉 하여금 노동력을 내어 公田을 도와 경작하게 하고, 私田에는 세금을 부과하지 않는 것이다.

5-5. 廛에 無夫里之布면 則天下之民이 皆悅而願爲之氓矣리라

廛에 夫와 里에서 내는 베를 없애면 천하의 백성들이 모두 기뻐하여 그의 백성이 되기를 원할 것이다.

集註 | 周禮에 宅不毛者는 有里布하고 民無職事者는 出夫家之征[188]이라한대 鄭氏謂 宅不種桑麻者를 罰之하여 使出一里二十五家之布하고 民無常業者를 罰之하여 使出一夫百畝之稅와 一家力役之征也라하니라 今戰國時엔 一切取之하여 市宅之民

---

188 周禮……出夫家之征:《周禮》〈地官司徒 載師〉에 載師의 직책은 "집이 不毛인 자는 里布를 내고, 밭을 경작하지 않는 자는 家屋의 곡식을 내고, 백성 중에 일정한 직업이 없는 자는 夫家의 세금을 내도록 하는 것이다.〔凡宅不毛者 有里布 凡田不耕者 出屋粟 凡民無職事者 出夫家之征〕" 하였는데, 그 註에 鄭司農(鄭衆)은 이르기를 "집이 不毛라는 것은 뽕나무와 삼을 심지 않음을 이른다. 里布는 布參印書로, 넓이가 두 치이고 길이가 두 자여서 幣(화폐)를 만들어 물건을 무역하는 것이니,《詩經》에 '베를 안고 실을 산다.'는 것은 이 베를 안고 온 것이다.〔宅不毛者 謂不樹桑麻也 里布者 布參印書 廣二寸 長二尺 以爲幣 貿易物 詩云 抱布貿絲 抱此布也〕" 하였고, 혹자는 말하기를 "布는 금전이다.〔布 泉也〕" 하였으며, 鄭玄은 말하기를 "집이 不毛인 자는 1里 25家의 돈을 벌금으로 내고, 田地를 묵혀 공한지로 만든 자는 세 家戶의 稅穀을 벌금으로 내어서 吉凶의 두 가지 일과 초상의 器物을 장만하게 하였다. 백성 중에 비록 한가로이 직업이 없는 자라도 夫의 세금과 家의 세금을 내게 하였다. 夫의 稅는 百畝의 세금이고 家의 稅는 士와 徒와 車와 輦을 내게 하여 縣役을 맡기는 것이다.〔宅不毛者 罰以一里二十五家之泉 空田者 罰以三家之稅粟 以共吉凶二服及喪器也 民雖有閒無職事者 猶出夫稅, 家稅也 夫稅者 百畮(畝)之稅 家稅者 出士徒車輦 給縣役〕" 하였다.

••• 氓 백성 맹 毛 풀 모, 작물 모 種 심을 종 桑 뽕나무 상 麻 삼 마

이 已賦其廛하고 又令出此夫里之布하니 非先王之法也라 氓은 民也라

《周禮》에 "집(주위)이 불모인 자는 里布가 있고 백성 중에 職事가 없는 자는 夫家의 세금을 낸다." 하였는데, 鄭氏(鄭玄)가 해석하기를 "집에 뽕나무와 삼을 심지 않는 자를 罰하여 1里 25家의 베를 내게 하고, 백성 중에 일정한 직업이 없는 자를 罰하여 1夫에 대한 百畝의 세와 1家에 대한 力役의 세금을 내게 한다." 하였다. 지금 戰國時代에는 일체 이것을 취하여, 市宅에 있는 백성들이 이미 자릿세를 내고 있는데 또 이 夫·里의 세금을 내게 하였으니, 先王의 법이 아니다. '氓'은 백성이다.

5-6. 信能行此五者면 則鄰國之民이 仰之若父母矣리니 率其子弟하여 攻其父母는 自生民以來로 未有能濟者也니 如此則無敵於天下하리니 無敵於天下者는 天吏也니 然而不王者 未之有也니라

진실로 이 다섯 가지를 잘 시행한다면 이웃나라 백성들이 그를 우러러보기를 父母처럼 할 것이니, 그 子弟를 거느리고서 그 父母를 공격하는 것은 生民이 있은 이래로 능히 성공한 자가 있지 않으니, 이와 같으면 천하에 대적할 자가 없을 것이다. 천하에 대적할 자가 없으면 天吏이니, 이렇게 하고서도 왕 노릇하지 못한 자는 있지 않다."

按說 │ '率其子弟 攻其父母'에서 두 '其'字는 彼·此의 구분이 있으니, '率其子弟'의 '其'는 乙을 가리키며, '攻其父母'의 '其'는 甲을 가리킨다. 예를 들어 甲·乙 두 나라가 있는데, 甲의 군주는 仁政을 행하여 자기 나라는 물론이요 乙의 백성도 모두 자기 부모처럼 우러르는 반면, 乙의 군주는 仁政을 행하지 아니하여 백성들로부터 원한을 산다고 한다면, 乙의 백성은 이미 甲의 백성이 된 것과 같다. 그러므로 乙의 군주가 비록 자기 나라 백성을 거느리고 甲의 군주를 공격한다 하더라도 乙의 백성이 甲의 군주를 제대로 공격할 리가 없다. 이 때문에 뒤에 '성공한 자가 있지 않다.'고 말씀한 것이다.

'自生民以來'를 楊伯峻은 《石經》을 따라 '自有生民以來'로 보아 '有'字를 추가하였다.

'天吏'에 대하여, 雙峰饒氏(饒魯)는

··· 賦 세금 부 信 진실로 신 率 거느릴 솔 濟 이룰 제 敵 대적할 적

吏는 군주가 命한 것이고 天吏는 하늘이 命한 것이니, 군주가 명한 자는 남을 형벌하고 남을 죽일 수 있어서 모든 罪가 있는 자를 형벌하고 죽일 수 있고, 하늘이 命한 자는 남을 정벌하고 남을 공격하여 모든 포학하고 혼란한 나라를 다 征伐할 수 있다.〔吏 君所命 天吏 天所命 君所命者 可以刑人殺人 凡有罪者 得而刑殺之 天所命者 可以征人伐人 凡暴亂之國 皆得而征伐之〕

하였다. 壺山은

이웃 나라가 만약 天吏를 공격하면 이는 자제를 거느리고서 부모를 공격하는 것이다. '子弟'는 아들을 이르니, 〈盡心下〉註에서 참고할 수 있다. '濟'는 이룸이다.〔鄰國若攻天吏 則是率弟子攻父母也 子弟 謂子也 盡心下註 有可考 濟 成也〕

하였다. 〈盡心下〉 1장에 "梁惠王……驅其所愛子弟以殉之"라고 보이는데, 《集註》에 "子弟는 太子 申을 이른다."라고 보인다.

集註 | 呂氏曰 奉行天命을 謂之天吏니 廢興存亡을 惟天所命하여 不敢不從이니 若湯武是也라

呂氏(呂大臨)가 말하였다. "天命을 받들어 행하는 자를 天吏라 한다. 폐하고 일으키며 보존시키고 멸망시킴을 오직 하늘의 명령대로 하여 감히 따르지 않을 수 없는 것이니, 湯王과 武王 같은 분들이 바로 天吏이다."

章下註 | ○ 此章은 言能行王政이면 則寇戎爲父子요 不行王政이면 則赤子爲仇讐니라

○ 이 章은 군주가 王政을 잘 행하면 寇戎(침략하는 오랑캐)이 父子間이 되고, 王政을 행하지 않으면 赤子(人民)가 怨讐가 됨을 말씀하였다.

| 四端章(不忍人章) |

6-1. 孟子曰 人皆有不忍人之心하니라

孟子께서 말씀하셨다. "사람들은 모두 사람을 차마 해치지 못하는 마음(仁心)을 가지

··· 廢 폐할 폐 寇 도적 구 戎 오랑캐 융 仇 원수 구 讐 원수 수 皆 다 개 忍 차마할 인

고 있다.

> 集註 | 天地以生物爲心하니 而所生之物이 因各得夫天地生物之心하여 以爲心이라 所以人皆有不忍人之心也니라
>
> 天地는 萬物을 내는 것을 마음으로 삼으니, 천지가 낸 물건들이 각기 天地의 生物之心을 얻음으로 인하여, 이것을 마음으로 삼았다. 이 때문에 사람들이 모두 사람을 차마 해치지 못하는 마음을 가지고 있는 것이다.

6-2. 先王이 有不忍人之心하사 斯有不忍人之政矣시니 以不忍人之心으로 行不忍人之政이면 治天下는 可運之掌上이니라

先王이 사람을 차마 해치지 못하는 마음을 두시어 이에 사람을 차마 해치지 못하는 정사〔仁政〕를 시행하셨으니, 사람을 차마 해치지 못하는 마음으로 사람을 차마 해치지 못하는 정사를 행한다면, 천하를 다스림은 손바닥 위에 놓고 움직일 수 있을 것이다.

> 按說 | '斯有不忍人之政矣'의 '斯'에 대하여, 雙峰饒氏(饒魯)는
>
> > '斯'는 卽과 같다. 聖人의 마음은 物欲의 가림이 없어서 사람을 차마 해치지 못하는 마음이 조금이라도 있으면 바로〔卽〕 사람을 차마 해치지 못하는 정사를 하여 굳이 확충하지 않아도 능하고, 衆人으로 말하면 모름지기 확충하여 넓혀야 한다.〔斯 猶卽也 聖人之心 無物欲之蔽 纔有不忍人之心 卽有不忍人之政 不待充廣而後能也 若衆人則須待充廣〕
>
> 하였다. '不忍人之心'은 仁心이고 '不忍人之政'은 仁政인데, 막연히 仁心, 仁政이라고만 말하면 절실하지 않으므로 '仁心'을 '사람을 차마 해치지 못하는 마음'이라 하고, 또 '仁政'을 '사람을 차마 해치지 못하는 정사'라 한 것이다.

> 集註 | 言 衆人은 雖有不忍人之心이나 然物欲害之하여 存焉者寡라 故로 不能察識

··· 運 옮길운 掌 손바닥장 寡 적을과 察 살필찰 識 알식

而推之政事之間이요 惟聖人은 全體此心[189]하여 隨感而應[190]이라 故로 其所行이 無
非不忍人之政也라

衆人은 비록 사람을 차마 해치지 못하는 마음을 가지고 있으나 物慾이 해쳐서 보존한 자가
적으므로 이 마음을 살피고 알아서 정사의 사이에 미루지 못한다. 오직 聖人만은 全體가 이
마음이어서 감동함에 따라 응하므로 그 행하는 바가 사람을 차마 해치지 못하는 정사 아님
이 없는 것이다.

6-3. 所以謂人皆有不忍人之心者는 今人이 乍見孺子將入於井하고 皆
有怵惕惻隱之心하나니 非所以內(納)交於孺子之父母也며 非所以要
譽於鄕黨朋友也며 非惡(오)其聲而然也니라

'사람들이 모두 사람을 차마 해치지 못하는 마음을 가지고 있다.'고 말하는 까닭은, 지금
사람들이 갑자기 어린아이가 장차 우물에 빠지려는 것을 보고는 모두 깜짝 놀라고 측은
해 하는 마음을 가지니, 이는 어린아이의 父母와 교분을 맺으려고 해서도 아니며, 鄕黨
과 朋友들에게 〈인자하다는〉 명예를 구해서도 아니며, 〈잔인하다는〉 악명을 싫어해서
그러한 것도 아니다.

> 集註 | 乍는 猶忽也라 怵惕은 驚動貌라 惻은 傷之切也요 隱은 痛之深也니 此卽所謂
> 不忍人之心也라 內은 結이요 要는 求요 聲은 名也라 言 乍見之時에 便有此心이 隨見
> 而發이요 非由此三者而然也라
> 程子曰 滿腔子 是惻隱之心[191]이니라

---

189 全體此心:《大全》에 "仁의 體이다.〔仁之體〕" 하였다. '全體此心'을 '이 마음을 온전히 체득하는 것'으
로 해석하기도 하나, 이 아래 7章의 '仁 人之安宅'을 《集註》에 해석하면서 '在人 則爲本心全體之德'
이라 하였고 '如恥之 莫如爲仁'을 《集註》에 해석하면서 '仁該全體'라 한 것에 의거하여 위와 같이 해
석하였다.

190 隨感而應:《大全》에 "仁의 用이다.〔仁之用〕" 하였다.

191 滿腔子 是惻隱之心:朱子는 "腔子는 몸통이라는 말과 같다.……滿腔子는 다만 가득차고 두루하
여 본래 이와 같음을 말한 것이다.〔腔子 猶言軀殼耳……滿腔子 只是言充塞周徧 本來如此〕" 하였
다.《朱子大全 答鄧衛老》 또 "'腔子에 가득한 것이 惻隱之心이다.'라고 한 것은 사람의 몸에 나아가
서 이 이치가 충만한 곳을 가리킨 것이니, 가장 친절하다. 만약 여기에서 제대로 본다면, 萬物이 一體여
서 다시 內外의 구별이 없을 것이요, 만약 이것을 제대로 보지 못하고 몸통 밖에서 찾는다면 아득하고

··· 隨 따를 수 感 느낄 감 乍 갑자기 사 孺 어릴 유 怵 두려워할 출 惕 두려워할 척 惻 슬플 측 隱 측은할 은
內 들일 납(納同) 要 구할 요 譽 기릴 예 忽 갑자기 홀 驚 놀랄 경 滿 찰 만 腔 창자 강

謝氏曰 人須是識其眞心이니 方乍見孺子入井之時에 其心怵惕이 乃眞心也라 非思而得이요 非勉而中[192]이니 天理之自然也라 內交, 要譽, 惡其聲而然이면 卽人欲之私矣니라

'乍'는 忽(갑자기)과 같다. '怵惕'은 놀라 움직이는 모양이다. '惻'은 간절하게 서글퍼함이요 '隱'은 깊이 아파함이니, 이것이 곧 이른바 '사람을 차마 해치지 못하는 마음'이란 것이다. '內'은 맺음이요, '要'는 구함이요, '聲'은 이름이다. 갑자기 이것을 보았을 때에 곧 이 마음이 봄에 따라 나오는 것이요, 이 세 가지로 말미암아 그러한 것이 아님을 말씀한 것이다.

程子(明道)가 말씀하였다. "腔子(몸)에 가득한 것이 惻隱之心이다."

謝氏(謝良佐)가 말하였다. "사람은 모름지기 眞心을 알아야 하니, 갑자기 어린아이가 우물에 빠지는 것을 보았을 때에 그 마음이 깜짝 놀라는 것이 바로 眞心이다. 이것은 생각하여 아는 것도 아니요 억지로 힘써서 맞는 것도 아니니, 天理의 自然함이다. 교분을 맺기 위해서, 명예를 구하기 위해서, 잔인하다는 惡名을 싫어해서 그렇게 한다면, 이것은 바로 人慾의 私인 것이다."

6-4. 由是觀之컨댄 無惻隱之心이면 非人也며 無羞惡(오)之心이면 非人也며 無辭讓之心이면 非人也며 無是非之心이면 非人也니라

이로 말미암아 본다면 惻隱之心(측은해 하는 마음)이 없으면 사람이 아니며, 羞惡之心(부끄러워하고 미워하는 마음)이 없으면 사람이 아니며, 辭讓之心(사양하는 마음)이 없으면 사람이 아니며, 是非之心(옳고 그름을 따지는 마음)이 없으면 사람이 아니다.

集註 | 羞는 恥己之不善也요 惡는 憎人之不善也라 辭는 解使去己也요 讓은 推(퇴)

아득하여 더욱 자신과 관련이 없을 것이다.[如滿腔子是惻隱之心 此是就人身上 指出此理充塞處 最爲親切 若於此見得 卽萬物一體 更無內外之別 若見不得 却去腔子外尋不覓 則莽莽蕩蕩 愈無交涉矣]" 하였다.《朱子大全 答林擇之》

192 非思而得 非勉而中:'得'은 아는 것이고 '中'은 道에 맞는 것이다.《中庸》20장에 "성실히 하는 것은 하늘의 道이고 성실히 하려고 노력하는 것은 사람의 道이다. 성실히 하는 자는 힘쓰지 않아도 맞고 생각하지 않고도 알아서 從容히 道에 맞으니 聖人이요, 성실히 하려고 노력하는 자는 善을 가려 굳게 지키는 자이다.[誠者 天之道也 誠之者 人之道也 誠者 不勉而中 不思而得 從容中道 聖人也 誠之者 擇善而固執之者也]"라고 보이는데, 이것을 원용하여 語順을 바꾸고 '不'을 '非'로 바꾼 것이다.

··· 羞 부끄러울 수 惡 미워할 오 辭 사양할 사 讓 사양할 양 恥 부끄러울 치 憎 미워할 증 推 밀칠 퇴

以與人也라 是는 知其善而以爲是也요 非는 知其惡而以爲非也라 人之所以爲心이 不外乎是四者라 故로 因論惻隱而悉數之하사 言 人若無此면 則不得謂之人이라 하시니 所以明其必有也시니라

'羞'는 자신의 不善을 부끄러워하는 것이요, '惡'는 남의 不善을 미워하는 것이다. '辭'는 풀어서 자기에게서 떠나가게 하는 것이요, '讓'은 밀쳐서 남에게 주는 것이다. '是'는 그 善함을 알아서 옳게 여기는 것이요, '非'는 그 惡함을 알아서 그르게 여기는 것이다. 사람이 마음을 삼는 것이 이 네 가지에 벗어나지 않는다. 그러므로 惻隱之心을 논함으로 인하여 이것을 모두 들어서, 사람이 만일 이것이 없으면 사람이라 이를 수 없다고 말씀하셨으니, 사람이 반드시 이 네 가지를 가지고 있음을 밝히신 것이다.

6-5. 惻隱之心은 仁之端也요 羞惡之心은 義之端也요 辭讓之心은 禮之端也요 是非之心은 知(智)之端也니라

惻隱之心은 仁의 단서요, 羞惡之心은 義의 단서요, 辭讓之心은 禮의 단서요, 是非之心은 智의 단서이다.

按說 | '端'에 대하여, 趙岐는

'端'은 首(시발점, 첫머리)이다. 사람은 모두 仁·義·禮·智의 首가 있어 끌어내어 쓸 수 있는 것이다.〔端者 首也 人皆有仁義禮智之首 可引用之〕

하였는바, 이는 惻隱·羞惡·辭讓·是非의 마음을 仁·義·禮·智의 근원으로 본 것이다. 반면 朱子는 '端'을 '가운데에서 밖으로 나온 실마리'라고 해석하였는데, 潛室陳氏(陳埴)는 이를 다음과 같이 부연하였다.

'端'이란 단서이니, 물건의 실마리이다. 누에고치의 실에 비유하면, 밖에 한 가닥의 실마리가 있으면 곧 안에 한 덩어리의 실이 있음을 알 수 있으니, 만약 안에 실이 없다면 실마리가 어떻게 밖에 나올 수 있겠는가.〔端者 端倪也 物之緒也 譬之繭絲 外有一條緒 便知得內有一團絲 若其無絲在內 則緒何由而見於外〕

茶山은 이 가운데 趙岐의 註를 취하여 '惻隱·羞惡·辭讓·是非의 마음이 발현된 것을

··· 與 줄 여 外 벗어날 외 悉 다 실 數 셀 수 端 단서 단, 끝 단

끌어내어 확장하는 것이 仁·義·禮·智를 행하는 시작'이라고 보았으며, 또 朱子와 달리 仁·義·禮·智를 性으로 보지 않았는데, 그의 주장은 다음과 같다.

　　仁·義·禮·智의 명칭은 일을 행한 뒤에 이루어지는 것이다. 그러므로 사람을 사랑한 뒤에 이 것을 仁이라고 하니, 사람을 사랑하기 이전에는 仁이라는 명칭이 성립되지 않는다.……어찌 仁·義·禮·智의 네 덩어리가 분명하게 있어 복숭아와 살구의 씨처럼 사람의 마음속에 잠복 해 있겠는가.……仁·義·禮·智를 행하여 이룰 수 있음을 알면, 열심히 노력하여 그 德을 이 루기를 바라지 않는 사람이 없을 것이다. 그러나 仁·義·禮·智를 本心의 온전한 德으로 알 면, 사람이 할 일은 다만 面壁하여 마음을 바라보고 自我를 성찰하여 이 心體를 虛明하 고 환히 통하게 해서 어렴풋한 仁·義·禮·智 네 덩어리가 있는 것을 마치 본 것처럼 여기고 서, 자신의 涵養을 받아들일 뿐일 것이니, 이것이 어찌 先聖이 힘쓰신 바이겠는가.……有 子는 "孝와 弟는 아마도 仁을 행하는 근본일 것이다." 하였고, 孔子는 "仁을 하는 것은 자신 에게 달려 있다." 하셨고, 曾子는 "당당하구나, 子張이여. 함께 仁을 하기 어렵도다." 하였으 니, 仁이 본래 안에 있는 理라면 어찌 '仁을 한다〔爲仁〕'라고 말할 수 있겠는가. '爲'는 作과 같으니, 힘을 써서 일을 행하는 것을 爲라 이르고, 착수하여 功業을 도모하는 것을 爲라 이 르니, 마음속에 있는 理에 어찌 착수하여 힘을 쓰겠는가. 총괄하건대, '端'은 '始(시작)'이다. 사물의 본말을 兩端이라고 한다. 그러나 반드시 시작하는 것을 端이라 하였으므로, 《中庸》 에 "君子의 道는 夫婦에서 시작되니〔造端〕, 그 지극함에 이르러서는 天地에 밝게 드러난 다." 하였으니, 端이 시작이 됨이 이미 명백하지 않은가.……惻隱之心이 마음속에서 발현된 것을 끌어내어 확장하면 仁政을 행할 수 있으니, 惻隱之心이 仁政이 시작되는 바가 아니겠 는가. 辭讓之心이 마음속에서 발현된 것을 끌어내어 확장하면 禮法을 행할 수 있으니, 辭 讓之心이 禮法이 시작되는 바가 아니겠는가.……四端의 뜻은 孟子가 직접 스스로 註를 내어, "마치 불이 처음 타오르며 샘물이 처음 나오는 것과 같다."고 하셨으니, 두 개의 '始'字 가 우뚝하여 '端'이 시작이 됨이 또한 이미 분명하다. 四端은 仁·義·禮·智의 네 가지 일에 근본이 되므로 聖人이 사람을 가르칠 적에 이로부터 공부를 시작하고 이로부터 기초를 닦아 확충하게 하였다. 만약 四端의 이면에 또다시 이른바 仁·義·禮·智라는 것이 있어 은연히 잠복하여 주인이 된다면, 이는 孟子의 확충 공부가 근본을 버리고 말단을 잡으며, 머리를 놓 아두고 꼬리를 잡은 것이다.〔仁義禮智之名 成於行事之後 故愛人而後謂之仁 愛人之先 仁之名未立也……豈有仁義禮智四顆 磊磊落落 如桃仁杏仁 伏於人心之中者乎……

仁義禮智 知可以行事而成之 則人莫不俛焉孶孶 冀成其德 仁義禮智 知以爲本心之

全德 則人之職業 但當向壁觀心 回光反照 使此心體 虛明洞澈 若見有仁義禮智四

顆 依俙髣髴 受我之涵養而已 斯豈先聖之所務乎……有子曰 孝弟也者 其爲仁之本

孔子曰 爲仁由己 曾子曰 堂堂乎張也 難與並爲仁矣 仁本在內之理 則何以謂之爲仁

爲猶作也 用力行事之謂爲也 著手圖功之謂爲也 在心之理 何以著手而用力乎 總之

端也者 始也 物之本末 謂之兩端 然猶必以始起者爲端 故中庸曰 君子之道 造端乎

夫婦 及其至也 察乎天地 端之爲始 不旣明乎……惻隱之心 發于內 引而長之 則可

以行仁政 惻隱之心 非仁政之所始乎 辭讓之心 發于內 引而長之 則可以行禮法 辭

讓之心 非禮法之所始乎……四端之義 孟子親自注之曰 若火之始然 泉之始達 兩箇

始字 磊磊落落 端之爲始 亦旣明矣 四端爲四事之本 故聖人敎人 自此起功 自此肇

基 使之擴而充之 若於四端裏面 又有所謂仁義禮智者 隱然潛伏 爲之奧主 則是孟

子擴充之功 舍其本而操其末 放其頭而捉其尾〕

하였다. 茶山은 仁義禮智를 本性으로 보지 않고 단지 嗜好나 行爲로만 인식하였다. 그
의 이러한 見解는 여러 곳에 자주 보이는바, 이미 《論語》〈學而〉와 〈이 책에 대하여〉에서
옳지 않음을 밝혔으므로 여기에서는 再論하지 않는다.

集註 | 惻隱, 羞惡, 辭讓, 是非는 情也요 仁, 義, 禮, 知(智)는 性也요 心은 統性情者
也[193]라 端은 緖也라 因其情之發하여 而性之本然을 可得而見이니 猶有物在中而緖
見(현)於外也[194]라

---

193 心 統性情者也:《大全》에는《語類》에 나오는 朱子의 말씀을 다음과 같이 인용하고 있다. "性은 마음
의 理이고 情은 마음의 用이고 마음은 性과 情의 주체이다. 性은 靜이고 情은 動이니, 마음은 動과 靜
을 겸하여 말한 것이다. 統은 '統兵'의 '統'과 같으니 마음이 性情을 주재하는 것이니, 動과 靜을 모두
主宰한다.〔性者 心之理 情者 心之用 心者 性情之主 性是靜 情是動 心兼動靜而言 統 如統兵之統
心有以主宰之也 動靜皆主宰〕"

194 因其情之發……緖見於外也:栗谷(李珥)은 "四端은 七情을 겸하지 못하나 七情은 四端을 겸한다.
七情은 마음이 동함에 이 일곱 가지가 있음을 통합하여 말한 것이요, 四端은 七情에 나아가서 그 중
에 善한 한쪽만을 가려서 말한 것이다. 朱子가 말씀한 '發於理', '發於氣'는 그 뜻이 또한 四端은 오로
지 理를 말하였고, 七情은 겸하여 氣를 말했다고 함에 지나지 않는데, 退溪(李滉)는 이것을 인하여 의
논을 세우기를 "四端은 理가 발함에 氣가 따른 것이고, 七情은 氣가 발함에 理가 탄 것이다."라고 하셨
으니, 退溪의 병통은 전적으로 '互發' 두 글자에 있다. 만약 朱子가 참으로 理·氣가 서로 발용해서 상
대하여 각각 나왔다고 하셨다면 朱子도 또한 잘못된 것이다. 發하는 것은 氣이고 발하게 하는 것은 理
이니, 氣가 아니면 발하지 못하고 理가 아니면 발할 수가 없다. 氣는 함이 있고 理는 함이 없으니, 마음

••• 統 통합할 통 緖 실마리 서

惻隱·羞惡·辭讓·是非는 情이요, 仁·義·禮·智는 性이요, 心은 性과 情을 통합(통솔)한 것이다. '端'은 실마리이다. 情이 발함으로 인하여 性의 本然함을 볼 수 있으니, 마치 물건이 가운데에 있으면 실마리가 밖에 나타남과 같은 것이다.

6-6. 人之有是四端也 猶其有四體也니 有是四端而自謂不能者는 自賊者也요 謂其君不能者는 賊其君者也니라

사람이 이 四端을 가지고 있는 것은 사람이 四體를 가지고 있는 것과 같으니, 이 四端을 가지고 있으면서도 스스로 仁義를 행할 수 없다고 말하는 자는 자신을 해치는 자요, 자기 군주가 仁義를 행할 수 없다고 말하는 자는 자기 군주를 해치는 자이다.

集註 | 四體는 四肢니 人之所必有者也라 自謂不能者는 物欲蔽之耳라

'四體'는 四肢이니, 사람이 반드시 가지고 있는 것이다. 스스로 仁義를 행할 수 없다고 말하는 자는 物慾이 四端을 가렸기 때문이다.

6-7. 凡有四端於我者를 知皆擴而充之矣면 若火之始然(燃)하며 泉之始達이니 苟能充之면 足以保四海요 苟不充之면 不足以事父母니라

무릇 나에게 있는 四端을 모두 넓혀 채울 줄을 알면, 마치 불이 처음 타오르며 샘물이 처음 나오는 것과 같을 것이니, 만일 능히 이것을 채운다면 충분히 四海를 보전할 수 있고, 만일 채우지 못한다면 父母도 섬길 수 없을 것이다."

按說 | '知皆擴而充之矣'에 대하여, 沙溪(金長生)는

이 발하는 것은 모두 氣가 발함에 理가 타는 것이다.〔四端不能兼七情 而七情則兼四端 七情統言心之動有此七者 四端則就七情中 擇其善一邊而言也 朱子所謂發於理發於氣者 其意亦不過曰四端專言理 七情兼言氣云耳 退溪因此而立論曰 四端 理發而氣隨之 七情 氣發而理乘之 退溪之病 專在於互發二字 若朱子眞以爲理氣互有發用 相對各出 則是朱子亦誤也 發之者 氣也 所以發者 理也 非氣則不能發 非理則無所發 氣有爲而理無爲 心之發 無非氣發而理乘也〕"하였다.《壺山孟子集註詳說》

··· 賊 해칠 적 蔽 가릴 폐 擴 넓힐 확 然 불탈 연(燃同) 達 통할 달

'知皆擴而充之'를 退溪(李滉)는 '알아서 확충하는 것'으로 해석하였으니, 살펴보건대 '知'字를 마땅히 '充之'의 아래에서 해석해야 한다. 栗谷(李珥)이 말씀하기를 "退溪의 해석이 잘못된 듯하니, 이는 다만 四端을 알 뿐이요 아직 擴充하지 못한 때이다. 이것을 알기만 하면 불이 처음 타오르는 것과 같고 샘물이 처음 나오는 것과 같을 뿐이요, 이 아래 '진실로 능히 채운다.' 한 것에 이른 뒤에야 비로소 擴充한 때인 것이다. 만약 退溪의 말씀과 같다면 이 것은 이미 채운 것이니, 비단 불이 처음 타오르는 것과 같고 샘물이 처음 나오는 것과 같을 뿐만이 아니다." 하였다. 《語類》에 "'知'字는 擴充을 겸하여 말한 것이니, '知皆擴而充之'는 '苟能充之'라는 句와 서로 응한다." 하였고, 또 이르기를 "'知皆擴而充之'는 '於止知其所止'와 말한 뜻이 대략 같다." 하였고, 또 이르기를 "막 이와 같음을 안 것이고 '苟能充之'라고 말함에 이르러서야 '充'字를 말씀했다." 하였다.〔退溪解知而擴充 按知字 當釋於充之下 栗谷云 退溪解恐非 此乃只知之而已 時未擴充也 惟知之 則如火始然 如泉始達 至其下苟能充之 然後始是擴充時也 苟如退溪說 則是旣已充之矣 不但如火始然泉始達也 語類曰 知字只帶擴充說 知皆擴而充之 與苟能充之句相應 又曰 知皆擴而充之 與於止知其所止 語意略同 又曰 方且是知得如此 至說到苟能充之 卽說充字〕(《經書辨疑》)

하였다. '於止知其所止'는 《大學》傳3장에 보이는 내용이다. 壺山은 沙溪의 이 說을 취하여

살펴보건대 '能知而充之'라는 이 말은 《語類》에도 나온다. 다만 《集註》의 뜻은 '知'字를 '充'字 아래에서 해석하였으니, 그렇다면 《語類》의 '充'字는 마땅히 아래의 '充'字로 보아야 할 것이다.〔按能知而充之此語 亦出於語類 但集註之意 以知字釋於充下 然則語類充字 當以下充字看〕

하였다.

集註 | 擴은 推廣之意요 充은 滿也라 四端在我하여 隨處發見(현)하니 知皆卽此推廣而充滿其本然之量이면 則其日新又新이 將有不能自已者矣리니 能由此而遂充之면 則四海雖遠이나 亦吾度內[195]라 無難保者요 不能充之면 則雖事之至近이나 而不

---

195 度內: '度外'와 상대되는 말로, 四海가 모두 나의 범위 안에 있음을 이른다.

••• 見 나타날 현

能矣리라

'擴'은 미루어 넓히는 뜻이요, '充'은 가득함이다. 四端이 나에게 있어 곳에 따라 발현되니, 모두 이에 나아가 미루어 넓혀서 그 本然의 量을 가득 채울 줄 안다면 날로 새롭고 또 새롭게 함이 장차 스스로 그만두지 못하게 될 것이다. 이로 말미암아 마침내 채운다면 四海가 비록 멀더라도 또한 나의 범위 안이어서 보전하기 어려움이 없을 것이요, 채우지 못한다면 비록 지극히 가까운 일이라도 제대로 하지 못할 것이다.

章下註 | ○ 此章所論人之性情과 心之體用이 本然全具而各有條理如此하니 學者於此에 反求默識而擴充之면 則天之所以與我者를 可以無不盡矣리라
○ 程子曰 人皆有是心이로되 惟君子爲能擴而充之하나니 不能然者는 皆自棄也라 然이나 其充與不充은 亦在我而已矣니라
又曰 四端에 不言信者[196]는 旣有誠心爲四端이면 則信在其中矣니라
愚按 四端之信은 猶五行之土하여 無定位하고 無成名하고 無專氣[197]로되 而水火金木이 無不待是以生者라 故로 土於四行에 無不在하고 於四時則寄王(旺)焉[198]하니 其理亦猶是也니라

○ 이 章에서 논한 바, 사람의 性·情과 마음의 體·用은 本然이 완전히 갖추어져 있으면서 각기 條理가 있음이 이와 같으니, 배우는 자가 이에 대하여 돌이켜 찾고 묵묵히 알아서 이것을 확충한다면 하늘이 나에게 주신 것(本性)을 다하지 않음이 없을 것이다.

---

196 四端 不言信者: 朱子는 "만일 惻隱해하고 부끄러워하고 미워함이 진실로 惻隱해하고 부끄러워하고 미워함이면 信은 바로 그 가운데 있다.〔且如惻隱羞惡 實是惻隱羞惡 便信在其中〕" 하였다.《語類》

197 無定位……無專氣: '定位'는 정해진 방위로 木은 東方, 火는 南方, 金은 西方, 水는 北方이다. '成名'은 명확한 주석이 없으나 壺山의 '生長收藏'이라는 주석에 따라 '이루는 이름'으로 해석하였다. '生長收藏'은 春生·夏長·秋收·冬藏으로, 木인 봄에는 만물을 낳고 火인 여름에는 자라게 하고 金인 가을에는 수확하고 水인 겨울에는 갈무리함을 이른다. '專氣'는 專一한 기운으로 봄은 木氣, 여름은 火氣, 가을은 金氣, 겨울은 水氣가 왕성하다. 그러나 土는 그렇지 않으므로 말한 것이다.

198 土於四行……於四時則寄王焉:《大全》에 "土는 四時에 있어 각각 18일씩 붙어 왕성하다. 혹자는 말하기를 '戊己에 왕성하다.' 하나 季夏는 바로 土의 本宮이다. 그러므로 늦여름에 더욱 왕성하니, 月令에《6월을》中央土로 기재한 것은 이 때문이다.〔土於四時 各寄王十八日 或謂王於戊己 然季夏 乃土之本宮 故尤王於夏末 月令載中央土者 以此〕" 하였다. '王'은 '旺'과 통하는 바, 陰陽五行說에 있어 봄은 木, 여름은 火, 가을은 金, 겨울은 水에 소속되며, 음력으로 4개의 季月 즉 3·6·9·12월은 土氣가 왕성한 계절로 흙비가 내린다 하여 土王用事가 매월 책력에 明示되어 있다. 또한 天干 중에 甲乙은 木, 丙丁은 火, 戊己는 土, 庚辛은 金, 壬癸는 水인데, 이 중 한가운데인 土는 여름 6월에 왕성하다.

··· 條 가지 조, 조리 조 黙 잠잠할 묵 按 살필 안 寄 붙일 기 王 왕성할 왕(旺通)

○程子(伊川)가 말씀하였다. "사람들이 모두 이 마음(仁心)을 가지고 있으나 오직 君子만이 넓혀서 채울 수 있으니, 이렇게 하지 못하는 자는 모두 自棄하는 것이다. 그러나 채우고 채우지 못함은 또한 자신에게 달려있을 뿐이다."

또 말씀하였다. "四端에 信을 말씀하지 않은 것은, 誠心으로 四端을 하면 信이 그 가운데에 있기 때문이다."

내(朱子)가 살펴보건대, 四端의 信은 五行의 土와 같아서 일정한 위치가 없고 이루는 이름(명칭)이 없고 專一한 기운이 없으나 水·火·金·木이 이것(土)을 필요로 하여 생겨나지 않는 것이 없으므로 土가 四行에 있어서는 있지 않은 데가 없고 四時에 있어서는 붙어서 왕성하니, 그 이치가 또한 이와 같다.

|術不可不愼章(矢人函人章)|

7-1. 孟子曰 矢人이 豈不仁於函人哉리오마는 矢人은 惟恐不傷人하고 函人은 惟恐傷人하나니 巫匠도 亦然하니 故로 術不可不愼也니라

孟子께서 말씀하셨다. "화살 만드는 사람이 어찌 갑옷 만드는 사람보다 仁하지 못하겠는가마는 화살 만드는 사람은 행여 사람을 상하게 하지 못할까 두려워하고 갑옷 만드는 사람은 행여 사람을 상하게 할까 두려워하니, 무당과 관 만드는 목수도 또한 그러하다. 그러므로 기술을 〈선택함에〉 삼가지 않으면 안 되는 것이다.

集註 | 函은 甲也라 惻隱之心을 人皆有之하니 是矢人之心이 本非不如函人之仁也라 巫者는 爲人祈祝하여 利人之生[199]하고 匠者는 作爲棺槨하여 利人之死라

'函'은 갑옷이다. 惻隱之心을 사람마다 모두 가지고 있으니, 이것은 화살 만드는 사람의 마음이 본래 갑옷 만드는 사람의 仁함만 못한 것이 아니다. 무당은 사람들을 위해 기원하여 사람이 사는 것을 이롭게 여기고, 목수는 棺槨을 만들어 사람이 죽는 것을 이롭게 여긴다.

---

199 巫者爲人祈祝 利人之生: '巫'에 대하여 楊伯峻은 "옛 사람들은 병을 치료할 때에도 무당을 썼다. 그러므로《論語》에 '巫醫'라는 명칭이 있는 것이다." 하여, 巫와 醫를 둘로 나누지 않고, 古代에 呪術과 醫術로 환자를 치료하던 사람으로 보았다.

••• 矢 화살 시 函 갑옷 함 巫 무당 무 匠 목수 장 術 재주 술 祈 빌 기 祝 빌 축 棺 널 관 槨 널 곽

7-2. 孔子曰 里仁이 爲美하니 擇不處仁이면 焉得智리오하시니 夫仁은 天 之尊爵也며 人之安宅也어늘 莫之禦而不仁하니 是는 不智也니라

孔子께서 말씀하시기를 '마을에 仁厚한 풍속이 있는 것이 아름다우니, 사람이 自處할 바를 가리되 仁에 처하지 않는다면 어떻게 지혜로울 수 있겠는가.' 하셨으니, 仁은 하늘의 높은 벼슬이요 사람의 편안한 집인데, 이것을 막는 이가 없는데도 仁하지 못하니, 이는 지혜롭지 못한 것이다.

按說 | '孔子曰……焉得智'에 대하여《論語集註》에서 朱子는 '擇不處仁'을 '擇里 而不居於是焉'으로 주석하여 '擇'을 '擇里'로 해석하고, 여기에서는 '人擇所以自處 而 不於仁'으로 주석하여 '자처할 바를 가리는 것'으로 해석하였는데, 이는 앞 부분에 '기술 을 선택함'에 관한 孟子의 말씀이 있기 때문이다. 新安陳氏(陳櫟)는

孔子는 본래 마을을 가리는 것을 말씀하셨는데 孟子는 이것을 인용하여 기술을 택함을 증 명하셨으니, 〈뜻이〉 약간 다르다.《集註》는 孟子의 뜻을 가지고 孔子의 말씀을 해석하였으 므로《論語集註》와는 조금 다른 것이다.〔孔子本言擇里 孟子引之 以證擇術 微有不同 集註以孟子之意 釋孔子之言 故與語註小異〕

하였다. 茶山은《論語》의 '里仁爲美 擇不處仁 焉得知'[200]를《孟子》의 뜻과 서로 통하

---

200 《論語》의……焉得知:이에 대한《附按說 論語集註》의 按說은 다음과 같다. "鄭玄은 '里仁'의 '里'를 '거주하다'의 동사로, '仁'을 '仁者의 마을'로 보아 '里仁'을 '仁者의 마을에 거주하다'의 뜻으로 풀이하 였으며, 楊伯峻도 '里仁'을 '仁德이 있는 마을에 거주하다'로 보았다. 程明道 역시 '里'를 '거하다'의 동 사로 보았으나 '仁'을 '인후한 마을'의 의미로 보지 않고 넓은 의미의 仁으로 보아 '里仁'을 '仁에 거하다' 의 뜻으로 풀이하였다. 이러한 풀이는《孟子》〈離婁上〉의 '仁은 사람의 편안한 집이다.〔仁 人之安宅也〕' 라는 말과 같은 맥락이다. 茶山은 '里'를 동사로 풀이하는 해석을 반박하고 '里'를 '사람이 거처하는 곳' 으로 보아 里에서 句를 떼었다. 이렇게 보면 '里仁爲美'는 '사람이 거처하는 바는 仁이 아름다움이 된 다.'로 해석되는데, 전체적인 의미는 程明道의 해석과 크게 다르지 않다. '擇不處仁'의 풀이는 '里仁'을 어떻게 해석하는가에 따라 달라진다. '里仁'을 '마을에 인후한 풍속이 있는 것'으로 해석한 朱子와 '仁 者의 마을에 거주하는 것'으로 해석한 鄭玄은 '擇不處仁'의 '仁'을 '인후한 마을' 혹은 '仁者의 마을'로 보았다. 반면 '里仁'의 '仁'을 보편적 의미의 仁으로 본 程明道나 茶山의 경우 '擇不處仁'의 '仁' 역시 보편적 의미의 仁으로 풀이하였다.……朱子는 '擇不處仁'을 '마을을 가리면서 仁厚한 마을에 거하지 않는 것'으로 해석하는 것이《論語》의 본뜻에 맞다고 생각한 듯하다.……그러나 瑞巖(金熙鎭)선생은 經文을 '좋은 마을을 가려 살더라도 자신이 仁에 처하지 않으면 어찌 지혜롭다 하겠는가.'의 뜻으로 해 석하였다. 아무리 인후한 풍속이 있는 마을에 살더라도 자신이 仁하지 못하면 지혜가 될 수 없으며, 인 후한 마을에 살지 않는 것을 가지고 지혜를 논한다면 智의 의미가 축소되기 때문이다."

··· 爵 벼슬 작 禦 막을 어

게 해석하여,

> 사람이 거처할 바는 仁이 아름다움이 된다.《孟子》의 이른바 '仁은 사람의 편안한 집'이라는 것이다. 거처할 바를 선택하되 仁에 거처하지 않으면 어찌 지혜롭다 하겠는가.〔人所居 惟仁 爲美 孟子所謂仁者人之安宅也 擇所居而不處仁 何得爲智〕

하여, '里'를 마을이 아니라 '사람이 거처할 바'로, '擇'을 '擇里'가 아니라 '거처할 바를 선택함'으로 해석하였다. 茶山은 또《孟子》의 주석에는

> 孔子가 마을을 선택하는 것에 대해 말씀한 것을 孟子가 인용하여 기술을 선택함을 증명함은 이런 이치가 없다.……孔子는 본래 기술을 선택하는 것을 말씀한 것이다.〔孔子言擇里 孟子引之以證擇術 無是理也……孔子本言擇術〕

하였다.

集註ㅣ里有仁厚之俗者를 猶以爲美하니 人擇所以自處호되 而不於仁이면 安得爲智乎리오 此는 孔子之言也라 仁義禮智는 皆天所與之良貴로되 而仁者는 天地生物之心으로 得之最先而兼統四者하니 所謂元者善之長也라 故로 曰尊爵이라 在人이면 則爲本心全體之德하여 有天理自然之安이요 無人欲陷溺之危하니 人當常在其中하여 而不可須臾離者也라 故로 曰安宅이라 此는 又孟子釋孔子之意하사 以爲仁道之大如此어늘 而自不爲之하니 豈非不智之甚乎리오하시니라

"마을에 仁厚한 풍속이 있는 것도 오히려 아름답게 여기는데, 사람이 자처할 바를 가리되 仁에 처하지 않는다면 어떻게 지혜로울 수 있겠는가." 하셨으니, 이것은 孔子의 말씀이다. 仁·義·禮·智는 모두 하늘이 주신 良貴인데, 仁은 天地가 萬物을 내는 마음으로서 가장 먼저 얻었고 네 가지(仁·義·禮·智)를 겸하여 통솔하니,《周易》〈乾卦 文言〉에〉 이른바 '元은 善의 으뜸'이란 것이다. 그러므로 尊爵이라 말한 것이다. 사람에 있어서는 本心의 全體의 德이 되어, 天理自然의 편안함이 있고 人慾에 빠지는 위태로움이 없으니, 사람이 항상 이 가운데에 있어야 하고, 잠시라도 떠나서는 안 된다. 그러므로 安宅이라 말한 것이다. 이것은 또 孟子께서 孔子의 뜻을 해석하여 "仁道의 위대함이 이와 같은데도 스스로 하지 않으니, 어찌 지혜롭지 못함이 심한 것이 아니겠는가."라고 하신 것이다.

··· 與 줄 여 良 진실로 량 陷 빠질 함 溺 빠질 닉 須 잠깐 수 臾 잠깐 유

7-3. 不仁不智라 無禮無義면 人役也니 人役而恥爲役은 由(猶)弓人而恥爲弓하며 矢人而恥爲矢也니라

仁하지 못하여 지혜롭지 못하다. 그리하여 禮가 없고 義가 없으면 사람의 사역(노예)이니, 사람의 사역이 되어 사역하는 것을 부끄러워하는 것은 마치 활 만드는 사람이 활 만드는 것을 부끄러워하며 화살 만드는 사람이 화살 만드는 것을 부끄러워하는 것과 같다.

> 集註 | 以不仁故로 不智요 不智故로 不知禮義之所在라
>
> 仁하지 못하기 때문에 지혜롭지 못하고, 지혜롭지 못하기 때문에 禮·義의 소재를 알지 못하는 것이다.

7-4. 如恥之인댄 莫如爲仁이니라

만일 이것(사역)을 부끄러워한다면 仁을 행하는 것만 못하다.

> 按說 | '莫如爲仁'에 대하여, 茶山은
>
> > 經文에 '莫如爲仁'의 '爲'는 作과 같다. '爲'는 '일을 행하는 것'이니, 朱子가 〈윗절에서〉 '仁은 天地가 만물을 내는 마음이며 本心의 全體의 德'이라 하여, '爲仁' 두 글자를 풀이할 수 없었기 때문에 '爲仁'을 '志於仁'으로 해석하였다.〔經日莫如爲仁 爲猶作也 爲者行事也 朱子以仁爲天地生物之心 本心全體之德 則爲仁二字不可解 故解之曰志於仁〕
>
> 하였다.

> 集註 | 此亦因人愧恥之心而引之[201]하여 使志於仁也라 不言智禮義者는 仁該全體하니 能爲仁이면 則三者在其中矣니라
>
> 이 또한 사람이 부끄러워하는 마음을 인해서 유도하여 仁에 뜻하게 하신 것이다. 智·禮·

---

201 此亦因人愧恥之心而引之: 앞의 4장에 "만일 치욕을 싫어한다면 德을 귀하게 여기고 선비를 높이는 것만 못하다.〔如惡之 莫如貴德而尊士〕"라는 말을 이어서 '亦'이라고 말씀한 것이다.

··· 役 사역할 역 由 같을 유(猶同) 愧 부끄러울 괴 恥 부끄러울 치 引 인도할 인 該 겸할 해

義를 말씀하지 않은 것은, 仁은 전체를 포함하니 능히 仁을 행한다면 세 가지가 그 가운데에 있기 때문이다.

7-5. 仁者는 如射하니 射者는 正己而後發하여 發而不中이라도 不怨勝己者요 反求諸己而已矣니라

仁을 하는 자는 활을 쏘는 것과 같으니, 활을 쏘는 자는 자신을 바로잡은 뒤에야 발사하여, 발사한 것이 맞지 않더라도 자신을 이긴 자를 원망하지 않고 자신에게 돌이켜 찾을 뿐이다."

> 按說 | '仁者'는 '爲仁者'로 보아 '仁을 행하는 자' 또는 '仁을 행함'의 뜻이 되어야 할 것이다. 栗谷諺解에도 '仁ᄒᆞᄂᆞᆫ 者'로 되어 있다.

集註 | 爲仁由己니 而由人乎哉[202]아

仁을 행하는 것은 자신에게 달려있으니, 남에게 달려있겠는가.

|告之以有過則喜章(善與人同章)|

8-1. 孟子曰 子路는 人이 告之以有過則喜하니라

孟子께서 말씀하셨다. "子路는 남이 자신에게 허물이 있음을 말해주면 기뻐하였다.

集註 | 喜其得聞而改之하니 其勇於自修如此하니라

周子曰 仲由는 喜聞過라 令名이 無窮焉이러니 今人은 有過에 不喜人規하여 如諱疾而忌醫하여 寧滅其身而無悟也하니 噫라

程子曰 子路는 人告之以有過則喜하니 亦可爲百世之師矣로다

---

202 爲仁由己 而由人乎哉:《論語》〈顏淵〉에 "하루라도 私慾을 이겨 禮에 돌아가면 천하가 仁을 허여한다. 仁을 하는 것은 자신에게 달려있으니 남에게 달려있겠는가.[一日克己復禮 天下歸仁焉 爲仁由己 而由人乎哉]"라고 보인다.

⋯ 喜 기쁠 희 令 좋을 령 規 바르게할 규 諱 숨길 휘 疾 병질 병 忌 꺼릴 기 醫 의원 의 寧 차라리 녕 悟 깨달을 오 噫 슬플 희

허물을 듣고서 고칠 수 있음을 기뻐한 것이니, 스스로 닦음에 용감함이 이와 같았다.

周子(濂溪)가 말씀하였다. "仲由는 허물을 듣기 좋아하여 훌륭한 명예가 무궁하였는데, 지금 사람들은 허물이 있으면 남이 바로잡아줌을 기뻐하지 아니하여, 마치 병을 숨기고 의원을 꺼려서 차라리 그 몸을 멸망시키면서도 깨달음이 없는 것과 같으니, 아 슬프다."

程子(明道)가 말씀하였다. "子路는 남들이 그에게 허물이 있음을 말해주면 기뻐하였으니, 또한 百世의 스승이라 할 만하다."

8-2. 禹는 聞善言則拜러시다

禹王은 善言을 들으면 절하셨다.

集註 │ 書曰 禹拜昌言이라하니 蓋不待有過하고 而能屈己以受天下之善也라

《書經》〈大禹謨〉에 이르기를 "禹王이 昌言(善言)에 절하셨다." 하였으니, 허물이 있음을 기다리지 않고 자신을 굽혀서 천하의 善言을 받아들인 것이다.

8-3. 大舜은 有大焉하시니 善與人同하사 舍(捨)己從人하시며 樂取於人하여 以爲善이러시다

大舜은 이보다도 더 위대한 점이 있었으니, 善을 남과 함께하셔서 자신을 버리고 남을 따르시며 남에게서 취하여 善을 하는 것을 좋아하셨다.

> 按說 │ '有大焉'의 '有'에 대하여, 楊伯峻은 '又'와 같다고 하여 '더 위대하시니'로 해석하였다.

集註 │ 言 舜之所爲는 又有大於禹與子路者라 善與人同은 公天下之善而不爲私也라 己未善이면 則無所係吝而舍以從人하시고 人有善이면 則不待勉强而取之於己하시니 此善與人同之目也라

舜임금이 하신 바는 禹王과 子路보다 더 위대한 점이 있음을 말씀한 것이다. 善을 남과 함

… 昌 착하게말할 창 係 매일 계 吝 인색할 린 勉 힘쓸 면 强 힘쓸 강

께하였다는 것은 天下의 善을 公的으로 생각하여 사사롭게 여기지 않은 것이다. 자신이 善하지 못하면 얽매이고 인색해 하는 바가 없이 버리고 남을 따르며, 남에게 善이 있으면 굳이 억지로 힘쓰지 않고 자신에게 취하셨으니, 이것은 善을 남과 함께하신 조목이다.

8-4. 自耕稼陶漁로 以至爲帝히 無非取於人者러시다

밭 갈고 곡식을 심으며 질그릇 굽고 물고기 잡을 때로부터 황제가 되실 때까지 남에게서 취한 것 아님이 없으셨다.

> 集註 | 舜之側微에 耕于歷山하시고 陶于河濱하시고 漁于雷澤[203]하시니라
>
> 舜임금은 미천했을 적에 歷山에서 밭을 갈고 河濱에서 질그릇을 굽고 雷澤에서 물고기를 잡으셨다.

8-5. 取諸人以爲善이 是與人爲善者也라 故로 君子는 莫大乎與人爲善이니라

남에게서 취하여 善을 행하는 것이 곧 남이 善을 하도록 도와주는 것이다. 그러므로 君子는 남이 善을 하도록 도와주는 것보다 더 훌륭함(큰일)이 없는 것이다."

> 集註 | 與는 猶許也, 助也라 取彼之善而爲之於我면 則彼益勸於爲善矣니 是는 我助其爲善也라 能使天下之人으로 皆勸於爲善이면 君子之善이 孰大於此리오
>
> '與'는 許(허여하다), 助(돕다)와 같다. 저 사람의 善을 취하여 내 몸에 행한다면 저 사람이 善을 하는 데 더욱 힘쓸 것이니, 이것은 〈그가〉 善行을 하도록 내가 도와주는 것이다. 능히 천하 사람들로 하여금 모두 善을 하는 데 힘쓰게 한다면, 君子의 善이 무엇이 이보다 크겠는가.

---

203 舜之側微……漁于雷澤:《史記》〈五帝本紀〉에 "舜임금이 歷山에서 밭을 가니 歷山 사람들이 모두 밭 두둑을 양보하였고, 雷澤에서 물고기를 잡으니 雷澤 사람들이 모두 물고기 잡는 자리를 양보하였고, 河濱에서 질그릇을 구우니 河濱의 질그릇에 조잡하거나 비뚤어진 것이 없었다. 1년 만에 거주하는 곳이 부락(聚)을 이루고 2년 만에 邑을 이루고 3년 만에 都를 이루었다.〔舜耕歷山 歷山之人皆讓畔 漁雷澤 雷澤上人皆讓居 陶河濱 河濱器 皆不苦窳 一年而所居成聚 二年成邑 三年成都〕" 하였다.

··· 耕 밭갈 경 稼 심을 가 陶 질그릇 도 漁 고기잡을 어 側 미천할 측 微 미천할 미 濱 물가 빈 與 도울 여
勸 권할 권

章下註 | ○ 此章은 言聖賢樂善之誠이 初無彼此之間이라 故로 其在人者有以裕於
己요 在己者有以及於人이니라

○ 이 章은, 聖賢이 善을 좋아하는 정성이 애당초 彼此의 간격이 없으므로 남에게 있는 것
을 자신에게 넉넉히 할 수 있고 자신에게 있는 것을 남에게 미칠 수 있음을 말씀한 것이다.

|伯夷非其君不事章(隘與不恭章)|

9-1. 孟子曰 伯夷는 非其君不事하며 非其友不友하며 不立於惡人之
朝하며 不與惡人言하더니 立於惡人之朝와 與惡人言을 如以朝衣朝冠
으로 坐於塗炭하며 推惡惡(오악)之心하여 思與鄕人立에 其冠不正이어든
望望然去之하여 若將浼焉하니 是故로 諸侯雖有善其辭命而至者라도
不受也하니 不受也者는 是亦不屑就已니라

孟子께서 말씀하셨다. "伯夷는 섬길 만한 군주가 아니면 섬기지 않으며, 벗할 만한 사
람이 아니면 벗하지 않으며, 악한 사람의 조정에 서지 않으며, 악한 사람과 더불어 말씀
하지 않았다. 악한 사람의 조정에 서는 것과 악한 사람과 더불어 말하는 것을 마치 朝
衣(朝服)와 朝冠을 입고 진흙과 숯구덩이에 앉은 듯이 여겼으며, 악을 미워하는 마음
을 미루어서(확대하여) 생각하기를 鄕人과 함께 서있을 적에 그(鄕人) 冠이 바르지 않
으면 望望然히 떠나가서 마치 장차 자신을 더럽힐 듯이 여겼다. 이 때문에 諸侯들 중
에 비록 辭命을 잘하여 찾아오는 자가 있더라도 받아주지 않았으니, 받아주지 않은 것
은 이 또한 나아감을 좋게 여기지 않은 것이다.

按說 | 朱子는

세상에 이른바 깨끗하다는 자는 악한 사람에게 나아가지 않을 뿐이니, 만일 말을 잘하여 찾
아오는 자가 있으면 진실로 때로 찾아가기도 한다. 그러나 오직 伯夷는 그렇지 않았으니, 이
것이 聖의 淸이 된 이유이며, 柳下惠가 떠나가는 것을 좋게 여기지 않은 뜻도 또한 그러하
다.〔世之所謂淸者 不就惡人耳 若善辭令而來者 固有時而就之 惟伯夷不然 此其所
以爲聖之淸也 柳下惠不屑之意亦然〕《語類》

··· 裕 넉넉할 유 塗 진흙 도 炭 숯불 탄 冠 갓 관 浼 더럽힐 매 屑 깨끗할 설 就 나아갈 취

하였다. 新安陳氏(陳櫟)는

이는 伯夷의 깨끗함이 엄격하게 惡을 미워하여, 사람들과 가벼이 무리 짓지 않았음을 말씀한 것이다.〔此 言伯夷之淸 嚴於惡惡 而不輕與人群也〕

하였다.

'非其友不友'의 '友'에 대하여, 壺山은

여기에서 民을 友라고 바꿔 말한 것은 백성은 범연하고 벗은 간절하기 때문이다. 벗할 사람이 아니라는 것은 道가 같지 않음을 이른다.〔此變民言友者 民汎而友切也 非其友 謂不同道也〕

하였다. 이는 앞의 2장에서 伯夷와 伊尹의 차이점을 말하면서 '非其民不使'라 한 말을 가리킨 것이다.

'不立於惡人之朝 不與惡人言'은 栗谷諺解에는 '惡人의 朝에 立ᄒ디 아니ᄒ며 惡人과 더브러 말ᄒ디 아니ᄒ고'로 되어 있는데, 이에 대하여 壺山은

살펴보건대 악한 사람의 조정에 서는 것과 악한 사람과 더불어 말하는 것을, 栗谷諺解에서는 두 가지 일로 읽었으니, 文勢가 옳은 듯하다.〔按立於惡人之朝 與惡人言 栗谷諺解 作兩事讀 文勢恐是〕

하였다. 官本諺解에는 '不立於惡人之朝ᄒ야 不與惡人言ᄒ더니 立於惡人之朝ᄒ야 與惡人言호ᄃᆡ'로 懸吐하고 '惡人의 朝애 立디 아니ᄒ야 惡人으로 ᄃᆞ려 言티 아니ᄒ더니 惡人의 朝애 立ᄒ야 惡人으로 ᄃᆞ려 言호ᄃᆡ'라고 하였으므로, '악한 사람의 조정에 서서 惡人과 더불어 말하지 않았다.'로 해석하여 이어진 내용으로 보았으나 栗谷諺解를 따라 '하며'로 현토하고, 별개의 내용으로 풀이하였다.

集註 | 塗는 泥也라 鄕人은 鄕里之常人也라 望望은 去而不顧之貌[204]라 浼는 汚也라 屑은 趙氏曰 潔也라하고 說文曰 動作切切也라하니 不屑就는 言不以就之爲潔而切切於是也라 已는 語助辭라

'塗'는 진흙이다. '鄕人'은 鄕里의 常人(보통사람)이다. '望望'은 떠나가서 뒤돌아보지 않

---

204 望望 去而不顧之貌:楊伯峻은 '望望然'을 원망하는 모양이라고 하였다.

··· 泥 진흙 니 顧 돌아볼 고 汚 더러울 오 潔 깨끗할 결

는 모양이다. '洗'는 더럽힘이다. '屑'은 趙氏(趙岐)는 "깨끗함이다." 하였고, 《說文解字》에는 "동작을 切切(汲汲)히 하는 것이다." 하였으니, '不屑就'는 나아감을 깨끗하게 여기지 않아서 이에 급급해 하지 않음을 말한 것이다. '已'는 어조사이다.

9-2. 柳下惠는 不羞汚君하며 不卑小官하여 進不隱賢하여 必以其道하며 遺佚而不怨하며 阨窮而不憫하더니 故로 曰 爾爲爾요 我爲我니 雖袒裼裸裎於我側인들 爾焉能洗我哉리오하니 故로 由由然與之偕而不自失焉하여 援而止之而止하니 援而止之而止者는 是亦不屑去已니라

柳下惠는 더러운 군주를 섬기는 것을 부끄러워하지 않으며 작은 벼슬을 낮게 여기지 않아, 나아가면 어짊을 숨기지 않아서 반드시 그 도리를 다하였으며, 벼슬길에서 버림받아도 원망하지 않고 곤액을 당하여도 근심하지 않았다. 그러므로 그는 말하기를 '너는 너이고 나는 나이니, 네가 비록 내 곁에서 옷을 걷고 몸을 드러낸들 네가 어찌 나를 더럽힐 수 있겠는가.' 하였다. 그러므로 由由(悠悠)하게 그와 함께 있으면서도 스스로 올바름을 잃지 않아 떠나려고 하다가도 잡아당겨 멈추게(만류) 하면 멈추었으니, 잡아당겨 멈추게 하면 멈춘 것은 이 또한 떠나감을 좋게 여기지 않은 것이다."

按說 | '進不隱賢 必以其道'에 대하여, 朱子는

나아가면 어짊을 숨기지 않았으니, 그렇다면 반드시 바른 道로써 한 것이다. 사람들이 자기의 소견이 있을 적에 다 드러내려 하지 않고 오히려 숨기는 바가 있으면 바로 道를 굽히는 것이다.〔進不隱賢 便是必以其道 人有所見 不肯盡發出 尙有所藏 便是枉道〕《語類》

하였다.
'由由然'에 대하여, 楊伯峻은 《韓詩外傳》에 《孟子》〈萬章下〉 1장의 '由由然不忍去也'를 인용하여 '愉愉然不去也'로 쓴 것을 들어, '由由然'은 기뻐하는 모양이라고 하였다.

集註 | 柳下惠는 魯大夫展禽이니 居柳下而諡惠也[205]라 不隱賢은 不枉道也라 遺佚

---

205 柳下惠……居柳下而諡惠也:《論語集註》에는 "食邑이 柳下이다." 하였다. 그러나 茶山은 '柳下'를 食

⋯ 遺 버릴 유 佚 빠뜨릴 일 阨 곤궁할 액 窮 곤궁할 궁 憫 근심할 민 袒 벗을 단 裼 벗을 석 裸 벗을 라
裎 벗을 정 側 곁 측 焉 어찌 언 由 넉넉할 유(悠同) 偕 함께 해 援 당길 원 展 펼 전 諡 시호 시

은 放棄也라 阨은 困也라 憫은 憂也라 爾爲爾로 至焉能浼我哉는 惠之言也라 袒裼은 露臂也요 裸裎은 露身也라 由由는 自得之貌라 偕는 並處也라 不自失은 不失其正也라 援而止之而[206] 止者는 言欲去而可留也라

柳下惠는 魯나라 大夫 展禽이니, 柳下에 거주하였고 시호를 惠라 하였다. '어짊을 숨기지 않았다'는 것은 道를 굽히지 않은 것이다. '遺佚'은 추방하여 버림받는 것이다. '阨'은 곤궁함이다. '憫'은 근심함이다. '爾爲爾'로부터 '焉能浼我哉'까지는 柳下惠의 말이다. '袒裼'은 팔을 노출시킴이요, '裸裎'은 몸을 노출시킴이다. '由由'는 자득한 모양이다. '偕'는 함께 거처함이다. '不自失'은 올바름을 잃지 않는 것이다. '잡아당겨 멈추게(만류) 하면 멈추었다.'는 것은 가고자 하다가도 머물 수 있음을 말한 것이다.

9-3. 孟子曰 伯夷는 隘하고 柳下惠는 不恭하니 隘與不恭은 君子不由也니라

孟子께서 말씀하셨다. "伯夷는 좁고 柳下惠는 不恭하니, 좁음과 不恭함은 君子가 행하지 않는다."

按說 | 이 구절에 대하여 壺山은,

이미 그 일을 인용하고 장차 論斷하려 하였으므로 다시 '孟子曰'字를 더하였으니, 〈萬章下〉의 首章의 類가 모두 이와 같다.〔旣引其事 而將爲論斷 故復加孟子曰字 萬章下首章之類 皆放此云〕

하였다. 이는 〈萬章下〉 1장의 첫머리에 '孟子曰 伯夷'로 시작하고, 끝에 가서 '孟子曰 伯夷聖之淸者也'라고 하여 다시 '孟子曰'을 加한 예를 든 것이다. 朱子는

伯夷가 깨끗하니 반드시 좁은 곳이 있을 것이고 柳下惠가 和하니 반드시 不恭한 곳이 있을 것이니, 道理가 본래 이와 같은 것이다. 孟子는 後人들이 좁은 것을 깨끗하다고 생각하고 不恭을 和라고 여길까 걱정하셨으므로 '좁음과 不恭은 君子가 행하지 않는다.'고 하신

읍이 아니고 柳下惠가 거주한 지명으로 보고 東門遂, 西門豹, 東郭賈 등의 사례를 들었다.

206 而:壺山은 "'則'字의 뜻과 같이 읽는다.〔讀如則字義〕" 하였다.

··· 露 드러낼 로 臂 팔뚝 비 隘 좁을 애 由 행할 유

것이다.〔伯夷旣淸 必有隘處 柳下惠旣和 必有不恭處 道理自是如此 孟子恐後人以隘

爲淸 以不恭爲和 故曰 隘與不恭 君子不由也〕《語類》

하였다.

集註 | 隘는 狹窄也요 不恭은 簡慢也[207]라 夷惠之行이 固皆造乎至極之地라 然이나
旣有所偏이면 則不能無弊라 故로 不可由也니라

'隘'는 狹窄함이요, '不恭'은 간략하고 거만함이다. 伯夷와 柳下惠의 행실이 진실로 모두
지극한 경지에 이르렀으나 이미 편벽된 바가 있으니, 그렇다면 폐단이 없지 못하다. 그러므
로 행할 수 없는 것이다.

---

207 不恭 簡慢也:朱子는 "그 마음이 세상을 우습게 보아서 사람을 없는 것처럼 여기는 것이다.〔其心玩世
視人如無也〕" 하였다.《松陽講義》

··· 狹 좁을 협 窄 좁을 착 簡 간략할간, 소홀할간 慢 거만할만 造 나아갈조 偏 치우칠편

公孫丑章句 下

集註 | 凡十四章이라 自第二章以下는 記孟子出處行實이 爲詳[208]하니라

모두 14章이다. 제2장으로부터 이하는 孟子의 出處에 대한 행실을 기록함이 상세하다. •

| 天時不如地利章 |

1-1. 孟子曰 天時不如地利요 地利不如人和니라

孟子께서 말씀하셨다. "天時가 地利만 못하고, 地利가 人和만 못하다.

按說 | '天時'에 대한 朱子의 '天時謂時日支干孤虛王相之屬'의 註에 대하여, 혹자
가 여기서 말한 '時日'이 혹 方所인지 물으니, 雙峰饒氏(饒魯)가 대답하기를

두 가지가 똑같으니, 하나는 橫으로 말하였고 하나는 縱으로 말하였다. 날짜에 天德日이 있
고 月德日이 있으며 또한 방소에 天德方이 있고 月德方이 있으니, 大意가 이와 같으며 그
사이에 또 각자 細密한 곳이 있다. 〔二者一般 一箇是橫 一箇是直 所以天德月德日 亦有
天德月德方 大意如此 其間 又自有細密處〕

---

208 自第二章以下……爲詳:壺山은 "이 편은 《論語》에 〈述而〉,〈鄉黨〉 두 편이 있는 것과 같다. 그러므로
특별히 篇題를 드러내었다.〔此篇如論語之有述而鄉黨二篇 故特著篇題〕" 하였다.

••• 處 벼슬하지않을 처

하였다. 慶源輔氏(輔廣)는

時는 12時이고 日은 10日이고 支는 12支이고 干은 10干이다.〔時十二時 日十日 支十二支
干十干也〕

하였다. '孤虛·王相'에 대해서는, 蔡氏는

時는 四時이고 日은 日辰이다. 《史記》의 注에 《六甲孤虛法》에 甲子의 열흘 동안에는 戌
亥가 孤가 되고 辰巳가 虛가 되니, 뒤의 五甲도 이와 같다. 예컨대 지금 사람들은 甲子의
열흘 동안에는 戌亥가 없다 하여〈戌亥를〉空亡이라 하니 이는 空亡을 孤라 한 것이요, 辰
巳는 戌亥와 상대가 되니 辰巳가 虛가 된다. 王相은 東方木은 卯에 왕성하고 도와주는 類
와 같은 것이다.〔時 四時也 日 日辰也 史記注 六甲孤虛法 甲子旬 戌亥爲孤 辰巳爲虛
後五甲倣此 如今人以甲子旬 無戌亥 爲空亡 是以空亡爲孤也 辰巳與戌亥對 辰巳爲
虛 王相 如東方木 旺相於卯之類〕

하였고, 雙峰饒氏(饒魯)는

이는 대개 五行의 쇠함과 왕성함을 가지고 말한 것이다. 五行은 孤虛의 때가 있고 旺相의
때가 있다. 봄은 木에 속하는데, 甲乙木이 丙丁火를 낳으니, 바로 木이 왕성하고 火가 도와
주는 것이다. '旺'字는 바로 '王'字이고 '相'字는 '王'字의 다음이다. 金이 이때(여름)에 이
르면 쇠하는데 이 때문에 孤가 되니 孤는 도와주는 이가 없다는 뜻으로, 지금 四廢라고 말
하는 것과 같다. 그러나 水는 어미가 되고 木은 자식이 되니 자식이 實하면 어미가 虛하여,
水가 이때에 이르면 虛가 되는 것이다.〔此大槩以五行衰旺言之 五行有孤虛時 有旺相時
春屬木 甲乙木生丙丁火 便是木旺而火相 旺字 卽是王字 相 王之次也 金到這裏衰
所以孤 孤者 無輔助之意 如今說四廢 然水爲母 木爲子 子實則母虛 水到此 所以虛〕

하였으며, 南塘(韓元震)은

兵法에 '孤를 등지고 虛를 공격하면 승리한다.' 하였으니, 예컨대 甲子旬中(甲子·乙丑·丙
寅·丁卯·戊辰·己巳·庚午·辛未·壬申·癸酉의 일진)에는 戌·亥의 방위를 등지고 辰·巳
의 방위를 공격하는 것이다.……兵法에 '旺을 타고 衰를 공격하면 승리한다.' 하였으니, 예
컨대 봄에 전투할 경우 木氣를 타야 하므로 東을 등지고 西를 공격하고, 여름에 전투할 경우
火氣를 타야 하므로 南을 등지고 北을 공격하는 것이다.〔兵法云 背孤擊虛則勝 如甲子旬

中 則背戌亥方而擊辰巳方 是也……兵法云 乘旺擊衰則勝 如春戰則乘木氣 背東擊西 夏戰則乘火氣 背南擊北 是也]《南塘集 書筵說》

하였다. 壺山은 '天時'와 '地利'를 연결하여,

살펴보건대 地利는 진실로 兵家에서 폐하지 않는 것이요, 時日의 拘忌로 말하면 다른 일에서도 오히려 불가한데 하물며 공격하고 전투하는 일에 있어서랴.〔按地利 固兵家之所不廢 若時日之拘忌 則他事猶不可 況攻戰之事乎〕

하였다. 반면에 茶山은 朱子의 註가 趙岐의 說을 취한 것이라고 하고,

《周易》〈乾卦 文言〉에 "〈大人이란〉 하늘보다 먼저 하여도 하늘이 어기지 않고 하늘보다 뒤에 하여 天時를 받든다.〔先天而天弗違 後天而奉天時〕" 하였다. '하늘보다 먼저한다〔先天〕'는 것은 卜筮로 점을 치지 않고 행하는 것이고, '하늘보다 뒤에 한다〔後天〕'는 것은 時日을 卜筮로 점을 치고 행하는 것이다. 聖人이 天時를 받드는 것은 이에 불과하다.……《禮記》〈曲禮上〉에 "卜筮는 선대의 聖王이 사람들로 하여금 時日을 믿게 하고 法令을 두려워하게 한 것이다." 하였다. 卜筮를 하지 않고 다만 甲乙丙丁, 子丑寅卯를 가지고 吉·凶과 虛·實을 말하는 것은 후세 讖緯家들의 요사하고 허망한 술법이다. 孟子가 어찌 이런 것을 天時라고 했겠는가.……《禮記》〈月令〉에 "孟春에 군대를 일으켜서는 안 되고, 季夏에 군대를 일으켜서는 안 되고, 孟秋에 군사들을 선발하고 兵器를 갈고 닦아 의롭지 못한 자를 정벌한다." 하였으니 이 또한 天時의 說이다. 어찌 굳이 孤虛·旺相이 天時이겠는가.〔易曰 聖人先天而天不違 後天而奉天時 先天者 不卜不筮而行之也 後天者 卜日筮日而行之也 聖人之奉天時 不過如此……禮曰 卜筮者 先聖王之所以使民信時日畏法令也 不卜不筮 但執甲乙丙丁子丑寅卯 曰吉曰凶曰虛曰實 此後世讖緯之家 妖邪罔誕之術 孟子豈以是爲天時哉……月令曰 孟春不可以稱兵 季夏不可以起兵 孟秋選士厲兵 以征不義 此亦天時之說 豈必孤虛旺相哉〕

하였다. 이에 대해 楊伯峻 역시

'天時'는 날씨가 흐리고 맑고 춥고 따뜻한 것이 전쟁에 적합한지 아닌지를 가리키는 것인 듯한데, 역대의 주석가들은 陰陽五行家의 '時日의 支干에 대한 旺相과 孤虛'로 해석하였으니, 孟子의 본의가 아닌 듯하다.

하였다. 본인은 茶山과 楊伯峻의 說이 옳다고 생각된다. 전쟁은 彼我가 전개하는 것이어서 陰陽의 拘忌를 따질 수 없는 상황이 얼마든지 벌어진다. 상대방이 공격해 오는데 日辰이 불길하다 하여 대응하지 않고 그대로 있을 수는 없는 것이다.

集註 | 天時는 謂時日支干孤虛王(旺)相之屬也요 地利는 險阻城池之固[209]也요 人和는 得民心之和也라

'天時'는 時日의 支干(干支)에 대한 孤虛와 旺相 같은 등속을 이르고, '地利'는 지형의 險阻함과 城池의 견고함이고, '人'는 民心의 和함을 얻는 것이다.

1-2. 三里之城과 七里之郭을 環而攻之而不勝하나니 夫環而攻之에 必有得天時者矣언마는 然而不勝者는 是天時不如地利也니라

3里 되는 城과 7里 되는 郭(外城)을 포위 공격해도 이기지 못하는 경우가 있다. 포위 공격하면 반드시 天時를 얻을 때가 있으련마는 그런데도 이기지 못하는 것은, 이는 天時가 地利만 못한 것이다.

集註 | 三里, 七里는 城郭之小者라 郭은 外城이라 環은 圍也라 言 四面攻圍하여 曠日持久에 必有値天時之善者라

'3里'와 '7里'는 작은 城郭이다. '郭'은 外城이다. '環'은 포위함이다. 사면으로 포위 공격하여 여러 날 동안 持久戰을 하면 반드시 天時가 좋은 때를 만날 경우가 있음을 말한 것이다.

1-3. 城非不高也며 池非不深也며 兵革이 非不堅利也며 米粟이 非不多也로되 委而去之하나니 是地利不如人和也니라

城이 높지 않은 것이 아니며, 못이 깊지 않은 것이 아니며, 병기와 갑옷이 견고하고 예리

---

209 險阻城池之固: '險阻'는 일반적으로 지형의 險함을 이르나 여기서는 산이 험한 것을 '險', 江河가 막혀 있는 것을 '阻'라 하였으며, '城'은 土城이나 山城이고 '池'는 垓子를 이른다.

··· 支 地支지 干 天干간 孤 외로울고 虛 빌허 王 왕성할왕(旺通) 相 도울상 險 험할험 阻 막힐조
池 해자지 固 견고할고 郭 성곽 環 포위할환 勝 이길승 圍 포위할위 曠 빌광, 오랠광 持 지킬지
値 만날치 革 갑옷혁 粟 곡식속 委 버릴위

하지 않은 것이 아니며, 쌀과 곡식이 많지 않은 것이 아니지만 이것을 버리고 떠나가니, 이는 地利가 人和만 못한 것이다.

集註 | 革은 甲也[210]라 粟은 穀也라 委는 棄也라 言 不得民心이면 民不爲守也라

'革'은 갑옷이다. '粟'은 곡식이다. '委'는 버림이다. 民心을 얻지 못하면 백성들이 위하여 지켜주지 않음을 말씀한 것이다.

1-4. 故로 曰 域民호되 不以封疆之界하며 固國호되 不以山谿之險하며 威天下호되 不以兵革之利니 得道者는 多助하고 失道者는 寡助라 寡助 之至에는 親戚이 畔之하고 多助之至에는 天下順之니라

그러므로 이르기를 '백성을 한계짓되 국경의 경계로써 하지 않으며, 국가를 견고히 하되 山과 谿谷(江)의 險固함으로써 하지 않으며, 天下를 두렵게 하되 兵革의 예리함으로써 하지 않는다.' 한 것이다. 道를 얻은 자는 도와주는 이가 많고, 道를 잃은 자는 도와주는 이가 적다. 도와주는 이가 적음이 지극한 경우에는 친척이 배반하고, 도와주는 이가 많음이 지극한 경우에는 천하가 순종한다.

按說 | '故曰'에 대하여, 壺山은

'故曰'은 '내가 그러므로 말하기를(我故曰)'이라고 한 것과 같다. 혹자는 말하기를 "옛말이 다.(古語也)"라고 하니, 다시 살펴보아야 한다.(故曰 猶云我故曰也 或曰 古語也 更詳 之)

하였다.
'得道'에 대하여, 楊伯峻은

---

210 革 甲也:趙氏(趙順孫)는 "옛날에는 갑옷을 가죽으로 만들었다. 그러므로 갑옷 만드는 사람(函人)을 가죽을 다스리는 工人이라 하였는데, 後世에 처음으로 금속을 사용하고 鎧(개)라 이름했다.(古甲 以革 爲之 故函人爲攻皮之工 後世始用金 曰鎧)" 하였다.

··· 穀 곡식 곡 棄 버릴 기 域 지경 역 封 지경 봉 疆 지경 강 界 경계 계 谿 시내 계 寡 적을 과 畔 배반할 반

治國의 道를 얻은 것이니 즉 仁政을 행하는 것을 가리킨다.

하였다.

集註 | 域은 界限也라

'域'은 한계이다.

1-5. 以天下之所順으로 攻親戚之所畔이라 故로 君子有不戰이언정 戰必勝矣니라

천하가 순종하는 바로써 친척이 배반하는 바를 공격한다. 그러므로 君子가 싸우지 않음이 있을지언정 싸우면 반드시 승리하는 것이다."

按說 | '君子有不戰'의 '有'에 대하여, 楊伯峻은

'有'는 '有無'의 '有'로 읽을 수도 있으나, 또 '或'으로도 읽을 수 있다. 古書에서는 '有'字와 '或'字를 항상 통용하였다.

하고 '或'의 의미로 번역하였다.

集註 | 言 不戰則已어니와 戰則必勝이라

싸우지 않으면 그만이지만 싸우면 반드시 승리함을 말씀한 것이다.

章下註 | ○尹氏曰 言得天下者는 凡以得民心而已니라

○尹氏(尹焞)가 말하였다. "천하를 얻는 자는 모두 民心을 얻기 때문일 뿐임을 말씀한 것이다."

| 孟子將朝王章 |

2-1. 孟子將朝王이러시니 王이 使人來曰 寡人이 如就見者也러니 有寒

··· 限 한계 한 已 그칠 이 朝 조회할 조 就 나아갈 취

疾이라 不可以風일새 朝將視朝호리니 不識케이다 可使寡人得見乎잇가 對
曰 不幸而有疾이라 不能造朝로소이다

孟子께서 장차 王에게 조회하려고 하셨는데, 王이 사람을 보내와 말씀하였다. "寡人이
나아가 뵈려고 하였는데, 寒疾(감기)이 있어서 바람을 쐴 수 없습니다. 아침에 장차 조
회를 볼 것이니, 알지 못하겠습니다. 寡人으로 하여금 뵈올 수 있게 하실는지요?"
孟子께서 대답하셨다. "불행히도 병이 있어서 조회에 나갈 수 없습니다."

按說 | '如就見者也'를 官本諺解에는 '就ᄒ야 見ᄒ염즉ᄒ다니'로 해석하고, 栗谷諺
解에는 '나아 보으올 듯 ᄒ더니'로 해석하여, '如'를 모두 '듯'의 뜻으로 보았으나, 역자는
'將要(장차……하려하다)'의 뜻으로 풀이하였다.

集註 | 王은 齊王也라 孟子本將朝王이러시니 王不知하고 而託疾以召孟子라 故로 孟
子亦以疾辭也하시니라

'王'은 齊王이다. 孟子께서 본래 王에게 조회하려고 하셨는데, 王이 이것을 모르고 病을
칭탁하여 孟子를 불렀다. 그러므로 孟子 또한 病으로써 사양하신 것이다.

2-2. 明日에 出弔於東郭氏러시니 公孫丑曰 昔者에 辭以病하시고 今日弔
或者不可乎인저 曰 昔者疾이 今日愈어니 如之何不弔리오

다음 날 밖으로 나가 東郭氏에게 조문하려 하시니, 公孫丑가 말하였다. "어제 病으
로 사양하시고 오늘 조문하심은 어쩌면 不可할 듯합니다."
孟子께서 말씀하셨다. "어제 病이 오늘 나았으니, 어찌 조문하지 않겠는가."

集註 | 東郭氏는 齊大夫家也라 昔者는 昨日也라 或者는 疑辭라 辭疾而出弔는 與孔
子不見孺悲하시고 取瑟而歌[211]로 同意하니라

---

[211] 孔子不見孺悲 取瑟而歌:이 내용은 《論語》〈陽貨〉 20장에 보이는바, 孔子는 잘못을 저지른 孺悲가
찾아와 뵙기를 청하자, 신병이 있어 만날 수 없다고 사절하신 다음, 명령을 전달하는 자가 이 말을 전달
하기 위하여 문을 나가자, 瑟을 타서 孺悲로 하여금 이것을 듣게 하여, 자신이 그를 사절한 것은 신병

••• 造 나아갈조 託 칭탁할탁 辭 사양할사 愈 병나을유 昨 어제작 孺 어릴유 瑟 비파슬

'東郭氏'는 齊나라 大夫의 집안이다. '昔'은 어제이다. '或'은 의문사이다. 병으로 사양하고 나가 조문하신 것은 孔子가 孺悲를 만나보지 않으시고 瑟을 취하여 노래하신 것과 같은 뜻이다.

2-3. 王이 使人問疾하시고 醫來어늘 孟仲子對曰 昔者에 有王命이어시늘 有采薪之憂라 不能造朝러시니 今病小愈어시늘 趨造於朝하더시니 我는 不識케이다 能至否乎아하고 使數人으로 要於路曰 請必無歸而造於朝하소서

王이 사람을 시켜 病을 묻고 의원을 보내오자, 孟仲子가 대답하기를 "어제 王命이 계셨으나 采薪의 우환이 있어 조회에 나가지 못하셨는데, 오늘 病이 조금 나으셨으므로 조정에 달려 나가셨습니다. 저는 알지 못하겠습니다. 능히 도착하셨는지요?" 하고는 몇 사람으로 하여금 길목에서 지키고 있다가 "반드시 돌아오시지 말고 조정에 나아가소서." 하고 아뢰게 하였다.

按說 | '要於路'의 '要'는 '邀'와 통하는바, 길목에서 지키고 있다가 맞이함을 이른다. 뒤의 〈萬章上〉 8장의 '將要而殺之'도 같은 뜻이다.

集註 | 孟仲子는 趙氏以爲孟子之從昆弟로 學於孟子者也라하니라 采薪之憂는 言病不能采薪[212]이니 謙辭也라 仲子權辭以對[213]하고 又使人要孟子하여 令勿歸而造朝하여 以實己言하니라

孟仲子는 趙氏(趙岐)가 이르기를 '孟子의 從兄弟로서 孟子에게 배운 자이다.' 하였다.

때문이 아니요 딴 뜻이 있음을 나타내셨다. 孟子 역시 병으로 사양하고 東郭氏에게 조문을 가서, 자신이 조회하지 않은 것은 신병 때문이 아니요 齊王이 賓師인 자신을 함부로 불렀기 때문임을 알게 하신 것이다.

212 病不能采薪:壺山은 '采薪'에 대하여 "'不能采薪'을 가지고 '采薪'이라 이름하였으니, 이는 반드시 當時의 方言일 것이니, 작은 질병이다.[以不能采薪也 而名之爲采薪 此必當時方言也 蓋疾之小者]" 하였다.

213 權辭以對:'權辭'는 바른 말로 대답하지 않고 말을 둘러대는 것으로, 權은 權變, 權道의 뜻이다.

··· 采 캘 채 薪 나무섶 신 趨 달릴 추 要 맞이할 요(邀通) 昆 맏 곤 權 권도 권

'采薪의 우환'이란 병들어 나무섶을 채취할 수 없음을 말한 것이니, 謙辭이다. 仲子가 權辭(둘러대는 말)로써 대답하고, 또 사람으로 하여금 길목에서 지키고 있다가 孟子를 맞이하여, 孟子로 하여금 돌아오지 말고 조정에 나아가서 자신의 말을 실증하게 한 것이다.

2-4. 不得已而之景丑(추)氏하여 宿焉이러시니 景子曰 內則父子요 外則君臣이 人之大倫也니 父子는 主恩하고 君臣은 主敬하니 丑見王之敬子也요 未見所以敬王也니이다 曰 惡(오)라 是何言也오 齊人이 無以仁義與王言者는 豈以仁義爲不美也리오 其心에 曰 是何足與言仁義也云爾면 則不敬이 莫大乎是하니 我는 非堯舜之道어든 不敢以陳於王前하노니 故로 齊人이 莫如我敬王也니라

〈孟子께서〉 부득이 景丑氏에게 가서 유숙하셨는데, 景子가 말하였다. "안으로는 父子間이요 밖으로는 君臣間이 인간의 큰 윤리입니다. 父子間에는 은혜를 주장하고 君臣間에는 敬을 주장하니, 저는 王께서 선생을 공경함은 보았고 선생께서 王을 공경하시는 것은 보지 못하였습니다."

孟子께서 말씀하셨다. "아, 이 웬 말인가. 齊나라 사람 중에 王과 더불어 仁義를 말하는 이가 없는 것은 어찌 仁義를 아름답지 않다고 여겨서이겠는가. 그 마음에 '이 어찌 더불어 仁義를 말할 수 있겠는가.'라고 여겨서일 것이니, 그렇다면 不敬함이 이보다 더 큼이 없는 것이다(이보다 큰 不敬이 없는 것이다). 나는 堯·舜의 道가 아니면 감히 王의 앞에서 말씀드리지 않으니, 그러므로 齊나라 사람 중에 나처럼 왕을 공경하는 이가 없는 것이다."

集註 | 景丑氏는 齊大夫家也라 景子는 景丑也라 惡는 歎辭也라 景子所言은 敬之小者也요 孟子所言은 敬之大者也[214]라

---

[214] 孟子所言 敬之大者也:慶源輔氏(輔廣)는 "景丑가 말한 '무릎 꿇고 몸을 굽히며 奔走하여 군주의 명령을 받들고 순종하는 敬'은 군주를 겉모양으로 공경하는 것으로 세상에서 아는 것이어서 敬의 작은 것이라 하였고, 孟子가 말씀한 '善을 開陳하여 간사함을 막아서 군주를 堯·舜으로 만드는 敬'은 군주를 마음으로써 공경하는 것으로 聖賢이 행하는 바여서 敬의 큰 것이라고 한 것이다.〔丑之說擎跽曲拳 奔走承順之敬 敬君以貌 世俗之所知 故曰敬之小 孟子所言陳善閉邪 致君堯舜之敬 敬君以心 聖賢

··· 宿 묵을 숙 惡 놀랄 오 陳 아뢸 진 丑 이름 추

'景丑氏'는 齊나라 大夫의 집안이다. '景子'는 景丑이다. '惡'는 탄식하는 말이다. 景丑가 말한 것은 敬의 작은 것이요, 孟子가 말씀하신 것은 敬의 큰 것이다.

2-5. 景子曰 否라 非此之謂也라 禮曰 父召어시든 無諾하며 君命召어시든 不俟駕라하니 固將朝也라가 聞王命而遂不果하시니 宜與夫禮로 若不相似然하이다

景子가 말하였다. "아닙니다. 이것을 말한 것이 아닙니다. 禮에 이르기를 '아버지가 부르시면 느리게 대답하지 않으며, 君主가 命하여 부르시면 말을 멍에하기를 기다리지 않는다.' 하였으니, 진실로 장차 조회하시려다가 王命을 듣고서 마침내 결행하지 않으셨으니, 이 禮와 같지 않은 듯합니다."

按說 | '禮'는 《儀禮》 또는 《禮記》를 가리킨 것으로, 이 내용은 《禮記》〈玉藻〉에,

아버지가 명하여 부르시면 빨리 대답하고 느리게 대답하지 않으며, 손에 일을 잡고 있으면 던진다.〔父命呼 唯而不諾 手執業則投之〕

하였고,

무릇 君主가 부를 적에는 3節로써 하니 2節을 가지고 부를 적에는 달려가고, 1節을 가지고 부를 적에는 바쁜 걸음으로 가며, 관청에 있을 적에 君主가 부르면 신발을 신기를 기다리지 않고, 밖에 있을 적에 君主가 부르면 수레에 멍에하기를 기다리지 않는다.〔凡君召以三節 二節以走 一節以趨 在官不俟屨 在外不俟車〕

하였다.

'禮曰……不俟駕'에 대하여, 官本諺解의 解釋은 '禮에 굴오디 父ㅣ 召ㅎ거시든 諾이 업스며 君이 命ㅎ야 召ㅎ거시든 駕롤 俟티 말라 ㅎ니'라 하였는데, 壺山은

〈官本諺解에〉 '無諾'의 '無'字는 '勿'字의 뜻을 취하지 않고 '不俟駕'의 '不'字는 도리어 '勿'字의 뜻으로 삼았으니, 諺解의 해석은 다시 살펴 보아야 한다.〔無字不取勿義 而不字

之所行 故曰敬之大〕" 하였다.

··· 諾 느리게대답할 낙　俟 기다릴 사　駕 말멍에할 가　果 결행할 과

乃作勿義 諺釋恐合更商〕

하였다. 한편 栗谷諺解에는 '禮예 글오듸 父ㅣ 召ᄒᆞ거시든 諾을 말며 님금이 命ᄒᆞ야 召
ᄒᆞ거시든 駕를 기드리디 말라 ᄒᆞ니'라 하여 '無'字와 '不'字를 모두 '勿'字로 해석하였다.
'宜與夫禮'의 '宜'는 '마땅히'보다는 '似乎' 또는 '恐怕'와 같은 뜻으로 해석하여 '아
마도…인 듯하다'로 보는 것이 더 합당할 듯하다. 《集註》에도 '似與此禮之意 不同'이
라 하여 疑似의 뜻으로 해석하였다. 王引之의 《經傳釋詞》에는 "宜는 殆와 같다." 하
고, 여기의 '宜與夫禮 若不相似然' 외에 〈滕文公下〉 1장의 "諸侯가 王을 만나보지 않는
것이 작은 일인 것 같습니다.〔不見諸侯 宜若小然〕"와 《春秋左傳》 成公 6년 조의 "자
기 자리에 안착하지 못하니, 아마도 오래 살 수 없을 것이다.〔不安其位 宜不能久〕" 등
의 용례를 들었다. '夫'는 其와 같은 뜻이다.

集註 | 禮曰 父命呼어시든 唯而不諾이라하고 又曰 君命召어시든 在官[215]不俟屨하고
在外不俟車라하니라 言 孟子本欲朝王이라가 而聞命中止하시니 似與此禮之意로 不
同也라

禮에 이르기를 "아버지가 命하여 부르시거든 빨리 대답하고 느리게 대답하지 않는다." 하였
고, 또 이르기를 "君主가 命하여 부르시거든 관청에 있을 적에는 신 신기를 기다리지 않고,
밖에 있을 적에는 수레에 멍에하기를 기다리지 않는다." 하였다. 孟子가 본래 王에게 조회하
려고 하시다가 왕명을 듣고 중지하였으니, 이 禮의 뜻과 같지 않은 듯하다고 말한 것이다.

2-6. 曰 豈謂是與리오 曾子曰 晉楚之富는 不可及也나 彼以其富어든
我以吾仁이요 彼以其爵이어든 我以吾義니 吾何慊乎哉리오하시니 夫豈
不義를 而曾子言之시리오 是或一道也니라 天下에 有達尊이 三이니 爵一,
齒一, 德一이니 朝廷엔 莫如爵이요 鄕黨엔 莫如齒요 輔世長民엔 莫如
德이니 惡(오)得有其一하여 以慢其二哉리오

孟子께서 말씀하셨다. "어찌 이것을 말한 것이겠는가. 曾子가 말씀하시기를 '晉나라와

---

215 官:《大全》에 "조정의 안을 이른다.〔謂朝內〕" 하였다.

••• 呼 부를 호 唯 빨리대답할 유 屨 신 구 爵 벼슬 작 慊 부족할 겸, 만족할 겸 齒 연치 치 惡 어찌 오
慢 게으를 만

公孫丑章句下 · 249

楚나라의 富함은 내 미칠 수 없지만, 저들이 그 富를 가지고 나를 대하면 나는 내 仁을 가지고 대하며, 저들이 그 官爵을 가지고 나를 대하면 나는 내 義를 가지고 대할 것이니, 내 어찌 부족할 것이 있겠는가.' 하셨으니, 어찌 曾子께서 義롭지 못한 것을 말씀하셨겠는가. 이것도 혹 한 방법인 것이다. 천하에 達尊이 세 가지가 있으니, 관작이 하나요 연치가 하나요 德이 하나이다. 조정에는 관작만한 것이 없고 鄕黨에는 연치만한 것이 없고 세상을 돕고 백성을 기름에는 德만한 것이 없으니, 어찌 이 중에 한 가지를 소유하고서 둘을 가진 사람을 慢忽히 할 수 있겠는가.

按說 | '長民'은 백성을 잘 보호하여 長育(生育)함을 이른다.

集註 | 慊은 恨也며 少也²¹⁶라 或作嗛하니 字書에 以爲口銜物也라하니 然則慊은 亦但爲心有所銜之義니 其爲快爲足, 爲恨爲少는 則因其事而所銜有不同耳라 孟子言 我之意는 非如景子之所言者라하시고 因引曾子之言而云하사되 夫此豈是不義를 而曾子肯以爲言이시리오 是或別有一種道理也라하시니라 達은 通也라 蓋通天下之所尊이 有此三者하니 曾子之說은 蓋以德言之也라 今齊王은 但有爵耳니 安得以此慢於齒德乎리오

'慊'은 恨함이며 부족하게 여김이다. 혹은 嗛으로 쓰니, 字書(字典)에 "입에 물건을 머금은 것이다." 하였다. 그렇다면 慊 또한 단지 마음에 머금은 뜻이 되니, 快함도 되고 만족함도 되며 恨함도 되고 부족하게 여김도 되는 것은 일에 따라 머금은 바가 같지 않음이 있는 것이다. 孟子께서 말씀하시기를 "나의 뜻은 景子가 말한 바와 같지 않다." 하시고는, 이어 曾子의 말씀을 인용하고, 말씀하시기를 "어찌 曾子께서 義롭지 못한 것을 즐겨 말씀하셨겠는가. 이것도 혹 별도로 一種의 도리가 있는 것이다." 하셨다. '達'은 通함이다. 온 천하에 공통으로 높이는 것이 이 세 가지가 있으니, 曾子의 말씀은 德을 가지고 말씀한 것이다. 지금 齊王은 단지 관작이 있을 뿐이니, 어찌 이것을 가지고 연치와 德을 가진 이에게 慢忽히 할 수 있겠는가.

---

216 慊……少也:楊伯峻은 '慊'은 '少(적다)'인데 意動用法으로 쓰여 '적게(부족하게) 여기다〔以爲少〕'의 뜻이라고 하였다.

··· 少 부족할 소 嗛 머금을 겸 銜 머금을 함

2-7. 故로 將大有爲之君은 必有所不召之臣이라 欲有謀焉이면 則就之하나니 其尊德樂道 不如是면 不足與有爲也니라

그러므로 장차 크게 훌륭한 일을 하려는 군주는 반드시 함부로 부르지 않는 신하가 있었다. 그리하여 謀議(相議)하고자 하는 일이 있으면 찾아갔으니, 德을 높이고 道를 즐거워함이 이와 같지 않으면 더불어 훌륭한 일을 할 수 없다.

> 集註 | 大有爲之君은 大有作爲非常之君也라
> 程子曰 古之人이 所以必待人君致敬盡禮而後에 往者는 非欲自爲尊大也라 爲是故耳니라
>
> '大有爲之君'은 크게 作爲함이 있는 非常한 군주이다.
> 程子(伊川)가 말씀하였다. "옛 사람이 반드시 人君이 敬을 지극히 하고 禮를 다하기를 기다린 뒤에 나아간 까닭은 스스로 자신을 높이고 큰 체하고자 해서가 아니요, 이 때문이었다."

2-8. 故로 湯之於伊尹에 學焉而後에 臣之故로 不勞而王하시고 桓公之於管仲에 學焉而後에 臣之故로 不勞而霸하니라

그러므로 湯王은 伊尹에게 배운 뒤에 그를 신하로 삼으셨기 때문에 수고롭지 않고 왕 노릇을 하셨고, 桓公은 管仲에게 배운 뒤에 그를 신하로 삼았기 때문에 수고롭지 않고 霸者가 된 것이다.

> 集註 | 先從受學은 師之也요 後以爲臣은 任之也라
>
> 먼저 따라서 受學함은 스승으로 삼은 것이요, 뒤에 신하로 삼음은 職任을 맡긴 것이다.

2-9. 今天下地醜德齊하여 莫能相尙은 無他라 好臣其所敎而不好臣其所受敎니라

지금 천하가 토지(영토)가 비슷하고 德(정치 상황)도 비슷해서 서로 더 나은 이가 없는

··· 謀 꾀할 모 霸 으뜸 패 醜 같을 추 齊 같을 제 尙 뛰어날 상

것은 딴 이유가 없다. 자기가 가르칠 사람을 신하로 삼기를 좋아하고, 자기가 가르침을 받을 사람을 신하로 삼기를 좋아하지 않기 때문이다.

集註 | 醜는 類也라 尙은 過也라 所敎는 謂聽從於己하여 可役使者也요 所受敎는 謂己之所從學者也라

'醜'는 같음이다. '尙'은 뛰어남이다. '所敎'는 자기 말을 듣고 따라서 使役시킬 수 있는 사람을 이르고, '所受敎'는 자기가 따라 배울 사람을 이른다.

2-10. 湯之於伊伊과 桓公之於管仲에 則不敢召하니 管仲도 且猶不可召어든 而況不爲管仲者乎아

湯王이 伊尹에 대해서와 桓公이 管仲에 대해서 감히 부르지 못하였으니, 管仲도 오히려 부를 수 없었는데, 하물며 管仲을 하지 않는 자(나)에 있어서랴."

集註 | 不爲管仲은 孟子自謂也라
范氏曰 孟子之於齊에 處賓師[217]之位하여 非當仕有官職者라 故로 其言이 如此하시니라

'管仲을 하지 않는다'는 것은 孟子께서 자신을 이르신 것이다.
范氏(范祖禹)가 말하였다. "孟子는 齊나라에서 賓師의 지위에 처하시어 벼슬을 담당하여 관직을 가지고 있는 분이 아니었다. 그러므로 그 말씀이 이와 같으셨다."

章下註 | ○此章은 見賓師는 不以趨走承順爲恭하고 而以責難陳善爲敬[218]하며 人君은 不以崇高富貴爲重하고 而以貴德尊士爲賢이면 則上下交而德業成矣니라

---

217 賓師:朱子는 "當時에 이른바 客卿이란 것이 이것(賓師)이다. 대개 그를 높이고 예우하나 직책에 있거나 일을 맡지는 않았고, 군주가 부르면 가지 않았다.〔當時有所謂客卿者 是也 大槪尊禮之 而不居職任事 召之則不往〕"하였다.《語類》

218 不以趨走承順爲恭 而以責難陳善爲敬:新安陳氏(陳櫟)는 "恭은 외모에 나타나는 것이므로 달려가 받들어 순종함에 말하였고, 敬은 中心에 보존된 것이므로 어려운 일을 책망하고 善을 開陳함에 말한 것이다.〔恭見於外貌者 故於趨走承順 言之 敬存於中心者 故於責難陳善 言之〕"하였다.

··· 類 같을 류 過 넘을 과 役 사역할 역 猶 오히려 유 當 맡을 당 趨 달릴 추 陳 펼 진

○이 章에서는, 賓師는 급히 달려가서 군주의 명령을 받들어 순종하는 것을 공손함으로 여기지 않고, 어려운 것을 責하고 善한 말씀을 開陳하는 것을 敬으로 여기며, 人君은 숭고하고 부귀한 것을 중하게 여기지 않고, 德을 귀히 여기고 선비를 높이는 것을 어질게 여긴다면, 上下가 서로 통하여 德業이 이루어질 수 있음을 볼 수 있다.

予有戒心章(陳臻問章)

3-1. 陳臻이 問曰 前日於齊에 王이 餽兼金一百而不受하시고 於宋에 餽七十鎰而受하시고 於薛에 餽五十鎰而受하시니 前日之不受是면 則今日之受非也요 今日之受是면 則前日之不受非也니 夫子必居一於此矣시리이다

陳臻이 물었다. "前日에는 齊나라에서 王이 兼金 100鎰을 주자 받지 않으셨고, 이제 宋나라에서 70鎰을 주자 받으셨고, 薛나라에서 50鎰을 주자 받으셨으니, 前日에 받지 않은 것이 옳다면 오늘날 받은 것이 잘못일 것이요, 오늘날 받은 것이 옳다면 前日에 받지 않은 것이 잘못일 것이니, 夫子께서는 반드시 이 중 하나에 處(해당)하실 것입니다."

按說 │ '鎰'은 무게 단위로 24兩이다. 16兩이 1斤이다.

集註 │ 陳臻은 孟子弟子라 兼金은 好金也니 其價兼倍於常者라 一百은 百鎰也라

陳臻은 孟子의 弟子이다. '兼金'은 좋은 金이니, 그 값이 보통의 금보다 兼倍(갑절)가 된다. '一百'은 100鎰이다.

3-2. 孟子曰 皆是也니라

孟子께서 말씀하셨다. "다 옳다.

集註 │ 皆適於義也라

모두 義에 맞는 것이다.

··· 臻 이를 진 餽 줄 궤 兼 겸할 겸, 鎰 스물네냥 일 薛 나라이름 설 好 좋을 호 適 맞을 적

3-3. 當在宋也하여는 子將有遠行이러니 行者는 必以贐이라 辭日 贐贐이어니 子何爲不受리오

宋나라에 있을 적에는 내가 장차 遠行을 하려 하였는데, 원행하는 자에게는 반드시 〈金으로〉 노자를 주는 것이다. '노자를 드립니다.'라고 말하니, 내 어찌 받지 않을 수 있겠는가.

集註 | 贐은 送行者之禮也라

'贐'은 여행자를 전송하는 禮이다.

3-4. 當在薛也하여는 子有戒心이러니 辭日 聞戒故로 爲兵贐之어니 子何爲不受리오

薛나라에 있을 적에는 내가 경계하는 마음을 품고 있었는데, '〈선생님이〉 경계하고 계시다는 말씀을 들었기 때문에 兵을 위하여 드립니다.'라고 말하니, 내 어찌 받지 않을 수 있겠는가.

集註 | 時人이 有欲害孟子者어늘 孟子設兵以戒備之러시니 薛君이 以金贐孟子하여 爲兵備하고 辭日 聞子之有戒心也라하니라

當時 사람 중에 孟子를 해치고자 하는 자가 있자, 孟子께서 兵(私兵)을 설치하여 경계하고 대비하셨는데, 薛나라 군주가 孟子에게 金을 주어 兵備를 하게 하고는 "선생님께서 경계하는 마음을 품고 계시다는 말을 들었기 때문에 드리는 것입니다." 하였다.

3-5. 若於齊則未有處也호니 無處而贐之는 是貨之也니 焉有君子而可以貨取乎리오

齊나라에 있어서는 해당됨이 있지 않았다. 해당됨이 없이 주는 것은 이는 재물로 매수하는 것이니, 어찌 君子로서 재물에 농락 당할 자가 있겠는가."

··· 贐 노자신 戒 경계할계 備 준비할비 貨 뇌물화 焉 어찌언

按說 | '處'에 대하여,《大全》에는 '사물을 대처함이 義가 된다.[處物爲義]'의 '處'字라고 하였으며,《漢語大詞典》에는 趙岐의 註에 '無處'를 '無所處'로 쓴 것을 인용하고 '處置할 이유가 없는 것[沒有處置的理由]'으로 해석하였다. 그러나 번역에는 '해당됨'으로 풀이하였다.

集註 | 無遠行戒心之事하니 是未有所處也라 取는 猶致也[219]라

遠行하거나 경계하는 마음을 품은 일이 없으니, 이는 해당되는 바가 있지 않은 것이다. '取'는 致와 같다.

章下註 | ○尹氏曰 言君子之辭受取予를 唯當於理而已니라

○尹氏(尹焞)가 말하였다. "君子는 사양하고 받음과 취하고 줌을 오직 義理에 마땅하게 할 뿐임을 말씀한 것이다."

|孟子之平陸章(孔距心章)|

4-1. 孟子之平陸하사 謂其大夫曰 子之持戟之士 一日而三失伍면 則去之아 否乎아 曰 不待三이니이다

孟子께서 平陸에 가서 그 大夫(邑宰)에게 이르시기를 "그대의 창을 잡은 戰士가 하루에 세 번 대오를 이탈한다면 죽이겠는가? 그대로 두겠는가?" 하셨다.
그러자, "세 번을 기다리지 않겠습니다." 하였다.

按說 | '持戟'에 대하여, 楊伯峻은 "고대에는 통상 戰士를 일컬어 '持戟'이라 했다." 하였다.

---

[219] 取 猶致也:'取'에 대하여《大全》에 "朱子는 '取는 그물질하여 가져간다는 뜻이니, 가벼이 남의 뇌물을 받으면 곧 저에게 뇌물로써 농락당하는 것이다.' 했다.[朱子曰 取 是羅致之意 輕受之 便是被他以貨賄籠絡了]" 하였다. '致'는 誘致, 招致의 뜻으로 곧 상대방에게 籠絡당함을 이른다. '籠'은 새장이고 '絡'은 발목을 묶어놓는 것으로 상대방에게 유인 당하여 새장에 갇혀있는 새나 발목이 묶여있는 짐승처럼 자유롭게 행동하지 못함을 이른다.

⋯ 致 부를 치 辭 사양할 사 予 줄 여 持 잡을 지 戟 창극 伍 항오 오

集註 | 平陸은 齊下邑²²⁰也라 大夫는 邑宰也라 戟은 有枝兵也라 士는 戰士也라 伍는 行列也라 去之는 殺之也라

平陸은 齊나라의 下邑이다. '大夫'는 邑宰이다. '戟'은 가지가 있는 兵器이다. '士'는 戰士이다. '伍'는 行列이다. '去之'는 그를 죽이는 것이다.

4-2. 然則子之失伍也亦多矣로다 凶年饑歲에 子之民이 老羸(리)는 轉於溝壑하고 壯者는 散而之四方者 幾千人矣오 曰 此는 非距心之所得爲也니이다

〈孟子께서 말씀하셨다.〉 "그렇다면 그대가 대오를 이탈한 것이 또한 많다. 凶年에 그대의 백성 중에 노약자들은 굶어 죽어 시신이 구렁에 뒹굴고, 장성한 자들은 사방으로 흩어져 간 자가 몇 천 명이나 되는가?"
그가 대답하였다. "이것은 제가 할 수 있는 것이 아닙니다."

集註 | 子之失伍는 言其失職이 猶士之失伍也라 距心은 大夫名이라 對言此乃王之失政使然²²¹이니 非我所得專爲也라

'그대가 대오를 이탈했다.'는 것은 그 직책을 잃음(소홀히 함)이 戰士가 대오를 이탈하는 것과 같음을 말씀한 것이다. 距心은 大夫의 이름이다. 그가 대답하기를 "이것은 바로 王의 失政이 그렇게 만든 것이니, 제가 마음대로 할 수 있는 것이 아닙니다."라고 말한 것이다.

4-3. 曰 今有受人之牛羊而爲之牧之者면 則必爲之求牧與芻矣리니 求牧與芻而不得이면 則反諸其人乎아 抑亦立而視其死與아 曰 此則距心之罪也로소이다

孟子께서 말씀하셨다. "이제 남의 소와 양을 받아서 길러주는 자가 있으면, 반드시 소

---

220 下邑:邑을 칭하는 말로, 國都를 높여 '上'이라 하기 때문에 邑을 낮추어 '下邑'이라 칭한다.

221 此乃王之失政使然:一本에는 '失'字가 '大'字로 표기되어 있다.

··· 宰 읍재재 枝 가지지 饑 흉년기 羸 파리할리 轉 구를전 溝 도랑구 壑 구렁학 距 막을거 牧 기를목
芻 꼴추

와 양을 위해 목장과 꼴을 구할 것이니, 목장과 꼴을 구하다가 얻지 못하면 그 주인에게 되돌려 주어야 하겠는가? 아니면 (또한) 소와 양이 굶어죽는 것을 서서보고만 있어야 하겠는가?"

그가 말하였다. "이는 저의 잘못입니다."

> 集註 | 牧之는 養之也라 牧은 牧地也요 芻는 草也라 孟子言 若不得自專이면 何不致 其事而去오하시니라
>
> '牧之'는 이것(牛羊)을 기름이다. '牧'은 牧地이고, '芻'는 풀이다. 孟子께서 '만일 스스로 마음대로 할 수 없다면 어찌하여 그 일을 내놓고 떠나가지 않느냐?'고 말씀하신 것이다.

4-4. 他日에 見(현)於王曰 王之爲都者를 臣知五人焉이로니 知其罪者는 惟孔距心이러이다하시고 爲王誦之하신대 王曰 此則寡人之罪也로소이다

他日에 孟子께서 王을 만나보고 말씀하시기를 "王의 도읍을 다스리는 자들 중에 臣이 다섯 사람을 알고 있는데, 자신의 罪를 아는 자는 오직 孔距心 뿐이었습니다." 하시고, 王을 위해 그 말씀을 외우셨다.

그러자 王이 "이것은 寡人의 罪(책임)입니다." 하였다.

> 集註 | 爲都는 治邑也라 邑有先君之廟曰都[222]라 孔은 大夫姓也라 爲王誦其語는 欲以風曉王也[223]라
>
> '爲都'는 邑을 다스림이다. 邑에 先君의 사당이 있는 곳을 '都'라 한다. '孔'은 大夫의 姓이다. 王을 위해 그 말씀을 외신 것은 왕을 풍자하여 깨우치려고 하신 것이다.

---

222 先君之廟曰都:《春秋左傳》莊公 28년 조에 "郿땅에 城을 쌓으니 都가 아니기 때문에 '築'이라 한 것이다. 邑에 宗廟와 先君의 神主가 있는 곳을 '都'라 하고 없는 곳을 '邑'이라 하는데, 城을 邑에 쌓는 것을 '築'이라 하고 都에 쌓는 것을 '城'이라 한다.〔築郿 非都也 凡邑有宗廟先君之主曰都 無曰邑 邑曰築 都曰城〕" 하였다. 그 註에 《周禮》에 네 縣이 都가 되고, 네 井이 邑이 된다고 하였다. 그러나 宗廟가 있는 곳은 비록 邑이라도 都라 하니, 그를 높인 것이다.〔周禮 四縣爲都 四井爲邑 然宗廟所在 則雖邑曰都 尊之也〕" 하였다.

223 欲以風曉王也:'風曉'는 '諷曉'와 같은바, 어떤 일을 직설적으로 말하지 않고 다른 일을 빌어 넌지시 말해서 깨우쳐 줌을 이른다.

••• 爲 다스릴 위 廟 사당 묘 誦 외울 송 風 풍자할 풍(諷同) 曉 깨우칠 효

章下註 | ○陳氏曰 孟子一言에 而齊之君臣이 擧知其罪하니 固足以興邦矣[224]로되 然而齊卒不得爲善國者는 豈非說而不繹, 從而不改[225]故邪(耶)아

○陳氏(陳暘)가 말하였다. "孟子께서 한 번 말씀함에 齊나라의 군주와 신하가 모두 그 罪를 알았으니, 진실로 충분히 나라를 일으킬 수 있었다. 그러나 齊나라가 끝내 善國이 되지 못했던 것은, 어찌 기뻐하기만 하고 演繹하지 않으며 따르기만 하고 고치지 않았기 때문이 아니겠는가."

|致爲臣而去章(蚔鼃章)|

5-1. 孟子謂蚔鼃(지와)曰 子之辭靈丘而請士師 似也는 爲其可以言也니 今旣數月矣로되 未可以言與아

孟子께서 蚔鼃에게 이르시기를 "그대가 靈丘의 邑宰를 사양하고 士師가 되기를 청한 것이 近似함은 〈士師가〉 말을 할 수 있기 때문이다. 그런데 이제 〈부임한 지〉 이미 몇 개월이 지났는데 아직도 말할 수 없단 말인가?"

集註 | 蚔鼃는 齊大夫也라 靈丘는 齊下邑이라 似也는 言所爲近似有理라 可以言은 謂士師近王하여 得以諫刑罰之不中者라

---

224 孟子一言……固足以興邦矣:《論語》〈子路〉 15장에 "定公이 묻기를 '한 마디 말로 나라를 흥하게 할 수 있다 하니, 그러한 것이 있습니까?' 하자, 孔子께서 대답하셨다. '말은 이와 같이 〈효과를〉 기약할 수 없지만 사람들 말에 「임금 노릇하기가 어려우며 신하 노릇하기가 쉽지 않다.」 하였으니, 군주가 만일 임금 노릇하기가 어려움을 안다면 한 마디 말로 나라를 흥하게 함을 기약할 수 없겠습니까.' 定公이 '한 마디 말로 나라를 망하게 할 수 있다 하니, 그러한 것이 있습니까?' 하자, 孔子께서 대답하셨다. '말은 이와 같이 〈효과를〉 기약할 수 없지만 사람들의 말에 「나는 군주된 것은 즐거울 것이 없고, 오직 내가 말을 하면 어기지 않는 것이 즐겁다.」 합니다. 만일 군주의 말이 善한데 어기는 이가 없다면 좋지 않겠습니까. 만일 군주의 말이 善하지 못한데 어기는 이가 없다면 한 마디 말로 나라를 망하게 함을 기약할 수 없겠습니까.'〔定公問 一言而可以興邦 有諸 孔子對曰 言不可以若是其幾也 人之言曰 爲君難 爲臣不易 如知爲君之難也 不幾乎一言而興邦乎 曰 一言而喪邦 有諸 孔子對曰 言不可以若是其幾也 人之言曰 予無樂乎爲君 唯其言而莫予違也 如其善而莫之違也 不亦善乎 如不善而莫之違也 不幾乎一言而喪邦乎〕"라고 보인다. 齊나라의 군주와 신하가 모두 그 罪를 알았다면 군주는 군주 노릇하기가 어렵고 신하는 신하 노릇하기가 쉽지 않음을 안 것이므로 이렇게 말씀한 것이다.

225 說而不繹 從而不改:《論語》〈子罕〉 23장에 보이는 말로, 완곡하게 타이르는 말을 좋아하기만 하고 그 깊은 뜻을 演繹하지 않으며, 법도에 맞는 바른 말을 겉으로 시인하기만 하고 자신의 잘못을 고치지 않음을 이른다.

··· 擧 모두 거 說 기쁠 열 繹 찾을 역 蚔 개미알 지 鼃 개구리 와 諫 간할 간

蚳鼃는 齊나라 大夫이다. 靈丘는 齊나라 下邑이다. '似也'는 〈그의〉 한 바가 거의 이치에 가까움을 말한 것이다. '可以言'은 士師가 王을 가까이 모셔서 형벌이 〈道理에〉 맞지 않음을 간할 수 있음을 말한 것이다.

5-2. 蚳鼃諫於王而不用이어늘 致爲臣而去한대

蚳鼃가 王에게 간했으나 쓰이지 않자, 신하됨(벼슬)을 내놓고 떠나갔다.

集註 | 致는 猶還也라

'致'는 還(되돌려줌)과 같다.

5-3. 齊人曰 所以爲蚳鼃則善矣어니와 所以自爲則吾不知也로라

齊나라 사람들이 말하였다. "〈孟子가〉 蚳鼃를 위해서 한 것은 좋으나 孟子 자신이 하는 것은 내 이해할 수 없다."

集註 | 譏孟子道不行而不能去也라

孟子가 道가 행해지지 않는데도 떠나가지 않음을 비난한 것이다.

5-4. 公都子以告한대

公都子가 이것을 아뢰자,

集註 | 公都子는 孟子弟子也라

公都子는 孟子의 弟子이다.

5-5. 曰 吾聞之也호니 有官守者不得其職則去하고 有言責者不得其言則去라하니 我無官守하며 我無言責也하니 則吾進退 豈不綽綽然有

··· 致 내놓을 치 還 돌려줄 환 譏 기롱할 기 守 맡을 수 綽 넉넉할 작

餘裕哉리오

孟子께서 말씀하셨다. "내가 들으니, '官守(맡은 직책)가 있는 자는 그 직책을 수행할 수 없으면 떠나고, 言責을 지고 있는 자는 그 말을 할 수 없으면 떠난다.' 하였다. 나는 官守가 없으며 나는 言責이 없으니, 그렇다면 나의 進退가 어찌 綽綽하게 여유가 있지 않겠는가."

> 集註 | 官守는 以官爲守者요 言責은 以言爲責者라 綽綽은 寬貌요 裕는 寬意也라 孟子居賓師之位하여 未嘗受祿이라 故로 其進退之際에 寬裕如此하시니라
> 尹氏曰 進退久速을 當於理而已니라
>
> '官守'는 관직을 맡음으로 삼는 것이요, '言'은 말하는 것을 책임으로 삼는 것이다. '綽綽'은 너그러운 모양이요, '裕'는 너그러운 뜻이다. 孟子는 賓師의 지위에 처하여 일찍이 祿을 받지 않으셨으므로 進退의 즈음에 너그럽고 여유 있음이 이와 같으셨던 것이다.
> 尹氏(尹焞)가 말하였다. "나아가고 물러감과 오래 머물고 빨리 떠남을 義理에 마땅하게 할 뿐이다."

| 出弔於滕章 |

6-1. 孟子爲卿於齊하사 出弔於滕하실새 王이 使蓋(합)大夫王驩으로 爲輔行이러시니 王驩이 朝暮見(현)이어늘 反齊滕之路토록 未嘗與之言行事也하시다

孟子께서 齊나라에서 卿(客卿)이 되시어 나가 滕나라에 조문하실 적에 王이 蓋땅의 大夫인 王驩을 輔行(副使)으로 삼았다. 그리하여 王驩이 아침저녁으로 뵈었는데, 孟子께서는 齊나라와 滕나라의 길을 왕복토록 일찍이 그와 使行의 일을 말씀하지 않으셨다.

> 按說 | '出弔於滕'에 대하여, 楊伯峻은 季本의 《孟子事蹟圖譜》을 인용하여, "王驩과 함께 滕나라에 사신 간 것은 滕 文公의 초상 때문이었다.〔其與王驩使滕 爲文公之

··· 裕 넉넉할유 寬 너그러울관 弔 조문할조 滕 등나라등 蓋 땅이름합 驩 기쁠환 輔 도울보 反 돌아올반

喪也)" 하였다.

集註 | 蓋은 齊下邑也라 王驩은 王嬖臣也라 輔行은 副使也라 反은 往而還也라 行事
는 使事也라

蓋은 齊나라 下邑이다. 王驩은 王의 총애하는 신하이다. '輔行'은 副使이다. '反'은 갔다
가 돌아옴이다. '行事'는 使行의 일이다.

6-2. 公孫丑曰 齊卿之位 不爲小矣며 齊縢之路 不爲近矣로되 反之
而未嘗與言行事는 何也잇고 曰 夫旣或治之어니 予何言哉리오

公孫丑가 물었다. "齊나라 卿의 지위가 작지(낮지) 않으며 齊나라와 縢나라의 길이
가깝지 않은데, 왕복토록 일찍이 그와 使行의 일을 말씀하지 않으신 것은 어째서입니
까?"
孟子께서 말씀하셨다. "이미 혹자가 그것을 다스렸으니, 내 어찌 말할 것이 있겠는가."

集註 | 王驩이 蓋攝卿以行[226]이라 故로 曰齊卿이라 夫旣或治之는 言有司已治之矣
라 孟子之待小人에 不惡而嚴[227]이 如此하시니라

王驩이 아마도 卿을 대리하여 간 듯하다. 그러므로 齊나라 卿이라고 말한 것이다. '이미 혹
자가 다스렸다'는 것은 有司가 이미 다스렸음을 말씀한 것이다. 孟子께서 小人을 대함에
나쁘게 하지 않으면서도 엄격함이 이와 같으셨다.

---

226 攝卿以行:'攝'은 임시로 代行함을 이른다. 王驩은 蓋땅의 大夫인데 임시로 卿이 되어 사신 간 것을 이
른다. 옛날 사신은 품격을 높여주기 위하여 품계를 한 등급 높여 주었는바, 조선조에서도 그대로 시행되
었다.

227 不惡而嚴:《周易》〈遯卦 象〉에 "君子以 遠小人 不惡而嚴"이라고 보이는바, 程伊川은 '小人에게 험악한
말을 하지 않으면서도 엄격함'으로 해석하였으나, 張橫渠는 '惡'를 '오'로 보아 '미워하지 않으면서도 엄
함'으로 해석하였다.

··· 嬖 총애할 폐 攝 대리할 섭

|自齊葬於魯章|

7-1. 孟子自齊葬於魯하시고 反於齊하실새 止於嬴(영)이러시니 充虞請曰 前日에 不知虞之不肖하사 使虞敦匠事어시늘 嚴하여 虞不敢請호니 今願 竊有請也하오니 木若以美然하더이다

孟子께서 齊나라로부터 魯나라에 〈가시어〉 장례를 지내고 齊나라로 돌아오실 적에 嬴 땅에 머무셨다. 充虞가 청하기를 "지난날에 저의 불초함을 알지 못하시어 저로 하여금 목수 일을 맡게 하셨는데, 하도 급하여 제가 감히 여쭙지 못했습니다. 지금 삼가 여쭙고 자 하니, 棺木이 너무 아름다운 듯하였습니다." 하였다.

按說┃ '使虞敦匠事'에 대하여, 趙岐는 '敦匠'으로 句讀를 떼어

> '敦匠'은 두텁게 관을 만드는 것이다.〔敦匠 厚作棺也〕

하였다. 이에 대하여 茶山은

> '敦'은 厚(두텁다)이고 또 '敦'은 迫(독촉하다)이니, 이때는 음이 墩(돈)이다. 또 敦는 治(다 스리다)이니, 이때는 음이 堆(퇴)이다. 趙岐의 舊說을 따르면 음을 '돈'으로 읽어야 하고《集 註》를 따르면 '돈'인 듯도 하고 '퇴'인 듯도 하여 정할 수 없다. '董'은 감독(督迫)이고 '治'는 일을 다스림이니 '董治'라고 하면 두 뜻이 함께 연관되어 음을 정할 수 없다.……〈'지난날에 저의 불초함을 알지 못하시어'라고 한〉 윗 句를 자세히 살펴보면 마땅히《集註》를 따라 '퇴' 로 읽어야 한다.〔敦 厚也 又敦 迫也 然則音墩 又敦 治也 然則音堆 從舊說則讀當音墩 而從集註則似墩似堆 未可定也 董者 督迫也 治者 治事也 旣云董治則兩義相率 未 可定也……然詳玩上句 當從集註 讀當音堆〕

하였다. 楊伯峻은《詩經》〈魯頌 閟宮〉의 '敦商之旅(商나라의 무리를 다스리다)'의 敦(다스릴 퇴)로 본 孔廣森의 說을 취하였다.

集註┃ 孟子仕於齊하실새 喪母하시고 歸葬於魯[228]하시니라 嬴은 齊南邑이라 充虞는 孟

---

[228] 孟子仕於齊……歸葬於魯:《集註》의 '孟子仕於齊 喪母 歸葬於魯'는 趙岐의 註를 취한 것이다. 楊伯 峻은《列女傳》에 "孟子가 齊나라에 있을 적에 근심스러운 안색이 있었는데 孟子의 어머니가 이를 보았

⋯ 葬 장사지낼 장 嬴 땅이름 영 虞 나라우 敦 맡을 돈 匠 목수 장 嚴 급할 엄 竊 사사로울 절 以 너무 이
喪 잃을 상

子弟子니 嘗董治作棺之事者也라 嚴은 急也라 木은 棺木也라 以는 已通하니 以美는 太美也라

孟子께서 齊나라에서 벼슬하실 적에 어머니를 여의시고 魯나라로 돌아가 장례하셨다. 嬴은 齊나라 남쪽에 있는 고을이다. 充虞는 孟子의 弟子이니, 일찍이 棺 만드는 일을 감독하여 다스린 자이다. '嚴'은 급함이다. '木'은 棺木이다. '以'는 已와 통하니, '以美'는 너무 아름다운 것이다.

7-2. 曰 古者에 棺槨이 無度하더니 中古에 棺이 七寸이요 槨을 稱之하여 自天子達於庶人하니 非直爲觀美也라 然後에 盡於人心이니라

孟子께서 말씀하셨다.
"옛적에는 棺槨이 일정한 한도가 없었는데, 中古에 棺이 7寸이고 槨도 이에 걸맞게 하여 天子로부터 庶人에까지 이르렀으니, 이것은 보기에 아름답게 하기 위해서만이 아니라, 이렇게 한 뒤에야 사람(자식)의 마음에 다하기(흡족하였기) 때문이었다.

集註 | 度는 厚薄尺寸也라 中古는 周公制禮時也[229]라 槨稱之는 與棺相稱也라 欲其堅厚久遠이요 非特爲人觀視之美而已니라

'度'는 厚薄의 尺寸(치수)이다. '中古'는 周公이 禮를 만들 당시이다. '槨稱之'는 棺과 걸맞는 것이다. 견고하고 두꺼워 久遠(長久)하게 하고자 한 것이요, 비단 사람들이 보기에 아름답게 하기 위해서일 뿐만이 아니다.

다.〔孟子處齊而有憂色 孟母見之〕" 한 것을 인용하여, 孟子가 齊나라에 벼슬할 적에 어머니도 함께 간 것이니, 趙岐의 說이 믿을 만하다고 하였다. 茶山도 "孟子는 이때 母子가 齊나라에 거주했다.〔孟子是時 母子居齊〕" 하였다.

229 中古 周公制禮時也:孔廣森의 《經學巵言》에 "'中古'는 대체로 周公 이전을 가리킨다. 周公이 禮를 제정한 것은 天子로부터 庶人까지 모두 차등이 있어 군주는 大棺이 8촌이고 屬(촉)이 6촌이고 椑(벽)이 4촌이며, 上大夫는 大棺이 8촌이고 屬이 6촌이며, 下大夫는 大棺이 6촌이고 屬이 4촌이며, 士는 棺만 6촌이었다.〔中古尙指周公以前 周公制禮 則自天子至於庶人皆有等 君大棺八寸 屬六寸 椑四寸 上大夫大棺八寸 屬六寸 下大夫大棺六寸 屬四寸 士棺六寸〕" 하였으며, 楊伯峻도 이 說을 취하였다. 陳澔의 《禮記集說》에 "大棺은 가장 밖에 있는 것이고 屬은 大棺의 안에 있으며 椑이 또 屬의 안에 있으니, 이는 國君의 棺이 三重인 것이다.〔大棺最在外 屬在大棺之內 椑又在屬之內 是國君之棺三重也〕" 하였다.

··· 董 감독할동 棺 널관 槨 널곽 稱 걸맞을칭 直 다만직 堅 굳을견 厚 두터울후 特 다만특

7-3. 不得이면 不可以爲悅이며 無財면 不可以爲悅이니 得之爲有財하여는 古之人이 皆用之하니 吾何爲獨不然이리오

〈法制上〉 할 수 없으면 마음에 기쁠(흡족할) 수 없으며, 財力이 없으면 마음에 기쁠 수 없다. 〈法制上〉 할 수 있고 또 재력이 있으면 옛 사람들이 모두 썼으니, 내 어찌하여 홀로 그렇게 하지 않겠는가.

> 集註 | 不得은 謂法制所不當得이라 得之爲有財는 言得之而又爲有財也라 或曰 爲는 當作而라
>
> '不得'은 法制上(신분상) 할 수 없는 것을 이른다. '得之爲有財'는 〈法制上〉 할 수 있고 또 재력이 있는 것이다. 或者는 이르기를 "'爲'字는 마땅히 '而'字가 되어야 한다."고 하였다.

7-4. 且比化者하여 無使土親膚면 於人心에 獨無恔乎아

또 죽은 자를 위하여 흙이 〈시신의〉 살갗에 가까이 닿지 않게 한다면 사람(자식)의 마음에 홀로 만족하지 않겠는가.

> 集註 | 比는 猶爲也라 化者는 死者也라 恔는 快也라 言 爲死者하여 不使土親近其肌膚면 於人子之心에 豈不快然無所恨乎아
>
> '比'는 爲(위함)와 같다. '化者'는 죽은 자이다. '恔'는 쾌함이다. '죽은 자를 위하여 흙으로 하여금 시신의 살갗에 가까이 닿지 않게 한다면 자식의 마음에 어찌 쾌하여 恨되는 바가 없지 않겠는가.'라고 말씀한 것이다.

7-5. 吾는 聞之也호니 君子는 不以天下儉其親이라하니라

내가 들으니 '君子는 천하 때문에 그 어버이에게 검소하게 하지 않는다.'고 하였다."

··· 悅 기쁠열 比 위할비 化 죽을화 膚 살갗부 恔 만족할교 快 쾌할쾌 肌 살갗기 恨 한할한 儉 검소할검

按說 | '不以天下儉其親'에 대하여 官本諺解의 해석은 '君子는 天下로써 그 親에 儉히 아닌ᄂ니라'로 되어 있고 栗谷諺解도 비슷하다. 朱子는

'以'字는 '爲'字와 같으니, 天下를 위해 棺槨 하나의 비용을 아껴서 그 어버이에게 검소하게 하지 않는 것이다.〔以 猶爲也 不爲天下惜一棺槨之費 而儉於其親也〕《朱子大全 答許順之》

하였고, 또

王氏(王通)의 《中說》에 太原府君의 말을 기록하기를 "한 삼베이불을 30년 동안 바꾸지 않고 말하기를 천하를 위해 허비하지 않는다." 하였으니, 글뜻이 바로 이와 같다.〔王氏中說 記太原府君之言曰 一布被三十年不易 曰無爲費天下也 文意正與此同〕《或問》

하였다.

集註 | 送終之禮에 所當得爲而不自盡이면 是는 爲天下愛惜此物하여 而薄於吾親也라

죽은 이를 葬送하는 禮에 마땅히 할 수 있는데도 스스로 다하지 않는다면, 이것은 천하를 위해서 이 물건을 아껴 내 어버이에게 박하게 하는 것이다.

|沈同私問章|

8-1. 沈同이 以其私問曰 燕可伐與잇가 孟子曰 可하니라 子噲(쾌)도 不得與人燕이며 子之도 不得受燕於子噲니 有仕於此어든 而子悅之하여 不告於王而私與之吾子之祿爵이어든 夫士也 亦無王命而私受之於子면 則可乎아 何以異於是리오

沈同이 私的(개인적)으로 물었다. "燕나라를 정벌할 수 있습니까?"
孟子께서 말씀하셨다. "可하다. 子噲도 燕나라를 남에게 줄 수 없으며, 子之도 燕나라를 子噲에게 받을 수 없다. 여기에 벼슬하는 자가 있는데, 그대가 그를 좋아하여 王에게 아뢰지 않고 그대의 爵祿을 그에게 사사로이 주거든 그 선비 또한 王命이 없이 사

··· 愛 아낄 애 惜 아낄 석 薄 야박할 박 沈 성 심 噲 목구멍 쾌

사로이 그대에게서 받는다면 可하겠는가. 어찌 이와 다르겠는가."

集註 | 沈同은 齊臣이라 以私問은 非王命也라 子噲, 子之는 事見(현)前篇하니라 諸侯는 土地人民을 受之大子하고 傳之先君하니 私以與人이면 則與者受者皆有罪也라 仕는 爲官也[230]요 士는 卽從仕之人也라

沈同은 齊나라 신하이다. '사적으로 물었다'는 것은 王命이 아닌 것이다. 子噲와 子之에 대한 일은 前篇(梁惠王下)에 보인다. 諸侯는 토지와 인민을 天子에게서 받고 先君에게서 물려받았으니, 만일 사사로이 남에게 준다면 주는 자와 받는 자가 모두 죄가 있는 것이다. '仕'는 벼슬하는 것이요, '士'는 벼슬에 종사하는 사람이다.

8-2. 齊人이 伐燕이어늘 或問曰 勸齊伐燕이라하니 有諸잇가 曰 未也라 沈同이 問燕可伐與아하여늘 吾應之曰 可라호니 彼然而伐之也로다 彼如曰 孰可以伐之오하면 則將應之曰 爲天吏則可以伐之라호리라 今有殺人者어든 或이 問之曰 人可殺與아하면 則將應之曰 可라호리니 彼如曰 孰可以殺之오하면 則將應之曰 爲士師則可以殺之라호리라 今에 以燕伐燕이어니 何爲勸之哉리오

齊나라 사람이 燕나라를 정벌하자, 或者가 묻기를 "齊나라를 권하여 燕나라를 정벌하게 하셨다 하니, 그런 일이 있었습니까?" 하였다.
孟子께서 말씀하셨다. "아니다. 沈同이 '燕나라를 정벌할 수 있습니까?' 하고 묻기에 내가 대답하기를 '可하다' 하였더니, 저 사람이 〈내 말을〉 옳게 여겨 정벌한 것이다. 저 사람이 만일 '누가 정벌할 수 있습니까?' 하고 물었더라면 〈나는〉 장차 대답하기를 '天吏가 되면 정벌할 수 있다' 하였을 것이다. 지금에 사람을 죽인 자가 있는데, 或者가 '그 사람을 죽일 수 있습니까?' 하고 물으면 〈나는〉 장차 대답하기를 '可하다' 할 것이다. 저 사람이 만일 '누가 그를 죽일 수 있습니까?' 하고 물으면 〈나는〉 장차 대답하기를

---

[230] 仕 爲官也:楊伯峻은 "'士'와 '仕'는 古字에 많이 통용되었다. 여기의 '仕'字는 '士'로 읽어야 한다." 하였다.

··· 傳 물려줄 전 勸 권할 권

'士師가 되면 죽일 수 있다.' 할 것이다. 지금 燕나라로써 燕나라를 정벌하였으니, 내 어찌하여 권하였겠는가."

按說 | 齊나라 사람이 燕나라를 정벌한 일에 대하여, 朱子는

孟子가 燕나라를 정벌할 것을 말씀하신 곳이 네 곳이 있으니, 합해서 보아야 한다. 燕나라 의 父子와 君臣이 이와 같았으니, 진실로 정벌할 만한 이치가 있었다. 그러나 孟子가 일찍이 齊나라에게 정벌하지 말라고 가르치지도 않으셨고, 또한 일찍이 齊나라에게 반드시 정벌하 라고 가르치지도 않으셨고, 다만 말씀하기를 '天吏이면 정벌할 수 있다.' 하신 것이다.〔孟子 言伐燕處有四 須合而觀之 燕之父子君臣如此 固有可伐之理 然孟子不曾敎齊不伐 亦不曾敎齊必伐 但曰爲天吏則可以伐之〕《語類》

하였다.

集註 | 天吏는 解見上篇하니라 言 齊無道與燕無異하니 如以燕伐燕也라 史記에 亦 謂孟子勸齊伐燕이라하니 蓋傳聞此說之誤라

天吏는 해석이 上篇(公孫丑上)에 보인다. 齊나라의 無道함이 燕나라와 다름이 없으니, 이는 燕나라로써 燕나라를 정벌하는 것과 같음을 말씀한 것이다.《史記》에도 "孟子가 齊나 라를 권하여 燕나라를 정벌하게 했다." 하였으니, 이 말을 傳聞한 오류(잘못 전해 들음)일 것이다.

章下註 | ○楊氏曰 燕固可伐矣라 故로 孟子曰 可라하시니 使齊王이 能誅其君, 弔 其民이면 何不可之有리오 乃殺其父兄하고 虜其子弟而後에 燕人畔之어늘 乃以是로 歸咎孟子之言이면 則誤矣니라

○楊氏(楊時)가 말하였다. "燕나라는 진실로 정벌할 만하였다. 그러므로 孟子께서 '可하 다.'고 하신 것이니, 만일 齊王이 燕나라의 군주를 주벌하고 그 백성을 위로하였더라면 어 찌 不可할 것이 있겠는가. 그런데 도리어 燕나라의 父兄을 죽이고 子弟들을 포로로 잡은 뒤에 燕나라 사람들이 배반하였는데, 이것을 가지고 孟子의 말씀에 허물을 돌린다면 잘못 이다."

··· 誅 벨주 虜 사로잡을로 畔 배반할반 咎 허물구

9-1. 燕人이 畔이어늘 王曰 吾甚慙於孟子하노라

燕나라 사람들이 배반하자, 王이 말씀하였다. "나는 孟子에게 매우 부끄럽노라."

按說 | '燕나라 사람들이 배반한 일'에 대하여, 《史記》〈燕召公世家〉에는

> 燕나라 子之가 죽은 지 2년(B.C.312)에 燕나라 사람들이 함께 太子 平을 세우니, 이가 燕 昭王이다.〔燕子之亡二年 而燕人共立太子平 是爲燕昭王〕

하였고, 《史記》〈趙世家〉에는

> 趙나라 武靈王 11년(B.C.315)에 武靈王이 韓나라에서 公子 職을 불러 燕王으로 삼으려 고 樂池로 하여금 그를 전송하게 했다.〔十一年 王召公子職於韓 立以爲燕王 使樂池送 之〕

하였다. 〈趙世家〉에 있는 公子 職의 일이 〈燕召公世家〉에는 보이지 않는데, 이에 대해 《史記集解》에는 '公子 職을 세우려던 일이 끝내 이루어지지 못한 것'이라 하였다. 그러나 錢穆은 《先秦諸子繫年》에서, 燕 昭王은 바로 公子 職이고 太子 平은 子之의 공격을 받 아 죽은 것으로 보았다. 楊寬의 《戰國史》와 《中國歷史大辭典》의 年表에도 公子 職을 昭王으로 보았으며, 趙나라가 公子 職을 불러 燕나라로 전송한 것을 B.C.314년으로 기 록하였다.

또 이 일에 대하여 《集註》에서는 '太子 平의 일'이라 한 반면에, 楊伯峻은 太子 平과 公子 職을 동일인물로 보고, '燕人畔'을 趙나라가 公子 職을 燕나라에 들여보내자 燕 나라 사람들이 함께 왕(昭王)으로 옹립한 것으로 보았다. 齊나라가 燕나라를 정벌하 여 승리하고 公子 職(昭王)이 燕나라에 들어온 것은 B.C.314년이고 燕 昭王의 원년 은 B.C.311년이다. '燕人畔'을 公子 職이 燕나라에 들어온 것으로 보면 孟子가 이 해 (B.C.314)에 齊를 떠났다고 볼 수 있고, 燕 昭王이 즉위한 것을 '燕人畔'으로 보면 B.C.312년에 齊를 떠난 것으로 볼 수 있다. 朱子는 《資治通鑑綱目》에서는 赧王 元年 (B.C.314)에 孟子가 齊를 떠난 것으로 기록하고, 《集註》에서는 太子 平을 王으로 세운 것(B.C.312)을 '燕人畔'으로 보아 두 책이 서로 상충된다. 狄子奇의 《孟子編年》에는

··· 慙 부끄러울 참

孟子가 齊를 떠난 해를 B.C.314년으로 보았고, 楊伯峻,《先秦諸子繫年》,《中國歷史大辭典》은 B.C.312년으로 보았다.

集註 | 齊破燕後二年에 燕人이 共立太子平爲王하니라

齊나라가 燕나라를 격파한 지 2년에 燕나라 사람들이 함께 太子 平을 세워 王으로 삼았다.

9-2. 陳賈曰 王無患焉하소서 王이 自以爲與周公孰仁且智잇고 王曰 惡(오)라 是何言也오 曰 周公이 使管叔監殷이어시늘 管叔이 以殷畔하니 知而使之면 是不仁也요 不知而使之면 是不智也니 仁智는 周公도 未之盡也시니 而況於王乎잇가 賈請見而解之호리이다

陳賈가 말하였다. "王께서는 염려하지 마소서. 왕께서 스스로 생각하시기에 周公과 비교하여 누가 더 仁하고 또 지혜롭다고 여기십니까?"
王이 말씀하였다. "아, 이것이 웬 말인가."
陳賈가 말하였다. "周公이 管叔으로 하여금 殷나라를 감독하게 하였는데 管叔이 殷나라를 가지고 반란하였으니, 〈周公은 管叔이〉 반란을 일으킬 줄 알고 시켰다면 이는 不仁함이요 알지 못하고 시켰다면 이는 不智함이니, 仁과 智는 周公도 다하지 못하셨는데, 하물며 王에게 있어서이겠습니까. 제(賈)가 孟子를 뵙고 해명해 드리겠습니다."

按說 | '管叔이 殷나라를 가지고 배반한 일'에 대하여,《史記》〈管蔡世家〉에

武王이 죽은 뒤에 成王이 어려 周公 旦이 王室을 마음대로 하였는데, 管叔과 蔡叔이 周公의 하는 일이 成王에게 불리하다고 의심하여 武庚을 끌어들여 반란을 일으켰다. 周公 旦은 成王의 命을 받들어 武庚을 토벌하여 죽이고 管叔을 죽이고 蔡叔을 추방하여 귀양보냈다.〔武王旣崩 成王少 周公旦專王室 管叔蔡叔疑周公爲之不利於成王 乃挾武庚以作亂 周公旦承成王命 伐誅武庚 殺管叔而放蔡叔 遷之〕

하였다.

··· 破 깨뜨릴 파 賈 성 가 管 대롱 관 監 살필 감 殷 나라이름 은

集註 | 陳賈는 齊大夫也라 管叔은 名鮮이니 武王弟요 周公兄也라 武王이 勝商殺紂하시고 立紂子武庚하고 而使管叔으로 與弟蔡叔, 霍叔으로 監其國[231]이러니 武王崩하고 成王幼하여 周公攝政한대 管叔이 與武庚畔이어늘 周公이 討而誅之하시니라

陳賈는 齊나라 大夫이다. 管叔은 이름이 鮮이니, 武王의 아우이고 周公의 형이다. 武王이 商나라를 이기고 紂王을 죽이시고는 紂王의 아들 武庚을 세운 다음, 管叔으로 하여금 아우인 蔡叔·霍叔과 함께 그 나라를 감독하게 하였다. 武王이 죽고 成王이 어려 周公이 섭정하자 管叔이 武庚과 함께 배반하니, 周公이 토벌하여 죽이셨다.

9-3. 見孟子하고 問曰 周公은 何人也잇고 曰 古聖人也시니라 曰 使管叔監殷이어시늘 管叔이 以殷畔也라하니 有諸잇가 曰 然하다 曰 周公이 知其將畔而使之與잇가 曰 不知也시니라 然則聖人도 且有過與잇가 曰 周公은 弟也요 管叔은 兄也니 周公之過 不亦宜乎아

陳賈가 孟子를 뵙고 "周公은 어떤 사람입니까?" 하고 물었다.

孟子께서 "옛 聖人이시다." 라고 대답하셨다.

"管叔으로 하여금 殷나라를 감독하게 하였는데, 管叔이 殷나라를 가지고 반란했다 하니, 그러한 일이 있었습니까?"

"그렇다."

"周公은 〈管叔이〉 장차 반란할 것을 알면서 시키셨습니까?"

"알지 못하셨다."

"그렇다면 聖人도 허물이 있는 것입니까?"

"周公은 아우이고 管叔은 형이니, 周公의 허물이 당연하지 않은가."

---

231 而使管叔……監其國:管叔이 아우인 蔡叔·霍叔과 함께 武庚의 殷나라를 감시했다 하여 이들을 '三監'이라 칭한다. 이에 대해 茶山은 管叔·蔡叔·霍叔의 三監이 商나라를 감독하였다는 설에 반대하여, "三監은 官名이다.……처음에는 세 사람이기 때문에 이름을 三監이라 하였지만 그 뒤에 관직에 세 사람이 반드시 갖추어지지 않아도 '三監'이라고 호칭하였는데, 先儒들은 굳이 세 사람을 구해서 세 인원을 채우려고 했다.[三監者 官名也……始以三人之故 名曰三監 其後官不必備 猶稱三監 先儒必求三人 以充三額]"하였다.

··· 紂 고삐주 庚 서방경 蔡 나라이름채 霍 성곽 崩 죽을붕

集註 | 言 周公은 乃管叔之弟요 管叔은 乃周公之兄이니 然則周公이 不知管叔之將畔而使之하시니 其過有所不免矣라

或曰 周公之處管叔이 不如舜之處象²³²은 何也오 游氏曰 象之惡은 已著하고 而其志不過富貴而已라 故로 舜得以是而全之어니와 若管叔之惡則未著하고 而其志其才 皆非象比也니 周公이 詎忍逆探其兄之惡而棄之邪아 周公愛兄이 宜無不盡者니 管叔之事는 聖人之不幸也라 舜은 誠信而喜象²³³하시고 周公은 誠信而任管叔하시니 此는 天理人倫之至니 其用心이 一也니라

周公은 管叔의 아우이고 管叔은 周公의 형이니, 그렇다면 周公은 管叔이 장차 반란할 것을 알지 못하고 시키신 것이니, 그 허물을 면할 수 없음을 말씀한 것이다.

或者가 말하기를 "周公이 管叔을 대처한 것이 舜임금이 象을 대처한 것과 같지 않음은 어째서입니까?" 하고 묻자, 游氏(游酢)가 말하였다. "象의 惡은 이미 드러났고 그 뜻이 일신의 富貴에 불과할 뿐이었으므로 舜임금이 이로써 그를 온전히 할 수 있었지만, 管叔의 악으로 말하면 아직 드러나지 않았고 그 뜻과 재주가 모두 象에 비할 바가 아니었으니, 周公이 어찌 차마 그 형의 악함을 미리 헤아려 버릴 수 있었겠는가. 周公이 형을 사랑함이 극진하지 않음이 없었을 터이니, 管叔의 일은 聖人의 불행이다. 舜임금은 진실로 믿고서 象을 기뻐하셨고, 周公은 진실로 믿고서 管叔에게 맡기셨다. 이는 天理와 人倫의 지극함이니, 그 마음 쓰심이 똑같은 것이다."

9-4. 且古之君子는 過則改之러니 今之君子는 過則順之로다 古之君子

---

232 不如舜之處象:象은 舜임금의 이복동생으로 부모와 함께 날마다 舜임금을 죽일 것을 도모하였으나, 舜임금이 天子가 되어 그를 처벌하지 않고 나라를 봉해 주었는바, 이 내용은 아래 〈萬章上〉 3장에 자세히 보인다.

233 舜誠信而喜象:이 내용은 아래 〈萬章上〉 2장에 보이는데, 程子(伊川)는 "〈舜임금은〉 象이 근심하면 또한 근심하고 象이 기뻐하면 또한 기뻐하셨으니, 天理와 人情이 이에 지극함이 된다. 舜임금이 象에 대해서와 周公이 管叔에 대해서 그 마음 쓰심이 똑같다. 管叔은 일찍이 악함이 있지 않았으니, 만일 周公이 그가 장차 배반할 줄을 미리 알려고 하셨다면 과연 무슨 마음이셨겠는가. 管叔의 배반은 周公이 알 수 있는 것이 아니니, 그 잘못을 면할 수가 없었으므로 孟子가 '周公의 잘못이 마땅하지 않은가' 하신 것이다.〔象憂亦憂 象喜亦喜 蓋天理人情 於是爲至 舜之於象 周公之於管叔 其用心一也 夫管叔未嘗有惡也 使周公逆知其將畔 果何心哉 惟管叔之畔 非周公所能知也 則其過有所不免矣 故孟子曰 周公之過不亦宜乎〕"하였다.《精義》)

⋯ 處 대처할 처 游 헤엄칠 유 著 드러날 저 詎 어찌 거 忍 차마할 인 逆 미리 역 探 더듬을 탐
順 따를 순, 이를 순

는 其過也 如日月之食이라 民皆見之하고 及其更(경)也하여는 民皆仰之러
니 今之君子는 豈徒順之리오 又從而爲之辭로다

또 옛날의 君子(군주와 대신)들은 허물이 있으면 고쳤는데, 지금의 君子들은 허물이
있으면 그것을 이루는구나. 옛날의 君子들은 그 허물이 日食·月食과 같아서 백성들이
다 그것을 보았고 허물을 고침에 미쳐서는 백성들이 다 우러러보았는데, 지금의 君子들
은 어찌 다만 이룰 뿐이겠는가, 또 따라서 변명을 하는구나."

按說 | '君子'에 대하여, 楊伯峻은

여기의 '君子'와 '君子는 基業을 창건하고 전통을 드리운다.〔君子創業垂統〕'《梁惠王下》
14장)의 '君子'는 의미가 서로 비슷하니, 단지 지위에 있는 자를 가리킬 뿐 아니라 높은 지위
에 있는 자(군주)를 가리켜 말한 것이다.

하였다.

集註 | 順은 猶遂也라 更은 改也라 辭는 辯也라 更之면 則無損於明이라 故로 民仰之
하고 順而爲之辭면 則其過愈深矣니 責賈不能勉其君以遷善改過하고 而敎之以遂
非文過也시니라

'順'은 遂(이룸)와 같다. '更'은 고침이다. '辭'는 변명함이다. 허물을 고치면 밝음에 減損
됨이 없으므로 백성들이 우러러보고, 허물을 이루고 변명하면 그 허물이 더욱 깊어진다. 陳
賈가 군주에게 遷善改過할 것을 권면하지 못하고, 허물을 문식하여 非行을 이루는 것으로
써 가르침을 꾸짖으신 것이다.

章下註 | ○林氏曰 齊王이 慚於孟子하니 蓋羞惡之心이 有不能自已者니 使其臣有
能因是心而將順之면 則義不可勝用矣어늘 而陳賈는 鄙夫라 方且爲之曲爲辯說하
여 而沮其遷善改過之心하고 長其飾非拒諫之惡이라 故로 孟子深責之하시니라 然이

---

234 第二篇十章:《大全》에 "齊나라 사람이 燕나라를 정벌하여 勝利한 章이다.〔齊人伐燕勝之章〕" 하였다.
235 十一章:《大全》에 "齊나라 사람이 燕나라를 정벌하여 점령한 章이다.〔齊人伐燕取之章〕" 하였다.

··· 食 일식·월식식 更 고칠경 仰 우러를앙 遂 이룰수 辯 변론할변 愈 더욱유 遷 옮길천 非 그를비
  慚 부끄러울참 羞 부끄러울수 將 받들장 鄙 더러울비 曲 굽을곡 沮 막을저 飾 꾸밀식 拒 막을거

나 此書記事散出하여 而無先後之次라 故로 其說을 必參考而後에 通이니 若以第二篇十章[234], 十一章[235]으로 置之前章之後, 此章之前이면 則孟子之意 不待論說而自明矣리라

○林氏(林之奇)가 말하였다. "齊王이 孟子에게 부끄러워하였으니, 이는 羞惡之心이 스스로 그칠 수 없음이 있어서였다. 만약 그 신하 중에 齊王의 이 마음을 인하여 받들어 순히 따르는 자가 있었다면 義를 이루 다 쓸 수 없었을 것이다. 그러나 陳賈는 비루한 사람이어서 장차 군주를 위하여 바르지 못하게 辯說을 늘어놓아 遷善改過하는 마음을 저지하고 非行을 문식하여 諫言을 막는 악을 조장하였다. 그러므로 孟子께서 깊이 꾸짖으신 것이다. 그러나 이 글의 記事가 흩어져 나와서 先後의 순서가 없기 때문에 그 말을 반드시 참고한 뒤에야 통할 수 있으니, 만일 제2편(梁惠王下)의 10장, 11장을 앞 章의 뒤와 이 章의 앞에 놓는다면 孟子의 뜻이 논설을 기다리지 않아도 自明해질 것이다."

| 龍斷章(致爲臣而歸章) |

10-1. 孟子致爲臣而歸하실새

孟子께서 신하됨을 내놓고 떠나가실 적에

集註 | 孟子久於齊而道不行이라 故로 去也시니라

孟子께서 齊나라에 오래 계셨으나 道가 행해지지 않으므로 떠나가신 것이다.

10-2. 王이 就見孟子曰 前日에 願見而不可得이라가 得侍하여는 同朝甚喜러니 今又棄寡人而歸하시니 不識케이다 可以繼此而得見乎잇가 對曰 不敢請耳언정 固所願也니이다

王이 孟子를 찾아보고 말씀하였다. "지난날에 뵙기를 원했으나 뵙지 못하다가, 모실 수 있게 되어서는 조정에 함께 있는 사람들이 매우 기뻐했습니다. 그런데 이제 또다시 寡人을 버리고 돌아가시니, 알지 못하겠습니다. 이 뒤로 계속하여 선생님을 뵐 수 있겠습니까?"

··· 散 흩을 산 置 둘 치 喜 기쁠 희

孟子께서 대답하셨다. "감히 청하지는 못하지만 진실로 원하는 바입니다."

按說 | '得侍 同朝甚喜'에 대하여, 官本諺解에는 '侍흠을 得ᄒ야ᄂ 同朝ㅣ 甚히 喜
ᄒ더니'로 되어 있다. 그러나 楊伯峻은 孔廣森의 《經學巵言》에

'得侍同朝'는 謙辭이니 孟子와 君臣의 관계가 되어 조정에 함께 있는 것을 말한다. '甚喜'
는 왕이 매우 기쁘다고 스스로 말한 것이다.

한 것을 인용하여, '得侍同朝 甚喜'로 句讀를 떼야 한다고 하였다.

10-3. 他日에 王이 謂時子曰 我欲中國而授孟子室하고 養弟子以萬鍾하여 使諸大夫國人으로 皆有所矜式하노니 子盍爲我言之리오

他日에 王이 時子에게 말씀하였다. "내 國中(도성)에다가 孟子에게 집을 지어주고 弟
子들을 萬鍾祿으로 길러, 여러 大夫들과 國人들로 하여금 모두 공경하여 본받을 곳
이 있게 하려고 하니, 자네는 어찌 나를 위하여 말하지 않는가."

按說 | 國人은 經傳에 특별히 訓한 것이 보이지 않으나, 王의 廢立과 여론에 참여할 수
있는 貴族이나 조정의 大臣을 지칭한다.

集註 | 時子는 齊臣也라 中國은 當國之中也[236]라 萬鍾은 穀祿之數也라 鍾은 量名이
니 受六斛四斗[237]라 矜은 敬也요 式은 法也라 盍은 何不也라

時子는 齊나라 신하이다. '中國'은 나라의 한 가운데(도성)에 해당하는 곳이다. '萬鍾'은
녹봉의 數이다. '鍾'은 量의 이름이니, 6斛 4斗가 들어간다. '矜'은 공경함이요, '式'은 본

---

236 中國 當國之中也: '中國'에 대하여 楊伯峻은 "'中'은 介詞이고 '國'은 都城으로 齊나라의 臨淄城을
이르니, '中國'은 '國都 가운데〔在國都之中〕'이다."라고 하였다.

237 鍾……受六斛四斗: 趙氏(趙順孫)는 "4豆를 區라 하니 區는 1斗 6升이 들어가고, 4區를 釜라 하니 釜
는 6斗 4升이 들어가고, 10釜를 鍾이라 하니 鍾은 6斛 4斗가 들어간다.〔四豆爲區 區受斗六升 四區
爲釜 釜受六斗四升 十釜爲鍾 鍾受六斛四斗〕" 하였다. 斛은 10斗이므로 '萬鍾'은 64,000斛(섬)인데,
楊伯峻은 "고대의 64,000섬은 지금의 13,000섬이 안 된다." 하였다.

··· 鍾 量이름 종 矜 공경할 긍 式 법받을 식 盍 어찌아니 합 穀 녹봉 곡 斛 휘(열말) 곡

받음이다. '盍'은 何不(어찌 아니)이다.

10-4. 時子因陳子而以告孟子어늘 陳子以時子之言으로 告孟子한대

時子가 陳子를 통하여 孟子께 아뢰게 하자, 陳子가 時子의 말을 孟子께 아뢰었다.

集註ㅣ陳子는 卽陳臻也라

陳子는 陳臻이다.

10-5. 孟子曰 然하다 夫時子惡(오)知其不可也리오 如使子欲富인댄 辭十萬而受萬이 是爲欲富乎아

孟子께서 말씀하셨다. "그러하다. 저 時子가 어찌 그 不可함을 알겠는가. 가령 내가 부자가 되고 싶었다면, 十萬鍾을 사양하고 萬鍾을 받는 것이 부자가 되고자 하는 것이겠는가.

按說ㅣ '然'에 대하여, 王引之의 《經傳釋詞》에는

여기의 '然'字와 《論語》〈陽貨〉 7장의 "그렇다. 이러한 말이 있다.〔然 有是言也〕" 등의 '然' 字는 단지 응답하는 말이지 '옳다'로 訓할 수 없다.〔但爲應詞 而不訓爲是〕

하였으며, 楊伯峻도 이 說을 취하였다. '諾' 역시 이와 같이 쓰인다.

集註ㅣ孟子旣以道不行而去면 則其義不可以復留어늘 而時子不知하니 則又有難顯言者라 故로 但言 設使我欲富인댄 則我前日爲卿에 嘗辭十萬之祿하니 今乃受此萬鍾之饋면 是我雖欲富나 亦不爲此也라

孟子께서 이미 道가 행해지지 않기 때문에 떠나셨다면 의리상 더 이상 머물 수 없었는데 時子가 이것을 알지 못하였으니, 또 드러내놓고 말씀하기 어려운 점이 있었다. 그러므로 다만 "설령 내가 부자가 되고자 한다 할지라도, 내가 지난날 卿이 되었을 적에 일찍이 十萬鍾의 祿을 사양하였는데 지금 이 萬鍾을 주는 것을 받겠는가. 내 비록 부자가 되고자 한다 하더

··· 臻 이를 진 留 머무를 류 顯 나타날 현 饋 줄 궤

라도 이런 짓은 하지 않는다."라고 말씀하신 것이다.

10-6. 季孫曰 異哉라 子叔疑여 使己爲政호되 不用則亦已矣어늘 又使 其子弟爲卿하니 人亦孰不欲富貴리오마는 而獨於富貴之中에 有私龍 (壟)斷焉이라하니라

季孫氏가 말하기를 '괴이하다, 子叔疑여. 자기로 하여금 정사를 하게 하였으나 쓰이지 않으면 그만두어야 할 터인데, 또 그 자제를 卿이 되게 하였으니, 사람이 누구인들 富貴하고자 하지 않겠는가마는 홀로 富貴의 가운데에도 壟斷(이익)을 독점하듯 함이 있다.' 하였다.

按說 | '有私龍斷'의 '私'는 私有物로 여겨 독차지함을 이르며, '壟斷'은 시장 주위에 구릉이 끊긴 곳으로 이곳에 올라가면 사방이 잘 보여 값싼 물건을 많이 취할 수 있기 때문에 욕심 많은 장사꾼이 독차지하는 곳이다.

集註 | 此는 孟子引季孫之語也라 季孫, 子叔疑는 不知何時人이라 龍斷은 岡壟之 斷而高也니 義見(현)下文하니라 蓋子叔疑者 嘗不用이어늘 而使其子弟爲卿한대 季 孫이 譏其旣不得於此하고 而又欲求得於彼하니 如下文賤丈夫登龍斷者之所爲也 라 孟子引此하사 以明道旣不行이요 復受其祿이면 則無以異此矣라

이것은 孟子께서 季孫氏의 말을 인용한 것이다. 季孫과 子叔疑는 어느 때 사람인지 알지 못한다. 壟斷은 岡壟(언덕)이 딱 끊겨 높은 곳이니, 뜻이 아랫글에 보인다. 子叔疑란 자가 일찍이 쓰이지 못하자 그 자제를 卿이 되게 하니, 여기에서 얻지 못하자 또 저기에서 얻고자 한 것이 마치 아랫글에 壟斷에 올라간 賤丈夫(졸장부)의 소행과 같다고 季孫氏가 기롱한 것이다. 孟子는 이 글을 인용하여 道가 이미 행해지지 않는데 또다시 그 祿을 받는다면 이와 다를 것이 없음을 밝히신 것이다.

10-7. 古之爲市者 以其所有로 易其所無者어든 有司者治之耳러니 有

··· 異 괴이할 이 孰 누구 숙 私 사사로이할 사 龍 언덕 롱(壟同) 斷 끊을 단 岡 언덕 강 卿 벼슬 경 譏 기롱할 기 쯩 오를 등

賤丈夫焉하니 必求龍斷而登之하여 以左右望而罔(網)市利어늘 人皆以爲賤이라 故로 從而征之하니 征商이 自此賤丈夫始矣니라

옛날에 시장에서 교역하는 자들은 자기가 가지고 있는 물건을 가지고 없는 물건과 바꾸면, 有司(시장을 맡은 관리)는 〈세금을 거두지 않고 분쟁을〉 다스릴 뿐이었다. 그런데 賤丈夫 한 사람이 반드시 壟斷을 찾아 올라가서 좌우로 바라보아 시장의 이익을 망라하자, 사람들이 모두 천하게 여겼다. 그러므로 따라서 그에게 세금을 징수하였으니, 상인에게 세금을 징수한 것은 이 賤丈夫로부터 비롯되었다."

集註 | 孟子釋龍斷之說이 如此하시니라 治之는 謂治其爭訟이라 左右望者는 欲得此而又取彼也라 罔은 謂罔羅取之也라 從而征之는 謂人惡(오)其專利라 故로 就征其稅하니 後世緣此하여 遂征商人也라

孟子께서 壟斷의 말씀을 해석하기를 이와 같이 하신 것이다. '治之'는 분쟁을 다스림을 이른다. '左右望'은 이것을 얻고 또 저것을 얻고자 하는 것이다. '罔'은 망라하여 취함을 이른다. '따라서 그에게 세금을 징수했다'는 것은, 사람들이 그가 이익을 독점함을 미워하였으므로 나아가서 그에게 세금을 징수하였으니, 후세에 이로 인하여 마침내 상인에게 세금을 징수하게 되었음을 이른다.

章下註 | ○程子曰 齊王所以處孟子者 未爲不可요 孟子亦非不肯爲國人矜式者언마는 但齊王이 實非欲尊孟子요 乃欲以利誘之라 故로 孟子拒而不受하시니라

○程子(伊川)가 말씀하였다. "齊王이 孟子에게 대처한 것이 不可하지 않았고, 孟子께서도 國人들에게 존경받고 본받음이 되는 것을 즐겨하지 않으신 것이 아니었다. 다만 齊王이 실제로 孟子를 높이려고 한 것이 아니요, 바로 이익으로써 유인하고자 하였으므로 孟子께서 거절하고 받지 않으신 것이다."

| 宿於晝章(爲王留行章) |
11-1. 孟子去齊하실새 宿於晝러시니

··· 罔 그물 망 征 세금낼 정 訟 송사할 송 羅 그물 라 緣 인할 연 肯 즐길 긍 誘 꾈 유 拒 막을 거 宿 묵을 숙
晝 땅이름 주

孟子께서 齊나라를 떠나실 적에 晝땅에 유숙하셨는데,

> 集註 | 晝[238]는 齊西南近邑也라
>
> 晝는 齊나라 서남쪽에 있는 도성과 가까운 邑이다.

11-2. 有欲爲王留行者 坐而言이어늘 不應하시고 隱几而臥하신대

王을 위해 〈孟子의〉 발걸음(떠나감)을 만류하고자 하는 자가 앉아서 말하였으나, 〈孟子께서〉 응하지 않으시고 几(안석)에 기대어 누우셨다.

> 集註 | 隱은 憑也라 客坐而言이어늘 孟子不應而臥也라
>
> '隱'은 기댐이다. 客이 앉아서 말하는데, 孟子께서 응하지 않고 누우신 것이다.

11-3. 客이 不悅曰 弟子齊(재)宿而後에 敢言이어늘 夫子臥而不聽하시니 請勿復敢見矣로리이다 曰 坐하라 我明語子호리라 昔者에 魯繆(목)公이 無人乎子思之側이면 則不能安子思하고 泄柳, 申詳이 無人乎繆公之側이면 則不能安其身이러니라

客이 기뻐하지 않으며 말하였다. "弟子(제)가 齊宿한 뒤에 감히 말씀드렸는데 夫子께서 눕고 듣지 않으시니, 다시는 감히 뵙지 말아야겠습니다."
孟子께서 말씀하셨다. "앉아라. 내 그대에게 분명하게 말해주겠다. 옛날에 魯 繆公은 子思의 곁에 〈자기의 誠意를 전달할〉 사람이 없으면 子思의 마음을 편안하게 할 수 없었고, 泄柳와 申詳은 繆公의 곁에 보좌할 만한 사람이 없으면 그 몸을 편안하게 하지 못하였다.

---

238 晝:《大全》에 "'晝'字는 本字(낮 주)대로 읽는다. 혹자는 말하기를 '마땅히 「畫」字로 읽어야 하니, 音이 「獲」이다.' 하였으니, 아래(12장)도 똑같다.〔晝如字 或曰當作畫 音獲 下同〕" 하였다.

••• 隱 기댈 은 几 안석 궤 臥 누울 와 憑 기댈 빙 齊 공경할 재 繆 나쁜시호 목(穆通) 側 곁 측 泄 샐 설
柳 버들 류

•

按說 | '無人乎子思之側 則不能安子思'에 대하여, 茶山은

《萬章下》6장에 孟子가 분명히 말씀하기를 "繆公이 子思를 대우한 것에서, 繆公이 賢者를 좋아하지 못하고 봉양하지 못한다." 하였고, "하인들이 물건을 가져다주지 않았다." 한 글의 趙岐의 註에 "繆公이 怒하여 중단하였다." 하였으니, 繆公과 子思가 끝까지 좋은 관계를 유지하지 못한 것이 분명하다. 《滕文公下》7장에 '泄柳와 申詳이 문을 닫고 받아들이지 않고 담장을 넘어 피한 것'은 또 孟子가 직접 말씀하신 것이니, 子思·申詳·泄柳가 모두 끝내 몸을 편안히 할 수 없었던 것이다. 그런데 지금 《集註》의 내용으로 살펴보면 세 사람이 繆公의 예우 덕분에 끝내 편안하였던 듯하니 어찌 실제와 다르지 않겠는가.……《孟子》〈盡心下〉18장에 "君子(孔子)가 陳·蔡의 사이에서 곤액을 당하신 것은 上下의 사귐이 없었기 때문이었다." 하였으니, 임금이 賢者를 얻어 나라를 함께 다스리려면 반드시 下交가 있어야 하고, 군자가 임금을 얻어서 道를 행하려면 반드시 上交가 있어야 한다.……孟子는 다음과 같이 말씀한 것이리라. "魯 繆公은 下交를 못하여 子思의 곁에 있는 자가 모두 繆公의 사람이 아니었으니, 이와 같았기 때문에 끝내 子思를 편안하게 할 수 없었다. 泄柳·申詳은 上交를 못하여 繆公의 곁에 있는 자가 모두 申詳·泄柳의 사람이 아니었으니, 이와 같았기 때문에 끝내 자신을 편안하게 할 수 없었던 것이다. 내가 지금 외로이 혼자서 齊나라의 빈객이 되어 上下의 사귐이 모두 없으니, 齊王이 어찌 나를 편안하게 할 수 있으며, 나 역시 어떻게 내 몸을 편안하게 할 수 있겠는가. 내가 齊나라를 떠나는 것은 부득이한 일이다. 그대가 나를 위하여 생각하되 子思에 미치지 못하였으니, 어찌 그대가 나에게 후하게 했다고 말할 수 있겠는가.〔孟子明云 繆公於子思 不能悅賢 不能養賢 臺之無餽 趙注以爲繆公慍而絶之 則繆公子思之有始無終 明矣 泄柳申詳之閉門踰垣 又是孟子親口所言 則子思申泄都不能畢竟安身 今以註說觀之 則有若三子賴此而終安者然 豈不違於實乎……孟子曰 君子之戹於陳蔡 無上下之交也 人君得賢共國 必有下交 君子得君行道 必有上交……孟子蓋云 魯繆公不能下交 其在子思之側者 皆非繆公之人 如是也 故終不能安子思 泄柳申詳不能上交 其在繆公之側者 皆非申泄之人 如是也 故終不能安其身 我今子然一身 客於齊國 都無上下之交 齊王何以安我 我亦何以安其身乎 我之去齊 不得已也 子爲我慮 而曾不及子思 其可曰厚於我乎〕

라고 하여, '子思의 곁에 〈繆公의〉 사람이 없어 子思를 편안하게 하지 못하였다.'로 해석하였으며, '無人乎繆公之側 則不能安其身'을 '繆公의 곁에 〈泄柳·申詳의〉 사람이 없

어 자신을 편안하게 할 수 없었다.'로 해석하였다. '不能安子思'에 대해 茶山은 분명하게 해석하지 않았으나,《集註》에는 '子思가 안심하고 머무는 것'으로 보았다.

楊伯峻은 泄柳는 아래 〈告子下〉 6장의 子柳이고, 申詳은 子張의 아들이자 子游의 사위라고 하였다.

集註 | 齊宿은 齊戒越宿也라 繆公이 尊禮子思하여 常使人候伺하여 道達誠意於其側이라야 乃能安而留之也라 泄柳는 魯人이요 申詳은 子張之子也니 繆公尊之 不如子思라 然이나 二子義不苟容하여 非有賢者在其君之左右하여 維持調護之면 則亦不能安其身矣니라

'齊宿'은 재계하고 하룻밤을 지냄이다. 繆公이 子思를 존경하고 예우하여 항상 사람으로 하여금 모시고 보살피게 해서 자신의 성의를 그 곁에 전달하여야 子思를 편안히 하여 머물게 할 수 있었다. 泄柳는 魯나라 사람이요 申詳은 子張의 아들이니, 繆公이 이들을 높인 것이 子思만 못하였으나 이들 두 사람은 의리상 구차히 용납되려 하지 않았다. 그리하여 군주의 좌우에서 維持하고 調護(보좌)해 주는 賢者가 없으면 또한 그 몸을 편안하게 여기지 못한 것이다.

11-4. 子爲長者慮而不及子思하니 子絶長者乎아 長者絶子乎아

그대가 長者를 위하여 생각하되 子思에게 미치지 못하니, 그대가 長者를 끊은 것인가? 長者가 그대를 끊은 것인가?"

集註 | 長者는 孟子自稱也라 言 齊王이 不使子來어늘 而子自欲爲王留我하니 是는 所以爲我謀者 不及繆公留子思之事하여 而先絶我也라 我之臥而不應이 豈爲先絶子乎아

'長者'는 孟子께서 자신을 칭하신 것이다. '齊王이 그대로 하여금 오게 하지 않았는데 그대가 스스로 王을 위하여 나를 만류하고자 하니, 이것은 〈그대가〉 나를 위하여 도모함이 繆公이 子思를 머물게 한 일에 미치지 못하여 먼저 나를 끊은 것이다. 내가 눕고 응하지 않는 것이 어찌 먼저 그대를 끊음이 되겠는가.' 라고 말씀한 것이다.

··· 越 넘을 월 候 살필 후 伺 살필 사 苟 구차할 구 維 동여맬 유 調 고를 조 護 보호할 호 慮 생각할 려
謀 꾀할 모

12-1. 孟子去齊하실새 尹士語人曰 不識王之不可以爲湯武면 則是不明也요 識其不可요 然且至면 則是干澤也니 千里而見王하여 不遇故로 去호되 三宿而後에 出晝하니 是何濡滯也오 士則玆不悅하노라

孟子께서 齊나라를 떠나가실 적에 尹士가 사람들에게 말하였다. "王이 湯·武와 같은 聖君이 될 수 없음을 모르고 왔다면 이것은 지혜가 밝지 못한 것이요, 불가능함을 알면서도 왔다면 이것은 은택을 요구한 것이다. 千里 먼 길을 와서 王을 만나 뜻이 맞지 않으므로 떠나가되 사흘을 유숙한 뒤에야 晝땅을 나갔으니, 어찌 이리도 오랫동안 체류한단 말인가. 나(士)는 이것을 기뻐하지 않노라."

集註ㅣ尹士는 齊人也라 干은 求也라 澤은 恩澤也라 濡滯는 遲留也라

尹士는 齊나라 사람이다. '干'은 요구함이다. '澤'은 恩澤이다. '濡滯'는 오랫동안 체류함이다.

12-2. 高子以告한대

高子가 이 말을 아뢰자,

集註ㅣ高子는 亦齊人이니 孟子弟子也라

高子 또한 齊나라 사람이니, 孟子의 弟子이다.

12-3. 曰 夫尹士惡(오)知子哉리오 千里而見王은 是子所欲也니 不遇故로 去 豈子所欲哉리오 子不得已也로라

孟子께서 말씀하셨다. "尹士가 어찌 나를 알겠는가. 千里 먼 길을 와서 王을 만나본 것은 내가 하고자 한 것이니, 뜻이 맞지 않아서 떠나가는 것이 어찌 내가 하고자 한 것이겠는가. 내 부득이해서였다.

··· 干 구할 간 澤 은택 택 遇 만날 우, 뜻맞을 우 濡 지체할 유 滯 머무를 체 玆 이 자 遲 더딜 지

集註ㅣ見王은 欲以行道也니 今道不行이라 故로 不得已而去요 非本欲如此也라

王을 만나봄은 道를 행하고자 해서였으니, 이제 道가 행해지지 않으므로 부득이해서 떠나가는 것이요 본래 이와 같고자 함이 아니었다.

12-4. 予三宿而出晝호되 於予心에 猶以爲速호노니 王庶幾改之니 王如改諸시면 則必反予시리라

내 사흘을 유숙한 뒤에 晝땅을 나갔으나 내 마음에 오히려 빠르다고 여겼다. 王이 행여 고치시기를 바라니, 王이 만일 고치신다면 반드시 나의 발길을 되돌리게 하셨을 것이다.

集註ㅣ所改는 必指一事而言이라 然이나 今不可考矣라

고친다는 것은 반드시 한 가지의 일을 가리켜서 말씀한 것이나 지금은 상고할 수가 없다.

12-5. 夫出晝而王不予追也하실새 予然後에 浩然有歸志호라 予雖然이나 豈舍王哉리오 王由(猶)足用爲善하시리니 王如用予시면 則豈徒齊民安이리오 天下之民이 擧安하리니 王庶幾改之를 予日望之하노라

晝땅을 나가는데도 王이 나를 〈만류하기 위하여〉 뒤쫓아오지 않으시기에 내가 그런 뒤에야 浩然히 돌아갈 뜻을 두었다. 내 그러나 어찌 왕을 버리겠는가. 王은 오히려 충분히 善을 행하실 수 있을 것이니, 王이 만일 나를 등용하신다면 어찌 다만 齊나라 백성만 편안할 뿐이겠는가. 천하의 백성이 모두 편안할 것이니, 王이 행여 고치시기를 나는 날마다 바라노라.

按說ㅣ '王由足用爲善'의 '由'는 '猶'와 통용되는바, 〈梁惠王上〉 6장의 '由水之就下'와 같다. 다만 위에서는 '같다'의 뜻이었는데, 여기서는 '오히려'로 사용하였다. '足用'은 '足以'와 같다.

··· 速 빠를 속 追 쫓을 추 浩 넓을 호 舍 버릴 사(捨同) 由 오히려 유(猶同) 徒 한갓 도 擧 모두 거 予 나 여

集註 | 浩然은 如水之流 不可止也라

楊氏曰 齊王은 天資朴實하여 如好勇, 好貨, 好色, 好世俗之樂을 皆以直告而不隱
於孟子라 故로 足以爲善이니 若乃其心不然이요 而謬爲大言以欺人이면 是人은 終
不可與入堯舜之道矣니 何善之能爲리오

'浩然'은 물의 흐름이 그칠 수 없음과 같은 것이다.
楊氏(楊時)가 말하였다. "齊王은 타고난 자질이 질박하고 성실하여, 예컨대 용맹을 좋아하
고 재물을 좋아하고 여색을 좋아하고 세속의 음악을 좋아하는 것 등을 孟子에게 모두 솔직
히 얘기하고 숨기지 않았으므로, 충분히 善을 행할 수 있었다. 만일 그 마음은 그렇지 않으
면서 거짓으로 큰소리를 쳐서 사람을 속인다면 이러한 사람은 끝내 더불어 堯·舜의 道에
들어갈 수 없을 것이니, 어찌 善을 행할 수 있겠는가."

12-6. 予豈若是小丈夫然哉라 諫於其君而不受則怒하여 悻悻然見 (현)於其面하여 去則窮日之力而後에 宿哉리오

내 어찌 이 小丈夫와 같이 君主에게 간하다가 받아주지 않으면 노하여 悻悻하게 그
얼굴빛에 〈노기를〉 나타내어, 떠나면 종일 갈 수 있는 힘을 다한 뒤에 留宿하겠는가."

集註 | 悻悻은 怒意也라 窮은 盡也라

'悻悻'은 노하는 뜻이다. '窮'은 다함이다.

12-7. 尹士聞之하고 曰 士는 誠小人也로다

尹士가 이 말을 듣고 말하였다. "나(士)는 진실로 小人이다."

集註 | 此章은 見[239]聖賢行道濟時汲汲之本心과 愛君澤民惓惓之餘意[240]로다

---

239 見:一本에는 '見'字가 '言'字로 되어 있다.

240 行道濟時汲汲之本心 愛君澤民惓惓之餘意:慶源輔氏(輔廣)는 《集註》의 '本心'은 처음에 본래 이
와 같이 하고자 함을 말한 것이요, 남은 뜻(餘意)은 後來에 부득이한 뜻일 뿐이다. 여기의 두 句를 자
세히 살펴보면 곧 聖賢의 마음을 볼 수 있으니, '천 리 멀리 王을 만나보아서 王이 만일 나를 등용한다

••• 朴 질박할박 隱 숨길은 謬 거짓류 悻 성낼행 窮 다할궁 汲 급급할급 惓 연연할권

李氏曰 於此에 見君子憂則違之[241]之情이니 而荷蕢者所以爲果[242]也니라

이 章은 聖賢이 道를 행하고 세상을 구제하려는 급급한 본심과 군주를 사랑하고 백성들에게 은택을 입히려는 惓惓(간절)한 남은 뜻을 볼 수 있다.

李氏(李郁)가 말하였다. "여기에서 君子가 근심스러우면 떠나가는 심정을 볼 수 있으니, 이 때문에 荷蕢한 자가 과단함이 되는 것이다."

|不豫色章(充虞路問章)|

13-1. 孟子去齊하실새 充虞路問曰 夫子若有不豫色然하시니이다 前日에 虞聞諸夫子호니 曰 君子는 不怨天하며 不尤人이라하시니이다

孟子께서 齊나라를 떠나실 적에 充虞가 도중에서 물었다. "夫子께서는 기쁘지 않은 기색이 계신 듯합니다. 지난날 제가 夫子께 듣자오니, '君子는 하늘을 원망하지 않으며 사람을 허물하지(탓하지) 않는다.' 하셨습니다."

集註 | 路問은 於路中問也라 豫는 悅也요 尤는 過也라 此二句는 實孔子之言[243]이니 蓋孟子嘗稱之以敎人耳시니라

'路問'은 路中에서 물은 것이다. '豫'는 기뻐함이요, '尤'는 허물함이다. 이 두 句는 실로

면 어찌 다만 齊나라 백성만 편안할 뿐이겠는가. 천하의 백성이 모두 편안할 것이다.'는 것은 道를 행하여 세상을 구제하려는 급급한 本心이요, '3일 저녁을 유숙하고 晝땅을 나가면서 王이 행여 고치시기를 내 날마다 바란다.'는 것은 군주를 사랑하고 백성들에게 은택을 입히려는 간절(惓惓)한 남은 뜻이다.[集註本心 謂其初本欲如此也 餘意 則後來不得已之意耳 詳玩此兩句 便可見聖賢之心 千里見王 王如用予 豈特齊民安 天下之民擧安 此其行道濟時汲汲之本心 三宿出晝 王庶幾改之 予日望之 此其愛君澤民惓惓之餘意]" 하였다.

241 憂則違之:《周易》〈乾卦 文言〉에 "즐거우면 행하고 근심스러우면 떠나간다.[樂則行之 憂則違之]" 하였는데, 이는 세상이 좋아지면 나와서 벼슬하여 道를 행하고, 세상이 나빠져서 근심스러운 때가 되면 물러가 은둔함을 뜻한다.

242 荷蕢者所以爲果:'荷蕢'는 삼태기를 메는 것으로 荷蕢丈人을 가리키며, '果'는 과단성 있게 세상을 잊고 포기하는 것이다. 孔子가 경쇠를 치자 삼태기를 메고 가던 한 老人이 孔子의 문 앞을 지나다가 그 경쇠소리를 듣고는 세상을 잊지 못한다고 비난하였다. 孔子는 이 말을 듣고 "세상을 잊는데 과단하다." 하시고 비판하셨는바,《論語》〈憲問〉42장에 자세히 보인다.

243 此二句 實孔子之言:二句는 '不怨天 不尤人'으로,《論語》〈憲問〉37장에 보인다.

••• 違 떠날 위 荷 멜 하 蕢 삼태기 궤 果 과단할 과 虞 헤아릴 우 豫 기쁠 예 尤 허물 우

孔子의 말씀이니, 孟子께서 일찍이 稱(말씀)하여 사람을 가르치신 듯하다.

13-2. 曰 彼一時며 此一時也니라

孟子께서 말씀하셨다.
"그때는 그때이고 지금은 지금이다.

> 集註 | 彼는 前日이요 此는 今日이라
>
> '彼'는 지난날이요, '此'는 今日이다.

13-3. 五百年에 必有王者興하나니 其間에 必有名世者니라

5백 년에 반드시 王者가 나오니, 그 사이에 반드시 세상에 유명한 자가 있다.

> 按說 | '名世'에 대하여, 楊伯峻은 "아마도 후대의 命世인 듯하다. 名과 命은 古本에
> 서는 통용되었다." 하였다. 命世의 뜻도 세상에 유명하거나 재주가 한 세상에 높은 것으
> 로, '名世'와 비슷하다.

> 集註 | 自堯舜至湯과 自湯至文武히 皆五百餘年而聖人出하니라 名世는 謂其人德
> 業聞望이 可名於一世者 爲之輔佐니 若皐陶, 稷, 契(설), 伊尹, 萊朱, 太公望, 散宜
> 生之屬이라
>
> 堯·舜으로부터 湯王에 이르기까지와 湯王으로부터 文王·武王에 이르기까지 모두 5백
> 여 년만에 聖人이 나왔다. '名世'는 그 사람의 덕업과 명성이 한 세대에 이름날 만한 자가
> 그(王者)를 보좌함을 이르니, 皐陶와 稷과 契, 伊尹과 萊朱, 太公望과 散宜生 같은 등속
> 이다.

13-4. 由周而來로 七百有餘歲矣니 以其數則過矣요 以其時考之則可矣니라

··· 皐 언덕 고 陶 즐길 요 稷 조직 契 이름 설 萊 쑥 래 散 흩을 산

周나라로부터 이래로 7백여 년이 되었으니, 年數를 가지고 보면 지났고, 시기로 살펴보면 지금이 可하다.

集註 | 周는 謂文武之間이라 數는 謂五百年之期라 時는 謂亂極思治하여 可以有爲之日이라 於是而不得一有所爲하니 此孟子所以不能無不豫也시니라

周는 文王·武王의 사이를 이른다. '數'는 5백 년의 시기를 이른다. '時'는 亂이 지극하면 다스려질 것을 생각하여 훌륭한 일을 할 수 있는 때를 이른다. 이러한 때에 한번도(조금도) 훌륭한 일을 할 수 없으니, 이것이 孟子께서 기쁘지 않은 기색이 없지 못하신 까닭이다.

13-5. 夫天이 未欲平治天下也시니 如欲平治天下인댄 當今之世하여 舍我요 其誰也리오 吾何爲不豫哉리오

하늘이 천하를 平治하고자 하지 않으시니, 만일 천하를 平治하고자 하신다면 지금 세상을 당하여 나를 버리고(나 말고) 그 누가 하겠는가. 내 어찌하여 기뻐하지 않겠는가."

集註 | 言 當此之時하여 而使我不遇於齊하니 是天未欲平治天下也라 然이나 天意는 未可知요 而其具又在我하니 我何爲不豫哉리오 然則孟子雖若有不豫然者나 而實未嘗不豫也시니 蓋聖賢[244]憂世之志와 樂天之誠이 有並行而不悖者를 於此見矣로다

'이때를 당하여 나로 하여금 齊나라에서 뜻이 합하지 못하게 하니, 이것은 하늘이 천하를 平治하고자 하지 않으시는 것이다. 그러나 하늘의 뜻은 알 수 없고 그 도구는 또 나에게 있으니, 내 어찌하여 기뻐하지 않겠는가.'라고 말씀한 것이다. 그렇다면 孟子께서 비록 기쁘지 않은 기색이 있으신 듯하였으나 실제는 기뻐하지 않으신 것이 아니다. 聖賢의 세상을 걱정하는 마음과 天理를 즐거워하는 정성이 병행하여 모순되지 않음을 여기에서 볼 수 있다.

---

244 聖賢:一本에는 '聖人'으로 되어 있다.

··· 舍 버릴 사(捨同) 具 도구 구 並 나란히 병 悖 어그러질 패

|仕不受祿章(去齊居休章)|

14-1. 孟子去齊居休러시니 公孫丑問曰 仕而不受祿이 古之道乎잇가

孟子께서 齊나라를 떠나 休땅에 머무셨는데, 公孫丑가 물었다. "벼슬하면서 녹봉을 받지 않는 것이 옛 道입니까?"

集註ㅣ 休는 地名이라

休는 地名이다.

14-2. 曰 非也라 於崇에 吾得見王하고 退而有去志호니 不欲變故로 不受也호라

孟子께서 말씀하셨다.
"아니다. 崇땅에서 내 王을 만나뵙고 물러나와 떠날 마음을 두었으니, 이 마음을 바꾸고자 하지 않았으므로 녹봉을 받지 않은 것이다.

集註ㅣ 崇은 亦地名이라 孟子始見齊王에 必有所不合이라 故로 有去志라 變은 謂變其去志라

崇 또한 地名이다. 孟子께서 처음 齊王을 만나보셨을 적에 반드시 합하지 않는 바가 있어서 떠날 마음을 두셨을 것이다. '變'은 떠날 마음을 바꿈을 이른다.

14-3. 繼而有師命이라 不可以請이언정 久於齊는 非我志也니라

뒤이어 군대의 출동명령이 있었기 때문에 청하지 못했을지언정 齊나라에 오랫동안 머문 것은 나의 뜻이 아니었다."

集註ㅣ 師命은 師旅之命也라 國旣被兵하여 難請去也라

'師命'은 군대를 출동하는 명령이다. 나라가 이미 兵亂을 입어 떠나기를 청하기 어려우셨던 것이다.

··· 崇 높일숭 變 변할변 師 군대사 旅 군대려 被 입을 피

章下註 | ○孔氏曰 仕而受祿은 禮也요 不受齊祿은 義也니 義之所在엔 禮有時而變이어늘 公孫丑欲以一端裁之하니 不亦誤乎아

○孔氏(孔文仲)가 말하였다. "벼슬하면서 녹봉을 받는 것은 禮요 齊나라의 녹봉을 받지 않는 것은 義이니, 義가 있는 곳에는 禮가 때로 변할 수 있다. 그런데 公孫丑는 한 가지로써 재단하려 하였으니, 잘못된 것이 아니겠는가."

··· 裁 옷마를 재

滕文公章句 上

集註 | 凡五章이라

모두 5章이다.

|道性善章(言必稱堯舜章)|

1-1. 滕文公이 爲世子에 將之楚할새 過宋而見孟子한대

滕나라 文公이 世子였을 적에 장차 楚나라로 가려고 宋나라를 지나다가 孟子를 만나 보았다.

集註 | 世子는 太子也라

世子는 太子이다.

1-2. 孟子道性善하사되 言必稱堯舜이러시다

孟子께서 性의 善함을 말씀하셨는데 말씀마다 반드시 堯·舜을 칭하셨다.

按説 | '性'에 대하여, 茶山은 性을 '嗜好를 위주로 말한 것'이라고 전제하고 다음과

⋯ 滕 나라이름 등 過 지날 과 道 말할 도 稱 일컬을 칭

같이 설명하였다.

이를테면 이른바 '謝安石(謝安)은 성향이 음악을 좋아하고, 魏 鄭公(魏徵)은 성향이 검소함을 좋아하고, 혹자는 성향이 山水를 좋아하고, 혹자는 성향이 書畫를 좋아한다.'라고 하는 것은 모두 嗜好를 性이라 한 것이다. 性의 字義가 본래 이와 같기 때문에 孟子께서 性을 논함에 반드시 嗜好를 가지고 말씀하였다. 그 말씀에 "입이 맛에 있어서 즐기는 바가 같고 귀가 소리에 있어서 좋아하는 바가 같고 눈이 色에 있어서 기뻐하는 바가 같다."라고 한 것은,(《告子上》7장) 모두 性이 善에 있어 좋아하는 바가 같음을 밝힌 것이니, 性의 본뜻이 嗜好에 있는 것이 아니겠는가.……《詩經》〈大雅 烝民〉에 "백성이 떳떳한 성품〔秉彝〕을 갖고 있으므로 이 아름다운 德을 좋아한다." 하였는데, 性을 '秉彝'라 하고 반드시 '德을 좋아함〔好德〕'으로 설명하였으니, 性의 字義가 어찌 嗜好에 있는 것이 아니겠는가. 人性이 반드시 善을 행하기 좋아하는 것은, 마치 물의 性이 반드시 아래로 내려가는 것을 좋아하고, 불의 性이 반드시 위로 올라가는 것을 좋아하는 것과 같다. 생명을 부여받은 처음에 하늘이 이 性을 命하여, 비록 貪·淫·虐·殺 등 못하는 짓이 없더라도 이 性은 그대로 변하지 않아, 忠臣·孝子를 보면 아름답게 여겨 善하다 하는 것이 온 나라 사람들과 같고, 탐관오리를 보면 미워하여 악하다 하는 것이 온 나라 사람들과 같으니, 이것이 이른바 '性이 善하다'는 것이다.……性을 말할 적에 반드시 嗜好를 위주하여 말해야 그 뜻이 비로소 확립된다. 만일 性을 虛靈無形한 것으로 그 본체가 渾然하고 지극히 善하여 조금의 악도 없다고 한다면, 赤子가 처음 태어나서는 울며 젖을 찾고 안아달라고 할 줄만 아는데, 어찌 억지로 純善이라 할 수 있겠는가. 만일 주체적인 權能(心의 權能)으로 말한다면 형세상 善을 할 수도 있고 惡을 할 수도 있다. 揚雄은 이것을 性으로 여겼기 때문에 이것을 命名하여 '善과 惡이 혼재한다'고 하였다. 만일 形氣의 私慾을 가지고 말한다면 善을 할 수도 있고 惡을 할 수도 있을 뿐 아니라, 또한 善을 하기는 어렵고 惡을 하기는 쉬워 《國語》〈周語〉의 '善을 따름은 산을 오르는 것처럼 어렵고 惡을 따름은 산이 무너지는 것처럼 쉽다.'는 것이 지나친 말이 아니다. 荀卿(荀子)은 이 形氣의 私慾을 性으로 여겼기 때문에 이것을 命名하여 '性이 惡하다'라고 하였다. 저 荀卿과 揚雄의 말도, 없는 것을 가리켜 있다고 하며 흰 것을 속여 검다고 하지는 않았으니, 그렇다면 틀림없이 그 가리킨 바가 孟子와 다를 뿐이다. 佛家에서는 '明心見性'이라고 불러 그 千言萬語가 모두 이것을 찬미하나 그 본뜻은 孟子의 性善說과 전혀 다르다. 저들이 말한 것은 한 본체의 虛靈奇妙함이고, 《孟子》에서 말한 것은 '능히 善을 좋아하고 惡을 부끄러워함이 물이 아래로 내려가는 것과 같다.'는 것이니, 어찌 같은 취지의 말이겠는가.……《孟子》〈告子下〉15장에 "마음을 분발시키고 성질[性]을 참게 한다." 하였으니, 이때 말씀한 性은 人心의 嗜好이고……이 章에서는 '性의 善함'을 말씀하였으니, 여기서 말씀한 性의 道心의 嗜好이다. 그렇다면 비록 위주한 것은 다르지만 嗜好를 性이라 한 것은 같다.……지금 사람들은 人心을 氣質之性으로 여기고 道心을 義理之性으로 여기니, 心과 性의 가리키는 바가 다름을 알지 못한 것이다. '性'이라는 글자는 오로지 好惡를 위주하여 말한 것이니, 어찌 心을 性이라 할 수 있겠는가.……하늘이 사람에게 주체적인 權能을 주었다. 가령 善하고자 하면 善을 하고 惡하고자 하면 惡을 해서 유동적이며 일정하지 않고 그 權能이 자신에게 있으니, 禽獸가 일정한 마음을 지닌 것과는 다르다. 그러므로 善을 하면 실제로 자신의 功이 되고, 惡을 하면 실제로 자신의 罪가 되는 것이다. 이는 心의 權能이지 이른바 性이 아니다. 揚雄은 이 權能을 오인하여 性으로 여겼기 때문에 마침내 性에 善과 惡이 혼재한다고 한 것이다.〔若所謂謝安石性好聲樂 魏鄭公性好儉素 或性好山水 或性好書畫 皆以嗜好爲性 性之字義 本如是也 故孟子論性 必以嗜好言之 其言曰 口之於味 同所嗜 耳之於聲 同所好 目之於色 同所悅 皆所以明性之於善 同所好也 性之本義 非在嗜好乎……詩云 民之秉彝 好是懿德 性之謂秉彝 而必以好德爲說 性之字義 其不在於嗜好乎 人性之必好爲善 如水性之必好就下 火性之必好就上 賦生之初 天命之以此性 雖貪淫虐殺 無所不爲 而此性仍然不變 見忠臣孝子 則美之爲善也 與國人同 見貪官汚吏 則疾之爲惡也 與國人同 此所謂性善也……言性者 必主嗜好而言 其義乃立 若謂此虛靈無形之物 其體渾然至善 一毫無惡 則赤子始生 但知啼哭索乳求抱 安得硬謂之純善乎 若以其自主之權能而言之 則其勢可以爲善 亦可以爲惡 揚雄以此爲性 故命之曰善惡渾 若以其形氣之私慾而言之 則不惟可善而可惡 抑亦難善而易惡 從善如登 從惡如崩 非過語也 荀卿以此爲性 故命之曰性惡 彼荀與揚之言 亦未嘗指無爲有 誣白爲黑 則必其所指點者 與孟子不同耳 佛家號爲明心見性 其千言萬語 皆所以贊美此物 然其本意 與孟子性善之說 相去萬里 彼所言者 本體之虛靈奇妙也 此所言者 謂其能樂善恥惡 如水之就下也 豈同趣之言乎……孟子曰動心忍性 此所云性者 人心之嗜好也……孟子曰性善 此所云性者 道心之嗜好也 雖其所主不同 其以嗜好爲性則同……今人以人心爲氣質之性 以道心爲義理之性 不知心之與性 所指不同 性之爲字 專主好惡而言 豈可以心而爲性乎……

天之於人 予之以自主之權 使其欲善則爲善 欲惡則爲惡 游移不定 其權在己 不似禽

獸之有定心 故爲善則實爲己功 爲惡則實爲己罪 此心之權也 非所謂性也 揚雄誤以

爲性 故乃謂之善惡渾〕

이는 茶山이 가장 근원적인 것을 '性'이 아닌 '心'으로 보는 설이다. 茶山에게 있어
仁·義·禮·智는 心을 통해 형성해낸, 二次的이고 心外在的인 도덕규범으로 규정되
며, 性은 心의 嗜好에 불과한 것으로 설명된다.

集註│道는 言也라 性者는 人所稟於天以生之理也니 渾然至善하여 未嘗有惡이라
人與堯舜이 初無少異로되 但衆人은 汨於私欲而失之하고 堯舜則無私欲之蔽而能
充其性爾라 故로 孟子與世子言에 每道性善하사되 而必稱堯舜以實之하시니 欲其
知仁義不假外求요 聖人可學而至하여 而不懈於用力也라 門人이 不能悉記其辭하
고 而撮其大旨如此[245]하니라

程子曰 性卽理也니 天下之理 原其所自하면 未有不善이니 喜怒哀樂未發에 何嘗不
善[246]이리오 發而中節이면 卽無往而不善이요 發不中節然後에 爲不善이라 故로 凡言
善惡에 皆先善而後惡하고 言吉凶에 皆先吉而後凶하고 言是非에 皆先是而後非니라

---

245 門人……而撮其大旨如此 : 慶源輔氏(輔廣)는 "朱子가 이미 《孟子》를 孟子가 직접 저술한 것으로 단
정하였으니, 그렇다면 이와 같은 부분은 마땅히 모두 고쳐야 하는데, 이는 後來에 미처 고치지 못한 것
이다.[朱子旣斷孟子之書 以爲孟子自著 則似此處 皆當改 此是後來不曾改得]" 하였다. 朱子는 〈孟
子集註序說〉에 《史記》 〈孟子列傳〉의 "仲尼의 뜻을 기술하여 《孟子》 7편을 지었다."라는 말을 인용하
고, 그 註에 韓愈의 "孟軻의 책은 孟軻가 스스로 지은 것이 아니라, 孟軻가 죽은 뒤에 그 문도인 萬章
과 公孫丑가, 孟軻가 일찍이 말씀한 것을 서로 기록한 것이다.[孟軻之書 非軻自著 軻旣歿 其徒萬章
公孫丑 相與記軻所言耳]"라고 한 것을 함께 인용하고, "내가 살펴보건대 두 가지 설이 같지 않은바,
《史記》가 옳을 듯하다."라고 하여, 自著論을 지지하였다. 또 吳必大에게 답한 편지에서 "이전의 설(《孟
子集註序說》의 自著說)이 옳다. 뒤의 두 곳은 잘못되었다. 7편을 익숙히 읽어보면 필체가 마치 쇠를 녹
여 주조하여 이루어진 것과 같음을 볼 수 있으니, 엮어 모아서 이루어진 것이 아니다.[前說是 後兩處失
之 熟讀七篇 觀其筆勢 如鎔鑄而成 非綴緝所就也]"하여, 《朱子大全 答吳伯豐》 自著論을 분명히
지지하였다.

246 喜怒哀樂未發 何嘗不善 : 茶山은 "喜怒哀樂이 發하지 않은 것을 中이라고 한 것은, 君子가 戒愼恐
懼하여 愼獨의 공부를 다하면 中을 잡아 마음에 보유하고 있어서 편벽되지 않고 치우치지 않으니, 다
만 사물과 접하지 않았을 적에 喜怒哀樂이 發함이 없음을 말한 것일 뿐이다. 어찌 人性의 本體를 이
른 것이겠는가. 朱子가 《中庸或問》에서 논한 바가 이와 같다.[喜怒哀樂未發謂之中者 謂君子戒愼恐
懼 盡其愼獨之工 則執中在心 不偏不倚 特不與物接 未有喜怒哀樂之發耳 豈人性本體之謂乎 朱
子於中庸或問 所論如此]"하였다. 茶山은 未發을 '思慮未萌'의 의미로 확장하지 않고 다만 喜怒哀
樂 감정의 未發로 보았으며, 心內在的인 性을 인정하지 않았으므로 未發의 中을 性과 관련하여 이해
하지 않은 것이다.

··· 稟 받을품 渾 온전할혼 汨 빠질골 蔽 가릴폐 假 빌릴가, 懈 게으를해 悉 다실 撮 뽑을촬 原 근원원
自 부터자 中 맞을중 節 절도(節度)절

'道'는 말함이다. 性은 사람이 하늘에서 받아서 태어난 理이니, 혼연히(완전히) 지극히 善하여 일찍이 惡함이 있지 않다. 衆人(일반인)과 堯·舜이 처음에는 조금도 다름이 없었으나 다만 衆人들은 私慾에 빠져 이것을 잃었고 堯·舜은 사욕의 가림이 없어 능히 그 本性을 채웠을 뿐이다. 그러므로 孟子께서 世子와 더불어 말씀할 적에 매양 性의 善함을 말씀하시되 반드시 堯·舜을 칭하여 실증하신 것이니, 仁義는 밖에서 구함을 기다리지 않고 聖人은 배워서 이를 수 있음을 알아서 힘을 씀에 게을리하지 않게 하고자 하신 것이다. 門人들이 그 말씀을 다 기록하지 못하고, 그 大旨(大意)를 뽑기를 이와 같이 한 것이다.

程子(伊川)가 말씀하였다. "性은 바로 理이다. 천하의 理가 그 나온 바를 근원해 보면 善하지 않음이 없으니, 喜怒哀樂이 發하지 않았을 적에 어찌 일찍이 善하지 않겠는가. 〈喜怒哀樂이〉發하여 節度에 맞으면 가는 곳마다 善하지 않음이 없고, 發하여 節度에 맞지 않은 뒤에야 不善(善하지 않음)이 된다. 그러므로 무릇 善·惡을 말할 적에 다 善을 먼저 하고 惡을 뒤에 하며, 吉凶을 말할 적에 다 吉을 먼저 하고 凶을 뒤에 하며, 是·非를 말할 적에 다 是를 먼저 하고 非를 뒤에 하는 것이다."

1-3. 世子自楚反하여 復見孟子한대 孟子曰 世子는 疑吾言乎잇가 夫道는 一而已矣니이다

世子가 楚나라에서 돌아와 다시 孟子를 만나보자, 孟子께서 말씀하셨다. "世子는 내 말을 의심하십니까? 道는 하나(同一함)일 뿐입니다.

集註 | 時人이 不知性之本善하여 而以聖賢爲不可企及이라 故로 世子於孟子之言에 不能無疑하여 而復來求見하니 蓋恐別有卑近易行之說也라 孟子知之라 故로 但告之如此하여 以明古今聖愚本同一性하니 前言已盡하여 無復有他說也라

당시 사람들이 性이 본래 善하다는 것을 알지 못하여 聖賢을 바라서 미칠 수 없다고 여겼다. 그러므로 世子가 孟子의 말씀에 대해 의심이 없지 못하여 다시 와서 만나보기를 구한 것이니, 卑近하여 행하기 쉬운 말씀이 별도로 있을까 해서였다. 孟子께서 이것을 아셨으므로 다만 말씀해 주시기를 이처럼 하여 古今과 聖愚가 본래 똑같은 한 性이니, 지난번 말이 이미 극진하여 다시 다른 말이 없음을 밝히신 것이다.

••• 反 돌아올 반 復 다시 부 疑 의심할 의 企 바랄 기 盡 다할 진

1-4. 成覸이 謂齊景公曰 彼丈夫也며 我丈夫也니 吾何畏彼哉리오하며
顔淵曰 舜何人也며 子何人也오 有爲者亦若是라하며 公明儀曰 文王은
我師也라하시니 周公이 豈欺我哉시리오하나이다

成覸이 齊나라 景公에게 이르기를 '저(聖賢)도 丈夫이며 나도 丈夫이니, 내 어찌 저
聖賢을 두려워하겠는가.' 하였으며, 顔淵이 말씀하기를 '舜임금은 어떠한 사람이며 나
는 어떠한 사람인가. 훌륭한 일을 하는 자는 또한 이 舜임금과 같다.' 하였으며, 公明儀
가 말하기를 〈周公이〉「文王은 나의 스승이다.」라고 하셨으니, 周公이 어찌 나를 속
이셨겠는가.' 하였습니다.

按說 | '文王我師也'에 대하여, 朱子는 周公의 말로 보았으나 趙岐는 公明儀의 말로
보아,

文王을 스승으로 삼고 周公을 믿은 것은 그 본받을 바를 알았음을 말한 것이다.〔師文王 信
周公 言其知所法則也〕

하였다. 이에 대해 茶山은 趙岐와 朱子의 說 가운데 어느 것이 옳은지 자세하지 않다고
하였으나,

〈孔子의 아들〉伯魚가 "孔子는 나의 스승이다"라고 하고, 〈曾子의 아들〉曾申이 "曾子는
나의 스승이다"라고 말할 리가 없을 듯하다.〔伯魚曰孔子我師也 曾申曰曾子我師也 恐無
此理〕

라고 하여, 趙岐의 註에 비중을 두었다.

集註 | 成覸은 人姓名이라 彼는 謂聖賢也라 有爲者亦若是는 言人能有爲면 則皆如
舜也라 公明은 姓이요 儀는 名이니 魯賢人也라 文王我師也는 蓋周公之言이니 公明
儀亦以文王爲必可師라 故로 誦周公之言하고 而歎其不我欺也라 孟子旣告世子
以道無二致하고 而復引此三言以明之하시니 欲世子篤信力行하여 以師聖賢이요 不
當復求他說也라

成覸은 사람의 姓名이다. '彼'는 聖賢을 이른다. '有爲者亦若是'는 사람이 훌륭한 일을

⋯ 覸 엿볼 간 景 볕 경 顔 얼굴 안 淵 못 연 儀 거동 의 豈 어찌 기 欺 속일 기 誦 외울 송

함이 있으면 모두 舜임금과 같음을 말한 것이다. 公明은 姓이요 儀는 이름이니, 魯나라의 賢人이다. '文王我師也'는 아마도 周公의 말씀인 듯하니, 公明儀 또한 반드시 文王을 스승 삼을 만하다고 생각하였으므로 周公의 말씀을 외고, '나를 속이지 않았다.'고 감탄한 것이다. 孟子께서 이미 世子에게 道가 두 가지가 없음을 말씀하였고 다시 세 말씀을 인용하여 밝히셨으니, 世子가 독실히 믿고 힘써 행해서 聖賢을 스승 삼을 것이요, 다시 다른 말을 구하지 않게 하고자 하신 것이다.

1-5. 今滕을 絶長補短이면 將五十里也나 猶可以爲善國이니 書曰 若藥이 不暝眩이면 厥疾이 不瘳라하니이다

이제 滕나라를 긴 곳을 잘라 짧은 곳을 보충하면 거의 50리가 되지만 그래도 善한 나라가 될 수 있습니다. 《書經》에 이르기를 '藥이 독하여 정신이 어지럽지 않으면 그 病이 낫지 않는 것과 같다.' 하였습니다."

按說 | '書曰 若藥不暝眩 厥疾不瘳'에 대하여, 朱子는

> 暝眩의 약을 복용하여 깊은 고질병을 제거하는 것처럼 하고, 단지 悠悠(범범히)해서는 안 되는 것이다.〔如服暝眩之藥 以除深錮之病 直是不可悠悠耳〕《朱子大全 答李叔文》

하였으며, 또

> 사람이 성현이 되려고 하면 모름지기 용맹하게 분발해서 暝眩의 약을 먹은 것과 같게 해야 한다.〔人要爲聖賢 須是猛起 服暝眩之藥相似〕《語類》

하였다. 揚雄의 《方言》에

> 무릇 약을 마시거나 붙였다가 중독된 것을……齊나라와 渤海·泰山 사이에서 暝이라하고 혹은 眩이라 한다.〔凡飮藥傅藥而毒……東齊海岱之間 謂之暝 或謂之眩〕

하였다.

諺解의 해석에는 모두 '藥이 暝眩티 아니ᄒ면 그 疾이 瘳티 몯홈이 ᄀᆞ다 ᄒᆞ니이다'로 되어 있는데, 壺山은 이에 대하여

···　絶 끊을 절　補 기울 보　暝 어지러울 명　眩 어지러울 현　厥 그 궐　瘳 병나을 추

諺解는《書經》본문의 文勢를 따라 '若'字를 '瘳'자 아래에서 해석하였으니, 다시 그 인용한 문세를 살펴보는 것이 옳을 것이다.〔諺解依書本文之勢 以若字 釋於瘳下 更詳其引用之文勢可也〕

하였다. 이는《書經》의 文勢는 비유법을 시용한 것으로, '若'을 '같다'로 풀이하였으나, 여기서는 '만약'으로 해석하여 '만약 藥이 瞑眩하지 않으면 그 疾이 낫지 않습니다'로 해석해야 함을 말한 것이다.

集註 | 絶은 猶截也라 書는 商書說(열)命篇이라 瞑眩은 憒亂이라 言 滕國雖小나 猶足爲治니 但恐安於卑近하여 不能自克이면 則不足以去惡而爲善也라

'絶'은 截과 같다.《書經》은〈商書 說命〉篇이다. '瞑眩'은 어지러움이다. 滕나라가 비록 작으나 그래도 다스려질 수 있으니, 다만 卑近함에 안주하여 스스로 극복하지 못하면 惡을 제거하고 善을 행하지 못할까 두렵다고 말씀한 것이다.

章下註 | ○ 愚按 孟子之言性善이 始見(현)於此하고 而詳具於告子之篇이라 然이나 默識而旁通之하면 則七篇之中이 無非此理니 其所以擴前聖之未發而有功於聖人之門이니 程子之言[247]이 信矣로다

○ 내가 살펴보건대, 孟子께서 性善을 말씀하신 것이 여기에 처음으로 보이고〈告子〉篇에 자세히 갖추어져 있다. 그러나 묵묵히 알고 사방으로 통달한다면《孟子》7篇 가운데 이 이치 아닌 것이 없다. 이전의 聖人들이 미처 發明하지 못한 것을 확충하여 聖人의 문하에 功이 있으니, 程子의 말씀이 참으로 옳다.

|滕定公薨章(喪禮章)|

2-1. 滕定公이 薨커늘 世子謂然友曰 昔者에 孟子嘗與我言於宋이어시늘 於心에 終不忘이러니 今也 不幸하여 至於大故호니 吾欲使子로 問於

---

247 程子之言 :〈序說〉에 보이는 "孟子有功於聖門 不可勝言"과 "孟子有大功於世 以其言性善" 및 "孟子性善養氣之論 皆前聖所未發" 등을 가리킨 것으로 明道와 伊川의 말씀이 섞여 있다.

··· 截 끊을 절 憒 어지러울 궤 按 살필 안 黙 잠잠할 묵 旁 곁 방 擴 넓힐 확 薨 죽을 훙 忘 잊을 망

孟子然後에 行事하노라

滕나라 定公이 죽자, 世子가 然友에게 말하였다. "지난번에 孟子께서 일찍이 나와 宋나라에서 말씀하셨는데, 내 마음에 끝내 잊지 못하였다. 이제 불행하여 大故를 당하였으니, 내 그대로 하여금 孟子에게 물은 뒤에 장례하는 일을 행하고자 하노라."

集註 | 定公은 文公父也라 然友는 世子之傅也라 大故는 大喪也라 事는 謂喪禮라

定公은 文公의 아버지이다. 然友는 世子의 師傅이다. '大故'는 大喪이다. '事'는 喪禮를 이른다.

2-2. 然友之鄒하여 問於孟子한대 孟子曰 不亦善乎아 親喪은 固所自盡也니 曾子曰 生事之以禮하며 死葬之以禮하며 祭之以禮면 可謂孝矣라하시니 諸侯之禮는 吾未之學也어니와 雖然이나 吾嘗聞之矣로니 三年之喪에 齊(자)疏之服과 飦粥之食은 自天子로 達於庶人하여 三代共之하니라

然友가 鄒땅에 가서 孟子에게 묻자, 孟子께서 말씀하셨다. "좋지 않은가. 親喪은 진실로 스스로 극진히 해야 하는 것이다. 曾子께서 말씀하시기를 '살아서는 섬기기를 禮로써 하며 죽어서는 장례하기를 禮로써 하며 제사하기를 禮로써 하면 孝라고 이를 수 있다.' 하셨으니, 諸侯의 禮는 내가 아직 배우지 않았지만 그러나 내 일찍이 들었으니, 삼년상에 齊疏의 상복을 입으며 미음과 죽을 먹는 것은 天子로부터 庶人에 이르기까지 三代가 공통이었다."

按說 | '親喪 固所自盡也'에 대하여, 楊伯峻은 《論語》〈子張〉에 "曾子가 말씀하기를 '내 夫子(孔子)께 들으니, 사람이 스스로 지극히 하는 자가 있지 못하나 반드시 親喪에서는 지극히 한다.〔吾聞諸夫子 人未有自致者也 必也親喪乎〕" 한 말을 인용하여 설명하였다.

··· 傅 스승부 鄒 나라이름 추 葬 장사지낼 장 齊 상복아랫단꿰맬 자 疏 거칠 소 飦 미음 전 粥 죽 죽 達 이를 달

'生'과 '死'에 대하여, 壺山은

'生'과 '死'는 官本諺解의 해석이 《論語》와 모순된다.〔生死 諺釋與論語矛盾〕

하였다. 《孟子》官本諺解의 해석은 '生을 事호디 禮로뻐 ᄒ며 死를 葬호디 禮로뻐 ᄒ
며'로 되어 있는데, 《論語》〈爲政〉5장에는 '사라실 쩨 셤김을 禮로뻐 ᄒ며 죽음애 葬홈
을 禮로뻐 ᄒ며'로 되어 있으므로 말한 것이다. '死'는 葬과 祭를 겸하여 말한 것으로 《論
語》의 諺釋을 따르는 것이 옳다고 생각된다. 참고로 栗谷諺解에는 '生애 事호믈 禮로뻐
ᄒ고 死애 葬호믈 禮로뻐 ᄒ고'라 하여 《論語》의 해석과 같다. '生事之以禮, 死葬之以
禮, 祭之以禮'의 세 句는 《論語》〈爲政〉에 보인다.

集註 | 當時諸侯 莫能行古喪禮어늘 而文公이 獨能以此爲問이라 故로 孟子善之하
시니라 又言 父母之喪은 固人子之心에 所自盡者니 蓋悲哀之情과 痛疾之意 非自
外至니 宜乎文公於此에 有所不能自已也라 但所引曾子之言은 本孔子告樊遲者
니 豈曾子嘗誦之하여 以告其門人歟[248]아 三年之喪者는 子生三年然後에 免於父
母之懷라 故로 父母之喪을 必以三年也[249]라 齊는 衣下縫也니 不緝曰斬衰(최)요 緝
之曰齊衰라 疏는 麤也니 麤布也라 飦은 糜也라 喪禮에 三日에 始食粥하고 旣葬에 乃
疏食(사)[250]하니 此古今貴賤通行之禮也라

당시 諸侯 중에 능히 옛 喪禮를 행하는 자가 없었는데, 文公이 홀로 이것을 질문하였으므
로 孟子께서 좋게 여기신 것이다. 또 父母의 喪은 진실로 자식의 마음에 극진히 해야 할 바

---

248 豈曾子嘗誦之 以告其門人歟 : '豈'는 '아마도'로 해석하기도 하고, '豈不'과 '豈非'의 생략으로 보아 '어
찌 曾子가 일찍이 외워서 그 門人들에게 告하신 것이 아니겠는가'로 해석하기도 한다.

249 三年之喪者……必以三年也 : 이 내용은 《論語》〈陽貨〉 21장에 보인다.

250 喪禮……乃疏食 : 《禮記》〈喪大記〉에 "군주의 喪에 孝子와 大夫와 公子와 衆士들은 모두 3일 동안
먹지 않고, 孝子와 大夫와 公子는 죽을 먹고……衆士들은 거친 밥을 먹고 물을 마시며……夫人과 世
婦와 諸妻들은 모두 거친 밥을 먹고 물을 마신다.……大夫의 喪에는 主人과 室老와 손자〔子姓〕들은
모두 죽을 먹고 衆士들은 거친 밥을 먹고 물을 마시며,〔室老는 貴臣을 이르고 衆士는 衆臣을 이른다.〕妻妾
들은 거친 밥을 먹고 물을 마시니, 士의 喪에도 이와 같이 한다. 장례를 마치면 주인은 거친 밥을 먹고
물을 마시고 채소와 과일을 먹지 않으며 婦人도 이와 같이 하니, 군주와 大夫와 士가 동일하다. 練祭
(小祥祭)를 지내고서 채소와 과일을 먹고, 大祥祭를 지내고서 고기를 먹는다.〔君之喪 子大夫公子衆
士 皆三日不食 子大夫公子 食粥……士當食水飮……夫人世婦諸妻 皆當食水飮……大夫之喪 主
人,室老,子姓 皆食粥 衆士當食水飮【室老 其貴臣也 衆士 謂衆臣】妻妾當食水飮 士亦如之 旣葬 主人
當食水飮 不食菜果 婦人亦如之 君大夫士一也 練而食菜果 祥而食肉〕"하였다.

··· 疾 병질, 괴로울질 樊 울타리 번 遲 더딜 지 懷 품을 회 縫 꿰맬 봉 緝 꿰맬 집 衰 상복 최 麤 거칠 추
糜 미음 미

라고 말씀하신 것이다. 슬퍼하는 情과 애통해 하는 마음이 밖으로부터 온 것이 아니니, 文公이 마땅히 여기에 스스로 그만둘 수 없는 슬픈 情이 있었을 것이다. 다만 여기에 인용한 曾子의 말씀은 본래 孔子께서 樊遲에게 말씀해 주신 것이니, 아마도 曾子가 일찍이 외워서 그 문인들에게 말씀하신 듯하다. 三年喪을 하는 것은, 자식이 태어난 지 3년이 지난 뒤에 父母의 품을 면하므로 父母의 喪을 반드시 3년으로 하는 것이다. '齊'는 옷의 아랫단을 꿰맨 것이니, 꿰매지 않은 것을 斬衰라 하고, 꿰맨 것을 齊衰라 한다. '疏'는 거침이니, 거친 삼베이다. '飦'은 미음이다. 喪禮에 〈부모가 죽은 지〉 3일이 되어야 비로소 죽을 먹고, 장례를 지내고서야 거친 밥을 먹으니, 이는 古今과 貴賤이 통행하는 禮이다.

2-3. 然友反命하여 定爲三年之喪한대 父兄百官이 皆不欲曰 吾宗國魯先君도 莫之行하시고 吾先君도 亦莫之行也하시니 至於子之身而反之不可하니이다 且志曰 喪祭는 從先祖라하니 曰吾有所受之也니이다

然友가 反命(復命)하여 三年喪을 하기로 정하자, 父兄과 百官이 모두 하려고 하지 않으면서 말하기를 "우리의 宗國(종주국)인 魯나라 先君께서도 이것을 행하지 않으셨고 우리 先君께서도 또한 행하지 않으셨으니, 子의 몸에 이르러 이것을 뒤집는 것은 불가합니다. 또 옛 기록에 이르기를 '喪禮와 祭禮는 선조를 따른다.' 하였으니, 이것은 우리들이 전수받은 바가 있기 때문이란 것입니다." 하였다.

集註 | 父兄은 同姓老臣也라 滕與魯는 俱文王之後로되 而魯祖周公爲長하니 兄弟宗之[251]라 故로 滕謂魯爲宗國也라 然이나 謂二國不行三年之喪者는 乃其後世之

---

251 滕與魯……兄弟宗之:《集註》의 이 내용은 《禮記》〈喪服小記〉의 "別子는 祖가 되고, 別子를 이은 것은 大宗이 된다.〔別子爲祖 繼別爲宗〕"에 근거한 것이다. 陳澔의 《禮記集說》에 "別子는 셋이 있다. 첫 번째는 諸侯의 適子의 아우이니 正適과 구별하는 것이요, 두 번째는 異姓 公子로 타국으로부터 온 자이니 타국에서 오지 않고 본국에 있던 자와 구별하는 것이요, 세 번째는 여러 姓으로 이 나라에서 일어나 卿大夫가 된 자이니 벼슬하지 않는 자와 구별하는 것인데, 이들을 모두 別子라 칭한다. '祖가 되었다.'는 것은 後世와 구별하여 시조가 된 것이다. '別子를 이은 것이 宗이 된다.'는 것은, 별자의 뒤에 대대로 適長子가 別子를 이어서 族人들과 백세토록 옮기지 않는 大宗이 된 것이다.〔別子有三 是諸侯適子之弟 別於正適 二是異姓公子來自他國 別於本國不來者 三是庶姓之起於是邦 爲卿大夫 而別於不仕者 皆稱別子也 爲祖者 別與後世 爲始祖也 繼別爲宗者 別子之後 世世以適長子繼別子 與族人 爲百世不遷之大宗也〕" 하였다. '適長子가 大宗이 된다'는 것은 鄭玄의 註를 따른 것인데, 朱子도 鄭玄의 뜻을 취해 '宗國'의 '宗'을 大宗의 뜻으로 본 것이다. 그러나 茶山은 《禮記》〈大傳〉에 "小宗

··· 反 뒤집을 반

失이요 非周公之法本然也²⁵²라 志는 記也라 引志之言而釋其意하여 以爲所以如此
者는 蓋爲上世以來로 有所傳受하니 雖或不同이나 不可改也라 然이나 志所言은 本
謂先王之世 舊俗所傳으로 禮文小異나 而可以通行者耳요 不謂後世失禮之甚者
也니라

'父兄'은 同姓의 늙은 신하이다. 滕나라와 魯나라는 모두 文王의 후손인데 魯나라의 시조
인 周公이 맏이가 되니, 형제간에 그를 종주로 삼았다. 이 때문에 滕나라가 魯나라를 일러
종국이라 한 것이다. 그러나 두 나라가 삼년상을 행하지 않았다고 말한 것은 바로 후세의 잘
못이요, 周公의 법이 본래 그러한 것은 아니다. '志'는 기록한 책이다. 기록한 책의 말을 인
용하고, 그 뜻을 해석하여 '이와 같이 하는 까닭은 上世(先代) 이래로 전수받은 바가 있어
서이니, 비록 혹 똑같지 않더라도 고칠 수 없다.'고 하였으나 기록에서 말한 것은 본래 先王
세대의 옛 풍속에 전해오는 것으로 禮文은 조금 다르지만 通用할 수 있는 것을 말했을 뿐이
요, 後世에 심하게 禮에 맞지 않는 것을 말한 것은 아니다.

2-4. 謂然友曰 吾他日에 未嘗學問이요 好馳馬試劍하더니 今也에 父兄

은 있고 大宗이 없는 경우가 있으며, 大宗은 있고 小宗이 없는 경우가 있으며, 宗이 없고 또한 宗으로
삼을 만한 자가 없는 경우가 있으니, 公子가 이것이다.〔有小宗而無大宗者 有大宗而無小宗者 有無宗
亦莫之宗者 公子是也〕" 한 것을 인용하여, 鄭玄의 註가 잘못된 것으로 보았다. 茶山은《春秋左傳》
에 '同姓의 맹약'을 '宗盟'이라 하고《國語》〈晉語〉에 '同姓의 나라'를 '宗國'이라 한 것을 들어, 여기의
'宗國'을 '同姓의 나라'로 보았다. 趙岐는 "滕과 魯는 同姓으로 모두 文王에게서 나왔다. 魯나라는 周
公의 후손이고 滕나라는 叔繡의 후손이다. 聖人(周公)을 존경하였기 때문에 魯를 宗으로 여긴 것이
다.〔滕魯同姓 俱出文王 魯 周公之後 滕 叔繡之後 敬聖人 故宗魯者也〕" 하였다. 文王의 正妃인 太
姒의 아들은 모두 10人이다. 周公이 그 중 몇 째인지는 불분명하다.《史記》〈管蔡世家〉에는 '長子는 伯
邑考, 둘째는 武王 發, 셋째는 管叔 鮮, 넷째는 周公 旦'이라 하였고,《列女傳》〈周室三母〉에는 '周公
이 셋째, 管叔이 넷째'라고 하였다.《集註》에 "周公이 맏이가 된다.〔周公爲長〕"라고 한 것은 文王 생전
에 죽은 伯邑考와 왕이 된 武王 發을 제외하고 長이라는 것이다. 楊伯峻은 "周公의 항렬이 비교적 높
았기 때문에 나머지 姬姓의 여러 나라들이 모두 魯나라를 宗國으로 삼은 것이다." 하였다.

252 二國不行三年之喪者……非周公之法本然也 : 朱子는 이 당시 魯나라에서 三年喪을 행하지 않은 것
으로 보았으나, 茶山은 殷나라 高宗의 禮法이나 周公의 禮法으로 三年喪을 행하지 않았을 뿐이고,
당시에도 三年喪이 행해졌으며, 다만 임금에 따라 그 禮法이 일정하지 않아 행하기도 하고 혹 행하지
않기도 한 것이라 하였다. 茶山은 "3년 동안 말하지 않는 禮는 殷나라 禮이고 周나라 禮가 아니다. 周
나라 禮는 오직 장례를 지내기 전까지만 命令을 내지 않았다.〔至於三年不言之禮 此是殷禮 不是周禮
周禮惟未葬不出命令〕" 하고, 또 "'魯나라 先君께서도 이것을 행하지 않았다.'고 한 것은 전혀 행하지
않았다는 것이 아니요, 殷나라 高宗처럼 하지 못했다고 말한 것일 뿐이다.〔惟所謂魯先君之莫之行 不
是全莫之行 蓋云不得如殷高宗而已〕" 하였다.

··· 釋풀석 馳달릴치 劍칼검

百官이 不我足也하니 恐其不能盡於大事하노니 子爲我問孟子하라 然
友復之鄒하여 問孟子한대 孟子曰 然하다 不可以他求者也라 孔子曰 君
薨커시든 聽於冢宰하나니 歠粥하고 面深墨하여 卽位而哭이어든 百官有司
莫敢不哀는 先之也라 上有好者면 下必有甚焉者矣니 君子之德은 風
也요 小人之德은 草也니 草尙之風이면 必偃이라하시니 是在世子하니라

世子가 然友에게 이르기를 "내 지난날에 일찍이 학문을 하지 않고 말달리기와 칼쓰기
를 좋아하였는데, 지금 父兄과 百官들이 나를 만족하게 여기지 않으니, 그 大事에 禮
를 다하지 못할까 염려스러우니, 그대는 나를 위하여 孟子에게 다시 물어보라." 하였다.
然友가 다시 鄒땅에 가서 孟子에게 묻자, 孟子께서 말씀하셨다. "그러하겠다. 다른 데
서 찾을 것이 없다. 孔子께서 말씀하시기를 '임금이 죽으면 〈世子는 모든 정사를 冢宰
에게 위임하여 百官들이〉 冢宰에게 명령을 듣는다. 〈世子가〉 죽을 먹고 얼굴이 짙은
흑색이 되어 상주의 자리에 나아가 곡을 하면 百官과 有司들이 감히 슬퍼하지 않는 이
가 없는 것은, 윗사람이 솔선하기 때문이다. 위에서 〈무엇을〉 좋아하면 아래에는 반드시
그보다 더 심함이 있는 것이다. 君子(爲政者)의 德은 비유하면 바람이요 小人(백성)
의 德은 풀이니, 풀 위에 바람이 가해지면 반드시 그리로 쏠린다.' 하셨으니, 이것은 世
子에게 달려 있다."

按說 | '其不能'의 '其'字에 대하여, 楊伯峻은

이 '其'字는 진실로 世子 자신을 가리키는 말로 보아야 하니, 古人들은 본래 삼인칭의 대명
사를 빌려 자신을 가리킨 例가 있었다. 그러나 趙岐의 注에 父兄과 百官을 가리킨다고 한
것도 통한다.

하였다.
壺山은 '君子之德'의 '德'에 대하여,

德은 道와 같다.〔德 猶道也〕

하였고, '尙之風'에 대하여

··· 然 옳게여길 연 冢 우두머리 총 宰 재상 재 歠 마실 철 墨 먹 묵 卽 나아갈 즉 哭 울 곡 尙 더할 상 偃 누울 언

'바람으로써(바람을) 더하다.'란 말과 같다.〔猶言尙以風〕

하였다.

集註 | 不我足은 謂不以我滿足其意也라 然者는 然其不我足之言[253]이라 不可他求者는 言當責之於己라 冢宰는 六卿之長也라 歠은 飮也라 深墨은 甚黑色也라 卽은 就也라 尙은 加也니 論語에 作上하니 古字에 通也라 偃은 伏也라 孟子言 但在世子自盡其哀而已라하시니라

'不我足'은 나를 그들의 뜻에 만족스럽게 여기지 않음을 이른다. '然'은 나를 만족스럽게 여기지 않는다는 말을 옳게 여긴 것이다. '다른 데서 찾을 수 없다.'는 것은 마땅히 자신에게 책해야 함을 말씀한 것이다. '冢宰'는 六卿의 우두머리이다. '歠'은 마심이다. '深墨'은 짙은 흑색이다. '卽'은 나아감이다. '尙'은 加함이다. 《論語》〈顔淵〉에는 '上'으로 되어 있으니, 古字에 통용되었다. '偃'은 엎드림이다. 孟子께서는 단지 世子가 스스로 슬픔을 다함에 달려있을 뿐이라고 말씀하신 것이다.

2-5. 然友反命한대 世子曰 然하다 是誠在我라하고 五月居廬하여 未有命戒어늘 百官族人이 可謂曰知라하며 及至葬하여 四方이 來觀之하더니 顔色之戚과 哭泣之哀에 弔者大悅하더라

然友가 복명하자, 世子가 말하기를 "그렇다. 이것은 진실로 나에게 달려 있다." 하고, 5개월 동안 廬幕에 거처하여 명령과 敎戒함이 있지 않았다. 이에 百官과 宗族들이 다 말하기를 "禮를 안다." 하였으며, 장례 때에 이르러 사방에서 와서 구경하였는데, 슬퍼하는 안색과 애처로운 곡읍에 조문하는 자들이 크게 기뻐하였다.

按說 | '可謂曰知'의 '可'에 대하여, 慶源輔氏(輔廣)는

'可'자는 마땅히 '皆'자가 되어야 하니, 만일 '可'자로 읽으면 文理가 통하지 않는다.〔可當

---

253 然者 然其不我足之言 : 朱子는 '然'을 '옳게 여기다'의 뜻으로 해석하였으나, 옛날 문답할 적에 상투적으로 然이나 諾을 놓았는바, '옳다'의 뜻이 아니고 단지 남의 말을 인정하는 형식적인 글자로 보인다. 예컨대 '알겠다'는 표현이 아닌가 여겨진다. 아래 經文의 '世子曰 然'도 같다.

··· 滿 찰 만 廬 여막 려 葬 장사지낼 장 戚 슬플 척 泣 울 읍

作皆 如作可 不成文理)

하였는바, 《集註》에 소개된 或者의 설과 같으며, 官本諺解에서도 '다'로 보았다.

集註 | 諸侯는 五月而葬하니 未葬엔 居倚廬於中門之外하니 居喪不言이라 故로 未有命令敎戒也[254]라 可謂曰知는 疑有闕誤하니 或曰 皆謂世子之知禮也라하니라

제후는 5개월에 장례하니, 장례하지 않았을 적에는 中門의 밖에 있는 倚廬(임시로 만든 여막)에 거처한다. 居喪 중에는 말하지 않으므로 명령과 敎戒(가르침과 훈계)를 내리지 않은 것이다. '可謂曰知'는 의심컨대 闕文(빠진 부분)이나 誤字가 있는 듯하니, 혹자는 "모두들 世子가 禮를 안다고 말하였다." 한다.

章下註 | ○林氏曰 孟子之時에 喪禮旣壞라 然이나 三年之喪에 惻隱之心과 痛疾之意는 出於人心之所固有者하여 初未嘗亡(무)也언마는 惟其溺於流俗之弊하여 是以로 喪其良心而不自知耳라 文公이 見孟子而聞性善堯舜之說하니 則固有以啓發其良心矣라 是以로 至此而哀痛之誠心이 發焉이러니 及其父兄百官이 皆不欲行하여는 則亦反躬自責하여 悼其前行之不足以取信하고 而不敢有非其父兄百官之心하니 雖其資質이 有過人者나 而學問之力을 亦不可誣也[255]라 及其斷然行之하여는 而遠近見聞이 無不悅服하니 則以人心之所同然者로 自我發之하여 而彼之心悅誠服이 亦有所不期然而然者하니 人性之善이 豈不信哉리오

○林氏(林之奇)가 말하였다. "孟子 때에 喪禮가 이미 무너졌다. 그러나 부모의 三年喪에 측은해 하는 마음과 애통해 하는 생각은 人心의 고유한 것에서 나와 애당초 일찍이 없지 않

---

254 諸侯五月而葬……未有命令敎戒也 : '倚廬에 거처하는 것'은 《禮記》〈喪大記〉에 "부모의 喪에는 倚廬에 거처하되 진흙을 바르지 않고 거적자리에서 자고 흙 베개를 베며, 초상에 관한 일이 아니면 말하지 않는다.〔父母之喪 居倚廬 不塗 寢苫枕凷(塊) 非喪事 不言〕"라고 보인다. '제후는 5개월에 장례하는 일'은 《春秋左傳》隱公 元年에 "天子는 7개월에 장례하니 同軌가 모두 오고,〔同軌를 말하여 四夷의 나라를 분별하였다.〕諸侯는 5개월에 장사하니 同盟國이 오고, 大夫는 3개월에 장례하니 같은 지위에 있는 官員이 오고, 士는 달을 넘겨 장례하니 인척들이 온다.〔天子七月而葬 同軌畢至【言同軌 以別四夷之國】諸侯五月 同盟至 大夫三月 同位至 士踰月 外姻至〕"라고 보인다. 이는 조문객의 遠近을 기준으로 葬禮하는 기간을 정하였음을 말한 것이다. 同軌는 수레바퀴의 치수가 똑같은 것으로《中庸》에 보인다.

255 學問之力 亦不可誣也 : 世子가 평소 학문을 하지 않아 실력이 없음을 이 사실을 통해 명백하게 알 수 있음을 말한 것이다.

··· 倚 기댈 의, 의지할 의 闕 빠질 궐 誤 그르칠 오 壞 무너질 괴 惻 슬플 측 溺 빠질 닉 弊 폐단 폐 喪 잃을 상 啓 열 계 躬 몸 궁 悼 슬플 도 資 바탕 자 誣 속일 무 斷 끊을 단 服 복종할 복

았다. 다만 流俗의 폐단에 빠졌기 때문에 본래의 良心을 상실하여 스스로 알지 못했을 뿐이다. 文公이 孟子를 뵙고 性善과 堯·舜의 말씀을 들었으니, 진실로 그 良心을 啓發함이 있었다. 이 때문에 이에 이르러 애통해 하는 誠心이 발로하였다. 父兄과 百官이 모두 〈三年喪을〉 행하고자 하지 않음에 이르러서는, 또한 자신에게 되돌려 자책해서 지난날의 행동이 남에게 신임을 받지 못함을 슬퍼하고 감히 父兄과 百官을 비난하는 마음을 갖지 않았으니, 비록 자질이 남보다 뛰어났으나 학문의 功力을 또한 속일 수 없었다. (그러나 또) 단연코 이것(喪禮)을 행함에 이르러는, 遠近의 보고 듣는 자들이 기뻐하고 복종하지 않음이 없었으니, 이는 人心의 똑같이 옳게 여기는 것을 나로부터 發하여, 저들이 마음으로 기뻐하고 진심으로 복종함이 또한 그러하기를 기약하지 않아도 그렇게 된 것이다. 그렇다면, 人性의 善함이 어찌 진실이 아니겠는가."

|問爲國章(井地章)|

3-1. 滕文公이 問爲國한대

滕나라 文公이 나라를 다스리는 것에 대해 묻자,

集註 | 文公이 以禮聘孟子라 故로 孟子至滕에 而文公問之라

文公이 禮로써 孟子를 초빙하였다. 그러므로 孟子께서 滕 나라에 이르심에 文公이 물은 것이다.

3-2. 孟子曰 民事는 不可緩也니 詩云 晝爾于茅요 宵爾索綯(삭도)하여 亟(극)其乘屋이오사 其始播百穀이라하니이다

孟子께서 말씀하셨다. "農事는 느슨히 할 수가 없으니, 《詩經》에 이르기를 '낮이면 가서 띠(풀)를 베어 오고 밤이면 새끼줄을 꼬아서 빨리 그 지붕에 올라가 지붕을 이어야 〈다음 해에〉 비로소 百穀을 파종할 수 있다.' 하였습니다.

按說 | '索綯'에 대하여, 두 諺解에 '索을 綯ᄒ야'로 되어 있는데, 壺山은

⋯ 爲 다스릴 위 聘 초빙할 빙 緩 늦출 완 晝 낮 주 于 가서취할 우 茅 띠풀 모 宵 밤 소 索 새끼줄 삭
綯 새끼꼴 도 亟 빠를 극 乘 오를 승 屋 지붕 옥 播 뿌릴 파 穀 곡식 곡

'索綯'를 諺解에서 '綯索'으로 해석하여 《詩經》의 해석과 똑같지 않으니, 그 文勢를 살펴 보면 마땅히 《詩經》의 해석을 정론으로 삼아야 할 것이다.〔索綯 諺解作綯索釋之 與詩解 不同 觀其文勢 當以詩解爲正〕

하였다. 《詩經集傳》에는 "索은 새끼를 꼬는 것이요, 綯는 새끼줄이다.〔索 絞也 綯 索也〕" 하여 '綯를 索하다'로 해석하였다.

'乘屋'에 대하여, 壺山은

'乘屋'은 諺解의 해석이 《集註》의 뜻과 약간 다르다.〔乘屋 諺讀與集註之意 微不同〕

하였다. 이는 官本諺解에서는 '乘屋'을 새끼줄을 꼬아서 지붕에 올려 덮는 것으로 보았는데, 《集註》에서는 '乘'을 '升(오름)'으로 보아 지붕에 올라가는 것으로 보았으므로 말한 것이다. 楊伯峻은 《詩》 鄭玄의 箋에 "'乘'은 治이다." 한 것을 취하여 지붕을 수선하는 것으로 보았다.

集註 | 民事는 謂農事라 詩는 豳風七月之篇이라 于는 往取也라 綯는 絞也라 亟은 急也라 乘은 升也라 播는 布也라 言農事至重하니 人君이 不可以爲緩而忽之라 故로 引詩言治屋之急이 如此者는 蓋以來春에 將復始播百穀而不暇爲此也라

'民事'는 농사를 이른다. 詩는 〈豳風 七月〉篇이다. '于'는 가서 취함이다. '綯'는 꼬는 것이다. '亟'은 급함이다. '乘'은 오름이다. '播'는 폄이다. 농사는 지극히 중요하니, 人君이 느슨히 하여 輕忽히 할 수 없음을 말씀하신 것이다. 그러므로 《詩經》을 인용하여 "지붕을 다스리기를 급히 함이 이와 같은 까닭은 내년 봄에 장차 다시 百穀을 파종하기 시작하면 이것을 할 겨를이 없기 때문이다."라고 말씀하신 것이다.

3-3. 民之爲道也 有恒産者는 有恒心이요 無恒産者는 無恒心이니 苟無恒心이면 放辟邪侈를 無不爲已니 及陷乎罪然後에 從而刑之면 是는 罔民也니 焉有仁人在位하여 罔民을 而可爲也리오

백성의 道(백성이라는 것)는 떳떳한(일정한) 재산(생업)이 있는 자는 떳떳한 마음이 있고, 떳떳한 재산이 없는 자는 떳떳한 마음이 없으니, 진실로 떳떳한 마음이 없으면 放辟

··· 豳 땅이름 빈(邠同) 絞 새끼꼴 교 忽 소홀할 홀 暇 겨를 가 辟 간사할 벽 侈 사치할 치 陷 빠질 함
罔 속일 망, 그물 망

함과 邪侈함을 하지 않음이 없게 됩니다. 죄에 빠진 뒤에 따라서 이들을 형벌한다면 이 것은 백성을 그물질하는 것이니, 어찌 仁人이 지위에 있으면서 백성을 그물질하는 짓을 할 수 있겠습니까.

按說 │ '民之爲道也'의 '爲道'에 대하여, 壺山은

'爲道'는 '爲物'이란 말과 같다.〔爲道 猶言爲物也〕

하여, '爲'에 특별한 의미를 부여하지 않고, 사람을 지칭할 때 '爲人'이라고 하는 것과 같은 경우로 보았다. '某之爲人'을 '某라는 사람'으로 본다면, '民之爲物' 또한 '백성이라는 것' 의 의미가 될 수 있을 것이다.
楊伯峻은 '爲'를 아래 4章의 '人之有道也'에서의 '有'와 같은 의미라고 하고, "백성들 에게는 하나의 기본적인 情況〔道〕이 있으니"로 번역하였다.

集註 │ 音義並見(현)前篇[256]하니라

音과 뜻이 모두 前篇(梁惠王上)에 보인다.

3-4. 是故로 賢君이 必恭儉하여 禮下하며 取於民이 有制니이다

이러므로 賢君은 반드시 공손하고 검소하여, 아랫사람을 예우하며 백성들에게 취함이 제한이 있는 것입니다.

集註 │ 恭則能以禮接下하고 儉則能取民以制니라

공손하면 능히 禮로써 아랫사람을 접하고, 검소하면 능히 백성들에게서 취함을 제한으로써 한다.

3-5. 陽虎曰 爲富면 不仁矣요 爲仁이면 不富矣라하니이다

---

256 音義並見前篇 : 內閣本에는 別行하지 않고 아랫글과 이어져 있는데, 바로잡고 集註로 처리하였다.

··· 儉 검소할검 虎 범호 富 부유할부

陽虎가 말하기를 '富者가 되려면 仁하지 못하고, 仁을 하려면 富者가 못된다.' 하였습니다.

集註 | 陽虎는 陽貨니 魯季氏家臣也라 天理人欲이 不容並立이라 虎之言此는 恐爲仁之害於富也요 孟子引之는 恐爲富之害於仁也니 君子小人이 每相反而已矣니라

陽虎는 陽貨이니, 魯나라 季氏의 家臣이다. 天理와 人欲은 兩立할 수 없다. 陽虎가 이것을 말한 것은 仁을 함이 富에 해로울까 두려워한 것이요, 孟子가 이것을 引用하신 것은 富를 함이 仁에 해로울까 두려워하신 것이니, 君子와 小人은 매양 相反될 뿐이다.

3-6. 夏后氏는 五十而貢하고 殷人은 七十而助하고 周人은 百畝而徹하니 其實은 皆什一也니 徹者는 徹也요 助者는 藉也니이다

夏后氏는 50畝에 貢法을 썼고 殷나라 사람은 70畝에 助法을 썼고 周나라 사람은 100畝에 徹法을 썼으니, 그 실제는 모두 10분의 1을 한 것입니다. 徹은 통한다는 뜻이요 助는 빌린다는 뜻입니다.

---

257 商人 始爲井田之制 : 茶山은 堯·舜 이전의 上古 시대에 井田制가 시작되었을 것이라고 하였다.

258 以助耕公田 而不復稅其私田 : 《大全》에 "이른바 《公孫丑上》 5장의 '公田을 도와 경작하게 하고 租稅를 받지 않는다.'는 것이다.〔所謂助而不稅〕" 하였다.

259 鄕遂 : 周代에 王城에서 50리 이상 떨어져 있는 지역을 鄕이라 하여 六鄕으로 나누고, 100里 이상 떨어져 있는 지역을 遂라 하여 六遂로 나누었다.

260 十夫有溝 : 100畝를 1夫라 하는데, 《周禮》《地官司徒 遂人》에 "무릇 野를 다스릴 적에 夫 사이에 遂(작은 도랑)가 있으니 遂 위에 徑(작은 길)이 있고, 十夫에 溝(도랑)가 있으니 溝 위에 畛(밭두렁)이 있고, 百夫에 洫(봇도랑)이 있으니 洫 위에 涂(작은 길)가 있고, 千夫에 澮(작은 냇물)가 있으니 澮 위에 道(길)가 있고, 萬夫에 川(냇물)이 있으니 川 위에 路(큰길)가 있어서 王畿에 도달한다.〔凡治野 夫間有遂 遂上有徑 十夫有溝 溝上有畛 百夫有洫 洫上有涂 千夫有澮 澮上有道 萬夫有川 川上有路 以達于畿〕"하였는데, 鄭玄의 註에 "10夫는 2鄰의 田地를 경작하고 100夫는 1酇의 전지를 경작하고 1,000夫는 2鄙의 전지를 경작하고 10,000夫는 4縣의 전지를 경작하였다. 遂·溝·洫·澮는 모두 작은 물을 큰 냇물로 통하게 하는 것이다. 遂는 넓이와 깊이가 각각 2尺이고 溝는 이보다 곱절이고 洫은 溝보다 곱절이며 澮는 넓이가 2尋, 깊이가 2仞이다. 徑·畛·涂·道·路는 모두 수레와 보행자를 國都로 통하게 하는 길이다.〔十夫二鄰之田 百夫一酇之田 千夫二鄙之田 萬夫四縣之田 遂溝洫澮 皆所以涌水於川也 遂廣深各二尺 溝倍之 洫倍溝 澮廣二尋深二仞 徑畛涂道路 皆所以通車徒於國都也〕"하였다. 尋은 10척이고 仞은 8척이다.

··· 后 임금후 貢 바칠공 徹 통할철 藉 빌릴자

集註ㅣ 此以下는 乃言制民常産과 與其取之之制也라 夏時에 一夫受田五十畝하고 而每夫에 計其五畝之入以爲貢이러니 商人이 始爲井田之制[257]하여 以六百三十畝之地로 畫爲九區하니 區七十畝라 中爲公田이요 其外는 八家各授一區하니 但借其力하여 以助耕公田하고 而不復稅其私田[258]이라 周時엔 一夫受田百畝하되 鄕遂[259]엔 用貢法하여 十夫有溝[260]하고 都鄙엔 用助法하여 八家同井[261]하여 耕則通力而作하고 收則計畝而分이라 故로 謂之徹[262]이라 其實皆什一者는 貢法은 固以十分之一로 爲常數하고 惟助法은 乃是九一이나 而商制는 不可攷요 周制則公田百畝에 中以二十畝로 爲廬舍하여 一夫所耕公田이 實計十畝니 通私田百畝하면 爲十一分而取其一[263]이니 蓋又輕於十一矣라 竊料 商制亦當似此하여 而以十四畝로 爲廬舍하여

---

261 八家同井 : 《周禮》〈冬官考工記 匠人〉에 "匠人이 溝洫을 만든다.……9夫가 井이니 井 사이에 넓이가 4尺이고 깊이가 4尺인 것을 溝라 하고, 方 10里가 成이니 成 사이에 넓이가 8尺이고 깊이가 8尺인 것을 洫이라 하고, 方 100里가 同이니 同 사이에 넓이가 2尋(16尺)이고 깊이가 2仞(16尺)인 것을 澮라 한다.〔匠人爲溝洫……九夫爲井 井間廣四尺, 深四尺 謂之溝 方十里爲成 成間廣八尺, 深八尺 謂之洫 方百里爲同 同間廣二尋, 深二仞 謂之澮〕" 하였다. 그 註에 "이는 王畿 안에 采地의 制度이다. 9夫를 1井이라 하는데, 井은 넓이가 1里이니 아홉 명의 농부가 경작하는 넓이의 田地이다.〔此畿內采地之制 九夫爲井 井者方一里 九夫所治之田也〕" 하였다.

262 耕則通力而作……謂之徹 : 朱子는 "이 내용은 자세히 알 수 없고, 다만 〈程子의〉 洛陽의 議論 중에 '通徹하여 耕作한다.'는 말씀을 인하여 추측했을 뿐이다. 혹 경작할 때에만 함께 힘을 합하여 경작하고 수확할 때에는 각자 자기의 畝數를 헤아려 소득으로 삼는 지도 알 수 없다.〔此亦不可詳知 但因洛陽議論中通徹而耕之說 推之耳 或但耕則通力而耕 收則各得其畝 亦未可知也〕" 하였는데,《朱子大全 答吳伯豐》) 茶山은 "'徹'이란 '취하여 가져간다.'는 뜻이다. 힘을 합하여 함께 경작하고 畝數를 계산해서 고르게 나눈다는 것은, 여덟 가구가 노동력을 함께하여 여덟 구역을 경작하고, 가을에 곡식이 익으면 여덟 구역의 수확을 통틀어 8등분하여 각각 한 몫씩 갖는 것을 이르니, 이 법은 불편할 듯하다. 진실로 여덟 가구의 사람 수가 반드시 다 똑같지는 않을 것이니, 들인 노동력이 서로 같을 수 없다. 더구나 그 부지런함과 게으름이 반드시 각각 다를 것인데, 가을 곡식이 익은 후에 어떻게 畝數를 계산해서 고르게 분배할 수 있겠는가. 백성들이 장차 서로 원망할 것이니, 어떻게 시행할 수 있겠는가.〔徹者 取去也 通力合作 計畝均分者 謂八家同力以治八區 及其秋成 通執八區所穫 八分其率 各領一率也 此法恐不便 誠以八家人口 不必皆同 則所致人力 不能相同 況其勤惰 必各不齊 秋成之後 顧何以計畝均分乎 民將胥怨 何以行矣〕" 하였다.

263 周制則公田百畝……爲十一分而取其一 :《漢書》〈食貨志〉에 다음과 같이 보인다. "백성을 다스리는 방도는 〈백성들이〉 地著하는 것을 근본으로 삼는다.【地著은 본토에 편안히 土著함을 이른다.】그러므로 반드시 步法을 세우고 밭두둑을 만들어서 경계를 다스림을 바로잡는바, 6尺이 步, 100步가 畮(畝), 100畮가 夫, 3夫가 屋, 3屋이 井이니, 井은 方 1里이니 이것이 9夫이다. 여덟 農家가 한 井을 함께 경작하여 각각 私田 100畮와 公田 10畮를 받으니 이는 모두 880畮가 되고, 나머지 20畮는 廬舍를 만든다. 〈여덟 農家가〉 나가고 들어올 적에 서로 벗하고, 지키고 망볼 적에 서로 돕고, 疾病이 있을 적에 서로 구원한다. 이 때문에 백성들이 서로 화목하고 敎化가 똑같이 이루어져서 부역과 생산을 공평하게 할 수 있는 것이다. 백성들이 田地를 받을 적에 上田은 한 農夫가 100畮를 받고 中田은 한 農夫가 200畮를 받고 下田은 한 農夫가 300畮를 받는다. 해마다 밭을 갈아 파종하는 것을 '不易上田'이라 하고, 1년을

··· 畫 그을 획 借 빌릴 차 稅 세금 세 鄕 행정구역단위 향 遂 행정구역단위 수 溝 도랑 구 鄙 시골 비
攷 상고할 고 廬 여막 려 竊 사사로울 절

一夫實耕公田七畝러니 是亦不過十一也라 徹은 通也며 均也요 藉는 借也라

이 이하는 마침내 백성들에게 떳떳한 生業을 제정해 주는 것과 조세를 취하는 제도를 말씀한 것이다. 夏나라 때에는 한 家長이 토지 50畝를 받고 家長마다 5畝의 수입을 계산하여 바쳤었다. 商나라 사람이 처음으로 井田의 제도를 만들어, 630畝의 토지를 아홉 구역으로 구획하였으니, 한 구역이 70畝였다. 한가운데는 公田이 되고 그 바깥은 여덟 집에게 각기 한 구역을 주었으니, 단지 힘을 빌려서 公田을 도와 경작하게 하고 私田에는 다시 課稅하지 않았다. 周나라 때에는 한 家長이 토지 100畝를 받았는데, 鄕·遂에는 貢法을 써서 10夫에 溝가 있었고, 都鄙(卿大夫의 采地)에는 助法을 써서 여덟 집이 井을 함께하였다. 그리고는 경작할 때에는 힘(노동력)을 합하여 함께 일하고, 수확하게 되면 畝數를 계산하여 분배하였다. 그러므로 徹이라고 이른 것이다. '그 실제는 모두 10分의 1'이라는 것은 貢法은 진실로 10분의 1을 일정한 수로 삼았고, 오직 助法은 9분의 1의 세법이지만 商나라 제도는 상고할 수 없으며, 周나라 제도는 公田 100畝에 가운데 20畝를 여막으로 만들어서 一夫가 경작하는 公田이 실로 계산하면 10畝로, 私田 100畝를 통틀어 계산하면 11分의 1을 취함이 되니, 이는 또 10분의 1보다 가벼운 것이다.

내가 생각하건대, 商나라 제도 역시 마땅히 이와 같아서 14畝를 여막으로 삼아 一夫가 실제로 公田 7畝를 경작했을 것이니, 〈그렇다면〉 이 역시 10분의 1에 불과하다. '徹'은 통한다는 뜻이고 고르게 한다는 뜻이요, '藉'는 빌린다는 뜻이다.

쉬고 농사짓는 것을 '一易中田'이라 하고, 2년을 쉬고 농사짓는 것을 '再易下田'이라 하니, 3년마다 다시 밭을 갈아서 그곳에서 다시 시작한다. 農民의 家戶가 이미 田地를 받으면 그 집안의 여러 男子를 '餘夫'라 하니, 또한 식구에 비례하여 田地를 받기를 이 준례(比)와 같이한다.【比는 準例이다.】 士와 工人과 商人의 집안에서 田地를 받는 것은 다섯 식구가 農夫 한 사람과 맞먹으니, 이것을 일러 土地를 공평하게 해서 法으로 삼을 수 있다는 것이다. 山林과 藪澤(늪지대)과 原陵과 淳鹵(염전)의 땅【淳은 다함이다. 소금기가 많은 鹽田은 五穀이 자라지 않는다.】의 경우에는 각각 土地의 비옥하고 척박함과 많고 적음으로 차등을 삼는다.……백성의 나이 20세에 田地를 받았다가 60세에 田地를 돌려준다.……들녘에 있는 집을 廬라 하고 邑에 있는 집을 里라 한다.〔理民之道 地著爲本【地著謂安土】 故必建步立畝 正其經界 六尺爲步 步百爲畝 畝百爲夫 夫三爲屋 屋三爲井 井方一里 是爲九夫 八家共之 各受私田百畝 公田十畝 是爲八百八十畝 餘二十畝 以爲廬舍 出入相友 守望相助 疾病相救 民是以和睦 而敎化齊同 力役生産 可得而平也 民受田 上田夫百畝 中田夫二百畝 下田夫三百畝 歲耕種者 爲不易上田 休一歲者 爲一易中田 休二歲者 爲再易下田 三歲更耕之 自爰其處 農民戶人已受田 其家衆男爲餘夫 亦以口受田如此【比 例也】 士工商家受田 五口乃當農夫一人 此謂平土可以爲法者也 若山林藪澤 原陵淳鹵之地【淳 盡也 鳥鹵之田 不生五穀】 各以肥磽多少爲差……民年二十受田 六十歸田……在畝(野)曰廬 在邑曰里」

... 均 고를 균

3-7. 龍子曰 治地는 莫善於助요 莫不善於貢이라하니 貢者는 校數歲之
中하여 以爲常하나니 樂歲엔 粒米狼戾하여 多取之而不爲虐이라도 則寡
取之하고 凶年엔 糞其田而不足이어늘 則必取盈焉하나니 爲民父母하여
使民盻盻然將終歲勤動하여 不得以養其父母하고 又稱貸而益之하여
使老稚로 轉乎溝壑이면 惡(오)在其爲民父母也리오

龍子가 말하기를 '토지를 다스림은 助法보다 좋은 것이 없고 貢法보다 나쁜 것이 없
다.' 하였으니, 貢은 몇 년의 중간치를 비교하여 일정한 수를 내게 하는 것이다. 樂歲(豊
年)에는 곡식이 狼藉하여 많이 취하여도 포악함이 되지 않는데도 적게 취하고, 흉년에
는 토지의 곡식에 肥培하기에도 부족한데 반드시 〈일정액을〉 채움을 취하니, 백성의 부
모가 되어서 백성들로 하여금 한스럽게 보아 장차 일 년 내내 부지런히 노동하여 그 부
모를 봉양할 수 없게 하고, 또 빚을 내어 보태어서 〈세금을 내게 하여〉 늙은이와 어린아
이로 하여금 시신이 溝壑에서 전전하게 한다면, 백성의 부모된 것이 어디에 있겠습니까.

按說 | '龍子曰'에 대하여, 官本諺解는 끝의 '爲民父母也'까지로 보았고, 栗谷諺解
는 '以爲常'까지로 보았다. 이에 대해 壺山은

살펴보건대 栗谷諺解에 龍子의 說을 '爲常'까지로 보았는데, 지금 자세히 살펴보면 '於貢'
까지일 듯하다. 아랫글의 文勢가 분명 孟子의 口氣(어투)요 또 뒷편에 이 說을 인용한 것과
윗절에 '陽虎'를 인용한 것이 모두 두 句에 그침에서 이것을 알 수 있으니, 현행하는 諺解(官
本諺解)대로 하면 너무 길게 늘어진다.〔按栗谷諺解 以龍子說 爲止於爲常 今詳之 恐是
止於於貢 蓋其下文語勢 分明是孟子口氣 且後篇引其說 及上節引陽虎者 皆止於二
句 可見 若見行諺解 則太涉拖長矣〕

하였다. 本書에서는 壺山과 楊伯峻의 說을 따라 '於貢'에서 끝난 것으로 처리하였다.
'校數歲之中'에 대하여, 官本諺解는 '數歲ㅅ 中을 校ᄒᆞ야'로 해석하였고, 栗谷諺解는
'歲의 中으로 數를 혜아려 뻐'로 해석하였다. 沙溪(金長生)는

'校數歲之中'을 栗谷은 그 年事의 중간을 비교하고 헤아림으로 해석하였으니, 풍년들지
않고 흉년들지 않은 중간해라고 여긴 것이다. 나의 생각은 몇 년간 수확한 바의 많고 적은 수

··· 校 비교할 교 粒 낟알 립 狼 어지러울 랑 戾 어그러질 려 糞 북돋을 분 盈 가득찰 영 盻 눈흘겨볼 혜 稱 들 칭
貸 꾸어줄 대 稚 어릴 치 溝 도랑 구 壑 구렁 학

를 통계해서 떳떳한 법칙으로 정한 것이라고 여긴다.〔栗谷釋校數其歲之中 謂不豐不凶之 中年也 愚意以爲通計其數年之間所收多寡之數 而定爲常式也〕《經書辨疑》

하여 官本諺解를 따랐다. 이에 대하여 壺山은

살펴보건대 '中'字는 栗谷을 따르고 '數'字는 沙溪를 따르는 것이 좋을 듯하니, 官本諺解 가 이와 같다.〔按中字 從栗谷 數字 從沙溪恐好 諺解蓋如是耳〕

하였다.

'夏나라의 貢法이 나쁘다는 것'에 대해, 茶山은

龍子가 그 流弊를 가지고 말한 것이니, 堯·禹의 시대에 어찌 이런 일이 있었겠는가. 그러나 이미 井田을 만들었으면 9분의 1의 세금을 거두어야 하니, 龍子가 말한 바는 반드시 堯·禹 의 본래의 법은 아닐 것이다.〔龍子以其流弊而言之 堯禹之世 豈有是也 然旣作井田 宜 收九一 龍子所言 必非堯禹之本法〕

하였다.

集註 | 龍子는 古賢人이라 狼戾는 猶狼藉니 言多也라 糞은 壅也라²⁶⁴ 盈은 滿也라 盼 는 恨視也라 勤動은 勞苦也라 稱은 擧也요 貸는 借也니 取物於人하고 而出息以償之 也라 益之는 以足取盈之數也라 稚는 幼子也라

龍子는 옛 賢人이다. '狼戾'는 狼藉와 같으니, 많음을 말한다. '糞'은 북돋움(肥培管理) 이다. '盈'은 가득함이다. '盼'는 한스럽게 보는 것이다. '勤動'은 勞苦이다. '稱'은 듦이요 '貸'는 빌림이니, 남에게 물건을 취하고 利息을 내어 상환하는 것이다. '益之'는 〈일정액 을〉 가득히 취하는 수를 충족하는 것이다. '稚'는 어린 자식이다.

---

264 糞 壅也 : 茶山은 "'糞'은 청소〔掃除〕하는 것이다. 《禮記》〈曲禮上〉에 '長者를 위하여 청소하는 禮는 반드시 쓰레받기 위에 빗자루를 올려놓는다.' 하였고, 《春秋左傳》에 '張趯이 사람을 보내어 太叔에게 말하기를「先人의 낡은 집을 청소하였다.」했다.' 하였다. ……'糞其田而不足'은 '그 밭을 쓸어 세금을 내도 부족하다'는 것이다.〔糞者 掃除 曲禮曰 爲長者糞之禮 必加帚于箕上 左傳曰 張趯使謂太叔 曰 糞除先人之敝廬……糞其田而不足者 掃其田而不足也〕" 하였다. 이는 '糞其田'을 농지의 수입을 싹쓸이하여 나라에 바친다는 뜻으로 본 것이다. 그러나 茶山이 인용한 구절에서도 '糞'은 더러운 물건을 소제함의 뜻이지, '掃地'의 뜻이 되지는 않는다. 茶山의 說은 너무 비약한 것으로 보인다.

··· 藉 어지러울 자 壅 북돋을 옹 擧 들 거 息 이자식, 자식 식 償 갚을 상

3-8. 夫世祿은 滕이 固行之矣니이다

世祿은 滕나라가 진실로(이미) 시행하고 있습니다.

> 集註 | 孟子嘗言 文王治岐에 耕者를 九一하며 仕者를 世祿이라하시니 二者는 王政之 本也라 今世祿은 滕已行之요 惟助法未行이라 故로 取於民者無制耳라 蓋世祿者는 授之土田하여 使之食其公田之入[265]이니 實與助法으로 相爲表裏하니 所以使君子 小人으로 各有定業而上下相安者也라 故로 下文에 遂言助法하시니라

> 孟子께서 일찍이 말씀하시기를 "文王이 岐周를 다스릴 적에 경작하는 자들에게는 9분의 1의 稅法을 쓰고 벼슬하는 자들에게는 대대로 祿을 주었다." 하셨으니, 이 두 가지는 王政의 근본이다. 지금 世祿은 滕나라가 이미 시행하고 있고, 오직 助法을 행하지 않았다. 그러므로 백성에게 취함에 제한이 없었다. '世祿'은 〈벼슬아치에게〉 토지를 주어서 그로 하여금 그 公田의 수입을 먹게 하는 것이니, 실로 助法과 서로 表裏가 되니, 君子(벼슬아치)와 小人(백성)으로 하여금 각기 일정한 生業이 있어서 上下가 서로 편안하게 하는 것이다. 그러므로 아랫글에 마침내 助法을 말씀하신 것이다.

3-9. 詩云 雨我公田하여 遂及我私라하니 惟助에 爲有公田하니 由此觀 之컨대 雖周나 亦助也니이다

《詩經》에 이르기를 '우리 公田에 비를 내려 마침내 우리 私田에까지 미쳤으면 한다.' 하였으니, 오직 助法에만 公田이 있으니, 이로 말미암아 관찰한다면 周나라도 助法을 쓴 것입니다.

> 集註 | 詩는 小雅大田之篇이라 雨는 降雨也라 言願天雨於公田而遂及私田이라하니 先公而後私也라 當時에 助法盡廢하고 典籍不存이요 惟有此詩可見周亦用助라 故

---

265 世祿者……使之食其公田之入 : 茶山은 "'世祿'은 世爵이다. 옛날에 大夫에게 家가 있는 것은 諸侯에게 國이 있는 것과 같았다. 아버지가 전하고 아들이 이어서 대대로 끊이지 않고 모두 그 田祿을 세습하였다. 오직 官職만은 대대로 전하지 않았다.[世祿者 世爵也 古者大夫之有家 如諸侯之有國 父傳子承 世世不絶 皆襲其田祿 惟官職不世]" 하였다.

··· 岐 산이름 기 授 줄 수 裏 속 리 雅 바를 아 降 내릴 강 廢 폐할 폐 典 서책 전 籍 서적 적

로 引之也시니라

詩는 〈小雅 大田〉篇이다. ‘雨’는 비를 내림이다. 하늘이 公田에 비를 내려서 마침내 私田에 미치기를 원한다고 말하였으니, 公을 먼저 하고 私를 뒤에 한 것이다. 당시에 助法이 모두 폐지되고 典籍이 남아 있지 않았고, 오직 이 詩가 있어 周나라도 助法을 쓴 것을 알 수 있었다. 그러므로 이 시를 인용하신 것이다.

3-10. 設爲庠序學校하여 以敎之하니 庠者는 養也요 校者는 敎也요 序者는 射也라 夏曰校요 殷曰序요 周曰庠이요 學則三代共之하니 皆所以明人倫也라 人倫이 明於上이면 小民이 親於下니이다

庠·序·學·校를 설치하여 백성들을 가르쳤으니, 庠은 봉양한다는 뜻이요 校는 가르친다는 뜻이요 序는 활쏘기를 익힌다는 뜻입니다. 夏나라에서는 校라 하였고 殷나라에서는 序라 하였고 周나라에서는 庠이라 하였으며, 學(太學)은 三代가 이름을 함께하였으니, 이는 모두 人倫을 밝히는 것이었습니다. 人倫이 위에서 밝아지면 小民들이 아래에서 친해집니다.

集註 | 庠은 以養老爲義요 校는 以敎民爲義요 序는 以習射爲義[266]니 皆鄕學也라 學은 國學也라 共之는 無異名也라 倫은 序也니 父子有親, 君臣有義, 夫婦有別, 長幼有序, 朋友有信이니 此는 人之大倫也라 庠序學校는 皆以明此而已니라

‘庠’은 노인을 봉양함을 의의로 삼았고 ‘校’는 백성을 가르침을 의의로 삼았고 ‘序’는 활쏘기를 익힘을 의의로 삼았으니, 모두 鄕學이다. ‘學’은 國學(太學)이다. ‘共之’는 다른 명칭이 없는 것이다. ‘倫’은 차례이니, 父子간에는 친함이 있고 君臣간에는 의리가 있고 夫婦간에는 분별이 있고 長幼간에는 차례(질서)가 있고 朋友간에는 信實함이 있는 것이니, 이는 사람의 큰 윤리이다. 庠·序·學·校는 모두 이것을 밝히려 했을 뿐이다.

---

[266] 庠……以習射爲義 : 壺山은 “모두 그 音이 서로 비슷함으로 그 뜻을 취한 것이다.〔皆以其音之相近而取義〕” 하였다. 한편 《禮記》〈學記〉에 “옛날 교육에 家(25家戶)에는 글방〔塾〕이 있고, 黨(500家戶)에는 庠이 있고, 術(州, 12,500가호)에는 序가 있으며 國都에는 學이 있었다.〔古之敎者 家有塾 黨有庠 術有序 國有學〕” 하였다. 이로 보면 庠·校·序는 周나라 때에 이르러 행정구역의 大小에 따라 함께 사용한 것으로 보인다.

··· 庠 학교 상 序 학교 서 射 쏠 사 倫 차례 륜

3-11. 有王者起면 必來取法하리니 是爲王者師也니이다

王者가 나오면 반드시 와서 취하여 법(모범)으로 삼을 것이니, 이는 王者의 스승이 되는 것입니다.

集註 | 滕國이 褊小하여 雖行仁政이라도 未必能興王業이라 然이나 爲王者師면 則雖不有天下라도 而其澤이 亦足以及天下矣니 聖賢至公無我之心을 於此에 可見이니라

滕나라가 좁고 작아서 비록 仁政을 행하더라도 반드시 王業을 일으키지는 못할 것이다. 그러나 王者의 스승이 된다면 비록 천하를 소유하지 못하더라도 그 은택이 또한 충분히 천하에 미칠 수 있으니, 聖賢의 至公無私하신 마음을 여기에서 볼 수 있다.

3-12. 詩云 周雖舊邦이나 其命維新이라하니 文王之謂也니 子力行之하시면 亦以新子之國하시리이다

《詩經》에 이르기를 '周나라가 비록 오래된 나라이나 그 命(天命)은 새롭다.' 하였으니, 이는 文王을 이른 것입니다. 子께서 힘써 행하신다면 또한 子의 나라를 새롭게 할 수 있을 것입니다."

集註 | 詩는 大雅文王之篇이라 言周雖后稷以來로 舊爲諸侯나 其受天命而有天下는 則自文王始也라 子는 指文公이니 諸侯未踰年之稱也[267]라

詩는 〈大雅 文王〉篇이다. 周나라가 비록 后稷 이래로 예로부터 諸侯가 되었으나 天命을 받아 天下를 소유한 것은 文王으로부터 시작됨을 말한 것이다. '子'는 文公을 가리킨 것이니, 諸侯로서 先侯가 죽은 지 1년을 넘지 않은 자의 칭호이다.

---

267 子指文公 諸侯未踰年之稱也: 《春秋左傳》 僖公 9년에 "宋나라 桓公이 죽어서 아직 장례하지 않았는데, 襄公이 諸侯들과 會盟하였다. 그러므로 '子'라 칭하였으니, 무릇 喪中에 있을 적에는 王은 '小童'이라 하고 公侯는 '子'라 한다.〔子는 아버지를 계승하는 말이다.〕〔宋桓公卒 未葬而襄公會諸侯 故曰子 凡在喪 王曰小童 公侯曰子〔子者 繼父之辭〕〕"하였다. 《大全》에 《春秋》의 準例에 무릇 公侯가 죽어서 1년이 넘기 전에 王事가 있으면 모두 子라고 칭한다.〔春秋例 凡公侯卒 未越一年而有王事 皆稱子也〕"하였다.

… 褊 좁을 편 澤 은택 택 舊 옛구 邦 나라방 維 어조사유 后 임금 후 稷 농관(農官)직 踰 넘을 유

3-13. 使畢戰으로 問井地한대 孟子曰 子之君이 將行仁政하여 選擇而使子하시니 子必勉之어다 夫仁政은 必自經界始니 經界不正이면 井地不均하며 穀祿不平하리니 是故로 暴君汚吏는 必慢其經界하나니 經界既正이면 分田制祿은 可坐而定也니라

〈滕 文公이〉 畢戰으로 하여금 井地(井田法)를 묻게 하자, 孟子께서 대답하셨다. "그대의 군주가 장차 仁政을 행하고자 하여 선택하여 그대를 보내셨으니, 그대는 반드시 힘쓸지어다. 仁政은 반드시 經界(土地의 경계를 다스림)로부터 시작되니, 經界가 바르지 못하면 井地가 균등하지 못하고 穀祿이 공평하지 못하게 된다. 이러므로 暴君과 汚吏(탐관오리)들은 반드시 그 經界를 태만히 하나니, 經界가 바루어지면 土地를 나누어주고 穀祿을 제정해줌은 가만히 앉아서도 정할 수 있는 것이다.

按説┃ '使畢戰' 이하에 대하여, 茶山은 "이 節은 별도로 한 章이 되어야 한다.〔此節當別爲一章〕" 하였다.

集註┃畢戰은 滕臣이라 文公이 因孟子之言하여 而使畢戰으로 主爲井地之事라 故로 又使之來問其詳也라 井地는 卽井田也라 經界는 謂治地分田하여 經畫其溝塗封植之界也[268]라 此法이 不修면 則田無定分하여 而豪强이 得以兼幷이라 故로 井地有不均하고 賦無定法하여 而貪暴得以多取라 故로 穀祿有不平하니 此는 欲行仁政者之所以必從此始요 而暴君汚吏는 則必欲慢而廢之也라 有以正之면 則分田制祿을 可不勞而定矣니라

畢戰은 滕나라의 신하이다. 文公이 孟子의 말씀을 인하여 畢戰으로 하여금 井地의 일을 주관하게 하였다. 그러므로 또 그를 보내 와서 자세한 것을 묻게 한 것이다. '井地'는 바로 井田이다. '經界'는 땅을 다스리고 토지를 나누어서 도랑과 길과 封植의 경계를 구획함을

---

268 經畫其溝塗封植之界也:雙峰饒氏(饒魯)는 "溝·塗·封·植의 경계는 經과 緯가 이리저리 섞여 있는데, 곧은 것을 經이라 하고 가로인 것을 緯라 하니, 經만 들어도 緯가 이 안에 들어있다. 溝는 溝洫의 따위이고 塗는 道塗(道路)이고 封은 土堠(里數를 표시한 土程)이고 植은 나무를 심어서 境界로 삼은 것이다.〔溝塗封植之界 經緯錯綜 直者爲經 橫者爲緯 只擧經字 有緯在其中 溝 溝洫之類 塗 道塗 封 土堠 植 種木爲界〕" 하였다. 壺山은 "經은 理와 같다.〔經 猶理也〕" 하였다.

··· 畢 마칠 필 井 우물 정 經 바로잡을 경 穀 녹봉 곡 暴 사나울 폭 汚 더러울 오 慢 태만할 만 畫 그을 획 溝 도랑 구 塗 길 도(途同) 封 봉할 봉 界 경계 계 豪 호걸 호 幷 아우를 병, 겸병할 병 賦 세금 부 貪 탐할 탐

이른다. 이 법이 닦여지지 못하면 토지가 일정한 나눔(分)이 없어서 豪强들이 兼幷할 수 있으므로, 井地가 고르지 못하고 세금이 정한 법이 없어서 탐욕스럽고 포악한 자들이 많이 취할 수 있으므로, 穀祿에 공평하지 못함이 있는 것이니, 이 때문에 仁政을 행하고자 하는 자는 반드시 이로부터 시작하고, 暴君과 汚吏들은 반드시 이를 태만히 하여 폐지하고자 하는 것이다. 이것을 바로잡으면, 土地를 나누어주고 祿을 제정하는 일은 수고하지 않고서도 정할 수 있는 것이다.

3-14. 夫滕이 壤地褊小하나 將爲君子焉이며 將爲野人焉이니 無君子면 莫治野人이요 無野人이면 莫養君子니라

滕나라는 국토가 좁고 작으나, 장차 君子가 될 사람이 있고 장차 野人이 될 사람이 있을 것이니, 君子가 없으면 野人을 다스릴 수 없고, 野人이 없으면 君子를 봉양할 수 없다.

按說 | '將爲君子焉'의 '爲'에 대하여, 趙岐는 '爲'를 '有'로 해석하였다.

集註 | 言 滕地雖小나 然其間에 亦必有爲君子而仕者하며 亦必有爲野人而耕者[269]라 是以로 分田制祿之法을 不可偏廢也라

滕나라 땅이 비록 작으나 그 사이에 또한 반드시 君子가 되어 벼슬할 자도 있으며 반드시 野人이 되어 경작할 자도 있을 것이다. 이 때문에 土地를 나누어주고 祿을 제정하는 법을 한 가지도 폐할 수 없다고 말씀한 것이다.

3-15. 請野에 九一而助하고 國中에 什一하여 使自賦하라

청컨대 들(郊外)에는 9분의 1 세법을 써서 助法을 시행하고, 國中(서울)에는 10분의 1 세법을 써서 스스로 세금을 바치게 하라.

---

269 亦必有爲君子而仕者 亦必有爲野人而耕者 : 壺山은 "'亦必有'를 가지고 〈經文의 '將爲君子焉'의〉 '將'字를 해석하여야 그 뜻이 비로소 충족된다.〔以亦必有 釋將字 其義乃足〕" 하였다.

··· 壤 땅양 野 들야 耕 밭갈경 偏 한쪽 편 什 열십

集註 | 此는 分田制祿之常法이니 所以治野人하여 使養君子也라 野는 郊外都鄙之地也라 九一而助는 爲公田而行助法也라 國中은 郊門之內 鄕遂之地也[270]니 田不井授하고 但爲溝洫하여 使什而自賦其一[271]이니 蓋用貢法也니 周所謂徹法者 蓋如此라 以此推之하면 當時에 非惟助法不行이요 其貢亦不止什一矣니라

이것은 土地를 나누어주고 祿을 제정하는 떳떳한 법이니, 野人을 다스려 君子를 봉양하게 하는 것이다. '野'는 郊外의 都鄙의 땅이다. '九一而助'는 公田을 만들어 助法을 시행하는 것이다. '國中'은 郊門의 안에 있는 鄕·遂의 땅이니, 土地를 井田으로 만들어 주지 않고 다만 溝洫을 만들어서 10분의 1을 스스로 바치게 하니, 이는 貢法을 쓴 것이다. 周나라의 이른바 徹法이라는 것이 이와 같았다. 이로써 미루어보면 당시에 비단 助法이 시행되지 못했을 뿐만 아니요, 貢法 또한 10분의 1에 그치지 않은 것이다.

3-16. 卿以下는 必有圭田하니 圭田은 五十畝니라

卿 이하는 반드시 圭田이 있으니, 圭田은 50畝이다.

集註 | 此는 世祿常制之外에 又有圭田이니 所以厚君子也라 圭는 潔也니 所以奉祭祀也라 不言世祿者는 滕已行之요 但此未備耳라

이는 世祿의 떳떳한 제도 외에 또다시 圭田이 있는 것이니, 君子를 후대(우대)하는 것이다. '圭'는 깨끗함이니, 〈圭田〉은 제사를 받드는 것이다. 世祿을 말하지 않은 것은 滕나라

---

270 國中 郊門之內鄕遂之地也:《大全》에는 《周禮》〈地官司徒〉의 註를 다음과 같이 인용하고 있다. "100里 안을 6鄕이라 하고 100里 밖을 6遂라 한다. 12,500家戶를 鄕이라 한다. 遂人은 6遂를 주관한다. 6遂의 땅은 먼 郊外로부터 王畿에까지 이르는데, 이 가운데 公邑과 家邑, 小都와 大都가 있다. 遂는 王國 100里 밖을 이른다.〔百里內爲六鄕 外爲六遂 萬二千五百家爲鄕 遂人主六遂 六遂之地 自遠郊以達于畿 中有公邑家邑小都大都焉 遂謂王國百里外也〕"

271 國中……使什而自賦其一:朱子는 "國都 안에는 鄕遂의 法을 행한다. 예컨대 5家를 比라 하고 5比를 閭라 하고 4閭를 族이라 하고 5族을 黨이라 하고 5黨을 州라 하며, 또 예컨대 5人을 伍라 하고 5伍를 兩이라 하고 4兩을 卒이라 하고 5卒을 旅라 하고 5旅를 師라 하고 5師를 軍이라 한 것은 모두 5와 5로 서로 연결한 것이니, 이 때문에 9분의 1의 法을 시행할 수 없는 것이다. 그러므로 다만 10분의 1을 세금으로 내어서 직접 바치게 하는 것이다.〔國中 行鄕遂之法 如五家爲比 五比爲閭 四閭爲族 五族爲黨 五黨爲州 又如五人爲伍 五伍爲兩 四兩爲卒 五卒爲旅 五旅爲師 五師爲軍 皆是五五相連屬 所以行不得那九一之法 故只得什一 使自賦〕"하였다.《語類》

··· 郊 들교 鄙 시골비 授 줄수 洫 도랑혁 卿 벼슬경 圭 깨끗할규 厚 두터울후 潔 깨끗할결 備 갖출비

가 이미 시행하였고, 다만 이 제도가 미비했기 때문이다.

3-17. 餘夫는 二十五畝니라

餘夫는 25畝를 준다.

按説 | '餘夫二十五畝'에 대하여, 《周禮》〈地官司徒 遂人〉에

野의 토지를 上地·中地·下地로 구분하여 田里(토지와 거처)를 나누어 준다. 上地의 경우, 一夫에게 한 거처〔一廛〕와 토지 100畝와 묵정밭 50畝를 주니, 餘夫도 이와 같다. 中地의 경우, 一夫에게 한 거처와 토지 100畝와 묵정밭 100畝를 주니, 餘夫도 이와 같다. 下地의 경우, 一夫에게 한 거처와 토지 100畝와 묵정밭 200畝를 주니, 餘夫도 이와 같다.〔辨其野 之土 上地中地下地 以頒田里 上地 夫一廛 田百畮 萊五十畮 餘夫亦如之 中地 夫一 廛 田百畮 萊百畮 餘夫亦如之 下地 夫一廛 田百畮 萊二百畮 餘夫亦如之〕

하였다. 茶山은 이에 대해

《周禮》〈地官司徒 遂人〉에 명백히 '餘夫도 토지 100畝를 받는다.' 하였는데, 《孟子》에서 는 '餘夫는 25畝를 준다.' 하였으니, 분명히 서로 맞지 않는다. 내가 처음에는 이것을 의심하 였는데, 이제 《周禮》를 자세히 검토하고 마침내 《周禮》〈遂人〉에서 '餘夫도 이와 같다.' 한 것은 바로 묵정밭의 數임을 알았다.……묵정밭에서 말한 上地는 1년 경작하고 1년 쉬는 땅 이니, 50畝를 받아도 실제로 1년에 경작하는 것은 25畝 뿐이다.〔周禮遂人 明明餘夫亦受 田百畮 孟子曰 餘夫二十五畝 顯然不合 余始疑之 今細檢周禮 乃知遂人所言餘夫亦 如之者 卽萊之數也……萊之所謂上地者 一年耕而一年休者也 然則受五十畝 其實 一年所耕二十五畝而已〕

하였다. 또 《周禮》〈地官司徒 小司徒〉에

上地는 한 집에 식구가 7명이고 부역을 맡을 수 있는 자가 3명인 경우에 지급하였고, 中地는 한 집에 식구가 6명이고 부역을 맡을 수 있는 자가 두 집에 5명인 경우에 지급하였으며, 下地 는 한 집에 식구가 5명이고 부역을 맡을 수 있는 자가 2명인 경우에 지급하였다.〔上地 家七 人 可任也者家三人 中地 家六人 可任也者二家五人 下地 家五人 可任也者家二人〕

··· 餘 남을 여

하였다. 鄭玄은 이에 대하여 7명을 초과하는 집은 上地를 주고 5명 미만의 집은 下地를 주며, 〈小司徒〉에서 말한 5~7명의 上·中·下는 中地 중의 上·中·下라고 주석하였다. 茶山은 鄭玄의 주석에 반대하여,

> 五人 미만인 경우 井地를 받을 수 없고 餘夫에 귀속시켰다.〔不滿五人者 不能受井地 歸之於餘夫也〕

하고,

> 餘夫란 五人 미만인 경우이다.〔餘夫者 不滿五人者也〕

라고 하였다. 또 茶山은

> 卿의 圭田도 반드시 井田 이외에 있는 것이니, 바로 餘夫들이 경작하는 것이다. 餘夫 두 집이 한 卿의 圭田을 경작할 수 있다.〔卿之圭田 亦必在井田之外 則正亦餘夫之所治也 餘夫二家 可治一卿之圭田〕

하였다.

集註 | 程子曰 一夫 上父母, 下妻子하여 以五口八口爲率(율)하여 受田百畝하니 如有弟면 是餘夫也라 年十六에 別受田二十五畝하고 俟其壯而有室然後에 更受百畝之田하니라
愚按 此는 百畝常制之外에 又有餘夫之田하니 以厚野人也라

程子(伊川)가 말씀하였다. "一夫는 위로 父母가 있고 아래로 妻子가 있어서 다섯 식구와 여덟 식구를 기준으로 삼아 토지 100畝를 받으니, 만일 아우가 있으면 이는 餘夫이다. 나이 16세에 별도로 토지 25畝를 받고, 장성하여 아내를 얻은 뒤에 다시 100畝의 토지를 받는다."
내(朱子)가 살펴보건대, 이는 100畝의 떳떳한 제도 외에 또다시 餘夫의 토지가 있는 것이니, 野人을 후대하는 것이다.

3-18. 死徒에 無出鄕이니 鄕田同井이 出入에 相友하며 守望에 相助하며 疾病에 相扶持하면 則百姓이 親睦하리라

··· 率 비율률 俟 기다릴사 壯 장할장 室 집실, 아내실 更 다시갱 徙 옮길사 友 짝우 扶 붙들부 持 잡을지 睦 화목할목

죽거나 이사함에 鄕을 나가지 않으니, 鄕田에 井을 함께한 자들이 나가고 들어올 적에 서로 짝하며, 지키고 망볼 적에 서로 도우며, 질병이 있을 적에 서로 붙들어주고 잡아준다면, 백성들이 親睦하게 될 것이다.

按說 │ '扶持'에 대하여, 壺山은

'扶持'는 침구와 약을 함께 쓰고, 밭 갈고 나무하는 일을 나눠 하는 것과 같은 따위이다.(扶持 如通針藥分耕樵之類)

하였다.

'百姓親睦'에 대하여, 壺山은

'百姓이 親睦한다'는 것은 바로 윗글에 말한 '小民이 아래에 친하다'는 것이다.(百姓親睦 卽上文所云小民親於下也)

하였다.

集註 │ 死는 謂葬也요 徙는 謂徙其居也라 同井者는 八家也라 友는 猶伴也라 守望은 防寇盜也라

'死'는 장례를 이르고, '徙'는 거주지를 옮기는 것을 이른다. '同井'은 여덟 집이다. '友'는 伴과 같다. '守望'은 도둑을 막는 것이다.

3-19. 方里而井이니 井이 九百畝니 其中이 爲公田이라 八家皆私百畝하여 同養公田하여 公事畢然後에 敢治私事하니 所以別野人也니라

方 1里가 井이니, 井은 900畝이니, 그 가운데가 公田이다. 여덟 집에서 모두 100畝를 私田으로 받아서, 함께 公田을 가꾸어 公田의 일을 끝마친 뒤에 감히 私田의 일을 다스리니, 이는 野人을 구별하는 것이다.

集註 │ 此는 詳言井田形體之制니 乃周之助法也라 公田은 以爲君子之祿이요 而私田은 野人之所受니 先公後私는 所以別君子野人之分也라 不言君子는 據野人而

··· 伴 짝반 寇 도적구 盜 도둑도 據 근거할거

言하니 省(생)文耳라 上言野及國中二法하고 此獨詳於治野者는 國中貢法은 當世
已行호되 但取之過於什一爾니라

이는 井田 形體의 제도를 상세히 말씀한 것이니, 바로 周나라의 助法이다. 公田은 君子의
祿이 되고 私田은 野人이 받는 것이니, 公을 먼저 하고 私를 뒤에 함은 君子와 野人의 신
분을 구별한 것이다. 君子를 말하지 않은 것은 野人을 근거하여 말했으니, 글을 생략한 것
이다. 위에서는 野와 國中 두 가지 법을 말하고 여기서는 다만 野를 다스림에 대해서만 상
세히 말한 것은, 國中의 貢法은 당세에 이미 시행하였는데 다만 취하기를 10분의 1보다 더
하였을 뿐이기 때문이다.

3-20. 此其大略也니 若夫潤澤之는 則在君與子矣니라

이것이 그 대략이니, 이것을 윤택하게 하는 것으로 말하면 군주와 그대에게 달려 있다."

集註 | 井地之法을 諸侯皆去其籍하니 此特其大略而已라 潤澤은 謂因時制宜하여
使合於人情하고 宜於土俗하여 而不失乎先王之意也라

井地의 법(井田法)을 諸侯들이 그 典籍을 모두 없애버렸으니, 이는 다만 그 대략일 뿐이
다. '潤澤'은 때에 따라 마땅하게 만들어서 人情에 합하고 土俗에 마땅하면서도 先王의 뜻
을 잃지 않게 함을 이른다.

章下註 | ○呂氏曰 子張子慨然有意三代之治하여 論治人先務에 未始不以經界
爲急하여 講求法制하여 粲然備具하시니 要之[272]可以行於今이니 如有用我者[273]면 舉
而措之耳[274]라 嘗曰 仁政은 必自經界始니 貧富不均하고 教養無法이면 雖欲言治나

---

272 要之: 壺山은 "'要【平聲】之'는 '求之, 察之'라는 말과 같다.(要【平聲】之 猶言求之察之)" 하였다.

273 如有用我者: 壺山은 "'我'字는 굳이 집착할 필요가 없으니 古人의 成語를 인용함에 이러한 예가 많
다.(我字 不必深泥 引用古人成語 多有此例)" 하였다.

274 舉而措之耳: 壺山은 "이 이상은 그(子張子)의 일이고, 〈이하의〉두 '曰'字 아래는 그의 말씀이고, '方
與' 이하는 또 그의 일이다.(此以上 其事也 兩曰字下 其言也 方與以下 又其事也)" 하였다. 艮齋(田
愚)는 '厚本抑末이면 足以推先王之遺法하여 明當今之可行이라하더니'로 懸吐하여, '嘗曰'이 '明當
今之可行'까지 이어지는 것으로 보았다. 그리하여 예전의 번역에는 이를 따랐으나 아무래도 문맥이 잘
이어지지 않으므로, 이번에는 壺山의 說을 따라 '嘗曰'은 '特上之未行耳'까지로, '乃言曰'은 '猶可驗

··· 省 덜 생 略 대략 략 潤 윤택할 윤 澤 윤택 택 籍 서적 적 特 다만 특 俗 풍속 속 慨 슬플 개 經 다스릴 경
粲 찬란할 찬 措 둘 조

皆苟而已라 世之病難行者는 未始不以亟(극)奪富人之田爲辭라 然이나 玆法之行에 悅之者衆하니 苟處之有術하여 期以數年이면 不刑一人而可復이니 所病者는 特上之未行耳라 乃言曰[275] 縱不能行之天下나 猶可驗之一鄕이라하여 方與學者로 議古之法하여 買田一方하여 明爲數井하여 上不失公家之賦役하고 退以其私로 正經界하고 分宅里하며 立斂法하고 廣儲蓄하며 興學校하고 成禮俗하며 救菑恤患하고 厚本抑末하여 足以推先王之遺法하여 明當今之可行이러시니 有志未就而卒하시니라

○[276] 愚按 喪禮經界兩章[277]에 見孟子之學이 識其大者라 是以로 雖當禮法廢壞之後하여 制度節文을 不可復考[278]나 而能因略以致詳하고 推舊而爲新하여 不屑屑於旣往之迹而能合乎先王之意하시니 眞可謂命世亞聖之才[279]矣로다

○ 呂氏(呂大臨)가 말하였다. "子張子(張橫渠)가 慨然히 三代의 정치에 뜻을 두어 백성을 다스리는 급선무를 논할 적에 經界(토지의 경계를 다스림)를 급하게 여기지 않은 적이 없어서 法制를 강구하여 粲然히 구비하였다. 요컨대 지금 행할 수 있게 하였으니, 만일 자신(子張子)을 써주는 자가 있으면 이것을 들어서 시행하면 될 뿐이었다. 일찍이 말씀하기를 '仁政은 반드시 經界로부터 시작하여야 하니, 貧富가 균등하지 못하고 敎養함에 법도가 없으면 비록 治道를 말하고자 하나 모두 구차할 뿐이다. 세상에 시행하기 어려움을 걱정하는 자들은 일찍이 「부자들의 토지를 대번에 빼앗아야 한다.」는 것을 구실로 삼지 않는 자가 없다. 그러나 이 법이 시행되면 좋아하는 자가 많을 것이니, 만일 대처함에 좋은 방법이

之一鄕'까지로 보고, 그 아래는 일로 보아 바꿔 번역하였음을 밝혀둔다.

275 乃言曰 : 壺山은 "'嘗曰'은 범연히 하신 말씀이고, '乃言曰'은 간절히 하신 말씀이다.〔嘗曰 汎辭也 乃言曰 切辭也〕" 하였다.

276 ○ : 壺山은 "〈2장과 3장의〉 두 章을 통론하였으므로 또 권점을 가한 것이다.〔通論二章 故又加圈〕" 하였다.

277 喪禮經界兩章 : '喪禮'는 앞의 2장이고, '經界'는 바로 이 3장을 가리켜 말씀한 것이다.

278 雖當禮法廢壞之後……不可復考 : 新安陳氏(陳櫟)는 "喪禮에는 節文이 있고 經界의 法에는 制度가 있는데, 이 두 가지가 모두 廢止하고 파괴되었기 때문에 자세히 상고할 수 없는 것이다.〔喪禮 有節文 經界之法 有制度 二者皆廢壞 故不可詳考〕" 하였다.

279 命世亞聖之才 : '命'은 名과 통한다. 이는 원래 趙岐의 〈孟子題辭〉에 보이는 말로, '命世'는 세상에 유명한 人物이며 '亞聖'은 다음 聖人이란 뜻인바, 孔子를 至聖이라 하기 때문에 孟子를 孔子 다음의 聖人이라고 칭한 것이다. 壺山은 "命世는 하늘이 이 사람을 가지고 이 세상에 命함을 이른다. 이 말은 본래 趙岐의 序文에 나오니, 漢代에 孟子를 높이고 숭상함은 趙岐로부터 시작되었다.〔命世 謂天以是人命於此世也 此語本出趙岐序 漢世尊尙孟子 蓋自岐始〕" 하였다.

··· 苟 구차할 구 亟 빠를 극 奪 빼앗을 탈 辭 핑계 사 復 회복할 복 縱 비록 종 驗 징험할 험 役 부역 역 斂 거둘 렴 儲 쌓을 저 蓄 쌓을 축 菑 재앙 재 恤 구휼할 휼 遺 남을 유 就 이룰 취 致 다할 치 屑 깨끗할 설 迹 자취 적 亞 버금 아

있고 몇 년을 기한으로 삼는다면 한 사람도 형벌하지 않고 〈옛 제도를〉 회복할 수 있으니, 병통이 되는(염려스러운) 것은 다만 위에서 행하지 않는 것일 뿐이다.' 하였다.

그리하여 마침내 말씀하기를 '비록 이것을 천하에 행할 수는 없으나 그래도 한 지방에는 시험할 수 있다.' 하시고는, 바야흐로 배우는 자들과 옛 법을 의논하여, 토지 1方을 사서 몇 井으로 구획하여, 위로는 公家(國家)의 賦稅와 徭役을 잃지 않고, 물러나서는 이 私田을 가지고 經界를 바로잡고 宅里를 나누어주며, 거두는 법을 세우고 儲蓄을 넓히며, 학교를 일으키고 禮俗을 이루며, 災難이 있는 자를 구제해 주고 患難이 있는 자를 구휼하며, 本業(農業)을 후대하고 末業(商工業)을 억제하여 충분히 先王이 남기신 법을 미루어서 〈井田法을〉 지금 행할 수 있음을 밝히셨는데, 뜻을 두었으나 이루지 못하고 별세하였다."

○ 내가 살펴보건대, '喪禮'와 '經界' 두 章에서 孟子의 학문이 그 큰 것을 아셨음을 볼 수 있다. 이 때문에 비록 禮法이 廢壞한 뒤를 당하여 制度와 節文을 다시 상고할 수 없었으나 소략한 것을 인하여 상세한 것을 다하였으며 옛 것을 미루어 새 것을 만들어서 이미 지나간 자취에 급급하지 않으면서도 先王의 뜻에 부합하였으니, 참으로 命世亞聖의 재주라고 이를 만하다.

|許行章|

4-1. 有爲神農之言者許行이 自楚之滕하여 踵門而告文公曰 遠方之人이 聞君行仁政하고 願受一廛而爲氓하노이다 文公이 與之處하니 其徒數十人이 皆衣褐하고 捆屨織席하여 以爲食하나라

神農氏의 말(학설)을 하는 許行이 楚나라에서 滕나라로 가서 궁궐 문에 이르러 文公에게 아뢰었다. "먼 지방 사람이 군주께서 仁政을 행하신다는 말을 듣고 한 자리를 받아 백성이 되기를 원합니다."

文公이 그에게 거처할 곳을 주니, 그 무리 수십 명이 모두 갈옷을 입고는 신을 두드려 만들고 자리를 짜서 이것을 팔아 양식을 마련하였다.

集註 | 神農은 炎帝神禮氏니 始爲耒耜하여 敎民稼穡者也라 爲其言者는 史遷所謂

··· 農 농사 농　踵 발꿈치 종　廛 자리 전　氓 백성 맹　與 줄 여　徒 무리 도　衣 입을 의　褐 털옷 갈　捆 두드릴 곤
　　屨 신 구　織 짤 직　席 자리 석　炎 불꽃 염　耒 쟁기자루 뢰　耜 보습 사　稼 심을 가　穡 거둘 색　遷 옮길 천

農家者流²⁸⁰也라 許는 姓이요 行은 名也라 踵門은 足至門也라 仁政은 上章所言井地
之法也라 廛은 民所居也라 氓은 野人之稱이라 褐은 毛布²⁸¹니 賤者之服也라 捆은 扣
摶之니 欲其堅也라 以爲食은 賣以供食也라

程子曰 許行所謂神農之言은 乃後世稱述上古之事에 失其義理者耳니 猶陰陽醫
方이 稱黃帝之說也라

神農은 炎帝 神農氏이니, 처음으로 耒耜(쟁기자루와 보습)를 만들어서 백성들에게 稼穡
(곡식을 심고 거둠)을 가르친 사람이다. 그 말을 한다는 것은 史遷(司馬遷)의 이른바 '農
家者流'라는 것이다. 許는 姓이요 行은 이름이다. '踵門'은 발이 문에 이른 것이다. '仁政'
은 윗장에서 말한 井地의 법이다. '廛'은 백성이 거주하는 곳이다. '氓'은 野人의 칭호이다.
'褐'은 毛布이니, 천한 자의 의복이다. '捆'은 두드림이니, 신(짚신이나 미투리)을 견고히
하고자 하는 것이다. '以爲食'은 팔아서 양식을 공급하는 것이다.

程子(伊川)가 말씀하였다. "許行이 말한 '神農氏의 말'이라는 것은 바로 後世에서 上古의
일을 稱述함에 그 義理를 잃은 것이니, 陰陽家와 醫方家가 黃帝氏의 말이라고 칭함과 같
은 것이다."

4-2. 陳良之徒陳相이 與其弟辛으로 負耒耜而自宋之滕하여 曰 聞君 行聖人之政호니 是亦聖人也시니 願爲聖人氓하노이다

陳良의 문도인 陳相이 그 아우 陳辛과 함께 耒耜를 짊어지고 宋나라에서 滕나라로
가서 말하기를 "군주께서 聖人의 정사를 행하신다는 말을 들었으니, 이 또한 聖人이시
니, 聖人의 백성이 되기를 원합니다." 하였다.

---

280 史遷所謂農家者流 : 史遷은 司馬遷으로 그가 지은 《史記》를 가리킨 것이다. 《漢書》〈藝文志〉에 "'農
家者流'는 농업을 주관하는 관직에서 나왔으니, 百穀을 파종하고 밭갈이와 누에치기를 권장하여 의복
과 음식을 풍족하게 한다.〔農家者流 蓋出於農稷之官 播百穀 勸耕桑 以足衣食〕" 하였다. 《集註》에
서 '史遷'이라고 말한 것은 잘못이다.

281 褐 毛布 : 楊伯峻은 '褐'에는 세 가지 뜻이 있으니, 첫째 짐승의 가는 털로 만든 옷, 둘째 길쌈하지 않
은 마로 짠 짧은 옷, 셋째 거친 삼베로 만든 옷이라 하였다. 그리고 "許子는 반드시 삼베를 짠 뒤에 입는
가?" 한 孟子의 질문에, 陳相이 "아닙니다. 許子는 갈옷을 입습니다." 하였으므로, '褐'은 첫째 혹은 둘
째 뜻을 취해야 할 것이라고 하였다.

··· 扣 두드릴고 摶 두드릴탁 堅 굳을견 賣 팔매 辛 매울신 負 질부

集註 | 陳良은 楚之儒者라 耜는 所以起土요 耒는 其柄也라

陳良은 楚나라의 儒者이다. '耜(보습)'는 땅을 일구는 것이고, '耒'는 그 자루이다.

4-3. 陳相이 見許行而大悅하여 盡棄其學而學焉이러니 陳相이 見孟子하여 道許行之言曰 滕君則誠賢君也어니와 雖然이나 未聞道也로다 賢者는 與民竝耕而食하며 饔飧(옹손)而治하나니 今也에 滕有倉廩府庫하니 則是厲民而以自養也니 惡得賢이리오

陳相이 許行을 보고 크게 기뻐하여 자기가 배운 것을 다 버리고 그에게 배웠다. 陳相이 孟子를 보고 許行의 말을 전하기를 "滕나라 군주는 진실로 賢君이지만 그러나 아직 道를 듣지 못하였습니다. 賢者는 백성과 함께 밭을 갈고서 먹으며 밥을 짓고서 정치를 합니다. 그런데 지금 滕나라에는 倉廩과 府庫가 있으니, 이는 백성들을 해쳐서(괴롭혀서) 자신을 봉양하는 것이니, 어찌 어질다 할 수 있겠습니까." 하였다.

集註 | 饔飧은 熟食也니 朝曰饔이요 夕曰飧이라 言當自炊爨(취찬)以爲食하고 而兼治民事也라 厲는 病也라 許行此言은 蓋欲陰壞孟子分別君子小人[282]之法이라

'饔飧'은 익은 밥이니, 아침밥을 饔이라 하고 저녁밥을 飧이라 한다. 〈군주가〉 마땅히 직접 밥을 짓고 불을 때어 음식을 만들고, 겸하여 백성의 일을 다스려야 함을 말한 것이다. '厲'는 해침이다. 許行의 이 말은 孟子의 君子와 野人을 분별하는 법을 은근히 무너뜨리고자 한 것이다.

4-4. 孟子曰 許子는 必種粟而後에 食乎아 曰 然하다 許子는 必織布而後에 衣乎아 曰 否라 許子는 衣褐이니라 許子는 冠乎아 曰 冠이니라 曰 奚冠고 曰 冠素니라 曰 自織之與아 曰 否라 以粟易之니라 曰 許子는 奚爲不自織고 曰 害於耕이니라 曰 許子는 以釜甑爨하며 以鐵耕乎아 曰 然

---

282 小人 : 一本에는 '野人'으로 되어 있다.

··· 儒 선비 유 柄 자루 병 棄 버릴 기 道 말할 도 雖 비록 수 竝 나란히 병, 饔 아침밥 옹 飧 저녁밥 손 廩 창고 름 厲 해칠 려 熟 익을 숙 炊 밥지을 취 爨 불땔 찬 兼 겸할 겸 病 해칠 병 陰 몰래 음 種 심을 종 粟 곡식 속 褐 털옷 갈 奚 어찌 해 素 흰비단 소 釜 가마 부 甑 시루 증 鐵 쇠 철

하다 自爲之與아 曰 否라 以粟易之니라

孟子께서 "許子는 반드시 곡식을 심은 뒤에 먹는가?" 하고 물으셨다.

陳相이 "그렇습니다." 하고 대답하였다.

"許子는 반드시 삼베를 짠 뒤에 입는가?"

"아닙니다. 許子는 갈옷을 입습니다."

"許子는 冠을 쓰는가?"

"관을 씁니다."

"무슨 관을 쓰는가?"

"흰 비단(명주베)으로 만든 관입니다."

"스스로 그것을 짜는가?"

"아닙니다. 곡식을 주고 바꿉니다(삽니다)."

"許子는 어찌하여 스스로 짜지 않는가?"

"농사일에 방해되기 때문입니다."

"許子는 가마솥과 시루로 밥을 지으며, 쇠붙이로 밭을 가는가?"

"그렇습니다."

"스스로 그것을 만드는가?"

"아닙니다. 곡식을 주고 바꿉니다."

集註 | 釜는 所以煮요 甑은 所以炊라 爨은 然(燃)火也라 鐵은 耜屬也라 此語八反은 皆孟子問而陳相對也라

'釜'는 삶는 것(도구)이고, '甑'은 밥을 짓는 것(도구)이다. '爨'은 불을 땜이다. '鐵'은 보습의 등속이다. 이 말은 여덟 번 되물었는데, 모두 孟子가 물으심에 陳相이 대답한 것이다.

4-5. 以粟易械器者 不爲厲陶冶니 陶冶亦以其械器易粟者 豈爲厲農夫哉리오 且許子는 何不爲陶冶하여 舍皆取諸其宮中而用之하고 何爲紛紛然與百工交易고 何許子之不憚煩고 曰 百工之事는 固不可耕且爲也니라

··· 煮 삶을 자 然 불땔 연(燃同) 械 기계 계 陶 질그릇구울 도 冶 쇠불릴 야 舍 다만 사, 집 사 紛 어지러울 분
憚 꺼릴 탄 煩 번거로울 번

〈孟子께서 말씀하셨다.〉"곡식을 가지고 械器와 바꾸는 것이 陶工과 冶工을 해침이 되지 않으니, 陶工과 冶工 또한 자기가 만든 械器를 가지고 곡식과 바꾸는 것이 어찌 農夫를 해침이 되겠는가. 또 許子는 어찌하여 陶冶를 하여 다만 모두 자기 집안에서 취하여 쓰지 않고, 어찌하여 紛紛하게 百工들과 교역하는가? 어찌하여 許子는 번거로움을 꺼리지 않는가?"

陳相이 대답하였다. "百工의 일은, 진실로 밭을 갈고 또 할 수는 없습니다."

按說┃ '何不爲陶冶 舍皆取諸其宮中而用之'에 대하여, 朱子는《集註》에서 '舍'를 '止(다만)'로 보는 說과, '舍'를 '집'으로 보고 윗구에 붙여 '何不爲陶冶舍'로 句를 떼서 '어찌하여 陶冶의 집을 만들어서 모두 그 집안에서 취하여 쓰지 않는가?'로 해석하는 說을 소개하였다. 毛奇齡은 '舍皆取諸其宮中而用之'를

다만 집에서 취하고 밖에서 구할 필요가 없다고 말한 것이다.〔言止取宮中 不須外求也〕

라고 하였는데, 茶山 또한 '舍'를 '止(다만)'로 보아

《論語》〈季氏〉1장에 '다만 하고자 한다고 말해야 할 뿐이다.〔舍曰欲之〕'라고 한 뜻이 이와 같다.〔論語曰 舍曰欲之義 與此同〕

라고 하였다. 반면 楊伯峻은 '舍'는 지금의 '啥(무엇 사)'자로 '何物(어떤 물건)'의 뜻이라 하고, '何不爲陶冶 舍皆取諸其宮中而用之'를 '어찌하여 직접 陶冶를 하여 어떤 물건이라도 다 집에 비축해두고 수시로 취하여 쓰지 않는가?'로 번역하였다.

集註┃ 此는 孟子言而陳相對也라 械器는 釜甑之屬也라 陶는 爲甑者요 冶는 爲釜鐵者라 舍는 止也라 或讀屬上句하니 舍는 謂作陶冶之處也라

이는 孟子께서 말씀함에 陳相이 대답한 것이다. '械器'는 가마솥과 시루의 등속이다. '陶'는 시루를 만드는 자요, '冶'는 가마솥과 쇠붙이를 만드는 자이다. '舍'는 다만이다. 혹은 윗구에 붙여 읽으니, '舍'는 陶冶를 만드는 곳을 이른다.

4-6. 然則治天下는 獨可耕且爲與아 有大人之事하고 有小人之事하며

且一人之身而百工之所爲備하니 如必自爲而後에 用之면 是는 率天下而路也니라 故로 曰 或勞心하며 或勞力이니 勞心者는 治人하고 勞力者는 治於人이라하니 治於人者는 食(사)人하고 治人者는 食(사)於人이 天下之通義也니라

〈孟子께서 말씀하셨다.〉 "그렇다면 天下를 다스리는 일은 홀로 밭을 갈고 또 할 수 있단 말인가. 大人(政治家)의 일이 있고 小人(백성)의 일이 있으며, 또 한 사람의 몸에 百工의 하는 일이 구비되어 있으니, 만일 반드시 자기가 만든 뒤에야 쓴다면 이는 천하 사람을 거느려 길에 분주히 왕래하게(길로 내몰아 쉬지 못하게) 하는 것이다. 그러므로 옛말에 이르기를 '혹은 마음을 수고롭게 하며 혹은 힘을 수고롭게 하니, 마음을 수고롭게 하는 자는 남을 다스리고 힘을 수고롭게 하는 자는 남에게 다스려진다.' 하였으니, 남에게 다스려지는 자는 남을 먹여주고, 남을 다스리는 자는 남에게 얻어먹는 것이 천하의 공통된 의리이다.

按說 | '故曰……食於人'에 대하여, 栗谷諺解에는 '食(사)於人'까지 古語로 보았으며, 沙溪(金長生) 또한 '故曰'을 '食於人'까지 이어진 것으로 보고,

> 官本諺解에는 '治於人' 이상을 네 句를 만들어 '古語'라 하였으니, 옳지 않다. 마땅히 '或勞心'을 한 句로 삼고 '或勞力'을 한 句로 삼고 '勞心者治人'과 '勞力者治於人'이 한 句가 되고 '治於人者食人'과 '治人者食於人'이 한 句가 되어야 하니, 《集註》의 뜻을 가지고 살펴보면 알 수 있다.〔諺解以治於人以上 作四句而爲古語 非是 恐當以或勞心爲一句 或勞力爲一句 勞心者治人 勞力者治於人 爲一句 治於人者食人 治人者食於人 爲一句 以註意觀之 可見〕《經書辨疑》

하였다. 壺山은 沙溪의 說을 인용하고,

> 살펴보건대 註에 '食人, 食於人'을 함께 訓한 뒤에 비로소 이 네 句를 인용했다고 말한 것은 과연 이러한 뜻이 있다. 다만 이와 같이 보면 아래 두 句가 너무 느슨하고 기니, 아마도 傳寫하는 자가 6을 4로 잘못 썼나보다. 다만 이와 같이 해석하면 '天下之通義也' 한 句가 마침내 붙을 곳이 없으니 마땅히 다시 살펴보아야 할 듯하다. 혹은 윗장의 〈'無君子 莫治野人

··· 備 갖출 비 率 거느릴 솔 食 먹일 사, 먹을 식

無野人 莫養君子'의〉'治·養'이란 말에 照應하여 '故曰'이란 글자를 놓았는가.〔按註幷

訓食人食於人 然後乃云引此四句者 果有此意 但如此 則下二句太緩而長 豈傳寫者

誤六作四歟 但如此 則天下之通義也一句 遂無依著 恐合更詳 或是照上章治養之語

而下故曰字歟〕

하였다.

朱子의 《集註》에 분명 "食於人者 見食於人也"라고 풀이한 뒤에 "이 네 句는 모두 古

語인데 孟子가 인용한 것이다."라고 하였으니, 古語가 여기까지 이어지는 것으로 보는

것이 타당할 듯하다. 그러므로 沙溪는 아래 두 句를 길게 떼어 네 句를 맞춘 것이다. 그

러나 문법상 '勞心者治人 勞力者治於人'은 마땅히 두 句가 되어야 하므로 壺山은 六

句를 四句로 잘못 쓴 것으로 보았다. 그리고 또 '食於人'까지 古語로 볼 경우 '天下之

通義也' 한 句가 의지하여 붙을 곳이 없음을 지적하고 '故曰'을 끝까지 이어진 것으로

보았는데, 이렇게 해석할 경우 '故曰'은 古語가 아니고 孟子가 스스로 말씀한 것이 된

다. 譯者의 생각에는 壺山의 해석 중 後者를 택하여 '故로 曰 或勞心하며 或勞力이니

勞心者는 治人하고 勞力者는 治於人이니 治於人者는 食人하고 治人者는 食於人이

天下之通義也라하노라'로 하였으면 한다. 그러나 이는 朱子의 《集註》와는 맞지 않는

다. 하여튼 이 부분은 문제가 있으므로 우선 官本諺解를 따라 해석하였음을 밝혀둔다.

集註 | 此以下는 皆孟子言也라 路는 謂奔走道路하여 無時休息也[283]라 治於人者는

見治於人也라 食人者는 出賦稅하여 以給公上也요 食於人者는 見食於人也라 此

四句는 皆古語而孟子引之也라 君子는 無小人則飢하고 小人은 無君子則亂하니 以

此相易은 正猶農夫陶冶 以粟與械器相易이니 乃所以相濟요 而非所以相病也라

治天下者 豈必耕且爲哉리오

이 이하는 모두 孟子의 말씀이다. '路'는 도로에 분주하여 휴식할 때가 없음을 이른다. '治

於人'은 남에게 다스림을 받는 것이다. '食人'은 賦稅를 내어서 公上에 공급하는 것이요,

'食於人'은 남에게 얻어먹는 것이다. 이 네 句는 모두 옛말인데, 孟子께서 인용하신 것이

---

283 路……無時休息也:楊伯峻은 '路'는 露(곤궁함, 고달픔)와 같다 하고, 趙岐가 '路'를 '고달프고 곤궁
한 길〔羸困之路〕'로 풀이한 것과 같은 뜻이라고 하였다.

··· 奔 달려갈분 走 달릴주 休 쉴휴 給 공급할급 飢 굶주릴기

다. 君子는 小人이 없으면 굶주리고 小人은 君子가 없으면 혼란하니, 이것을 가지고 서로 교역함은 바로 農夫와 陶工·冶工이 곡식과 械器를 가지고 서로 교역함과 같으니, 이는 서로 구제하는 것이요 서로 해롭게 하는 것이 아니다. 천하를 다스리는 자가 어찌 반드시 밭을 갈고 또 다스려야 하겠는가.

4-7. 當堯之時하여 天下猶未平하여 洪水橫流하여 氾濫於天下하여 草木暢茂하며 禽獸繁殖이라 五穀不登하며 禽獸偪人하여 獸蹄鳥跡之道交於中國이어늘 堯獨憂之하사 擧舜而敷治焉이어시늘 舜이 使益掌火하신대 益이 烈山澤以焚之하니 禽獸逃匿이어늘 禹疏九河하며 瀹濟漯(약제탑)而注諸海하시며 決汝漢하며 排淮泗而注之江하시니 然後에 中國이 可得而食也하니 當是時也하여 禹八年於外에 三過其門而不入하시니 雖欲耕이나 得乎아

堯임금의 때를 당하여 천하가 아직도 平治되지 못해서 洪水가 멋대로 흘러 천하에 범람하여 초목이 무성하고 禽獸가 번식하였다. 이 때문에 五穀이 성숙하지 못하고 禽獸가 사람을 핍박해서 짐승의 발자국과 새의 발자국(흔적)이 中國에 뒤섞여 있었다. 堯임금이 홀로 이를 걱정하시어 舜을 들어 다스림을 펴게 하시니, 舜이 益으로 하여금 불을 맡게 하시자, 益이 山澤에 불을 놓아 태우니 禽獸가 도망하여 숨었다. 禹가 九河를 소통하고 濟水와 漯水를 소통하여 바다로 주입하시며, 汝水와 漢水를 트고 淮水와 泗水를 배수하여 江(양자강)으로 주입하시니, 그런 뒤에 中國이 곡식을 먹을 수가 있었다. 이때를 당하여 禹가 8년 동안 밖에 있으면서 세 번이나 자기 집 문 앞을 지나면서도 들어가지 못하셨으니, 비록 밭을 갈고자 하나 가능했겠는가.

按說 | '使益掌火'에 대하여, 趙岐는

'掌'은 主(주관하다)이다. 불을 주관하는 관직은 옛날의 火正과 같은 것이다.〔掌 主也 主火之官 猶古之火正也〕

··· 橫 멋대로할 횡 氾 넘칠 범 濫 넘칠 람 暢 통할 창 茂 무성할 무 繁 번성할 번 殖 번식할 식 登 성숙할 등 偪 핍박할 핍 蹄 발굽 제 敷 펼 부 掌 맡을 장 烈 불놓을 렬 焚 태울 분 逃 달아날 도 匿 숨을 닉 疏 소통할 소 瀹 소통할 약 濟 물이름 제 漯 물이름 탑 注 물댈 주 決 터놓을 결 汝 물이름 여 排 배수할 배 淮 물이름 회 泗 물이름 사

하였다. 茶山은 閻若璩가

'火'는 堯임금 때의 官名이니 바로 火正이다.〔火者 堯時官名 卽火正〕

한 것을 취하여, '掌火'의 '火'를 官名으로 보았다.

이 節은 글이 이어지고 중복되어 懸吐에 어려움이 있다. 吐는 官本諺解를 그대로 따랐
으나, 해석은 '交於中國'에서 끊고, "堯獨憂之하사 擧舜而敷治焉하신대 舜이 使益掌
火하시니 益이 烈山澤以焚之하여 禽獸逃匿이라 禹疏九河하고 瀹濟漯하여 而注諸海
하시며 決汝漢하고 排淮泗하여 而注之江하시니"로 풀이하였다.

集註ㅣ天下猶未平者는 洪荒之世에 生民之害多矣러니 聖人迭興하사 漸次除治로
되 至此에 尙未盡平也라 洪은 大也라 橫流는 不由其道而散溢妄行也라 氾濫은 橫
流之貌라 暢茂는 長盛也요 繁殖은 衆多也라 五穀은 稻, 黍, 稷, 麥, 菽[284]也라 登은 成
熟也라 道는 路也라 獸蹄鳥跡이 交於中國은 言禽獸多也라 敷는 布也[285]라 益은 舜
臣名이라 烈은 熾也라 禽獸逃匿然後에 禹得施治水之功이라 疏는 通也며 分也라 九
河는 曰徒駭, 曰太史, 曰馬頰, 曰覆(부)釜, 曰胡蘇, 曰簡, 曰潔, 曰鉤盤, 曰鬲津[286]
이라 瀹은 亦疏通之意라 濟, 漯은 二水名이라 決排는 皆去其壅塞也라 汝, 漢, 淮, 泗
는 亦皆水名也라 據禹貢及今水路컨대 惟漢水入江耳요 汝泗則入淮而淮自入海하
니 此謂四水皆入于江은 記者之誤也[287]라

---

284 黍稷麥菽 : 壺山은 "살펴보건대 '稷'字는 《書經》의 註에 '기장과 비슷한데 작다.〔似黍而小〕'하였으니,
의심컨대 바로 지금 세속에서 칭하는 '서속〔細黍〕'이란 것인 듯하다. 만약 稗(피)로 본다면 잘못이다.〔按
稷字 書云似黍而小 疑卽今俗所稱細黍者也 若以稗當之 則誤矣〕"하였다. 서속은 '조'이다.

285 敷 布也 : 壺山은 "敷治는 治水하는 일을 폄을 이른다.〔敷治 言敷布治水之功也〕"하였다. 楊伯峻은
'敷'를 '두루〔徧〕'로 보았다.

286 九河……曰鬲津 : 新安倪氏(倪士毅)는 "蔡氏(蔡沈)의 《書經集傳》에 《爾雅》를 살펴보건대 九河는
첫 번째는 徒駭이고 두 번째는 太史이고 세 번째는 馬頰이고 네 번째는 覆釜이고 다섯 번째는 胡蘇이
고 여섯 번째는 簡潔이고 일곱 번째는 鉤盤이고 여덟 번째는 鬲津이고, 이 가운데 하나는 黃河의 經流
(源流)이다. 先儒들은 黃河의 큰 물줄기를 알지 못하고 簡과 潔을 나누어 둘로 만들었다.'하였으니,
이는 《集註》와 조금 다르다. 그러나 《書經集傳》은 朱子가 만년에 訂正을 가하였으니, 마땅히 《書經集
傳》을 定論으로 삼아야 한다.〔蔡氏書傳云 按爾雅 九河 一曰徒駭 二曰太史 三曰馬頰 四曰覆釜 五
曰胡蘇 六曰簡潔 七曰鉤盤 八曰鬲津 其一則河之經流也 先儒不知河之經流 遂分簡潔爲二 此與
集註小異 書傳經朱子晩年訂正 當以爲定也〕"하였다.

287 據禹貢及今水路……記者之誤也 : 朱子는 "汝水와 漢水를 트고 淮水와 泗水를 排水하여 揚子江
으로 注入했다'는 것은, 이는 다만 글을 지으면서 그 글자의 숫자를 취하여 對偶가 되도록 하다가 이렇

··· 荒 거칠황 迭 차례질 漸 점점점 尙 아직상 溢 넘칠일 妄 함부로망 稻 벼도 黍 기장서 稷 조직
麥 보리맥 菽 콩숙 布 펼포 熾 불꽃성할치 駭 놀랄해 頰 뺨협 蘇 소생할소 鉤 갈구리쇠구 盤 소반반
鬲 오지병격 壅 막을옹 塞 막을색

'천하가 아직도 平治되지 못했다.'는 것은 혼돈스럽고 미개한 세대에 生民을 해치는 것이 많았는데, 聖人이 차례로 나와서 점차 제거하고 다스렸으나 이때에 이르러서도 아직 다 平治되지 못한 것이다. '洪'은 큼이다. '橫流'는 제 길을 따르지 않고 흩어져 넘쳐서 멋대로 흐르는 것이다. '氾濫'은 橫流하는 모양이다. '暢茂'는 長盛함이요, '繁殖'은 많음이다. '五穀'은 벼·기장·피·보리·콩이다. '登'은 成熟함이다. '道'는 길이다. '짐승의 발자국과 새의 발자국이 中國에 뒤섞여 있었다.'는 것은 禽獸가 많음을 말한다. '敷'는 폄이다. 益은 舜의 신하 이름이다. '烈'은 불이 성함이다. 禽獸가 도망하여 숨은 뒤에야 禹가 治水하는 일을 시행할 수 있었다. '疏'는 통함이며 분산함이다. 九河는 徒駭·太史·馬頰·覆釜·胡蘇·簡·潔·鉤盤·鬲津이다. '瀹' 또한 소통한다는 뜻이다. 濟와 漯은 두 물의 이름이다. '決'과 '排'는 모두 그 막힘을 제거하는 것이다. 汝·漢·淮·泗 또한 모두 물의 이름이다. 《書經》〈禹貢〉과 지금의 물길을 근거해 보면 오직 漢水만이 揚子江으로 들어갈 뿐이요, 汝水와 泗水는 淮水로 들어가고 淮水는 직접 바다로 들어가니, 여기에서 네 물이 모두 江으로 들어간다고 말한 것은 기록한 자(弟子)의 誤謬이다.

4-8. 后稷이 教民稼穡하여 樹藝五穀한대 五穀熟而民人育하니 人之有道也에 飽食煖衣하여 逸居而無教면 則近於禽獸일새 聖人이 有憂之하사 使契(설)로 爲司徒하여 教以人倫하시니 父子有親이며 君臣有義며 夫婦有別이며 長幼有序며 朋友有信이니라 放勳曰 勞之來之하며 匡之直之하며 輔之翼之하여 使自得之하고 又從而振德之라하시니 聖人之憂民이 如此하시니 而暇耕乎아

后稷이 백성들에게 稼穡(곡식을 심고 거둠)을 가르쳐서 五穀을 심고 가꾸게 하자 五穀이 성숙함에 人民이 잘 길러졌으니, 사람에게는 도리가 있는데 배불리 먹고 따뜻이 옷을 입어서 편안히 거처하기만 하고 가르침이 없으면 禽獸와 가까워진다. 〈이 때문에〉

게 잘못된 것일 뿐이다.……이는 다만 문장을 짓다가 잘못된 것이요 義理에는 해로움이 없으니, 굳이 자세하게 설명할 필요는 없다.〔決汝漢 排淮泗 而注之江 此但作文取其字數 以足對偶而云耳……只是行文之失 無害於義理 不必曲爲之說〕"하였다. 《朱子大全 偶讀謾記》) 이는 《集註》에 '기록한 자의 오류'라고 한 것을 부정하고 孟子의 직접 저작으로 여긴 것이다.

••• 樹 심을 수 藝 번식할 예 煖 따뜻할 난 逸 편안할 일 契 이름 설 徒 무리 도 放 클 방 勳 공훈 勞 위로할 로 匡 바로잡을 광 翼 도울 익

聖人이 이를 근심하시어 契을 司徒로 삼아 人倫을 가르치게 하셨으니, 父子간에는 친함이 있으며, 君臣간에는 의리가 있으며, 夫婦간에는 분별이 있으며, 長幼간에는 차례가 있으며, 朋友간에는 진실함이 있는 것이다. 放勳이 말씀하기를 '위로하고 오게 하며, 바로잡아주고 펴주며, 도와서 세워주고 도와서 행하게 하여 스스로 〈本性을〉 얻게 하고, 또 따라서 진작시켜 은덕을 베풀어주라' 하셨으니, 聖人이 백성을 걱정함이 이와 같으시니, 어느 겨를에 밭을 갈겠는가.

按説 | '飽食煖衣 逸居而無教'에 대하여, 楊伯峻은 '飽食煖衣'에서 句讀를 떼는 것은 잘못이고 '飽食煖衣逸居而無教' 아홉 자를 한 句로 보아야 한다 하고, 崔述의 《論語餘説》에

　　의·식·주 세 가지가 모두 갖추어졌으나 오로지 가르침이 없음을 이른 것이다.〔衣食居三者俱全而惟無教也〕

한 것을 인용하여 '逸居'를 '住'로 보았다.

'勞之來之 匡之直之 輔之翼之'에 대하여, 慶源輔氏(輔廣)는

　　'勞'와 '來'는 그 生活을 편안히 하는 것이요 '匡'과 '直'은 그 德을 바르게 하는 것이요 '輔'와 '翼'은 그 行을 돕는 것이다.〔勞來 所以安其生 匡直 所以正其德 輔翼 所以助其行〕

하였다. '勞'와 '來'에 대하여, 沙溪(金長生)는

　　'勞'와 '來'는 人倫을 이어 말하였으니, 人倫을 부지런히 행하고 배반하지 않는 자를 勞來하는 것이다. 혹자는 漢史의 '王成이 勞來하기를 게을리하지 않았다.'는 뜻으로 보니, 옳지 않다.〔勞來 承人倫而言 勤於人倫而不畔者 勞來之 或以漢史王成勞來不怠之意看 非是〕《經書辨疑》

하였다. 漢史는 《漢書》를 가리킨 것으로 이 내용은 《循吏傳》에 보이는데, 顏師古의 註에 "'勞來'는 勸勉하고 招懷하는 것이다." 하였다. 한편 楊伯峻은 '勞之來之'의 '勞'와 '來'가 모두 '勤'의 뜻이라 하고, '그들을 督責하다'로 번역하였다.

集註 | 言 水土平然後에 得以教稼穡이요 衣食足然後에 得以施教化라 后稷은 官名

··· 施 베풀 시 稼 심을 가 穡 거둘 색

이니 棄爲之라 然이나 言敎民이면 則亦非竝耕矣라 樹는 亦種也라 藝는 殖也[288]라 契
은 亦舜臣名也라 司徒는 官名也라 人之有道는 言其皆有秉彝之性也라 然이나 無
敎[289]則亦放逸怠惰而失之라 故로 聖人이 設官而敎以人倫하시니 亦因其固有者而
道(導)之耳라 書曰 天敍有典하시니 勅我五典하사 五를 惇哉라하니 此之謂也[290]라 放
勳은 本史臣贊堯之辭[291]어늘 孟子因以爲堯號也라 德은 猶惠也라 堯言 勞者를 勞
之하고 來者를 來之하며 邪者를 正之하고 枉者를 直之하며 輔以立之하고 翼以行之하
여 使自得其性矣요 又從而提撕警覺以加惠焉하여 不使其放逸怠惰而或失之라하
시니 蓋命契之辭也라

水土가 平治된 뒤에 稼穡을 가르칠 수 있고, 衣食이 풍족한 뒤에 敎化를 베풀 수 있음을
말씀한 것이다. '后稷'은 官名이니, 姬棄가 이것을 하였다. 그러나 백성을 가르쳤다고 말했

---

288 藝 殖也：壺山은 "아마도 〈殖은〉 '植'의 오류인 듯하니, 윗절의 '殖'과 차이가 있는 듯하다.〔或植之誤
　　與上節之殖 恐有異〕" 하였다. 字典에도 藝를 種植으로 풀이하였고 繁殖의 뜻은 없으나 殖에 種의
　　뜻이 있으므로 殖을 '심음'으로 번역하였다.

289 然 無敎：壺山은 "諺解의 解釋은 '然'字의 뜻을 잃었다.〔諺釋 失然字意〕" 하였다. 諺解의 解釋에 '人
　　이 道ㅣ 이숌애 食을 飽히 ᄒᆞ며 衣를 煖히 ᄒᆞ야 편히 居ᄒᆞ고 敎홈이 업ᄉᆞ면'으로 되어 있는바, '사람에
　　게 道가 있으나'로 해석해야 함을 말한 것이다. 字典에도 藝를 種植으로 풀이하였고 繁殖의 뜻은 없으
　　나 殖에 種의 뜻이 있으므로 殖을 '심음'으로 번역하였다.

290 設官而敎以人倫……此之謂也：慶源輔氏(輔廣)는 《集註》에 《書經》을 들어 證明한 것이, '天敍'는
　　바로 《集註》의 이른바 '固有한 것'이요, '바로잡아 厚하게 한다.'는 것은 바로 《集註》의 이른바 '인도했
　　다'는 것이다.〔集註擧書以爲證者 天叙 卽所謂固有也 勅而厚之 卽所謂道之也〕" 하였다. 新安陳氏
　　(陳櫟)는 "'典'은 人道의 떳떳함이니, 하늘이 次序한 것에 본래 이러한 떳떳한 법칙이 있는 것이다. '勅'
　　은 바름이고 '我'는 군주를 이르고 '五典'은 바로 父子로부터 朋友에 이르기까지의 다섯 가지 이것이
　　다. '惇'은 厚함이다. 바로잡기를 나로부터 한다는 것은 天叙의 本然에 나아가 品節한 뒤에야 떳떳한 법이
　　있으니, 구별하여 다섯 가지 법칙이 있어서 다섯 가지를 모두 惇厚하게 하는 것이다. 惇典은 人倫을 厚
　　하게 한다고 말함과 같은 것이다.〔典者 人道之常 天所次序 本有此典也 勅 正也 我 謂君也 五典 卽
　　父子至朋友五者是也 惇 厚也 勅正自我 卽天叙之本然者而品節之 然後有典 別而爲五典 而五者
　　皆惇厚也 惇典 如言厚人倫〕" 하였다. 茶山은 《書經》의 이른바 五典은 아버지는 의롭고, 어머니는 자
　　애롭고, 형은 우애하고, 동생은 공손하고, 자식은 효도하는 것이다. 《春秋左傳》文公 18년 조에 분명한
　　글이 있다.……五倫은 《中庸》의 다섯 가지 達道이다. 《集註》가 틀린 듯하다.〔書所謂五典者 父義母慈
　　兄友弟恭子孝也 春秋傳本有明文……五倫者 中庸之五達道也 集註恐誤〕" 하였다. 茶山은 朱子가
　　五倫을 설명하면서 《書經》의 五典을 인용한 것을 적절하지 못한 것으로 본 것이다. 그러나 《書經》의
　　五典이 비록 父義·母慈·兄友·弟恭·子孝의 다섯 가지라고 하더라도 이 역시 五倫의 중요한 것이므
　　로, 여기에 인용하였다고 보여진다. 後世에 綱常이라 하여 三綱·五倫을 항상 對擧하는데, 三綱 역시
　　君臣·父子·夫婦를 든 것으로 忠·孝·烈을 가리킨다.

291 放勳 本史臣贊堯之辭：'放勳'에 대하여 朱子는 '功勳이 크다.'는 뜻으로 보았으나, 楊伯峻은 "堯의
　　칭호이니, '放勛'으로도 쓴다." 하였다. 이는 《史記》를 그대로 따른 것이다.

⋯ 竝 나란히병　秉 잡을병　彝 떳떳할이　放 방탕할방　惰 게으를타　敍 펼서　典 법전　勅 삼갈칙　惇 도타울돈
　　贊 칭찬할찬　提 끌제　撕 끌시

으니, 그렇다면 백성들과 함께 밭을 간 것은 아니다. '樹' 또한 심음이다. '藝'는 심음이다. 契 또한 舜의 신하 이름이다. '司徒'는 官名이다. '사람에게 道가 있다.'는 것은 사람이 모두 秉彝의 性을 가지고 있음을 말한 것이다. 그러나 가르침이 없으면 또한 放逸하고 怠惰하여 이것을 잃는다. 그러므로 聖人이 관직을 설치하여 人倫을 가르치게 하셨으니, 또한 그 固有한 것을 인하여 인도했을 뿐이다. 《書經》〈皐陶謨〉에 이르기를 "하늘이 차례로 펴서 典(五典)을 두시니, 우리의 五典을 바로잡아 다섯 가지를 돈독히 한다." 하였으니, 이것을 말한 것이다. 放勳은 본래 史臣이 堯를 〈功德이 크다 하여〉 칭찬한 말인데, 孟子께서 인하여 堯의 號로 삼은 것이다. '德'은 惠와 같다. 堯가 말씀하기를 "수고로운 자를 위로하고 오는 자를 오게 하며, 바르지 못한 자를 바로잡아주고 굽은 자를 펴주며, 도와서 세워주고 도와서 행하게 하여 스스로 그 본성을 얻게 하고, 또 따라서 提撕하고 警覺하여 은혜를 가해주어서 放逸하고 怠惰하여 혹시라도 본성을 잃지 않게 하라." 하셨으니, 이는 아마도 契에게 명령한 말씀인 듯하다.

4-9. 堯는 以不得舜으로 爲己憂하시고 舜은 以不得禹皐陶(고요)로 爲己憂하시니 夫以百畝之不易(이)로 爲己憂者는 農夫也니라

堯임금은 舜을 얻지 못함을 자신의 근심으로 삼으셨고, 舜임금은 禹와 皐陶를 얻지 못함을 자신의 근심으로 삼으셨으니, 100畝가 다스려지지 못함을 자신의 근심으로 삼는 자는 農夫이다.

集註 | 易는 治也라 堯舜之憂民은 非事事而憂之也요 急先務而已니 所以憂民者 其大如此면 則不惟不暇耕이요 而亦不必耕矣니라

'易'는 다스림이다. 堯·舜이 백성을 걱정한 것은 일마다 걱정한 것이 아니요, 먼저 해야 할 일을 급히 했을 뿐이다. 백성을 걱정한 것이 이와 같이 크다면 단지 밭을 갈 겨를이 없을 뿐만 아니요, 또한 굳이 밭을 갈 필요가 없는 것이다.

4-10. 分人以財를 謂之惠요 敎人以善을 謂之忠이요 爲天下得人者를 謂之仁이니 是故로 以天下與人은 易하고 爲天下得人은 難하니라

··· 禹 하우씨(夏禹氏) 우 皐 언덕 고 陶 즐길 요 易 다스릴 이

사람들에게 재물을 나누어 줌을 惠라 이르고, 사람들에게 善을 가르쳐 줌을 忠이라 이르고, 천하 사람들을 위하여 인재를 얻는 것을 仁이라 이른다. 그러므로 천하를 사람(남)에게 주기는 쉽고, 천하를 위하여 인재를 얻기는 어려운 것이다.

按說 | 《大全》에 "人(남)은 자기와 상대하여 말한 것이니, 가르치는 자는 오직 자기일 뿐이다.〔人者 對己而言 敎之者 僅己耳〕" 하였다.

集註 | 分人以財는 小惠而已요 敎人以善은 雖有愛民之實이나 然其所及이 亦有限而難久라 惟若堯之得舜과 舜之得禹皐陶라야 乃所謂爲天下得人者而其恩惠廣大하고 敎化無窮矣니 此所以爲仁也[292]라

사람들에게 재물을 나누어 줌은 작은 은혜일 뿐이요, 사람들에게 善을 가르쳐 줌은 비록 백성을 사랑하는 실제가 있으나 미치는 바가 또한 한계가 있고 오래하기 어렵다. 오직 堯가 舜을 얻고 舜이 禹와 皐陶를 얻은 것과 같이 하여야 이른바 천하를 위하여 인재를 얻는다는 것이어서 그 은혜가 광대하고 敎化가 무궁한 것이니, 이 때문에 仁이 되는 것이다.

4-11. 孔子曰 大哉라 堯之爲君이여 惟天이 爲大어늘 惟堯則(칙)之하시니 蕩蕩乎民無能名焉이로다 君哉라 舜也여 巍巍乎有天下而不與(예)焉이라하시니 堯舜之治天下 豈無所用其心哉시리오마는 亦不用於耕耳시니라

孔子께서 말씀하시기를 '위대하다, 堯임금의 임금 노릇하심이여. 오직 하늘이 위대하신데 堯임금이 이것을 본받으셨으니, 蕩蕩하여 백성들이 德을 命名(形容)할 수가 없도다. 임금답다, 舜임금이여. 巍巍하여(높고 커서) 천하를 소유하고도 관여하지 않았다.' 하셨으니, 堯·舜이 천하를 다스림에 어찌 그 마음을 쓰신 바가 없으시겠는가마는 또한 밭을 가는 데에는 쓰지 않으셨다.

---

292 其恩惠廣大……此所以爲仁也:《大全》에 "'仁'字는 '惠'字와 '忠'字를 포함할 수 있다.〔仁字 可包惠字忠字〕" 하였다.

··· 廣 넓을 광 則 법받을 칙 蕩 넓을 탕 巍 높을 외 與 참여할 예

按說 | '孔子曰……不與焉'은《論語》〈泰伯〉18장과 19장에 보인다.

'亦'에 대하여, 楊伯峻은 '다만'의 뜻이라 하였다.

集註 | 則은 法也[293]라 蕩蕩은 廣大之貌라 君哉는 言盡君道也라 巍巍는 高大之貌라 不與는 猶言不相關이니 言其不以位爲樂也라

'則'은 본받음이다. '蕩蕩'은 광대한 모양이다. '君哉'는 군주의 도리를 다함을 말한다. '巍巍'는 高大한 모양이다. '不與'는 不相關(관여하지 않음)이라는 말과 같으니, 지위로써 樂을 삼지 않음을 말한 것이다.

4-12. 吾聞用夏變夷者요 未聞變於夷者也로라 陳良은 楚産也니 悅周公, 仲尼之道하여 北學於中國이어늘 北方之學者 未能或之先也하니 彼所謂豪傑之士也라 子之兄弟 事之數十年이라가 師死而遂倍之온여

나는 華夏(中華)의 가르침을 써서 오랑캐를 변화시켰다는 말은 들었고, 오랑캐에게 변화당했다는 말은 듣지 못하였노라. 陳良은 楚나라 태생이니, 周公과 仲尼의 道를 좋아하여 북쪽으로 中國에 와서 공부하였는데 北方의 학자들이 혹시라도 그보다 앞선 자가 없었으니, 그는 이른바 '豪傑의 선비'였다. 그대의 형제가 그를 섬기기를 수십 년 하다가 스승이 죽자 마침내 배반하는구나.

按說 | 壺山은

옛날에는 周公을 '先聖'이라 하고 孔子를 '先師'라 하였다. 그러므로 여기에 周公과 仲尼를 나열하여 말한 것이다.〔古以周公爲先聖 孔子爲先師 故此列言周公仲尼〕

---

293 則 法也:沙溪(金長生)는《論語》註에 '능히 하늘과 같았다.〔能與之準〕' 하여 이 註와는 같지 않다.〔語註註日 能與之準 與此註不同〕' 하였다.《經書辨疑》이에 대하여 壺山은 "마땅히《論語》의 註를 定論으로 삼아야 한다.〔當以語註爲定論〕' 하였는데,《論語》의 집주에 "'唯'는 獨과 같고, '則'은 準과 같다.……물건 중에 높고 큰 것은 하늘보다 더한 것이 없는데, 오직 堯임금의 德이 하늘과 같았다.〔猶獨也 則 猶準也……言物之高大 莫有過於天者 而獨堯之德 能與之準〕"라고 보인다. '準'을 '같다'로 해석할 경우 堯의 德이 하늘과 같은 것이 되지만, '본받다'로 해석할 경우 聖人뿐만 아니라 賢人에게도 해당되므로《論語》의 註를 定論으로 삼아야 한다고 주장한 것이다.

··· 關 관계할관 變 변할변 産 낳을산 先 뛰어날선 豪 호걸호 傑 호걸걸 倍 배반할배

하였다.

集註 | 此以下는 責陳相倍(背)師而學許行也라 夏는 諸夏禮義之敎也라 變夷는 變化蠻夷之人也요 變於夷는 反見變化於蠻夷之人也라 産은 生也라 陳良이 生於楚하니 在中國之南이라 故로 北遊而學於中國也라 先은 過也라 豪傑은 才德出衆之稱이니 言其能自拔於流俗也라 倍는 與背同이라 言 陳良은 用夏變夷어늘 陳相은 變於夷也[294]라

이 이하는 陳相이 스승을 배반하고 許行을 배움을 꾸짖은 것이다. '夏'는 諸夏(華夏)의 禮義의 가르침이다. '變夷'는 蠻夷의 사람을 변화시킴이요, '變於夷'는 도리어 蠻夷의 사람에게 변화당하는 것이다. '産'은 출생이다. 陳良이 楚나라에서 출생하였으니, 中國의 남쪽에 있었다. 그러므로 북쪽으로 와서 中國에서 배운 것이다. '先'은 뛰어남(앞섬)이다. '豪傑'은 재주와 德이 출중한 칭호이니, 능히 스스로 流俗에서 빼어남을 말한 것이다. '倍'는 背(배반)와 같다. 陳良은 華夏의 가르침을 써서 오랑캐를 변화시켰는데, 陳相은 오랑캐에게 변화 당함을 말씀한 것이다.

4-13. 昔者에 孔子沒커시늘 三年之外에 門人이 治任將歸할새 入揖於子貢하고 相嚮而哭하여 皆失聲然後에 歸어늘 子貢은 反하여 築室於場하여 獨居三年然後에 歸하니라 他日에 子夏, 子張, 子游 以有若似聖人이라하여 欲以所事孔子로 事之하여 彊曾子한대 曾子曰 不可하니 江漢以濯之며 秋陽以暴(폭)之라 皜皜乎不可尙已라하시니라

옛적에 孔子께서 별세하시자, 3년이 지난 뒤에 門人이 짐을 챙겨 돌아가려 할 적에 들어가서 子貢에게 읍하고 서로 향해 통곡하여 모두 목이 쉰 뒤에 돌아갔는데, 子貢은 다시 돌아와 묘소의 마당에 집(여막)을 짓고서 홀로 3년을 산 뒤에 돌아갔다. 후일에 子

---

294 陳良……變於夷也: 慶源輔氏(輔廣)는 "陳良은 楚나라 사람인데 북쪽으로 中國에 와서 배웠으니, 그렇다면 이는 華夏의 法을 사용하여 오랑캐를 變化한 것이요, 陳相은 본래 陳良에게 배웠는데 마침내 許行에게 變함을 당하였으니, 이는 오랑캐에게 變한 것이다.[陳良楚人 而北學於中國 則是用夏變夷 陳相素學於陳良 乃爲許行所變 則是變於夷也]" 하였다.

••• 蠻 오랑캐 만 拔 빼어날 발 沒 죽을 몰 任 짐 임 揖 읍할 읍 嚮 향할 향 築 쌓을 축 彊 억지로 강 濯 씻을 탁 暴 햇볕쬘 폭 皜 흴 호 尙 더할 상

夏·子張·子游가 有若이 聖人(孔子)과 유사하다 하여 孔子를 섬기던 禮로써 그를 섬기고자 해서 曾子에게 강요하자, 曾子께서 말씀하시기를 '不可하니, 〈夫子의 도덕은〉江·漢으로써 씻으며 가을볕으로써 쪼이는 것과 같아서 皜皜하여 더할 수 없다.' 하셨다.

按說 | 壺山은

'三年之外'의 '外'는 後와 같다. 門人이 모두 子貢을 주인으로 삼았기 때문에 들어가 揖하고 작별한 것이다.……'彊曾子'의 '彊'은 請과 같다.〔外 猶後也 門人皆主於子貢 故入揖以別也……彊 猶請也〕

하였다.

'子貢反 築室於場'은 官本諺解와 栗谷諺解에는 '反'에서 句를 떼지 않았으나 문법에 맞추어 句를 떼었다. 아니면 '反'을 '復(다시)'의 뜻으로 보아야 할 것이다.

子游가 有若을 聖人과 유사하게 여긴 것은 그 내용이 《禮記》《檀弓上》에 다음과 같이 보인다.

有子가 曾子에게 묻기를 "지위를 잃고 처신하는 도리에 대해 夫子에게서 들은 적이 있는가?" 하니, 曾子가 대답하기를 "들은 적이 있으니, '벼슬하다가 지위를 잃으면 빨리 가난해지는 것이 좋고 사람이 죽으면 빨리 썩는 것이 좋다.'고 하셨다" 하였다. 有子가 "이는 君子의 말씀이 아니다." 하였다.……曾子가 "내 子游와 함께 들었노라." 하니, 有子는 "그러한가. 그렇다면 夫子께서 까닭이 있어서 하신 말씀일 것이다." 하였다. 曾子가 이 말을 子游에게 고하자, 子游가 말하기를 "有子의 말이 몹시도 夫子의 말씀과 똑같구나. 옛날 夫子께서 宋나라에 계실 적에 桓司馬가 스스로 石椁을 만들되, 3년이 되어도 완성하지 못하는 것을 보시고〔桓司馬는 宋나라 向戌의 손자이니, 이름이 魋이다.〕夫子께서 말씀하시기를 '이와 같이 사치스럽게 하기보다는 죽어서 빨리 썩는 것만 못하다.' 하셨으니, '죽으면 빨리 썩는 것이 좋다.'는 말씀은 桓司馬 때문에 하신 말씀이다. 南宮敬叔이 魯나라로 돌아올 적에〔敬叔은 孟僖子의 아들 仲孫閱이니, 일찍이 지위를 잃고 魯나라를 떠나갔다가 돌아오게 되었다.〕반드시 보물을 싣고 와서 조회하자, 夫子께서 말씀하시기를 '이와 같이 뇌물을 쓰기 보다는 지위를 잃으면 빨리 가난해지는 것만 못하다.' 하셨으니, '지위를 잃으면 빨리 가난해지는 것이 좋다.'

는 말씀은 敬叔 때문에 하신 말씀이다." 하였다. 曾子가 子游의 말을 有子에게 고하자, 有子가 "그러하다. 내 진실로 夫子의 말씀이 아니라고 하였노라." 하였다. 曾子가 "그대가 어떻게 알았는가?" 하니, 有子가 대답하였다. "夫子께서 中都에서 棺椁의 제도를 만드실 적에【中都는 魯나라의 邑名이니, 孔子가 일찍이 邑宰가 되어 백성들을 위해 制度를 만드셨다.】 4寸의 棺과 5寸의 椁으로 하셨으니, 이 때문에 죽으면 빨리 썩는 것이 좋다고 여기시지 않음을 알았고, 옛날에 夫子께서 魯나라 司寇의 지위를 잃으시고 장차 楚나라로 가시려 할 적에【장차 楚나라의 초빙에 應하려 하셨다.】 먼저 子夏를 보내시고 또 거듭 冉有를 보내셨으니, 이 때문에 지위를 잃으면 빨리 가난해지는 것이 좋다고 여기시지 않음을 알았다.〔有子問於曾子曰 問喪於夫子乎 曰 聞之矣 喪欲速貧 死欲速朽 有子曰 是非君子之言也……曾子曰 參也與子游聞之 有子曰 然 然則夫子有爲言之也 曾子以斯言 告於子游 子游曰 甚哉 有子之言 似夫子也 昔者夫子居於宋 見桓司馬自爲石椁 三年而不成【桓司馬 宋向戌之孫 名魋】 夫子曰 若是其靡也 死不如速朽之愈也 死之欲速朽 爲桓司馬言之也 南宮敬叔反【敬叔 孟僖子之子 仲孫閱 蓋嘗失位去魯而得反】 必載寶而朝 夫子曰 若是其貨也 喪不如速貧之愈也 喪之欲速貧 爲敬叔言之也 曾子以子游之言 告於有子 有子曰 然 吾固曰非夫子之言也 曾子曰 子何以知之 有子曰 夫子制於中都【中都 魯邑名 孔子嘗爲之宰 爲民作制】 四寸之棺 五寸之椁 以斯知不欲速朽也 昔者夫子失魯司寇 將之荊【將應聘於楚】 蓋先之以子夏 又申之以冉有 以斯知不欲速貧也〕"

集註ㅣ三年은 古者에 爲師心喪三年하니 若喪父而無服也[295]라 任은 擔也라 場은 冢上之壇場也라 有若似聖人은 蓋其言行氣象이 有似之者하니 如檀弓所記 子游謂有若之言이 似夫子之類 是也라 所事孔子는 所以事夫子之禮也라 江漢은 水多하니 言濯之潔也요 秋日은 燥烈[296]하니 言暴之乾也라 皜皜는 潔白貌라 尙은 加也라 言

---

295 爲師心喪三年 若喪父而無服也:《禮記》〈檀弓上〉에 "스승을 섬기되 얼굴을 범하여 直諫함도 없고 숨김도 없으며, 좌우로 나아가 봉양하되 일정한 방소가 없으며, 부지런히 일하여 죽음에 이르며, 心喪 3년을 한다.〔事師無犯無隱 左右就養無方 服勤至死 心喪三年〕" 하였고, "孔子의 喪에 門人들이 服 입는 것을 의심하자, 子貢이 말하기를 '옛날 夫子께서 顔淵의 喪에 아들을 잃은 것과 똑같이 하셨으나 服이 없었고, 子路의 喪에도 또한 그렇게 하셨으니, 夫子의 喪을 아버지를 잃은 것과 똑같이 하되 服이 없게 하기를 청한다.' 하였다.〔孔子之喪 門人疑所服 子貢曰 昔者夫子之喪顔淵 若喪子而無服 喪子路亦然 請喪夫子 若喪父而無服〕"라고 보인다.

296 秋日 燥烈:楊伯峻은 "周나라의 7·8월은 오늘날 음력 5·6월에 해당한다. 그러므로 周나라의 이른바

··· 擔 멜 담 冢 무덤 총 壇 단 단 檀 박달나무 단 潔 깨끗할 결 燥 마를 조 烈 뜨거울 렬 乾 마를 간(건)

夫子道德明著하여 光輝潔白하시니 非有若所能彷彿也라 或曰 此三語者는 孟子贊
美曾子之辭也라

'3년'은 옛날에 스승을 위하여 心喪 3년을 하였으니, 아버지를 잃은 것과 똑같이 하나 服이
없었다. '任'은 짐이다. '場'은 무덤가의 壇場(묘마당)이다. '有若이 聖人과 같다.'는 것은
그의 言行과 氣象이 孔子와 같은 점이 있었던 것이니, 《禮記》〈檀弓〉에 기록한 바, "子游
가 이르기를 '有若의 말이 夫子와 같다.'고 했다."는 類와 같은 것이다. '孔子를 섬기던 바
는 夫子를 섬기던 바의 禮이다. '江·漢'은 물이 많으니 씻어서 깨끗함을 말한 것이요, '가
을 햇볕'은 건조하고 따가우니 햇볕에 쬐어 말림을 말한 것이다. '皜皜'는 결백한 모양이다.
'尚'은 더함이다. 夫子의 道德이 밝게 드러나서 빛나고 결백하시니, 有若이 능히 彷彿할
수 있는 바가 아님을 말씀한 것이다. 혹자는 말하기를 "이 세 말씀은 孟子께서 曾子를 찬미
한 말씀이다." 하였다.

4-14. 今也에 南蠻鴃舌之人이 非先王之道어늘 子倍子之師而學之하니 亦異於曾子矣로다

지금에 南蠻의 왜가리소리 하는 사람이 先王의 道가 아닌데 그대가 그대의 스승을 배
반하고 이를 배우니, 또한 曾子와 다르도다.

集註ㅣ鴃은 博勞也니 惡聲之鳥라 南蠻之聲이 似之하니 指許行也라

'鴃'은 博勞이니, 우는 소리가 나쁜 새이다. 南蠻의 소리가 이와 유사하니, 許行을 가리킨
것이다.

4-15. 吾聞出於幽谷하여 遷于喬木者요 未聞下喬木而入於幽谷者로라

나는 '깊은 골짜기에서 나와 높은 나무로 옮겨간다.'는 말은 들었고, '높은 나무에서 내
려와 깊은 골짜기로 들어간다.'는 말은 듣지 못하였노라.

'秋陽'은 실제로 오늘날의 여름 햇볕이다." 하였다.

··· 著 드러날 저 輝 빛날 휘 彷 비슷할 방 彿 비슷할 불 贊 칭찬할 찬 鴃 때까치 격 舌 혀 설 幽 그윽할 유
遷 옮길 천 喬 높을 교

按說 | 이에 대하여, 新安陳氏(陳櫟)는

> 陳相이 높은 데에서 아래로 달려갔으니, 새가 낮은 곳을 버리고 높은 곳으로 올라간 것과 같이 하지 못함을 비유한 것이다.〔譬陳相由高趨下 不如禽能舍下遷喬也〕

하였다.

集註 | 小雅伐木之詩云 伐木丁丁이어늘 鳥鳴嚶嚶이로다 出自幽谷하여 遷于喬木이라하니라

《詩經》〈小雅 伐木〉詩에 이르기를 '나무를 떵떵 베는데 새는 嚶嚶히 울도다. 깊은 골짜기에서 나와 높은 나무로 옮겨간다.' 하였다.

4-16. 魯頌曰 戎狄是膺하니 荊舒是懲이라하니 周公이 方且膺之어시늘 子是之學하니 亦爲不善變矣로다

《詩經》〈魯頌〉에 이르기를 '戎·狄을 이에 공격하니, 荊·舒가 이에 다스려졌다.' 하였으니, 周公도 장차 이들을 응징하셨는데 그대는 이것을 배우니, 또한 잘 변화하지 못한 것이로다."

按說 | '戎狄是膺 荊舒是懲'에 대하여, 官本諺解의 解釋은 《孟子》에서는 '戎狄을 이 膺ᄒ니 荊과 舒ㅣ 이에 懲타 ᄒ니'라고 하였고, 《詩經》에서는 '戎狄을 이에 膺ᄒ며 荊舒를 이에 懲케 ᄒ니'라고 하였는데, 壺山은

> 〈'懲'은〉 다스림이니, '다스림' 또한 공격함을 이른다. 官本諺解에 이 두 句를 해석한 것이 《詩經》의 해석과는 똑같지 않아서 두 '是'字의 文勢가 스스로 矛盾이 되니, 마땅히 《詩經》諺解의 해석을 바름으로 삼아야 한다. 이 두 句는 서로 인한 글이 아니고 바로 相對하는 말이다.〔治也 治之 亦謂擊之也 諺解釋此二句 與詩解不同 而兩是字之文勢 自相矛盾 當以詩解爲正 蓋此二句 非相因之辭 乃相對之辭也〕

하여, '戎狄是膺하고'로 懸吐해야 함을 강조하였다.

··· 嚶 새울 앵 頌 기릴 송 膺 칠 응 荊 가시나무 형 舒 펼 서 懲 징계할 징

集註ㅣ魯頌은 閟宮之篇也라 膺은 擊也라 荊은 楚本號也라 舒는 國名이니 近楚者也라 懲은 艾(예)也라 今按 此詩는 爲僖公之頌이어늘 而孟子以周公言之하시니 亦斷章取義[297]也라

〈魯頌〉은 《詩經》〈閟宮〉篇이다. '膺'은 침이다. 荊은 楚나라의 본래 칭호이다. 舒는 國名이니, 楚나라와 가까운 나라이다. '懲'은 다스림이다. 지금 살펴보면 이 詩는 僖公의 頌인데, 孟子께서 周公이라고 말씀하셨으니, 또한 章을 잘라 뜻만을 취한 것이다.

4-17. 從許子之道면 則市賈(價)不貳하여 國中이 無僞하여 雖使五尺之童으로 適市라도 莫之或欺니 布帛長短同이면 則賈相若하며 麻縷絲絮輕重同이면 則賈相若하며 五穀多寡同이면 則賈相若하며 屨大小同이면 則賈相若이니라

〈陳相이 말하였다.〉"許子의 道를 따르면 시장의 물건 값이 두 가지가 없어서 온 나라 안이 거짓이 없어, 비록 5척의 童子로 하여금 시장에 가게 하더라도 혹시라도 그를 속이는 자가 없을 것입니다. 베와 비단의 길고 짧음(길이)이 같으면 값이 서로 같으며, 삼과 실과 生絲와 솜의 가볍고 무거움(무게)이 같으면 값이 서로 같으며, 五穀의 많고 적음(양)이 같으면 값이 서로 같으며, 신의 크고 작음(크기)이 같으면 값이 서로 같습니다."

按說ㅣ '五尺'의 '尺'은 周尺으로, 지금 사용하는 木尺(營造尺)보다 짧으므로 五尺童子는 곧 三尺童子와 같은 뜻이 된다.

集註ㅣ陳相이 又言許子之道如此하니 蓋神農이 始爲市井[298]이라 故로 許行이 又託於神農而有是說也라 五尺之童은 言幼小無知也라 許行이 欲使市中所粥(육)之物

---

297 斷章取義 : 原典을 인용함에 있어 本文의 뜻에 관계하지 않고 인용자의 뜻에 맞게 해석함을 뜻한다. 그러나 茶山은 "斷章取義란 것이 어찌 그 사실까지 함께 바꿀 수 있겠는가. 《孟子》에 古書를 인용하고 古事를 말함에 원래 착오가 많다.〔斷章取義者 豈得竝易其事實 孟子引古書 說古事 原多錯誤〕" 하였다.

298 市井 : 壺山은 "國都의 朝市, 祖社, 公宮과 백성이 거주하는 곳을 井田의 모양으로 구획하였기 때문에 시장을 일러 市井이라 한 것이다.〔國都之朝市祖社公宮民居 畫爲井田樣 故謂市爲市井〕" 하였다.

••• 閟 닫을 비 艾 다스릴 예 僖 즐거울 희 賈 값 가(價同) 貳 두 이 僞 거짓 위 適 갈 적 麻 삼 마 縷 실오라기 루 絮 솜 서 寡 적을 과 屨 신 구 粥 팔 육(鬻同)

로 皆不論精粗美惡하고 但以長短, 輕重, 多寡, 大小로 爲價也²⁹⁹라

陳相이 또 許子의 道가 이와 같다고 말하였으니, 神農氏가 처음으로 市井을 만들었으므로 許行이 또 神農氏에게 가탁하여 이러한 말을 한 것이다. '5척의 童子'는 어려서 無知함을 말한다. 許行은 시중에서 파는 물건으로 하여금 모두 精粗(정밀하고 거칢)와 美惡(좋고 나쁨)을 논하지 않고, 다만 長短과 輕重, 多寡와 大小로써 값을 따지고자 한 것이다.

4-18. 曰 夫物之不齊는 物之情也니 或相倍蓰하며 或相什伯(百)하며 或相千萬이어늘 子比而同之하니 是는 亂天下也로다 巨屨小屨同賈면 人豈爲之哉리오 從許子之道면 相率而爲僞者也니 惡(오)能治國家리오

孟子께서 말씀하셨다. "물건이 똑같지 않음은 물건의 실정이니, 값의 차이가 혹은 서로 배가 되고 다섯 배가 되며, 혹은 서로 열 배가 되고 백 배가 되며, 혹은 서로 천 배가 되고 만 배가 되는데, 그대가 이것을 나란히 하여 똑같이 하려 하니, 이는 천하를 어지럽히는 짓이다. 〈만일〉 큰 신과 작은 신이 값이 같다면 사람들이 어찌 큰 신을 만들려고 하겠는가. 許子의 道를 따른다면 서로 이끌어서 거짓을 할 것이니, 어떻게 국가를 다스릴 수 있겠는가."

按說 | '物之情'에 대하여, 新安陳氏(陳櫟)는

情은 실제이며 自然의 이치이니, 바로 이른바 '물건의 진실한 이치'라는 것이다.〔情 實也 自然之理 卽所謂物之實理也〕

하였다.

沙溪(金長生)는

許子가 크고 작음이 같지 않음은 알고, 精하고 거친 것이 차이가 있음은 알지 못하였다. 그러므로 孟子께서 그가 아는 바를 가지고서 밝히신 것이다.〔許子知大小之不同 而不知精粗之有異 故孟子因其所知者以明之〕《經書辨疑》

---

299 但以長短……爲價也 : 壺山은 "큰 신은 큰 것과 값이 같고, 작은 신은 작은 것과 값이 같으니, 큰 것과 작은 것이 값이 같은 것이 아니다.〔大與大同價 小與小同價 非大小同賈也〕" 하였다.

••• 粗 거칠 조 齊 같을 제 蓰 다섯갑절 사 比 나란히할 비

하였는데, 壺山은

> 살펴보건대 '巨屨' 두 句는 처음 배우는 자가 혹 잘못 읽을 수 있으므로 沙溪가 특별히 밝
> 혔으니, 이는 뒷편(《告子上》 3장)의 '개와 소와 사람의 性〔犬牛人性〕'의 節에 告子가 아는
> 바의 기질의 性을 가지고 本然의 性을 밝힌 것과 《論語》 荷蓧章(《微子》 7장)에 荷蓧丈人
> 이 밝게 아는 長幼의 禮를 가지고서 君臣의 의리를 밝힌 것과 文勢가 똑같다. 옛 註에는
> 巨細(거칠고 고움)로써 '巨小(크고 작음)'를 해석하였으니, 비록 글 뜻에 첩경일 듯하나, 윗
> 절의 '大小'와 이 절의 '巨小'를 어찌 다르게 볼 수 있겠는가.〔按巨屨二句 初學者或誤讀
> 故沙溪特明之 此與後篇犬牛人性節因其所知之氣質之性以明本然之性者 及論語荷
> 蓧章因其所明之長幼之節以明君臣之義者 語勢同矣 舊註以巨細釋巨小 雖若於文
> 義爲捷徑 然上節之大小 此節之巨小 顧何可同異看耶〕

하였다.

集註ㅣ倍는 一倍也요 蓰는 五倍也요 什, 伯, 千, 萬은 皆倍數也라 比는 次也라 孟子
言 物之不齊는 乃其自然之理니 其有精粗는 猶其有大小也라 若大屨小屨同價면
則人豈肯爲其大者哉리오 今不論精粗하고 使之同價면 是는 使天下之人으로 皆不
肯爲其精者하고 而競爲濫惡之物하여 以相欺耳니라

'倍'는 1배이고 '蓰'는 5배이다. '什·伯·千·萬'은 모두 倍數이다. '比'는 나란히 함이다.
孟子가 말씀하시기를 "물건이 똑같지 않음은 바로 自然의 이치이니, 정하고 거칢이 있음은
大·小가 있는 것과 같다. 만일 큰 신과 작은 신이 값이 같다면 사람들이 어찌 큰 것을 만들
려고 하겠는가. 이제 정하고 거칢을 논하지 않고 값을 같게 한다면, 이는 천하 사람들로 하
여금 모두 정한 것을 만들려 하지 않고, 다투어 조잡하고 질이 나쁜 물건을 만들어서 서로
속이게 할 뿐이다."라고 하신 것이다.

|墨者夷之章|

5-1. 墨者夷之 因徐辟而求見孟子한대 孟子曰 吾固願見이러니 今吾
尙病이라 病愈어든 我且往見호리니 夷子는 不來니라

··· 肯 즐길 긍 競 다툴 경 濫 넘칠 람, 함부로할 람 墨 묵가(墨家) 묵 辟 이름 벽 愈 나을 유 且 장차 차

墨者인 夷之가 徐辟을 통하여 孟子를 뵙기를 청하자, 孟子께서 말씀하셨다. "내 진실로 만나보기를 원했는데 지금은 내가 아직 병중에 있다. 병이 낫거든 내 장차 가서 만나볼 것이니, 夷子는 오지 말라.(굳이 올 것이 없다.)"

按説 | '夷子不來'에 대하여, 《集註》의 句를 따라 "오지 말라."로 해석하였으나 趙岐는

이날 夷子가 孟子에게 병이 난 것을 들었기 때문에 오지 않은 것이다.〔是日 夷子聞孟子病故不來〕

하였는데, 茶山은

《集註》에서 '夷子不來'를 윗절에 붙였기에 우리나라 諺解는 '不來'를 '勿來'로 읽었다. 趙岐의 註가 平順한 듯하다.〔集註 夷子不來屬上節 吾東諺解 不來讀之如勿來 恐趙注平順〕

하였다. 趙岐는 孟子의 말씀을 '我且往見'까지로 보았고, 朱子는 '夷子不來'까지를 孟子의 말씀으로 본 것이다. '不來'는 '오지 않다.'의 뜻인바, 孟子의 말씀으로 볼 경우 '오지 말라〔勿來〕'가 되어야 하므로, 茶山이 '趙岐의 註가 平順하다.'고 한 것이다. 그러나 壺山은

不來는 '굳이 올 것이 없다.'라는 말과 같다.〔不來 猶言不必來也〕

하여 朱子의 說을 따랐다.

趙岐의 說대로라면 '我且往見호리라하니 夷子不來하다'로 懸吐해야 하니, '夷子不來' 한 句만을 보면 茶山의 說처럼 趙岐의 註대로 읽는 것이 좋을 듯하다. 그러나 趙岐의 註대로라면, 夷之가 찾아가기 전에 미리 기별한 것이 되며, 夷之는 孟子가 병환중이라는 말을 듣고 가지 않은 것이 된다. 생각건대, 이때 夷之는 이미 찾아가서 孟子를 만나볼 것을 청했다고 보아야 할 것이고, 또 아랫절의 '他日 又求見孟子'란 구절이 있으므로 윗절의 '夷子不來'는 중첩되어 필요 없는 말이 된다. 즉 '我且往見'이란 말만으로도 그가 오지 않았음을 알 수 있는 것이다. 참고로 옛날 사람들은 지금처럼 전화 등으로 미리 연락을 하고 찾아간 것이 아니라, 찾아가서 명함을 내밀고 만나 볼 것을 청하였다.

集註 | 墨者는 治墨翟之道者라 夷는 姓이요 之는 名이라 徐辟은 孟子弟子라 孟子稱

··· 翟 꿩적

疾은 疑亦託辭以觀其意之誠否라

墨者는 墨翟의 道를 배운 자이다. 夷는 姓이고 之는 이름이다. 徐辟은 孟子의 弟子이다. 孟子께서 병을 칭탁한 것은 의심컨대 또한 말(병)을 칭탁하여 그 뜻의 정성스럽고 정성스럽지 않음을 보려고 하신 듯하다.

5-2. 他日에 又求見孟子한대 孟子曰 吾今則可以見矣어니와 不直則道不見(현)하나니 我且直之호리라 吾聞 夷子는 墨者라호니 墨之治喪也는 以薄爲其道也라 夷子思以易天下하나니 豈以爲非是而不貴也리오 然而夷子葬其親이 厚하니 則是以所賤事親也로다

他日에 또다시 孟子를 뵙기를 청하자, 孟子께서 말씀하셨다. "내 지금은 그를 만나 볼 수 있지만 〈말을 다하여〉 바로잡지 않으면 道가 나타나지 않으니, 내 우선 말을 다하여 바로잡겠다. 내 들으니 夷子는 墨者라 하는데, 墨者가 喪을 다스림은 薄葬을 그 道로 삼는다. 夷子는 이 道로써 온 천하의 풍속을 바꿀 것을 생각하니, 어찌 이것을 옳지 않다고 생각하여 귀하게 여기지 않겠는가. 그런데도 夷子는 그 어버이를 장례하기를 厚하게 하였으니, 이는 천하게(나쁘게) 여기는 것으로써 어버이를 섬긴 것이다."

集註 | 又求見則其意已誠矣라 故로 因徐辟以質之如此하시니라 直은 盡言以相正也라 莊子曰 墨子는 生不歌하고 死無服하며 桐棺三寸而無椁[300]이라하니 是는 墨之治喪이 以薄爲道也라 易天下는 謂移易天下之風俗也[301]라 夷子學於墨氏로되 而不從其敎하니 其心에 必有所不安者라 故로 孟子因以詰之하시니라

또다시 만나 뵙기를 청했으면 그 뜻이 이미 정성스럽다. 그러므로 徐辟을 통하여 質正하기

---

[300] 莊子曰……桐棺三寸而無椁 : 《莊子》〈天下〉에 "古人의 喪禮는 貴賤에 따른 儀式이 있고 上下에 따른 등급이 있어서, 天子는 棺椁이 7重이고 諸侯는 5重이고 大夫는 3重이고 士는 2重이었는데, 지금 墨子는 유독 살았을 때에는 노래를 부르지 않고 죽었을 때에는 服을 입지 않고, 오동나무 棺을 3寸으로 하고 外椁은 만들지 않아서 이것을 법식으로 삼았다.〔古人喪禮 貴賤有儀 上下有等 天子棺椁七重 諸侯五重 大夫三重 士再重 今墨子獨生不歌 死不服 桐棺三寸而無椁 以爲法式〕" 하였다.

[301] 易天下 謂移易天下之風俗也 : 壺山은 "이미 墨子의 道를 배웠다면 반드시 天下의 사람들로 하여금 모두 墨子의 道를 하게 하려 할 것이니, 어찌 墨子의 道를 그르다고 생각하여 귀하게 여기지 않겠는가.〔旣治墨道 則必欲使天下之人 皆爲墨道 豈以墨道爲非而不貴之也〕" 하였다.

••• 託 칭탁할 탁 直 펼 직, 바로잡을 직 薄 적을 박 質 질정할 질 桐 오동나무 동 棺 널 관 椁 덧널 곽
詰 힐문할 힐

를 이와 같이 하신 것이다. '直'은 말을 다하여 서로 바로잡는 것이다. 莊子가 말하기를 "墨子는 살았을 때에는 노래를 부르지 않고 죽었을 때에는 服을 입지 않고, 오동나무 棺을 3寸으로 하고 外椁이 없었다." 하였으니, 이는 墨者의 喪을 다스림이 薄함으로써 道를 삼은 것이다. '易天下'는 천하의 풍속을 옮기고 바꿈을 이른다. 夷子가 墨氏에게 배웠으나 그 가르침을 따르지 않았으니, 그 마음에 반드시 불안한 바가 있었을 것이다. 그러므로 孟子께서 인하여 힐문하신 것이다.

5-3. 徐子以告夷子한대 夷子曰 儒者之道에 古之人이 若保赤子라하니 此言은 何謂也오 之則以爲愛無差等이요 施由親始라하노라 徐子以告孟子한대 孟子曰 夫夷子는 信以爲人之親其兄之子 爲若親其鄰之赤子乎아 彼有取爾也니 赤子匍匐將入井이 非赤子之罪也라 且天之生物也 使之一本이어늘 而夷子는 二本故也로다

徐子가 이 말을 夷子에게 전하자, 夷子가 말하였다. "儒者의 道에 '옛사람이 赤子를 보호하듯이 한다.' 하였으니, 이 말은 무슨 말인가? 나(之)는 사랑에는 차등이 없고 베풂은 어버이로부터 시작한다고 생각한다."
徐子가 이 말을 孟子에게 아뢰자, 孟子께서 말씀하셨다. "夷子는 진실로 사람들이 형의 아들(조카)을 親愛하는 것이 이웃집의 赤子를 親愛하는 것과 같다고 생각하는가? 저《書經》의 말은〈다른〉뜻을 취한 것이니, 赤子가 엉금엉금 기어서 장차 우물로 빠지려하는 것이 赤子의 죄가 아니라고 말한 것이다. 또 하늘이 物을 냄은 그로 하여금 근본이 하나이게 하였는데, 夷子는 근본이 둘이기 때문이다.

集註 | 若保赤子는 周書康誥篇文[302]이니 此는 儒者之言也라 夷子引之는 蓋欲援儒而入於墨[303]하여 以拒孟子之非己요 又曰 愛無差等이요 施由親始는 則推(퇴)墨而

---

302 若保赤子 周書康誥篇文:《書經》〈康誥〉에 "마치 赤子를 보호하듯이 하면 백성들이 편안히 다스려질 것이다.〔若保赤子 惟民其康乂〕"라고 보인다.

303 夷子引之 蓋欲援儒而入於墨:慶源輔氏(輔廣)는 "夷子는 儒者의 '赤子를 보호하듯이 한다'는 것이 바로 他人의 자식을 사랑하기를 자신의 어린 아이를 사랑하는 것과 같이 하여, 墨子의 '사랑에는 차등이 없다'는 說과 같다고 생각하였다. 그러므로 '儒家를 끌고 墨子의 敎理 가운데로 들어가고자 했다'고

··· 儒 선비유 差 다를차 鄰 이웃린 匍 기어갈포 匐 기어갈복 誥 가르칠고 援 당길원 推 밀칠퇴

附於儒³⁰⁴하여 以釋己所以厚葬其親之意니 皆所謂遁辭也³⁰⁵라 孟子言 人之愛其
兄子與鄰之子 本有差等하니 書之取譬는 本爲小民無知而犯法이 如赤子無知而
入井耳라 且人物之生이 必各本於父母而無二하니 乃自然之理니 若天使之然也라
故로 其愛由此立而推以及人하여 自有差等이어늘 今如夷子之言이면 則是視其父
母 本無異於路人이요 但其施之之序 姑自此始耳니 非二本而何哉³⁰⁶오 然이나 其
於先後之間³⁰⁷에 猶知所擇하니 則又本心之明이 有終不得而息者라 此其所以卒
能受命而自覺其非也니라

'若保赤子'는 《書經》〈周書 康誥〉篇에 있는 글이니, 이는 儒者의 말이다. 夷子가 이것을
인용한 것은 儒者를 끌고 墨者로 들어가서 孟子가 자신을 비난함을 막고자 한 것이요, 또
'사랑에는 차등이 없고, 베풂은 어버이로부터 시작한다.'라고 말한 것은 墨者를 밀쳐내고
儒者에 붙여서 자신이 어버이를 厚葬한 所以의 뜻을 해석한 것이니, 모두 이른바 '遁辭'라
는 것이다.

孟子께서 말씀하시기를 "사람이 자기 형의 아들과 이웃집의 아들을 사랑함에는 본래 차등
이 있으니, 《書經》에서 비유를 취한 것은, 본래 小民이 無知하여 법을 범함이 赤子가 無知
하여 우물에 빠져들어가는 것과 같기 때문이다. 또 사람과 물건이 태어남은 반드시 父母에
근본하여 둘이 없으니, 이는 바로 自然의 이치이니, 마치 하늘이 그렇게 시킨 것과 같다. 그
러므로 그 사랑이 이(부모)로 말미암아 확립되고 미루어 남에게 미쳐서 본래 차등이 있는데,

한 것이다.〔夷子蓋以儒者若保赤子 是愛他人子 如愛我之赤子 有似於墨子愛無差等之說 故謂其
欲引儒家入墨敎中去〕"하였다.

304 愛無差等……則推墨而附於儒 : 新安陳氏(陳櫟)는 "夷之는 또 말하기를 '墨氏의 兼愛하는 學說은,
자기 어버이를 사랑하는 것이 他人을 사랑하는 것과 差等이 없으나 다만 베풂은 어버이로부터 시작한
다.'고 한 것이다. '베풂은 어버이로부터 시작한다.'는 이 한 句는 儒家의 '사랑을 세우기를 어버이로부터
시작한다.'는 뜻을 竊取한 듯하니, 이는 墨氏를 물리치고 儒家에 붙어 따른 것이다.〔之又曰 墨氏兼愛
之學 愛其親 與愛外人無差等之殊 但施則自親始耳 施由親始一句 髣髴竊取儒家立愛自親始之意
是推墨氏而依附於儒家也〕"하였다. '사랑을 세우기를 어버이로부터 시작한다.〔立愛自親始〕'는 것은
《孝經》에 보이는 孔子의 말씀이다.

305 皆所謂遁辭也 : '遁辭'는 論理가 궁하여 도피(회피)하는 말을 하는 것으로, 《孟子》〈公孫丑上〉 2장에
"遁辭에 그 궁함을 안다.〔遁辭 知其所窮〕"라고 보인다. 新安陳氏(陳櫟)는 "論理가 굽히고 말이 窮하
므로 억지로 이 말을 해서 스스로 回避한 것이다.〔理屈辭窮 强爲此說以自逃遁也〕"하였다.

306 非二本而何哉 : 朱子는 "他人의 어버이를 자신의 어버이와 같이 섬기면 한 나무에 두 뿌리가 있는 것과
같은 것이다.〔事佗人之親 如己之親 則如一木有兩根也〕"하였다.

307 其於先後之間 : 一本에는 '其'字가 빠져 있다.

… 遁 도피할둔 譬 비유할비 姑 우선고 擇 가릴택 息 그칠식 命 가르칠명 覺 깨달을각

지금 夷子의 말과 같다면 이는 부모 보기를 본래 路人과 다름없이 하고 다만 베푸는 순서가 우선 이(부모)로부터 시작할 뿐이니, 두 근본이 아니고 무엇이겠는가."라고 하신 것이다.

그러나 夷子는 先後의 사이에서 오히려 선택할 바를 알았으니, 이는 또 本心의 밝음이 끝내 종식되지 않음이 있었던 것이다. 이 때문에 마침내 가르침을 받아 <u>스스로</u> 그 잘못을 깨달은 것이다.

5-4. 蓋上世에 嘗有不葬其親者러니 其親이 死어늘 則舉而委之於壑하고 他日에 過之할새 狐狸食之하며 蠅蚋(승예)姑嘬之어늘 其顙有泚하여 睨而不視하니 夫泚也는 非爲人泚라 中心이 達於面目이니 蓋歸하여 反虆梩(류리)而掩之하니 掩之誠是也면 則孝子仁人之掩其親이 亦必有道矣니라

上古 시대에 일찍이 그 어버이를 장례하지 않은 자가 있었다. 그 어버이가 죽자, 〈시신을〉 들어다가 구렁에 버리고는 후일에 그곳을 지날 적에 〈보니〉 여우와 살쾡이가 파먹으며 파리와 등에가 모여서 빨아먹거늘, 이마에 땀이 흥건히 젖어서 곁눈으로 보고 차마 똑바로 보지 못하였으니, 땀에 흥건히 젖은 것은 남들이 보기 때문에 땀이 젖은 것이 아니요, 中心이 面目에 드러난 것이다. 그는 집으로 돌아와서 삼태기와 들것에 흙을 담아 뒤집어 쏟아부어서 시신을 덮었으니, 시신을 덮는 것이 진실로 옳다면 孝子와 仁人이 그 어버이의 시신을 덮는 것이 또한 반드시 도리가 있을 것이다."

集註 | 因夷子厚葬其親而言此하여 以深明一本之意라 上世는 謂太古也라 委는 棄也라 壑은 山水所趨也라 委는 蚊屬이라 姑는 語助聲[308]이니 或曰 螻蛄也[309]라 嘬는 攢共食之也라 顙은 額也라 泚는 泚然汗出之貌라 睨는 邪視也요 視는 正視也니 不能不視하고 而又不忍正視는 哀痛迫切하여 不能爲心之甚也라 非爲人泚는 言非爲他人見之而然也라 所謂一本者를 於此見之면 尤爲親切이니 蓋惟至親이라 故로 如此요 在他人이면 則雖有不忍之心이나 而其哀痛迫切이 不至若此之甚矣라 反은 覆

---

308 姑 語助聲 : 楊伯峻은 "'姑'는 '盬(빨아먹을 고)'로 읽어야 한다." 하였다.

309 或曰 螻蛄也 : 壺山은 "그렇다면 '姑'는 '蛄'의 잘못이다.〔然則字之訛也〕" 하였다.

··· 委 버릴 위 壑 구렁 학 狐 여우 호 狸 살쾡이 리 蠅 파리 승 蚋 모기 예 姑 어조사 고, 땅강아지 고, 빨아먹을 고 嘬 모여서파먹을 최 顙 이마 상 泚 땀흥건할 자 睨 흘겨볼 예 反 뒤집을 반 虆 들것 류 梩 흙담는들것 리 掩 가릴 엄 趨 달릴 추 蚊 모기 문 螻 땅강아지루 蛄 땅강아지 고 攢 모일 찬 額 이마 액 汗 땀 한 邪 곁사 迫 절박할박

(복)也³¹⁰라 虆는 土籠也요 梩는 土轝也³¹¹라 於是에 歸³¹²而掩覆(부)其親之尸하니 此는 葬埋之禮 所由起也라 此掩其親者 若所當然이면 則孝子仁人所以掩其親者 必有其道하여 而不以薄爲貴矣리라

夷子가 그 어버이를 厚葬함으로 인하여 이것을 말씀해서 근본이 하나인 뜻을 깊이 밝히신 것이다. '上世'는 太古를 이른다. '委'는 버림이다. '壑'은 산의 물이 달려가는 곳이다. '蚋'는 모기의 등속이다. '姑'는 어조사이니, 혹은 螻蛄(땅강아지)라고 한다. '嘬'는 모여서 함께 파먹는 것이다. '顙'은 이마이다. '泚'는 흥건하게 땀이 나오는 모양이다. '睨'는 곁눈으로 보는 것이요, '視'는 똑바로 보는 것이다. 보지 않을 수도 없고 또 차마 똑바로 볼 수도 없었던 것은 애통함이 절박하여 마음을 가누지 못함이 심한 것이다. '非爲人泚'는 타인이 보기 때문에 그러한 것이 아님을 말한 것이다. 이른바 근본이 하나라는 것을 여기에서 보면 더욱 절박하니, 〈부모는〉 오직 至親이기 때문에 이와 같은 것이요, 다른 사람에게 있으면 비록 不忍之心이 있으나 그 애통함의 절박함이 이와 같이 심함에는 이르지 않는다. '反'은 뒤집음이다. '虆'는 흙을 담는 그릇이요, '梩'는 흙수레이다. 이에 돌아와서 어버이의 시신을 덮어 가리었으니, 이 때문에 埋葬하는 禮가 시작된 것이다. 어버이의 시신을 덮어 가리는 것이 만일 당연한 것이라면, 孝子와 仁人이 그 어버이의 시신을 덮어 가리는 것이 반드시 합당한 도리가 있어서 薄葬을 귀하게 여기지 않을 것이다.

5-5. 徐子以告夷子한대 夷子憮然爲間日 命之矣샷다

徐子가 이 말을 夷子에게 전하자, 夷子가 憮然히 한동안 있다가 말하기를 "나(之)를 가르쳐 주셨다." 하였다.

按說 | '命之'의 '之'에 대하여, 朱子는

---

310 反 覆也:退溪(李滉)는 "覆은 《論語》〈子罕〉 18장의 '雖覆一簣(흙 한 삼태기를 처음 쏟아 붓더라도)'의 '覆'이니, 흙을 그릇에 담아 엎어서 땅에 쏟아 붓는 것이다.〔卽雖覆一簣之覆 言盛土於器 覆而寫之於地也〕" 하였다.《經書辨疑》

311 虆……土轝也:壺山은 "혹은 籠으로 덮고 혹은 수레로 덮는 것이다.〔或覆以籠 或覆以輿〕" 하였다.

312 歸:退溪(李滉)는 "자기 집으로 돌아간 것이다.〔歸其家也〕"라고 하였고, 沙溪(金長生)는 "시신이 있는 곳으로 다시 돌아온 것이다.〔復歸屍處也〕"라고 하였다.《經書辨疑》

··· 籠 상자 롱 轝 수레 여 覆 엎을 복, 덮을 부 尸 주검 시 埋 묻을 매 憮 실심할 무 命 가르칠 명

'之'字는 夷子의 이름으로 보아야 句法이 되니, 만약 '虛'字로 보면 句法이 되지 않는다.〔之
字作夷子名看 方成句法 若作虛字看 則不成句法〕

라고 한 제자의 말에 옳다고 하였다.《語類》

集註 | 憮然은 茫然自失之貌라 爲間者는 有頃之間也라 命은 猶敎也니 言孟子已敎
我矣라 蓋因其本心之明하여 以攻其所學之蔽라 是以로 吾之言易入하고 而彼之惑
易解也[313]라

'憮然'은 茫然自失하는 모양이다. '爲間'은 한동안의 시간이다. '命'은 敎와 같으니, 孟子
께서 이미 나를 가르치셨다고 말한 것이다. 그 本心의 밝음을 인하여 그 배운 바의 가리움을
공격하였다. 이 때문에 나(孟子)의 말이 들어가기 쉽고 저의 의혹이 풀리기 쉬웠던 것이다.

---

313 蓋因其本心之明……而彼之惑易解也：慶源輔氏(輔廣)는 "孟子께서 夷之의 本心의 밝음을 인하여
가르쳐주셨으니,《周易》의 '마음을 유도하되, 반드시 잘 알 수 있는 것부터 시작한다.〔納約自牖〕'의 뜻
을 얻은 것이다.〔孟子因夷之本心之明而入之 得易納約自牖之義〕" 하였다.

••• 茫 아득할망 頃 잠깐경 惑 의혹할혹

滕文公章句 下

集註 | 凡十章³¹⁴이라

모두 10章이다.

|不見諸侯章(枉尺直尋章)|

1-1. 陳代曰 不見諸侯 宜若小然하이다 今一見之하시면 大則以王이요 小則以霸니이다 且志曰 枉尺而直尋이라하니 宜若可爲也로소이다

陳代가 말하였다. "諸侯를 만나보지 않는 것이 작은 일인 듯합니다. 이제 한 번 만나보시면 크게는 王者를 이루고, 작게는 霸者를 이룰 것입니다. 또 옛 기록에 '한 자〔尺〕를 굽혀 한 길〔尋〕을 편다.' 하였으니, 〈만나보는 것을〉 할 만할 듯합니다."

按說 | '不見諸侯'에 대하여, 新安陳氏(陳櫟)는

孟子가 평소에 諸侯를 만나보지 않는 것을 〈자신의 志操로 여겨〉 스스로 지키셨다. 그러므로 이로써 물은 것이다.〔孟子平生以不見諸侯自守 故以此爲問〕

---

314 凡十章:勿軒熊氏(熊禾)는 "일곱 章은 出處의 道를 말하였고, 두 章은 仁政을 말하였고, 한 章은 異端을 말하였다.〔七章言出處之道 二章言仁政 一章言異端〕" 하였다.

··· 宜 거의 의 志 기록 지 枉 굽힐 왕 直 펼직 尋 길 심

하였다. 壺山은

> 살펴보건대 이 〈제후를 만나보지 않는〉 일은 모두 세 번 보이는데 모두 제자가 의문한 것이니,

> 他人을 또 알 수 있다.〔按此事 凡三見而皆弟子疑問 他人又可知也〕

하였는데, '세 번 보인다'는 것은 여기와 아래 7장의 "公孫丑問曰 不見諸侯 何義"와 〈萬章下〉 7장의 "萬章曰 敢問不見諸侯 何義也"를 가리킨 것이다.

'宜若小然'과 '宜若可爲'의 '宜若'은 의문하거나 推斷하는 뜻을 지닌 말로, '아마도 ~ 인 듯하다'의 뜻이다.

集註 | 陳代는 孟子弟子也라 小는 謂小節也라 枉은 屈也요 直은 伸也라 八尺曰尋이라 枉尺直尋은 猶屈己一見諸侯而可以致王霸니 所屈者小하고 所伸者大也[315]라

陳代는 孟子의 弟子이다. '小'는 작은 節(절개 또는 일)을 이른다. '枉'은 굽힘이요, '直'은 폄이다. 8尺을 '尋'이라 한다. '한 자를 굽혀 한 길을 편다.〔枉尺直尋〕'는 것은 자기 몸을 굽혀 한 번 諸侯를 만나보면 王者와 霸者를 이룰 수 있는 것과 같으니, 굽힌 것이 작고 편 것이 큰 것이다.

1-2. 孟子曰 昔에 齊景公이 田할새 招虞人以旌한대 不至어늘 將殺之러니 志士는 不忘在溝壑하고 勇士는 不忘喪其元이라하시니 孔子는 奚取焉고 取非其招不往也시니 如不待其招而往엔 何哉오

孟子께서 말씀하셨다. "옛날에 齊 景公이 사냥할 적에 虞人을 旌(깃발)으로 불렀는데 오지 않자, 장차 그를 죽이려 했었다. 〈孔子께서 虞人을 칭찬하시기를〉 '志士는 시신이 도랑에 버려짐을 잊지 않고 勇士는 〈싸우다가〉 자기 머리를 잃을 것을 잊지 않는다.' 하셨으니, 孔子께서는 무엇을 취하신 것인가? 자기의 〈신분에 맞는〉 부름이 아니면 가지 않음을 취하신 것이니, 만일 부름을 기다리지 않고 간다면 어떠하겠는가.

---

[315] 所屈者小 所伸者大也 : 南軒張氏(張栻)는 "자기 몸을 굽히는 일은 작고, 王者가 되고 霸者가 되는 것은 크다고 말하였으니, 이는 춘추 시대 이후로 풍속이 利를 계산하는 霸者들의 말에 익숙해져서 이러한 말이 있었던 것이다.〔謂屈己事小 王霸爲大 此自春秋以來 風俗習於霸者計較功利之說 而有是言〕" 하였다.

··· 屈 굽힐 굴 田 사냥 전 招 부를 초 虞 관직이름 우 旌 깃발 정 溝 도랑 구 壑 구렁 학 喪 잃을 상 元 머리 원 奚 어찌 해

集註 | 田은 獵也라 虞人은 守苑囿之吏也라 招大夫以旌하고 招虞人以皮冠[316]이라 元은 首也라 志士는 固窮[317]하여 常念死無棺椁하여 棄溝壑而不恨하고 勇士는 輕生하여 常念戰鬪而死하여 喪其首而不顧也라 此二句는 乃孔子歎美虞人之言이라 夫虞人은 招之不以其物이라도 尙守死而不往이어든 況君子豈可不待其招而自往見之邪아 此以上은 告之以不可往見之意하시니라

'田'은 사냥이다. '虞人'은 苑囿(동산)를 지키는 관리이다. 大夫를 부를 적에는 旌을 사용하고, 虞人을 부를 적에는 皮冠(가죽으로 만든 관)을 사용한다. '元'은 머리이다. 志士는 곤궁함을 굳게 지켜 죽었을 적에 棺椁이 없어 시신이 도랑에 버려지더라도 恨하지 않을 것을 항상 생각하고, 勇士는 생명을 가벼이 여겨 전투하다가 죽어서 머리를 잃더라도 돌아보지 않을 것을 항상 생각한다. 이 두 句는 바로 孔子께서 虞人을 歎美하신 말씀이다. 虞人은 자기를 부르기를 〈신분에 맞는〉 물건으로 하지 않더라도 오히려 죽음으로 지키고 가지 않았는데, 하물며 君子가 어찌 부름을 기다리지 않고 스스로 찾아가서 만나볼 수 있겠는가. 이 以上은 〈제후를〉 찾아가서 만나볼 수 없는 뜻을 말씀하신 것이다.

1-3. 且夫枉尺而直尋者는 以利言也니 如以利면 則枉尋直尺而利라도 亦可爲與아

또 '한 자를 굽혀서 한 길을 편다.'는 것은 利로써 말한 것이니, 만일 利로써 말한다면 한 길을 굽혀 한 자를 펴서 利롭더라도 또한 하겠는가.

---

316 招大夫以旌 招虞人以皮冠 : 《春秋左傳》昭公 20년 조에 "齊 景公이 沛에서 사냥할 적에 활로써 虞人을 불렀는데 나오지 않았다. 齊 景公이 사람을 시켜 그를 잡아오게 하자, 虞人이 해명하기를 '옛날 우리 先君께서 사냥하실 적에 旃으로써 대부를 부르시고 활로써 士를 부르시고 皮冠으로써 虞人을 부르셨습니다. 신은 皮冠을 보지 못했기 때문에 감히 나아가지 못한 것입니다.' 하니, 이에 그를 풀어주었다. 仲尼가 이에 대해 〈임금이 부르면 달려가는〉 도리를 지키는 것이 관리의 제도를 따르는 것만 못하다.' 하셨는데, 군자는 이 말을 옳게 여겼다.〔齊侯田于沛 招虞人以弓 不進 公使執之 辭曰 昔我先君之田也 旃以招大夫 弓以招士 皮冠以招虞人 臣不見皮冠 故不敢進 乃舍之 仲尼曰 守道不如守官 君子韙之〕'라고 보인다. 楊伯峻은 "《春秋左傳》에 기록된 것과 《孟子》에서 말한 것이 다른 점이 있지만 대체적인 것은 일치한다." 하였다.

317 志士固窮 : 《論語》〈衛靈公〉 1장에, 孔子께서 "君子는 진실로 곤궁함을 지키니, 小人은 궁하면 넘친다.〔子曰 君子固窮 小人窮斯濫矣〕" 하였다. 壺山은 이에 대하여 "'固窮'은 그 가난함을 굳게 지킴을 이른다.〔謂固守其貧也〕" 하였다.

··· 獵 사냥 렵 苑 동산 원 囿 동산 유 棺 널 관 椁 덧널 곽 棄 버릴 기 恨 한할 한 顧 돌아볼 고

集註 | 此以下는 正其所稱枉尺直尋之非라 夫所謂枉小而所伸者大則爲之者는 計其利耳니 一有計利之心이면 則雖枉多伸少而有利라도 亦將爲之邪아하시니 甚言 其不可也시니라

이 이하는 그가 말한 '枉尺直尋'의 잘못을 바로잡은 것이다. 이른바 '굽히는 것이 작고 펴는 것이 크면 한다.'는 것은 利를 계산한 것이니, '한 번(조금)이라도 利를 계산하는 마음이 있으면 비록 굽히는 것이 많고 펴는 것이 적으면서 利가 있더라도 또한 장차 하겠는가.'하셨으니, 그 不可함을 심히 말씀하신 것이다.

1-4. 昔者에 趙簡子使王良으로 與嬖奚乘한대 終日而不獲一禽하고 嬖奚反命曰 天下之賤工也러이다 或以告王良한대 良曰 請復(부)之호리라 彊而後에 可라하여늘 一朝而獲十禽하고 嬖奚反命曰 天下之良工也러이다 簡子曰 我使掌與女(汝)乘호리라하고 謂王良한대 良이 不可曰 吾爲之範我馳驅호니 終日不獲一하고 爲之詭遇호니 一朝而獲十하니이다 詩云 不失其馳어늘 舍矢如破라하니 我는 不貫與小人乘호니 請辭라하니라

옛적에 趙簡子가 王良으로 하여금 嬖奚와 함께 수레를 타고 사냥하게 하였는데, 종일토록 한 마리의 짐승도 잡지 못하고는 嬖奚가 反命(復命)하기를 '天下에 값어치 없는 말몰이꾼이었습니다.' 하였다. 혹자가 이 말을 王良에게 전하자, 王良이 다시 사냥하자고 청하였으나 〈승낙하지 않다가〉 강요한 뒤에야 승낙하였다. 〈이번에는〉 하루아침에 열 마리의 짐승을 잡고는 嬖奚가 復命하기를 '天下에 훌륭한 말몰이꾼이었습니다.' 하였다. 簡子가 '내 그로 하여금 너와 함께 수레를 타게 하도록 하겠다.' 하고 王良에게 이 말을 일렀다. 王良이 허락하지 않으면서 말하기를 '내 그를 위해서 말 모는 것을 法대로 하였더니 종일토록 한 마리의 짐승도 잡지 못하였고, 그를 위하여 부정한 방법으로 짐승을 만나게 하였더니 하루아침에 열 마리의 짐승을 잡았습니다. 《詩經》에 「말몰이꾼은 말 모는 法을 잃지 않는데 射手는 화살을 쏨에 깨뜨리는 것과 같이 명중한다.」하였습니다. 나는 小人과 함께 수레 타는 것을 익히지 않았으니, 사양하겠습니다.' 하였다.

··· 嬖 총애할 폐 乘 탈 승 獲 잡을 획 禽 새 금, 짐승 금 彊 억지로 강 掌 맡을 장 範 법 범 驅 몰 구 詭 속일 궤 舍 놓을 사 破 깨뜨릴 파 貫 익힐 관

集註 | 趙簡子는 晉大夫趙鞅也라 王良은 善御者也[318]라 嬖奚[319]는 簡子幸臣이라 與之乘은 爲之御也라 復之는 再乘也라 彊而後可는 嬖奚不肯하여 彊之而後에 肯也라 一朝는 自晨至食時也라 掌은 專主也라 範은 法度也[320]라 詭遇는 不正而與禽遇也라 言 奚不善射하여 以法馳驅則不獲하고 廢法詭遇而後에 中也라 詩는 小雅車攻之篇이라 言 御者不失其馳驅之法하고 而射者發矢皆中而力이어늘 今嬖奚不能也라 貫은 習也라

趙簡子는 晉나라 大夫인 趙鞅이다. 王良은 말몰이를 잘하는 자이다. 嬖奚는 簡子의 총애하는 신하이다. '與之乘'은 그를 위하여 말을 모는 것이다. '復之'는 다시 수레를 타고 사냥하는 것이다. '彊而後可'는 嬖奚가 사냥하려고 하지 않다가 강요한 뒤에야 하려고 한 것이다. '一朝'는 새벽부터 아침밥을 먹을 때까지이다. '掌'은 오로지 맡는 것이다. '範'은 法度이다. '詭遇'는 부정하게 〈수레를 몰아〉 짐승과 만나게 하는 것이다. 嬖奚가 활을 잘 쏘지 못해서 法대로 수레를 몰면 짐승을 잡지 못하고, 法을 폐지하여 부정한 방법으로 만나게 한 뒤에야 짐승을 맞출 수 있었음을 말한 것이다. 詩는 〈小雅 車攻〉篇이다. 御者는 말 모는 法을 잃지 않고, 射手는 화살을 쏨에 다 맞추고 힘차야 하는데, 지금 嬖奚는 그렇지 못함을 말한 것이다. '貫'은 익힘이다.

1-5. 御者도 且羞與射者比하여 比而得禽獸 雖若丘陵이라도 弗爲也하니 如枉道而從彼엔 何也오 且子過矣로다 枉己者 未有能直人者也니라

御者도 射手에게 아부하는 것을 부끄러워해서 아부하면 비록 丘陵과 같이 禽獸를 많이 잡을 수 있더라도 하지 않았으니, 만일 〈선비가〉 道를 굽혀 저를 따른다면 어떠하겠는가. 또 자네가 잘못하였도다. 자기 몸을 굽힌 자가 남을 곧게 펴는 자는 있지 않다."

---

318 王良 善御者也 : 楊伯峻은 《春秋左傳》哀公 2년에 '郵無恤이 趙簡子의 수레를 몰았다.〔郵無恤御簡子〕' 하였는데 杜預의 註에 '郵無恤은 王良이다.' 하였다. 王良은 春秋 말엽에 수레를 잘 몰았던 사람이었기 때문에, 先秦·兩漢의 전적에서 많이 일컬어졌다." 하였다.

319 嬖奚 : 楊伯峻은 '嬖'는 嬖人(총애받는 小人)이고 그의 이름이 '奚'라고 하였다.

320 範 法度也 : 壺山은 "範은 五御의 법이다.〔五御之法〕" 하였다. 五御는 수레가 달릴 때 수레의 방울 소리가 서로 호응하게 모는 鳴和鸞, 골짜기의 절벽을 따라 수레를 몰되 물에 떨어지지 않게 하는 逐水曲, 帝王을 나타내는 표시나 자리를 지날 때 예의를 갖추는 過君表, 도로를 통과하면서 자유자재로 달려가는 舞交衢, 사냥을 할 때 짐승을 쫓으면서 왼쪽에서 활을 쏘아 잡는 逐禽左를 가리킨다.

··· 鞅 고삐앙 御 어거할어 幸 총애할행 肯 즐길긍 晨 새벽신 羞 부끄러울수 比 아첨할비 陵 언덕릉

按說 | '且'에 대하여, 壺山은

  且는 尙과 같다.〔且 猶尙也〕

하였는데, 이는 猶且, 尙且와 같은바, '御者도'로 懸吐하면 且는 풀이하지 않아도 된다.
'比'에 대하여, 楊伯峻은 위 〈滕文公上〉 4장의 "그대가 이것을 나란히 하여 똑같이 하
려 한다.〔子比而同之〕"의 '比'와 같은 뜻이라고 하였다.

集註 | 比는 阿黨也라 若丘陵은 言多也라

'比'는 阿黨함이다. '丘陵과 같다.'는 것은 많음을 말한다.

章下註 | ○ 或曰 居今之世하여 出處去就를 不必一一中節이니 欲其一一中節이면
則道不得行矣라하니 楊氏曰 何其不自重也오 枉己면 其能直人乎아 古之人이 寧
道之不行이언정 而不輕其去就라 是以로 孔孟이 雖在春秋戰國之時라도 而進必以
正하사 以至終不得行而死也하시니 使不恤[321]其去就而可以行道면 孔孟이 當先爲
之矣시리라 孔孟이 豈不欲道之行哉시리오

○ 或者가 말하기를 "지금 세상에 살면서 出處와 去就를 군이 하나하나 예절에 맞게 할 것
이 없으니, 하나하나 예절에 맞게 하려고 한다면 道가 행해질 수 없을 것이다." 하였다. 이
에 楊氏(楊時)가 말하기를 "어찌 그리도 自重하지 않는가. 자기 몸을 굽히면 어떻게 남을
곧게 펼 수 있겠는가. 옛사람들은 차라리 道가 행해지지 않을지언정 去就를 가벼이 하지 않
았다. 이 때문에 孔子와 孟子께서 비록 春秋‧戰國의 때에 계셨지만 나아가기를 반드시 正
道로써 하여 끝내 道를 행하지 못하고 죽음에 이르신 것이다. 가령 그 去就를 돌아보지 않
고 道를 행할 수 있었다면 孔子와 孟子께서 마땅히 먼저 하셨을 것이다. 孔子와 孟子께서
어찌 道가 행해지기를 원하지 않으셨겠는가."

|景春章(大丈夫章)|
2-1. 景春曰 公孫衍, 張儀는 豈不誠大丈夫哉리오 一怒而諸侯懼하고

---

321 恤:壺山은 "顧(돌아봄)와 같다.〔猶顧也〕" 하였다.

⋯ 阿 아첨할 아 寧 차라리 녕 恤 아낄 휼 衍 넓을 연 儀 거동 의 誠 진실로 성

安居而天下熄하나이다

景春이 말하였다. "公孫衍과 張儀는 어찌 진실로 大丈夫가 아니겠습니까. 한번 노하면 諸侯들이 두려워하고, 편안히 있으면 天下가 조용합니다."

按說 | '熄'에 대하여, 新安陳氏(陳櫟)는

公孫衍과 張儀 두 사람은 모두 六國의 合從을 깨뜨려서 連橫을 한 자이다. '熄'은 불이 꺼짐과 같으니, 兵亂은 불과 같기 때문이다.〔二人 皆破六國之從 以爲衡者 熄如火之熄滅 以兵猶火故也〕

하였고, 壺山은

살펴보건대 '熄'은 조용하여 無事함을 이른다.〔按熄 謂寂然無事也〕

하였으며, 楊伯峻은 趙岐의 註에 '천하의 전쟁이 멈추었다.〔天下兵革熄也〕' 한 것을 취하여 "천하가 태평하고 전쟁이 없었다."로 번역하였다.

集註 | 景春은 人姓名[322]이라 公孫衍, 張儀는 皆魏人이니 怒則說(세)諸侯하여 使相攻伐이라 故로 諸侯懼也라

景春은 사람의 姓名이다. 公孫衍과 張儀는 모두 魏나라 사람이니, 怒하면 제후를 설득하여 서로 공격하고 정벌하게 하였다. 그러므로 諸侯들이 두려워한 것이다.

2-2. 孟子曰 是焉得爲大丈夫乎리오 子未學禮乎아 丈夫之冠也에 父命之하고 女子之嫁也에 母命之하나니 往에 送之門할새 戒之曰 往之女(汝)家하여 必敬必戒하여 無違夫子라하나니 以順爲正者는 妾婦之道也니라

孟子께서 말씀하셨다. "이 어찌 大丈夫라 할 수 있겠는가. 그대는 禮를 배우지 않았는

---

322 景春 人姓名 : 趙岐는 "景春은 孟子 때의 사람으로 縱橫家의 術을 행하던 자이다.〔景春 孟子時人 爲 縱橫之術者〕" 하였다.

··· 熄 꺼질 식 焉 어찌 언 命 훈계할 명 嫁 시집갈 가 女 너 여(汝通) 違 어길 위

가? 丈夫(男子)가 冠禮할 적에 아버지가 命(훈계)하고, 女子가 시집갈 적에 어머니가 命하나니, 시집감에 문에서 전송할 적에 경계하기를 '네 집(시댁)에 가서 반드시 공경하고 반드시 경계하여 夫子(남편)를 어기지 말라.' 하니, 순종함을 正道로 삼는 것은 妾婦의 道이다.

按說 | '無違夫子'에 대하여, 《儀禮》〈士昏禮〉에

> 아버지가 딸을 시집보낼 적에 훈계하기를 "경계하고 공경하여 이른 새벽부터 밤늦도록 命을 어기지 말라."고 한다.〔父送女 命之日 戒之敬之 夙夜毋違命〕

하였는데, 鄭玄의 註에 "命은 시부모의 敎命이다.〔命 舅姑之敎命〕" 하였고, 또 "어머니가 작은 띠를 매주고 수건을 매주며 훈계하기를 '힘쓰고 공경하여 이른 새벽부터 밤늦도록 집안일을 어기지 말라.'고 한다.〔母施衿結帨日 勉之敬之 夙夜無違宮事〕" 하였는데, 賈公彦의 疏에 "宮事는 시어머니가 며느리에게 命한 일을 이른다.〔宮事 謂姑命婦之事〕" 하였다.

茶山은 〈士昏禮〉의 이 글을 인용하고,

> 禮經에 '夫子(남편)를 어기지 말라.'는 글이 없으니, 孟子가 본 것은 別本이다.〔禮經無毋違夫子之文 孟子所見者別本也〕

하였다. 壺山은

> 살펴보건대 禮에 딸이 시집갈 적에도 아버지가 명하는데, 여기에 "어머니가 명한다."라고 말한 것은 門에서 전송하면서 경계한 것을 위주하여 말한 것일 뿐이다.〔按禮女之嫁 亦父命之 而此云母命者 蓋主送門戒言耳〕

하였다.

集註 | 加冠於首日冠이라 女家는 夫家也니 婦人은 內夫家[323]하여 以嫁爲歸也라 夫子는 夫也라 女子從人하니 以順爲正道也라 蓋言 二子阿諛苟容하여 竊取權勢하니

---

[323] 婦人 內夫家:《漢書》〈劉向傳〉에 "婦人은 남편의 집을 안으로 하고 父母의 집을 밖으로 한다.〔婦人 內夫家 外父母家〕" 하였다.

··· 歸 돌아갈 귀 諛 아첨할 유 苟 구차할 구 容 용납할 용 竊 훔칠 절 勢 형세 세

乃妾婦順從之道耳요 非丈夫之事也라

머리에 冠을 加함을 冠禮라 한다. 女家는 남편의 집이니, 婦人은 남편의 집을 안으로 여겨 시집가는 것을 돌아간다고 한다. '夫子'는 남편이다. 女子는 남을 따르니, 순종함을 正道로 삼는다. 公孫衍과 張儀 두 사람은 아첨하고 구차히 용납하여(영합하여) 權勢를 절취하였으니, 바로 妾婦의 순종하는 도리요 大丈夫의 일이 아니라고 말씀한 것이다.

2-3. 居天下之廣居하며 立天下之正位하며 行天下之大道하여 得志하여는 與民由之하고 不得志하여는 獨行其道하여 富貴不能淫하며 貧賤不能移하며 威武不能屈이 此之謂大丈夫나라

天下의 넓은 집(仁)에 거하며 天下의 바른 자리(禮)에 서며 天下의 大道(義)를 행하여, 뜻을 얻으면(지위를 얻으면) 백성과 함께 道를 행하고 뜻을 얻지 못하면 홀로 그 道를 행하여, 富貴가 마음을 방탕하게 하지 못하며 貧賤이 절개를 옮겨놓지(바꿔놓지) 못하며 威武가 지조를 굽히지 못하는 것, 이것을 大丈夫라 이른다."

按説 | 朱子는

마음이 廓然하여 한 터럭의 사사로운 뜻도 없어서 곧바로 천지와 量을 함께하는 것이 바로 天下의 廣居에 거하는 것이니 곧 '居仁'이고, 자신이 몸을 세움에 이르러 다시 조금도 이치에 합당하지 않음이 없는 것이 바로 天下의 正位에 서는 것이니 곧 '守禮'이고, 미루어서 일에 나타남에 다시 조금도 義에 부합하지 없음이 없는 것이 바로 天下의 大道를 행함이니 곧 '由義'이다. 위 두 句를 논하면 廣居에 거함은 體이고 正位에 서는 것은 用이며, 아래 두 句를 논하면 正位에 서는 것은 體이고 大道를 행하는 것은 用이다. 능히 天下의 廣居에 거하면 自然히 天下의 正位에 서고 天下의 大道를 행할 수 있음을 알 수 있다.……'居'字는 心에 나아가 말한 것이고, '立'字는 몸에 나아가 말한 것이고, '行'字는 행실에 나아가 말한 것이다.〔此心廓然 無一毫私意 直與天地同量 這便是居天下之廣居 便是居仁 到得自家立身 更無些子不當於理 這便是立天下之正位 便是守禮 及推而見於事 更無些子不合於義 這便是行天下之大道 便是由義 論上兩句 則居廣居是體 立正位是用 論下

··· 妾 첩첩 廣 넓을광 由 행할유 淫 음탕할음 移 옮길이

兩句 則立正位是禮 行大道是用 要知能居天下之廣居 自然能立天下之正位 行天下

之大道……居字是就心上說 立字是就身上說 行字是就施爲上說〕《語類》

하였고, 또

이 세 말(居廣居, 立正位, 行大道)은 또 廣居에 거하는 것을 위주한다.〔此三言者 又以廣

居爲主〕《或問》

하였다.

'行天下之大道'에 대하여, 栗谷諺解에서는 '天下의 大道를 行ᄒᆞ야'라고 하여 '천하의

큰 道를 행한다.'로 보았고, 官本諺解에서는 '天下앳 大ᄒᆞᆫ 道애 行ᄒᆞ야'라고 하여 '천

하의 큰 道에 행한다.'로 보았는데, 壺山은

'行於大道'이니 官本諺解의 해석이 맞다.〔行於大道 諺釋得之〕

하였다. 이는 위에 '天下의 廣居에 居하고 天下의 正位에 서고'로 해석하였으므로 이에

맞춘 것으로 보인다. 그러나 번역에서는 栗谷諺解를 따랐음을 밝혀 둔다.

集註 | 廣居는 仁也요 正位는 禮也라 大道는 義也라 與民由之는 推其所得於人也[324]

요 獨行其道는 守其所得於己也[325]라 淫은 蕩其心也요 移는 變其節也요 屈은 挫其

志也[326]라

'廣居'는 仁이요, '正位'는 禮요, '大道'는 義이다. '백성과 함께 행한다.'는 것은 얻은 바를

남에게 미룸이요, '홀로 그 道를 행한다.'는 것은 얻은 바를 자기 몸에 지키는 것이다. '淫'

은 마음을 방탕하게 함이요, '移'는 절개를 변함이요, '屈'은 뜻(의지)을 꺾는 것이다.

324　與民由之 推其所得於人也 : 《大全》에 "由는 백성들과 함께 이 仁·禮·義를 행하는 것이고, 얻은 것 또
　　한 바로 이 세 가지이다.〔由 謂與民共由此仁禮義也 所得亦卽此三者〕"하였다.

325　獨行其道 守其所得於己也 : 《大全》에 "道는 바로 仁·禮·義의 道이다.〔道 卽仁禮義之道〕"하였다.

326　淫……挫其志也 : 趙氏(趙順孫)는 "富貴하면 구함이 얻어지고 욕망이 이루어지므로 마음을 방탕함
　　에 이르기 쉽고, 貧賤하면 居處가 儉約하고 곤궁하므로 절개를 변함에 이르기 쉽고, 위엄과 무력을 만
　　나면 또 震動하고 두려워함에 이르기 쉬우므로 그 뜻과 기운을 좌절함이 많은 것이다.〔富貴則求得欲
　　從 故易至蕩其心 貧賤則居約處困 故易至變其節 遇威武 又易至隕穫震懼 故多挫慴其志氣〕"하
　　였다.

⋯　蕩 음탕할 탕　變 변할 변　挫 꺾을 좌

章下註 | ○ 何叔京[327]曰 戰國之時에 聖賢道否(비)하여 天下不復見其德業之盛하고 但見姦巧之徒 得志橫行하여 氣焰可畏하고 遂以爲大丈夫라하니 不知由君子觀之[328]하면 是乃妾婦之道耳니 何足道哉리오

○ 何叔京(何鎬)이 말하였다. "戰國 때에 聖賢의 道가 否塞(비색)해져서 天下 사람들이 다시는 그 德業의 성대함을 보지 못하고, 다만 姦巧한 무리들이 뜻을 얻어 橫行해서 기염이 두려울 만함을 보고는 마침내 大丈夫라 하였으니, 君子의 입장에서 보면 이것이 妾婦의 道임을 알지 못한 것이다. 어찌 굳이 말할 것이 있겠는가."

|周霄問曰章(三月無君章)|

3-1. 周霄問曰 古之君子仕乎잇가 孟子曰 仕니라 傳曰 孔子三月無君則皇皇如也하사 出疆에 必載質(贄)라하고 公明儀曰 古之人이 三月無君則弔라하니라

周霄가 물었다. "옛날의 君子가 벼슬하였습니까?"
孟子께서 말씀하셨다. "벼슬하였다. 傳에 이르기를 '孔子는 3개월 동안 군주가 없으면 皇皇한 듯이 여겨 국경을 나갈 적에 반드시 폐백을 신고 갔다.' 하였고, 公明儀가 말하기를 '옛사람은 3개월 동안 군주가 없으면 〈사람들이 그에게〉 조문(위문)했다.' 하였다."

按說 | '三月無君則弔'에 대하여, 趙岐는

3개월은 한 계절(철)이니, 사물이 변화하는데 임금의 교화를 돕지 못하므로, 마치 구하는 바가 있는데 얻지 못하는 것처럼 皇皇한 것이다.(三月一時也 物變而不佐君化 故皇皇如有所求而不得爾)

---

327 何叔京:叔京은 何鎬(1128~1175)의 字이다. 福建省 昭武 사람으로 朱子의 친구이다. 속칭 臺溪先生이라 불렀다. 壺山은 "살펴보건대 이는 당시에 朱子의 친구였기 때문에 字를 칭하였으니, 張敬夫(張栻)의 예와 같다. 그러나 《詩經》의 註에서는 張栻을 '廣漢張氏', 呂祖謙을 '東萊呂氏'라고 칭하였으니, 또한 일정한 예가 없다.(按是當時友生 故稱字 亦張敬夫之例也 然詩註則以廣漢張氏, 東萊呂氏稱之 蓋亦無一定之例)" 하였다.
328 由君子觀之:'由'는 '自'와 같은바, '君子의 처지(입장)에서 보면'의 뜻이다.

··· 否 비색할 비 姦 간사할 간 巧 공교할 교 徒 무리 도 焰 불꽃 염 遂 마침내 수 道 말할 도 霄 하늘 소 皇 급할 황 疆 지경 강 載 실을 재 質 폐백 지(贄通) 弔 위문할 조

하였고, 雙峰饒氏(饒魯)는

1년에 四時의 제사가 있으니, 만약 3개월 동안 지위를 잃으면 곧 한 제사(四時祭의 하나)를 폐하게 되므로 조문할 만한 것이다. 제사지내지 못하는 것을 조문하는 것이지, 임금을 얻지 못함을 조문하는 것은 아니다.〔一年有四時之祭 若失位三月 便廢一祭 故可弔之 弔其 不得祭 非弔其不得君也〕

하였다. 茶山은

만약 〈趙岐의 註처럼〉 3개월이 길다고 해서 조문을 한다면 3년 동안 임금이 없는 자에게는 어떻게 해야 하겠는가. '三月無君'이란 3개월 동안 素服을 입는 기간이다. 옛날에는 지위를 잃고 故國을 떠나면 순전히 喪禮를 사용하였다. 《禮記》〈曲禮下〉에 "大夫와 士가 나라를 떠나가면 국경을 넘었을 때 壇位를 만들어서 本國을 향하여 곡하고, 흰 명주옷을 입고 흰 명주 치마를 입고 흰 명주 冠을 쓰고 中衣의 채색 테두리를 제거하고 신코 장식[絇]이 없는 신을 신고 흰 개가죽으로 수레의 軾을 덮고 긴 털을 자르지 않은 말을 타고 손톱과 발톱을 깎지 않고 수염과 머리를 깎지 않고 밥을 먹을 때 祭(고수레)하지 않으며, 다른 사람에게 자신이 죄가 없다고 말하지 않으며, 부인이 모시게 해서는 안 되니, 3개월이 지나면 평상의 옷을 회복한다." 하였으니, 이는 喪禮이다. 그가 喪禮로 自處하므로 내가 喪禮로 가서 조문하는 것이다. 어찌 〈雙峰饒氏(饒魯)의 說처럼〉 제사지내지 못해서이겠는가. '三月無君'은 3개월이 지나 평상의 옷을 회복할 때까지의 기간이다.〔若以三月之久而弔之 則三年無君者 其將奈何 三月無君者 謂三月素服之間也 古者失位去國 純用喪禮 曲禮曰 大夫士去 國 踰竟爲壇位 鄕國而哭 素衣素裳 素冠徹緣 輚屨素簚 乘髦馬 不蚤(爪)鬚 不祭食 不說人以無罪 婦人不當御 三月而復服 此喪禮也 彼以喪禮自處 故我以喪禮往弔也 豈以不祭之故乎 三月無君者 三月復服之間也〕

하였는데, 일리가 있는 것으로 보인다. 壺山은

옛날에 모든 凶事에는 다 조문했다.〔古者 凡凶事皆有吊〕

하였다.

集註 | 周霄는 魏人이라 無君은 謂不得仕而事君也라 皇皇은 如有求而弗得之意[329]
라 出疆은 謂失位而去國也라 質는 所執以見人者니 如士則執雉也[330]라 出疆載之
者는 將以見所適國之君而事之也라

周霄는 魏나라 사람이다. '無君'은 벼슬하여 군주를 섬길 수 없음을 이른다. '皇皇'은 구함
이 있으나 얻지 못하는 것처럼 하는 뜻이다. '出疆'은 지위를 잃고 나라를 떠남을 이른다.
'質(지)'는 잡고 남을 만나보는 물건(禮物)이니, 예컨대 士는 꿩을 잡는 것과 같다. 국경을
나갈 적에 폐백을 싣고 가는 것은 장차 가는 나라의 군주를 뵙고 그를 섬기려고 해서이다.

3-2. 三月無君則弔 不以急乎잇가

〈周霄가 말하였다.〉 "3개월 동안 군주가 없으면 조문하는 것은 너무 급하지 않습니까?"

集註 | 周霄問也라 以는 已通이니 太也라 後章放此하니라

周霄가 물은 것이다. '以'는 已와 통하니, '너무'이다. 뒤의 章도 이와 같다.

3-3. 曰 士之失位也 猶諸侯之失國家也니 禮曰 諸侯耕助하여 以供
粢盛하고 夫人蠶繅하여 以爲衣服하나니 犧牲이 不成하며 粢盛이 不潔하
며 衣服이 不備하면 不敢以祭하고 惟士無田이면 則亦不祭라하니 牲殺器

---

329 皇皇 如有求而弗得之意 : 《禮記》〈檀弓下〉에 "어버이가 처음 죽었을 적에는 마치 皇皇하여 구함이 있
으나 얻지 못하는 것처럼 하였다.〔始死 皇皇焉如有求而弗得〕"라고 보인다. 《禮記》〈檀弓上〉에는 "장
례하고 나서는 皇皇하여 마치 다시 살아오시기를 바라도 오지 않는 것처럼 한다.〔旣葬 皇皇 如有望而
弗至〕" 하였는데, '皇皇'에 대해 鄭玄은 "마음에 근심이 있는 모양이다.〔憂悼在心之貌也〕"라고 註하였
다.

330 質……如士則執雉也 : 《周禮》〈春官宗伯 大宗伯〉에 "짐승으로 여섯 가지 예물을 삼아서 諸臣을 차등
한다. 孤는 皮帛을 잡고 卿은 새끼양을 잡고 大夫는 기러기를 잡고 士는 꿩을 잡고 庶人은 집오리를 잡
고 工人과 商人은 닭을 잡는다.〔摯란 말은 지극하다는 뜻이니, 잡고서 정성을 지극히 함이니, 또한 贄로도 쓴다.
'皮帛'은 5필의 비단에 가죽으로 表하여 꾸밈으로 삼는 것이니, '皮'는 범과 표범의 가죽이다. '羔'는 새끼양이니 무리지
어 同類를 잃지 않는 뜻을 취하였고, '기러기'는 때를 기다려 오고가는 뜻을 취하였고, '꿩'은 절개를 지켜 죽어도 절개
를 잃지 않는 뜻을 취하였고, '집오리'는 날아가지 않는 뜻을 취하였고, '닭'은 때를 지켜 動하는 뜻을 취하였다.〕〔以禽
作六摯 以等諸臣 孤執皮帛 卿執羔 大夫執鴈 士執雉 庶人執鶩 工商執鷄【摯之爲言 至也 所執以自致
也 亦作贄 皮帛者 束帛而表以皮爲之飾 皮虎豹之皮 羔小羊 取其群而不失其類 鴈取其候時而行 雉取其守介而死不失
其節 鶩取其不飛遷 鷄取其守時而動】〕" 하였다.

••• 執 잡을 집 雉 꿩 치 適 갈 적 以 너무 이 粢 기장 자 盛 담을 성 蠶 누에 잠 繅 고치켤 소 犧 희생 희
性 희생 생 潔 깨끗할 결 備 갖출 비

皿衣服이 不備하여 不敢以祭면 則不敢以宴이니 亦不足弔乎아

孟子께서 말씀하셨다. "士가 지위를 잃음은 諸侯가 나라를 잃은 것과 같다. 禮에 이르기를 '諸侯가 밭을 갈면 백성들이 도와서 粢盛을 바치고, 〈諸侯의〉 夫人이 누에를 치고 실을 켜서 衣服을 만든다. 犧牲이 이루어지지 못하며 粢盛이 정결하지 못하며 衣服이 구비되지 못하면 감히 제사 지내지 못하고, 士가 祭田이 없으면 또한 제사 지내지 못한다.' 하였다. 牲殺과 器皿과 衣服이 구비되지 못하여 감히 제사 지내지 못하면 감히 잔치하지 못하게 되니, 또한 조문할 만하지 않은가."

按說 | '諸侯耕助'의 '耕助'에 대하여, 楊伯峻은

> '助'는 '藉(자)'와 같다. 〈滕文公上〉에서 "助者는 藉也"라 하였으니, 이로써 孟子가 여기에서 '助'자를 빌려 '藉'의 뜻으로 쓴 것임을 알 수 있다. 옛날에 천자나 제후가 직접 경작한다고 하나 실제로는 백성의 힘을 빌려 경작하였으므로 그 田地를 '藉(적)田'이라고 하였는데, 이 藉田을 경작하는 것을 '藉(자)'라고 하였다. 《左傳正義》에 "藉는 藉田에서 경작하는 것이다.〔藉 耕種於藉田也〕" 한 것이 바로 이 '助'의 의미이다.

라고 하여, '助'는 '藉(자)'이며 '耕'으로, '耕助'는 '藉田을 경작하다.'의 뜻임을 상세히 밝혔다.

---

331 諸侯爲藉百畝……躬秉未以耕 : 藉田은 '백성의 힘을 빌려 경작한다.' 하여 붙인 이름으로 天子는 千畝, 諸侯는 百畝이다. 《禮記》〈祭義〉에 "옛날 天子는 藉田 千畝를 만들어 면류관을 쓰고 붉은 갓끈을 매고서 몸소 쟁기 자루를 잡으며, 諸侯는 藉田 百畝를 만들어 면류관을 쓰고 푸른 갓끈을 매고서 몸소 쟁기 자루를 잡아, 天地와 山川, 社稷과 先祖의 神을 섬겨서 단술과 酪(타락)과 粢盛을 만드는 것을 이 藉田에서 취하였으니, 공경함이 지극한 것이다.〔昔者 天子爲籍(籍)千畝 冕而朱紘 躬秉未 諸侯爲籍百畝 冕而靑紘 躬秉未 以事天地山川社稷先古 以爲醴酪粢盛 於是乎取之 敬之至也〕" 하였고, 《禮記》〈月令〉에 "〈天子가〉 三公·九卿·諸侯·大夫들을 거느리고 가서 몸소 皇帝의 籍田을 경작하되 天子는 세 번 쟁기를 밀며 三公은 다섯 번 밀고 卿·諸侯는 아홉 번 쟁기를 민다.〔帥三公九卿諸侯大夫 躬耕帝籍 天子三推 三公五推 卿諸侯九推〕" 하였다. 藉田은 籍田과 혼용하는데, 音 역시 '적'과 '자'로 함께 읽으나, 楊伯峻의 說에 의거하면 籍田에는 '적', 기타 '돕다'의 뜻에는 '자'로 읽어야 할 것이다.

332 庶人助以終畝 : 《周禮》〈天官冢宰 甸師〉의 註에 "王이 孟春에 몸소 皇帝의 籍田을 경작하되 天子는 세 번 쟁기자루를 밀고……庶人이 千畝의 일을 끝낸다.……王이 한 번 밭을 갈아 시범을 보이고 庶人으로 하여금 김매고 가꾸어 일을 끝마치게 한다.〔王以孟春躬耕帝籍 天子三推……庶人終於千畝……王一耕之 而使庶人芸芓終之〕" 하였다.

··· 皿 그릇뚜껑 명 宴 잔치 연

'犧牲不成'의 '犧牲'은 제사에 올리는 소와 양과 돼지를 이르며, '不成'은 제대로 이루어지지 못한 것으로, 趙岐는 "成은 살찜이다." 하였다.

集註ㅣ禮曰 諸侯爲藉(적)百畝하여 冕而靑紘하여 躬秉耒以耕³³¹이어든 而庶人助以終畝³³²하여 收而藏之御廩³³³하여 以供宗廟之粢盛³³⁴하고 使世婦로 蠶于公桑蠶室³³⁵하여 奉繭以示于君하고 遂獻于夫人³³⁶이어든 夫人이 副褘³³⁷受之하여 繅三盆手³³⁸하고 遂布于三宮世婦³³⁹하여 使繅以爲黼黻文章하여 而服以祀先王先公³⁴⁰이

---

333 收而藏之御廩 : '御廩'은 御米(王室에서 사용하는 쌀)를 보관하는 창고이다. 《春秋穀梁傳》桓公 14년 조에 "天子가 친히 밭을 갈아서 粢盛을 바치고 王后가 친히 누에를 길러서 祭服을 바친다.……甸師가 곡식을 만들어 三宮에 바치면 三宮이 방아를 찧어 쌀로 만들어서 御廩에 보관한다.〔三宮은 王의 세 夫人이다. 宗廟의 禮에 군주가 친히 犧牲을 잡고 夫人이 친히 방아를 찧는다.〕〔天子親耕 以共粢盛 王后親蠶 以共祭服……甸粟而內(納)三宮 三宮米而藏之御廩〔三宮 三夫人也 宗廟之禮 君親割 夫人親舂〕〕" 하였다.

334 供宗廟之粢盛 : 《周禮》〈天官冢宰 甸師〉에 "甸師가 자기 官屬을 거느리고 王의 籍田을 경작하여 時節로써〈收穫하는 곡식을〉들여서 粢盛을 바치는 일을 관장한다.〔甸師掌帥其屬而耕耨王藉 以時入之 以共齋盛〕" 하였다. '甸師'는 田地를 관장하는 관원이다. '齋盛'은 祭祀에 사용하는 곡식이니, 곡식은 稷을 으뜸으로 삼는다.

335 公桑蠶室 : '公桑'은 王・公(천자・제후)의 桑田이며, '蠶室'은 누에치는 집이다.

336 夫人 : 諸侯의 正室을 가리킨다.

337 副褘 : '副'는 일명 '步搖'로 王妃의 머리꾸밈이며, '褘'는 褘衣로 왕비의 윗옷이다.

338 繅三盆手 : '繅'는 실을 켜는 것이며, '三盆手'는 손을 세 번 동이에 담금을 이른다.

339 三宮世婦 : '三宮'은 세 부인이며, '世婦'는 女官이다. 《禮記》〈曲禮下〉에 "公侯에게는 夫人이 있고 世婦가 있고 妻가 있고 妾이 있다.〔公侯有夫人 有世婦 有妻 有妾〕" 하였다.

340 使繅以爲黼黻文章 而服以祀先王先公 : 先王은 天子의 先祖이고, 先公은 諸侯의 先祖이다. 《禮記》〈祭義〉에 다음과 같이 보인다. "옛날에 天子와 諸侯는 반드시 公桑과 蠶室이 있었으니, 냇물을 가까이하였다.……大昕의 아침이 되면, 군주가 皮弁과 素積(흰 치마) 차림으로 三宮의 부인과 世婦 중에 吉한 자를 점쳐서 蠶室에 들어가 누에를 치게 하여〔大昕은 季春의 초하룻날 아침이다. 諸侯의 三宮의 부인은 王后의 절반이다.〕누에 종자를 받들어 냇물에서 씻기고 公桑에서 뽕잎을 채취하여 바람에 말려 누에에게 먹인다.〔바람에 말려서 이슬 기운이 건조되어야 비로소 누에에게 먹이니, 누에의 성질은 濕氣를 싫어하기 때문이다.〕世婦가 누에치는 일을 마치고서 누에고치를 받들어 군주에게 보이고 마침내 夫人에게 올리면 夫人이 말하기를 '이것은 군주의 옷을 만들 것이다.' 하고, 마침내 副褘 차림으로 이를 받고〔副褘는 王后의 복식이다.〕이어서 少牢로 누에고치를 올린 世婦에게 예를 베풀었다.……吉日에 부인이 세 번 누에고치를 동이에 넣고 손으로 담가 실을 켜고,〔三盆手란 세 번 담근다는 뜻이니, 무릇 누에고치를 담글 때마다 모두 손으로 흔들어 정돈하여 실마리를 끌어내는 것이다.〕마침내 이것을 三宮의 부인과 世婦의 吉한 자에게 나누어 주어 실을 켜게 한다. 마침내 붉은 색을 물들이고 녹색을 물들이며 검은색을 물들이고 황색을 물들여서 이것으로써 黼・黻과 文・章을 만들어 옷이 완성되면 군주가 이 옷을 입고서 先王과 先公에게 제사 지내니, 공경함이 지극한 것이다.〔古者 天子諸侯 必有公桑蠶室 近川而爲之……及大昕之朝 君皮弁素積 卜三宮之夫人世婦之吉者 使入蠶于蠶室〔大昕 季春朔日之朝也 諸侯夫人三宮 半王后也〕奉種浴于川 桑于公桑 風戾以食之〔風戾之 使露氣燥 乃以食蠶 蠶性惡濕〕世婦卒蠶 奉繭以示于君 遂獻繭于夫人 夫

… 藉 籍田 적(籍通) 冕 면류관 면 紘 면류관끈 굉 秉 잡을 병 耒 쟁기자루 뢰 耕 밭갈 경 御 임금 어 廩 창고 름 蠶 누에 잠 桑 뽕나무 상 繭 고치 견 獻 바칠 헌 副 머리꾸미개 부 褘 후비제복 휘 盆 동이 분 布 펼 포 黼 보불 보 黻 보불 불 祀 제사 사

라하니라 又曰 士有田則祭하고 無田則薦[341]이라하니라 黍稷曰粢요 在器曰盛이라 牲殺은 牲必特殺也라 皿은 所以覆(부)器者라

禮에 이르기를 "諸侯가 藉田 百畝를 만들어 면류관을 쓰고 푸른 갓끈을 매고서 몸소 쟁기 자루를 잡고 밭을 갈면 庶人들이 도와 밭일을 끝내어 곡식을 수확해서 御廩에 보관하여 宗廟의 粢盛에 바친다. 世婦로 하여금 公桑 蠶室에서 누에를 치게 하여 고치를 받들어 君主에게 보이고 마침내 夫人에게 올리면 夫人이 副를 하고 褘衣를 입고 이를 받아서 실을 켜되 세 번 손을 동이에 담그고는 三宮과 世婦에게 나누어주어 실을 켜서 黼·黻과 文·章을 만들게 하여 이것을 입고서 先王과 先公에게 제사한다." 하였다. 또 이르기를 "士가 祭田이 있으면 제사하고 祭田이 없으면 薦新한다." 하였다. 黍稷을 '粢'라 하고, 그릇에 담겨져 있는 것을 '盛'이라 한다. '牲殺'은 희생을 반드시 특별히 잡는 것이다. '皿'은 그릇을 덮는 것이다.

3-4. 出疆에 必載質는 何也잇고

〈周霄가 말하였다.〉"국경을 나갈 적에 반드시 폐백을 싣고 가는 것은 어째서입니까?"

集註 | 周霄問也라

周霄가 물은 것이다.

人曰 此所以爲君服與 遂副褘而受之【副褘 王后之服】因少牢以禮之……及良日 夫人繅三盆手【三盆手者 三淹也 凡繅 每淹大總 而手振之 以出緒也】遂布于三宮夫人世婦之吉者 使繅 遂朱綠之 玄黃之 以爲黼黻文章 服旣成 君服以祀先王先公 敬之至也"

'黼·黻'과 '文·章'은《周禮》〈冬官考工記 畫繢〉에 "靑色과 赤色이 배합된 것을 文이라 하고, 赤色과 白色을 章이라 하고, 白色과 黑色을 黼라 하고, 黑色과 靑色을 黻이라 하고, 다섯 가지 采色이 구비한 것을 繡라 한다.〔靑與赤 謂之文 赤與白 謂之章 白與黑 謂之黼 黑與靑 謂之黻 五采備 謂之繡〕" 하였다.

341 士有田則祭 無田則薦:《禮記》〈王制〉에 "大夫와 士는 宗廟의 제사를, 田地가 있으면 제사를 지내고 田地가 없으면 薦新하며, 庶人은 봄에는 부추를 바치고 여름에는 보리를 바치고 가을에는 기장을 바치고 겨울에는 벼를 바친다.〔大夫, 士宗廟之祭 有田則祭 無田則薦 庶人春薦韭(구) 夏薦麥 秋薦黍 冬薦稻〕" 하였다. 薦新은 새로 수확한 곡물이나 과일 등을 간단하게 廟에 올리는 것으로 犧牲이 없다. 제사는 계절의 첫 달(정월·4월·7월·10월)에 지내고 薦新은 仲月(2월·5월·8월·11월)에 올린다.

··· 薦 올릴천 黍 기장서 稷 조직 覆 덮을부 器 그릇기

3-5. 曰 士之仕也 猶農夫之耕也니 農夫豈爲出疆하여 舍其耒耜哉리오 曰 晉國이 亦仕國也로되 未嘗聞仕如此其急호니 仕如此其急也인댄 君子之難仕는 何也잇고 曰 丈夫生而願爲之有室하며 女子生而願爲之有家는 父母之心이라 人皆有之언마는 不待父母之命과 媒妁之言하고 鑽穴隙相窺하며 踰牆相從하면 則父母國人이 皆賤之하나니 古之人이 未嘗不欲仕也언마는 又惡(오)不由其道하니 不由其道而往者는 與鑽穴隙之類也니라

孟子께서 말씀하셨다. "士가 벼슬하는 것은 농부가 밭을 가는 것과 같으니, 農夫가 어찌 국경을 나간다 하여 쟁기와 보습을 버리고 가겠는가."

周霄가 말하였다. "晉나라 또한 벼슬한 나라이나 벼슬하기를 이와 같이 급히 하였다는 말은 들어보지 못했습니다. 벼슬하기를 이와 같이 급히 한다면 君子가 벼슬하기를 어렵게 여기는 것은 어찌해서입니까?"

孟子께서 말씀하셨다. "丈夫가 태어나면 그를 위하여 室(아내)이 있기를 원하며 女子가 태어나면 그를 위하여 媤家(시댁)가 있기를 원하는 것은 父母의 마음이어서 사람마다 다 갖고 있지만, 父母의 명령과 중매쟁이의 말을 기다리지 않고, 구멍의 틈을 뚫고 서로 엿보며 담을 넘어 서로 따라다니면, 父母와 國人들이 모두 천하게 여긴다. 옛사람들이 일찍이 벼슬하고자 하지 않은 것은 아니었으나 또 道를 따르지 않음을 미워하였으니, 道를 따르지 않고 찾아가는 것은 구멍의 틈을 뚫고 엿보는 것과 같은 것이다."

按說 | 君子는 일반적으로 훌륭한 사람을 가리키나 '君子之難仕'의 '君子'는 孟子를 빗대어 말한 것이다. 앞에 '晉나라 또한 벼슬한 나라'라고 말한 것도 孟子가 일찍이 三晉의 하나인 魏나라에 있었기 때문에 말한 것이다.

'與鑽穴隙之類也'에 대하여, 壺山은

'與'와 '之' 두 글자는 文勢가 크게 서로 이어지지 못하니, '與'를 '如'의 뜻으로 읽거나 혹은 '之'를 '而'의 뜻으로 읽으면 통할 수 있다.〔與之二字 文勢不甚相蒙 或讀與 如如義 或讀 之 如而義 則可通〕

··· 耜 보습 사 媒 중매 매 妁 중매 작 鑽 뚫을 찬 穴 구멍 혈 隙 틈 극 窺 엿볼 규 踰 넘을 유 牆 담장 장
由 따를 유 類 비슷할 류

하였다. '與'를 '如'로 보면 經文은 '鑽穴隙의 類와 같다'가 되고, '之'를 '而'로 보면 '鑽穴隙과 같다〔類〕'가 된다.

集註ㅣ晉國은 解見(현)首篇하니라 仕國은 謂君子遊宦之國이라 霄意以孟子不見諸侯爲難仕라 故로 先問古之君子仕否然後에 言此以風切[342]之也라 男은 以女爲室하고 女는 以男爲家라 妁은 亦媒也라 言 爲父母者 非不願其男女之有室家로되 而亦惡其不由道하니 蓋君子雖不潔身以亂倫[343]이나 而亦不徇利而忘義也니라

晉國은 해석이 首篇에 보인다. '仕國'은 君子가 가서 벼슬하는 나라를 이른다. 周霄의 뜻은 孟子가 諸侯를 만나보지 않는 것을 벼슬하기를 어렵게 여기는 것이라고 생각하였다. 그러므로 먼저 "옛날의 君子가 벼슬하였습니까?" 하고 물은 뒤에 이를 말하여 風切한 것이다. 男子는 女子를 室(아내)로 삼고, 女子는 男子를 家(媤家)로 삼는다. '妁' 또한 중매이다. 父母된 자가 자기의 아들·딸이 室家가 있기를 원하지 않는 것은 아니지만 또한 그 道를 따르지 않음을 싫어하니, 〈이와 마찬가지로〉君子가 비록 몸을 결백히 하여 인륜을 어지럽히지 않으나 또한 이익을 따라 의리를 잊지도 않는다.

|後車數十乘章(毁瓦畫墁章)|

4-1. 彭更(경)이 問曰 後車數十乘과 從者數百人으로 以傳食於諸侯 不以泰乎잇가 孟子曰 非其道면 則一簞食(사)라도 不可受於人이어니와 如其道인댄 則舜受堯之天下하사되 不以爲泰하시니 子以爲泰乎아

彭更이 물었다. "뒤따르는 수레 수십 대와 從者 수백 명으로 諸侯에게서 돌려가며 밥을 얻어먹는 것(轉轉하며 공양을 받는 것)이 너무 지나치지 않습니까?"
孟子께서 말씀하셨다. "그 道가 아니면 한 그릇의 밥이라도 남에게 받을 수 없지만 만일 그 道에 맞는다면 舜임금은 堯임금의 天下를 받으셨으나 지나치다고 여기지 않으

---

342 風切: '風'은 諷(풍자, 풍간)과 통하는바, '風切'은 간절하게 諷刺한다는 뜻이다.

343 潔身以亂倫: 자기 몸 하나를 깨끗이 하기 위하여 벼슬하지 않고 山林에 은둔하는 것은 五倫의 君臣有義를 어지럽히는 행위임을 말한 것으로, 《論語》〈微子〉7장에 子路가 隱者인 荷蓧丈人을 꾸짖는 말에 "자기 몸을 깨끗이 하려고 하여 큰 인륜을 어지럽힌다.〔欲潔其身而亂大倫〕"라고 보인다.

⋯ 宦 벼슬 환 切 비평할 절 徇 따를 순 彭 성 팽 更 고칠 경 傳 부칠 전, 전전할 전 泰 사치할 태 簞 대그릇 단

셨으니, 그대는 이것을 지나치다고 여기는가.”

按説 | '傳食'은 轉食과 같은 뜻으로, 돌려가며 제후들에게서 밥을 얻어먹음을 이른다.

集註 | 彭更은 孟子弟子也라 泰는 侈也[344]라

彭更은 孟子의 弟子이다. '泰'는 많음(지나침)이다.

4-2. 曰 否라 士無事而食이 不可也니이다

彭更이 말하였다. “아닙니다. 선비가 하는 일 없이 밥을 얻어먹는 것이 不可하다는 것입니다.”

集註 | 言 不以舜爲泰요 但謂今之士無功而食人之食이 則不可也라

舜임금을 지나치다고 말한 것이 아니요, 다만 지금의 선비들이 功이 없이 남의 밥을 얻어먹는 것이 不可하다고 하였음을 말한 것이다.

4-3. 曰 子不通功易事하여 以羨(연)補不足이면 則農有餘粟하며 女有餘布어니와 子如通之면 則梓匠輪輿 皆得食於子하리니 於此에 有人焉하니 入則孝하고 出則悌하여 守先王之道하여 以待後之學者호되 而不得食於子하리니 子何尊梓匠輪輿而輕爲仁義者哉오

孟子께서 말씀하셨다. “그대가 功을 통하고 일을 서로 바꾸어서 남는 것으로써 부족한 것을 도와주지 않는다면, 농부는 남아서 버리는 곡식이 있고 女子들은 남아서 버리는 삼베가 있을 것이다. 그러나 그대가 만일 이를 통한다면 梓人·匠人과 輪人·輿人이 모두 그대에게서 밥을 얻어먹을 수 있을 것이다. 여기에 어떤 사람이 있는데, 들어오면 父

---

344 泰 侈也:新安陳氏(陳櫟)는 “孟子가 차례로 제후국을 빙문할 적에 많은 마부와 수행원들이 제후국에서 밥을 얻어먹었으므로 彭更이 너무 지나치다고 하였으니, 비루하다.[孟子歷聘 徒御衆多 食於諸國 故更以爲泰 陋矣]” 하였다.

··· 侈 많을 치 羨 남을 연 補 도울 보 粟 곡식 속 梓 목수 재 匠 목수 장 輪 수레바퀴 륜 輿 수레바탕 여

母에게 孝하고 나가면 어른에게 공손하여 先王의 道를 지켜 후세의 학자를 기다리되 그대에게서 밥을 얻어먹지 못할 것이니, 그대는 어찌하여 梓人·匠人과 輪人·輿人은 높이면서 仁義를 행하는 자는 가벼이 여기는가."

集註 | 通功易事는 謂通人之功而交易其事[345]라 羨은 餘也라 有餘는 言無所貿易而積於無用也라 梓人·匠人은 木工也요 輪人·輿人은 車工也라

'功을 통하고 일을 서로 바꾼다.'는 것은 남의 일을 통하고 서로 일을 交易함을 이른다. '羨'은 남음이다. '有餘'는 貿易(매매)하는 바가 없어 無用한 데에 쌓여 있음을 말한다. 梓人과 匠人은 木工이고, 輪人과 輿人은 수레를 만드는 工人이다.

4-4. 曰 梓匠輪輿는 其志將以求食也어니와 君子之爲道也도 其志亦將以求食與잇가 曰 子何以其志爲哉오 其有功於子에 可食(사)而食之矣니 且子는 食(사)志乎아 食功乎아 曰 食志니이다

彭更이 말하였다. "梓人·匠人과 輪人·輿人은 그 뜻이 장차 밥을 구하려는 것이지만 君子가 道를 행함도 그 뜻이 장차 밥을 구하려는 것입니까?"
孟子께서 말씀하셨다. "자네가 어찌 그 뜻을 따지는가. 자네에게 功이 있어 밥을 먹일 만하면 먹이는 것이다. 또 자네는 뜻을 위주하여 밥을 먹여주는가? 功을 위주하여 밥을 먹여주는가?"
"뜻을 위주하여 밥을 먹여줍니다."

集註 | 孟子言 自我而言이면 固不求食이어니와 自彼而言이면 凡有功者를 則當食(사)之니라

孟子께서 말씀하기를 "나(선비)의 입장에서 말한다면 진실로 밥을 구해서가 아니지만, 저 사람의 입장에서 말한다면 모든 功이 있는 자를 마땅히 밥을 먹여주어야 한다."고 하신 것이다.

---

345 通人之功而交易其事:사람들이 노동력과 기술을 서로 流通하고 생산한 물건을 서로 交易함을 이른다.

··· 貿 바꿀무 食 먹일사 彼 저피

4-5. 曰 有人於此하니 毁瓦畫(획)墁이요 其志將以求食也면 則子食之乎아 曰否니이다 曰 然則子非食志也라 食功也로다

孟子께서 말씀하셨다. "여기에 어떤 사람이 있는데, 기왓장을 부수고 담장의 꾸밈을 함부로 그어놓고도 그 뜻이 장차 밥을 구하려는 것이라면 자네는 그에게 밥을 먹여주겠는가?"

彭更이 "아닙니다." 하고 대답하였다.

孟子께서 말씀하셨다. "그렇다면 그대는 뜻을 위주하여 밥을 먹여주는 것이 아니라 功을 위주하여 밥을 먹여주는 것일세."

> 集註 | 墁은 牆壁之飾也[346]라 毁瓦畫墁은 言無功而有害也라 旣曰食功이면 則以士爲無事而食者는 眞尊梓匠輪輿而輕爲仁義者矣니라
>
> '墁'은 牆壁의 꾸밈이다. '毁瓦畫墁'은 功은 없고 害만 있음을 말한다. 功을 위주하여 밥을 먹여준다고 한다면, 선비를, 하는 일이 없이 밥을 먹는 자라고 하는 것은 참으로 梓人·匠人과 輪人·輿人을 높이고 仁義를 행하는 자를 가벼이 여기는 것이다.

|宋小國章(將行王政章)|

5-1. 萬章이 問曰 宋은 小國也라 今에 將行王政하나니 齊楚惡(오)而伐之면 則如之何니잇고

萬章이 물었다. "宋나라는 작은 나라입니다. 이제 장차 王政을 행하려 하니, 齊나라와 楚나라가 宋나라를 미워하여 공격하면 어찌합니까?"

> 集註 | 萬章은 孟子弟子라 宋王偃이 嘗滅縢伐薛하고 敗齊楚魏之兵하여 欲霸天

---

346 墁 牆壁之飾也 : 茶山은 "墁은 혹은 鏝, 혹은 槾, 혹은 墒으로 쓰니, 모두 철제 흙손의 이름이다. 철제 흙손으로 진흙을 바르는 것을 墁이라 한다.〔墁或作鏝 或作槾 或作墒 皆鐵墒施泥者謂之墁〕" 하였으며, 壺山은 "흙손질하여 꾸미는 것이다.〔杇以爲飾〕" 하였고, 楊伯峻은 "墁의 본뜻은 벽에 粉을 바르는 공구인데, 여기서는 새로 粉을 바른 벽을 가리켜 말한 듯하다." 하였다.

··· 毁 훼손할 훼 瓦 기와 와 畫 그을 획 墁 담장에회칠할 만 牆 담장 장 壁 벽 벽 飾 꾸밀 식 偃 누울 언 縢 나라이름 등 薛 나라이름 설

下³⁴⁷하니 疑卽此時也라

萬章은 孟子의 弟子이다. 宋王 偃이 일찍이 滕나라를 멸하고 薛나라를 정벌하였으며, 齊·楚·魏의 군대를 敗退시켜 天下에 霸者가 되고자 하였으니, 아마도 바로 이때인 듯하다.

5-2. 孟子曰 湯이 居亳(박)하실새 與葛爲鄰이러시니 葛伯이 放而不祀어늘 湯이 使人問之曰 何爲不祀오 曰 無以供犧牲也로이다 湯이 使遺之牛羊하신대 葛伯이 食之하고 又不以祀어늘 湯이 又使人問之曰 何爲不祀오 曰 無以供粢盛也로이다 湯이 使亳衆으로 往爲之耕이어시늘 老弱이 饋食 (사)러니 葛伯이 帥(率)其民하여 要其有酒食(사)黍稻者하여 奪之호되 不授者를 殺之하더니 有童子以黍肉餉이어늘 殺而奪之하니 書曰 葛伯이 仇餉이라하니 此之謂也니라

孟子께서 말씀하셨다. "湯王이 亳(박)邑에 거주하실 적에 葛나라와 이웃하였는데, 葛伯(葛나라의 군주)이 방탕하여 제사를 지내지 않았다. 湯王이 사람을 시켜 묻기를 '어찌하여 祭祀를 지내지 않는가?' 하니, 葛伯이 대답하기를 '바칠 犧牲이 없기 때문입니다.' 하였다. 湯王이 사람을 시켜 소와 양을 보내주셨는데, 葛伯이 이것을 잡아먹고 또 제사를 지내지 않았다. 湯王이 또 사람을 시켜 묻기를 '어찌하여 제사를 지내지 않는가?' 하니, 葛伯이 대답하기를 '바칠 粢盛이 없기 때문입니다.' 하였다. 湯王이 亳邑의 백성들로 하여금 葛나라에 가서 밭을 갈아주게 하시니, 老弱者들이 밥을 내다가 〈밭갈이하는 자에게〉 먹였다. 이에 葛伯이 그의 백성을 거느리고 가서 술과 밥과 기

---

347 宋王偃……欲霸天下 : 이 일은 《史記》〈宋微子世家〉에 다음과 같이 보인다. "偃이 스스로 서서 宋나라의 임금이 되었다. 임금 偃 11년에 스스로 王이라 僭稱하고는, 동쪽으로 齊나라를 격파하여 다섯 城을 탈취하고 남쪽으로 楚나라를 패퇴시켜 3백 리의 땅을 점령하고 서쪽으로 魏나라 군대를 패퇴시켜 마침내 齊·魏와 敵國이 되었다. 가죽주머니에 피를 넣어 매달아 놓고 활을 쏘면서 이것을 이름하여 '하늘을 쏜다.' 하였다. 술과 婦人에게 빠지고 諫하는 신하들을 번번이 쏘아죽이니, 이에 諸侯들이 모두 '桀宋'이라 하고, '宋나라가 옛날 紂王이 하던 짓을 다시 하고 있으니 誅伐하지 않을 수 없다.' 하여, 齊나라에게 宋나라를 정벌할 것을 告하였다. 宋王 偃 47년에 齊 湣王이 魏·楚와 함께 宋나라를 정벌하여 宋王 偃을 죽이고 마침내 宋나라를 멸망시켜 그 땅을 셋으로 나누어 가졌다.〔偃自立爲宋君 君偃十一年 自立爲王 東敗齊 取五城 南敗楚 取地三百里 西敗魏軍 乃與齊魏爲敵國 盛血以韋囊 懸而射之 命曰射天 淫於酒婦人 群臣諫者 輒射之 於是諸侯皆曰桀宋 宋其復爲紂所爲 不可不誅 告齊伐宋 王偃四十七年 齊湣王與魏楚伐宋 殺王偃 遂滅宋而三分其地〕"

··· 亳 땅이름 박 葛 칡갈 鄰 이웃린 放 방탕할방 祀 제사사 遺 줄유 粢 기장자 饋 먹일궤 食 밥사
帥 거느릴솔(率同) 黍 기장서 稻 벼도 奪 빼앗을탈 餉 밥먹일향 仇 원수구

장밥·쌀밥을 내온 자들을 가로막고 빼앗되 주지 않는 자를 죽였는데, 어떤 童子가 기장밥과 고기를 가지고 와서 밥을 먹이자 그를 죽이고 빼앗았다. 《書經》에 이르기를 '葛伯이 밥을 먹이는 자를 원수로 여겼다.' 하였으니, 이것을 말한 것이다.

按說| '要'에 대하여, 壺山은

살펴보건대 앞 편의 '要於路'의 '要'字와 뜻이 같다.〔按與前篇要於路之要字義同〕

하였다. 이 경우 '徼'와 같이 읽는데, '가로막다'의 뜻이다. 앞 편의 '要於路'는 〈公孫丑上〉2장에 '使數人 要於路曰 請必無歸而造於朝'라고 보인다.

集註| 葛은 國名이요 伯은 爵也라 放而不祀는 放縱無道하여 不祀先祖也라 亳衆은 湯之民이요 其民은 葛民也라 授는 與也라 餉은 亦饋也리 書는 商書仲虺之誥也라 仇餉은 言與餉者爲仇也라

葛은 나라 이름이고 '伯'은 爵位이다. '방탕하여 제사하지 않았다.'는 것은 放縱하고 無道하여 先祖에게 제사하지 않은 것이다. '亳衆'은 湯王의 백성이요, '其民'은 葛나라의 백성이다. '授'는 줌이다. '餉' 또한 먹임이다. 書는 〈商書 仲虺之誥〉이다. '仇餉'은 밥을 먹이는 자와 원수가 됨을 말한다.

5-3. 爲其殺是童子而征之하신대 四海之內 皆曰 非富天下也라 爲匹夫匹婦하여 復讐也라하니라

이 童子를 죽인 것 때문에 〈湯王이〉 葛나라를 정벌하시자, 四海의 안이 모두 말하기를 '天下를 탐해서가 아니라 匹夫, 匹婦를 위하여 복수해 주시는 것이다.' 하였다.

集註| 非富天下는 言 湯之心이 非以天下爲富而欲得之也라

'非富天下'는 湯王의 마음이 天下를 富라고 여겨(貪하여) 이것을 얻고자 함이 아님을 말한 것이다.

··· 爵 벼슬 작 放 방탕할 방 縱 방자할 종 虺 뱀 훼 誥 가르칠 고 富 부유할 부 復 갚을 복 讐 원수 수

5-4. 湯이 始征을 自葛載하사 十一征而無敵於天下하니 東面而征에 西夷怨하며 南面而征에 北狄怨하여 曰 奚爲後我오하여 民之望之 若大旱之望雨也하여 歸市者弗止하며 芸(耘)者不變이어늘 誅其君, 弔其民하신대 如時雨降이라 民이 大悅하니 書曰 徯我后하노니 后來하시면 其無罰아하니라

湯王이 처음(첫 번째) 정벌을 葛나라로부터 시작하여 열한 번 정벌하셨는데 天下에 대적한 이가 없었으니, 동쪽을 향하여 정벌하면 서쪽의 오랑캐가 원망하고, 남쪽을 향하여 정벌하면 북쪽의 오랑캐가 원망하여 말하기를 '어찌하여 우리나라를 뒤에 정벌하시는가.' 하여, 백성들이 〈湯王의 정벌을〉 바라기를 큰 가뭄에 비를 바라듯이 하여, 시장에 돌아가는 자들이 발길을 멈추지 않으며 김매는 자들이 동요하지 않았다. 湯王이 그 〈포악한〉 군주를 주벌하고 백성들을 위문하시자, 단비가 내린 듯이 백성들이 크게 기뻐하였다. 《書經》에 이르기를 '우리 임금님을 기다리니, 우리 임금님이 오시면 형벌이 없으시겠지.' 하였다.

按說 | 이 내용에 대하여, 新安陳氏(陳櫟)는

이는 湯王이 王政을 행하여 王 노릇한 일이다.〔此湯行王政而王之事也〕

하였다.

集註 | 載는 亦始也라 十一征은 所征이 十一國也라 餘는 已見前篇하니라

'載' 또한 비로소(시작)이다. '十一征'은 정벌한 나라가 11個國인 것이다. 나머지는 이미 前篇(梁惠王下)에 보인다.

5-5. 有攸不爲臣이어늘 東征하사 綏厥士女하신대 匪(筐)厥玄黃하여 紹我周王見休하여 惟臣附于大邑周라하니 其君子는 實玄黃于匪하여 以迎其君子하고 其小人은 簞食(사)壺漿으로 以迎其小人하니 救民於水火之

··· 載 비로소 재 狄 북쪽오랑캐 적 芸 김맬 운(耘通) 徯 기다릴 혜 后 임금 후 罰 죄벌 攸 바 유 綏 편안할 수 匪 광주리 비(筐同) 厥 그 궐 紹 이을 소 休 아름다울 휴 實 채울 실 簞 대그릇 단 壺 병호 漿 장물 장

中하여 取其殘而已矣일새니라

'신하가 되지 않는 자가 있자, 동쪽으로 정벌하여 그 士·女들을 편안하게 하시니, 士·女들이 검은 비단과 누런 비단을 광주리에 담아 가지고 와서 우리 周王을 섬겨 아름다움을 받아서 큰 도읍인 周나라에 신하로 복종한다.' 하였다. 君子들은 검은 비단과 누런 비단을 광주리에 담아가지고 와서 君子를 맞이하고, 小人들은 대그릇의 밥과 병의 음료로 小人들을 맞이하였으니, 이는 백성들을 水火(도탄)의 가운데에서 구원하여 殘虐한 자를 취할 뿐이었기 때문이다.

按說 | '有攸不爲臣'에 대하여, 朱子는 '攸'를 '所'로 해석하였으나, 楊伯峻은 "갑골문과 商나라 후기의 金文에 모두 攸國이라는 명칭이 있다." 하고, '攸나라'로 번역하였다. 阮元에 의하면 《集註》이외의 本에는 '爲'가 '惟'로 되어 있는데, 楊伯峻은

'惟'는 爲이니 《書經》〈益稷〉에 '萬邦의 여러 賢者가 함께 황제의 신하가 될 것이다.〔萬邦黎獻 共惟帝臣〕'의 '惟'자의 용법과 같다.

하였다.
官本諺解에는 '以迎其小人'까지를 인용문으로 보았으나, 栗谷諺解에는 '惟臣附于大邑周'까지만으로 보았는데, 이것이 《集註》의 뜻에 부합하므로 이를 따랐음을 밝혀둔다.
壺山은

살펴보건대 栗谷諺解에 '大邑周'의 句讀에서 引用한 例를 사용하여, 아랫글에 또다시 그 뜻을 해석한 뜻에 매우 맞으니, 현행하는 諺解(官本諺解)의 句讀는 자세하지 못한 듯하다.〔按栗谷諺解 大邑周之讀 用引用之例 甚得下文又釋其意之義 見行諺解之讀 恐欠詳〕

하였다.

集註 | 按周書武成篇컨대 載武王之言이어늘 孟子約其文如此라 然이나 其辭時與今書文不類하니 今姑依此文解之하노라 有所不爲臣은 謂助紂爲惡而不爲周臣者라 匪는 與篚同이라 玄黃은 幣也요 紹는 繼也니 猶言事也니 言 其士女以匪盛玄黃之

··· 殘 해칠 잔 類 비슷할 류 姑 우선 고 幣 폐백 폐 盛 담을 성

幣³⁴⁸하여 迎武王而事之也라 商人而曰我周王은 猶商書所謂我后也라 休는 美也니
言 武王이 能順天休命하여 而事之者皆見休也라 臣附는 歸服也라 孟子又釋其意
하사 言 商人이 聞周師之來하고 各以其類相迎³⁴⁹者는 以武王能救民於水火之中하
여 取其殘民者하여 誅之하시고 而不爲暴虐耳라 君子는 謂在位之人이요 小人은 謂細
民也라

〈周書 武成〉篇을 살펴보면 武王의 말씀이 기재되어 있는데, 孟子께서 그 글을 이와 같이
요약하신 것이다. 그러나 그 내용이 때로 지금 《書經》의 글과 똑같지 않으니, 이제 우선 이
글에 의하여 해석한다. '신하가 되지 않는 자가 있다〔有所不爲臣〕.'는 것은 紂王을 도와 악
행을 하여 周나라의 신하가 되지 않는 자를 이른다. '匪'는 筐(광주리)와 같다. '玄黃'은 폐
백이요 '紹'는 이음이니 섬긴다는 말과 같으니, 士·女들이 광주리에 검고 누런 폐백을 담
아가지고 와서 武王을 맞이하여 섬김을 말한다. 商나라 사람으로서 〈武王을〉 우리 周王이
라고 한 것은 〈商書〉에 이른바 '우리 임금님〔我后〕'이란 말과 같다. '休'는 아름다움이니,
武王이 하늘의 아름다운 命을 순히 하여, 섬기는 자가 모두 아름다움을 받음을 말한 것이
다. '臣附'는 귀의하여 복종하는 것이다.

---

348 其士女以匪盛玄黃之幣:《書經》〈武成〉에 "士·女들을 편안히 하니, 士·女들이 검은 비단과 누런 비단
을 광주리에 담아가지고 왔다.〔綏厥士女 惟其士女 筐厥玄黃〕" 하였으니, 《書經》에서 '筐厥玄黃'의
주어는 士·女이다. 그러나 茶山은 '玄黃'이 士·女의 禮物이 아니고 君子의 禮物임을 들어, 《孟子》의
'綏厥士女 匪厥玄黃'에서 '匪厥玄黃'의 주어를 君子로 보았다. 또 《書經》〈武成〉의 글이 梅賾이 위
조한 것이기 때문에 禮에 맞지 않는 것으로 보았다. 茶山은 "'玄黃'은 士·女가 받들 수 있는 禮物이 아
니다.……《儀禮》〈聘禮〉에 제후가 빙문하는 禮를 기록하기를 '國君의 폐백은 束帛에 璧을 더하고 夫
人의 폐백은 束帛에 琮을 더한다.'고 하였으니, 束帛은 玄黃이 아니겠는가. 王肅의 《書經》〈舜典〉의 註
에 '孤는 검은 비단〔玄〕을 예물로 받들고, 제후의 適子는 붉은 비단〔纁〕을 받들고, 附庸國의 임금은 누
런 비단〔黃〕을 받든다.' 하였다.……더구나 孟子가 이때에 스스로 《書經》을 인용하고 스스로 註를 내
어 '君子들은 광주리의 폐백을 받들어 君子를 맞이하고, 小人들은 대그릇의 밥을 가지고 小人들을 맞
이하였다.〔君子執筐以迎君子 小人執簞以迎小人〕' 하였으니, 여덟 글자로 打開하면 두 글자씩 서로
짝이 맞는데 어찌 士·女가 광주리를 받들었다고 할 수 있겠는가. 禮에 의하면 士·庶人의 폐백은 꿩과
집오리에 불과하고 婦人의 폐백은 脯와 밤에 불과한데, 감히 禮가 아닌 물건으로 天吏에게 아첨하겠는
가. 이는 梅賾이 위조한 鐵案(확실한 罪案)이다.〔玄黃非士女之所得執也……聘禮載諸侯相聘之禮
曰 國君之幣 束帛加璧 夫人之幣 束帛加琮 束帛非玄黃乎 王肅堯典之註云 孤執玄 諸侯之適子執
纁 附庸之君執黃……況孟子此時 自誦自註曰 君子執筐以迎君子 小人執簞以迎小人 八字打開 兩
兩相配 安得云士女執筐乎 據禮士庶之贄 不過雉鶩 婦人之贄 不過脯栗 敢以非禮之物 媚于天吏
乎 此是梅賾造僞之鐵案〕" 하였다.

349 各以其類相迎:신분에 따라 君子(벼슬아치)는 君子를 맞이하고 小人(백성)은 小人을 맞이함을 이른
다.

⋯ 后 임금 후 誅 벨 주 暴 사나울 포 虐 모질 학

378 · 附 按說 孟子集註

孟子께서 또 그 뜻을 해석하여 "商나라 사람들이 周나라 군대가 쳐들어왔다는 말을 듣고 각기 그 부류에 따라 맞이한 것은, 武王이 백성을 水火의 가운데에서 구원하시어, 백성을 잔학하게 해치는 자를 취하여 죽이시고 포학한 짓을 하지 않았기 때문이다."라고 말씀하신 것이다. '君子'는 지위에 있는 사람을 이르고, '小人'은 細民을 이른다.

5-6. 太誓曰 我武를 惟揚하여 侵于之疆하여 則取于殘하여 殺伐이 用張하니 于湯에 有光이라하니라

〈太誓〉에 이르기를 '우리의 위엄을 떨쳐 저 국경을 침략해서 잔학한 자를 취하여 殺伐의 功이 크게 베풀어지니, 湯王보다도 더욱 빛이 있다.' 하였다.

按說 | '侵于之疆 則取于殘'에 대하여, 壺山은 '于'를 대명사로 보아 《集註》의 '彼'와 '其'를 가리킨 것으로 보았으며, 《論孟虛字集釋》에도 "于는 其와 같다." 하였다.

壺山은

經傳 가운데에 '于'字를 사용한 것이 참으로 많다. 따라서 그 訓이 한두 가지가 아니니, 여기의 세 개의 '于'字는 뜻이 각각 다르다.〔經傳中于字所用最廣 故其訓亦不一 此三于字義各異〕

하였으며, 楊伯峻은

두 '于'字는 모두 나라 이름이다. 《資治通鑑前編》에 '西伯伐邘'라 한 것의 '邘'가 바로 '于'이다.

하였다.

'太誓……又有光焉'에 대하여, 茶山은 〈太誓(泰誓)〉를, 武王이 군사들에게 맹세한 글이 아니고 太公이 맹세한 글로 보고,

伊尹이 훈계한 것을 〈伊訓〉이라 하고 召公이 고한 것을 〈召誥〉라 하였으니, 그 뜻이 똑같다. 太公이 맹세하였으므로 임금의 덕을 찬양하여 '湯王보다도 더욱 빛이 있다.'라고 한 것이다. 지금 武王이 스스로 자기 군사들에게 맹세하면서 '湯王보다도 더욱 빛이 있다.'라고

··· 揚 떨칠 양 侵 침범할 침 疆 지경 강 張 펼 장

한다면 이는 孔子가 스스로 '堯·舜보다 낫다'고 하는 것과 같으니, 어찌 聖人의 말씀이겠는 가. 이 또한 梅賾이 위조한 것임이 틀림없다.〔伊所訓曰伊訓 召所誥曰召誥 其義一也 夫 惟太公誓之 故贊揚君德曰 于湯有光 今武王自誓其師曰 于湯有光 是孔子自稱其賢 於堯舜 豈聖人之言乎 此又梅賾造僞之鐵案〕

하였다. 新安陳氏(陳櫟)는

이는 武王이 王政을 행하여 王 노릇한 일이다.〔此武王行王政而王之事也〕

하였다.

集註 | 太誓는 周書也니 今書文亦小異라 言 武王이 威武奮揚하여 侵彼紂之疆界하 여 取其殘賊하여 而殺伐之功이 因以張大하니 比於湯之伐桀에 又有光焉[350]이라 引 此하여 以證上文取其殘之義하시니라

〈太誓〉는 〈周書〉이니, 지금 《書經》의 글과 또한 조금 다르다. 武王이 威武를 떨쳐 저 紂王 의 국경을 침략해서 殘賊한 자를 취하여 殺伐의 功이 이로 인해 크게 펴지니, 湯王이 桀王 을 정벌한 것에 비하여 더욱 빛이 있음을 말한 것이다. 이것을 인용하여 윗글의 잔학한 자를 취한 뜻을 증명하신 것이다.

5-7. 不行王政云爾언정 苟行王政이면 四海之內 皆擧首而望之하여 欲

---

[350] 比於湯之伐桀 又有光焉 : 蔡沈은 《書經集傳》에서 '于湯有光'을 '湯王에게 빛이 있을 것이다.'로 해석 하였는바, 《書經集傳》에 "武王이 백성들을 위로하고 죄 있는 자를 정벌하니, 湯王의 마음에 징험하면 더욱 天下에 명백해진다. 세속의 입장에서 보면 武王이 湯王의 자손을 정벌하고 湯王의 종묘사직을 顚 覆하였으니, 湯王의 원수라고 해도 될 것이다. 그러나 湯王이 桀王을 추방한 것과 武王이 紂王을 정벌 한 것은 다 天下를 공변되게 함을 마음으로 삼은 것이요, 자기에게 사사로움을 둔 것이 아니다. 武王의 일을 湯王에게 質正하면 부끄러움이 없고, 湯王의 마음을 武王에게 징험하면 더욱 드러나니, 이는 商 나라를 정벌하는 일이 어찌 湯王에게 빛이 있음이 되지 않겠는가.〔武王弔民伐罪 於湯之心 爲益明白 於天下也 自世俗觀之 武王伐湯之子孫 覆湯之宗祀 謂之湯讐可也 然湯放桀 武王伐紂 皆公天下 爲心 非有私於己者 武之事 質之湯而無愧 湯之心 驗之武而益顯 是則伐商之擧 豈不於湯 爲有光 也哉〕"하였다. '于湯有光'의 《書經集傳》과 《集註》의 해석이 다른 것에 대해, 尤菴(宋時烈)은 "《書 經》과 《集註》의 註를 모두 남겨두는 것이 아마도 불가함이 없을 듯하다.〔兩存之 恐無不可〕"하였 고, 《宋子大全 答洪虞卿》 壺山은 "살펴보건대 이 註는 平易하고 順하며 《書經》의 註는 너무 지나치 게 공교하니, 마땅히 이 註를 定論으로 삼아야 할 것이다.〔按此註平順 書註傷巧 當以此註爲定論〕" 하였다.

••• 奮 뽐낼분 桀 횃대 걸 證 증명할증 苟 만일구

以爲君하리니 齊楚雖大나 何畏焉이리오

〈宋나라가〉 王政을 행하지 않을지언정 만일 王政을 행한다면 四海의 안이 모두 머리를 들고 〈宋王이〉 오기를 바라서 군주를 삼고자 할 것이니, 齊나라와 楚나라가 비록 크나 어찌 두려워할 것이 있겠는가."

集註 | 宋實不能行王政이러니 後果爲齊所滅하여 王偃이 走死하니라

宋나라는 실제로 王政을 행하지 못하였는데, 뒤에 과연 齊나라에게 멸망당하여 宋王 偃이 패주하여 죽었다.

章下註 | ○ 尹氏曰 爲國者 能自治而得民心이면 則天下皆將歸往之하여 恨其征伐之不早也리니 尙何彊國之足畏哉리오 苟不自治하고 而以彊弱之勢言之하면 是는 可畏而已矣니라

○ 尹氏(尹焞)가 말하였다. "나라를 다스리는 자가 능히 스스로 〈자기 나라를 잘〉 다스려 民心을 얻으면 天下가 모두 장차 그에게 돌아가서 일찍 征伐해 주지 않음을 恨할 것이니, 오히려 어찌 强國을 두려워 할 것이 있겠는가. 만일 스스로 다스리지 않고 强弱의 勢만 가지고 말한다면 이는 두려울 만할 뿐이다."

|孟子謂戴不勝章(一薛居州章)|

6-1. 孟子謂戴不勝曰 子欲子之王之善與아 我明告子호리라 有楚大夫於此하니 欲其子之齊語也인댄 則使齊人傳諸아 使楚人傳諸아 曰 使齊人傳之니이다 曰 一齊人이 傳之어든 衆楚人이 咻之면 雖日撻而求其齊也라도 不可得矣어니와 引而置之莊嶽之間數年이면 雖日撻而求其楚라도 亦不可得矣리라

孟子께서 戴不勝에게 이르시기를 "그대는 그대의 왕이 善해지기를 바라는가? 내 분명히 그대에게 말하겠다. 여기에 楚나라 大夫가 있는데, 그의 아들이 齊나라 말을 하기를 원한다면 齊나라 사람으로 하여금 그를 가르치게 하겠는가? 楚나라 사람으로 하

⋯ 走 달아날주 征 칠정 戴 머리에일대 傳 가르칠부 咻 떠들휴 撻 종아리칠달 嶽 큰산악

여금 그를 가르치게 하겠는가?" 하시자, 戴不勝이 "齊나라 사람으로 하여금 가르치게 할 것입니다." 하고 대답하였다.

孟子께서 말씀하셨다. "한 齊나라 사람이 그를 가르치는데 여러 楚나라 사람들이 〈楚나라 말로〉 떠들어댄다면 비록 날마다 종아리를 치면서 齊나라 말을 하기를 바라더라도 될 수 없겠지만, 그를 데려다가 齊나라의 莊嶽의 사이에 수년 동안 둔다면 비록 날마다 종아리를 치면서 楚나라 말을 하기를 바라더라도 또한 될 수 없을 것이다.

集註 | 戴不勝은 宋臣也라 齊語는 齊人語也라 傅는 敎也라 咻는 讙也라 齊는 齊語也라 莊嶽은 齊街里名也[351]라 楚는 楚語也라 此는 先設譬以曉之也라

戴不勝은 宋나라 신하이다. '齊語'는 齊나라 사람의 말이다. '傅'는 가르침이다. '咻'는 떠듦이다. '齊'는 齊나라 말이다. 莊嶽은 齊나라 首都 거리의 이름이다. '楚'는 楚나라 말이다. 이는 먼저 비유를 가설하여 그를 깨우치신 것이다.

6-2. 子謂薛居州를 善士也라하여 使之居於王所하나니 在於王所者 長幼卑尊이 皆薛居州也면 王誰與爲不善이며 在王所者 長幼卑尊이 皆非薛居州也면 王誰與爲善이리오 一薛居州 獨如宋王何리오

그대가 薛居州를 善한 선비라 하여 그로 하여금 王의 處所에 거처하게 하는데, 王의 처소에 있는 자가 長幼와 卑尊이 모두 薛居州와 같은 사람이라면 王이 누구와 더불어 不善을 하며, 王의 처소에 있는 자가 長幼와 卑尊이 모두 薛居州와 같은 사람이 아니라면 王이 누구와 더불어 善을 하겠는가. 한 명의 薛居州가 홀로 宋王에게 어찌 하겠는가."

集註 | 居州는 亦宋臣이라 言 小人衆而君子獨이면 無以成正君之功이라

---

351 莊嶽 齊街里名也 : 壺山은 "莊은 여섯 군데로 통하는 길거리이고 嶽은 바로 泰山이니, 莊嶽은 泰山 아래에 있는 큰 길인데 거꾸로 말한 것이다.(嶽莊이라 해야 하는데 莊嶽으로 쓴 것이다.)[莊六達衢 嶽 卽泰山 莊嶽蓋泰山下大路而語倒耳]" 하였다. 반면, 楊伯峻은 "莊은 거리의 이름이고 嶽은 마을의 이름이다." 하고, '莊嶽'을 〈齊나라 수도 臨淄의〉 莊街와 嶽里의 번화한 시가(鬧市)'로 번역하였다.

••• 讙 떠들 훤 街 거리 가 譬 비유할 비 曉 깨우칠 효 薛 성 설 卑 낮을 비 誰 누구 수

居州 또한 宋나라 신하이다. 小人이 많고 君子가 혼자이면 人君을 바로잡는 功(효과)을 이룰 수 없음을 말씀한 것이다.

|不見諸侯章(脅肩諂笑章)|

7-1. 公孫丑問曰 不見諸侯 何義잇고 孟子曰 古者에 不爲臣하여는 不見하더니라

公孫丑가 물었다. "諸侯를 만나보지 않는 것이 무슨 義입니까?"
孟子께서 말씀하셨다. "옛날에 신하가 되지 않았으면 군주를 만나보지 않았다.

> **集註 |** 不爲臣은 謂未仕於其國者也라 此不見諸侯之義也라
>
> '신하가 되지 않았다.'는 것은 그 나라에 벼슬하지 않음을 이른다. 이것이 諸侯를 만나보지 않는 義이다.

7-2. 段干木은 踰垣而辟(피)之하고 泄柳는 閉門而不內(납)하니 是皆已甚하니 迫이어든 斯可以見矣니라

段干木은 담장을 넘어 피하였고 泄柳는 문을 닫고 받아들이지 않았으니, 이는 모두 너무 심하다. 〈만나보려는 정성이〉切迫하면 만나볼 수 있는 것이다.

> **按說 |** 慶源輔氏(輔廣)는
>
> 선비는 진실로 義를 지켜 國君을 찾아가서 만나지 않아야 하지만, 두 군주(魏 文侯와 魯 繆公)와 같은 경우는 자기 몸을 굽히고 만나보기를 요구하여 뜻이 매우 정성스럽고 간절하였다. 聖賢은 이런 경우에는 반드시 장차 나와서 만나볼 것인데, 지금 거절하기를 이와 같이 하였으니, 이는 너무 심하여 義가 아닌 것이다.〔士固當守義而不往見國君 如二君屈己求見 意已誠切 聖賢處此 必將出見 今拒絶之如此 則過甚而非義矣〕
>
> 하였다.

··· 仕 벼슬할사 段 조각단 踰 넘을유 垣 담원 辟 피할피(避同) 泄 샐설 柳 버들류 閉 닫을폐 內 들일납
已 너무이 迫 절박할박

集註 | 段干木은 魏文侯時人[352]이요 泄柳는 魯繆公時人이라 文侯, 繆公이 欲見此二人이로되 而二人이 不肯見之하니 蓋未爲臣也라 已甚은 過甚也라 迫은 謂求見之切也라

段干木은 魏나라 文侯 때 사람이요, 泄柳는 魯나라 繆公 때 사람이다. 文侯와 繆公이 이 두 사람을 만나보고자 하였으나 이들 두 사람은 만나보려 하지 않았으니, 아직 신하가 되지 않았을 때이다. '已甚'은 너무 심함이다. '迫'은 만나보려 하기를 절박하게 함을 이른다.

7-3. 陽貨欲見(현)孔子而惡(오)無禮하여 大夫有賜於士어든 不得受於其家면 則往拜其門일새 陽貨瞯孔子之亡(무)也하여 而饋孔子蒸豚한대 孔子亦瞯其亡也하여 而往拜之하시니 當是時하여 陽貨先이어니 豈得不見이시리오

陽貨는 孔子를 〈불러와〉 만나 보고자 하였으나 無禮하다는 비난을 싫어하여, 大夫가 士에게 물건을 하사할 경우 士가 자기 집에서 그 물건을 직접 받지 못하였으면 大夫의 문에 가서 절하는 禮가 있으므로, 陽貨가 〈이것을 기화로 삼아〉 孔子가 집에 없을 때를 엿보아 孔子에게 삶은 돼지고기를 보내주자, 孔子께서도 그가 집에 없을 때를 엿보아 찾아가서 절하셨다. 이때를 당하여 陽貨가 먼저 禮를 베풀었으니, 孔子께서 어찌 만나보지 않으실 수 있었겠는가.

按說 | '陽貨欲見孔子'에 대하여, 《論語》〈陽貨〉 1장에

陽貨가 孔子를 만나고자 하였으나 孔子께서 만나주지 않으시자, 陽貨가 孔子에게 삶은 돼지를 선물로 보내었는데, 孔子께서도 그가 없는 틈을 타서 사례하러 가셨다가 길에서 만나셨다.〔陽貨欲見孔子 孔子不見 歸孔子豚 孔子時其亡也而往拜之 遇諸塗〕

라고 보인다. 慶源輔氏(輔廣)는

---

352 段干木 魏文侯時人:《高士傳》에 "〈段干木은〉 西河로 유학하여 卜子夏와 田子方을 師事하였다. 李克·翟璜·吳起 등은 魏나라에 있으면서 모두 장군이 되었으나 段干木만은 道를 지켜 출사하지 않았다.〔遊西河 師事卜子夏與田子方 李克翟璜吳起等居于魏 皆爲將 唯干木守道不仕〕" 하였다.

··· 繆 나쁜시호 목 貨 재화 화 賜 줄 사 瞯 엿볼 감 饋 보낼 궤 蒸 찔 증 豚 돼지 돈

陽貨가 孔子를 만나보고자 하였으나 無禮함을 싫어하였으니, 비록 小人이나 秉彝(本性)를 없앨 수 없는 것이다. 陽貨가 먼저 와서 孔子에게 禮를 행하였으니, 孔子께서 어찌 답례하지 않을 수 있겠는가. 그러나 陽貨의 뜻이 진실이 아니었으므로 다만 찾아가서 그 禮에 答하고 그 사람을 만나보지 않으신 것이니, 이 또한 좋게 여기지 않은 가르침이다. 天地가 萬物에 베풀어주는 것이 어찌 어긋남이 있겠는가.〔陽貨欲見孔子而惡無禮 雖小人 秉彝不可殄 貨旣先來 加禮於己 則己烏得而不答之 然貨之意則非誠矣 故但往答其禮 而不欲見其人 是亦不屑之敎誨也 天地之施與萬物者 豈有差忒哉〕

하였고, 新安陳氏(陳櫟)는

찾아가서 그 禮에 答한 것은 禮이고, 만나보지 않은 것은 義이다.〔往答其禮 禮也 不欲見其人 義也〕

하였다.

'陽貨先'은 假設한 것이 아니고 이미 행한 것이므로 '陽貨先이어니 豈得不見이시리오.'로 懸吐하여 '陽貨가 먼저 禮를 행하였으니, 孔子께서 어찌 만나보지 않으실 수 있겠는가.'로 해석하여야 한다. 官本諺解에는 '陽貨先이면'으로 되어 있으나, 栗谷諺解에는 '陽貨先이어니'로 되어 있으며, 艮齋(田愚) 역시《論語精義》에 있는 龜山 楊時와 和靖 尹焞의 말을 인용하고,

내가 여러 말씀을 가지고 살펴보건대 '陽貨先' 한 句는 바로 말씀한 것이요, 가설한 것이 아니다.

하였다.

集註 | 此는 又引孔子之事하여 以明可見之節也라 欲見孔子는 欲召孔子하여 來見己也라 惡無禮는 畏人以己爲無禮也라 受於其家는 對使(시)人하여 拜受於家也라 其門은 大夫之門也라 矙은 窺也라 陽貨는 於魯에 爲大夫요 孔子는 爲士[353]라 故로 以此物로 及其不在而饋之하여 欲其來拜而見之也라 先은 謂先來加禮也라

이는 또 孔子의 일을 인용하여 만나볼 수 있는 節(義)을 밝히신 것이다. '欲見孔子'는 孔

---

[353] 孔子爲士: 楊伯峻은 "당시 孔子는 在野에 계셨기 때문에 '士'라고 칭한 것이다." 하였다.

··· 召 부를 소 使 심부름갈 시 矙 엿볼 규

子를 불러 자기를 보러 오게 하고자 한 것이다. '惡無禮'는 남들이 자기를 無禮하다고 비난함을 싫어한 것이다. '受於其家'는 심부름 온 사람에게 자기 집에서 절하고 받는 것이다. '其門'은 大夫의 문이다. '矙'은 엿봄이다. 陽貨는 魯나라에서 大夫가 되었고 孔子는 士가 되었다. 그러므로 이 물건을 가지고 孔子가 집에 계시지 않을 때에 맞추어 보내어 孔子가 찾아와서 절하고 자기를 만나 보게 하려고 한 것이다. '先'은 먼저 와서 禮를 행함을 이른다.

7-4. 曾子曰 脅肩諂笑 病于夏畦라하며 子路曰 未同而言을 觀其色컨대 赧赧然이라 非由之所知也라하니 由是觀之면 則君子之所養을 可知已矣니라

曾子가 말씀하시기를 '어깨를 움츠리고 아첨하여 웃는 것이 여름에 밭에서 농사일하는 자보다 더 수고롭다.' 하셨으며, 子路가 말하기를 '뜻(의견)이 같지 않은데 억지로 〈영합하여〉 말하는 것을 그 顔色을 보면 무안하여 붉어지니, 이는 내(由) 알 바가 아니다.' 하였으니, 이로 말미암아 관찰한다면 君子가 기른 바를 알 수 있다."

> 集註 | 脅肩은 竦體[354]요 諂笑는 彊笑니 皆小人側媚之態也라 病은 勞也요 夏畦는 夏月治畦之人也니 言爲此者 其勞過於夏畦之人也라 未同而言은 與人未合而彊與之言也라 赧赧은 慚而面赤之貌라 由는 子路名이라 言非己所知는 甚惡(오)之之辭也라 孟子言 由此二言觀之하면 則二子之所養을 可知니 必不肯不俟其禮之至而輒往見之也[355]라

'脅肩'은 몸을 움츠리는 것이요 '諂笑'는 억지로 웃는 것이니, 모두 小人들이 몸을 기울여 아첨하는 태도이다. '病'은 수고로움이요 '夏畦'는 여름철에 밭이랑을 다스리는 사람이니,

---

354 脅肩 竦體 : 壺山은 "脅에 竦의 뜻이 있다.〔脅有竦義〕" 하였고, 楊伯峻은 "'脅肩'은 억지로 공경하는 모양이다." 하였다. 脅肩은 높은 사람 앞에서 몸을 움츠리고 어깨를 높여 아첨하는 모습이다.

355 必不肯不俟其禮之至而輒往見之也 : 南軒張氏(張栻)는 "만일 찾아가서 만나보면 안 되는데 찾아가서 만나보면 이는 비루하고 천하게 迎合하는 것이니, 어깨를 높여 잘 보이려고 억지로 웃고 뜻이 같지 않는데도 함께 말하는 자와 무엇이 다르겠는가.〔若不當往見而往見 是苟賤以求合 與脅肩諂笑 未同而言者 何以異〕" 하였다.

··· 脅 위협할협, 올릴협 肩 어깨견 諂 아첨할첨 病 괴로울병 畦 밭두둑휴 觀 볼관 赧 부끄러울난
竦 솟을송 側 기울측 媚 아첨할미 態 모습태 慚 부끄러울참 俟 기다릴사 輒 문득첩

이러한 짓을 하는 자는 그 수고로움이 여름철에 밭이랑을 다스리는 사람보다 더함을 말한다. '같지 않은데 말한다.'는 것은 남과 의견이 같지 않은데 억지로 함께 말하는 것이다. '赧 赧'은 부끄러워 얼굴빛이 붉어지는 모양이다. 由는 子路의 이름이다. '자신이 알 바가 아니다.'라고 말한 것은 심히 미워한 말이다. 孟子께서 "이 두 말씀을 가지고 관찰한다면 두 분의 기른 바를 알 수 있으니, 반드시 그 禮가 지극하기를 기다리지 않고 곧바로 찾아가서 만나보려 하지 않았을 것이다."라고 말씀하신 것이다.

章下註ㅣ ○ 此章은 言 聖人은 禮義之中正이니 過之者는 傷於迫切而不洪하고 不及者는 淪於汚賤而可恥[356]니라

○ 이 章은, 聖人은 禮義의 中正이니, 이보다 지나친 자는 迫切함에 상하여 넓지(너그럽지) 못하고, 미치지 못하는 자는 더럽고 천한 데에 빠져 부끄러울 만함을 말씀한 것이다.

|戴盈之曰章(何待來年章)|

8-1. 戴盈之曰 什一과 去關市之征을 今玆未能이란대(인대) 請輕之하여 以待來年然後에 已호되 何如하니잇고

戴盈之가 말하였다. "10분의 1 稅法과 관문과 시장의 세금을 철폐하는 것을 금년에는 시행할 수 없으니, 청컨대 세금을 경감하여 내년이 되기를 기다린 뒤에 그만두려고 합니다. 이것이 어떻습니까?"

按說ㅣ '今玆'에 대하여, 《集註》에 특별히 해석한 것이 없고 일반적으로 '지금'으로 해석하나, 茶山은 "'玆'는 歲이다."라고 한 或者의 註를 취하였고 楊伯峻은 "'玆'는 '年'이다." 하였으므로 '금년'으로 번역하였다.

集註ㅣ 盈之는 亦宋大夫也라 什一은 井田之法也라 關市之征은 商賈之稅也라 已는

---

356 過之者……淪於汚賤而可恥 : 지나친 자는 위의 段干木과 泄柳처럼 너무 심하여 도량이 넓지 못하고, 미치지 못하는 자는 富貴를 탐하여 군주가 부르지 않는데도 스스로 찾아가 벼슬자리를 구함으로써 더럽고 천함에 빠져 수치스러움을 말한 것이다. 一本에는 '可'가 '不'로 되어 있다.

··· 迫 닥칠 박 淪 빠질 륜 汚 더러울 오 玆 이자 待 기다릴 대 已 그만둘 이 賈 장사 고

止也라

盈之 또한 宋나라 大夫이다. '什一'은 井田法이다. '關市之征'은 商賈에 대한 세금이다. '已'는 그만둠이다.

8-2. 孟子曰 今有人이 日攘其鄰之鷄者어늘 或告之曰 是非君子之道라한대 曰 請損之하여 月攘一鷄하여 以待來年然後에 已로다

孟子께서 말씀하셨다. "이제 날마다 이웃집의 닭을 훔치는 자가 있었는데, 或者가 그에게 '이는 君子의 도리가 아니다.'라고 하자, 대답하기를 '그 數를 줄여서 달마다 닭 한 마리를 훔치다가 來年을 기다린 뒤에 그만두겠다.'라고 하는 것이로다.

> 集註 | 攘은 物自來而取之也[357]라 損은 減也라
>
> '攘'은 물건이 스스로 옴에 취하는 것이다. '損'은 경감함이다.

8-3. 如知其非義인댄 斯速已矣니 何待來年이리오

만일 이것이 義가 아님을 안다면 속히 그만두어야 할 것이니, 어찌 내년을 기다리겠는가."

> 集註 | 知義理之不可而不能速改는 與月攘一鷄로 何以異哉리오
>
> 義理의 不可함을 알면서도 속히 고치지 못하는 것은 달마다 닭 한 마리를 훔치는 것과 어찌 다르겠는가.

|好辯章|

9-1. 公都子曰 外人이 皆稱夫子好辯하나니 敢問何也잇고 孟子曰 予豈

---

[357] 攘 物自來而取之也 : '攘'은 자신이 가서 훔치는 것이 아니라 닭, 소, 양 따위가 자기 집에 스스로 왔을 적에 그대로 취함을 이른다. 그러나 楊伯峻은 닭이 스스로 오는 일이 매일 있을 수는 없다고 보아, 《禮記》鄭玄의 注 등을 근거하여 '攘'을 '훔치다〔盜竊〕'로 해석하였다.

··· 攘 훔칠양 鄰 이웃 린 鷄 닭 계 損 덜 손 速 빠를 속 已 그칠 이 辯 말잘할 변

好辯哉리오 予不得已也로라 天下之生이 久矣니 一治一亂이니라

公都子가 물었다. "外人들이 모두 夫子더러 변론하기를 좋아한다고 칭하니, 감히 묻겠습니다. 어째서입니까?"

孟子께서 말씀하셨다. "내 어찌 변론하기를 좋아하겠는가. 내 부득이해서이다. 天下에 사람이 살아온 지가 오래되었는데, 한 번 다스려지고 한 번 어지러웠다.

按說│ 壺山은

外人은 他人이란 말과 같다.〔外人 猶言他人〕

하였다.

集註│生은 謂生民也라 一治, 一亂은 氣化盛衰와 人事得失이 反覆相尋이니 理之常也라[358]

'生'은 生民을 이른다. '한 번 다스려지고 한 번 어지러움'은 氣化의 盛衰와 人事의 得失이 반복하여 서로 찾아오는 것이니, 이치의 떳떳함(떳떳한 이치)이다.

9-2. 當堯之時하여 水逆行하여 氾濫於中國하여 蛇龍이 居之하니 民無所定하여 下者는 爲巢하고 上者는 爲營窟이라 書曰 洚(강)水警余라하니 洚水者는 洪水也니라

---

358 氣化盛衰……理之常也 : 徽菴程氏(程若庸)는 "氣化는 하늘에 있으니 盛함이 있고 衰함이 있어서 盛하면 다스려지고 衰하면 혼란해지며, 事理는 사람에 있으니 얻음(이치에 맞음)이 있고 잃음이 있어서 얻으면 다스려지고 잃으면 혼란해진다. 다스려짐은 다스려짐에서 생겨나지 않고 혼란한 데서 생겨나며, 혼란은 혼란한 데서 생겨나지 않고 다스려짐에서 생겨나서 고리가 끝이 없는 것과 같다. 이는 이치의 떳떳함이니, 진실로 괴이하게 여길 것이 없다. 聖賢이 이 세상에 태어남을 귀하게 여기는 까닭은 또한 오직 理로써 氣를 어거하여 행여 잃음(잘못)을 되돌려 얻게(이치에 맞게) 하고 衰한 것을 되돌려 盛하게 하고 혼란을 되돌려 다스려짐으로 돌아가게 하기 때문이다.〔氣化在天者 有盛有衰 盛焉而治 衰焉而亂也 事理在人者 有得有失 得焉而治 失焉而亂也 治不生於治而生於亂 亂不生於亂而生於治 如環無端 此理之常 固無足怪 所貴乎聖賢之生斯世 亦惟以理御氣 庶幾反失而得 反衰而盛 反亂而歸於治焉耳〕" 하였다. 이는 天地 運數의 盛衰와 君主 政治의 得失을 말한 것이다.

··· 尋 찾을 심 氾 넘칠 범 濫 넘칠 람 蛇 뱀 사 巢 둥지 소 營 경영할 영 窟 굴 굴 洚 물가없을 홍(강)
警 경계할 경

堯임금의 때를 당하여 물이 역류해서 中國에 범람하여 뱀과 용이 사니, 사람들이 안정할 곳이 없어서 낮은 지역에 사는 자들은 둥지를 만들고 높은 지역에 사는 자들은 굴을 파고 살았다. 《書經》에 '洚水가 나를 경계하였다.' 하였으니, 洚水란 洪水이다.

> 集註 | 水逆行은 下流壅塞이라 故로 水倒流而旁溢也라 下는 下地요 上은 高地也[359]라 營窟은 穴處也[360]라 書는 虞書大禹謨也라 洚水는 洚洞無涯之水也라 警은 戒也라 此는 一亂也[361]라

> '물이 逆流했다.'는 것은 下流가 막혔기 때문에 물이 거꾸로 흘러 사방으로 넘친 것이다. '下'는 낮은 지역이고 '上'은 높은 지역이다. '營窟'은 굴속에서 거처하는 것이다. 書는 〈虞書 大禹謨〉이다. '洚水'는 아득하여 가없는 물이다. '警'은 경계함이다. 이는 한 번 어지러워진 것이다.

9-3. 使禹治之어시늘 禹掘地而注之海하시고 驅蛇龍而放之菹하신대 水由地中行하니 江淮河漢이 是也라 險阻旣遠하며 鳥獸之害人者消하니 然後에 人得平土而居之하니라

禹로 하여금 홍수를 다스리게 하시니, 禹가 땅을 파서 바다로 注入시키고 뱀과 용을 몰아내어 수초가 우거진 곳으로 추방하시자, 물이 地中을 따라 흘러갔으니 江·淮·河·漢이 이것이다. 險阻가 이미 멀어지며 사람을 해치는 새와 짐승들이 사라진 뒤에야 사람들이 平土(平地)를 얻어 살게 되었다.

---

359 下……高地也 : 壺山은 "여기서는 洪水를 위주하여 말했으므로 '下'와 '上'이라 하였으니, 만약 天時를 가지고 말하면 마땅히 여름과 겨울이라 해야 할 것이다.〔此主洪水言 故曰下上 若以天時 則當云夏冬〕" 하였다. 즉 上은 기운이 올라가는 여름철에는 나무 위에서 살고, 下는 기운이 내려가는 겨울철에는 낮은 땅굴에서 삶을 말한 것이다.

360 營窟 穴處也 : 楊伯峻은 《說文解字》에 '營은 빙 둘러서 사는 것이다.〔營 帀居也〕' 한 것과 焦循의 《孟子正義》에 '이 營窟은 응당 서로 이어서 굴을 팠을 것이다.〔此營窟 當是相連爲窟穴〕' 한 것을 인용하였다. 壺山은 "營治하는(사람이 만든) 窟이다. 혹자는 '壘窟'이라 한다.〔營治之窟也 或曰 壘窟也〕" 하였다.

361 此 一亂也 : 慶源輔氏(輔廣)는 "이 한 번의 혼란함은 순전히 氣化에 말미암은 것이다.〔此一亂 純由乎氣化也〕" 하였다. 壺山은 "살펴보건대 다스려짐이 혼란에서 생기므로 '一亂'을 먼저 말한 것이다.〔按治生於亂 故先言一亂〕" 하였다.

··· 壅 막힐 옹 塞 막힐 색 倒 거꾸로 도 旁 곁 방 溢 넘칠 일 穴 굴 혈 謨 가르칠 모 洞 빨리흐를동 涯 물가 애 掘 팔 굴 注 물댈 주 驅 몰 구 菹 수초우거질 저 由 따를 유 淮 물이름 회 險 험할 험 阻 막힐 조 消 사라질 소

集註 | 掘地는 掘去壅塞也라 菹는 澤生草者也라 地中은 兩涯之間也라 險阻는 謂水
之氾濫也라 遠은 去也요 消는 除也라 此는 一治也³⁶²라

'掘地'는 壅塞(막힘)을 파서 제거하는 것이다. '菹'는 못(늪)에 풀이 자라는 것이다. '地中'
은 두 벼랑의 사이이다. '險阻'는 물이 범람함을 이른다. '遠'은 멀리 떠나간 것이요, '消'는
제거됨이다. 이는 한 번 다스려진 것이다.

9-4. 堯舜이 旣沒하시니 聖人之道衰하여 暴君이 代作하여 壞宮室以爲 汚池하여 民無所安息하며 棄田以爲園囿하여 使民不得衣食하고 邪說 暴行이 又作하여 園囿, 汚池, 沛澤이 多而禽獸至하니 及紂之身하여 天 下又大亂하니라

堯임금과 舜임금이 이미 별세하시니, 聖人의 道가 쇠하여 暴君이 내대로 나와서 백성
들의 宮室(집)을 헐어 웅덩이와 못을 만들어서 백성들이 편안히 쉴 곳이 없었고, 農地
를 버려 동산을 만들어서 백성들이 衣食을 얻을 수 없도록 하였으며, 부정한 학설과 포
학한 행실이 또 일어나 園囿와 汚池와 沛澤이 많아짐에 禽獸가 이르렀으니, 紂王의
몸에 이르러 天下가 또다시 크게 어지러워졌다.

集註 | 暴君은 謂夏太康, 孔甲, 履癸와 商武乙³⁶³之類也라 宮室은 民居也라 沛는 草

---

362 此 一治也 : 慶源輔氏(輔廣)는 "이 한 번의 다스려짐은 氣化와 人事가 서로 참여된 것이다. 사람과 禽
獸는 또한 서로 많아지기도 하고 적어지기도 하니, 〈사람과 禽獸가〉 똑같이 氣를 받기 때문이다. 번잡한
기운이 盛하면 正氣가 衰하고 正氣가 많으면 번잡한 기운이 적어지니, 聖人이 이 사이에 造化의 運用
을 둠은 또한 시기에 맞게 할 뿐이다.〔此一治 氣化人事相參者也 夫人與鳥獸亦相爲多寡 蓋同稟於
氣故也 繁氣盛則正氣衰 正氣多則繁氣少 聖人於其間 有造化之用 亦時焉而已〕" 하였다. '사람과
禽獸는 서로 많아지기도 하고 적어지기도 한다.'는 것은 사람이 많아지면 禽獸가 적어지고, 사람이 적어
지면 禽獸가 많아짐을 말한 것이다.
363 夏太康……商武乙 : 太康은 夏나라의 세 번째 왕으로 유람과 사냥을 즐겨 백성들의 일을 돌보지 않았
다. 洛水의 밖으로 사냥 가서 돌아오지 않았는데, 有窮의 임금인 羿가 太康을 河水에서 막아 돌아오
지 못하게 하고 폐위하였다. 孔甲은 夏나라의 왕으로 귀신을 좋아하고 음란한 짓을 일삼았는데, 孔甲
이후로 제후들이 夏나라를 많이 이반하였다. 履癸는 夏나라의 마지막 왕인 桀王의 이름으로, 德을 힘
쓰지 않고 무력으로 백성들을 상하게 하다가 商나라 湯王에게 멸망당하였다. 武乙은 商나라의 왕으로
亳에서 朝歌로 천도하였는데, 無道하여 偶人(인형)을 만들어 天神이라 하면서 함께 도박을 하고, 가죽
주머니에 피를 담고 우러러보며 활을 쏘고는 '하늘을 쏘아 맞혔다'고 하였다. 河水와 渭水 사이에서 사

··· 澤 못 택 沒 죽을 몰 壞 무너질 괴 汚 웅덩이 오(와) 息 쉴 식 園 동산 원 囿 동산 유 沛 큰못 패 履 성 리
癸 북방 계

木之所生也요 澤은 水所鍾也라 自堯舜沒로 至此에 治亂非一이니 及紂而又一大
亂也[364]라

'暴君'은 夏나라의 太康·孔甲·履癸와 商나라의 武乙 등을 이른다. '宮室'은 백성들이 사
는 집이다. '沛'는 草木이 자라는 곳이요, '澤'은 물이 모이는 곳이다. 堯임금과 舜임금이
별세한 뒤로부터 이에 이르기까지 다스려지고 어지러워진 것이 한두 번이 아니었는데, 紂
王에 미쳐 또 한 번 크게 어지러워진 것이다.

9-5. 周公이 相武王하사 誅紂하시고 伐奄三年에 討其君하시고 驅飛廉於
海隅而戮之하시니 滅國者五十이요 驅虎豹犀象而遠之하신대 天下大悅
하니 書曰 丕顯哉라 文王謨여 丕承哉라 武王烈이여 佑啓我後人하사되
咸以正無缺이라하니라

周公이 武王을 도와 紂王을 주벌하시고, 奄나라를 정벌한 지 3년 만에 그 군주를 토
벌하시고, 飛廉을 바다 모퉁이로 몰아내어 죽이셨다. 멸망시킨 나라가 50개국이었고,
범과 표범과 코뿔소와 코끼리를 몰아내어 멀리 쫓으시자, 天下가 크게 기뻐하였다. 《書
經》에 이르기를 '크게 드러나셨다. 文王의 가르침(계책)이여. 크게 계승하셨도다, 武王
의 功烈이여. 우리 後人들을 도와 계도해 주시되 모두 正道로써 하여 결함이 없게 하
셨다.' 하였다.

按說 | 壺山은 "驅는 竄과 같다.〔驅 猶竄也〕" 하였다.

냥하다가 벼락을 맞아 죽었다.

364 一大亂也 : 慶源輔氏(輔廣)는 "이 한 번의 혼란은 氣化와 人事가 서로 符合한 것이다. 堯·舜이 별세
하신 뒤로 그 사이 夏나라 太康으로부터 商나라 武乙 등에 이르기까지 暴虐한 군주가 한 두 명이 아
니어서 같은 類로써 이루 다 세기 어려우나, 殷나라의 紂王에 이르러서는 지극히 혼란하여 이보다 더할
수가 없었다. 그러므로 곧바로 紂王의 때로 미루어 말한 것이다. 상상해보건대 夏나라 桀王의 때에는
飛廉 등과 같은 악인이나 범과 표범과 무소와 코끼리 같은 폐해가 반드시 있지는 않았을 것이다.〔此一
亂 氣化人事相符者也 自堯舜沒 其間夏太康 至商武乙等 暴君不一 難以類數 至紂而大敗極亂 而
無以復加矣 故直推至紂時言之 想見夏桀之時 亦未必有飛廉等惡人 與夫虎豹犀象之害也〕" 하였
다. '氣化와 人事가 서로 符合했다.'는 것은 氣化의 쇠함과 人事(政治)의 잘못이 동시에 이루어져 혼란
해짐을 말한 것이다.

··· 鍾 모일종 相 도울상 奄 문득엄 廉 청렴할렴 戮 죽일륙 驅 몰구 豹 표범표 犀 물소서 象 코끼리상
丕 클비 謨 가르침모 佑 도울우 缺 이지러질결

集註 | 奄은 東方之國이니 助紂爲虐者也라 飛廉은 紂幸臣也[365]라 五十國은 皆紂黨
虐民者也라 書는 周書君牙之篇이라 조는 大也요 顯은 明也라 謨는 謀也라 承은 繼也
라 烈은 光也라 佑는 助也요 啓는 開也라 缺은 壞也라 此는 一治也[366]라

奄은 東方의 나라이니, 紂王을 도와 포학한 짓을 한 자이다. 飛廉은 紂王의 총애하는 신
하이다. '50개국'은 모두 紂의 黨으로서 백성들에게 포학하게 한 자들이다. 書는 〈周書 君
牙〉篇이다. '조'는 큼이요, '顯'은 밝음이다. '謨'는 가르침이다. '承'은 계승함이다. '烈'은
빛남(광채)이다. '佑'는 도움이요, '啓'는 열어줌이다. '缺'은 무너짐이다. 이는 한 번 다스
려진 것이다.

9-6. 世衰道微하여 邪說暴行이 有作하여 臣弑其君者有之하며 子弑其 父者有之하니라

세상이 쇠하고 道가 미미해져서 부정한 학설과 포학한 행실이 또다시 일어나, 신하로서
군주를 시해하는 자가 있으며 자식으로서 아버지를 시해하는 자가 있게 되었다.

按說 | '有'에 대하여, 楊伯峻은 "'有'는 又와 같다." 하였다.

---

365 飛廉 紂幸臣也 :《史記》〈秦本記〉에 "蜚(飛)廉이 惡來를 낳았는데, 惡來는 힘이 세었고 蜚廉은 달리
기를 잘하여 父子가 모두 재주와 용력으로 殷나라 紂王을 섬겼다.〔蜚廉生惡來 惡來有力 蜚廉善走
父子俱以材力事殷紂〕" 하였다.《史記》에는 周나라 武王이 惡來를 죽이고 蜚廉은 霍太山에서 죽었
다고 하여《孟子》의 내용과는 차이가 있다. 趙氏(趙順孫)는 "飛廉이 달리기를 잘하여 재주와 勇力으
로 紂王을 섬겼다.〔飛廉善走 以材力事紂〕" 하였다.

366 此 一治也 : 慶源輔氏(輔廣)는 "이 한 번의 다스림은 또 氣化와 人事가 서로 참예된 것이다.《書經》을
들어, 文王과 武王의 큰 가르침과 빛나는 功業이 後人을 도와주고 開導한 것이 正大한 道가 아닌 것
이 없고, 두루 온전하고 지극히 아름다워 한 털끝만큼도 결함이나 파괴됨의 잘못이 없음을 말하였다.
바름은 할 수 있지만 결함이 없는 것이 어렵다. '결함이 없다'는 것은, 禮樂과 刑政이 사방으로 도달하
고 어긋나지 않아서 삼천 삼백 가지의 禮儀와 지극히 성실하고 치우침이 없는 道가 병립하여 편벽되지
않아서, 正德과 利用·厚生의 도구가 한 가지도 구비하지 않음이 없고, 거짓을 방비하고 간사함을 금하
고 사악함을 바로잡는 법이 한 가지도 혹 실추됨이 없는 것이니, 이렇게 한 뒤에야 결함이 없다고 할 수
있는 것이다. 春秋 때에 이르러서는 道가 땅에 떨어져 다시 보존된 것이 없었다.〔此一治 又氣化人事相
參者也 擧書 言文王武王謨謨之大 功業之光 所以佑助開迪夫後人者 莫非正大之道 周全盡美 而
無一毫缺壞之失也 蓋正可爲也 無缺爲難 無缺 謂禮樂刑政四達而不悖 三千三百之儀 與至誠無
倚之道 並立而不偏 凡所以正德利用厚生之具 無一之不備 防僞禁邪正慝之法 無一之或隳 夫然
後可以爲無缺 至春秋時 則道墜于地 而無復有存者矣〕" 하였다.

··· 助 도울 조 微 작을 미 有 또 유(又通)

集註 | 此는 周室東遷[367]之後니 又一亂也[368]라

이는 周나라 王室이 東遷한 뒤이니, 또 한 번 어지러워진 것이다.

9-7. 孔子懼하사 作春秋하시니 春秋는 天子之事也라 是故로 孔子曰 知我者도 其惟春秋乎며 罪我者도 其惟春秋乎인저하시니라

孔子께서 이를 두려워하여 《春秋》를 지으시니, 《春秋》의 褒貶은 天子가 하는 일이다. 이 때문에 孔子께서 말씀하시기를 '나를 알아줄 것도 오직 《春秋》이며 나를 죄줄(질책할) 것도 오직 《春秋》일 것이다.' 하신 것이다.

按說 | 沙溪(金長生)는

《文獻通考》에 吳氏程이 말하기를 '아는 것은 君子이고 죄주는 것은 小人이다.'라고 하였는데, 나의 뜻은 孔子를 아는 것과 孔子를 죄 주는 것을 君子와 小人으로 나누어 말해서는 안 된다고 생각한다.〔通考吳氏程曰 知者 君子也 罪者 小人也 愚意知孔子罪孔子者 不可以君子小人分言之也〕《經書辨疑》

하였다. 吳氏程의 원래 글은 "후세를 염려했다 하여 聖人을 아는 자는 君子이므로 天理를 보존하고 人慾을 막음을 다행으로 여기고, 南面하는 권세를 가탁했다 하여 聖人을 죄책하는 자는 小人이므로 〈군주들이〉 욕심을 부릴 수 없음을 서글퍼한다.〔以慮後世而知聖人者 君子也 故幸其存天理遏人慾 以托南面而罪聖人者 小人也 故戚其不得肆欲〕"인데, 沙溪가 요약한 것이다.

---

367 周室東遷 : '東遷'은 동쪽 洛邑으로 천도함을 이른다. 周나라는 원래 鎬京에 도읍하였으나 幽王이 失德하여 犬戎에게 시해당하고 아들 平王 宜臼가 즉위하여 洛邑으로 천도하였다. 그러나 이후로 王室의 권위가 실추되어 政敎가 천하에 미치지 못하여 春秋時代를 맞게 되었다.

368 又一亂也 : 慶源輔氏(輔廣)는 "이 한 번의 혼란함은 또 氣化와 人事가 서로 符合한 것이다. 이보다 앞서서는 비록 세상이 혼란하다고 하였으나 禽獸가 많이 번식하여 人民의 삶을 해쳤을 뿐, 사람의 性을 해치는 데에는 이르지 않았는데, 이후로는 마침내 人倫을 손상하고 파괴하여 장차 사람들로 하여금 모두 禽獸의 무리로 돌아가게 하였으니, 그 禍가 더 참혹하다. 이 한 번의 혼란함은 前日보다 더욱 심하니, 이 또한 氣化와 人事가 그렇게 만든 것이다.〔此一亂 又氣化人事相符者也 前乎此者 雖曰世亂 然但禽獸繁殖 有以戕民之生 而猶未至賊人之性 至此以後 則遂至傷壞人倫 將使人盡爲禽獸之歸 其禍又慘矣 此一亂 又甚於前日 是亦氣化人事之使然也〕" 하였다.

··· 遷 옮길 천 懼 두려울 구

集註 | 胡氏曰 仲尼作春秋하여 以寓王法하시니 厚典庸禮와 命德討罪[369]가 其大要 皆天子之事也라 知孔子者는 謂此書之作이 遏人欲於橫流하고 存天理於旣滅하여 爲後世慮가 至深遠也라하고 罪孔子者는 以謂無其位而託二百四十二年南面之權[370]하여 使亂臣賊子로 禁其欲而不得肆하니 則戚矣[371]라하니라

愚謂 孔子作春秋하여 以討亂賊하시니 則致治之法이 垂於萬世하니 是亦一治也라

胡氏(胡安國)가 말하였다. "仲尼께서 《春秋》를 지어 王法을 붙이시니, 典을 돈독하게 하고 禮를 쓰는 것과 德이 있는 자에게 벼슬을 명하고 罪가 있는 자를 토벌하는 것이 그 大要가 모두 天子의 일이다. 孔子를 알아주는 자들은 '이 책을 지은 것이 멋대로 흐르는 人欲을 막고 이미 멸한 天理를 보존해서 後世를 위한 염려가 지극히 深遠하다.' 하고, 孔子를 죄 주는 자들은 '지위가 없는데도 242년 동안 南面하는 권세를 가탁해서 亂臣賊子로 하여금 욕심을 금하여 함부로 펴지 못하게 하였으니, 애처롭다.(원망스럽다.)' 하는 것이다."

내(朱子)가 생각하건대 孔子께서 《春秋》를 지어 亂臣賊子들을 토벌하셨으니, 그렇다면 다스림을 지극히 하는 법이 萬世에 드리워진 것이니, 이 또한 한 번 다스려진 것이다.

9-8. 聖王이 不作하여 諸侯放恣하며 處士橫議하여 楊朱墨翟之言이 盈天下하여 天下之言이 不歸楊則歸墨하니 楊氏는 爲我하니 是無君也요 墨氏는 兼愛하니 是無父也니 無父, 無君은 是禽獸也니라 公明儀曰 庖有肥肉하며 廏有肥馬어늘 民有飢色하며 野有餓莩면 此는 率獸而食人

---

369 厚典庸禮 命德討罪：新安倪氏(倪士毅)는 "惇典의 '惇'자를 《集註》에 宋나라 光宗의 諱를 피하여 '厚'자로 대신하였다.〔惇典之惇 集註避宋光宗諱 而以厚字代之〕" 하였다. '典'은 五典으로 五倫의 법을 이르고, '禮'는 父子·君臣·夫婦間의 尊卑와 貴賤의 등급에 따른 禮이며, '命'은 관직을 임명함을 이른다. 《書經》〈皐陶謨〉에 "하늘이 차례로 펴서 典을 두시니 우리의 五典을 바로잡아 다섯 가지를 돈독하게 하시며, 하늘이 차례하여 禮를 두시니 우리 五禮로부터 시작하여 다섯 가지를 떳떳하게 한다.……하늘이 德이 있는 자에게 벼슬을 임명하고……하늘이 罪가 있는 자를 토벌한다.〔天敍有典 勅我五典 五惇哉 天秩有禮 自我五禮 五庸哉……天命有德……天討有罪〕" 하였는바, 이 내용을 축약한 것이다.

370 二百四十二年南面之權：242년은 《春秋》에 기록된 역사 기간이며, 南面은 남쪽을 향해 앉는 것으로, 고대에는 북쪽에서 남쪽을 향해 앉는 것을 높은 자리로 여겨 군주가 남쪽을 향해 앉았으므로 곧바로 帝王을 가리키기도 하는바, 南面之權은 王者의 권한을 이른다.

371 戚矣：壺山은 "〈'戚'은〉怨과 같다." 하고, "〈'矣'는〉 반드시 그렇지는 않음을 말한 것이다.〔云不必爾也〕" 하였다.

··· 寓 붙일 우 厚 두터울 후 典 법 전 庸 쓸 용 遏 막을 알 滅 멸할 멸 託 칭탁할 탁 賊 해칠 적 禁 금할 금 肆 방자할 사 戚 슬플 척 垂 드리울 수 放 방탕할 방 恣 방자할 자 橫 멋대로할 횡 翟 꿩 적 盈 가득찰 영 兼 겸할 겸 庖 푸줏간 포 肥 살질 비 廏 마구간 구 餓 굶주릴 아 莩 굶어죽을 표 率 거느릴 솔

也라하니 楊墨之道不息하면 孔子之道不著하리니 是는 邪說이 誣民하여 充塞仁義也니 仁義充塞이면 則率獸食人하다가 人將相食하리라

聖王이 나오지 아니하여 諸侯가 방자하며 〈草野에 있는〉 처사들이 멋대로 의논하여 楊朱·墨翟의 말이 天下에 가득해서, 天下의 말이 楊朱에게 돌아가지 않으면 墨翟에게 돌아간다. 楊氏는 자신만을 위하니 이는 군주가 없는 것이요, 墨氏는 똑같이 사랑하니 이는 아버지가 없는 것이니, 아버지가 없고 군주가 없으면 이는 禽獸이다. 公明儀가 말하기를 '〈군주의〉 푸줏간에 살진 고기가 있고 마구간에 살찐 말이 있는데도 백성들이 굶주린 기색이 있으며 들에 굶어죽은 시체가 있다면 이는 짐승을 내몰아 사람을 잡아먹게 하는 것이다.' 하였다. 楊朱·墨翟의 道가 종식되지 않으면 孔子의 道가 드러나지 못할 것이니, 이는 부정한 말(학설)이 백성들을 속여 仁義를 꽉 막는 것이다. 仁義가 꽉 막히면 짐승을 내몰아 사람을 잡아먹게 하다가 사람들이 장차 서로 잡아먹게 될 것이다.

按說 | 壺山은

聖王이 나오지 않았기 때문에 諸侯들이 放恣하고 諸侯들이 放恣하기 때문에 處士가 멋대로 의논한 것이다. 處士는 楊朱, 墨翟의 부류를 가리키고, 멋대로 의논했다는 것은 바로 '爲我'와 '兼愛'의 일이다.〔聖王不作 故諸侯放恣 諸侯放恣 故處士橫議 處士指楊墨之流 橫卽爲我兼愛之事〕

하였으며, 또《語類》에서의 朱子의 말씀을 다음과 같이 요약, 인용하였다.

楊朱는 바로 老子의 弟子로 그 학문이 오로지 자기를 위하였으니 물러나 몸을 아끼기만 하고 일할 줄을 알지 못하였다. 東晉의 淸談은 바로 楊氏의 학문이니 夷狄이 中華를 어지럽히도록 계도하였고, 王介甫(王安石)가 佛老의 사이를 출입하여 남긴 禍가 지금까지 이르고 있다.〔楊朱乃老子弟子 其學專於爲己 退步愛身 不理會事 東晉之淸談 此是楊氏之學 啓夷狄亂華 王介甫出入佛老之間 遺禍至今〕

集註 | 楊朱는 但知愛身하고 而不復知有致身之義라 故로 無君이요 墨子는 愛無差

··· 著 드러날 저 誣 속일 무 致 바칠 치 差 다를 차

等하여 而視其至親을 無異衆人이라 故로 無父372라 無父無君이면 則人道滅絶이니 是亦禽獸而已라 公明儀之言은 義見首篇하니라 充塞仁義는 謂邪說徧滿하여 妨於仁義也373라 孟子引儀之言하사 以明楊墨道行이면 則人皆無父無君하여 以陷於禽獸而大亂將起하니 是亦率獸食人而人又相食也라 此는 又一亂也라

楊朱는 몸을 아낄 줄만 알고 다시 몸을 바치는 의리가 있음을 알지 못하였다. 그러므로 군주가 없는 것이요, 墨子는 사랑함에 差等이 없어 至親을 보기를 衆人과 다름없이 하였다. 그러므로 아버지가 없는 것이다. 아버지가 없고 군주가 없으면 人道가 滅絶되니, 이 또한 禽獸일 뿐이다. 公明儀의 말은 뜻이 首篇(梁惠王上)에 보인다. '仁義를 꽉 막는다.'는 것은 부정한 학설이 두루 가득해서 仁義를 해침을 이른다. 孟子께서 公明儀의 말을 인용하여 楊墨의 道가 행해지면 사람들이 다 아버지가 없고 군주가 없어서 禽獸의 지경에 빠져 큰 난리가 장차 일어날 것이니, 이 또한 짐승을 내몰아 사람을 잡아먹게 하고, 사람이 또 서로 잡아먹는 것임을 밝히신 것이다. 이는 또 한 번 어지러워진 것이다.

9-9. 吾爲此懼하여 閑先聖之道하여 距楊墨하며 放淫辭하여 邪說者不得作케하노니 作於其心하여 害於其事하며 作於其事하여 害於其政하나니 聖人이 復起사도 不易吾言矣시리라

내가 이 때문에 두려워하여 先聖의 道를 보호해서 楊·墨을 막으며 부정한 학설을 추방하여 부정한 학설을 하는 자가 나오지 못하게 하는 것이다. 〈부정한 학설은〉 그 마음에서 나와 그 일에 해를 끼치며 일에서 나와 정사에 해를 끼치니, 聖人이 다시 나오셔도 내 말을 바꾸지 않으실 것이다.

---

372 墨子……無父:朱子는 "부모를 사랑함이 반드시 소홀해서 그 효도가 온전하고 지극하지 못한 것이다.〔其愛父母也 必疎 其孝也 不周至〕" 하였다.《語類》 '無父'는 父子有親을 무시하여 행하지 않는 것이고, '無君'은 君臣有義를 무시하여 행하지 않는 것이다.

373 邪說徧滿 妨於仁義也:雲峰胡氏(胡炳文)는 "말이 道理에 맞지 않는 것을 橫議라 하고, 바르지 않은 것을 邪說이라 한다.〔不中則曰橫議 不正則曰邪說〕" 하였다. 壺山은 "살펴보건대 '徧滿'은 '誣民'의 뜻을 해석한 것이니 백성을 속이지 않음이 없음을 말한 것이요, '妨'은 '充塞'을 해석한 것으로 充塞은 閉塞이란 말과 같은바, 閉塞되면 행해지지 못하니, 이것이 해치는 것이다. 만약 徧滿을 '充塞을 해석한 것이다'라고 한다면 그 아랫구에 '仁義가 충색했다.'는 것이 말이 될 수 없는 것이다.〔按徧滿 釋誣民意 言無民不誣也 妨釋充塞 充塞猶言閉塞也 閉塞則不行 是妨也 若謂徧滿釋充塞 則於其下句仁義充塞 爲說不去矣〕" 하였다.

••• 異 다를 이 徧 두루미칠 변(편) 妨 해로울 방 陷 빠질 함 閑 보호할 한 距 막을 거 放 쫓을 방 淫 음탕할 음 復 다시 부

集註 | 閑은 衛也³⁷⁴라 放은 驅而遠之也라 作은 起也라 事는 所行이요 政은 大體也³⁷⁵라 孟子雖不得志於時나 然楊墨之害 自是減息하여 而君臣父子之道 賴以不墜하니 是亦一治³⁷⁶也라

程子曰 楊墨之害는 甚於申韓하고 佛老之害는 甚於楊墨하니 蓋楊氏는 爲我하니 疑於義하고 墨氏는 兼愛하니 疑於仁³⁷⁷이요 申韓則淺陋易見³⁷⁸이라 故로 孟子止闢楊墨하시니 爲其惑世之甚也라 佛氏之言은 近理³⁷⁹하니 又非楊墨之比라 所以爲害尤甚이니라

'閑'은 保衛(보호)함이다. '放'은 몰아서 멀리 내쫓음이다. '作'은 일어남이다. '事'는 행하는 것이요, '政'은 大體이다. 孟子께서 비록 당시에 뜻을 얻지 못하셨으나 楊·墨의 폐해가

---

374 閑 衛也:壺山은 "'馬閑'의 '閑'과 같다.〔如馬閑之閑〕" 하였다. '馬閑'은 '말의 마굿간'으로 말을 보호하는 물건이다.

375 事……大體也:西山眞氏(眞德秀)는 "'事'는 政의 조목이고 '政'은 事의 綱領이다.〔事者 政之目 政者 事之綱〕" 하였다.

376 一治:慶源輔氏(輔廣)는 "이 한 번의 다스려짐은 또 순수한 人事이다. 비록 氣化가 應하지 아니하여 孟子 또한 당시에 뜻을 얻지 못했으나 그 말씀으로 인하여 異端이 멸식되어서 우리의 道가 지금까지 실추되지 않을 수 있었으니, 이것이 孟子의 功이 禹王의 아래에 있지 않고 孔子의 다음이 된 이유이다.〔此一治 又純乎人事也 雖氣化不應 孟子亦不得志於時 然因其言而異端減息 吾道至今得以不墜 此孟氏之功 所以不在禹下而亞於孔子也〕" 하였다.

377 楊氏爲我……疑於仁:楊朱는 자신의 지조를 중시하여 혼탁한 조정에서 벼슬하지 않고 은둔하였으므로 사람들은 그의 행위가 義롭다고 의심하며, 墨翟은 모든 사람을 똑같이 사랑해야 한다고 주장하였으므로 사람들은 그의 마음이 仁하다고 의심함을 이른다.

378 申韓則淺陋易見:《史記》에 "申不害는 옛 鄭나라의 賤한 신하이다. 학문은 黃老를 근본으로 하고 刑名을 주장하였다. 책 두 편을 저술하니, 이름을 《申子》라 했다.〔申不害 故鄭之賤臣 學本於黃老而主刑名 著書二篇 號曰申子〕" 하였다. 《大全》에 "韓非는 韓나라의 여러 公子들 중 한 사람이다. 刑名과 法術의 학문을 좋아하였는데, 그 귀결은 黃老에 근본하였으며 글을 쓰는데 뛰어났다. 李斯와 함께 荀卿을 섬겼는데, 李斯는 자기가 韓非만 못하다고 여겼다.〔韓非者 韓之諸公子也 喜刑名法術之學 而其歸本於黃老 善著書 與李斯 俱事荀卿 斯自以爲不如非〕" 하였다. 黃老는 黃帝와 老子를 이른다. 壺山은 "〈申不害와 韓非는〉 애당초 仁義와 근사한 점이 없으니, 그 학설의 천근하고 비루함은 사람들이 보기 쉬운 것이다.〔初無仁義之近似 其淺陋者 使人易見〕" 하였다.

379 佛氏之言 近理:茶山은 "佛氏의 말은 가장 이치에 가깝지 않다. 내가 남쪽 변방에 유배되어 깊은 산중에 거처할 적에 經僧을 따라 佛書를 보았는데, 佛書에서 心性의 이치를 논한 것이 모두 本原이 없고 지극함이 없어서 매우 이치에 가깝지 않았다. 宋나라의 여러 선생들이 무슨 까닭으로 매번 '佛氏가 이치에 가깝다.'고 말하였는지 모르겠다.〔佛氏之言 最不近理 余流落南荒 居深山之中 從經僧觀佛書 其所論心性之理 皆無原本 亦無究竟 大不近理 不知有宋諸先生 何故每云佛氏近理〕" 하였으니, 이는 佛敎의 哲學을 비하하여 말한 것이다. 茶山은 性을 기호로 보아 性을 仁義禮智로 보는 程朱의 學說을 부정하였으므로, '佛氏의 말이 이치에 가깝다.'는 程子의 말 역시 부정한 것이다.

··· 衛 호위할 위 息 그칠 식 賴 힘입을 뢰 墜 떨어질 추 疑 의심스러울 의 淺 얕을 천 陋 더러울 루 止 다만 지 闢 물리칠 벽 惑 미혹할 혹

이로부터 減息되어 君臣과 父子의 道가 이에 힘입어 실추되지 않았으니, 이 또한 한 번 다스려진 것이다.

程子(明道)가 말씀하였다. "楊朱와 墨翟의 폐해는 申不害와 韓非子보다 심하고, 佛氏와 老子의 폐해는 楊朱와 墨翟보다 심하다. 楊氏는 자신만을 위하니 義인가 의심스럽고, 墨氏는 똑같이 사랑하니 仁인가 의심스러우며, 申不害와 韓非子는 淺陋하여 사람들이 알기 쉽다. 그러므로 孟子께서 다만 楊朱·墨翟을 배척하셨으니, 이는 세상을 미혹시킴이 심하기 때문이었다. 佛氏의 말(학설)은 이치에 가까우니, 또 楊朱와 墨翟에 비할 바가 아니다. 이 때문에 그 폐해가 더욱 심한 것이다."

9-10. 昔者에 禹抑洪水而天下平하고 周公이 兼夷狄驅猛獸而百姓寧하고 孔子成春秋而亂臣賊子懼하나라

옛적에 禹가 洪水를 억제하시자 天下가 평해졌고, 周公이 夷狄을 兼幷하고 猛獸를 몰아내시자 百姓들이 편안하였고, 孔子가 《春秋》를 완성하시자 亂臣賊子들이 두려워하였다.

按說 | '亂臣賊子'에 대하여, 官本諺解와 栗谷諺解에는 '亂臣'과 '賊子'로 해석하였는바, 이는 앞의 '臣弑其君'과 '子弑其父'를 이어 나라를 어지럽히는 신하와 집안을 해치는 자식으로 풀이한 것이다. 그러나 일반적으로 亂臣賊子는 君父를 배반하는 신하를 가리킨다. 君父 역시 군주와 아버지로 나누어 볼 수 있으나 나라의 군주는 집안의 아버지와 같다 하여 군주를 지칭하는 말로 많이 쓰인다.

集註 | 抑은 止也라 兼은 幷之也라 總結上文也라

'抑'은 그침(억제)이다. '兼'은 겸병이다. 윗글을 모두 맺은 것이다.

9-11. 詩云 戎狄是膺하니 荊舒是懲하여 則莫我敢承이라하니 無父無君은 是周公所膺也나라

⋯ 抑 누를 억 兼 겸병할 겸 猛 사나울 맹 寧 편안할 녕 幷 아우를 병, 겸병할 병 戎 오랑캐 융 狄 오랑캐 적
膺 공격할 응 荊 가시 형 舒 펼 서 懲 징계할 징 承 당할 승

《詩經》에 이르기를 '戎狄을 정벌하니, 荊과 舒가 이에 다스려져 나를 감히 당할 자가 없다.' 하였으니, 아버지가 없고 군주가 없는 것은 周公도 응징하신 바이다.

> 按說 | '戎狄是膺 荊舒是懲'은 위의 〈滕文公上〉 4장에도 보이는데, 壺山은 두 句를 對句인 것으로 보았다. 壺山의 說대로 라면 '戎狄是膺하고 荊舒是懲하니'로 懸吐해야 할 것이다.

> 集註 | 說見上篇하니라 承은 當也라

> 해설이 上篇(滕文公上)에 보인다. '承'은 당함이다.

9-12. 我亦欲正人心하여 息邪說하며 距詖行하며 放淫辭하여 以承三聖者로니 豈好辯哉리오 予不得已也니라

나 또한 人心을 바로잡아 부정한 학설을 종식시키며 편벽된 행실을 막으며 방탕한 말을 추방하여 세 聖人을 계승하려고 하는 것이니, 어찌 변론을 좋아하겠는가. 내 不得已해서이다.

> 集註 | 詖, 淫은 解見前篇하니라 辭者는 說之詳也라 承은 繼也라 三聖은 禹, 周公, 孔子也라 蓋邪說橫流하여 壞人心術이 甚於洪水猛獸之災하고 慘於夷狄簒弑之禍라 故로 孟子深懼而力救之하시니라 再言豈好辯哉, 予不得已也는 所以深致意焉이라 然이나 非知道之君子면 孰能眞知其所以不得已之故哉리오

> '詖'와 '淫'은 해석이 前篇(公孫丑上)에 보인다. '辭'는 설명을 상세히 하는 것이다. '承'은 계승이다. '三聖'은 禹·周公·孔子이다. 부정한 학설이 멋대로 유행하여 사람의 心術을 파괴함이 洪水와 猛獸의 재앙보다 심하고 夷狄과 簒弑의 禍보다 참혹하였다. 그러므로 孟子께서 깊이 두려워하여 힘써 바로잡으신 것이다. '내 어찌 변론하기를 좋아하겠는가. 내 不得已해서이다.' 라고 두 번 말씀함은 깊이 뜻을 다하신 것이다. 그러나 道를 아는 君子가 아니면 누가 참으로 그 不得已한 연고(所以)를 알겠는가.

··· 距 막을 거 詖 편벽될 피 放 쫓을 방 淫 음탕할 음 辯 변론할 변 災 재앙 재 慘 참혹할 참
簒 빼앗을 찬 弑 시해할 시 救 바로잡을 구 致 다할 치

9-13. 能言距楊墨者는 聖人之徒也니라

능히 楊墨을 막을 것을 말하는 자는 聖人의 무리이다."

集註 | 言 苟有能爲此距楊墨之說者면 則其所趨正矣니 雖未必知道나 是亦聖人之徒也라 孟子旣答公都子之問이로되 而意有未盡이라 故로 復言此하시니라 蓋邪說害正을 人人得而攻之요 不必聖賢이니 如春秋之法에 亂臣賊子를 人人得而誅之요 不必士師也[380]라 聖人救世立法之意가 其切如此하시니 若以此意推之하면 則不能攻討하고 而又唱爲不必攻討之說者는 其爲邪說詖行之徒, 亂賊之黨을 可知矣로다

만일 이 楊·墨을 막는 말을 하는 자가 있다면 그 趨向하는(나아가는) 바가 바르니, 비록 반드시 道를 알지는 못한다 하더라도 이 또한 聖人의 무리라고 말씀한 것이다. 孟子께서 이미 公都子의 질문에 답하셨으나 뜻에 未盡함이 있었으므로 다시 이를 말씀하신 것이다. 부정한 학설이 正道를 해침은 사람마다 공격할 수 있고 굳이 聖賢만이 하는 것이 아니니, 이는 《春秋》의 법에 亂臣賊子를 사람마다 죽일 수 있고 굳이 士師(法官)만이 하는 것이 아닌 것과 같다. 聖人이 세상을 구제하고 法을 세운 뜻이 그 간절함이 이와 같으시니, 만일 이 뜻을 가지고 미루어 본다면, 부정한 학설을 攻討하지 못하고, 또 '굳이 攻討할 것이 없다.'는 말을 제창하는 자는 邪說·詖行의 무리와 亂賊賊子의 도당이 됨을 알 수 있다.

章下註 | ○ 尹氏曰 學者於是非之原에 毫釐有差면 則害流於生民하고 禍及於後世라 故로 孟子辯邪說을 如是之嚴하시고 而自以爲承三聖之功也어시늘 當是時하여 方且以好辯目之하니 是는 以常人之心으로 而度(탁)聖賢之心也니라

○ 尹氏(尹焞)가 말하였다. "배우는 자가 옳고 그름의 근원에 털끝만큼이라도 차이가 있으면 폐해가 生民에게 흐르고 禍가 後世에 미친다. 그러므로 孟子께서 부정한 학설을 변론하

---

380 苟有能爲此距楊墨之說者……不必士師也 : 朱子는 "邪에서 나오면 正으로 들어가고 正에서 나오면 邪로 들어가서 두 가지 사이에 털끝만큼도 용납하지 못한다. 비록 道를 알지 못하더라도 능히 楊朱와 墨翟을 막을 것을 말하는 자는 이미 心術이 바름을 向한 사람이다. 이 때문에 聖人의 무리로 인정한 것이니, 《春秋》에 역적을 討伐하는 뜻과 같은 것이다.[出邪則入正 出正則入邪 兩者之間 蓋不容髮也 雖未知道 而能言距楊墨者 已是心術向正之人 所以以聖人之徒許之 與春秋討賊之意同]" 하였다.《朱子大全 答石子重》

••• 趨 나아갈추 原 근원원 毫 터럭호 釐 털끝리 度 헤아릴탁

기를 이처럼 엄하게 하시고, 스스로 三聖의 功을 계승한다고 여기신 것이다. 그런데 이때를 당하여 '변론하기를 좋아한다.'고 지목하였으니, 이는 常人의 마음으로 聖賢의 마음을 헤아린 것이다."

|陳仲子章|

10-1. 匡章曰 陳仲子는 豈不誠廉士哉리오 居於(오)陵할새 三日不食하여 耳無聞하며 目無見也러니 井上有李 螬食實者過半矣어늘 匍匐往將食之하여 三咽(연)然後에야 耳有聞하며 目有見하니이다

匡章이 말하였다. "陳仲子는 어찌 참으로 청렴한 선비가 아니겠습니까. 於陵에 살 적에 3일 동안 먹지 못하여 귀에는 들리는 것이 없으며 눈에는 보이는 것이 없었는데, 우물가에 벌레가 반이 넘게 파먹은 오얏이 있자 기어가서 가져다가 먹어 세 번 삼킨 뒤에야 귀에 들리는 것이 있었고 눈에 보이는 것이 있었습니다."

集註 | 匡章, 陳仲子는 皆齊人[381]이라 廉은 有分辨하여 不苟取也라 於陵은 地名이라 螬는 蠐螬蟲也라 匍匐은 言無力하여 不能行也라 咽은 吞也라

匡章과 陳仲子는 모두 齊나라 사람이다. '廉'은 분변함이 있어 구차히 취하지 않는 것이다. 於陵은 地名이다. '螬'는 굼벵이 벌레이다. '匍匐'은 힘이 없어 걸어갈 수 없음을 말한다. '咽'은 삼킴이다.

10-2. 孟子曰 於齊國之士에 吾必以仲子로 爲巨擘焉이어니와 雖然이나 仲子惡(오)能廉이리오 充仲子之操면 則蚓而後에 可者也니라

孟子께서 말씀하셨다. "齊國의 선비 중에 내 반드시 仲子를 巨擘(엄지손가락)으로

---

381 匡章……皆齊人 : 楊伯峻은 "匡章은 齊나라 사람으로 일찍이 齊 威王의 장수가 되어 병사를 거느리고 秦나라를 막아 대패시켰다. 宣王 때에는 또 다섯 도읍의 병사를 이끌고 가서 燕나라를 취하였다. 그의 언행은 《戰國策》의 〈齊策〉·〈燕策〉과 《呂氏春秋》의 〈不屈〉·〈愛類〉 등 여러 편에 보인다." 하였다. 陳仲子는 《荀子》의 〈不苟〉·〈非十二〉와 《韓非子》의 〈外儲說右〉에 田仲 또는 陳仲이라고 표기되어 있다.

··· 匡 바를 광 章 문채 장 誠 진실로 성 廉 청렴할 렴 螬 굼벵이 조 過 지날 과 匍 기어갈 포 匐 기어갈 복
將 가질 장 咽 삼킬 연 蠐 굼벵이 제 蟲 벌레 충 吞 삼킬 탄 巨 클 거 擘 엄지손가락 벽 蚓 지렁이 인

여기지만 그러나 仲子가 어찌 청렴할 수 있겠는가. 仲子의 지조를 채우려면 지렁이가
된 뒤에야 可할 것이다.

> 集註 | 巨擘은 大指也니 言 齊人中에 有仲子는 如衆小指中에 有大指也라 充은 推
> 而滿之也라 操는 所守也라 螾은 丘(蚯)螾也라 言 仲子未得爲廉也니 必若滿其所
> 守之志면 則惟丘螾之無求於世然後에 可以爲廉耳라

> '巨擘'은 엄지손가락이니, 齊나라 사람 가운데 仲子가 있음은 여러 작은 손가락 가운데 엄
> 지손가락이 있음과 같음을 말씀한 것이다. '充'은 미루어 채움이다. '操'는 지키는 지조이
> 다. '螾'은 蚯螾(지렁이)이다. '仲子는 청렴함이 될 수 없으니 만일 반드시 그 지키는 바의
> 지조를 채우려면 오직 지렁이처럼 세상에 요구함이 없은 뒤에야 청렴함이 될 수 있다.'고 말
> 씀한 것이다.

10-3. 夫螾은 上食槁壤하고 下飮黃泉하나니 仲子所居之室은 伯夷之所築與아 抑亦盜跖之所築與아 所食之粟은 伯夷之所樹與아 抑亦盜跖之所樹與아 是未可知也로다

지렁이는 위로 마른 흙을 먹고 아래로 누런 물을 마시니, 仲子가 사는 집은 伯夷가 지
은 것인가? 아니면 盜跖이 지은 것인가? 먹는 곡식은 伯夷가 심은 것인가? 아니면 盜
跖이 심은 것인가? 이것을 알 수 없구나."

> 按說 | 壺山은

> 여기에서 伯夷와 盜跖 중 누가 짓고 심었는지 알 수 없다고 한 것은, 말은 비록 양쪽이 모두
> 可하다고 한 것이나 뜻은 실로 귀결이 있다. 그러므로《集註》에 곧바로 '義가 아닌 것'으로
> 말한 것이니, 무릇 두 가지 일을 나열하여 말한 경우에는 항상 후자를 위주로 한다.〔是未可
> 知其爲夷跖所築樹云者 語雖兩可 意實有歸 故註直以非義言之 蓋凡兩事列言者 常
> 以其後者爲主〕

> 하였다.

⋯ 螾 지렁이구 槁 마를고 壤 흙덩이양 泉 샘천 築 쌓을축 盜 도둑도 跖 밟을척 樹 심을수

集註 | 槁壤은 乾土也요 黃泉은 濁水也[382]라 抑은 發語辭也라 言 蚓은 無求於人而 自足이어니와 而仲子는 不免居室食粟하니 若所從來[383] 或有非義면 則是未能如蚓 之廉也라

'槁壤'은 마른 흙이요, '黃泉'은 흐린 물이다. '抑'은 發語辭이다. 지렁이는 사람에게 요구함이 없이 스스로 만족할 수 있지만 仲子는 집에 살고 곡식을 먹음을 면치 못하니, 만일 그 所從來가 혹시라도 義가 아닌 것이 있으면 이는 지렁이의 청렴함만 못하다고 말씀한 것이다.

10-4. 曰 是何傷哉리오 彼身織屨하고 妻辟纑하여 以易之也니이다

匡章이 말하였다. "이 어찌 나쁠 것이 있겠습니까. 그는 자신이 신을 짜고 아내가 마전한 삼을 길쌈하여 곡식을 바꾸어 먹습니다."

集註 | 辟은 績也요 纑는 練麻也라

'辟'은 길쌈이요, '纑'는 삼을 마전함이다.

10-5. 曰 仲子는 齊之世家也라 兄戴蓋(합)祿이 萬鍾이러니 以兄之祿으로 爲不義之祿而不食也하며 以兄之室로 爲不義之室而不居也하고 辟(피)兄離母하여 處於於陵이러니 他日歸하니 則有饋其兄生鵝者어늘 己頻顣(빈축)日 惡(오)用是鶃鶃者爲哉리오하니라 他日에 其母殺是鵝也하여 與之食之러니 其兄이 自外至日 是鶃鶃之肉也라한대 出而哇之하니라

孟子께서 말씀하셨다. "仲子는 齊나라의 世家이다. 兄 戴가 蓋(합) 땅에서 받는 祿이 萬鍾이었는데, 兄의 祿을 의롭지 못한 祿이라 하여 먹지 않고, 兄의 집을 의롭지

---

382 黃泉 濁水也:楊伯峻은 《春秋左傳》隱公 원년 杜預의 註에 "땅속의 샘이기 때문에 黃泉이라 한다.〔地中之泉 故曰黃泉〕" 한 것을 취하여 黃泉을 지하수(泉水)로 번역하였다.
383 所從來:그 유래를 말한 것으로, 위의 '사는 집은 伯夷가 지은 것인가? 盜蹠이 지은 것인가?'라고 따짐을 말한 것이다.

··· 乾 마를 간(건) 濁 흐릴 탁 免 면할 면 粟 곡식 속 織 짤 직 屨 신 구 辟 길쌈 벽 纑 익힌삼 로 績 길쌈 적
練 마전할 련 戴 머리에일 대 蓋 땅이름 합 辟 피할 피(避同) 離 떠날 리 饋 선물할 궤 鵝 거위 아 頻 찌푸릴 빈
顣 찌푸릴 축 鶃 거위소리 예(얼) 哇 토할 와

못한 집이라 하여 살지 않고, 兄을 피하고 어머니를 떠나 於陵에 거주하였다. 후일 집에 돌아가니, 그 兄에게 산 거위를 선물한 자가 있자, 그는 이마를 찌푸리며 말하기를 '鶃鶃(꽥꽥거리는 것)을 어디에 쓰겠는가.' 하였다. 후일에 어머니가 이 거위를 잡아서 주자 먹었는데, 兄이 밖에서 돌아와 '이것은 鶃鶃의 고기이다.'라고 말하자, 그는 밖으로 나가 그것을 토하였다.

集註ㅣ世家는 世卿之家라 兄名이 戴니 食采於蓋하니 其入이 萬鍾也라 歸는 自於陵歸也라 己는 仲子也라 鶃鶃는 鵝聲也라 頻顣而言은 以其兄受饋爲不義也라 哇는 吐之也라

'世家'는 世卿의 집이다. 兄의 이름이 戴였는데, 蓋 땅에서 거두는 租稅 수입을 먹으니, 그 수입이 萬鍾이었다. '歸'는 於陵으로부터 돌아온 것이다. '己'는 仲子이다. '鶃鶃'은 거위의 소리이다. '이마를 찌푸리며 말한 것'은 兄이 선물을 받은 것을 의롭지 못하다고 여긴 것이다. '哇'는 토함이다.

10-6. 以母則不食하고 以妻則食之하며 以兄之室則弗居하고 以於陵則居之하니 是尙爲能充其類也乎아 若仲子者는 蚓而後에 充其操者也니라

어머니가 해주면 먹지 않고 아내가 해주면 먹으며, 兄의 집이면 살지 않고 於陵이면 거주하였으니, 이러고도 오히려 그 지조를 채움이 될 수 있겠는가. 仲子와 같은 자는 지렁이가 된 뒤에야 그 지조를 채울 수 있는 것이다."

集註ㅣ言 仲子以母之食, 兄之室로 爲不義라하여 而不食不居하니 其操守如此로되 至於妻所易之粟과 於陵所居之室하여는 旣未必伯夷之所爲면 則亦不義之類耳어늘 今仲子於此則不食不居하고 於彼則食之居之하니 豈爲能充滿其操守之類者乎아 必其無求自足을 如丘蚓然이라야 乃爲能滿其志而得爲廉耳라 然이나 豈人之所可爲哉리오

仲子는 어머니가 주는 밥과 兄의 집을 의롭지 못하다 하여 먹지 않고 거주하지 않았으니,

그 지조를 지킴이 이와 같았다. 그러나 아내가 바꿔 온 곡식과 於陵의 거주하는 집에 이르러서는 반드시 伯夷가 한 것은 아닐 터이니 그렇다면 이 역시 의롭지 못한 부류인데, 이제 仲子가 이것에 대해서는 먹지 않고 거주하지 않으면서 저것에 대해서는 먹고 거주하니, 어찌 지조 지키는 종류를 채움이 될 수 있겠는가. 반드시 요구함이 없이 스스로 만족하기를 지렁이와 같이 하여야 비로소 그 지조를 채워 청렴함이 될 수 있는 것이다. 그러나 이것이 어찌 사람이 할 수 있는 일이겠는가.

章下註 | ○范氏曰 天之所生과 地之所養에 惟人이 爲大[384]하니 人之所以爲大者는 以其有人倫也라 仲子避兄離母하여 無親戚君臣上下하니 是는 無人倫也니 豈有無人倫而可以爲廉哉리오

○范氏(范祖禹)가 말하였다. "하늘이 내고 땅이 기르는 것 중에 오직 사람이 위대하니, 사람이 위대한 까닭은 人倫이 있기 때문이다. 仲子는 형을 피하고 어머니를 떠나 親戚과 君臣과 上下가 없었으니, 이는 人倫이 없는 것이다. 어찌 人倫이 없으면서 청렴함이 될 수 있겠는가."

---

384 天之所生……惟人爲大 : 《禮記》〈祭義〉에 "사람이 있으면 天地에 참여하여 三才가 되고 사람이 없으면 天地 또한 능히 스스로 서지 못한다.〔有人則可參天地而爲三才 無人則天地亦不能以自立矣〕" 하였다.

••• 戚 친척 척

離婁章句 上

集註 | 凡二十八章이라

모두 28章이다.

| 離婁之明章(泄泄章) |

1-1. 孟子曰 離婁之明과 公輸子之巧로도 不以規矩면 不能成方員(圓)이요 師曠之聰으로도 不以六律이면 不能正五音이요 堯舜之道로도 不以仁政이면 不能平治天下니라

孟子께서 말씀하셨다. "離婁의 눈밝음과 公輸子의 솜씨로도 規矩를 쓰지 않으면 方形과 圓形을 이루지 못하고, 師曠의 귀밝음으로도 六律을 쓰지 않으면 五音을 바로잡지 못하고, 堯·舜의 道로도 仁政을 쓰지 않으면 天下를 고르게 다스리지 못한다.

按說 | '堯舜之道'는 堯·舜의 仁慈한 마음으로, 뒤에 나오는 先王之道와는 다르다. 先王之道는 井田法 등의 仁政(制度)을 가리킨다. 壺山은

살펴건대 '堯舜之道'에서 이 '道'字는 性善을 가지고 말한 것으로, 앞 편 〈滕文公上〉 1장에서 말씀한 "道는 하나일 뿐이다.(道一而已)"라는 것이니, 아랫절에 先王의 道를 仁政으

··· 離 떠날 리 婁 끌루 輸 실을 수 巧 공교할교 規 둥근기구 규, 그림쇠규 矩 곡척구 員 둥글 원(圓同)
聰 귀밝을총 曠 빌광

로 말한 것과는 똑같지 않다.〔按堯舜之道此道字 以性善言 卽前篇所云道一而已者也

與下節先王之道以仁政言者不同〕

하였다.

集註 | 離婁[385]는 古之明目者라 公輸子는 名班이니 魯之巧人也[386]라 規는 所以爲員
之器也[387]요 矩는 所以爲方之器也[388]라 師曠은 晉之樂師[389]니 知音者也라 六律은
截竹爲筒하여 陰陽各六하여 以節五音之上下[390]하니 黃鍾(鐘), 大簇(태주), 姑洗(선),
蕤(유)賓, 夷則(칙), 無射(역)은 爲陽이요 大呂, 夾鍾, 仲呂, 林鍾, 南呂, 應鍾은 爲陰
也[391]라 五音은 宮, 商, 角, 徵(치), 羽也라

---

385 離婁 : 楊伯峻은 "《莊子》에서는 '離朱'라고 하였다. 전하는 바에 의하면 黃帝 때 사람으로, 시력이 매
우 좋아서 백 보 밖에서도 秋毫의 끝을 볼 수 있었다고 한다." 하였다.

386 公輸子……魯之巧人也 : 楊伯峻은 "'班'은 '般'으로도 쓴다. 魯班으로도 불리는데, 楚 惠王에게 雲梯
(城을 공격하는 긴 사다리)를 만들어주어 宋나라를 공격하는데 사용하게 하려고 했다." 하였다.

387 規 所以爲員之器也 :《大全》에 "規는 돌려서 圓形을 만드는 筳(작은 대쪽)이다.〔所運以爲圓之筳也〕"
하였다.

388 矩 所以爲方之器也 :《大全》에 "지금의 曲尺이다.〔今曲尺也〕" 하였다.

389 師曠 晉之樂師 : 楊伯峻은 "晉 平公의 太師(樂官의 長)였다." 하였다.

390 六律……以節五音之上下 : 趙氏(趙順孫)는 "다만 六律을 말한 것은 陽이 陰을 통솔하기 때문이
다.〔只言六律者 陽統陰也〕" 하였다. 茶山은 "六律은 바로 악기를 만드는 자〔尺〕이다. 秦·漢 이래로
'律을 불어 소리를 정한다〔吹律定聲〕'는 說이 생겨났으니, 이에 六律이 없어지게 되었다. 그런데 또
十二律을 五聲과 二變에 짝하고 나머지 五律을 啞鍾이라 하니, 이에 五聲과 六律이 모두 없어지게 되
었다.〔六律乃造樂器之尺也 秦漢以來 吹律之說作 於是乎六律亡矣 然且以十二律 配之於五聲二
變 其剩者五 謂之啞鍾 於是五聲與六律 偕亡矣〕" 하였다. 十二律을 五聲과 二變에 짝한다는 것은
《國語》의 〈周語〉에 景王이 악공 州鳩에게 "七律이란 무엇인가?"라고 물었는데, 韋昭의 註에 "周나라
에 七音이 있었으니,……黃鍾은 宮이 되고 太簇는 商이 되고 姑洗은 角이 되고 林鍾은 徵가 되고 南
呂는 羽가 되고 應鍾은 變宮이 되고 蕤賓은 變徵가 된다." 하였다. 啞鍾은 조율하지 못하여 버려진 옛
날의 樂鍾으로《舊唐書》〈張文收傳〉에 "太樂에 옛 樂鍾 12개가 있으니, 近代에 오직 7개만을 사용하
고 5개는 세속에서 啞鍾이라 하는데 능히 통달한 자가 없다.〔太樂有古鍾十二 近代惟用其七 餘有五
俗號啞鍾 莫能通者〕"라고 보인다. 楊伯峻은 "〈五音은〉宮·商·角·徵·羽이니, 宮은 도, 商은 레, 角은
미, 徵는 솔, 羽는 라에 해당한다." 하였다.

391 黃鍾……爲陰也 :《前漢書》〈律歷志〉에 다음과 같이 보인다. "律은 12개가 있는데, 陽의 여섯 개가 律
이 되고 陰의 여섯 개가 呂가 된다. 律은 氣를 거느리고 물건을 분류하니, 첫 번째는 黃鍾, 두 번째는 太
簇, 세 번째는 姑洗, 네 번째는 蕤賓, 다섯 번째는 夷則, 여섯 번째는 無射이다. 呂는 陽을 돕고 氣를
펴니, 첫 번째는 林鍾, 두 번째는 南呂, 세 번째는 應鍾, 네 번째는 大呂, 다섯 번째는 夾鍾, 여섯 번째
는 仲呂이니, 三統의 義가 있다. 그 傳에 다음과 같이 말하였다. 十二律은 黃帝가 만든 것이다. 黃帝가
伶倫으로 하여금 大夏國의 서쪽인 昆侖山의 북쪽 解谷에서 나는 대나무를 취하여 구멍의 두께가 똑

••• 截 끊을 절 筒 대통 통 簇 발 주(족) 洗 깨끗할 선 蕤 늘어질 유 射 싫을 역 徵 소리 치

范氏曰 此는 言 治天下에 不可無法度니 仁政者는 治天下之法度也³⁹²라

離婁는 옛날에 눈이 밝은 자이다. 公輸子는 이름이 班이니, 魯나라의 솜씨 있는 사람이다. '規'는 圓形을 만드는 기구이고, '矩'는 方形을 만드는 기구이다. 師曠은 晉나라의 樂師로 음률을 잘 안 자이다. '六律'은 대나무를 잘라 대통을 만들어 陰·陽이 각각 여섯 개로 五音의 높고 낮음을 조절하는 것이니, 黃鍾·大簇·姑洗·蕤賓·夷則·無射은 陽이 되고, 大呂·夾鍾·仲呂·林鍾·南呂·應鍾은 陰이 된다. '五音'은 宮·商·角·徵·羽이다.

范氏(范祖禹)가 말하였다. "이는 天下를 다스림에 法度가 없을 수 없는데, 仁政이 바로 천하를 다스리는 법도임을 말씀한 것이다."

1-2. 今有仁心仁聞이로되 而民이 不被其澤하여 不可法於後世者는 不行先王之道也일새니라

이제 〈君主가〉 仁心과 仁聞이 있으나 백성들이 그 혜택을 입지 못하여 후세에 법이 될 수 없는 것은 先王의 道를 행하지 않기 때문이다.

고른 것으로 양쪽 마디 중간 부분을 잘라 불어서 黃鍾의 宮을 만들었다. 12개의 대통을 만들어 봉황새의 울음소리를 들으니, 수컷 울음소리가 여섯 개이고 암컷 울음소리 또한 여섯 개였다. 黃鍾의 宮에 맞추어 律呂를 모두 만들 수 있으니, 이것을 律의 근본이라 한다.〔律十有二 陽六爲律 陰六爲呂 律以統氣類物 一曰黃鍾 二曰太簇 三曰姑洗 四曰蕤賓 五曰夷則 六曰亡射 呂以旅陽宣氣 一曰林鍾 二曰南呂 三曰應鍾 四曰大呂 五曰夾鍾 六曰中(仲)呂 有三統之義焉 其傳曰 黃帝之所作也 黃帝使伶倫 自大夏之西 昆崙之陰 取竹之解谷生 其竅厚均者 斷兩節間而吹之 以爲黃鍾之宮 制十二箇 以聽鳳之鳴 其雄鳴爲六 雌鳴亦六 比黃鍾之宮 而皆可以生之 是謂律本〕" 三統은 하늘이 베풀고 땅이 변화하고 사람의 일에 기강〔天施地化人事之紀〕으로, 黃鍾·林鍾·大簇라 하는바, 《前漢書》〈律歷志〉와 註에 보인다.

392 仁政者 治天下之法度也 : 仁政은 善政으로 井田法 등을 이르며, 法度는 制度를 이른다. 茶山은 "規矩와 律呂는 工人과 樂師의 法度가 말미암아 생기는 바이니, 仁政도 法度(제도)의 측면에서 이해해야 한다. 아래 단락에서 詩를 인용하여 先王의 法을 따라야 함을 말했으니, 그 뜻을 알 수 있다.〔規矩律呂 爲工師法度之所由生 仁政亦當於法度上理會 下段引詩而言遵先王之法 可見其義也〕"하였다. 茶山은 또 "滕 文公이 井田法을 시행하자, 〈許行이〉 '군주께서 仁政을 행하신다'는 말을 들었다.' 하였으니, 孟子 일생의 經世濟民이 〈土地의〉 경계를 다스림에 있었다. 대저 王政에 있어서 井田法은 規矩가 方員에 있어서와 六律이 宮商에 있어서와 같다. 田政이 먼저 바루어진 뒤에 禮·樂·兵·刑의 수많은 일의 頭緖가 모두 조리가 있게 된다.〔滕文公行井田法 則曰聞君行仁政 孟子一生經濟 在於經界 大抵井田之法在王政 如規矩之於方員 六律之於宮商 田政先正 然後禮樂兵刑 萬緖千頭 俱有條理〕"하였다.

··· 聞 소문날 문 被 입을 피 澤 은택 택

集註 | 仁心은 愛人之心也요 仁聞者는 有愛人之聲이 聞於人也라 先王之道는 仁政이 是也라

范氏曰 齊宣王이 不忍一牛之死하여 以羊易之하니 可謂有仁心이요 梁武帝 終日一食蔬素하고 宗廟에 以麪爲犧牲하며 斷死刑에 必爲之涕泣[393]하여 天下知其慈仁하니 可謂有仁聞이라 然而宣王之時에 齊國不治하고 武帝之末에 江南大亂하니 其故는 何哉오 有仁心仁聞而不行先王之道故也니라

'仁心'은 人民을 사랑하는 마음이요, '仁聞'은 人民을 사랑한다는 명성(소문)이 사람들에게 알려진 것이다. '先王의 道'는 仁政이 이것이다.

范氏(范祖禹)가 말하였다. "齊 宣王은 소 한 마리가 죽는 것을 차마 보지 못하여 羊으로써 바꾸게 하였으니 仁心이 있다고 이를 만하고, 梁 武帝는 하루 종일 蔬素(素食) 한 끼만 먹고 宗廟에는 밀가루로 犧牲을 만들어 썼으며, 死刑을 결단함에는 반드시 그를 위하여 눈물을 흘려서 천하가 그의 仁慈함을 알았으니 仁聞이 있다고 이를 만하다. 그러나 宣王 때에 齊나라가 잘 다스려지지 못하였고 武帝 말기에 江南이 크게 혼란하였으니, 그 연고는 어째서인가? 仁心과 仁聞이 있으나 先王의 道를 행하지 않았기 때문이다."

1-3. 故로 曰 徒善이 不足以爲政이요 徒法이 不能以自行이라하니라

---

393 梁武帝……必爲之涕泣:《大全》에는《資治通鑑》148권과 159권의 기록을 다음과 같이 인용하고 있다. "梁 武帝 天監 16년(517) 4월에 詔命을 내려 '宗廟의 제사에 희생을 사용하는 것은 冥道에 누가 되니, 마땅히 모두 밀가루로 〈희생의 모양을〉 만들어 써라.' 하였다. 이에 朝野에서 의논이 분분하여 宗廟의 제사에 희생을 사용하지 않는 것은 바로 다시는 血食하지 못하게 하는 것이라고 비판하였으나 武帝는 끝내 따르지 않았다. 八座가 마침내 의논하여 큰 脯 하나를 가지고 소 한 마리[一元大武]를 대신하였는데, 10월에 詔命을 내리기를 '宗廟에서 아직도 脯를 사용하니 다시 의논하여 대신하게 하라.' 하였다. 이에 큰 떡을 가지고 큰 脯를 대신하고 나머지는 모두 채소와 과일을 사용하였다. 〈梁 武帝는〉天監 연간으로부터 佛敎의 法을 사용하여 오랫동안 재계할 적에 魚物과 肉類를 끊고 하루에 밥을 한 끼만 먹되, 오직 나물국과 거친 밥뿐이었다. 몸소 삼베옷을 입고 木綿에 검은 휘장을 치고, 貴妃 이하는 옷이 땅에 끌리지 않게 하였다. 매번 重罪를 결단할 때마다 종일토록 기뻐하지 않았으며 혹 謀反하는 일이 발각되더라도 울면서 용서하였다. 이 때문에 王侯가 더욱 횡포를 부리니, 武帝는 그 병폐를 잘 알고 있었으나 慈愛에 빠져서 금지하지 못하였다.〔梁武帝天監十六年四月 詔以宗廟用牲牢 有累冥道 宜皆以麪爲之 於是朝野誼譁 以爲宗廟去牲 乃是不復血食 帝竟不從 八座乃議 以大脯 代一元大武 十月詔以宗廟 猶用脯脩 更議代之 於是以大餠代大脯 其餘盡用蔬果 自天監中 用釋氏法 長齋斷魚肉 日止一食 惟菜羹糲飯而已 身衣布衣 木綿皁帳 貴妃以下 衣不曳地 每斷重罪 終日不懌 或謀反事覺 亦泣而宥之 由是王侯益橫 上深知其弊 而溺於慈愛 不能禁也)"

••• 蔬 푸성귀 소 麪 밀가루 면 犧 희생 희 牲 희생 생 涕 눈물 체 泣 울 읍 徒 한갓 도

그러므로 말하기를 '한갓 善心만으로는 정사를 할 수 없고, 한갓 法(制度)만으로는 저절로 행해질 수 없다.'고 한 것이다.

集註 | 徒는 猶空也라 有其心, 無其政을 是謂徒善이요 有其政, 無其心을 是謂徒法이라 程子嘗言 爲政에 須要有綱紀文章이니 謹權, 審量, 讀法, 平價[394]를 皆不可闕이라하시고 而又曰 必有關雎麟趾之意[395] 然後에 可以行周官之法度[396]라하시니 正謂此也니라

'徒'는 空(한갓)과 같다. 善心만 있고 善政(制度)이 없는 것을 徒善이라 이르고, 善政만 있고 善心이 없는 것을 徒法이라 이른다. 程子(明道)가 일찍이 말씀하기를 "정사를 함에는 모름지기 紀綱과 文章이 있어야 하니, 저울을 삼가고 量을 살피며 法을 읽고 物價를 公平하게 함을 모두 빼놓을 수 없다." 하였고, 또 말씀하기를 "반드시 〈關雎〉와 〈麟趾〉의 인자한 마음이 있은 뒤에야 《周官》의 法度(制度)를 행할 수 있다." 하였으니, 바로 이것을 말씀한 것이다.

1-4. 詩云 不愆不忘은 率由舊章이라하니 遵先王之法而過者 未之有也니라

《詩經》에 이르기를 '잘못되지 않고 잊어버리지 않음은 옛법을 따르기 때문이다.' 하였

---

394 爲政……平價 : 이 내용은 《近思錄》 권8 〈治本〉 17장에 보인다. 建安葉氏(葉采)는 "文章은 法條文과 章程(도량형의 법식)이다.〔文章 文法章程也〕" 하였고, 朱子는 "이른바 文章이란 바로 저울을 삼가고 量을 살피며, 백성들에게 法을 읽어 주고 物價를 공평하게 하는 따위를 문식하는 것이다.〔所謂文章者 便是文飾 那謹權, 審量, 讀法, 平價之類耳〕" 하였다.《語類 程子之書》謹權, 審量은 度·量·衡을 철저히 통일시키는 것이고, 讀法은 백성들이 알아야 할 國法을 읽혀 周知시키는 것이며, 平價는 物價를 公平하게 하는 것이다.

395 關雎麟趾之意 : 〈關雎〉와 〈麟趾〉는 모두 《詩經》〈周南〉의 篇名으로, 〈關雎〉는 文王의 后妃인 太姒의 훌륭한 德을 읊은 것이며, 〈麟趾〉는 太姒의 仁厚함 때문에 자손 또한 仁厚함을 읊은 것으로, 王者가 德을 닦아 집안을 잘 다스려 妻子에게 미쳤음을 뜻한다. 壺山은 "文王이 집안을 바로잡은 道이다.〔文王正家之道也〕" 하였다.

396 程子嘗言……可以行周官之法度 : 新安陳氏(陳櫟)는 "程子의 앞에 한 말씀을 인용하여 徒善을 증명하였으니 法(제도)이 없을 수 없음을 말하였고, 또 뒤의 한 말씀을 인용하여 徒法을 증명하였으니 한갓 法에만 있지 않음을 말한 것이다.〔引程子前一說 以證徒善 謂不可無法 又引後一說 以證徒法 謂不徒在於法〕" 하였다. 《周官》은 주나라 때의 官職과 制度를 기록한 《周禮》를 가리킨다.

••• 權 저울 권 闕 빠뜨릴 궐 關 새우는소리 관 雎 새이름 저 麟 기린 린 趾 발꿈치 지 愆 허물 건 率 따를 솔
遵 따를 준

으니, 先王의 法을 따르고서 잘못되는 자는 있지 않다.

集註 | 詩는 大雅假樂之篇이라 愆은 過也요 率은 循也라 章은 典法也라 所行이 不過差, 不遺忘者는 以其循用舊典故也라

詩는 〈大雅 假樂〉篇이다. '愆'은 잘못이요, '率'은 따름이다. '章'은 典法이다. 행하는 바가 잘못되지 않고 잊어버리지 않는 것은 옛법을 따라 쓰기 때문이다.

1-5. 聖人이 既竭目力焉하시고 繼之以規矩準繩하시니 以爲方員平直에 不可勝用也며 既竭耳力焉하시고 繼之以六律하시니 正五音에 不可勝用也며 既竭心思焉하시고 繼之以不忍人之政하시니 而仁覆(부)天下矣시니라

聖人이 이미 視力을 다하시고 規·矩·準·繩으로써 계속하시니 方·圓·平·直을 만듦에 이루 다 쓸 수 없으며, 이미 聽力을 다하시고 六律로써 계속하시니 五音을 바로잡음에 이루 다 쓸 수 없으며, 이미 心思를 다하시고 사람을 차마 해치지 못하는 정사로써 계속하시니 仁이 천하에 덮여졌다(입혀졌다).

集註 | 準은 所以爲平이요 繩은 所以爲直이라 覆는 被也라 此는 言 古之聖人이 既竭耳目心思之力하사되 然猶以爲未足以徧天下及後世라 故로 制爲法度하여 以繼續之하시니 則其用不窮하여 而仁之所被者廣矣니라

'準(水平器)'은 평평함을 만드는 것이요, '繩(먹줄)'은 곧음을 만드는 것이다. '覆'는 입힘이다. 이는 옛날 聖人이 이미 耳·目·心思의 힘을 다하셨으나 오히려 天下에 두루 미치고 後世에 미칠 수 없다고 여기셨다. 이 때문에 法度를 만들어 계속하시니, 그 쓰임이 다하지 않아 仁의 입혀짐이 넓음을 말씀한 것이다.

1-6. 故로 曰 爲高호되 必因丘陵하며 爲下호되 必因川澤이라하니 爲政호되 不因先王之道면 可謂智乎아

··· 循 따를 순 竭 다할 갈 準 수평기 준 繩 먹줄 승 覆 덮을 부 徧 두루미칠 변(편) 丘 언덕 구 陵 언덕 릉

그러므로 '높은 것을 만들되 반드시 丘陵을 따르고 낮은 것을 만들되 반드시 川澤을 따르라.' 하였으니, 정사를 하면서 先王의 道를 따르지 않는다면 지혜롭다고 이를 수 있겠는가.

> 集註 | 丘陵은 本高하고 川澤은 本下하니 爲高下者[397]因之면 則用力少而成功多矣라
>
> 鄒氏曰 自章首로 至此는 論以仁心仁聞行先王之道하니라
>
> 丘陵은 본래 높고 川澤은 본래 낮으니, 높은 것과 낮은 것을 만드는 자가 이를 따르면 힘을 씀이 적고도 功을 이룸이 많은 것이다.
> 鄒氏(鄒浩)가 말하였다. "章의 첫머리로부터 여기까지는 仁心과 仁聞으로써 先王의 道를 행함을 말씀하였다."

1-7. 是以로 惟仁者아 宜在高位니 不仁而在高位면 是는 播其惡於衆也니라

이 때문에 오직 仁者만이 높은 지위에 있어야 하는 것이니, 不仁하면서 높은 지위에 있으면 이는 그 惡(폐해)을 여러 사람에게 끼치는 것이다.

> 集註 | 仁者는 有仁心仁聞而能擴而充之하여 以行先王之道者也라 播惡於衆은 謂貽患於下也라
>
> '仁者'는 仁心과 仁聞이 있으면서 능히 이것을 擴充하여 先王의 道를 행하는 자이다. '播惡於衆'은 여러 사람에게 폐해를 끼침을 이른다.

1-8. 上無道揆也하며 下無法守也하여 朝不信道하며 工不信度하여 君子犯義요 小人이 犯刑이면 國之所存者 幸也니라

위에서는 道로 헤아림이 없고 아래에서는 法을 지킴이 없어, 조정에서는 道를 믿지 않

---

397 爲高下者 : 壺山은 "城을 쌓고 해자를 파는 것과 같은 것이다.〔如築城鑿池〕" 하였다.

··· 播 뿌릴 파 擴 넓힐 확 貽 끼칠 이 揆 헤아릴 규 度 법도 도, 헤아릴 탁

으며 관리들은 法度를 믿지 아니하여 君子(政治家)가 義를 범하고 小人(백성)이 法을 범한다면 〈그 나라는 반드시 망하니, 그러고도〉 나라가 보존되는 것은 요행이다.

按說 | '工不信度'의 '工'을 朱子는 百官으로 해석하였는데, 趙岐는 民間의 百工으로 해석하였고, 楊伯峻은 "장인들은 尺度를 믿지 않는다."로 번역하였다. '朝不信道'는 君子犯義에, '工不信度'는 小人犯刑에 연관된다고 볼 때, 趙岐와 楊伯峻의 설이 옳은 것으로 보인다.

集註 | 此는 言不仁而在高位之禍也라 道는 義理也[398]라 揆는 度(탁)也라 法은 制度也라 道揆는 謂以義理度(탁)量事物而制其宜요 法守는 謂以法度自守라 工은 官也라 度는 卽法也라 君子, 小人은 以位而言也라 由上無道揆故로 下無法守하니 無道揆면 則朝不信道하여 而君子犯義하고 無法守면 則工不信度하여 而小人犯刑이라 有此六者면 其國必亡이니 其不亡者는 僥倖而已니라

이는 不仁하면서 높은 지위에 있는 禍를 말씀한 것이다. '道'는 義理이다. '揆'는 헤아림이다. '法'은 制度이다. '道揆'는 義理로써 事物을 헤아려 마땅하게 하는 것이요, '法守'는 法度로써 스스로 지킴을 이른다. '工'은 관원이다. '度'는 바로 法이다. '君子'와 '小人'은 지위로써 말한 것이다. 위에서 道로 헤아림이 없기 때문에 아래에서 法을 지킴이 없는 것이니, 道로 헤아림이 없으면 조정에서 道를 믿지 아니하여 君子가 義를 범하고, 法을 지킴이 없으면 관리들이 法度를 믿지 아니하여 小人이 刑罰을 범하게 된다. 이 여섯 가지가 있으면 그 나라는 반드시 망하니, 그러고도 망하지 않는 것은 요행일 뿐이다.

1-9. 故로 曰 城郭不完하며 兵甲不多 非國之災也며 田野不辟(闢)하며 貨財不聚 非國之害也라 上無禮하며 下無學이면 賊民이 興하여 喪無日矣라하니라

---

398 道 義理也:茶山은 "여기로부터 저기에 이르는 것을 道라 하니, 사람이 일생 동안 經由하는 것이다. 義理와는 다른 듯하다.(自此至彼曰道 吾人一生之所由也 恐與義理不同)" 하였다.

··· 僥 바랄 요 倖 요행 행 郭 성곽 곽 辟 개간할 벽 聚 모을 취 賊 해칠 적 喪 망할 상

그러므로 말하기를 '城郭이 완전하지 못하고 兵甲이 많지 못한 것이 나라의 재앙이 아니며, 田野가 개간되지 못하고 재화가 모이지 못하는 것이 나라의 해가 아니다. 윗사람이 禮가 없고 아랫사람이 배움이 없으면 나라를 해치는 백성이 일어나서 오래지 않아 망하게 된다.' 한 것이다.

按說 | '喪無日矣'에 대하여, 壺山은

> 살펴보건대 '無日'은 '不日'이란 말과 같으니, 이 句는 윗 절의 끝 句를 거듭한 것이다.〔按無日 猶言不日也 此句 申上節末句〕

하였는데, 이는 멸망이 당장 닥쳐와 시간적 여유가 없음을 뜻한다.

集註 | 上不知禮면 則無以教民이요 下不知學이면 則易與(예)爲亂[399]이라
鄒氏曰 自是以惟仁者로 至此는 所以責其君이니라

윗사람이 禮를 모르면 백성을 가르칠 수 없고, 아랫사람이 배움을 모르면 亂(반란)에 참예(가담)하기 쉽다.

鄒氏(鄒浩)가 말하였다. "'是以惟仁者'부터 여기까지는 그 군주를 책한 것이다."

1-10. 詩曰 天之方蹶(궤)시니 無然泄(예)泄라하니

《詩經》에 이르기를 '하늘이 막〈周나라 王室을〉쓰러뜨리려 하니, 그렇게 泄泄하지 말라.' 하였으니,

集註 | 詩는 大雅板之篇이라 蹶는 顚覆之意라 泄泄는 怠緩悅從之貌[400]라 言 天欲顚覆周室하니 群臣이 無得泄泄然不急救正之니라

---

399 易與爲亂:新安陳氏(陳櫟)는 "小人이 道를 배우면 부리기가 쉬우니, 만약 배우지 않으면 道理를 알지 못하여 분수를 범하고 亂을 일으키기 쉽다.〔小人學道 則易使 若不學 則不識道理 易於犯分而爲亂矣〕" 하였다.

400 泄泄 怠緩悅從之貌:楊伯峻은 "'泄泄'는 《說文解字》에는 '呭呭'로 되어 있고 또 '詍詍'로 되어 있는데, 모두 '말이 많은 것이다.〔多言也〕'라고 했다." 하였다.

⋯ 蹶 넘어질 궤 泄 느슨할 예 板 뒤집어질 판 顚 엎어질 전 覆 뒤엎을 복 怠 게으를 태 緩 느슨할 완
救 바로잡을 구

詩는 〈大雅 板〉篇이다. '蹶'는 전복의 뜻이다. '泄泄'는 게으르고 느슨하며 기뻐하여 따르는 모양이다. 하늘이 周나라 王室을 전복시키려 하니, 신하들이 느슨하고 태평하여 바로잡는 것을 급하게 여기지 않아서는 안 됨을 말씀한 것이다.

1-11. 泄泄는 猶沓沓也니라

'泄泄'는 沓沓과 같다.

集註 | 沓沓은 卽泄泄之意[401]니 蓋孟子時人語如此하니라

'沓沓'은 바로 泄泄의 뜻이니, 孟子 당시 사람들의 말이 이와 같았다.

1-12. 事君無義하며 進退無禮하고 言則非先王之道者 猶沓沓也니라

군주를 섬김에 義가 없고 進退함에 禮가 없으며, 말을 하면 先王의 道를 비방하는 것이 沓沓과 같은 것이다.

集註 | 非는 詆毁也라

'非'는 비방함이다.

1-13. 故로 曰 責難於君을 謂之恭이요 陳善閉邪를 謂之敬이요 吾君不能을 謂之賊이라하니라

그러므로 '어려운 일을 君主에게 책하는 것을 恭이라 이르고, 善道를 開陳하여(말하여) 邪心을 막는 것을 敬이라 이르고, 우리 군주는 불가능하다고 생각하는 것을 賊(해침)이라 이른다.' 한 것이다."

---

401 沓沓 卽泄泄之意：壺山은 "泄泄'는 그 모양이고 '沓沓'은 그 뜻이니, 아랫절에 세 句가 바로 그 일이다.〔泄泄 其貌也 沓沓 其意也 下節三句 其事也〕" 하였다. 아랫절의 세 句는 "事君無義 進退無禮 言則非先王之道"를 이른다.

··· 沓 느릴답, 겹칠답 非 비방할비 詆 비방할저 毁 훼방할훼 閉 막을폐

按說 | 《或問》에 '陳善閉邪'에 대해 묻자, 朱子가 대답하기를

군주가 간사한 마음이 있으면 마땅히 막아야 한다. 그러나 응용하는 방법을 알지 못하고 거슬러 막으려 하면 번번이 군주를 거스르는 병통이 있어서 그 말이 군주에게 수용되지 못한다. 그러므로 반드시 군주를 위하여 善한 道를 개진해서 군주로 하여금 善한 道가 있는 것을 분명히 알게 하면 이른바 '邪'라는 것을 어렵지 않게 막을 것이다. 孟子가 당시의 군주와 일을 논할 적에 대부분 이와 같이 하셨으니, 스스로 王을 공경한다고 말씀한 것이 어찌 빈말이셨겠는가.〔君有邪心 所當閉也 然不知所以用之之道而逆閉之 則動有矯拂之患 其言不可得而入矣 故必爲之開陳善道 使之曉然知善道之所在 則所謂邪者 亦不難乎閉之矣 孟子與時君論事多類此 其自謂敬上者 豈虛語哉〕

하였다. 朱子는 經文의 '閉邪'를 '군주의 邪心을 막는 것'으로 해석하였는데, 楊伯峻은 "異端을 막다."로 번역하였다. 그러나 이단을 막는 것을 敬이라 하기는 어려울 것이다.

集註 | 范氏曰 人臣이 以難事責於君하여 使其君爲堯舜之君者는 尊君之大也요 開陳善道하여 以禁閉君之邪心하여 惟恐其君或陷於有過之地者는 敬君之至也요 謂其君不能行善道하여 而不以告者는 賊害其君之甚也니라
鄒氏曰 自詩云天之方蹶로 至此는 所以責其臣이니라

范氏(范祖禹)가 말하였다. "신하가 어려운 일을 군주에게 책하여 그 군주로 하여금 堯·舜과 같은 聖君이 되게 하는 자는 군주를 높임이 큰 것이요, 善道를 開陳하여 군주의 邪心을 막아서 행여 그 군주가 과실이 있는 곳에 빠질까 두려워하는 자는 군주를 공경함이 지극한 것이요, 군주가 善道를 행할 수 없다고 생각하여 말하지 않는 자는 그 군주를 해침이 심한 것이다."
鄒氏(鄒浩)가 말하였다. "詩云天之方蹶로부터 여기까지는 신하를 책한 것이다."

章下註 | ○鄒氏曰 此章은 言 爲治者 當有仁心仁聞하여 以行先王之政이요 而君臣이 又當各任其責也니라

○鄒氏가 말하였다. "이 章은 정치를 하는 자는 마땅히 仁心과 仁聞을 갖고서 先王의 정사를 행하고, 군주와 신하는 또 마땅히 각각 자신의 책임을 져야 함을 말씀한 것이다."

··· 禁 금할금 閉 닫을폐 陷 빠질함

盡君道章(規矩方圓之至也章)

2-1. 孟子曰 規矩는 方員(圓)之至也요 聖人은 人倫之至也니라

孟子께서 말씀하셨다. "規와 矩는 方形과 圓形의 지극(극진)함이요, 聖人은 人倫의 지극함이다.

> **按說** | '規矩'에 대하여, 壺山은
>
> 살펴보건대 윗장의 '規矩'는 用을 가지고 말하여 仁政을 비유하였고, 이 章의 '規矩'는 이치를 가지고 말하여 聖人의 道를 비유하였다.〔按上章規矩 以用言而喩仁政 此章規矩 以理言而喩聖人之道〕
>
> 하였다.

集註 | 至는 極也라 人倫은 說見前篇하니라 規矩盡所以爲方員之理하니 猶聖人盡所以爲人之道라

'至'는 지극함이다. '人倫'은 해설이 前篇(滕文公上)에 보인다. 規·矩는 方·圓을 만드는 이치를 다하니, 마치 聖人이 사람이 된 道理를 다함과 같은 것이다.

2-2. 欲爲君인댄 盡君道요 欲爲臣인댄 盡臣道니 二者를 皆法堯舜而已矣니 不以舜之所以事堯로 事君이면 不敬其君者也요 不以堯之所以治民으로 治民이면 賊其民者也니라

군주가 되고자 하면 군주의 도리를 다할 것이요, 신하가 되고자 하면 신하의 도리를 다해야 하니, 두 가지 모두 堯·舜을 본받을 뿐이다. 舜이 堯를 섬기던 것으로써 군주를 섬기지 않는다면 그 군주를 공경하지 않는 것이요, 堯가 백성을 다스리던 것으로써 백성을 다스리지 않는다면 그 백성을 해치는 것이다.

集註 | 法堯舜以盡君臣之道는 猶用規矩以盡方員之極이니 此는 孟子所以道性善而稱堯舜也시니라

··· 賊 해칠적 道 말할도

堯·舜을 본받아 君·臣의 道理를 다함은 規·矩를 사용하여 方·圓의 지극함을 다하는 것과 같으니, 이것이 孟子께서 性善을 말씀하면서 堯·舜을 稱하신 까닭이다.

2-3. 孔子曰 道二니 仁與不仁而已矣라하시니라

孔子께서 말씀하시기를 '길은 둘이니, 仁과 不仁 뿐이다.' 하셨다.

集註 | 法堯舜이면 則盡君臣之道而仁矣요 不法堯舜이면 則慢君賊民而不仁矣니 二端之外에 更無他道라 出乎此則入乎彼矣니 可不謹哉아

堯·舜을 본받으면 君·臣의 道理를 다하여 仁하고, 堯·舜을 본받지 않으면 군주를 忽慢히 하고 백성을 해쳐 不仁하니, 이 두 가지 이외에 다시 다른 길이 없다. 여기(仁)에서 벗어나면 저기(不仁)로 들어가니, 삼가지 않을 수 있겠는가.

2-4. 暴其民이 甚則身弑國亡하고 不甚則身危國削하나니 名之曰幽厲면 雖孝子慈孫이라도 百世에 不能改也니라

백성들에게 포학하게 함이 심하면 자신은 시해를 당하고 나라는 망하며, 심하지 않으면 자신은 위태롭고 나라(국토)는 줄어든다. 그리하여 幽·厲라 이름하면 비록 孝子와 慈孫이 있더라도 百世토록 〈나쁜 시호를〉 고치지 못한다.

集註 | 幽는 暗이요 厲는 虐이니 皆惡謚也[402]라 苟得其實이면 則雖有孝子慈孫[403]愛其祖考之甚者라도 亦不得廢公義而改之라 言 不仁之禍 必至於此하니 可懼之甚也니라

---

[402] 幽……皆惡謚也 : 《逸周書》卷6 〈謚法解〉에 "막혀서 통하지 못한 것을 幽라 하고, 제사를 변동하여 常道를 어지럽힌 것을 幽라 한다.〔壅遏不通曰幽 動祭亂常曰幽〕" 하였고, 또 "무죄한 자를 죽인 것을 厲라 한다.〔殺戮無辜曰厲〕" 하였다. 幽王은 褒姒를 총애하고 아첨하는 신하 虢石父를 등용하였다가 마침내 申侯와 犬戎에게 살해되었으며, 厲王은 포학하고 자신을 비방하는 자를 죽였다가 마침내 國人에 의해 쫓겨났다.

[403] 慈孫 : 壺山은 "'慈'는 사랑이니, '慈孫'은 順孫(효도하고 순종하는 손자)이란 말과 같다. 혹자는 할아버지를 위주하여 慈라고 말했다.〔慈 愛也 慈孫 猶言順孫也 或曰 主祖而言慈〕" 하였다. '할아버지를 위주하여 말했다.'는 것은 할아버지가 사랑하는 손자라는 뜻에서 '慈孫'이라고 한다는 말이다.

··· 慢 태만할 만, 불경할 만 弑 시해할 시 削 깎일 삭 幽 어두울 유 厲 사나울 려 暗 어두울 암 虐 모질 학 謚 시호 시 考 죽은아버지 고

'幽'는 어둠이요 '厲'는 사나움이니, 모두 나쁜 시호이다. 만일 〈이 시호가〉 그 실제에 맞다면 비록 孝子와 慈孫이 있어 그 祖·考를 매우 사랑하더라도 公義를 폐하고 시호를 고칠수 없다. 不仁의 禍가 반드시 이에 이르니, 두려워할 만함이 심함을 말씀한 것이다.

2-5. 詩云 殷鑑不遠하여 在夏后之世라하니 此之謂也니라

《詩經》에 이르기를 '殷나라에서 거울로 삼아야 할 것이 멀리 있지 않아 夏后의 세대에 있다.' 하였으니, 이것을 말한 것이다."

集註 ┃ 詩는 大雅蕩之篇이라 言 商紂之所當鑑者 近在夏桀之世라하니 而孟子引之하여 又欲後人以幽厲爲鑑也[404]시니라

詩는 〈大雅 蕩〉篇이다. 《詩經》에서 商나라 紂王이 마땅히 거울로 삼아야 할 것이 가까이 夏나라 桀王의 세대에 있다고 한 것이니, 孟子께서 이것을 인용하여 또 후인들이 幽王과 厲王을 거울로 삼게 하고자 하신 것이다.

┃惡醉而强酒章┃

3-1. 孟子曰 三代之得天下也는 以仁이요 其失天下也는 以不仁이니라

孟子께서 말씀하셨다. "三代가 天下를 얻은 것은 仁으로써 하였고, 天下를 잃은 것은 不仁으로써 하였다.

集註 ┃ 三代는 謂夏, 商, 周也라 禹, 湯, 文·武는 以仁得之하고 桀, 紂, 幽·厲는 以不仁失之라

'三代'는 夏·商·周를 이른다. 夏의 禹王, 商의 湯王, 周의 文王·武王은 仁으로써 천하를 얻었고, 夏의 桀王, 商의 紂王, 周의 幽王·厲王은 不仁으로써 잃었다.

---

[404] 孟子引之 又欲後人以幽厲爲鑑也:新安陳氏(陳櫟)는 "이 章은 사람들이 堯·舜을 본받아 仁하기를 바라고, 사람들이 幽王과 厲王처럼 不仁하는 것을 경계하였으니, 人欲을 막고 天理를 넓힌 것이다.〔此章 欲人法堯舜而仁 戒人如幽厲之不仁 遏人欲 擴天理也〕" 하였다.

··· 殷 나라이름은   鑑 거울 감   蕩 넓을 탕

3-2. 國之所以廢興存亡者도 亦然하니라

諸侯의 나라가 廢·興하고 存·亡함도 또한 그러하다.

集註 | 國은 謂諸侯之國이라

'國'은 諸侯의 나라를 이른다.

3-3. 天子不仁이면 不保四海하고 諸侯不仁이면 不保社稷하고 卿大夫不仁이면 不保宗廟하고 士庶人이 不仁이면 不保四體니라

天子가 不仁하면 四海를 보전하지 못하고, 諸侯가 不仁하면 社稷을 보전하지 못하고, 卿·大夫가 不仁하면 宗廟를 보전하지 못하고, 士·庶人이 不仁하면 四體(四肢)를 보전하지 못한다.

集註 | 言必死亡이라

반드시 죽고 망함을 말씀한 것이다.

3-4. 今에 惡(오)死亡而樂不仁하나니 是猶惡醉而强酒니라

지금에 죽고 망하는 것을 싫어하면서 不仁을 좋아하니, 이는 취하는 것을 싫어하면서 술을 한사코 마시는 것과 같다."

集註 | 此는 承上章之意而推言之也라

이는 윗장의 뜻을 이어 미루어 말씀한 것이다.

|愛人不親章|

4-1. 孟子曰 愛人不親이어든 反其仁하고 治人不治어든 反其智하고 禮人不答이어든 反其敬이니라

···· 稷 곡신(穀神) 직 惡 미워할 오 醉 취할 취 强 억지로 강 反 돌이킬 반

孟子께서 말씀하셨다. "사람(남)을 사랑해도 나를 친하게 여기지 않으면 자신의 仁을 돌이켜보고, 사람을 다스려도 다스려지지 않으면 자신의 智를 돌이켜보고, 사람에게 禮를 해도 답례하지 않으면 자신의 敬을 돌이켜보아야 한다.

> 集註 | 我愛人而人不親我면 則反求諸己니 恐我之仁未至也라 智敬放此하니라
>
> 내가 남을 사랑해도 남이 나를 친애하지 않으면 자신에게 돌이켜 찾아야 하니, 이것은 나의 仁이 지극하지 못할까 두려워하는 것이다. 智와 敬도 이와 같다.

4-2. 行有不得者어든 皆反求諸己니 其身正而天下歸之니라

행하고서 〈원하는 바를〉 얻지 못함이 있으면 모두 자신에게 돌이켜 찾아야 하니, 자신의 몸이 바르면 천하가 돌아온다.

> 集註 | 不得은 謂不得其所欲이니 如不親, 不治, 不答이 是也라 反求諸己는 謂反其 仁, 反其智, 反其敬也라 如此則自治益詳하여 而身無不正矣[405]리라 天下歸之는 極 言其效也라
>
> '不得'은 자기의 所欲(所願)을 얻지 못함을 이르니, 친해지지 않음〔不親〕과 다스려지지 않음〔不治〕과 답례하지 않음〔不答〕과 같은 것이 이것이다. '反求諸己'는 자신의 仁을 돌이켜 보고〔反其仁〕 자신의 智를 돌이켜보고〔反其智〕 자신의 敬을 돌이켜보는〔反其敬〕 것을 이른다. 이와 같이 하면 스스로 다스림이 더욱 치밀하여 몸이 바르지 않음이 없을 것이다. '천하가 돌아온다.'는 것은 그 효험을 지극히 말씀한 것이다.

4-3. 詩云 永言配命이 自求多福이라하니라

《詩經》에 이르기를 '길이 생각하여 天命에 배합함이 스스로 많은 福을 구하는 길이다.' 하였다."

---

405 如此則自治益詳 而身無不正矣 : 南軒張氏(張栻)는 "자신에 돌이키면 天理가 밝아지고 돌이키지 못하면 人欲이 방자해진다.〔反身則天理明 不能則人欲肆〕" 하였다.

··· 言 생각할 언 配 배합할 배

集註 ㅣ 解見前篇하니라

해석이 前篇(公孫丑上)에 보인다.

章下註 ㅣ ○亦承上章而言이니라

○ 또한 윗장을 이어 말씀한 것이다.

|人有恒言章|

5. 孟子曰 人有恒言호되 皆曰天下國家라하나니 天下之本은 在國하고 國
之本은 在家하고 家之本은 在身하니라

孟子께서 말씀하셨다. "사람들이 항상 말하기를 '天下·國·家'라 하니, 天下의 근본
은 나라에 있고 나라의 근본은 집에 있고 집의 근본은 몸에 있는 것이다."

按說 ㅣ '天下·國·家'는, 天子가 다스리는 영역을 天下라 하고, 諸侯의 영역을 國이라
하고, 食邑이 있는 卿·大夫의 집안을 家라 한 것이다.

集註 ㅣ 恒은 常也라 雖常言之나 而未必知其言之有序也라 故로 推言之하고 而又以
家本乎身[406]也라 此는 亦承上章而推言之하니 大學所謂自天子至於庶人히 壹是
皆以修身爲本은 爲是故也니라

'恒'은 항상이다. 비록 항상 말하고 있으나 그 말에 순서가 있음을 반드시 알지는 못한다.
그러므로 미루어 말씀하시고, 또 집을 몸에 근본한 것이다.
이 章 또한 윗장을 이어 미루어 말씀하였으니, 《大學》經 1장에 이른바 '天子로부터 庶人
에 이르기까지 모두 한결같이 修身을 근본으로 삼는다.'고 한 것은 이 때문이다.

---

406 以家本乎身 : 《大全》에 "몸에 근본함[本於身]은 바로 항상 하는 말이 미치지 못하는 바이다.[本於身
乃恒言之所未及]"하였다. 즉 사람들이 天下·國·家는 항상 말하지만 이것이 결국 身에 근본한다는
것은 말하지 않는다는 뜻이다.

··· 恒 항상 항

6. 孟子曰 爲政이 不難하니 不得罪於巨室이니 巨室之所慕를 一國이 慕之하고 一國之所慕를 天下慕之하나니 故로 沛然德敎 溢乎四海하나니라

孟子께서 말씀하셨다. "정사를 하기가 어렵지 않으니, 巨室에게 죄를 짓지 말아야 한다. 巨室의 사모하는 바를 一國이 사모하고, 一國의 사모하는 바를 天下가 사모한다. 그러므로 沛然히 德敎가 四海에 넘치는 것이다."

集註 | 巨室은 世臣大家也[407]라 得罪는 謂身不正而取怨怒也[408]라 麥丘邑人이 祝齊桓公曰 願主君은 無得罪於群臣百姓[409]이라하니 意蓋如此라 慕는 向也니 心悅誠

---

[407] 巨室 世臣大家也 : 趙岐는 "'巨室'은 大家이니 어진 卿大夫의 집안을 이른다.〔巨室 大家也 謂賢卿大夫之家〕"하였다. 雙峰饒氏(饒魯)는 《集註》의 '世臣'과 '大家'는 바로 두 조항이니, 世臣은 1代의 신하가 아니고 大家는 바로 高貴한 벼슬을 하는 집안이다.〔集註世臣大家 是兩項 世臣 非一代之臣 大家 是貴宦之家〕"하였다. 壺山은 "世臣은 周나라의 尹氏(尹吉甫)와 같고 大家는 漢나라의 霍氏(霍光)와 같은 것이다.〔按世臣 如周之尹氏 大家 如漢之霍氏〕"하였다.

[408] 得罪 謂身不正而取怨怒也 : 潛室陳氏(陳埴)는 "罪를 얻는다는 것은 非理로 원망을 부름을 이르니, 이른바 '罪를 얻지 않는다.'는 것은 正理에 부합하여 남에게 원망을 사지 않음을 이른 것이요, 法을 굽혀 받드는 것이 아니다.〔得罪 謂非理致怨 所謂不得罪者 謂合正理而不致怨於人 非曲法以奉之也〕"하였다.

[409] 麥丘邑人……無得罪於群臣百姓 : 《大全》에 劉向의 《新序》〈雜事〉篇을 들어 다음과 같이 말하였다. "齊 桓公이 사냥할 적에 麥丘에 이르러 麥丘邑의 사람을 보고 '나이가 얼마인가?' 하고 물으니, 대답하기를 '83세입니다.' 하였다. 桓公이 말하기를 '아름답다 長壽함이여! 그대는 그대의 壽命을 가지고 寡人에게 祝願하라.' 하였다. 麥丘邑의 사람이 '主君을 위해 축원하노니, 主君께서 매우 長壽하여 金玉을 賤하게 여기고 善人을 보배로 삼기를 원합니다.' 하였다. 桓公이 말하기를 '좋다. 지극한 德은 외롭지 아니하여 善한 말은 반드시 두 번하니 그대는 다시 하라.' 하였다. 그는 또 축원하기를 '主君을 위해 축원하노니, 主君께서 배우기를 부끄러워하지 않고 아랫사람에게 묻기를 싫어하지 않으며, 賢者가 곁에 있고 정직하게 諫하는 사람을 얻기를 원합니다.' 하였다. 桓公이 말하기를 '좋다. 지극한 德은 외롭지 아니하여 善한 말은 반드시 세 번하니 그대는 다시 하라.' 하였다. 그는 또 축원하기를 '主君을 위해 축원하노니, 主君께서 여러 신하와 백성들에게 죄를 얻지 않기를 원합니다.' 하였다. 桓公이 성을 내어 얼굴빛을 붉히며 말하기를 '나는 자식이 아버지에게 죄를 얻고 신하가 군주에게 죄를 얻는다는 말은 들었지만, 군주가 신하에게 죄를 얻는다는 말은 듣지 못했다.' 하였다. 麥丘邑의 사람이 절하고 일어나 대답하기를 '자식이 아버지에게 죄를 얻으면 姑母와 姊妹와 叔父를 통하여 노여움을 풀게 해서 아버지가 자식을 용서할 수 있고, 신하가 군주에게 죄를 얻으면 군주가 총애하는 左右의 측근을 통하여 사죄하게 해서 군주가 용서할 수 있습니다. 옛날에 桀王은 湯王에게 죄를 얻었고 紂王은 武王에게 죄를 얻었으니, 이는 군주가 신하에게 죄를 얻은 것인데, 그들을 위하여 사죄해 줄 사람이 없어서 지금까지 죄를 얻고 있습니다.' 하였다. 桓公은 '좋다.' 하고 그를 부축하여 수레에 태우고 스스로 수레를 몰고 돌아와서 그를 조정에서 예우하고 麥丘 땅을 봉하여 政事를 결단하게 하였다.〔桓公田 至於麥丘 見麥丘邑人 問年幾何 對曰 八十有三矣 公曰 美哉壽乎 子其以子壽祝寡人 麥丘邑人 祝主君 使主君甚壽 金玉是

··· 巨 클 거 沛 성할 패 溢 넘칠 일 麥 보리 맥

服之謂也라 沛然은 盛大流行之貌라 溢은 充滿也라 蓋巨室之心은 難以力服이요 而國人素所取信이니 今旣悅服이면 則國人皆服하여 而吾德教之所施 可以無遠而不至矣라 此는 亦承上章而言이니 蓋君子不患人心之不服이요 而患吾身之不修하나니 吾身旣修면 則人心之難服者先服하여 而無一人之不服矣리라

'巨室'은 世臣과 大家이다. '得罪'는 몸이 바르지 못하여 원망과 노여움을 취하는 것이다. 麥丘邑 사람이 齊 桓公에게 축원하기를 "主君께서는 群臣과 百姓들에게 죄를 얻지 마소서." 하였으니, 그 뜻이 이와 같은 것이다. '慕'는 向함이니, 마음으로 기뻐하고 진실로 복종함을 이른다. '沛然'은 성대히 유행하는 모양이다. '溢'은 충만함이다. 巨室의 마음은 힘으로 복종시키기 어려우며 國人들에게 평소 신임을 얻고 있으니, 이제 巨室이 기뻐하고 복종한다면 國人들이 모두 복종하여 나(군주)의 德教의 베풀어짐이 먼 곳까지 이르지 않음이 없게 될 것이다.

이 章 또한 윗장을 이어 말씀한 것이니, 君子는 사람의 마음이 복종하지 않음을 걱정하지 않고, 자신의 몸이 닦여지지 않음을 걱정한다. 자신의 몸이 닦여지면 복종시키기 어려운 사람의 마음이 먼저 복종하여 한 사람도 복종하지 않는 자가 없을 것이다.

賤 人爲寶 公曰善哉 至德不孤 善言必再 吾子復之 曰 祝主君 使主君無羞學 無惡下問 賢者在傍 諫者得人 公曰 善哉 至德不孤 善言必三 吾子復之 曰 祝主君 使主君無得罪於群臣百姓 公怫然作色曰 吾聞之 子得罪於父 臣得罪於君 未聞君得罪於臣也 麥丘邑人拜而起曰 子得罪於父 可以因姑姊妹叔父而解之 父能救 臣得罪於君 可以因便辟左右而謝之 君能救 昔桀得罪於湯 紂得罪於武王 此則君之得罪於臣者也 莫爲謝 至今得罪 公曰 善 扶而載之 自御以歸 禮之於朝 封之以麥丘而斷政焉"

410 未必能勝而適以取禍 : 壺山은 "魯나라 哀公이 越나라를 이용하여 三桓을 제거하려다가 邾나라로 도망하는 禍를 자초한 것과 같은 것이다.〔如魯哀公欲以越去三桓 而取遜邾之禍〕"하였다. 자세한 내용은 《春秋左傳》哀公 27년 조 참조.

411 韓洪 輿疾討賊 : 《大全》에 《新唐書》〈韓弘列傳〉의 기록을 다음과 같이 인용하였다. "韓弘은 滑州 사람이다. 憲宗이 막 淮西 지방에 用兵하면서 淮西諸軍行營都統을 제수하여 兩河 지방을 맡게 하고 李光顏과 烏重胤으로 하여금 賊을 토벌하게 하였는데, 韓弘은 직접 가지 않고 아들 韓公武를 보내어 3천 명의 병력을 거느리고 李光顏에게 소속되게 하였다. 吳元濟가 평정되자, 功으로 兼侍中을 더해주고 許國公에 封하였으며, 조정에 들어오자 다시 司徒 中書令을 제수하였다. 또 발에 병이 있으므로 환관에게 명하여 扶腋하고 절하게 하였고, 한사코 京師에 머물 것을 원하자 皇帝가 그의 말을 따랐다.〔韓弘 滑州人 憲宗方用兵淮西 拜淮西諸軍行營都統 使扞兩河 而令李光顏烏重胤 擊賊 弘不親屯 遣子公武 領兵(二)〔三〕千 屬光顏 吳元濟旣平 以功加兼侍中 封許國公 入朝 再拜司徒中書令 以足疾 命中人掖拜 固願留京師 帝從之〕"韓洪은 원래 이름이 弘이었으나 宋 太祖(趙匡胤)의 아버지 이름이 弘殷이므로 諱하여 洪으로 바꿔 썼다. 賊은 淮西節度使 吳少陽이 죽자, 世襲을 청하였다가 허락을 받지 못하고 마침내 蔡州에서 반란을 일으킨 그의 아들 吳元濟를 이른다.

··· 素 본디소

章下註 | ○林氏曰 戰國之世에 諸侯失德하여 巨室擅權하니 爲患이 甚矣라 然이나 或者不修其本하고 而遽欲勝之면 則未必能勝而適以取禍[410]라 故로 孟子推本而言하사 惟務修德以服其心이니 彼旣悅服이면 則吾之德敎 無所留礙하여 可以及乎天下矣라하시니라 裴度所謂 韓洪이 輿疾討賊[411]하고 承宗이 斂手削地[412]는 非朝廷之力이 能制其死命[413]이요 特以處置得宜하여 能服其心故爾[414]라하니 政此類也라

○林氏(林之奇)가 말하였다. "戰國時代에 諸侯가 德을 잃어 巨室이 권력을 멋대로 행사해서 병폐가 심하였다. 그러나 혹자가 그 근본(몸)을 닦지 않고 갑자기 巨室을 이기려고 한다면 반드시 이기지는 못하고 다만 禍를 취할 뿐이다. 그러므로 孟子께서 근본을 미루어 말

---

412 承宗 斂手削地:《大全》에 《新唐書》〈柏耆列傳〉 등의 기록을 다음과 같이 인용하였다. "王承宗은 邊鎭의 장수 王士眞의 아들이다. 王承宗이 皇帝(憲宗)의 명령을 거역하였는데, 朝廷에서는 전쟁을 싫어하였다. 이에 布衣인 柏耆가 지팡이를 짚고 淮西 行營에 나아가 節度使 裴度를 뵙고 말하기를 '天子의 節을 얻어가지고 王承宗의 진영에 달려 들어가면 혀를 놀려 항복시킬 수 있습니다.' 하였다. 裴度가 이것을 〈皇帝에게〉 말하자, 황제가 마침내 左拾遺를 임명하여 보내었다. 柏耆가 도착하여 大義로 감동시키니, 王承宗이 눈물을 흘리고 마침내 德州와 棣州 두 州를 바치고 두 자식을 들여보내어 인질로 삼을 것을 청하자, 皇帝가 그의 말을 따랐다.〔王承宗 邊鎭王士眞之子 拒命 朝廷厭兵 布衣柏耆杖策 詣淮西行營 謁裴度 且言願得天子一節 馳入鎭 可掉舌下之 度爲言 乃以左拾遺往 旣至 以大誼(義)動 承宗泣下 乃與獻德棣二州 以二子入質 上從之〕"

413 制其死命:壺山은 "그 죽이고 살리는 권세를 잡은 것이다.〔謂執其生殺之權也〕" 하였다. 국가의 기강이 확립되어 군주가 生死與奪權을 잡고 있음을 뜻한다.

414 裴度所謂……能服其心故爾:《大全》에 《新唐書》〈皇甫鎛列傳〉의 기록을 다음과 같이 인용하였다. "〈皇甫鎛이〉 司農卿과 判度支가 되었다가 戶部侍郎으로 바뀌었다. 憲宗이 이때 막 蔡州를 정벌하고 있어 用度를 급하게 여기니, 皇甫鎛이 매우 급하게 재물을 긁어모아 군대의 비용을 마련하자, 皇帝가 기뻐하여 兼御史大夫로 승진시켰다. 蔡州가 평정된 明年에 同中書門下平章事를 제수하였는데 여전히 判度支를 겸하고 있었다. 皇甫鎛은 관리로 진출하여 가렴주구를 통해 재상이 되니, 심지어 시장이나 길을 가는 사람들도 모두 비웃었다. 崔群과 裴度가 이 사실을 〈皇帝에게〉 아뢰자, 皇帝가 노하여 듣지 않으니, 裴度는 마침내 表文을 올려 皇甫鎛에게 政事를 그만두게 할 것을 청하면서 '皇甫鎛이 간사하고 가혹하므로 천하의 모든 사람들이 원망하여 장차 그의 고기를 먹으려 한다.'고 極言하였고, 또 말하기를 '천하가 편안하고 편안하지 않음은 조정에 달려있고, 조정의 권위가 가볍고 중함은 輔相에게 달려있습니다. 지금 王承宗이 손을 모으고 땅을 떼어 바치고, 韓弘이 병든 몸을 수레에 싣고 역적을 토벌한 것은 조정의 힘이 능히 이들을 統制해서가 아니요, 다만 조정의 措處가 이들의 마음을 복종시켰기 때문입니다. 만약 皇甫鎛을 정승으로 삼는다면 四方이 해이해질 것이니, 청컨대 浙西觀察使를 제수하소서.' 하였다. 裴度의 말이 간절하고 지극하였으나 皇帝는 듣지 않았다.〔皇甫鎛爲司農卿, 判度支 改戶部侍郎 憲宗方伐蔡 急於用度 鎛裒會嚴亟 以辨濟師 帝悅 進兼御史大夫 蔡平之明年 遂拜同中書門下平章事 猶領度支 鎛以吏道進 鎛由聚斂句剝 爲宰相 至雖市道 皆嗤之 崔群 裴度以聞 帝怒不聽 度乃表罷政事 極語鎛姦邪苛刻 天下怨之 將食其肉 且言天下安否 繫朝廷 朝廷輕重 在輔相 今承宗斂手削地 韓弘輿疾討賊 非力制之 顧朝廷處置能服其心也 若相鎛 則四方解矣 請授以浙西觀察使 其辭切至上不聽〕"

... 擅 독단할 천 權 권세 권 遽 갑자기 거 適 다만 적 留 머무를 류 礙 막을 애 裴 성 배 輿 수레 여 斂 거둘 렴 削 깎일 삭

씀하시기를 '오직 德을 닦아 그 마음을 복종시키기를 힘써야 하니, 저들이 기뻐하고 복종한다면 나의 德教가 멈추고 막히는 바가 없어 천하에 미칠 수 있다.'고 하신 것이다. 裴度의 이른바 '韓洪이 病을 무릅쓰고 수레에 올라 逆臣을 토벌하고 王承宗이 손을 거두고 땅을 떼어가게 한 것은, 조정의 힘이 死命을 쥐고 있어서가 아니라 다만 〈조정의〉 處置가 마땅함을 얻어 그들의 마음을 복종시켰기 때문일 뿐이다.'라는 것이 바로 이러한 종류이다."

|天下有道章(小德役大德章)|

7-1. 孟子曰 天下有道엔 小德이 役大德하며 小賢이 役大賢하고 天下無道엔 小役大하며 弱役强하나니 斯二者는 天也니 順天者는 存하고 逆天者는 亡하나니라

孟子께서 말씀하셨다. "천하에 道가 있을 적에는 小德이 大德에게 사역을 당하고 小賢이 大賢에게 사역을 당하며, 천하에 道가 없을 적에는 작은 자가 큰 자에게 사역을 당하고 약한 자가 강한 자에게 사역을 당한다. 이 두 가지는 하늘(이치와 형세)이니, 하늘에 순종하는 자는 보존되고 하늘을 거스르는 자는 망한다.

按説 | '小德役大德'은 小德役於大德의 뜻으로 '於'字가 생략된 것인바, 아래의 '小賢役大賢', '小役大', '弱役强'도 이와 같다. 壼山은

賢은 재주를 겸하고 德은 政事를 가지고 말한 것이다.〔賢兼才 德以政事言〕

하였다.

集註 | 有道之世엔 人皆修德하여 而位必稱其德之大小하고 天下無道엔 人不修德하니 則但以力相役而已[415]라 天者는 理勢之當然也라

---

[415] 有道之世……則但以力相役而已 : 新安陳氏(陳櫟)는 "小德과 小賢이 낮은 지위에 있고 大德과 大賢이 높은 지위에 있어서 지위와 德이 서로 걸맞으면, 이는 윗사람이 措處하기를 모두 합당하게 한 것이다. 그러므로 小德과 小賢이 大德과 大賢에게 使役을 당하면 道가 있는 세상이니 오직 德을 보는 것이요, 만약 힘이 약소한 자가 힘이 강대한 자에게 使役을 당하면 道가 없는 세상이니 오직 힘을 보는 것이다.〔小德小賢者居小位 大德大賢者居大位 位與德相稱 是上之人處之各當 故小德小賢見役於

··· 役 사역할역 稱 걸맞을칭

道가 있는 세상에는 사람들이 모두 德을 닦아 지위가 반드시 그 德의 크고 작음에 걸맞고, 천하에 道가 없을 적에는 사람들이 德을 닦지 않으니, 다만 힘으로써 서로 사역할 뿐이다. 天은 理와 勢(형세)의 당연함이다.

7-2. 齊景公曰 旣不能令하고 又不受命이면 是는 絶物也라하고 涕出而女於吳하니라

齊 景公이 말하기를 〈국세가 약하여〉 이미 명령하지도 못하고 또 명령을 받지도 않는다면 이는 남과 끊는 것이다.' 하고는, 눈물을 흘리면서 吳나라에 딸을 시집보내었다.

按說 | 이 내용은《說苑》〈權謀〉에 다음과 같이 보인다.

齊 景公이 자신의 딸을 吳王 闔廬에게 시집보내며 교외에서 전송할 적에, 울면서 "내가 죽을 때까지 너를 보지 못하겠구나." 하였다. 高夢子가 아뢰기를 "齊나라는 바다를 등지고 산에 잇닿아 있으니, 비록 온 천하를 다 점령하지는 못하나 누가 우리를 범하겠습니까. 임금께서 따님을 아끼신다면 보내지 마십시오." 하자, 景公이 말하였다. "내가 비록 齊나라 지역의 險固함을 지니고 있지만, 제후들에게 명령할 수 없으면서 또 남의 명령을 따르지 않는다면 이는 난리를 만드는 것이오. 과인이 들으니, 명령할 수 없으면 남을 따르는 것만 못하다고 하였소.……" 하고 마침내 딸을 시집보내었다.〔齊景公以其子妻闔廬 送諸郊 泣曰 余死不汝見矣 高夢子曰 齊負海而縣山 縱不能全收天下 誰干我 君愛則勿行 公曰 余有齊國之固 不能以令諸侯 又不能聽 是生亂也 寡人聞之 不能令 則莫若從……遂遣之〕

集註 | 引此以言小役大, 弱役强之事也라 令은 出令以使人也요 受命은 聽命於人也라 物은 猶人也라 女는 以女與人也[416]라 吳는 蠻夷之國也니 景公이 羞與爲昏(婚)이나 而畏其强이라 故로 涕泣而以女與之하니라

이것을 인용하여 '小役大', '弱役强'의 일을 말씀한 것이다. '令'은 명령을 내어 남을 부리

大德大賢 有道之世 惟德是視也 若力之小弱 見役於力之强大 無道之世 惟力是視耳"하였다.

416 女 以女與人也 : '女'는 嫁(시집보내다)의 뜻이다.

··· 物 남 물 涕 눈물 체 聽 들을 청 蠻 오랑캐 만 羞 부끄러울 수

는 것이요, '受命'은 남에게 명령을 듣는 것이다. '物'은 人(남)과 같다. '女'는 딸을 남에게 주는 것이다. 吳나라는 오랑캐 나라였으므로 景公이 그 나라와 혼인하는 것을 부끄러워하였으나 그 강함을 두려워하였다. 이 때문에 눈물을 흘리면서 딸을 준 것이다.

7-3. 今也에 小國이 師大國而恥受命焉하나니 是猶弟子而恥受命於 先師也니라

지금 弱小國이 强大國의 소행을 본받으면서 강대국에게 명령을 받는 것을 부끄러워하니, 이는 弟子가 先師(先生)에게 명령을 받는 것을 부끄러워함과 같은 것이다.

按說 | '先師'에 대하여, 茶山은 蔡淸의 《四書蒙引》에

'先師'는 이미 죽은 자의 호칭이 아니니,【후세의 이른바 先師와 先聖에게 釋奠을 올린다.[417]는 것은 모두 이미 죽은 자의 호칭이다.】여기서는 이른바 先生·先輩의 '先'이므로 직접 그 가르침을 받을 수 있는 것이다.〔先師不是已亡之稱【後世所謂釋奠於先師先聖者 則皆是已亡者之稱】所謂先生先輩之先 故得親受其命〕

한 것을 인용하였다.

集註 | 言 小國이 不修德以自强하고 其般樂怠敖[418]를 皆若效大國之所爲者而獨 恥受其教命하니 不可得也라

弱小國이 德을 닦아 스스로 강하게 하지 않고, 즐겁게 놀며 태만히 행동하는 것을 모두 强大國이 하는 것과 똑같이 하고 본받으면서 유독 강대국에게 가르침과 명령받기를 부끄러워하니, 이것은 될 수 없는 일임을 말씀한 것이다.

7-4. 如恥之인댄 莫若師文王이니 師文王이면 大國은 五年이요 小國은 七 年에 必爲政於天下矣리라

---

417 先師와……올린다:이 내용은 《禮記》〈文王世子〉에 보인다.
418 般樂怠敖:이 내용은 앞의 〈公孫丑上〉 4장에 보인다.

··· 師 본받을 사 般 즐길 반 樂 즐길 락 怠 게으를 태 敖 오만할 오, 놀 오 效 본받을 효

만일 이것을 부끄러워한다면 文王을 본받는 것만 한 것이 없으니, 文王을 본받으면 大國은 5년, 小國은 7년에 반드시 천하에 정사를 하게 될 것이다.

集註 | 此는 因其愧恥之心而勉以修德也라 文王之政이 布在方策하니 擧而行之면 所謂師文王也라 五年, 七年은 以其所乘之勢[419]不同爲差라 蓋天下雖無道나 然修德之至면 則道自我行하여 而大國이 反爲吾役矣리라

程子曰 五年, 七年은 聖人度(탁)其時則可矣라 然이나 凡此類[420]를 學者皆當思其作爲如何라야 乃有益耳[421]니라

이는 그 부끄러워하는 마음을 인하여 德을 닦을 것을 권면한 것이다. 文王의 정사가 方策(書冊)에 나와 있으니, 이것을 들어 행하면 이른바 '文王을 본받는다.'는 것이다. '5년', '7년'은 타고 있는 형세의 똑같지 않음으로써 차등을 삼은 것이다. 천하가 비록 無道하나 德을 닦기를 극진히 하면 道가 나로부터 행해져서 大國이 도리어 나에게 사역을 당할 것이다. 程子(伊川)가 말씀하였다. "5년, 7년은 聖人이 그때쯤이면 가능하다고 헤아리신 것이다. 그러나 무릇 이러한 類들은 배우는 자가 모두 마땅히 어떻게 作爲(조처와 시행)할 것인가를 생각하여야 유익함이 있을 것이다."

7-5. 詩云 商之孫子 其麗不億이언마는 上帝旣命이라 侯于周服이로다 侯服于周하니 天命靡常이라 殷士膚敏이 祼將于京이라하여늘 孔子曰 仁不

---

419 所乘之勢 : 慶源輔氏(輔廣)는 "타고 있는 바의 형세는 나라의 크고 작음을 가리켜 말한 것이다.〔所乘之勢 指國之大小而言也〕"하였다.

420 此類 :《論語》〈子路〉10장에 "만일 나를 등용해 주는 자가 있다면 1년만 하더라도 괜찮을 것이니, 3년이면 이루어짐이 있을 것이다.〔苟有用我者 朞月而已 可也 三年有成〕"하였고, 〈子路〉11장에 "善人이 나라를 다스리기를 백 년 동안 하면 殘虐한 사람을 교화시키고 死刑을 없앨 수 있다.〔善人爲邦百年 亦可以勝殘去殺矣〕"하였고, 〈子路〉12장에 "만일 王者가 있더라도 반드시 한 세대가 지난 뒤에야 백성들이 仁해진다.〔如有王者 必世而後仁〕"하였고, 〈子路〉29장에 "善人이 7년 동안 백성을 가르치면 또한 군대(싸움터)에 나아가게 할 수 있다.〔善人敎民七年 亦可以卽戎矣〕"등을 가리킨다.

421 學者皆當思其作爲如何 乃有益耳 : 慶源輔氏(輔廣)는 "程子의 말씀은 배우는 자들을 啓發함이 지극하다. 오직 聖人만이 때를 아신다. 그러므로 말씀하기를 '聖人이 그때쯤이면 가능하다고 헤아렸다.'하셨으니, 배우는 자가 이치〔理〕를 봄이 이미 밝고 經歷이 오래되고 思慮가 깊으면 自然히 이것을 알게 된다.〔程子之言 所以啓發學者至矣 惟聖人能知時 故曰聖人度其時可矣 學者燭理旣明 而經歷之久 思慮之深 則自然見得〕"하였다.

··· 愧 부끄러울 괴 度 헤아릴 탁 麗 무리 려 億 십만 억 侯 어조사 후 靡 아닐 미 膚 클 부 敏 통달할 민 祼 강신제 관 將 도울 장

可爲衆也니 夫國君이 好仁이면 天下無敵이라하시니라

《詩經》에 이르기를 '商나라의 子孫이 그 수가 億(십만)뿐만이 아니지만 上帝가 이미 〈天命을 周나라에〉 명한지라 周나라에 복종하도다. 周나라에 복종하니, 天命은 항상 하지 않는지라(한 곳에 정해져있지 않으므로) 殷나라 선비로서 膚大하고 통달한 자들이 〈周나라〉 서울에서 술을 부어 제사를 돕는다.' 하였다. 孔子께서 말씀하시기를 '仁者에게는 많은 무리가 될 수 없으니, 나라의 군주가 仁을 좋아하면 天下에 대적할 이가 없을 것이다.' 하셨다.

集註ㅣ 詩는 大雅文王之篇이라 孟子引此詩及孔子之言하여 以言文王之事하시니라 麗는 數也라 十萬曰億이라 侯는 維也[422]라 商士는 商孫子之臣也라 膚는 大也요 敏은 達也라 祼은 宗廟之祭에 以鬱鬯之酒로 灌地而降神也[423]라 將은 助也라 言 商之孫子衆多하여 其數不但十萬而已언마는 上帝旣命周以天下하시니 則凡此商之孫子 皆臣服于周矣니 所以然者는 以天命不常하여 歸于有德故也라 是以로 商士之膚大而敏達者 皆執祼獻之禮하여 助王祭事于周之京師[424]也라 孔子因讀此詩而言하사되 有仁者면 則雖有十萬之衆이라도 不能當之라 故로 國君好仁이면 則必無敵於天下也라하시니라 不可爲衆은 猶所謂難爲兄, 難爲弟云爾[425]라

422 侯 維也 : 《大全》에 "'侯'는 助語辭이다." 하였다.

423 以鬱鬯之酒 灌地而降神也 : 新安倪氏(倪士毅)는 《周禮》에 秬鬯이 있고 鬱鬯이 있으니, 검은 기장 쌀로 술을 만든 것을 秬鬯이라 하고, 장차 祭祀하게 되면 鬱金이란 香草를 다져서 달여 秬鬯酒와 섞고 이름을 鬱鬯이라 한다. 그리하여 마침내 降神할 때에 이 술을 사용하니, 그 향기가 사방으로 퍼져서 神을 내려오게 함을 취한 것이다. 鬯이란 條鬯(잘 풍김)한 것으로 이름한 것이다.〔周禮有秬鬯 有鬱鬯 以秬米爲酒 名秬鬯 將祭則築鬱金香草 煮之以和鬯酒 名鬱鬯 灌乃用之 取其芳香旁達以降神 鬯者以其條鬯也〕 하였다.

424 周之京師 : 楊伯峻은 "西周의 서울은 鎬京으로 지금의 西安이다." 하였다.

425 不可爲衆……難爲弟云爾 : '爲'는 '되다'의 뜻으로, '不可爲衆'은 仁者 앞에서는 아무리 숫자가 많아도 無力해져서 대적할 수 없음을 뜻한다. '難爲兄', '難爲弟'는 兄弟間이 너무 훌륭하여 그 아우의 형이 되기 어렵고 또한 그 형의 아우가 되기 어렵다는 뜻으로, 後漢 때 陳紀와 그의 아우 陳諶(담)의 功德이 엇비슷하다 하여 나온 말인데, 여기서는 단지 爲를 '되다'의 뜻으로 사용한 文法이 그와 유사함을 취했을 뿐이다. 《詩經》〈大雅 文王〉의 毛傳에 '盛德不可爲衆也'라 하였는데, 鄭玄의 箋에 "많은 무리가 德만 못함을 말한 것이다.〔言衆之不如德也〕" 하였다. '難爲兄', '難爲弟'와 비슷한 문장 구조인 '難爲水', '難爲言'은 〈盡心上〉 24장에 보인다. 《世說新語》〈德行〉篇에 "陳元方의〔陳元方은 이름이 紀이다.〕 아들 長文이〔長文은 이름이 群이다.〕 英特한 재주가 있었는데, 季方의〔季方은 이름이 諶이니, 元方의 아우이다.〕 아들 孝先과 더불어〔孝先은 이름이 忠이다.〕 각각 아버지의 功德을 논하여 다투고 결정하지 못하였

··· 敵 대적할 적 鬱 울금초 울 鬯 검은기장 창 灌 부을 관 獻 올릴 헌

詩는 〈大雅 文王〉篇이다. 孟子께서 이 詩와 孔子의 말씀을 인용하여 文王의 일을 말씀하셨다. '麗'는 數이다. 십만을 億이라 한다. '侯'는 維(어조사)이다. '商士'는 商나라 子孫의 신하이다. '膚'는 큼이요, '敏'은 통달함이다. '祼'은 宗廟의 제사에 鬱鬯酒(울창술)를 땅에 부어 神을 내려오게 하는 것이다. '將'은 도움이다. 商나라의 子孫이 많아서 그 수가 다만 십만일 뿐이 아니지만 上帝가 이미 周나라에게 천하를 명하시니, 이 모든 商나라의 子孫들이 다 周나라에 신하로 복종하였다. 그러한 까닭은 天命이 無常하여 德이 있는 자에게 돌아가기 때문이다. 이 때문에 商나라 선비로서 膚大하고 敏達한 자들이 모두 降神하고 獻酒하는 禮를 행하여 周王의 제사를 周나라 京師(서울)에서 도운 것이다.

孔子께서 이 詩를 읽음으로 인하여 말씀하시기를 "仁者가 있으면 비록 십만의 많은 무리가 있더라도 그를 당해낼 수 없다. 그러므로 國君이 仁을 좋아하면 반드시 천하에 대적할 자가 없을 것이다." 하셨다. '不可爲衆'은 이른바 '형 되기가 어렵고 아우 되기가 어렵다.'는 말과 같다.

7-6. 今也에 欲無敵於天下而不以仁하나니 是猶執熱而不以濯也니 詩云 誰能執熱하여 逝不以濯이리오하니라

지금 천하에 대적할 자가 없기를 바라면서 仁政을 행하지 않으니, 이는 뜨거운 물건을 손에 쥐고서 물로 씻지 않는 것과 같다. 《詩經》에 이르기를 '누가 뜨거운 물건을 쥐고서 물로 씻지 않겠는가.' 하였다."

集註 | 恥受命於大國은 是欲無敵於天下也요 乃師大國而不師文王은 是不以仁也라 詩는 大雅桑柔之篇이라 逝는 語辭也라 言 誰能執持熱物하여 而不以水自濯其手乎[426]아

다. 太丘에게 묻자,【太丘는 이름이 寔이니 일찍이 太丘長에 除授되었는바, 바로 長文과 孝先의 祖父이다.】太丘가 말하기를 '元方은 兄 되기가 어렵고 季方은 아우 되기가 어렵다.' 했다.【陳元方【名紀】子長文【名群】有英才 與季方【名諶 元方之弟也】子孝先【名忠】各論其父功德 爭之不能決 咨於太丘【名寔 嘗除太丘長 乃長文孝先之祖父也】太丘曰 元方難爲兄 季方難爲弟〕"하였다.

426 誰能執持熱物 而不以水自濯其手乎:段玉裁는 《經韻樓集》〈詩執熱解〉에 "詩의 의미를 연구해보면 '執熱'이란 '몹시 심한 더위를 겪는다〔觸熱, 苦熱〕'와 같다.……이 詩는 '몹시 심한 더위를 겪으면서 누가 목욕으로 몸을 깨끗이 씻어 상쾌함을 구하지 않겠는가.'라고 말한 것이다. 鄭玄의 《毛詩》 箋과 《孟

••• 執 잡을 집 熱 더울 열 濯 씻을 탁 逝 어조사 서 桑 뽕나무 상 柔 부드러울 유

大國에게 명령 받기를 부끄러워함은 천하에 대적할 자가 없기를 바라는 것이요, 强大國의 소행을 본받고 文王을 본받지 않음은 仁政을 행하지 않는 것이다. 詩는 〈大雅 桑柔〉篇이다. '逝'는 어조사이다. 누가 뜨거운 물건을 쥐고서 물로 손을 씻지 않겠느냐고 말씀한 것이다.

章下註 | ○ 此章은 言 不能自强이면 則聽天所命이요 修德行仁이면 則天命在我니라

○ 이 章은 스스로 강해지지 못하면 하늘의 명하는 바를 들을(따를) 것이요, 德을 닦고 仁政을 행하면 天命이 자신에게 있음을 말씀한 것이다.

|不仁者可與言章(自取之也章)|

8-1. 孟子曰 不仁者는 可與言哉아 安其危而利其菑(災)하여 樂其所以亡者하나니 不仁而可與言이면 則何亡國敗家之有리오

孟子께서 말씀하셨다. "不仁한 자와는 더불어 말할 수 있겠는가. 위태로움을 편안히 여기고 재앙을 이롭게 여겨 그 망할 짓을 좋아한다. 不仁하면서도 더불어 말할 수 있다면 어찌 나라를 망하고 집안을 패하게 하는 일이 있겠는가.

集註 | 安其危, 利其菑者는 不知其爲危菑하여 而反以爲安利也라 所以亡者는 謂荒暴淫虐[427]하여 所以致亡之道也라 不仁之人은 私欲固蔽하여 失其本心이라 故로 其顚倒錯亂이 至於如此하니 所以不可告以忠言하여 而卒至於敗亡也니라

'安其危', '利其菑'는 이것이 위험과 재앙이 됨을 알지 못하여 도리어 편안하고 이롭게 여기는 것이다. '망할 짓[所以亡]'은 荒暴하고 淫虐하여 패망에 이르는 방도를 이른다. 不仁한 사람은 사욕에 굳게 가려 本心을 잃는다. 그러므로 顚倒하고 錯亂함이 이와 같음에 이

子》의 趙岐 註와 朱子의 《集註》, 《春秋左傳》 杜預 註에서 모두 '손을 씻다'로 풀이하여 도리어 의미를 불분명하게 하였으니, 이는 '執'字에 얽매여 그런 것이다.(尋詩意 執熱猶觸熱苦熱……此詩 謂誰能苦熱而不澡浴以潔其體 以求凉快者乎 鄭箋, 孟子趙注, 朱注, 左傳杜注 皆云濯其手 轉使義晦 由泥於執字耳)"라고 하여 '執熱'을 '심한 더위를 겪음'의 뜻으로 보았는데, 楊伯峻은 이 說을 취하였다.

427 荒暴淫虐:酒色에 빠지고 人民들에게 暴虐함을 이른다. '淫'은 過(지나침)의 뜻이다.

··· 菑 재앙 재(災同) 荒 빠질 황 暴 사나울 포 淫 지나칠 음 虐 모질 학 蔽 가릴 폐 倒 쓰러질 도 錯 어그러질 착
亂 어지러울 란

르니, 이 때문에 忠言으로 고해 줄 수 없어 끝내 패망에 이르는 것이다.

8-2. 有孺子歌曰 滄浪之水清兮어든 可以濯我纓이요 滄浪之水濁兮 어든 可以濯我足이라하여늘

孺子(童子)가 노래하기를 '滄浪의 물이 맑으면 나의 〈소중한〉 갓끈을 빨고, 滄浪의 물이 흐리면 나의 〈더러운〉 발을 씻겠다.' 하였다.

集註 | 滄浪은 水名[428]이라 纓은 冠系也라

滄浪은 물 이름이다. '纓'은 갓끈이다.

8-3. 孔子曰 小子아 聽之하라 清斯濯纓이요 濁斯濯足矣로소니 自取之 也라하시니라

孔子께서 말씀하시기를 '小子들아, 저 노래를 들어보라. 물이 맑으면 갓끈을 빨고 물이 흐리면 발을 씻으니, 이는 물이 自取하는 것이다.' 하셨다.

集註 | 言 水之清濁이 有以自取之也라 聖人이 聲入心通[429]하여 無非至理를 此類

---

[428] 滄浪 水名：'滄浪'에 대하여 新安倪氏(倪士毅)는 "漢水의 동쪽이 滄浪의 물이니, 《書經》〈禹貢〉에 보인다. 後魏 酈道元이 말하기를 '武當縣 북쪽 40里 지점에 섬이 있으니, 이름을 滄浪洲라 하고 물을 滄浪水라 한 것이 이것이다.' 하였다.〔漢水東爲滄浪之水 見禹貢 後魏酈道元云 武當縣北四十里有洲 曰滄浪洲 水曰滄浪水是也〕" 하였으며, 茶山은 王應麟의 《困學紀聞》에 "孺子의 滄浪之歌는 《楚辭》〈漁父〉에도 보인다. 《書經》〈禹貢〉을 살펴보건대 漢水가 東으로 흘러 滄浪의 물이 되니, 이는 楚나라 노래이다.〔孺子滄浪之歌 亦見於楚辭漁父 考之禹貢 漢水東爲滄浪之水 則此楚歌聲也〕" 한 것을 취하였다. 壺山은 "滄浪은 楚나라 땅에 있다. 孔子가 楚나라에 가실 때에 들었던 노래이니, 屈原이 또한 이것을 취하여 《楚辭》 가운데 드러내었다.〔滄浪 在楚地 蓋夫子適楚時所聞歌也 屈原亦取以著 於楚辭中〕" 하였다. 그러나 楊伯峻은 "盧文弨의 《鍾山札記》에 '滄浪은 靑色이니, 대나무에 있어서는 蒼筤이라 하고, 물에 있어서는 滄浪이라 한다.' 하였는데, 살펴보건대 盧씨의 說이 옳다. 前人 중에 滄浪을 강 이름이라고 한 자가 있고(혹자는 漢水의 지류라 하고, 혹자는 바로 漢水라고 함), 또 地名이라고 한 자가 있는데(湖北省 均縣의 북쪽), 모두 믿을 수 없을 듯하다." 하여, '滄浪之水'를 푸른 물로 해석하였다.

[429] 聖人 聲入心通：新安陳氏(陳櫟)는 "이는 孔子가 耳順이 된 이유이다.〔此孔子所以爲耳順也〕" 하였다. 《論語》〈爲政〉 4장에 孔子께서 "나는 60세에 귀로 소리를 들으면 순하다(그대로 이해되었다).〔六十

••• 孺 어릴유 滄 물이름창 浪 물결랑 濯 씻을탁 纓 갓끈영 系 끈계

可見이로다

물의 맑고 흐림이 갓끈과 발을 自取함을 말씀한 것이다. 聖人은 소리가 〈귀에〉 들어가면 마음으로 통달하여 지극한 이치 아님이 없음을 이러한 類에서 볼 수 있다.

8-4. 夫人必自侮然後에 人侮之하며 家必自毀而後에 人毀之하며 國必自伐而後에 人伐之하나니라

사람은 반드시 스스로 업신여긴 뒤에 남이 업신여기며, 집안은 반드시 스스로 훼손한 뒤에 남이 훼손하며, 나라는 반드시 스스로 공격한 뒤에 남이 공격하는 것이다.

按說 | '人必自侮'에 대하여, 雙峰饒氏(饒魯)는

스스로 업신여김은 스스로 진중하지 않는 것이니, 다만 남의 업신여김을 부를 뿐이다.〔自侮
是不自重 適所以召人之侮〕

하였다.
'自侮'는 스스로 자신을 업신여기는 것으로 자신이 남들로부터 업신여김을 당할 만한 행위를 함을 이르는바, 뒤의 '自毀'와 '自伐' 역시 제 스스로 자기 집안을 훼손하고 자기 나라를 망하게 할 만한 행위를 함을 이른 것이다.

集註 | 所謂自取之者라

이른바 '自取한다'는 것이다.

8-5. 太甲曰 天作孽은 猶可違어니와 自作孽은 不可活이라하니 此之謂也니라

〈太甲〉에 이르기를 '하늘이 지은 재앙은 그래도 피할 수 있지만 스스로 지은 재앙은

而耳順)" 하셨는데, 《集註》에 "소리가 귀로 들어오면 마음으로 통달하여 어긋나거나 걸림이 없는 것이다.〔聲入心通 無所違逆〕" 하였으므로 말한 것이다.

••• 侮 업신여길 모 毀 훼방할 훼 孽 재앙 얼 違 피할 위 活 살 활

〈피하여〉 살 수 없다.' 하였으니, 이것을 말한 것이다."

集註 | 解見前篇하니라

해석이 前篇(公孫丑上)에 보인다.

章下註 | ○ 此章은 言 心存則有以審夫得失之幾요 不存則無以辨於存亡之著니 禍福之來 皆其自取니라

○ 이 章은 마음이 보존되면 得·失의 기미를 살필 수 있고, 보존되지 않으면 存·亡이 드러난 것도 분별할 수 없으니, 禍와 福의 옴이 모두 自取임을 말씀한 것이다.

|桀紂失天下章(七年之病章)|

9-1. 孟子曰 桀紂之失天下也는 失其民也니 失其民者는 失其心也라 得天下有道하니 得其民이면 斯得天下矣리라 得其民이 有道하니 得其心이면 斯得民矣리라 得其心이 有道하니 所欲을 與之聚之요 所惡(오)를 勿施爾也니라

孟子께서 말씀하셨다. "桀·紂가 천하를 잃은 것은 백성을 잃었기 때문이니, '백성을 잃었다.'는 것은 그 마음을 잃은 것이다. 천하를 얻음에 道(방법)가 있으니, 백성을 얻으면 천하를 얻을 것이다. 백성을 얻음에 道가 있으니, 그 마음을 얻으면 백성을 얻을 것이다. 마음을 얻음에 道가 있으니, 백성이 원하는 바를 위하여 모아 주고 백성이 싫어하는 바를 베풀지 말아야 한다.

按說 | '所欲 與之聚之'에 대하여, 沙溪(金長生)는

'與'는 '爲(위하다)'와 같으니, 바로 백성을 위하는 것이다.〔與 猶爲也 乃爲民也〕《經書辨疑》

하였다. 楊伯峻도 王引之의 《經傳釋詞》에

··· 審 살필 심 聚 모을 취

'與'는 爲와 같으니, 爲字는 去聲(위하다)으로 읽는다.

한 說을 취하였다.

集註 | 民之所欲을 皆爲致之를 如聚斂然하고 民之所惡는 則勿施於民이니 鼂錯(조조)所謂 人情이 莫不欲壽어늘 三王이 生之而不傷하고 人情이 莫不欲富어늘 三王이 厚之而不困하고 人情이 莫不欲安이어늘 三王이 扶之而不危하고 人情이 莫不欲逸이어늘 三王이 節其力而不盡[430]은 此類之謂也라

백성이 원하는 바를 모두 위하여 이루어주기를 聚斂(재물을 모음)하듯이 하고, 백성이 싫어하는 것은 백성들에게 베풀지 말아야 한다. 鼂錯의 이른바 '사람들의 마음은 장수하기를 원하지 않는 이가 없는데 三王은 백성들을 살게 하고 상하지 않게 하였으며, 사람들의 마음은 부유하기를 원하지 않는 이가 없는데 三王은 백성들의 생활을 후하게 해주고 곤궁하지 않게 하였으며, 사람들의 마음은 편안하기를 원하지 않는 이가 없는데 三王은 백성들을 붙들어 주고 위태롭지 않게 하였으며, 사람들의 마음은 몸이 편함을 원하지 않는 이가 없는데 三王은 백성들의 힘을 절제하고 다하지 않게 했다.'는 것은 이러한 類를 말한 것이다.

9-2. 民之歸仁也 猶水之就下며 獸之走壙也니라

백성이 仁者에게 돌아감은 물이 아래로 내려가며 짐승이 들로 달아나는 것과 같다.

集註 | 壙은 廣野也라 言 民之所以歸乎此는 以其所欲之在乎此也라

'壙'은 넓은 들이다. 백성이 이곳(仁者)에 돌아가는 까닭은 그들의 원하는 바가 이곳에 있기 때문임을 말씀한 것이다.

9-3. 故로 爲淵敺(驅)魚者는 獺也요 爲叢敺爵(雀)者는 鸇也요 爲湯

---

430 鼂錯所謂……節其力而不盡 : 鼂錯는 前漢 文帝와 景帝 때의 인물로 이 내용은 《漢書》〈鼂錯傳〉에 보인다.

••• 斂 거둘 렴 鼂 아침 조 錯 둘 조 扶 붙들 부 逸 편안할 일 壙 들 광 淵 못 연 敺 몰 구(驅同) 獺 수달 달 叢 떨기 총 爵 참새 작(雀同) 鸇 새매 전

武毆民者는 桀與紂也니라

그러므로 못을 위하여 물고기를 몰아주는 것은 수달이요, 무성한 숲을 위하여 참새를 몰아주는 것은 새매요, 湯·武를 위하여 백성을 몰아준 자는 桀과 紂이다.

集註 | 淵은 深水也라 獺은 食魚者也라 叢은 茂林也라 鸇은 食雀者也라 言 民之所以去此는 以其所欲在彼而所畏在此也[431]라

'淵'은 깊은 물이다. '獺'은 물고기를 잡아먹는 짐승이다. '叢'은 무성한 숲이다. '鸇'은 참새를 잡아먹는 새이다. 백성들이 이곳을 떠나가는 까닭은 그들이 원하는 바가 저곳에 있고 두려워하는 바가 이곳에 있기 때문임을 말씀한 것이다.

9-4. 今天下之君이 有好仁者면 則諸侯皆爲之毆矣리니 雖欲無王이나 不可得已니라

지금 천하의 군주 중에 仁을 좋아하는 자가 있으면 諸侯들이 모두 그를 위하여 〈백성을〉 몰아줄 것이니, 비록 왕 노릇을 하지 않으려 하나 될 수 없을 것이다.

9-5. 今之欲王者는 猶七年之病에 求三年之艾(애)也니 苟爲不畜이면 終身不得하리니 苟不志於仁이면 終身憂辱하여 以陷於死亡하리라

지금 왕 노릇 하고자 하는 자는 7년 된 병에 3년 묵은 약쑥을 구하는 것과 같으니, 만일 〈지금 약쑥을 뜯어〉 저축해 두지 않으면 종신토록 얻지 못할 것이다. 〈이와 마찬가지로〉 만일 仁政에 뜻하지 않는다면 종신토록 근심하고 치욕을 받아 죽고 망함에 이를 것이다.

集註 | 艾는 草名이니 所以灸者니 乾(간)久益善이라 夫病已深而欲求乾久之艾면 固難卒辦이라 然이나 自今畜之면 則猶或可及이어니와 不然이면 則病日益深하여 死日

---

[431] 以其所欲在彼而所畏在此也 : 新安陳氏(陳櫟)는 "'彼'는 湯王과 武王을 이르고 '此'는 桀王과 紂王을 이른다. 예컨대 물고기와 참새가 생명을 온전히 할 수 있는 것은 연못과 무성한 숲에 있어서 수달과 새매에게 죽음을 면할 수 있기 때문인 것과 같다.〔彼謂湯武 此謂桀紂 如魚雀之可全生者 在淵叢而得免死於獺鸇也〕" 하였다.

··· 茂 무성할 무 艾 쑥 애 苟 만일 구 畜 쌓을 축(蓄同) 陷 빠질 함 灸 뜸질할 구 乾 말릴 간(건) 辦 장만할 판

益迫하여도 而艾終不可得矣⁴³²리라

'艾'는 풀이름이니 뜸을 뜨는 것인데, 말린 지 오랠수록 〈약효가〉 더욱 좋다. 병이 이미 깊었는데, 말린 지 오래된 약쑥을 구하려고 하면 진실로 갑자기 장만하기가 어렵다. 그러나 지금부터라도 〈뜯어서〉 저축해 두면 오히려 혹 미쳐 고칠 수 있지만 그렇지 않으면 병이 날로 더욱 깊어져서 죽음이 날로 더욱 임박하여도 쑥을 끝내 얻지 못할 것이다.

9-6. 詩云 其何能淑이리오 載胥及溺이라하니 此之謂也니라

《詩經》에 이르기를 '어찌 善할 수 있겠는가. 서로 더불어 빠진다.' 하였으니, 이것을 말한 것이다."

集註 | 詩는 大雅桑柔之篇이라 淑은 善也라 載는 則也라 胥는 相也라 言 今之所爲 其何能善이리오 則相引以陷於亂亡而已니라

詩는 〈大雅 桑柔〉篇이다. '淑'은 善이다. '載'는 則(곧)이다. '胥'는 서로이다. 지금 하는 바가 어찌 善할 수 있겠는가, 곧 서로 이끌고서 혼란과 멸망에 빠질 뿐임을 말씀한 것이다.

| 自暴自棄章 |

10-1. 孟子曰 自暴者는 不可與有言也요 自棄者는 不可與有爲也니 言非禮義를 謂之自暴也요 吾身不能居仁由義를 謂之自棄也니라

孟子께서 말씀하셨다. "스스로 해치는〔自暴〕 자는 더불어 말할 수 없고, 스스로 버리는〔自棄〕 자는 더불어 일할 수 없으니, 말할 적에 禮義를 비방하는 사람을 自暴라 이르고, 내 몸은 仁에 居할 수 없고 義를 따를 수 없다고 말하는 사람을 自棄라 이른다.

按說 | '言非'에 대하여, 壺山은

---

432 自今畜之……艾終不可得矣 : 王氏(王安石)는 "쑥은 오래된 것을 좋게 여기니 미리 저장해두지 않으면 사람의 목숨을 살릴 수 없고, 仁은 오래하여야 익숙해지니 仁을 쌓지 않으면 나라의 위태로움을 구원하지 못한다.〔艾 以久爲善 不畜 不足以活人之死 仁 以久而熟 不積 不足以拯國之危〕" 하였다.

··· 迫 다다를 박, 닥칠 박 淑 착할 숙 載 곧 재 胥 서로 서 及 더불 급 溺 빠질 닉 暴 해칠 포 由 따를 유

言非는 말할 때마다 반드시 비난한다는 말과 같다.〔言非 猶云言必非之〕

하였다.

集註 | 暴는 猶害也요 非는 猶毀也라 自害其身者는 不知禮義之爲美而非毀之하니 雖與之言이라도 必不見信也요 自棄其身者는 猶知仁義之爲美로되 但溺於怠惰하여 自謂必不能行이니 與之有爲라도 必不能勉也라

程子曰 人苟以善自治면 則無不可移者니 雖昏愚之至라도 皆可漸磨而進也라 惟自暴者는 拒之以不信하고 自棄者는 絶之以不爲하나니 雖聖人與居라도 不能化而入也니 此所謂下愚之不移[433]也니라

'暴'는 害(해침)와 같고, '非'는 毀(비방)와 같다. 스스로 그 몸을 해치는 자는 禮義가 아름다움이 됨을 알지 못하여 비방하니, 비록 그와 더불어 말하더라도 반드시 믿지 않을 것이요, 스스로 그 몸을 버리는 자는 仁義가 아름다움이 됨을 알기는 하나 게으름에 빠져 반드시 행할 수 없다고 스스로 말할 것이니, 비록 그와 더불어 일하더라도 반드시 힘쓰지 못할 것이다. 程子(伊川)가 말씀하였다. "사람이 만일 善으로써 스스로 다스리면 옮길(변할) 수 없는 자가 없으니, 비록 지극히 昏愚한 사람이라도 모두 점점 연마하여 나아갈 수 있다. 오직 自暴하는 자는 막아서 믿지 않고 自棄하는 자는 끊어서(체념하여) 하지 않으니, 비록 聖人과 더불어 거처하더라도 교화하여 들어갈 수 없다. 이것이 이른바 '下愚不移'라는 것이다.

10-2. 仁은 人之安宅也요 義는 人之正路也라

仁은 사람의 편안한 집이요, 義는 사람의 바른 길이다.

集註 | 仁宅은 已見前篇하니라 義者는 宜也니 乃天理之當行이요 無人欲之邪曲이라 故로 曰正路라하니라

仁宅은 이미 前篇(公孫丑上)에 보인다. '義'는 마땅함이니, 바로 天理로서 마땅히 행해야 할 것이요 人欲의 邪曲함이 없다. 그러므로 正路라 한 것이다.

---

433 下愚之不移:가장 미련하여 변할 수 없는 자로서 《論語》〈陽貨〉 3장의 "上智와 下愚는 변할 수 없다.〔唯上知與下愚不移〕"는 말에서 나온 것이다.

··· 怠 게으를 태 惰 게으를 타 漸 점점 점 磨 갈 마 拒 막을 거 移 옮길 이

10-3. 曠安宅而弗居하며 舍正路而不由하나니 哀哉라

편안한 집을 비워두고 거처하지 않으며 바른 길을 버려두고 다니지 않으니, 애처롭다."

集註 | 曠은 空也라 由는 行也라

'曠'은 空(비움)이다. '由'는 다님이다.

章下註 | ○ 此章은 言 道本固有로되 而人自絶之하니 是可哀也라 此는 聖賢之深戒니 學者所當猛省也니라

○ 이 章은 道가 본래 고유한 것이나 사람이 스스로 끊으니, 이는 슬퍼할 만함을 말씀한 것이다. 이는 聖賢의 깊은 경계이니, 배우는 자들이 마땅히 크게 반성하여야 할 것이다.

|道在爾章|

11. 孟子曰 道在爾(邇)而求諸遠하며 事在易而求諸難하나니 人人이 親其親하며 長其長이면 而天下平하리라

孟子께서 말씀하셨다. "道가 가까운 곳에 있는데도 먼 곳에서 구하며, 일이 쉬운 데 있는데도 어려운 데에서 찾는다. 사람마다 각기 자기 어버이를 친히 하고 자기 어른을 어른으로 섬기면 천하가 평해질 것이다."

集註 | 親長은 在人에 爲甚邇하고 親之長之는 在人에 爲甚易로되 而道初不外是也라 舍此而他求면 則遠且難而反失之니 但人人이 各親其親하고 各長其長이면 則天下自平矣리라

親(어버이)과 長(어른)은 사람에게 있어 매우 가까움이 되고, 친히 하고 어른으로 섬김은 사람에게 있어 매우 쉬움이 되는데, 道는 애당초 여기에서 벗어나지 않는다. 이것을 버리고 다른 데에서 구하면 멀고 또 어려워서 도리어 잃게 되니, 다만 사람마다 각기 그 어버이를 친히 하고 그 어른을 어른으로 섬기면 천하가 저절로 평해질 것이다.

••• 曠 빌 광 舍 버릴 사(捨同) 猛 맹렬할 맹, 엄할 맹 爾 가까울 이(邇通) 外 벗어날 외

12-1. 孟子曰 居下位而不獲於上이면 民不可得而治也리라 獲於上이 有道하니 不信於友면 弗獲於上矣리라 信於友 有道하니 事親弗悅이면 弗信於友矣리라 悅親이 有道하니 反身不誠이면 不悅於親矣리라 誠身이 有道하니 不明乎善이면 不誠其身矣리라

孟子께서 말씀하셨다. "아랫자리에 있으면서 윗사람에게〈신임을〉얻지 못하면 백성을 다스리지 못할 것이다. 윗사람에게 신임을 얻는 것이 方道가 있으니, 벗에게 믿음을 받지 못하면 윗사람에게〈신임을〉얻지 못할 것이다. 벗에게 믿음을 받는 것이 方道가 있으니, 어버이를 섬겨 기쁘게 하지 못하면 벗에게 믿음을 받지 못할 것이다. 어버이를 기쁘게 하는 것이 方道가 있으니, 자기 몸에 돌이켜봄에 성실하지 못하면 어버이를 기쁘게 하지 못할 것이다. 몸을 성실히 하는 것이 方道가 있으니, 善을 밝게 알지 못하면 그 몸을 성실히 하지 못할 것이다.

集註ㅣ 獲於上은 得其上之信任也라 誠은 實也니 反身不誠은 反求諸身而其所以 爲善之心이 有不實也라 不明乎善은 不能卽事窮理하여 無以眞知善之所在也라 游氏曰 欲誠其意인댄 先致其知니 不明乎善이면 不誠乎身矣[434]리라 學至於誠身이 면 則安往而不致其極哉리오 以內則順乎親이요 以外則信乎友요 以上則可以得君 이요 以下則可以得民矣리라

'獲於上'은 윗사람의 신임을 얻는 것이다. '誠'은 성실함이다. '反身不誠'은 자기 몸에 돌이켜 찾아봄에 善을 하려는 마음이 성실하지 못함이 있는 것이다. '不明乎善'은 사물에 나아가 理를 궁구하지 못하여 善의 所在를 참으로 알지 못하는 것이다.
游氏(游酢)가 말하였다. "그 뜻을 성실히 하려고 하면 먼저 그 지식을 지극히 하여야 하니, 善을 밝게 알지 못하면 그 몸을 성실히 하지 못할 것이다. 학문이 몸을 성실히 함에 이르면

---

434 欲誠其意……不誠乎身矣:新安倪氏(倪士毅)는《大學》을 인용하여 이 章을 증명하였다. 致知는 바로 善을 밝게 아는 것인데, 다만 誠意는 自修의 시작으로 말하였고, 誠身은 自修의 完成으로 말하였으니, 誠意, 正心, 修身은 모두 誠身 두 글자 가운데 포함되어 있다.〔引大學以證此章 致知 卽所以明善也 但誠意則以自修之始言 誠身則以自修之成言 誠意正心修身 皆該於誠身二字中矣〕"하였다.

··· 獲 얻을 획 安 어찌안

어디를 간들 그 지극함을 다하지 않겠는가. 안으로는 어버이에게 순하고, 밖으로는 벗에게 믿음을 받고, 위로는 군주에게 신임을 얻고, 아래로는 백성들에게 민심을 얻을 것이다."

12-2. 是故로 誠者는 天之道也요 思誠者는 人之道也니라

이러므로 〈자연스럽게〉 성실히 함은 하늘의 道요, 성실히 할 것을 생각함은 사람의 道이다.

按說 | 《集註》에는 "이 章은 《中庸》의 孔子 말씀을 기술한 것이다." 하였는바, 孔子의 말씀은 《中庸》 20장에

아랫자리에 있으면서 윗사람에게 신임을 얻지 못하면 백성을 다스리지 못할 것이다. 윗사람에게 신임을 얻는 것이 방법이 있으니, 朋友에게 믿음을 받지 못하면 윗사람에게 신임을 얻지 못할 것이다. 朋友에게 믿음을 받는 것이 방법이 있으니, 어버이에게 순하지 못하면 朋友에게 믿음을 받지 못할 것이다. 어버이에게 순함이 방법이 있으니, 자기 몸에 돌이켜보아 성실하지 못하면 어버이에게 순하지 못할 것이다. 몸을 성실히 함이 방법이 있으니, 善을 밝게 알지 못하면 몸을 성실히 하지 못할 것이다. 성실한 자는 하늘의 道요, 성실히 하려는 자는 사람의 道니, 성실한 자는 힘쓰지 않고도 道에 맞으며 생각하지 않고도 알아서 從容히 道에 맞으니 聖人이요, 성실히 하려는 자는 善을 택하여 굳게 지키는 자이다.〔在下位不獲乎上 民不可得而治矣 獲乎上有道 不信乎朋友 不獲乎上矣 信乎朋友有道 不順乎親 不信乎朋友矣 順乎親有道 反諸身不誠 不順乎親矣 誠身有道 不明乎善 不誠乎身矣 誠者 天之道也 誠之者 人之道也 誠者 不勉而中 不思而得 從容中道 聖人也 誠之者 擇善而固執之者也〕

한 것을 가리킨다. 다만 《中庸》에서는 '思誠者'를 '誠之者'라고 하였는데, '思誠'과 '誠之'는 아직 온전히 誠者가 되지 못하여 誠할 것을 생각하고 誠하려고 노력한다는 데에서 의미가 통한다.

集註 | 誠者는 理之在我者 皆實而無僞니 天道之本然也요 思誠者는 欲此理之在我者 皆實而無僞니 人道之當然也라

··· 僞 거짓 위

誠은 나에게 있는 理를 모두 성실히 하여 거짓이 없는 것이니 天道의 本然이요, 思誠은 나에게 있는 이 理를 모두 성실히 하여 거짓이 없게 하고자 하는 것이니 人道의 當然함이다.

12-3. 至誠而不動者 未之有也니 不誠이면 未有能動者也니라

지극히 성실하고서 〈남을〉 감동시키지 못하는 자는 있지 않으니, 성실하지 못하면 능히 감동시킬 자가 있지 않다."

集註 | 至는 極也라

楊氏曰 動은 便是驗處니 若獲乎上, 信乎友, 悅於親之類 是也라

'至'는 지극함이다.

楊氏(楊時)가 말하였다. "'動'(감동시킴)은 바로 효험이 나는 곳이니, 獲乎上, 信乎友, 悅於親과 같은 따위가 이것이다."

章下註 | ○ 此章은 述中庸孔子之言하니 見思誠爲修身之本이요 而明善又爲思誠之本[435]이니 乃子思所聞於曾子요 而孟子所受乎子思者라 亦與大學相表裏하니 學者宜潛心焉[436]이니라

○ 이 章은 《中庸》에 있는 孔子의 말씀을 기술한 것이니, 思誠은 修身의 근본이 되고 明善은 또 思誠의 근본이 됨을 볼 수 있다. 이는 바로 子思가 曾子에게 들으신 것이요, 孟子가 子思에게 전수받은 것이다. 또한 《大學》과 서로 表裏가 되니, 배우는 자가 마땅히 마음을 다하여야 할 것이다.

---

435 見思誠爲修身之本 而明善又爲思誠之本 : 雲峰胡氏(胡炳文)는 "여기에서 말한 思誠은 바로 《中庸》에서 말한 '誠實히 한다.(誠之)'는 것이니, 그 공부가 知와 行을 모두 겸하여 말하였다. 思誠은 修身의 근본이니 이 修身은 知와 行을 우선으로 삼고, 明善은 또 思誠의 근본이니 이 知와 行 가운데에 또 마땅히 知를 우선으로 삼아야 하는 것이다.(此所謂思誠 卽中庸所謂誠之 其工夫皆兼知行而言 思誠者 修身之本 是修身 以知行爲先 明善又爲思誠之本 是知行之中 又當以知爲先也)" 하였다.

436 與大學相表裏 學者宜潛心焉 : 《大學章句》의 註에 "제5장(格物致知章)은 바로 明善의 요체이고 제6장(誠意章)은 바로 誠身의 근본이다.(其第五章 乃明善之要 第六章 乃誠身之本)" 하였다.

··· 驗 효험 험 表 겉 표 裏 속 리 潛 잠길 잠

|伯夷避紂章(善養老章)|

13-1. 孟子曰 伯夷辟(避)紂하여 居北海之濱이러니 聞文王作하고 興曰 盍歸乎來리오 吾聞西伯은 善養老者라하며 太公辟紂하여 居東海之濱이러니 聞文王作하고 興曰 盍歸乎來리오 吾聞西伯은 善養老者라하니라

孟子께서 말씀하셨다. "伯夷가 紂王을 피하여 北海의 가에 살았는데, 文王이 일어났다는 말을 듣고 興起하여 말씀하기를 '내 어찌 그에게 돌아가지 않겠는가. 내 들으니 西伯(文王)은 늙은 자를 잘 봉양한다 했다.' 하였으며, 太公이 紂王을 피하여 東海의 가에 살았는데, 文王이 일어났다는 말을 듣고 흥기하여 말씀하기를 '내 어찌 그에게 돌아가지 않겠는가. 내 들으니 西伯은 늙은 자를 잘 봉양한다 했다.' 하였다.

> 按説 | '聞文王作 興'에 대하여, 官本諺解에는 '聞文王作興하고'로 懸吐하였으나 栗谷諺解에는 '聞文王作ᄒ고 興曰'로 되어 있다. 沙溪(金長生)는
>
>> 《集註》에는 "作과 興은 모두 일어남이다."라고 하였으니, '作'은 마땅히 文王에게 속하고 '興'은 마땅히 二老(伯夷와 太公)에게 속해야 한다.《直解》에는, '作은 바로 일어나서 西伯의 지위에 있는 것이고, 興은 바로 奮起하여 興發하는 생각이다.' 하였는데, 小註와 諺解에는 '作'과 '興'을 모두 文王에게 소속시켰으니, 옳지 못하다.〔註作興皆起也 作當屬文王 興當屬二老 直解作是起而在西伯之位 興是奮起興發之念云云 小註及諺解 作興皆屬文王 非是〕《經書辨疑》）
>
> 하였다. '小註'는《大全》에 作興에 대해 "文王이 일어나 方伯이 됨을 말했다.〔言文王起而爲方伯〕" 하였음을 가리킨 것이다. 尤菴(宋時烈)은,
>
>> 일찍이 듣건대, 鄭愚伏(鄭經世)이 燕京에 갔을 적에 한 童子가 이 책을 옆에 끼고 있는 것을 보고서 이 章을 읽게 하였더니 '作'字에서 句를 떼었다고 하였는데,《經書辨疑》의 말씀을 읽어보니 바로 이와 서로 부합하니, 마땅히 이것을 따라야 할 듯하다.〔嘗聞鄭愚伏赴京時 遇一童子挾是書 使讀此章 則作字句絶 讀辨疑之說 正與此相符 恐當從之〕《宋子大全 答三錫》）
>
> 하였다. 또 尤菴은,

··· 辟 피할 피(避同) 濱 물가 빈 作 일어날 작 盍 어찌아니 합

'作興' 두 글자를 합하여 한 말씀으로 보면《集註》에 "作과 興은 모두 일어남이다."라고 말할 필요가 없다. 그러나 小註에 "文王이 일어나 方伯이 됨을 말한 것이다." 하였으니, 이에 근거해보면 이 두 글자는 모두 마땅히 文王에 속해야 한다. 그렇다면《集註》의 뜻은 '作'字, '興'字의 뜻이 똑같지 않은 듯하므로 '皆'字를 놓은 것인데, 그 大義는 또한 합하여 말해서 하나로 만든 뜻이 아니겠는가.〔作興二字 若合作一說看 則集註不必曰作興皆起也 然小註言文王起而爲方伯 據此則此二字皆當屬文王矣 然則集註之意 豈以爲作字興字義若不同 故下皆字 而其大義則亦合說爲一之義耶〕《宋子大全 答洪虞卿》

하였다. 茶山은 漢代에는 '作興'으로 句讀를 끊었다는 毛奇齡의 說을 취하여

우리나라에서는 '文王作興'으로 句讀를 떼니, 漢代의 句讀에 절로 부합한다.〔吾東以文王作興爲句 自與漢合〕

하였다. 壺山은

살펴보건대 栗谷諺解에 '作'에서 句를 떼었는데 尤菴은 두 가지를 따랐는바, '興曰' 두 글자는 文法이 생경하니, 우선 尤菴의 아래 한 설을 따라 현행 諺解(官本諺解)대로 읽더라도 무방할 듯하고, 또 '作人'의 '作'과 '待興'의 '興'을 가지고 訓하는 것 또한 충분히 한 뜻을 구비할 듯하니, 노인을 봉양함은 또한 인재를 진작하고 백성을 일으키는 한 가지 일인 것이다.〔按栗谷諺解 以作爲句 而尤菴則兩從之 蓋興曰二字 文法生硬 姑從尤菴下一說 依見行諺解讀之 恐亦無妨 且以作人之作 待興之興爲訓 似亦足備義 蓋養老亦作人興民之一事云〕

하여, 官本諺解대로 읽어도 무방함을 말하고 또 '作興'을 '作人과 興民'의 뜻으로 보아 '作興'을 한 구로 읽어도 됨을 말하였다. 楊伯峻은

朱子의《集註》는 '作'字에서 句를 떼고 '興'字를 아래에 붙여 읽었으나, 趙岐의 註는 '作興'을 붙여 한 단어로 보았다.……이 '興'字는 바로〈盡心上〉10장의 '豪傑의 선비로 말하면 비록 文王 같은 聖君이 없더라도 오히려 흥기한다.〔若夫豪傑之士 雖無文王 猶興〕'의 '興'자와 같다.

하고, '作'字에서 句讀를 떼었다. 그러나 朱子가 作에서 句를 뗀 것은 보이지 않는데 楊伯峻이 이렇게 말한 것은《集註》의 "作과 興은 모두 일어남이다."라는 말을 근거한 것으

로, '作興'이 한 단어라면 '皆'가 필요 없기 때문이다.

集註 | 作, 興은 皆起也라 盍은 何不也라 西伯은 卽文王也니 紂命爲西方諸侯之長
하여 得專征伐이라 故로 稱西伯이라 太公은 姜姓이요 呂氏니 名尙[437]이라 文王發政에
必先鰥寡孤獨하시고 庶人之老 皆無凍餒라 故로 伯夷, 太公이 來就其養[438]이요 非
求仕也라

'作'과 '興'은 모두 일어남이다. '盍'은 '어찌 아니'이다. 西伯은 바로 文王이니, 紂王이
〈文王에게〉 명하여 西方에 있는 諸侯의 우두머리로 삼아 征伐을 마음대로 할 수 있게 하였
다. 이 때문에 西伯이라 칭한 것이다. 太公은 姜姓이요 呂氏이니, 이름이 尙이다. 文王은
정사를 폄에 반드시 鰥(홀아비)·寡(과부)·孤(고아)·獨(무의탁자)을 우선하셨고, 庶人의
노인들도 모두 얼고 굶주리는 자가 없게 하였다. 그러므로 伯夷와 太公이 와서 그의 봉양에
나아간 것이요, 벼슬을 구한 것이 아니다.

13-2. 二老者는 天下之大老也而歸之하니 是는 天下之父 歸之也라 天
下之父 歸之어니 其子 焉往이리오

---

437 太公……名尙 :《史記》〈齊太公世家〉에 다음과 같이 보인다. "太公望 呂尙은 東海 가 사람이니, 그 先
祖가 일찍이 四嶽이 되어서 禹임금을 도와 洪水와 땅을 다스려 큰 功이 있었다. 舜임금과 夏나라의 즈
음에 呂 땅에 봉해지기도 하고 申 땅에 봉해지기도 하였는데, 姓은 姜氏이다. 夏나라와 商나라의 때에
申 땅과 呂 땅은 혹은 支庶의 자손을 봉하고 혹은 庶人이 되었으니, 尙은 그의 後孫이다. 本姓은 姜氏
인데, 봉해진 姓을 따랐기 때문에 呂尙이라 한 것이다.……西伯이 사냥을 나갔다가 과연 太公을 渭水
의 북쪽에서 만나 함께 말을 하고 크게 기뻐하며 '우리 先君 太公으로부터「聖人이 周나라에 와서 周
나라가 흥왕할 것이다.」하였다. 그대가 진실로 그 사람인가? 우리 太公이 그대가 오기를 바란 지 오래
이다.' 하였다. 그러므로 칭호를 太公望이라 하였다.〔太公望呂尙者 東海上人 其先祖嘗爲四嶽 佐禹
平水土 甚有功 虞夏之際 封於呂 或封於申 姓姜氏 夏商之時 申呂或封支庶子孫 或爲庶人 尙 其
後苗裔也 本姓姜氏 從其封姓 故曰呂尙……西伯獵 果遇太公於渭之陽 與語大說 曰 自吾先君太
公曰 當有聖人適周 周以興 子眞是邪 吾太公望子久矣 故號之曰太公望〕" '太公 姜姓 呂氏'는 古
代에 姓과 氏가 구분되었는바, 氏는 封地로 지금의 貫鄕과 같다. 先君 太公은 文王의 祖考이고 王季
의 아버지인 古公亶父로 뒤에 太王으로 추존되었다.

438 伯夷太公 來就其養 : 茶山은 "두 노인이 스스로 늙었다고 여겨 文王의 봉양에 나아간 것이 아니다. 늙
은이를 잘 봉양하는 것이 王政이다. 이는 '내 들으니 西伯은 王政을 행한다고 한다. 어찌 돌아가지 않
겠는가.'라고 한 것이다.〔二老非自以其老 往就文王之養也 善養老 王政也 吾聞西伯行王政 盍歸乎
來〕" 하였다.

··· 鰥 홀아비 환 寡 과부 과 孤 고아 고 獨 홀로 독 凍 얼 동 餒 굶주릴 뇌 焉 어찌 언

두 노인은 天下의 大老인데 文王에게 돌아갔으니, 이는 천하의 아버지가 文王에게 돌아간 것이다. 천하의 아버지가 文王에게 돌아갔으니, 그 자제들이 〈文王에게 돌아가지 않고〉 어디로 가겠는가.

集註 | 二老는 伯夷, 太公也라 大老는 言非常人之老者[439]라 天下之父는 言齒德皆尊하여 如衆父[440]然이라 旣得其心이면 則天下之心이 不能外矣니라 蕭何所謂 養民致賢하여 以圖天下者[441] 其意暗與此合이로되 但其意則有公私之辨[442]하니 學者又不可不察也니라

'二老'는 伯夷와 太公이다. '大老'는 보통 노인이 아님을 말한다. '천하의 아버지'는 연치와 德이 모두 높아서 여러 사람들의 아버지와 같음을 말한다. 이미 그의 마음을 얻었다면 천하의 마음이 벗어나지 않을 것이다. 蕭何의 이른바 '백성을 기르고 賢者를 초치하여 천하를 도모한다.'는 것이 그 뜻이 은연중 이와 합하나, 다만 그 뜻에 公과 私의 구별이 있으니, 배우는 자가 또 이것을 살피지 않으면 안 될 것이다.

---

439 大老 言非常人之老者 : 壺山은 "大老와 巨室이 대략 서로 비슷하다.〔大老巨室 略相同〕" 하였다.

440 衆父 : 慶源輔氏(輔廣)는 "'衆父' 두 글자는 《老子》에 나오는데 《集註》에서 빌려 사용하였으니, 그 뜻은 衆人의 아버지를 말한 것이다.〔衆父二字 出老子 集註借用之 其義則謂衆人之父爾〕" 하였다.

441 蕭何所謂……以圖天下者 : 《資治通鑑》漢 高帝 元年(B.C.206) 2월에 "項羽가 沛公을 漢王으로 세워 巴蜀과 漢中에 王 노릇하여 南鄭에 도읍하게 하고, 關中을 셋으로 나누어 秦나라에서 항복해온 장수【章邯 등 세 사람】를 王으로 세워 漢나라의 길을 막게 하였다.……漢王이 怒하여 項羽를 공격하려 하자, 周勃과 灌嬰, 樊噲가 모두 권하였다. 그러나 蕭何는 諫하기를 '비록 漢中의 나쁜 땅에 王 노릇하지만 죽는 것보다는 낫지 않겠습니까.……능히 한 사람의 아래에 굽혀서 萬乘의 위에 편 자는 湯王과 武王이 이분입니다. 臣은 원컨대 大王께서 漢中에 王 노릇하여 백성들을 기르고 賢人을 招致하며 巴蜀지방의 인물을 거두어 쓰고 돌아가 三秦을 平定하면 天下를 도모할 수 있을 것입니다.' 했다.〔立沛公爲漢王 王巴蜀漢中 都南鄭 而三分關中 王秦降將【章邯等三人】以距塞漢路……漢王怒 欲攻項羽 周勃, 灌嬰, 樊噲皆勸之 蕭何諫曰 雖王漢中之惡 不猶愈於死乎……能詘(屈)於一人之下 而信(伸)於萬乘之上者 湯武是也 臣願大王王漢中 養其民以致賢人 收用巴蜀 還定三秦 天下可圖也〕"라고 보인다.

442 但其意則有公私之辨 : 慶源輔氏(輔廣)는 "蕭何의 말은 이것을 하여 천하를 도모하고자 한 것이니 위하는 바가 있어서 한 것으로 이른바 사사로움이란 것이요, 文王이 이것을 한 것은 애당초 위하는 바가 없고 자신의 義理를 행했을 뿐으로 이른바 공변됨이란 것이니, 二老가 돌아간 것은 바로 자연스러운 呼應이다.〔蕭何之說 是欲爲此以圖天下 有爲而爲 所謂私也 文王之爲此 則初無所爲也 行吾義而已 所謂公也 二老之歸 乃其自然之應爾〕" 하였다. '위하는 바가 있어서 한다.'는 것은 본래 어떤 목적을 달성하기 위해 하는 것으로, 천하를 차지할 속셈으로 하기 때문에 '사사로움'이라 한 것이다.

··· 齒 연치 치 蕭 쑥 소 致 부를 치 圖 도모할 도 暗 은밀할 암

13-3. 諸侯有行文王之政者면 七年之內에 必爲政於天下矣리라

諸侯가 文王의 정사를 〈잘〉 행하는 자가 있으면 7년 이내에 반드시 천하에 정사를 할 것이다."

集註 | 七年은 以小國而言也니 大國五年은 在其中矣라

'7년'은 小國을 가지고 말한 것이니, '大國 5년'은 이 안에 들어 있다.

|善戰者服上刑章(鳴鼓而攻之章)|

14-1. 孟子曰 求也爲季氏宰하여 無能改於其德이요 而賦粟이 倍他日한대 孔子曰 求는 非我徒也로소니 小子아 鳴鼓而攻之 可也라하시니라

孟子께서 말씀하셨다. "求가 季氏의 家臣이 되어 季氏의 德(마음씨와 행실)을 고치지 못하고 곡식(세금)을 취한 것이 다른 날보다 倍加하자, 孔子께서 말씀하시기를 '求는 나의 무리가 아니니, 小子들아 북을 울리며 攻討(聲討)하는 것이 可하다.' 하셨다.

按說 | '求也爲季氏宰……鳴鼓而攻之可也'에 대하여, 《論語》〈先進〉 16장에

季氏가 周公보다 부유하였는데도 求(冉有)가 그를 위해 聚斂(세금을 많이 거둠)하여 재산을 더 늘려주었다. 孔子께서 말씀하셨다. "〈求는〉 우리 무리가 아니니, 小子들아! 북을 울려 죄를 聲討함이 옳다.〔季氏富於周公 而求也 爲之聚斂而附益之 子曰 非吾徒也 小子 鳴鼓而攻之 可也〕

라고 보이며, 《春秋左傳》 哀公 11년 조에

季孫(季康子)이 田賦를 거두려고 冉有(冉求)를 보내어 仲尼에게 의견을 묻자, 仲尼는 "나는 모른다." 하였다. 季孫이 연달아 세 차례 보내어 물었는데, 마지막으로 "그대는 국가의 원로라서 그대의 대답을 기다려 시행하려고 하는데, 어찌하여 그대는 말을 하지 않는가?" 하였다. 仲尼는 대답하지 않고 私的으로 冉有에게 말씀하기를 "군자가 정사를 시행함은 禮를 헤아려서, 베푸는 것은 많은 쪽을 취하고 일은 꼭 알맞게 하고 조세를 거두는 것은 적은 쪽

··· 賦 취할 부 粟 곡식 속 徒 무리 도 鳴 울릴 명 鼓 북 고

을 따라야 한다. 이와 같이 하면 丘賦로도 충분하지만, 만약 禮를 헤아리지 않고 탐욕스러워 만족할 줄을 모른다면 田賦를 거두어도 부족할 것이다. 장차 자네 季孫氏가 정사의 시행을 법에 맞게 하고자 한다면 周公의 법이 남아 있다. 만약 구차하게 시행하고자 한다면 또 어찌 의견을 묻는가?" 하였다. 季孫은 孔子의 말을 듣지 않았다.〔季孫欲以田賦 使冉有訪諸仲尼 仲尼曰 丘不識也 三發 卒曰 子爲國老 待子而行 若之何子之不言也 仲尼不對而私於冉有曰 君子之行也 度於禮 施取其厚 事擧其中 斂從其薄 如是則以丘亦足矣 若不度於禮而貪冒無厭 則雖以田賦 將又不足 且子季孫若欲行而法 則周公之典在 若欲苟而行 又何訪焉 弗聽〕

라고 보인다.

'無能改於其德'에 대하여, 壺山은

季氏로 하여금 그 탐욕하는 마음을 고치게 하지 못한 것이다.〔不能使季氏改其貪德〕

하였다.

集註 | 求는 孔子弟子冉求라 季氏는 魯卿이라 宰는 家臣이라 賦는 猶取也니 取民之粟이 倍於他日也라 小子는 弟子也라 鳴鼓而攻之는 聲其罪而責之也[443]라

求는 孔子의 弟子 冉求이다. 季氏는 魯나라 卿이다. '宰'는 家臣이다. '賦'는 取(취함)와 같으니, 백성의 곡식을 취함이 다른 날보다 倍加한 것이다. '小子'는 弟子이다. '북을 울리며 攻討한다.'는 것은 그 죄를 소리내어(성토하여) 꾸짖는 것이다.

14-2. 由此觀之컨대 君不行仁政而富之면 皆棄於孔子者也니 況於爲之强戰하여 爭地以戰에 殺人盈野하며 爭城以戰에 殺人盈城이온여 此

---

[443] 鳴鼓而攻之 聲其罪而責之也 : 茶山은 "'鳴鼓'는 군대의 일이다. 私家에서 사람을 가르치면서 북을 울려 그 제자를 攻討하였다는 말은 듣지 못하였다. 정말로 이런 일이 있었다면 다시 누가 聖門에 遊學하려고 하겠는가.《周禮》〈夏官司馬 大司馬〉의 아홉 가지 죄악을 토벌하는 법 중에 '어진 이를 해치고 백성에 해를 끼치는 자는 伐한다.【鍾鼓가 있는 것을 伐이라 한다.】' 하였으니, 冉求의 죄는 바로 '害民'의 법률에 해당한다. 그러므로 孔子께서 군대의 법으로 판단하여 '鳴鼓가 可하다.'고 말씀하신 것이다.〔鳴鼓者 軍旅之事 未聞私室教人 鳴鼓以攻其弟子 誠有是也 復誰肯游於聖門者乎 大司馬九伐之法 賊賢害民則伐之【有鐘鼓曰伐】 冉求之罪 正中害民之律 故孔子繩之以軍旅之法 曰鳴鼓可也〕" 하고, 실제로 冉求에게 북을 울려 攻討한 것은 아니라고 하였다.

••• 冉 성염, 나아갈염 强 억지로강 盈 가득찰영 野 들야

所謂率土地而食人肉이라 罪不容於死니라

이것을 가지고 본다면 군주가 仁政을 행하지 않는데 그 군주를 부유하게 하면 모두 孔子에게 버림을 받을 자인 것이다. 하물며 그 군주를 위하여 억지로 싸워서, 땅을 다투어 싸움에 사람을 죽인 것이 들에 가득하며 城을 다투어 싸움에 사람을 죽인 것이 城에 가득함에 있어서랴. 이것은 이른바 '土地를 따라(위하여) 사람의 고기를 먹는다.'는 것이니, 죄가 죽음에 이르러도 용서받지 못할 것이다.

> 集註 | 林氏曰 富其君者는 奪民之財耳로되 而夫子猶惡(오)之하시니 況爲土地之故而殺人하여 使其肝腦塗地면 則是率土地而食人之肉이라 其罪之大 雖至於死라도 猶不足以容之也니라

> 林氏(林之奇)가 말하였다. "그 군주를 부유하게 한 자는 백성의 재물을 빼앗을 뿐인데도 夫子(孔子)가 오히려 미워하셨는데, 하물며 土地 때문에 사람을 죽여 肝과 腦를 땅에 바르게 한다면 이는 土地를 위하여 사람의 고기를 먹는 것이니, 그 죄의 큼이 비록 죽음에 이르러도 오히려 용서받을 수 없는 것이다."

14-3. 故로 善戰者 服上刑하고 連諸侯者 次之하고 辟草萊任土地者 次之니라

그러므로 전투를 잘하는 자가 上刑(극형)을 받아야 하고, 〈外交를 잘하여〉 제후들과 연합하는 자가 다음의 刑을 받아야 하고, 풀밭과 쑥밭을 개간하여 〈백성들에게〉 土地를 맡겨주는 자가 다음의 刑을 받아야 한다."

> 按說 | '服'에 대하여, 壺山은
>
> 服은 입음(받음)이다.〔服 被也〕
>
> 하였다.

> 集註 | 善戰은 如孫臏, 吳起之徒요 連結諸侯는 如蘇秦, 張儀之類라 辟은 開墾也

··· 奪 빼앗을 탈 肝 간 간 腦 뇌 뇌 塗 바를 도 辟 개간할 벽 萊 쑥 래 臏 정강이뼈 빈 蘇 소생할 소 墾 개간할 간

라 任土地는 謂分土授民하여 使任耕稼之責이니 如李悝盡地力[444]과 商鞅開阡陌(맥)[445]之類也라

---

444 李悝盡地力:壺山은 "李悝는 바로 李克이니, 魏나라 文侯 때 사람이다.〔卽李克 魏文侯時人〕"하였다. 《前漢書》〈食貨志〉에〈전국 시대에 李悝가〉魏 文侯를 위하여 地力을 다하는 가르침을 만들어서 '方百里는 封內(국경 안)를 통틀어 9만 頃인데, 산과 늪과 邑內의 거주지를 제하여 3분의 1을 빼면 田地가 600만 畮(6만 頃)가 되니, 農地를 부지런히 다스리면 곡식 三升을 더 주고【服虔은 말하기를 "三升을 주는 것이다."하였고, 臣瓚은 말하기를 "마땅히 三斗라고 해야 하니, 田地를 부지런히 다스리면 1畮에 三斗를 더 줌을 이른다."하였다.】 그리고 부지런히 다스리지 않으면 또한 이와 같이 줄인다. 方百里에서 수확되는 곡식은 조금 차이가 있더라도 거의 곡식 180만 石이 된다.'하였고, 또 '쌀을 너무 비싸게 收買하면 백성들을 해치고【백성은 士와 工과 商人을 이른다.】 너무 싸게 수매하면 농민들을 해치니, 백성들이 해를 입으면 離散되고 농민들이 해를 입으면 나라가 가난해진다. 그러므로 收買價가 너무 비싸거나 너무 싼 것은 그 해친다는 점에서는 똑같다. 나라를 잘 다스리는 자는 백성들에게는 피해가 없게 하고 농민들은 더욱 부지런히 농사에 힘쓰게 한다. 지금 한 가장이 다섯 명의 식구를 데리고 田地 100畮를 가꾸어서 해마다 1畮에서 1石 半을 수확하면 곡식이 150石이 되는데, 이 가운데 10분의 1의 세금인 15石을 제하면 135石이 남는다. 食糧은 식구마다 매달 1石 半을 먹으면 다섯 식구가 1년에 먹는 곡식이 90石이 되고 45石이 남으니, 1石에 30錢을 받으면 돈이 1,350錢이 된다. 社와 閭의 嘗新(새 곡식을 올리고 맛봄)과 봄가을의 제사에 쓰는 돈 300錢을 제하면 1,050錢이 남는다. 衣服은 식구마다 대체로 300錢을 사용하면 다섯 명이 1년에 1,500錢을 사용하게 되어 450錢이 부족하게 되고, 불행히 질병이나 초상의 비용과 위에서 별도로 거두는 세금은 또 여기에 포함되어 있지 않으니, 이 때문에 농부가 항상 곤궁하여 경작에 힘을 다하지 않는 마음이 생겨 수매가가 매우 비싸진 것이다. 그러므로 쌀 수매를 공평하게 잘하는 자는 반드시 그 해의 상·중·하 세 등급의 풍년을 잘 살핀다.……大孰(풍년)이면 위에서 300석을 사들이고 100석을 남기며, 中孰(중간 풍년)이면 200석을 사들이고 下孰(조금 풍년)이면 50석을 사들여서, 백성들로 하여금 충분히 사용하게 하되 값을 공평하게 할 뿐이다. 小饑(조금 흉년)이면 小孰에 거두었던 곡식을 풀고, 中饑(중간의 흉년)이면 中孰에 거두었던 곡식을 풀고, 大饑(심한 흉년)이면 大孰에 거두었던 곡식을 풀어서 판다. 이 때문에 비록 饑饉과 水害와 旱害를 만나더라도 수매가가 비싸지 아니하여 백성들이 흩어지지 않는다.'했다.〔爲魏文侯 作盡地力之敎 以爲地方百里 提封九萬頃 除山澤邑居 參分去一 爲田六百萬畮 治田勤謹則畮益三升【服虔曰 與之三升也 臣瓚曰 當言三斗 謂治田勤則畮加三斗也】 不勤則損亦如之 地方百里之增 輒爲粟百八十萬石矣 又曰 糴甚貴 傷民【謂士工商也】 甚賤 傷農 民傷則離散 農傷則國貧 故甚貴與甚賤 其傷一也 善爲國者 使民無傷而農益勸 今一夫挾五口 治田百畮 歲收畮一石半 爲粟百五十石 除十一之稅十五石 餘百三十五石 食 人月一石半 五人終歲爲粟九十石 餘有四十五石 石三十 爲錢千三百五十 除社閭嘗新春秋之祠 用錢三百 餘千五十 衣 人率用錢三百 五人終歲用千五百 不足四百五十 不幸疾病死喪之費 及上賦斂 又未與此 此農夫所以常困 有不勸耕之心 而令糴至於甚貴者 是也 是故善平糴者 必謹觀歲上中下孰(熟)……大孰則上糴三而舍一 中孰則糴二 下孰則糴一 使民適足 賈平而止 小饑則發小孰之所斂 中饑則發中孰之所斂 大饑則發大孰之所斂而糴之 故雖遇饑饉水旱 糴不貴而民不散〕"하였다.

445 商鞅開阡陌:南으로 난 길을 阡이라 하고 東西로 난 길을 陌이라 하는바, 그 전에는 井田法을 시행하여 土地를 井字로 구획한 다음, 여기에서 남는 자투리땅은 경작하지 않고 버려두었으나 秦나라 孝公 때에 商鞅이 처음으로 길의 일부인 阡陌까지도 모두 경작하게 하였으므로 말한 것이다. 이에 대한 내용이 《資治通鑑》〈周紀〉顯王 19년(秦나라 孝公 12년)에 다음과 같이 보인다. "〈秦나라 商鞅이〉백성들에게 父子와 兄弟가 한 집에서 사는 것을 禁하고, 여러 작은 시골과 부락을 합병하여 한 縣을 만든 다음 縣에 令과 丞을 설치하였으며……井田法을 폐지하고 阡陌을 개간하였으며 斗斛과 權衡과 丈尺을 고르게 하였다.〔令民父子兄弟同室內(納)息者爲禁 幷諸小鄕聚 集爲一縣 縣置令丞……廢井田 開

··· 耕 밭갈 경 稼 심을 가 悝 이름 회 鞅 고삐 앙 阡 길 천 陌 길 맥

'전투를 잘한다.'는 것은 孫臏·吳起와 같은 무리요, '제후를 연결한다.'는 것은 蘇秦·張儀와 같은 무리이다. '辟'은 개간함이다. '任土地'는 땅을 나누어 백성들에게 주어서 밭 갈고 벼 심는 책임을 맡기는 것이니, 李悝가 地力을 다하여 生産力을 높이고 商鞅이 阡陌을 개간한 것과 같은 따위이다.

|存乎人者莫良於眸子章|

15-1. 孟子曰 存乎人者 莫良於眸子하니 眸子不能掩其惡하나니 胸中이 正則眸子瞭焉하고 胸中이 不正則眸子眊焉이니라

孟子께서 말씀하셨다. "사람에게 보존되어 있는 것(神氣)은 눈동자보다 더 좋은 것이 없으니, 눈동자는 그의 惡을 은폐하지 못한다. 가슴속이 바르면 눈동자가 밝고, 가슴속이 바르지 못하면 눈동자가 흐리다.

按說| '存'에 대하여, 楊伯峻은 《爾雅》〈釋詁〉에 "存은 察(살핌)이다."한 것을 취하였다.

集註| 良은 善也라 眸子는 目瞳子也라 瞭는 明也라 眊者는 蒙蒙하여 目不明之貌라 蓋人與物接之時에 其神在目이라 故로 胸中正則神精而明하고 不正則神散而昏이니라

'良'은 좋음이다. '眸子'는 눈의 동자이다. '瞭'는 밝음이다. '眊'는 蒙蒙(가리움)하여 눈이 밝지 못한 모양이다. 사람이 사물과 접할 때에 그 精神이 눈에 있다. 이 때문에 가슴속이 바르면 精神이 精하여〈눈동자가〉밝고, 가슴속이 바르지 못하면 精神이 흩어져〈눈동자가〉밝지 못한 것이다.

阡陌 平斗桶, 權衡, 丈尺)"同室內(納)息'은, '內'는 '納'의 뜻이고 '息'은 자식이니, 子弟가 아내를 들여 자식을 낳으면 同居를 금하여 동거할 경우 세금을 곱절로 부과한 것이다. 옛날 農地에 대한 租稅에, 家戶에 따른 戶稅와 壯丁에 따른 身役(軍役)이 있었는바, 商鞅의 처음 법령에는 두 아들 이상이면서 分居하지 않는 자는 戶稅를 곱절로 거두었는데, 뒤에는 獨子라도 결혼하여 자식을 낳으면 家戶를 달리하여 戶稅를 거두었다.

··· 眸 눈동자 모 胸 가슴 흉 瞭 밝을 료 眊 흐릴 모 瞳 눈동자 동 蒙 덮어씌울 몽

15-2. 聽其言也요 觀其眸子면 人焉廋哉리오

그의 말을 들어보고 그의 눈동자를 관찰한다면 사람들이 어떻게 〈자신을〉 숨기겠는가."

集註 | 廋는 匿也라 言亦心之所發이라 故로 幷此以觀이면 則人之邪正을 不可匿矣라 然이나 言猶可以僞爲어니와 眸子則有不容僞者니라

'廋'는 숨김이다. 말 또한 마음에서 나오는 것이다. 그러므로 이것(말)까지 아울러(겸하여) 관찰한다면 사람의 사악함과 바름을 숨길 수 없는 것이다. 그러나 말은 오히려 거짓으로 잘 할 수 있지만 눈동자는 속일 수 없는 것이다.

|恭者不侮人章(侮奪章)|

16. 孟子曰 恭者는 不侮人하고 儉者는 不奪人하나니 侮奪人之君은 惟恐不順焉이어니 惡(오)得爲恭儉이리오 恭儉을 豈可以聲音笑貌爲哉리오

孟子께서 말씀하셨다. "공손한 자는 남을 업신여기지 않고, 검소한 자는 남의 것을 빼앗지 않는다. 남을 업신여기고 남의 것을 빼앗는 군주는 〈사람들이 자신의 뜻에〉 순종하지 않을까 두려워하니, 어찌 공손함과 검소함을 할 수 있겠는가. 공손함과 검소함을 어찌 음성이나 웃음과 모양으로써 〈꾸며서〉 할 수 있겠는가."

集註 | 惟恐不順은 言恐人之不順己라 聲音笑貌는 僞爲於外也라

'惟恐不順'은 사람들이 자신에게 순종하지 않을까 두려워함을 말한다. '聲音'과 '笑貌'는 외면에 거짓으로 꾸며서 하는 것이다.

|淳于髡章(嫂溺章)|

17-1. 淳于髡曰 男女授受不親이 禮與잇가 孟子曰 禮也니라 曰 嫂溺이어든 則援之以手乎잇가 曰 嫂溺不援이면 是는 豺狼也니 男女授受不親은 禮也요 嫂溺이어든 援之以手者는 權也니라

··· 廋 숨길 수 匿 숨길 닉 僞 거짓 위 侮 업신여길 모 奪 빼앗을 탈 笑 웃을 소 貌 모양 모 髡 머리깎을 곤 援 구원할 원 嫂 아주머니 수 溺 빠질 닉 豺 이리 시 狼 이리 랑

淳于髡이 "남녀간에 주고받기를 친히 하지 않는 것이 禮입니까?" 하고 묻자, 孟子께서 "禮이다." 하고 대답하셨다.

"弟嫂가 우물에 빠지면 손으로써 구원하여야 합니까?" 하고 묻자, 대답하시기를 "제수가 물에 빠졌는데도 구원하지 않는다면 이는 豺狼(승냥이)이니, 남녀 간에 주고받기를 친히 하지 않음은 禮이고, 제수가 물에 빠졌으면 손으로써 구원함은 權道이다." 하셨다.

> 按說 | '嫂'는 兄嫂와 弟嫂가 모두 해당되는데, 옛날에 시숙과 제수 사이를 더욱 조심하였으므로 제수로 번역하였음을 밝혀둔다.

集註 | 淳于는 姓이요 髡은 名이니 齊之辯士라 授는 與也요 受는 取也라 古禮에 男女不親授受하니 以遠別也[446]라 援은 救之也라 權은 稱錘也니 稱物輕重而往來以取中者也[447]라 權而得中이면 是乃禮也[448]니라

淳于는 姓이요 髡은 이름이니, 齊나라의 辯士이다. '授'는 줌이요, '受'는 취함이다. 古禮에 남녀가 물건을 친히 주고받지 않았으니, 이는 남녀의 분별을 멀리(크게) 한 것이다. '援'은 구원함이다. '權'은 저울의 추이니, 물건의 輕重을 저울질하여 왔다갔다 해서 맞음을 취하는 것이다. 〈상황을〉 저울질하여 中道를 얻는다면 이것이 바로 禮이다.

17-2. 曰 今天下溺矣어늘 夫子之不援은 何也잇고

淳于髡이 말하였다. "지금 천하가 도탄에 빠졌는데, 夫子께서 구원하지 않으심은 어째서입니까?"

---

446 古禮……以遠別也:禮는《禮記》〈內則〉을 가리킨 것으로, "男子는 안의 일을 말하지 않고 女子는 밖의 일을 말하지 않으며, 祭祀가 아니고 喪事가 아니면 서로 그릇을 주고받지 않으니, 서로 주게 되면 女子가 광주리로써 주고 광주리가 없으면 〈男女가〉 모두 앉아서 물건을 바닥에 놓은 뒤에 상대방이 가져간다.〔男不言內 女不言外 非祭非喪 不相授器 其相授 則女授以筐 其無筐 則皆坐 奠之而後 取之〕"라고 보인다.《大全》에 이는 "禮의 떳떳함이다.〔禮之經也〕" 하였다.

447 稱物輕重而往來以取中者也:《大全》에 "이는 '權' 字의 뜻을 해석한 것이다.〔此釋權字之義〕" 하였다.

448 權而得中 是乃禮也:朱子는 "일에는 緩急이 있고 이치에는 大小가 있으니, 이러한 곳은 다 모름지기 權道로써 맞춰야 한다.〔事有緩急 理有大小 這樣處 皆須以權稱之〕" 하였다.《語類》)

··· 辯 말잘할 변 稱 저울질할 칭 錘 저울 추

集註 | 言 今天下大亂하여 民遭陷溺하니 亦當從權以援之요 不可守先王之正道也라

지금 천하가 크게 혼란하여 백성들이 함정에 빠지고 물에 빠짐을 만났으니, 또한 마땅히 權
道를 따라 이들을 구원하여야 할 것이요, 先王의 正道만을 지켜서는 안 됨을 말한 것이다.

17-3. 日 天下溺이어든 援之以道요 嫂溺이어든 援之以手니 子欲手援天下乎아

孟子께서 말씀하셨다. "천하가 도탄에 빠지거든 道로써 구원하고, 제수가 물에 빠지거
든 손으로써 구원하는 것이니, 자네는 손으로 천하를 구원하고자 하는가."

集註 | 言 天下溺엔 惟道可以拯之[449]니 非若嫂溺可手援也라 今子欲援天下호되
乃欲使我枉道求合하니 則先失其所以援之之具矣니 是欲使我以手援天下乎아

'천하가 도탄에 빠졌을 적에는 오직 道만이 이를 구원할 수 있으니, 제수가 물에 빠졌을 적
에 손으로 구원할 수 있는 것과는 같지 않다. 이제 자네가 천하를 구원하고자 하면서 마침내
나로 하여금 道를 굽혀 〈제후왕에게〉 영합하기를 구하게 하려 하니, 이것은 구원할 수 있는
도구(道)를 먼저 잃는 것이다. 이는 나로 하여금 손으로써 천하를 구원하게 하고자 하는 것
이다.' 라고 말씀한 것이다.

章下註 | ○ 此章은 言 直己守道 所以濟時니 枉道徇人은 徒爲失己니라

○ 이 章은 자신을 곧게 하고 道를 지킴이 세상을 구제하는 것이니, 道를 굽혀 남을 따름은
다만 자신의 지조를 잃음이 됨을 말씀한 것이다.

|易子而敎之章|

18-1. 公孫丑日 君子之不敎子는 何也잇고

公孫丑가 말하였다. "君子가 〈직접〉 자식을 가르치지 않음은 어째서입니까?"

---

449 拯之:《大全》에 "救之(구제하다)와 같다.〔與救之同〕" 하였다.

… 遭 만날 조 陷 함정에빠질 함 拯 구원할 구(救同) 枉 굽힐 왕 徇 따를 순

集註 | 不親教也라

직접 가르치지 않는 것이다.

18-2. 孟子曰 勢不行也니라 敎者는 必以正이니 以正不行이어든 繼之以怒하고 繼之以怒면 則反夷矣니 夫子敎我以正하사되 夫子도 未出於正也라하면 則是父子相夷也니 父子相夷면 則惡矣니라

孟子께서 말씀하셨다. "勢가 행해지지 않기 때문이다. 가르치는 것은 반드시 올바름으로써 하는데, 올바름으로써 가르쳐 행해지지 않으면 怒함이 뒤따르고, 노함이 뒤따르면 도리어 〈자식의 마음을〉 상하게 된다. 〈자식이 생각하기를〉 '夫子(아버지)께서 나를 바름으로써 가르치시지만 夫子도 〈행실이〉 바름에서 나오지 못하신다.'라고 한다면, 이는 부자간에 서로 〈의를〉 상하는 것이니, 부자간에 서로 의를 상하면 나쁜 것이다.

按說 | '勢不行'에 대하여, 壺山은

'勢不行'은 가르치고자 하나 될 수 없음을 말한 것이다.〔勢不行 言欲敎而不得也〕

하였다.

集註 | 夷는 傷也라 敎子者는 本爲愛其子也로되 繼之以怒면 則反傷其子矣라 父旣傷其子하면 子之心에 又責其父曰 夫子敎我以正道하사되 而夫子之身도 未必自行正道라하면 則是子又傷其父也니라

'夷'는 상함이다. 자식을 가르침은 본래 자식을 사랑하기 때문이나 怒함이 뒤따르면 도리어 자식의 마음을 상하게 한다. 아버지가 이미 자식의 마음을 상하게 하면, 자식의 마음에 또 아버지를 책망하기를 '夫子는 나를 바른 道로써 가르치시지만 夫子 자신도 반드시 스스로 바른 道를 행하시지는 못한다.'라고 할 것이니, 이렇게 되면 이는 또 자식이 아버지의 마음을 상하게 하는 것이다.

18-3. 古者에 易子而敎之하니라

··· 反 도리어 반 夷 상할 이

옛날에는 자식을 바꾸어 가르쳤다.

集註 | 易子而敎는 所以全父子之恩이요 而亦不失其爲敎니라

자식을 바꾸어 기르침은 부자간의 은혜를 온전히 하고 또한 가르쳐 줌을 잃지 않게 하는 것이다.

18-4. 父子之間은 不責善이니 責善則離하나니 離則不祥이 莫大焉이니라

부자간에는 善으로 책하지 않으니, 善으로 책하면 〈情이〉 떨어지게 된다. 情이 떨어지면 不祥함이(나쁨이) 이보다 더 큼이 없는 것이다."

集註 | 責善은 朋友之道也라

善으로 책함은 붕우간의 道理이다.

章下註 | ○王氏曰 父有爭子[450]는 何也오 所謂爭者는 非責善也라 當不義면 則爭之而已矣니라 父之於子也에 如何오 曰 當不義면 則亦戒之而已矣니라

○王氏(王勉)가 말하였다. "'아버지에게 간하는 자식이 있다.'는 것은 무엇인가? 이른바 '간한다'는 것은 責善이 아니요, 不義를 당하면 간할 뿐이다. 아버지가 자식에 대하여 어떻게 해야 하는가? 不義를 당하면 또한 경계할 뿐이다."

| 事親爲大章(養志章) |
19-1. 孟子曰 事孰爲大오 事親이 爲大하니라 守孰爲大오 守身이 爲大하니라 不失其身而能事其親者를 吾聞之矣요 失其身而能事其親者를 吾未之聞也로라

---

450 父有爭子 : 《孝經》〈諫爭〉에 "선비가 간쟁하는 벗이 있으면 어진 이름이 몸에서 떠나지 않고, 아비가 간쟁하는 자식이 있으면 몸이 불의에 빠지지 않는다.〔士有爭友 則身不離於令名 父有爭子 則身不陷於不義〕"라고 보인다.

··· 離 떨어질 리 祥 길할 상 爭 간쟁할 쟁 孰 무엇 숙

孟子께서 말씀하셨다. "섬기는 일 중에 무엇이 큼이 되는가? 어버이를 섬김이 큼이 된다. 지키는 일 중에 무엇이 큼이 되는가? 몸(지조)을 지킴이 큼이 된다. 몸을 잃지 않고서 그 어버이를 잘 섬긴 자는 내가 들었고, 몸을 잃고서 그 어버이를 잘 섬긴 자는 내가 듣지 못하였다.

集註 | 守身은 持守其身하여 使不陷於不義也라 一失其身이면 則虧體辱親하니 雖日用三牲之養이라도 亦不足以爲孝矣니라

守身은 몸을 잘 지켜 不義에 빠지지 않게 하는 것이다. 한 번 몸을 잃으면 몸을 훼손하고 어버이를 욕되게 하니, 비록 하루에 세 희생(소·양·돼지)의 봉양을 올리더라도 孝라 할 수 없는 것이다.

19-2. 孰不爲事리오마는 事親이 事之本也요 孰不爲守리오마는 守身이 守之本也니라

〈섬기는 일 중에〉 무엇이 섬김이 되지 않겠는가마는 어버이를 섬김이 섬김의 근본이요, 〈지키는 일 중에〉 무엇이 지킴이 되지 않겠는가마는 몸을 지킴이 지킴의 근본이다.

集註 | 事親孝면 則忠可移於君이요 順可移於長[451]이며 身正이면 則家齊國治而天下平이니라

어버이를 섬기기를 孝로써 하면 충성을 군주에게 옮길 수 있고 순종함을 어른(上官)에게 옮길 수 있으며, 몸이 바루어지면 집안이 가지런해지고 나라가 다스려져 천하가 平하게 된다.

19-3. 曾子養曾晳하사되 必有酒肉이러시니 將徹할새 必請所與하시며 問有餘어든 必曰有라하더시다 曾晳이 死커늘 曾元이 養曾子호되 必有酒肉하

---

451 忠可移於君 順可移於長 : 《孝經》〈廣揚名〉에 있는 孔子의 말씀으로, 父母를 孝誠으로 섬기는 자가 이것을 군주에게 옮기면 忠이 되고 공경을 어른에게 옮기면 順이 됨을 이른다.

··· 虧 이지러질 휴 牲 희생 생 移 옮길 이 晳 밝을 석 徹 거둘 철(撤同) 與 줄 여

더니 將徹할새 不請所與하며 問有餘어시든 曰亡(무)矣라하니 將以復進也라
此所謂養口體者也니 若曾子면 則可謂養志也니라

曾子가 曾晳을 봉양할 적에 〈밥상에〉 반드시 술과 고기가 있었는데, 장차 밥상을 치우려 할 적에 〈曾子는〉 반드시 '누구에게 주시겠습니까?' 하고 청하였으며(물었으며), 〈曾晳이〉 '남은 것이 있느냐?' 하고 물으면 반드시 '있습니다.' 하고 대답하셨다.

曾晳이 죽자 曾元이 曾子를 봉양하였는데, 〈밥상에〉 반드시 술과 고기가 있었다. 그러나 밥상을 치울 적에 〈曾元은〉 '누구에게 주시겠습니까?' 하고 청하지 않았으며, 〈曾子가〉 '남은 것이 있느냐?' 하고 물으시면 반드시 '없습니다' 하고 대답하였으니, 이는 그 음식을 다시 올리려고 해서였다. 이것은 이른바 '부모의 口體(입과 몸)만을 봉양한다.'는 것이니, 曾子와 같이 하면 부모의 뜻을 봉양한다고 이를 만하다.

集註ㅣ 此는 承上文事親言之라 曾晳은 名點이니 曾子父也요 曾元은 曾子子也라 曾子養其父하사되 每食에 必有酒肉이러시니 食畢將徹去할새 必請於父曰 此餘者를 與誰오하며 或父問此物尙有餘否어든 必曰有라하시니 恐親意更欲與人也[452]라 曾元은 不請所與하고 雖有라도 言無하니 其意將以復進於親이요 不欲其與人也니 此는 但能養父母之口體而已라 曾子則能承順父母之志하여 而不忍傷之也시니라

이는 윗글의 어버이 섬김을 이어서 말씀한 것이다. 曾晳은 이름이 點이니 曾子의 아버지이고, 曾元은 曾子의 아들이다. 曾子가 아버지를 봉양하실 적에 식사 때마다 반드시 술과 고기가 있었는데, 식사가 끝난 후 밥상을 치울 적에 반드시 아버지(曾晳)에게 청하시기를 '이 남은 것을 누구에게 주시렵니까?' 하였으며, 혹 아버지가 '이 음식이 아직 남은 것이 있느냐?' 하고 물으면 반드시 '있습니다.' 하고 대답하셨으니, 이는 어버이의 뜻이 다시 남에게 주시려고 하시는가 해서였다. 曾元은 누구에게 줄 것인가를 청하지 않았으며, 비록 남은 것이 있어도 '없다.'고 대답하였으니, 그 뜻이 장차 어버이에게 다시 올리고 남에게 주려고 하지 않은 것이니, 이는 다만 父母의 口體만을 잘 봉양하였을 뿐이다. 曾子는 父母의 뜻을 잘 받들어 차마 상하게 하지 않으신 것이다.

---

452 恐親意更欲與人也: 朱子는 "〈格은〉 合格의 '格'字와 같으니, 하여금 바름으로 돌아가게 함을 이른다.〔如合格之格 謂使之歸于正也〕" 하였다. 《語類 書經 冏命》 壺山은 "'恐'字를 굳이 깊이 볼 필요가 없으니, 혹 염려하다는 것과 같다.〔恐字 不必深看 猶或慮也〕" 하였다.

··· 進 올릴진 點 점점 畢 마칠필 誰 누구수

19-4. 事親을 若曾子者 可也니라

어버이 섬김을 曾子와 같이 하는 것이 可하다."

> 集註 | 言 當如曾子之養志요 不可如曾元但養口體니라
>
> 程子曰 子之身에 所能爲者는 皆所當爲니 無過分之事也라 故로 事親을 若曾子면 可謂至矣어늘 而孟子止曰可也라하시니 豈以曾子之孝爲有餘哉[453]리오
>
> 마땅히 曾子와 같이 뜻을 봉양해야 할 것이요, 曾元처럼 단지 口體만을 봉양해서는 안 됨을 말씀한 것이다.
>
> 程子(明道)가 말씀하였다. "자식의 몸에 능히 할 수 있는 것은 모두 자식이 당연히 해야 할 바이니, 분수에 지나치는 일이 없다. 그러므로 어버이 섬김을 曾子와 같이 하면 지극하다고 이를 만한데도 孟子께서 다만 '可하다.'고 하신 것이니, 어찌 曾子의 孝를 有餘하다 하겠는가."

| 人不足與適章 |

20. 孟子曰 人不足與適也며 政不足〈與〉間也라 惟大人이아 爲能格君心之非니 君仁이면 莫不仁이요 君義면 莫不義요 君正이면 莫不正이니 一正君而國定矣니라

孟子께서 말씀하셨다. "〈등용한〉 인물을 군주와 더불어 〈일일이 다〉 허물(지적)할 수 없으며, 〈잘못된〉 정사를 군주와 더불어 〈일일이 다〉 흠잡을 수 없다. 오직 大人이어야 군주의 나쁜 마음을 바로잡을 수 있으니, 군주가 仁하면 仁하지 않은 사람이 없고, 군주가 義로우면 義롭지 않은 사람이 없고, 군주가 바르면 바르지 않은 사람이 없으니, 한 번 군주의 마음을 바루면 나라가 안정된다."

---

453 孟子止曰可也 豈以曾子之孝爲有餘哉 : '有餘'는 不足의 반대말로, 曾子의 이러한 孝는 자식 된 도리에 당연히 해야 할 일이니, 어찌 지극하다고 할 수 있겠느냐는 뜻이다. 茶山은 《論語》와 《孟子》의 《集註》에서 '可也' 두 글자가 나오는 경우에 모두 조금 폄하하는 뜻으로 해석하였으나, 반드시 모두 그런 것은 아니고, 그런 경우도 있고 그렇지 않은 경우도 있는 듯하다.……'어버이 섬김을 曾子와 같이 하는 것이 可하다.' 한 것도 폄하하는 뜻이 없는 듯하다.〔論孟集註 凡遇可也二字 皆作微貶之意 恐不必皆然 有然者 有不然者……事親若曾子 亦恐無微(貶)意〕하였다.

··· 適 나무랄 적 間 흠잡을 간 格 바로잡을 격, 이를 격

集註 | 趙氏曰 適은 過也[454]요 間은 非也[455]라 格은 正也라 徐氏曰 格者는 物之所取
正也[456]니 書曰 格其非心[457]이라하니라

愚謂 間字上에 亦當有與字라 言 人君用人之非를 不足過謫이요 行政之失을 不足
非間이라 惟有大人之德이면 則能格君心之不正하여 以歸于正하여 而國無不治矣
라 大人者는 大德之人이니 正己而物正者也[458]라

趙氏(趙岐)가 말하였다. "'適'은 허물함이요, '間'은 비난함이다. '格'은 바로잡음이다." 徐
氏(徐度)가 말하였다. "'格'은 물건이 바름을 취하는 것이니,《書經》에 이르기를 '그 나쁜
마음을 바로잡는다.' 하였다."

내가 생각하건대 '間'字 위에도 마땅히 '與'字가 있어야 할 것이다. 人君의 인물 등용의 잘
못을 허물할 수 없고 行政의 잘못을 일일이 흠잡을 수 없다. 오직 〈신하가〉 大人의 德이 있
으면 능히 군주의 바르지 못한 마음을 바로잡아 바름으로 돌아가게 해서 나라가 다스려지지
않음이 없음을 말씀한 것이다. '大人'은 大德의 사람이니, 자기 몸을 바룸에 남이 저절로
바루어지는 자이다.

章下註 | ○程子曰 天下之治亂이 繫乎人君之仁與不仁耳라 心之非는 卽害於政
이니 不待乎發之於外也라 昔者에 孟子三見齊王而不言事어시늘 門人이 疑之한대
孟子曰 我先攻其邪心[459]이라하시니 心旣正而後에 天下之事를 可從而理也라 夫政

---

454 適 過也 : 壺山은 "〈適은〉 責과 같다.〔猶責也〕" 하였다.

455 間 非也 : 壺山은 "〈間은〉 譏와 같다.〔猶譏也〕" 하였다.

456 格者 物之所取正也 : 朱子는 "〈格은〉 合格의 '格'字와 같으니, 하여금 바름으로 돌아가게 함을 이른
다.〔如合格之格 謂使之歸于正也〕" 하였다.(《語類 書經 冏命》) 壺山은 "合格은 물건을 바로잡는 기
구이니, 나무를 합쳐 만든 듯하다.〔合格 正物之器 蓋合木爲之耳〕" 하였다. 그러나 合은 부합의 뜻이요
나무를 합친다는 뜻은 아니다. '格'은 직각으로 된 나무판자로 여기에 맞추어 물건을 바루었기 때문에
말한 것으로 보인다. 옛날 格尺이란 것이 있었는데, 이 역시 물건을 재고 물건을 맞추는 것이므로 여기에
맞는 것을 格式이라 하고 이 格式에 맞는 것을 合格이라 하였다.

457 書曰 格其非心 : 蔡氏(蔡沈)는 "非心은 非僻한 마음이다.〔非心 非僻之心也〕" 하였다.

458 大人者……正己而物正者也 : 뒤의 〈盡心上〉 19장에 "有大人者 正己而物正者也"라고 보인다.

459 孟子三見齊王而不言事……我先攻其邪心 :《荀子》〈大略〉에 "孟子가 세 번 齊 宣王을 만나보고도
일을 말씀하지 않자, 門人이 '어찌하여 세 번이나 齊 宣王을 만나보고도 政事를 말씀하시지 않았습니
까?' 하고 물으니, 孟子가 대답하시기를 '나는 먼저 그의 邪心을 다스렸다.' 하셨다.〔孟子三見宣王不言
事 門人曰 曷爲三遇齊王而不言事 孟子曰 我先攻其邪心〕"라고 보인다.

··· 謫 허물할 적 繫 맬 계 理 다스릴 리

事之失과 用人之非는 知(智)者能更(경)之하고 直者能諫之라 然이나 非心이 存焉이
면 則事事而更之라도 後復有其事하여 將不勝其更矣요 人人而去之라도 後復用其
人하여 將不勝其去矣라 是以로 輔相之職은 必在乎格君心之非하니 然後에 無所不
正이요 而欲格君心之非者는 非有大人之德이면 則亦莫之能也니라

○程子(伊川)가 말씀하였다. "天下의 다스려짐과 혼란함은 人君의 마음이 仁한가 不仁한
가에 달려 있을 뿐이다. 마음의 나쁨(바르지 못한 마음)은 바로 정사에 해를 끼치니, 밖에
나타나기를 기다리지 않는다. 옛날에 孟子께서 세 번 齊王을 만나보시고 정사를 말씀하시
지 않자, 門人들이 의심하였다. 이에 孟子께서 대답하시기를 '나는 먼저 그 邪心(바르지 못
한 마음)을 다스렸다.' 하셨으니, 마음이 바루어진 뒤에야 천하의 일을 따라서 다스릴 수 있
는 것이다. 정사의 잘못과 인물 등용의 잘못은, 지혜로운 자(신하)는 능히 고치고 忠直한 자
는 능히 간한다. 그러나 군주에게 나쁜 마음이 남아 있으면 일마다 고치더라도 뒤에 다시 그
러한 일이 있어서 장차 이루 다 고치지 못할 것이요, 사람마다 제서하려라도 뒤에 다시 그러
한 인물을 등용하여 장차 이루 다 제거하지 못할 것이다. 이 때문에 輔相(보필)하는 大臣의
직책은 반드시 군주의 나쁜 마음을 바로잡음에 있는 것이니 이렇게 한 뒤에는 바르지 않음
이 없을 것이요, 군주의 나쁜 마음을 바로잡고자 하는 자는 大人의 德이 있지 않으면 또한
이것을 할 수 없는 것이다."

|不虞之譽章|
21. 孟子曰 有不虞之譽하며 有求全之毁하니라

孟子께서 말씀하셨다. "예상치 않은 칭찬이 있으며, 완전하기를 구하다가 받는 비방이
있다."

集註 | 虞는 度(탁)也라
呂氏曰 行不足以致譽而偶得譽를 是謂不虞之譽요 求免於毁而反致毁를 是謂求
全之毁라 言 毁譽之言이 未必皆實[460]이니 修己者 不可以是遽爲憂喜요 觀人者 不

---

460 呂氏曰……未必皆實：雙峰饒氏(饒魯)는 "譽는 본래 남의 좋은 점을 찬미하는 것인데, 다만 '毁'字와
상대하여 말하면 두 가지가 다 그 진실을 얻지 못한 뜻이 있다.[譽 本是美人之好處 但對毁字說 則二

••• 更 고칠 경 相 도울 상 虞 헤아릴 우 譽 기릴 예 毁 훼방할 훼 致 부를 치 偶 우연 우 遽 갑자기 거

可以是輕爲進退니라

'虞'는 헤아림이다..

呂氏(呂大臨)가 말하였다. "행실이 칭찬을 불러올 만하지 못한데도 우연히 칭찬을 얻는 것을 '不虞之譽'라 이르고, 비방을 면하기를 구하다가 도리어 비방을 불러옴을 '求全之毁'라 이른다. 비방하고 칭찬하는 말이 반드시 다 진실한 것은 아니니, 몸을 닦는 자는 이것(毁譽)으로써 대번에 근심하거나 기뻐해서는 안 될 것이요, 사람을 관찰하는 자는 이것으로써 가볍게 사람을 올려주거나 물리쳐서는 안 됨을 말씀한 것이다."

| 易其言章 |

22. 孟子曰 人之易(이)其言也는 無責耳矣니라

孟子께서 말씀하셨다. "사람이 말을 함부로 하는 것은 꾸짖음을 받지 않았기 때문이다."

按說 | '人之易其言也 無責耳矣'에 대하여, 趙岐는

> 사람이 그 말을 가볍게 하고 함부로 하는 것은 失言의 꾸짖음을 받지 못했기 때문이다. 一說에 "사람이 가볍고 함부로 행동하며 임금에게 간하여 바로잡으려 하지 않는 것은 그가 言責의 자리에 있지 않기 때문이다." 했다.〔人之輕易其言 不得失言之咎責也 一說人之輕易 不肯諫正君者 以其不在言責之位者也〕

하였다. 茶山은

> 《集註》는 趙岐의 原註를 따른 것이다. 그러나 趙岐의 두 설은 모두 옳지 않은 듯하다……

者皆有不得其眞之意〕하였다. 茶山은 "내가 생각하건대 칭찬을 구하여 칭찬을 얻는 것은 不虞가 아니다. 사람이 일을 만나 信實한 마음으로 곧게 행하고 비방을 피하지 않았는데 도리어 혹 이로써 칭찬을 얻기도 하니, 이것이 '不虞之譽'이다. 우연히 잘못하여 비방을 받는 것은 '求全之毁'가 아니다. 반드시 잘못을 저지른 뒤에 또 따라서 잘못을 文飾하여 그 자취를 감추려다가 도리어 혹 이로 인해 비방을 더하기도 하니, 이것이 '求全之毁'이다. 呂氏가 '비방하고 칭찬하는 말이 반드시 다 진실한 것은 아니다.'라고 한 것은 본뜻이 아닌 듯하다.〔余謂要譽而得譽者 非不虞也 凡人遇事 信心直行 不避毁謗 反或以此而得譽 此不虞之譽也 偶誤而得毁者 非求全之毁也 必於作過之後 又從而文過飾非 以掩其跡 反或因此而增毁 此求全之毁也 呂氏謂毁譽之言 未必皆實 恐非本旨〕"하였다.

사람이 말을 함부로 하면 이는 쓸모없는 사람이니, 그에게 어찌 꾸짖을 것이 있겠는가. 그러므로 '꾸짖을 필요도 없다.'고 한 것이다.〔集註從趙之原註 然趙之兩說 恐皆未然……人之易其言也 此是棄物 於女何誅 故曰無責耳矣〕

하였다. 楊伯峻도, 茶山과 마찬가지로 經文의 '無責耳矣'를 '책망할 것이 못 된다.'로 번역하였다.

集註┃人之所以輕易其言者는 以其未遭失言之責故耳라 蓋常人之情은 無所懲於前이면 則無所警於後하니 非以爲君子之學이 必俟有責而後에 不敢易其言也라 然이나 此豈亦有爲而言[461]之與인저

사람이 그 말을 가볍게 하고 함부로 하는 까닭은 失言의 꾸짖음을 당하지 않았기 때문이다. 常人의 情은 앞에서 징계한 바가 없으면 뒤에 경계하는 바가 없으니, '君子의 학문이 반드시 꾸짖음이 있기를 기다린 뒤에 감히 그 말을 함부로 하지 않는다.'고 말씀한 것은 아니다. 그러나 이것은 아마도 이유가 있어서 하신 말씀일 것이다.

|好爲人師章|

23. 孟子曰 人之患이 在好爲人師니라

孟子께서 말씀하셨다. "사람들의 병통은 남의 스승 되기를 좋아함에 있다."

集註┃王勉曰 學問有餘하여 人資於己어든 不得已而應之는 可也어니와 若好爲人師면 則自足而不復有進矣니 此는 人之大患也니라

王勉이 말하였다. "學問이 有餘(충분)하여 남들이 자기에게 의뢰하면 부득이하여 응하는 것은 可하지만, 만일 남의 스승이 되기를 좋아한다면 스스로 만족하게 여겨 다시는 진전이 있지 않을 것이니, 이는 사람들의 큰 병통이다."

---

461 有爲而言 : 까닭이 있어서 한 말씀으로, 곧 일반적인 경우가 아니고 특별한 경우를 지적하여 말씀함을 가리킨다.

… 遭 만날 조 懲 징계할 징 俟 기다릴 사 資 의뢰할 자

|樂正子從於子敖章(舍館章)|

24-1. 樂正子從於子敖하여 之齊러니

樂正子가 子敖를 따라 齊나라에 갔었다.

集註 | 子敖는 王驩의 字라

子敖는 王驩의 字이다.

24-2. 樂正子見(현)孟子한대 孟子曰 子亦來見我乎아 曰 先生은 何爲 出此言也시니잇고 曰 子來幾日矣오 曰 昔者니이다 曰 昔者면 則我出此 言也 不亦宜乎아 曰 舍館을 未定이러이다 曰 子聞之也아 舍館을 定然 後에 求見長者乎아

樂正子가 孟子를 뵙자, 孟子께서 "자네도 나를 보러 왔는가?" 하시니,

樂正子가 "先生은 어찌하여 이런 말씀을 하십니까?" 하였다.

"자네가 이곳에 온 지 며칠이 되었는가?"

"前日에 왔습니다."

"前日이라면 내가 이러한 말을 하는 것이 당연하지 않은가."

"머물 客舍를 정하지 못해서였습니다."

"자네는 들었는가? 客舍를 정한 뒤에 長者(어른)를 찾아본다 하던가?"

按說 | 官本諺解와 栗谷諺解에 '樂正子見孟子'의 '見'만 '현'으로 읽고 그 외는 '견' 으로 읽었다. 그런데 〈梁惠王下〉 16-3절의 '樂正子見孟子'의 諺解에서는 '見'을 '견'으 로 읽었다. 壺山은 이에 대하여,

위의 〈樂正子見孟子'의〉 '見'字는 여기와 首篇 末章에 모두 《集註》의 音訓이 없는데 여 기의 諺解에만 '현'이라는 음을 달았으니, 다시 살펴보아야 한다.〔上見字 此及首篇末章 皆無音訓 而此諺解 特音現 更詳之〕

하였다.

··· 敖 오만할 오 驩 기쁠 환 舍 머물 사 館 객사 관

集註 | 昔者는 前日也라 館은 客舍也라 王驩은 孟子所不與言者[462]니 則其人을 可知矣어늘 樂正子乃從之行하니 其失身之罪大矣요 又不早見長者하니 則其罪又有甚者焉이라 故로 孟子姑以此責之[463]하시니라

'昔者'는 前日이다. '館'은 客舍이다. 王驩은 孟子께서 더불어 말씀하시지 않은 자이니, 그렇다면 그의 인품을 알 수 있는데, 樂正子가 그를 따라 왔으니 몸의 지조를 잃은 죄가 크며, 또 일찍 長者를 찾아뵙지 않았으니 그 죄가 더욱 심하다. 그러므로 孟子께서 우선 이것을 꾸짖으신 것이다.

24-3. 曰 克이 有罪호이다

樂正子가 말하였다. "제(克)가 죄를 졌습니다."

集註 | 陳氏曰 樂正子固不能無罪矣라 然이나 其勇於受責이 如此하니 非好善而篤信之면 其能若是乎[464]아 世有强辯飾非하여 聞諫愈甚者하니 又樂正子之罪人[465]也니라

陳氏(陳暘)가 말하였다. "樂正子는 진실로 죄가 없지 못하다. 그러나 꾸짖음을 받아들임에 용맹함이 이와 같았으니, 善을 좋아하고 독실히 믿는 자가 아니면 이와 같이 할 수 있겠는

---

462 王驩 孟子所不與言者 : 앞의 〈公孫丑下〉 4장에 "孟子가 齊나라에서 卿이 되어 나가 滕나라에 조문하실 적에……副使인 王驩이 아침과 저녁으로 뵈었으나 齊나라와 滕나라를 왕복하도록 일찍이 그와 더불어 말씀하지 않으셨다.〔孟子爲卿於齊 出弔於滕……王驩朝暮見 反齊滕之路 未嘗與之言行事也〕"라고 보인다.

463 樂正子乃從之行……孟子姑以此責之 : 新安陳氏(陳櫟)는 "小人을 따름으로써 몸의 지조를 잃은 것이 한 罪이고, 일찍 長者를 뵙지 않은 것이 또 한 죄이니, 孟子께서는 우선 뒤의 한 罪를 가지고 책망하신 것이다.〔從小人 爲失身 一罪也 不早見長者 又一罪也 孟子且以後一罪責之〕"하였다.

464 其勇於受責……其能若是乎 : 新安陳氏(陳櫟)는 "樂正子는 善人이고 信人이니, 이 때문에 능히 善을 좋아하고 돈독히 믿은 것이다. 善을 좋아하고 돈독히 믿었으므로 의로운 일을 행함에 용감하여 스스로 죄라고 인정하였으니, 또한 可尙하다.〔樂正子 善人也 信人也 所以能好善而篤信之 惟好善篤信 所以勇於服義 自以爲罪 亦可尙也〕"하였다. '樂正子가 善人이고 信人이다.'라는 것은 孟子의 말씀으로 아래 〈盡心下〉 25장에 보인다.

465 樂正子之罪人 : 樂正子는 孟子에게 죄를 지었으므로 孟子의 罪人인 반면, 세상에 꾸짖음을 들으면 달게 받아들이지 않고 强辯하는 자들은 또 용감하게 자신의 죄를 인정한 樂正子에게 죄를 지은 사람이란 뜻이다.

••• 姑 우선고 飾 꾸밀식 非 그를비 愈 더욱유

가. 세상에는 强辯하여 非行을 꾸며 간하는 말을 들으면 더욱 심한 자가 있으니, 이는 또 樂 正子의 罪人이다."

|餔啜章|

25. 孟子謂樂正子曰 子之從於子敖來는 徒餔啜也로다 我不意子學 古之道而以餔啜也호라

孟子께서 樂正子에게 말씀하셨다. "자네가 子敖를 따라 〈齊나라에〉 온 것은 한갓 먹 고 마시기 위해서이다. 나는 자네가 옛 道를 배우고서 먹고 마시는 것에 쓰리라고는 생 각하지 못하였노라."

按說 | '以'에 대하여, 壺山은

以는 '爲'와 같다.(以 猶爲也)

하였다.

集註 | 徒는 但也라 餔는 食也요 啜은 飮也니 言其不擇所從하고 但求食耳라 此乃正 其罪而切責之⁴⁶⁶시니라

'徒'는 다만이다. '餔'는 먹음이요 '啜'은 마심이니, 따르는(從遊하는) 바를 택하지 않고 다 만 음식을 구할 뿐임을 말씀한 것이다. 이는 그 죄를 바로잡아 간절히 꾸짖으신 것이다.

|不告而娶章|

26-1. 孟子曰 不孝有三하니 無後爲大하니라

孟子께서 말씀하셨다. "不孝가 세 가지 있으니, 〈그 중에 자식을 낳지 아니하여〉 後孫

---

466 此乃正其罪而切責之 : 趙氏(趙順孫)는 "樂正子가 능히 꾸짖음을 받는 것에 용감한 뒤에 孟子가 그 죄를 바로잡아 간절히 책망하셨으니, 이른바 '더불어 말할 만한 뒤에 더불어 말한다.'는 것이다.[樂正子 能勇於受責 然後孟子正其罪而切責之 所謂可與言而後 與之言者也]" 하였다.

••• 徒 한갓 도 餔 먹을 포 啜 마실 철

이 없는 것이 가장 크다.

集註 | 趙氏曰 於禮에 有不孝者三事하니 謂阿意曲從하여 陷親不義 一也요 家貧親老호되 不爲祿仕 二也요 不娶無子하여 絶先祖祀 三也니 三者之中에 無後爲大하니라

趙氏(趙岐)가 말하였다. "禮에 不孝란 것이 세 가지가 있으니, 父母의 뜻에 아첨하고 굽혀 따라서 어버이를 不義에 빠뜨림이 첫째요, 집이 가난하고 어버이가 늙었는데도 祿仕(祿을 받기 위한 벼슬)를 하지 않음이 둘째요, 장가들지 않아 자식이 없어서 先祖의 제사를 끊음이 셋째이니, 이 세 가지 중에 후손이 없는 것이 가장 크다."

26-2. 舜이 不告而娶는 爲無後也시니 君子以爲猶告也라하니라

舜임금이 〈父母에게〉 아뢰지 않고 장가든 것은 無後 때문이셨으니, 君子가 '아뢴 것과 같다.'고 말하였다."

集註 | 舜告焉이면 則不得娶而終於無後矣리니 告者는 禮也요 不告者는 權也[467]라 猶告는 言與告同也라 蓋權而得中이면 則不離於正矣니라

舜임금이 父母에게 아뢰었으면 장가들 수가 없어서 無後로 끝났을 것이니, 아뢰는 것은 禮이고 아뢰지 않는 것은 權道이다. '猶告'는 아룀과 같음을 말한다. 저울질하여(權道를 행하여) 中道에 맞으면 正道에서 이탈되지 않는다.

章下註 | ○范氏曰 天下之道 有正有權하니 正者는 萬世之常이요 權者는 一時之用이니 常道는 人皆可守어니와 權은 非體道[468]者면 不能用也라 蓋權은 出於不得已者也니 若父非瞽瞍요 子非大舜이어늘 而欲不告而娶면 則天下之罪人也니라

○范氏(范祖禹)가 말하였다. "天下의 道에는 正道가 있고 權道가 있으니, 正道는 萬世의

467 告者……權也 : 新安陳氏(陳櫟)는 "告하는 것은 禮의 바름이니 經道이고, 告하지 않는 것은 禮의 變이니 權道이다.〔告者 禮之正也 經也 不告者 禮之變也 權也〕" 하였다.

468 體道 : 新安陳氏(陳櫟)는 "體道는 이 道를 몸에 온전히 體行하여 道와 하나가 됨을 이른다.〔體道 謂全體此道於身 與道爲一者也〕" 하였다.

··· 阿 아첨할 아 曲 곡진할 곡, 굽을 곡 陷 빠질 함 娶 장가들 취 瞽 소경 고 瞍 소경 수

떳떳함이요 權道는 一時의 운용이다. 常道는 사람들이 다 지킬 수 있으나 權道는 道를 체행한 자가 아니면 쓰지 못한다. 權道는 부득이한 데서 나오는 것이니, 만일 아버지가 瞽瞍와 같은 나쁜 아버지가 아니요 아들이 大舜과 같은 孝子가 아닌데 아뢰지 않고 장가들려 한다면 天下의 罪人이다."

|仁之實章(事親從兄章)|

27-1. 孟子曰 仁之實은 事親이 是也요 義之實은 從兄이 是也니라

孟子께서 말씀하셨다. "仁의 實은 어버이를 섬김이 이것이요, 義의 實은 兄을 따름(兄에게 순종함)이 이것이다.

按說│ '實'에 대하여, 朱子는

'實'字는 名에 상대하여 말한 경우가 있으니 名實의 實을 이르고, 理에 상대하여 말한 경우가 있으니 事實의 實을 이르고, 꽃에 상대하여 말한 경우가 있으니 華實(꽃과 열매)의 實이다. 지금 여기의 '實'字는 名實이나 事實의 實이 아니고, 바로 華實의 實이다. 仁의 實은 본래 단지 事親인데, 이를 미루어 넓히면 남을 사랑하고 만물을 이롭게 함이 이 仁 아닌 것이 없으며, 義의 實은 본래 단지 從兄인데, 이를 미루어 넓히면 임금에게 충성하고 어른을 공경함이 이 義 아닌 것이 없다. 事親과 從兄은 바로 仁義의 實이고, 미루어 넓혀 나가는 것은 바로 仁義의 華采이다.〔實字 有對名而言者 謂名實之實 有對理而言者 謂事實之實 有對華而言者 謂華實之實 今這實字 不是名實事實之實 正是華實之實 仁之實 本只是事親 推廣之 愛人利物 無非是仁 義之實 本只是從兄 推廣之 忠君弟長 無非是義 事親從兄 便是仁義之實 推廣出去者 乃是仁義底華采〕《語類》

하였다. 이에 대해 正祖와 茶山이 문답을 하였는데, 正祖가

'實'字를 華에 상대되는 實로 해석한 것은, 理에 상대되는 實로 해석하는 것만 못한 듯하다. 仁·義는 단지 理이니 일이 있는 것이 아니고 事實로 말하면 事親과 從兄이 이것이다.〔以實字作對華之實 恐不如作對理之實 蓋仁義只是理耳 非有事在 而以事實言之 則事親從兄是也〕

하니, 茶山은

> 저는 이 章에서 말한 것은 모두 名實의 實인듯 합니다. 戰國時代에는 仁義를 가장하고 禮
> 樂을 꾸며 오로지 詐智만을 숭상하였습니다.……孝弟의 道가 거의 없어졌습니다. 이에 孟
> 子께서 堯舜의 道를 推本하여 孝·弟 두 가지를 仁·義·智·禮·樂 다섯 가지의 實로 삼은
> 것입니다. 實이란 虛의 반대이며 名의 상대입니다.〔臣恐此章所言 皆名實之實 蓋戰國之
> 時 假仁義 飾禮樂 專尙詐智……孝弟之道 幾乎熄矣 於是孟子推本堯舜之道 以孝
> 弟二者 爲五者之實 實者虛之反 名之對也〕

하였다.

集註 | 仁主於愛而愛莫切於事親이요 義主於敬而敬莫先於從[469]兄이라 故로 仁義
之道 其用이 至廣이나 而其實은 不越於事親從兄之間하니 蓋良心之發이 最爲切
近而精實者라 有子以孝弟爲爲仁之本[470]하니 其意亦猶此也니라

仁은 사랑을 주장하는데 사랑은 어버이를 섬기는 것보다 간절함이 없으며, 義는 공경을 주
장하는데 공경은 兄을 따르는 것보다 앞섬이 없다. 그러므로 仁·義의 道가 그 쓰임이 지극
히 넓으나 그 실제는 어버이를 섬기고 兄을 따르는 사이에 지나지 않으니, 良心이 발로됨이
가장 간절하고 가까우면서 精하고 진실한 것이다. 有子가 孝弟로써 仁을 행하는 근본을 삼
았으니, 그 뜻이 또한 이와 같다.

27-2. 智之實은 知斯二者하여 弗去 是也요 禮之實은 節文斯二者 是也 요 樂(악)之實은 樂(락)斯二者니 樂(락)則生矣니 生則惡(오)可已也리오 惡 可已면 則不知足之蹈之, 手之舞之니라

智의 實은 이 두 가지(事親·從兄)를 알아서 떠나지 않는 것이요, 禮의 實은 이 두 가
지를 節文하는 것이요, 樂의 實은 이 두 가지를 즐거워하는 것이다. 즐거워하면 〈이러
한 마음이〉 생겨날 것이니, 생겨난다면 〈이러한 행실을〉 어찌 그만둘 수 있겠는가. 어찌

---

469 從 : 壺山은 "從은 順과 같다.〔從 猶順也〕" 하였다.

470 有子以孝弟爲爲仁之本 : 有子는 孔子의 弟子인 有若을 존칭한 것으로, 이 내용은 《論語》〈學而〉 2장
에 보인다.

··· 越 넘을 월 切 간절할 절 精 정밀할 정 惡 어찌 오 已 그만둘 이 蹈 뛸 도 舞 춤출 무

그만둘 수 있겠느냐고 한다면(그만둘 수 없다면) 자신도 모르게 발로 뛰고 손으로 춤을
추게 될 것이다."

集註 | 斯二者는 指事親從兄而言이라 知而弗去는 則見之明而守之固矣라 節文은 謂品節文章[471]이라 樂則生矣는 謂和順從容하여 無所勉强하여 事親從兄之意 油然自生이 如草木之有生意也라 旣有生意면 則其暢茂條達이 自有不可遏者니 所謂惡可已也라 其又盛이면 則至於手舞足蹈而不自知矣[472]니라

'이 두 가지'는 事親과 從兄을 가리켜 말한 것이다. 알아서 떠나지 않는다면 보기를 분명히
하고 지키기를 굳게 한 것이다. '節文'은 品節과 文章을 이른다. '즐거워하면 생겨난다.'는

---

[471] 節文 謂品節文章 : '節'은 品節로 品格에 맞게 제한하는 것이며, '文'은 文飾을 가하여 문채(文章)가
나게 하는 것이다.
[472] 至於手舞足蹈而不自知矣 : 新安陳氏(陳櫟)는 "손으로 춤추고 발로 뛰는 것은 天理의 참다운 즐거움이 용모를 움직이는 사이(행동거지)에 나타나는데도 스스로 알지 못하는 것이다.〔手舞足蹈 天理之眞樂 形見於動容之間而不自知者也〕" 하였다.

… 暢 통할 창 茂 무성할 무 遏 막을 알

것은 和順하고 從容(여유 있음)하여 억지로 힘쓰는 바가 없으면서 事親·從兄의 마음이 油然히 스스로 생겨남이 草木에 살려는 뜻이 있음과 같음을 이른다. 이미 살려는 뜻이 있다면 〈草木이〉 무성하고 가지가 발달됨이 자연 막을 수 없을 것이니, 이것이 이른바 '어찌 그만둘 수 있겠는가.〔惡可已〕'란 것이다. 더욱 성해지면 손으로 춤을 추고 발로 뛰면서도 스스로 알지 못하는 경지에 이를 것이다.

章下註 | ○ 此章은 言 事親從兄은 良心眞切이니 天下之道 皆原於此라 然이나 必知之明而守之固然後에 節之密而樂之深也니라

○ 이 章은 어버이를 섬기고 형을 섬김은 良心이 참되고 간절한 것이니, 天下의 道가 모두 여기에서 근원하였다. 그러나 반드시 알기를 분명히 하고 지키기를 굳게 한 뒤에야 예절에 맞게 節制하기를 치밀히 하고 즐거워하기를 깊이 함을 말씀한 것이다.

|天下悅而歸己章(瞽瞍底豫章)|

28-1. 孟子曰 天下大悅而將歸己어늘 視天下悅而歸己호되 猶草芥也는 惟舜이 爲然하시니 不得乎親이면 不可以爲人이요 不順乎親이면 不可以爲子러시다

孟子께서 말씀하셨다. "천하 사람들이 크게 기뻐하면서 장차 자신에게 돌아오려 하는데 천하 사람들이 기뻐하면서 자신에게 돌아옴을 보기를 草芥와 같이 여기신 것은 오직 舜임금이 그러하셨다. 어버이에게 기쁨을 얻지 못하면 사람이 될 수 없다고 여기시고, 어버이에게 순하지 못하면 자식이 될 수 없다고 여기셨다.

集註 | 言 舜視天下之歸己를 如草芥하고 而惟欲得其親而順之也라 得者는 曲爲承順하여 以得其心之悅而已요 順則有以諭之於道하여 心與之一하여 而未始有違니 尤人所難也라 爲人은 蓋泛言之요 爲子는 則愈密矣[473]니라

---

[473] 得者……則愈密矣 : '心與之一'을 壺山은 "자기(자식)의 마음이 어버이의 마음과 하나가 되는 것이다.〔己之心與親之心爲一〕"라고 하였으나, 《語類》를 따라 위와 같이 해석하였다. 朱子는 《語類》에서 "'人'字는 다만 대강으로 말한 것이고 '子'字는 말한 것이 重하다. 어버이의 마음을 얻지 못하더라도 진

··· 芥 지푸라기 개 諭 깨우칠 유 尤 더욱 우 泛 넓을 범 愈 더욱 유

舜임금은 천하가 자신에게 돌아옴을 보기를 草芥처럼 여기고, 오직 그 어버이에게 기뻐함을 얻고 〈어버이를 道에〉順하게 하려고 하셨음을 말씀한 것이다. '得'은 곡진히 받들고 따라서 그 마음에 기뻐함을 얻을 뿐이요, '順'은 어버이를 道로 깨우쳐서 어버이의 마음이 道와 하나가 되어 일찍이 어김이 있지 않게 하는 것이니, 더욱 사람의 어려운 바이다. '사람이 된다.'는 것은 범범하게 말한 것이요, '자식이 된다.'는 것은 더욱 치밀하다.

28-2. 舜이 盡事親之道而瞽瞍底(지)豫하니 瞽瞍底豫而天下化하며 瞽瞍底豫而天下之爲父子者定하니 此之謂大孝니라

舜임금이 어버이 섬기는 道理를 다함에 瞽瞍가 기뻐함에 이르렀으니, 고수가 기뻐함에 이르자 천하가 교화되었으며, 고수가 기뻐함에 이르자 천하의 父子 된 자들이 안정되었으니, 이것을 일러 大孝라 한다."

集註ㅣ瞽瞍는 舜父名이라 底는 致也요 豫는 悅樂(락)也라 瞽瞍至頑하여 嘗欲殺舜이러니 至是而底豫焉하니 書所謂不格姦[474], 亦允若[475]이 是也라 蓋舜至此而有以順乎親矣라 是以로 天下之爲子者 知天下에 無不可事之親이요 顧吾所以事之者未若舜耳라 於是에 莫不勉而爲孝하여 至於其親亦底豫焉이면 則天下之爲父者 亦莫不慈하니 所謂化也라 子孝父慈하여 各止其所하여 而無不安其位之意 所謂定也[476]라 爲法於天下하여 可傳於後世요 非止一身一家之孝而已니 此所以爲大孝

실로 人子가 부모의 顔色을 받들어 순종해서 부모가 하시는 일을 보면 是非를 따지지 않고 한결같이 그 뜻을 거스르지 않는 것이니, 이는 어버이의 마음을 얻은 것이다. 그러나 이것은 오히려 천근한 일이요, 오직 어버이를 道에 順하게 함이 어버이의 마음이 모두 이치(道)에 순한 것이니, 이와 같이 한 뒤에야 자식이 될 수 있다.〔人字只說大綱 子字卻說得重 不得乎親之心 固有人承親順色 看父母做甚麼事 不問是非 一向不逆其志 這也是得親之心 然猶是淺事 惟順乎親 則親之心皆順乎理 必如此而後可以爲子〕"하였다.

474 不格姦:《書經》〈堯典〉에 "〈舜임금은〉瞽瞍의 아들이니, 아버지는 頑惡하고 어머니는 어리석고 象은 오만하였는데, 능히 효도로써 화합하여 꾸준히 다스려서 간악함에 이르지 않게 했다.〔瞽子 父頑母嚚 象傲 克諧以孝 烝烝乂 不格姦〕"라고 보인다.

475 亦允若:《書經》〈大禹謨〉에 "공경히 일하여 瞽瞍를 뵙되, 조심하고 조심하며 공경하고 두려워하시니, 瞽瞍 또한 믿고 따랐다.〔祇載見瞽瞍 夔夔齊慄 瞽瞍亦允若〕"하였다.

476 莫不勉而爲孝……所謂定也:新安陳氏(陳櫟)는 "化는 마음으로써 말하였고, 定은 분수로써 말하였다.〔化 以心言 定 以分言〕"하였다.

••• 底 이를 지 豫 기쁠 예 頑 완악할 완 格 이를 격 姦 간악할 간 允 믿을 윤 若 순할 약 顧 다만 고

也니라

瞽瞍는 舜임금의 아버지 이름이다. '厎'는 이름이요, '豫'는 기뻐함이다. 瞽瞍가 지극히 완악하여 일찍이 舜임금을 죽이고자 하였는데, 이때에 이르러 기뻐함에 이르렀으니, 《書經》에 이른바 '姦惡(간악)에 이르지 않게 하였다.'와 '瞽瞍 또한 믿고 따랐다.'는 것이 이것이다. 舜임금이 이때에 이르러 어버이에게 順히 함이 있었던 것이다. 이 때문에 천하의 자식된 자들이 천하에 섬길 수 없는 父母가 없고, 다만 자신이 부모를 섬기는 것이 舜임금만 못하다는 것을 알았다. 이에 힘써 孝를 하지 않는 이가 없어서 그의 어버이 또한 기뻐함에 이르렀으면, 천하의 아버지 된 자들이 또한 자식을 사랑하지 않는 이가 없었으니, 이것이 이른바 '化(敎化)'란 것이다. 아들은 효도하고 아버지는 사랑하여 각각 제자리에 멈추어서 그 위치에 편안하지 않음이 없는 뜻이 이른바 '定'이라는 것이다. 천하에 모범이 되어 후세에 전할 만하고 一身과 一家의 孝에 그칠 뿐만이 아니었으니, 이 때문에 大孝가 된 것이다.

章下註 | ○ 李氏曰 舜之所以能使瞽瞍厎豫者는 盡事親之道하여 共(恭)爲子職이요 不見父母之非而已라 昔에 羅仲素[477]語此云 只爲天下에 無不是厎父母라한대 了翁[478]이 聞而善之曰 唯如此而後에 天下之爲父子者定이니 彼臣弑其君하며 子弑其父者는 常始於見其有不是處耳라하니라

○ 李氏(李郁)가 말하였다. "舜임금이 瞽瞍로 하여금 기뻐함에 이르게 한 것은 〈舜임금이〉 어버이 섬기는 道理를 다하여 공손히 자식 된 직분을 하고 父母의 잘못을 보지 않았기 때문일 뿐이다. 옛적에 羅仲素가 이것을 말하기를 '다만 천하에 옳지 않은 父母가 없다고 생각하기 때문이다.' 하였는데, 了翁(陳瓘)이 이 말을 듣고서 좋게 여겨 말씀하기를 '이와 같이 생각한 뒤에야 천하에 父子 된 자들이 안정될 수 있으니, 신하가 군주를 시해하고 자식이 아버지를 시해하는 것은 항상 〈君·父의〉 옳지 못한 점을 봄에서 비롯된다.' 하였다."

---

477 羅仲素:《大全》에 "仲素는 이름이 從彦이고 豫章 사람인데, 뒤에 延平에 거주하였다.〔仲素 名從彦 豫章人 後居延平〕" 하였다. 仲素는 羅從彦의 字이다. 程子의 門人인 龜山 楊時에게 배웠으며 배우는 자들이 豫章先生이라 칭하였다. 延平 李侗에게 학문을 전수하여 朱子에게 이르게 하였다.

478 了翁:《大全》에 "了翁은 姓이 陳이고 이름이 瓘이고 字가 瑩中이니, 延平 사람이다.〔了翁 姓陳 名瓘 字瑩中 延平人〕" 하였다.

··· 素 흴소 厎 어조사 저 了 밝을 료 弑 시해할 시 是 옳을 시

離婁章句 下

集註 | 凡三十三章이라

모두 33章이다.

|舜生於諸馮章|

1-1. 孟子曰 舜은 生於諸馮하사 遷於負夏하사 卒於鳴條하시니 東夷之人也시니라

孟子께서 말씀하셨다. "舜임금은 諸馮에서 태어나 負夏로 옮기시어 鳴條에서 별세하셨으니, 東夷의 사람이시다.

按說 | 《或問》에

여기에 舜이 鳴條에서 별세하셨다고 하였으니, 鳴條는 湯王이 桀王과 전쟁한 땅인데 《竹書紀年》에는 '남쪽으로 순행하다가 돌아오지 못했다.'라고 하고, 《禮記》《檀弓上》에는 '蒼梧에 장례지냈다.'는 說이 있으니, 어찌 된 것입니까?〔此以爲舜卒於鳴條 則湯與桀戰之地也 而竹書有南巡不反 禮記有葬於蒼梧之說 何邪〕

하고 묻자, 朱子는

··· 馮 성풍 遷 옮길천 負 질부 條 가지조

476 · 附 按說 孟子集註

孟子의 말씀은 반드시 근거한 바가 있을 것이다. 두 책이 잡박하여 다 믿기 어려울 듯하다.〔孟子之言 必有所據 二書駁雜 恐難盡信〕

하였다.

集註 | 諸馮, 負夏, 鳴條는 皆地名이니 在東方夷服[479]之地하니라

諸馮·負夏·鳴條는 모두 地名이니, 東方 夷服의 땅에 있었다.

1-2. 文王은 生於岐周하사 卒於畢郢하시니 西夷之人也시니라

文王은 岐周에서 태어나 畢郢에서 별세하셨으니, 西夷의 사람이시다.

集註 | 岐周는 岐山下周舊邑이니 近畎夷[480]하니라 畢郢은 近豐鎬[481]하니 今有文王墓하니라

岐周는 岐山 아래에 있는 周나라의 옛 도읍이니, 畎夷와 가깝다. 畢郢은 豐·鎬에 가까우니, 지금 文王의 墓가 있다.

1-3. 地之相去也 千有餘里며 世之相後也 千有餘歲로되 得志하여 行乎中國하사는 若合符節하니라

지역이 서로 떨어져 있음이 천여 리나 되며 世代가 서로 차이남이 천여 년이나 되지만, 뜻을 얻어 〈道를〉 中國에 행함에 있어서는 符節을 합한 듯이 똑같았다.

---

479 夷服 : 天子의 王城에서 멀리 떨어져 있는 지역으로, 《周禮》〈夏官司馬 職方氏〉에 "九服의 나라를 구별하는데, 天子의 직할 구역인 方千里를 王畿라 하고, 그 다음의 500里를 侯服, 그 다음의 500里를 甸服, 그 다음의 500里를 男服, 그 다음의 500里를 采服, 그 다음의 500里를 衛服, 그 다음의 500里를 蠻服, 그 다음의 500里를 夷服, 그 다음의 500里를 鎭服, 그 다음의 500里를 藩服이라 한다." 하였다.

480 畎夷 : 壺山은 "犬戎이라고도 칭한다." 하였다. 犬戎은 西戎과 같은 말로, 春秋時代 서쪽 변방의 오랑캐이다.

481 畢 近豐鎬 : 新安陳氏(陳櫟)는 "畢은 鎬京의 동쪽에 있으니, 楚나라의 도읍지인 郢 땅이 아니다.〔畢 在鎬東 非楚都之郢〕" 하였다.

… 服 구역 복 岐 산이름 기 畢 마칠 필 郢 땅이름 영 畎 밭이랑 견 鎬 호경(鎬京) 호 符 병부 부

集註 | 得志行乎中國은 謂舜爲天子하고 文王爲方伯하여 得行其道於天下也라 符節은 以玉爲之⁴⁸²하니 篆刻文字而中分之하여 彼此各藏其半이라가 有故則左右相合하여 以爲信也⁴⁸³라 若合符節은 言其同也라

'뜻을 얻어 中國에 행하였나.'는 것은 舜임금은 天子가 되시고 文王은 方伯이 되시어 그 道를 천하에 행할 수 있었음을 이른다. '符節'은 玉으로 만들었으니, 文字를 篆刻하고 반으로 나누어 彼·此가 각각 반씩 보관하고 있다가 연고가 있으면 左·右의 것을 서로 합하여 信標로 삼는다. '符節을 합한 듯하다.'는 것은 똑같음을 말씀한 것이다.

1-4. 先聖後聖이 其揆一也니라

앞의 聖人과 뒤의 聖人이 헤아려 봄에 똑같다."

集註 | 揆는 度(탁)也니 其揆一者는 言 度之而其道無不同也라

'揆'는 헤아림이니, '헤아려 봄에 똑같다.'는 것은 헤아려 봄에 道가 같지 않음이 없음을 말씀한 것이다.

章下註 | ○范氏曰 言 聖人之生이 雖有先後遠近之不同이나 然其道則一也⁴⁸⁴니라

○范氏(范祖禹)가 말하였다. "聖人의 태어남은 비록 先後와 遠近의 차이가 있으나 그 道는 똑같음을 말씀한 것이다."

---

482 符節 以玉爲之 : 《周禮》〈地官司徒 掌節〉에 "나라를 지키는 자는 玉으로 만든 節을 사용하고, 都鄙를 지키는 자는 뿔로 만든 節을 사용한다. 무릇 나라의 使節은 山이 많은 나라는 虎節을 사용하고 平地(田地)가 많은 나라는 人節을 사용하고 못이 많은 나라는 龍節을 사용하니, 모두 쇠로 만들며……門과 關門에는 符節을 사용하고 貨賄를 유통하는 곳에는 璽節을 사용하고 道路에는 旌節을 사용한다.〔守邦國者 用玉節 守都鄙者 用角節 凡邦國之使節 山國用虎節 土國用人節 澤國用龍節 皆金也……門關用符節 貨賄用璽節 道路用旌節〕"라고 보인다. 虎節은 범의 형상으로 주조하고 人節은 사람의 형상으로 주조하고 龍節은 용의 형상으로 주조하였으므로 이렇게 이름한 것이다.

483 有故則左右相合 以爲信也 : 朱子는 "오른쪽의 것은 군주의 처소에 보관하고 왼쪽의 것은 임명받은 사람에게 준다.〔右留君所 左以與其人〕" 하였다. 《語類》

484 雖有先後遠近之不同 然其道則一也 : 新安陳氏(陳櫟)는 "先後는 때를 가지고 말한 것이고, 遠近은 땅을 가지고 말한 것이고, 道가 같음은 이 마음과 이 이치를 가지고 말한 것이다.〔先後 以時言 遠近 以地言 道之同 以此心此理言〕" 하였다.

… 篆 전서 전 刻 새길 각 藏 보관할 장 揆 헤아릴 규

2-1. 子産이 聽鄭國之政할새 以其乘輿로 濟人於溱洧한대

子産이 鄭나라의 정사를 다스릴 적에 자기가 타는 수레를 가지고 溱水와 洧水에서
사람들을 건네주었다.

按說 | '溱洧'에 대하여, 趙岐는

溱洧는 물의 이름이다.〔溱洧 水名〕

하여, 溱洧를 하나의 물 이름으로 본 듯하다. 그러나 《詩經》〈鄭風 溱洧〉에

溱水와 洧水가 봄물이 막 성하다.〔溱與洧 方渙渙兮〕

하였으므로 溱과 洧가 두 물의 이름인 것이 분명하다. 茶山은 이에 대하여,

사람들을 건네준 것은 아마도 溱水와 洧水가 합류하는 곳일 것이다. 그러므로 趙岐의 註에
서 두 물이라고 말하지 않은 것이다.〔子産濟人 蓋在溱洧合流之處 故趙注不言二水〕

하였다. 이는 子産이 우연히 이 물가를 지나다가 徒涉하는 자를 보고 수레로써 건네준 것
이요, 두 물에서 일부러 사람을 건네준 것이 아니기 때문이다. 茶山의 말이 일리가 있는 것
으로 보인다.

集註 | 子産은 鄭大夫公孫僑也라 溱洧는 二水名也라 子産이 見人有徒涉此水
者[485]하고 以其所乘之車로 載而渡之라

子産은 鄭나라 大夫인 公孫僑이다. 溱과 洧는 두 물의 이름이다. 子産은 사람들이 이 물
을 徒涉(맨몸으로 건너거나 옷을 걷고 건넘)하는 자가 있음을 보고는 자기가 타는 수레를
가지고 태워서 건네준 것이다.

---

485 見人有徒涉此水者:趙岐는 "겨울에 물을 徒涉하는 자가 있음을 보고 인자한 마음에 차마 방관할 수
없었다.〔見人有多涉者 仁心不忍〕"하였는데, 茶山은 "아랫글로 보면 겨울에 물을 건넌 것이 분명하
다.〔以下文觀之 則多涉明矣〕"하였다.

••• 聽 다스릴 청 輿 수레 여 濟 건널 제 溱 물이름 진 洧 물이름 유 僑 우거할 교 徒 걸을 도 涉 건널 섭
載 실을 재 渡 건널 도

2-2. 孟子曰 惠而不知爲政이로다

孟子께서 말씀하셨다. "은혜로우나 정치를 하는 법을 알지 못하였다.

集註 | 惠는 謂私恩小利[486]요 政則有公平正大之體와 綱紀法度之施焉[487]이니라

'惠'는 사사로운 은혜와 작은 이익을 이르고, '政'은 公平하고 正大한 本體, 紀綱과 法度 의 베풂이 있는 것이다.

2-3. 歲十一月에 徒杠이 成하며 十二月에 輿梁이 成하면 民未病涉也니라

11월에 徒杠이 이루어지며 12월에 輿梁이 이루어지면 백성들이 물 건너는 것을 괴롭 게 여기지 않는다.

集註 | 杠은 方橋也[488]니 徒杠은 可通徒行者라 梁은 亦橋也니 輿梁은 可通車輿者라 周十一月은 夏九月也요 周十二月은 夏十月也라 夏令曰 十月成梁[489]이라하니 蓋農

---

486 惠 謂私恩小利:朱子는 "東坡(蘇軾)가 말하기를 '백성들에게 미치는 가까운 이로움은 있고, 세상을 경륜하는 원대한 계책은 없다.'라고 하였으니, 또한 말이 지극하다.〔東坡云 有及人之近利 無經世之遠 圖 亦說得盡〕" 하였다.《語類》 朱子는 또 "孔子의 말씀은 크고 작음에 통하므로 〈子産의 은혜를〉君 子의 道라고 하신 것이 무방하다.……孟子는 후세에 정사하는 자가 혹 또 이것을 좋아하여 본받으면 그 말류의 폐단이 반드시 장차 공정한 도리를 폐하여 사사로운 은혜를 사고 바른 이치를 어기며 헛된 명 예를 구하는 자가 있을 것을 염려하였다. 그러므로 지극히 말씀하여 깊이 비난하신 것이다.〔孔子之言 通乎巨細 故不害其爲君子之道 ……孟子慮夫後之爲政者 或又悅而效之 則其流必將有廢公道以 市私恩 違正理而干虛譽者 故極語而深譏之〕" 하였다.《或問》 孔子께서 〈子産의 은혜를〉君子의 道'라 했다는 것은 《論語》〈公冶長〉 15장에 "孔子께서 子産을 두고 평하셨다. '君子의 道가 네 가지가 있었으니, 몸가짐이 공손하며, 윗사람을 섬김에 공경하며, 백성을 기름이 은혜로우며, 백성을 부림에 의 로웠다.'〔子謂子産 有君子之道四焉 其行己也恭 其事上也敬 其養民也惠 其使民也義〕" 하신 내용 을 가리킨 것이다.

487 政則有公平正大之體 綱紀法度之施焉:慶源輔氏(輔廣)는 "은혜가 사사로움에서 나왔기 때문에 이 로움이 남에게 미치는 것이 적은 것이다.〔惟其恩之出於私 故其利之及人者小〕" 하였고, 또 "體는 理 를 가지고 말하였으니 근본이고, 베풂은 일을 가지고 말하였으니 用이다.〔體 以理言 本也 施 以事言 用也〕" 하였다.

488 杠 方橋也:沙溪(金長生)는 《韻會》에 '矼은 돌을 모아놓아 걸어서 물을 건너가게 만든 것이다.' 하였 으니, 杠과 통한다.〔韻會 矼 聚石爲步渡水 通作杠〕" 하였다.《經書辨疑》

489 夏令曰 十月成梁:夏令은 夏나라 때의 政令이란 뜻으로, 《禮記》〈月令〉과 같이 그 당시의 政令을 적은 책인 듯하다. 《國語》〈周語〉에 《夏令》에 이르기를 '9월에는 길을 닦고 10월에는 다리를 이룬다.' 하였

··· 恩 은혜은 杠 작은다리 강 梁 다리 량 病 괴로울 병 橋 다리 교

功已畢하여 可用民力이요 又時將寒沍라 水有橋梁이면 則民不患於徒涉이니 亦王政之一事也라

'杠'은 판자로 만든 다리이니, '徒杠'은 徒步로 다니는 자를 통행하게 하는 것이다. '梁' 또한 다리이니, '輿梁'은 수레를 통행하게 하는 것이다. 周나라의 11월은 夏나라의 9월이요, 周나라의 12월은 夏나라의 10월이다. 《夏令》에 이르기를 '10월에 다리를 이룬다.' 하였으니, 농사일이 이미 끝나서 백성의 노동력을 쓸 수 있고, 또 때가 장차 추워져서 물이 얼 것인데, 물에 橋梁이 있으면 백성들이 徒涉하는 것을 염려하지 않을 것이니, 이 또한 王政의 한 가지 일이다.

2-4. 君子平其政이면 行辟(벽)人도 可也니 焉得人人而濟之리오

君子가 政事를 공평히 한다면 出行할 적에 사람들을 辟除하는 것도 가하니, 어찌 사람마다 모두 건네줄 수 있겠는가.

集註 │ 辟은 辟除也니 如周禮閽人爲之辟之辟[490]이라 言 能平其政이면 則出行之際에 辟除行人하여 使之避己라도 亦不爲過라 況國中之水에 當涉者衆하니 豈能悉以乘輿濟之哉리오

'辟'은 辟除함이니, 《周禮》에 '閽人이 위하여 辟除한다.'는 辟과 같다. 능히 政事를 공평히 한다면 出行하는 즈음에 행인들을 辟除하여 자신을 피하게 하는 것도 지나침이 되지 않는다. 더구나 國中의 물에 건너야 할 곳이 많으니, 어찌 타고 있는 수레로 그들을 다 건네줄 수 있겠느냐고 말씀한 것이다.

2-5. 故로 爲政者 每人而悅之면 日亦不足矣리라

다.〔夏令曰 九月除道 十月成梁〕"라고 보인다.

490 如周禮閽人爲之辟之辟 :《周禮》〈天官冢宰 閽人〉에 "閽人은 王宮 中門의 禁함을 관장하여 지킨다. ……무릇 밖과 안의 命夫와 命婦가 出入하게 되면 그들을 위하여 벽제한다.【閽人은 새벽과 저녁에 문을 열고 닫는 것을 주관하는 자이다. 闢은 左右로 길을 다니는 자를 벽제하여 길을 열어주는 것이다.】〔閽人掌守王宮之中門之禁……凡外內命夫命婦出入 則爲之闢〔閽人 主晨昏啓閉 闢開左右行者〕〕"하였다. 벽제는 군주나 고관이 출행하면 소리쳐 행인을 통제하고 길을 엶을 이른다.

⋯ 功 일공 沍 얼호 辟 물리칠벽 焉 어찌언 閽 문지기혼 避 피할피 悉 다실 悅 기쁠열

그러므로 爲政者가 사람마다 그 마음을 기쁘게 해주려 한다면 날마다 하여도 부족할 것이다."

集註ㅣ言 每人을 皆欲致私恩하여 以悅其意면 則人多日少하여 亦不足於用矣라 諸葛武侯嘗言 治世는 以大德이요 不以小惠[491]라하니 得孟子之意矣로다

사람마다 모두 사사로운 은혜를 지극히 하여 그 뜻을 기쁘게 하고자 한다면 사람은 많고 날짜는 적어서 또한 쓰기에 부족함을 말씀한 것이다. 諸葛武侯(諸葛亮)가 일찍이 말하기를 "세상을 다스림은 大德으로써 하고 작은 은혜로써 하지 않는다." 하였으니, 孟子의 뜻을 얻었다.

| 君視臣如手足章 |

3-1. 孟子告齊宣王曰 君之視臣이 如手足이면 則臣視君을 如腹心하고 君之視臣이 如犬馬면 則臣視君을 如國人하고 君之視臣이 如土芥면 則臣視君을 如寇讐니이다

孟子께서 齊 宣王에게 말씀하시기를 "君主가 신하 보기를 手足과 같이 하면 신하가 군주 보기를 腹心(배와 심장)과 같이 하고, 군주가 신하 보기를 개와 말처럼 하면 신하가 군주 보기를 國人과 같이 하고, 군주가 신하 보기를 土芥(흙과 풀)와 같이 하면 신하가 군주 보기를 원수와 같이 합니다." 하셨다.

集註ㅣ孔氏曰 宣王之遇臣下에 恩禮衰薄하여 至於昔者所進을 今日에 不知其亡[492]하니 則其於群臣에 可謂邈然無敬矣라 故로 孟子告之以此하시니라 手足腹心은 相待一體니 恩義之至也요 如犬馬則輕賤之라 然이나 猶有豢養之恩焉이라 國人은 猶言路人이니 言無怨無德也라 土芥則踐踏之而已矣요 斬艾(예)之而已矣니 其

---

491 諸葛武侯嘗言……不以小惠:《資治通鑑》〈魏紀〉邵陵厲公 正始 7년에 "諸葛亮이 丞相이었을 적에 어떤 사람이 '公은 사면을 아낀다.'고 말하자, 諸葛亮이 대답하기를 '治世는 大德으로써 하고 작은 은혜로써 하지 않는다.'고 했다.〔丞相亮時 有言公惜赦者 亮答曰 治世 以大德 不以小惠〕"하였다.

492 昔者所進……不知其亡: 위〈梁惠王下〉 7장에 보인다.

••• 葛 칡갈 腹 배복 芥 지푸라기 개 寇 도적구 讐 원수 수 薄 엷을박, 야박할박 邈 아득할막 豢 기를환 踐 밟을천 踏 밟을답 斬 벨참 艾 벨예

賤惡(오)之又甚矣라 寇讐之報 不亦宜乎아

孔氏(孔文仲)가 말하였다. "宣王이 신하를 대우함에 은혜와 禮가 쇠하고 박하여 예전에 등용한 자가 오늘에 도망한 것을 모르는 지경에 이르렀으니, 群臣들에 대해 막연하여 공경함이 없다고 이를 만하다. 그러므로 孟子께서 이 말씀을 하신 것이다. '手足'과 '腹心'은 서로 대하기를 一體로 하는 것이니 은혜와 義가 지극한 것이요, '개와 말'처럼 한다면 가볍고 천하게 여기는 것이나 그래도 길러주는 은혜가 있다. '國人'은 路人(길가는 사람)이란 말과 같으니, 원망도 없고 은덕도 없음을 말한다. '흙과 풀'처럼 한다면 밟을 뿐이고 벨 뿐이니, 천히 여기고 미워함이 더욱 심하다. 원수로 보답함이 당연하지 않겠는가."

3-2. 王曰 禮에 爲舊君有服하니 何如라야 斯可爲服矣니잇고

王이 말씀하였다. "禮에 옛 군주를 위하여 服이 있으니, 어떠하여야 이 服을 입습니까?"

> 集註 | 儀禮曰 以道去君而未絶者는 服齊衰(자최)三月[493]이라하니 王疑孟子之言太甚이라 故로 以此禮爲問하니라

《儀禮》〈喪服〉의 傳에 이르기를 "道로써 군주를 떠났으나 그 군주가 아직도 그에 대한 恩義를 끊지 않은 경우에는 齊衰 三月服을 입는다." 하였으니, 王은 孟子의 말씀이 너무 심하다고 의심하였다. 그러므로 이 禮를 가지고 질문한 것이다.

3-3. 曰 諫行言聽하여 膏澤이 下於民이요 有故而去어든 則君이 使人導

---

493 儀禮曰……服齊衰三月 : 《儀禮》〈喪服〉 傳에 "大夫가 옛 군주를 위하여 어찌하여 齊衰 3月服을 입는가? 大夫가 떠났더라도 군주가 그의 宗廟를 관리해 주기 때문에 齊衰 3月服을 입는 것이니, 일반 백성과 같음을 말한 것이다. 어찌하여 여전히 大夫라 이르는가? 그 道로써 군주를 떠나갔으나 군주의 恩義가 아직 끊어지지 않았음을 말한 것이다.〔大夫爲舊君 何以服齊衰三月也 大夫去 君墉其宗廟 故服齊衰三月 言與民同也 何大夫之謂乎 言其以道去君而猶未絶也〕" 하였는데, 그 註에 이르기를 "'道로써 군주를 떠나갔다.'는 것은 세 번 諫하여도 따르지 아니하여, 郊外에서 추방을 기다리는 것을 이른다. '끊어지지 않았다.'는 것은 爵祿이 아직 조정에 나열되어 있고 출입할 때에 나라에 詔命이 있음을 이른다.〔以道去君 謂三諫不從 待放於郊 未絶者 言爵祿尙有列於朝 出入有詔於國〕" 하였다. 《大全》에 이 說을 취하여 "무릇 畿內의 백성은 모두 齊衰 3月服을 입는다." 하였다.

••• 舊 옛구 齊 상복아랫단꿰맬 자 衰 상복 최 膏 윤택할 고 導 인도할 도

之出疆하고 又先於其所往하며 去三年不反然後에 收其田里하나니 此
之謂三有禮焉이니 如此則爲之服矣니이다

孟子께서 말씀하셨다. "諫하면 행하고 말하면 받아들여서 은택이 백성들에게 내려지
고, 연고가 있어 떠나가면 군주가 사람으로 하여금 인도하여 국경을 나가게 하고 또 그
가 가는 곳에 먼저 기별하여 주선하며, 떠난 지 3년이 되어도 돌아오지 않은 뒤에야 그
의 田里(토지와 주택)를 환수하니, 이것을 일러 세 가지 禮가 있다 하는 것이니, 이와
같이 하면 그 군주를 위하여 服을 입어줍니다.

按說 | '諫'과 '言'에 대하여, 雙峰饒氏(饒魯)는

諫은 간사함을 막는 것이고, 言은 善言을 아뢰는 것이다.[諫是閉邪 言是陳善]

하였다.
'有故而去'에 대하여, 朱子는

'有故而去'는 大義에 관계된 것이 아니니, 굳이 깊이 해설할 것이 없다. 신하가 나라를 떠날
적에 그 연고가 한 가지만이 아니다.[有故而去 非大義所繫 不必深爲之說 臣之去國 其
故非一端]《朱子大全 答何叔京》

하였다.
'又先於其所往'의 '先'에 대하여, 楊伯峻은《禮記》〈檀弓上〉의

옛날에 夫子가 魯나라 司寇의 지위를 잃으시고 장차 楚나라로 가시려 할 적에 먼저 子夏를
보내시고 또 거듭 冉有를 보내셨으니, 이 때문에 지위를 잃으면 빨리 가난해지고자 하지 않
음을 알았다.[昔者 夫子失魯司寇 將之荊 蓋先之以子夏 又申之以冉有 以斯知不欲速
貧也]

에서의 '先'과 같은 의미로 '사람으로 하여금 먼저 가서 주선하게 하다.'의 뜻이라고 하였다.

集註 | 導之出疆은 防剽掠也라 先於其所往은 稱道其賢하여 欲其收用之也라 三年
而後에 收其田祿里居는 前此엔 猶望其歸也라

··· 疆 지경 강 反 돌아올 반 剽 노략질할 표 掠 노략질할 략 道 말할 도

'인도하여 국경을 나가게 함'은 도적의 노략질을 막는 것이다. '그가 가는 곳에 먼저 기별함'은 그의 어짊을 칭찬하여 그를 거두어 쓰기를 바라는 것이다. 3년이 된 뒤에야 그의 田祿과 거주하던 집을 환수하는 것은, 그전에는 여전히 그가 돌아오기를 바란 것이다.

3-4. 今也엔 爲臣하여 諫則不行하며 言則不聽하여 膏澤이 不下於民이요 有故而去어든 則君이 搏執之하고 又極之於其所往하며 去之日에 遂收其田里하나니 此之謂寇讐니 寇讐에 何服之有리잇고

지금은 신하가 되어 간하면 행하지 않으며 말하면 받아들이지 아니하여 은택이 백성들에게 내려지지 못하고, 연고가 있어 떠나가면 군주가 그를 속박하며 또 그가 가는 곳에 곤궁하게 하고, 떠나는 날에 바로 그의 田里를 환수합니다. 이것을 일러 원수라 하는 것이니, 원수에게 무슨 服을 입어줌이 있겠습니까."

集註 | 極은 窮也니 窮之於其所往之國은 如晉錮欒盈[494]也라

'極'은 곤궁함이니, 그가 가는 나라에 곤궁하게 하는 것은, 晉나라가 欒盈을 금고한 것과

---

494 晉錮欒盈 : 春秋時代 晉나라 六卿의 하나인 欒盈이 실각하고 楚나라로 망명하자, 晉나라에서는 '欒盈의 망명을 받아주는 나라가 있으면 공격을 가하겠다.'고 위협하여 禁錮시켰는바, 이 사실이 《春秋左傳》 襄公 21年 조에 다음과 같이 보인다. "欒桓子(欒黶)가 范宣子(士匄)의 딸을 아내로 맞아 欒懷子(欒盈)를 낳았다. 范宣子의 아들인 范鞅(士鞅)은 자신이 쫓겨나 도망갔던 일로 欒氏에게 원한을 품고 있었다.【이보다 앞선 襄公 14년에 欒黶이 范鞅을 강제로 축출하여 秦나라로 出奔케 하였다.】 그러므로 欒盈과 함께 公族大夫가 되었으나 서로 사이가 좋지 못하였다. 欒桓子가 죽은 뒤에 欒祁가 家老(家臣의 長) 州賓과 간통하여 거의 가산을 탕진하였다.【欒祁는 欒桓子의 아내이고 范宣子의 딸이다. 老는 家臣의 長이다.】 欒懷子가 이를 걱정하자, 欒祁가 姦夫 州賓이 토벌당할 것을 두려워하여 范宣子에게 '欒盈이 叛亂을 일으키려 한다.……'라고 참소하니, 范鞅은 欒祁의 말이 사실이라고 보증하였다.……范宣子가 欒盈을 著邑으로 보내어 城을 쌓게 하고는 드디어 그를 축출하니, 가을에 欒盈이 楚나라로 出奔하였다.……商任에서 회합하니 欒氏를 禁錮하기 위함이었다.【欒盈을 禁錮하여 諸侯들이 받아주지 못하게 한 것이다.】 〔欒桓子娶於范宣子 生懷子 范鞅以其亡也 怨欒氏【先是十四年 欒黶强逐范鞅 使奔秦】故與欒盈爲公族大夫而不相能 桓子卒 欒祁與其老州賓通 幾亡室矣【欒祁 桓子之妻 范宣子之女也 老 家臣之長】懷子患之 祁懼其討也 愬諸宣子曰 盈將爲亂……范鞅爲之徵……宣子使城著 而遂逐之 秋欒盈出奔楚……會於商任 錮欒氏也【禁錮之 使諸侯不得受】〕" 그리고 《春秋左傳》 襄公 22年 조에 다음과 같이 보인다. "가을에 欒盈이 楚나라에서 齊나라로 갔다. 晏平仲이 齊侯에게 말하기를 '商任의 회합에서 晉나라의 命(欒盈을 금고하라는 命)을 받았으니, 지금 欒氏를 받아들여 장차 어디에 쓰겠습니까.' 하였다.……겨울에 沙隨에서 회합하니, 다시 欒氏를 禁錮하기 위함이었다.【晉나라는 欒盈이 齊나라에 있음을 알았기 때문에 다시 금고시키려 한 것이다.】〔秋 欒盈自楚適齊 晏平仲言於齊侯曰 商任之會 受命於晉 今納欒氏 將安用之……冬會于沙隨 復錮欒氏也【晉知欒盈在齊 故復錮也】〕"

••• 搏 잡을 박 執 잡을 집 極 곤궁할 극 錮 가둘 고 欒 나무이름 란 盈 가득찰 영

같은 것이다.

章下註 | ○ 潘興嗣曰 孟子告齊王之言은 猶孔子對定公之意[495]也로되 而其言이
有迹하여 不若孔子之渾然也하니 蓋聖賢之別이 如此[496]하니라
楊氏曰 君臣은 以義合者也라 故로 孟子爲齊王하여 深言報施[497]之道하사 使知爲
君者不可不以禮遇其臣耳라 若君子之自處는 則豈處其薄乎아 孟子曰 王庶幾改
之를 予日望之[498]라하시니 君子之言이 蓋如此하니라

○ 潘興嗣가 말하였다. "孟子께서 齊 宣王에게 한 말씀은 孔子께서 定公에게 대답한 뜻과
같으나 그 말씀이 자취가 있어서 孔子의 渾然함만 못하니, 聖(孔子)·賢(孟子)의 분별이
이와 같다."

---

495 孔子對定公之意 : 魯나라 定公이 군주가 신하를 부리고 신하가 군주를 섬기는 법을 묻자, 孔子께서
"군주는 신하를 禮로써 부리고, 신하는 군주를 충성으로써 섬겨야 한다.〔君使臣以禮 臣事君以忠〕"라
고 대답하셨는데, 이것을 尹氏(尹焞)가 '군주가 신하 부리기를 禮로써 하면 신하가 군주 섬기기를 忠
으로써 한다.〔君使臣以禮 則臣事君以忠〕'로 보아 '則'자를 넣어 해석하여 말한 것으로, 이 내용은 《論
語》〈八佾〉19장에 보인다. 新安陳氏(陳櫟)는 《論語集註》에 孔子가 定公에게 대답한 말씀을 해석하
면서 맨 끝의 한 說(尹氏 說)에 '군주가 신하 부리기를 禮로써 하면 신하가 군주 섬기기를 충성으로써
한다.' 하였으니, 이 章이 그 뜻과 유사하다. 그러나 성인(孔子)의 말씀은 함축되어 드러나지 않았는데,
여기의 孟子 말씀은 英氣가 매우 발로되었다. 孟子 또한 《禮記》〈檀弓下〉에 子思가 魯 穆公이 禮에
옛 군주를 위하여 服 입는 뜻을 물음에 답한 것을 기술한 것이다.〔論語集註 釋孔子對定公之語 末一
說 謂君使臣以禮 則臣事君以忠 此章與之意似 然聖言 含蓄不露 此則英氣發露甚矣 孟子亦是述
記檀弓篇子思答魯穆公問禮爲舊君反服之意〕하였다.〈檀弓下〉에 보이는 내용은 다음과 같다. "穆
公이 子思에게 '옛 君主를 위하여 服을 입는 것이 옛 禮입니까?' 하고 묻자, 子思는 대답하시기를 '옛
君子는 사람을 등용하기를 禮로써 하고 사람을 물러나게 하기를 禮로써 하였으므로 옛 君主를 위하여
服을 입는 禮가 있었던 것입니다. 지금의 君子들은 사람을 등용할 적에는 장차 무릎에 올려놓으려 하고
사람을 물러가게 할 적에는 장차 깊은 못에 떨어뜨릴 듯이 하니, 반란의 괴수가 되지 않는 것만도 좋지
않겠습니까. 또 무슨 服을 입어 주는 禮가 있겠습니까?'라고 하셨다.〔穆公問於子思曰 爲舊君反服 古
與 子思曰 古之君子 進人以禮 退人以禮 故有舊君反服之禮也 今之君子 進人若將加諸膝 退人若
將隊(墜)諸淵 毋爲戎首 不亦善乎 又何反服之禮之有〕"

496 潘興嗣曰……如此 : 茶山은 "임금에게 아뢰는 말은 간절함을 혐의하지 않는다. 孟子는 임금에게 아
뢰는 것이었으므로 그 말씀이 이와 같았던 것이다. 어찌 이것으로 孟子가 聖人이 아니라고 의심하겠는
가. 孔子와 孟子의 大小를 누구인들 알지 못하겠는가마는 이 장의 내용은 굳이 병통으로 여길 것이 없
다.〔告君之辭 不嫌剴切 孟子以其告君之故 其言如此 豈可以此疑孟之非聖乎 孔孟大小 人孰不知
惟此章不必病也〕"하였다.

497 報施 : 壺山은 "報施는 갚음과 베풂이니, 혹자는 말하기를 '그 베풂에 갚는다.'라고 한다.〔報施 報與施
也 或曰報其施也〕"하였다.

498 孟子曰……予日望之 : 앞의 〈公孫丑下〉12-5절에 보인다.

··· 潘 성 반 嗣 이을 사 迹 자취 적 渾 온전할 혼

楊氏(楊時)가 말하였다. "군주와 신하는 義로써 합한 자이다. 그러므로 孟子께서 齊王을 위하여 報施의 道를 깊이 말씀해서 군주가 된 자는 그 신하를 禮로써 대우하지 않으면 안 됨을 알게 하셨을 뿐이다. 君子의 自處함으로 말하면 어찌 그 薄함에 처하겠는가. 孟子께서 말씀하시기를 '王이 행여 고치시기를 나는 날마다 바란다.' 하셨으니, 君子의 말씀이 이와 같은 것이다."

|無罪而殺士章|

4. 孟子曰 無罪而殺士면 則大夫可以去요 無罪而戮民이면 則士可以徙니라

孟子께서 말씀하셨다. "죄 없이 士를 죽이면 大夫가 그 나라를 떠나야 하고, 죄 없이 백성을 죽이면 士가 옮겨가야 한다."

集註 | 言 君子當見幾而作이니 禍已迫이면 則不能去矣니라

君子는 마땅히 幾微를 보고 떠나야 하니, 禍가 이미 임박하면 떠날 수 없음을 말씀한 것이다.

|君仁莫不仁章|

5. 孟子曰 君仁이면 莫不仁이요 君義면 莫不義니라

孟子께서 말씀하셨다. "군주가 仁하면 仁하지 않은 사람이 없고, 군주가 의로우면 의롭지 않은 사람이 없다."

集註 | 張氏[499]曰 此章은 重出이라 然이나 上篇은 主言人臣當以正君爲急이요 此章은 直戒人君하니 義亦小異耳니라

---

499 張氏：壺山은 "〈張氏의〉 이름은 九成이고 字는 子韶이며 錢塘 사람으로《孟子傳》20권을 지었다.〔名九成 字子韶 錢塘人 著孟子傳二十卷〕" 하였고, 《四書集註典據考》에는 胡炳文의《四書集編》에 張琥라고 기록되어 있음을 들어 "《集註》의 張氏는 張琥를 가리킨 듯하나 자세하지 않다."라고 하였다.

••• 戮 죽일 륙 徙 옮길 사 幾 기미 기 作 일어날 작 迫 닥칠 박 直 다만 직

張氏가 말하였다. "이 章은 거듭 나왔다. 그러나 上篇(〈離婁上〉 20章)에서는 신하가 마땅히 군주를 바로잡는 것을 급하게 여겨야 함을 주장하여 말씀하였고, 이 章에서는 다만 人君을 경계하였으니, 뜻이 또한 조금 다르다."

|非禮之禮章|

6. 孟子曰 非禮之禮와 非義之義를 大人은 弗爲니라

孟子께서 말씀하셨다. "禮가 아닌 禮와 義가 아닌 義를 大人은 하지 않는다."

按説 | 程子(伊川)는

恭은 본래 禮이나 지나친 공손은 禮가 아닌 禮이고, 물건을 남에게 주는 것은 義이나 지나치게 주는 것은 義가 아닌 義이다.〔恭本爲禮 過恭 是非禮之禮也 以物予人爲義 過予 是非義之義也〕《精義》

하였다.

集註 | 察理不精이라 故로 有二者之蔽라 大人則隨事而順理하고 因時而處宜하니 豈爲是哉리오

理를 살핌이 精하지 못하기 때문에 두 가지의 가리움이 있는 것이다. 大人은 일에 따라 理를 順히 하고 때에 따라 마땅하게 대처하니, 어찌 이런 짓을 하겠는가.

|中也養不中章(人樂有賢父兄章)|

7. 孟子曰 中也養不中하며 才也養不才라 故로 人樂有賢父兄也니 如中也棄不中하며 才也棄不才면 則賢不肖之相去 其間이 不能以寸이니라

孟子께서 말씀하셨다. "〈道에〉 맞는 자가 〈道에〉 맞지 않는 자를 길러주며, 재주 있는 자가 재주 없는 자를 길러준다. 그러므로 사람들이 어진 父兄이 있음을 즐거워하는 것

··· 弗 아닐 불 蔽 가릴 폐 隨 따를 수 樂 즐길 락 棄 버릴 기 肖 어질 초, 닮을 초

이다. 만일 〈道에〉 맞는 자가 〈道에〉 맞지 않는 자를 버리며 재주 있는 자가 재주 없는 자를 버린다면 賢者와 不肖한 자의 거리는 그 간격이 한 치도 못된다."

集註 | 無過不及之謂中이요 足以有爲之謂才라 養은 謂涵育薰陶하여 俟其自化也라 賢은 謂中而才者也[500]라 樂有賢父兄者는 樂其終能成己也라 爲父兄者 若以子弟之不賢으로 遂遽絕之而不能敎면 則吾亦過中而不才矣니 其相去之間이 能幾何哉리오

過와 不及이 없는 것을 '中'이라 이르고, 충분히 훌륭한 일을 할 수 있는 것을 '才'라 이른다. '養'은 涵育하고 薰陶하여 그가 스스로 변화하기를 기다림을 이른다. '賢'은 過不及이 없고 재주가 있는 자를 이른다. '어진 父兄이 있음을 즐거워함'은 마침내 자신을 이루어 줄 수 있음을 즐거워하는 것이다. 父兄이 된 자가 만일 子弟들이 어질지 못하다 하여 마침내 대번에 끊어버리고 제대로 가르치지 않는다면 자신도 또한 中을 지나치고 재주가 없는 것이니, 그 거리의 간격(차이)이 얼마나 되겠는가.

| 人有不爲章 |

8. 孟子曰 人有不爲也而後에 可以有爲니라

孟子께서 말씀하셨다. "사람이 하지 않음(지조)이 있은 뒤에야 훌륭한 일을 할 수 있는 것이다."

---

500 賢 謂中而才者也 : 慶源輔氏(輔廣)는 "中은 德을 가지고 말하였고 才는 재주를 가지고 말하였다. 德은 性에 근본하고 才는 氣에 근본하니, 賢은 재주와 德을 겸하여 소유한 자이다.〔中 以德言 才 以才言 德本於性 才本於氣 賢則兼有才德者也〕" 하였다.

··· 涵 잠길 함 育 기를 육 薰 감화할 훈 陶 도야할 도 俟 기다릴 사 遽 갑자기 거

集註 | 程子曰 有不爲는 知所擇也라 惟能有不爲라 是以로 可以有爲[501]니 無所不爲者는 安能有所爲耶아

程子(伊川)가 말씀하였다. "'하지 않음이 있음'은 택할 바를 아는 것이다. 능히 하지 않는 바가 있기 때문에 훌륭한 일을 할 수 있는 것이니, 하지 않는 바가 없는 자(못하는 짓이 없는 사람)는 어찌 훌륭한 일을 할 수 있겠는가."

|言人之不善章|

9. 孟子曰 言人之不善하다가 當如後患何오

孟子께서 말씀하셨다. "남의 不善함을 말하다가 後患을 어찌하려는가."

集註 | 此亦有爲而言이니라

이 또한 이유가 있어서 하신 말씀이다.

|仲尼不爲已甚章|

10. 孟子曰 仲尼는 不爲已甚者러시다

孟子께서 말씀하셨다. "仲尼께서는 너무 심한 것을 하지 않으셨다."

按說 | 趙岐는

仲尼는 邪를 비판하여 바로잡으실 적에 바르게 되면 可하다고 여기셨다. 그러므로 너무 심하고 지나친 것은 하고자 하지 않으신 것이다. 孟子가 이 때문에 〈段干木과 泄柳가〉 담장을 넘어 피하고 문을 닫고 받아들이지 않은 것을 비판한 것이다.〔仲尼彌邪以正 正斯可矣 故不欲爲已甚泰過也 孟子所以譏踰墻距門者也〕

---

501 惟能有不爲……可以有爲 : 張橫渠는 "不仁을 하지 않으면 仁을 할 수 있고, 不義를 하지 않으면 義를 할 수 있다.〔不爲不仁 則可以爲仁 不爲不義 則可以爲義〕"하였다.《精義》雙峰饒氏(饒魯)는 "악행을 하려고 하지 않으면 반드시 선을 행함에 용감하니, 먼저 지키는 지조가 있은 뒤에 훌륭한 일을 할 수 있는 것이다.〔不肯爲惡 則必勇於爲善 先有守而後 有爲〕"하였다.

… 擇 가릴 택 已 너무 이 甚 심할 심

라고 하여 經文의 '已甚者'를 '남의 나쁜 점을 너무 심하게 비판하는 것'으로 보았는데 茶山은 이 說을 취하고, 《集註》의 說을 다음과 같이 비판하였다.

> 楊時의 說은 잘못인 듯하다. 聖人의 止於至善을 어찌 不爲已甚이라고 할 수 있겠는가. '已甚'은 폄하하는 말이다. 孟子가 직접 스스로 말씀하기를 "段干木과 泄柳는 모두 너무 심하다."라고 하여 趙岐의 註가 근거가 있으니, 고칠 수 없다. 互鄕의 童子가 찾아와 孔子를 뵈어 門人들이 의혹하였을 적에 孔子께서 "찾아오는 사람을 허여하고 떠나가는 사람을 허여하지 않을 뿐이다.[502] 어찌 심하게 할 것이 있겠는가." 하셨고(《論語》〈述而〉28장), 孔子께서 "사람으로서 仁하지 못한 것을 너무 미워하는 것도 亂을 일으킨다." 하셨고(《論語》〈泰伯〉10장), 《周易》〈睽卦 初九〉爻辭에 "惡人을 만나보면 허물이 없으리라." 하였으니, 聖人의 義는 본래 이와 같다.〔楊說恐謬 聖人之止於至善 豈可曰不爲已甚乎 已甚者貶辭 孟子親口自言曰 段干木泄柳是皆已甚 趙注有據 未可改也 互鄕童子見 門人惑 子曰 與其進也 不與其退也 惟何甚 子曰 人而不仁 疾之已甚 亂也 易曰 見惡人无咎 聖人之義 固如是也〕

茶山의 고증이 확실하다고 생각된다. 다만 이 말씀을 자신과 타인 한쪽에만 연관시키지 말고 두 가지 모두에 해당하는 것으로 보면 좋을 듯하다.

集註 | 已는 猶太也라
楊氏曰 言 聖人所爲 本分之外에 不加毫末이니 非孟子眞知孔子면 不能以是稱之니라

'已'는 太(너무)와 같다.
楊氏(楊時)가 말하였다. "聖人이 하시는 바는 本分 밖에 털끝만큼도 더하지 않음을 말씀한 것이니, 참으로 孔子를 아신 孟子가 아니라면 이렇게 칭할 수 없다."

| 惟義所在章 |

11. 孟子曰 大人者는 言不必信이며 行不必果요 惟義所在니라

---

502 찾아오는……뿐이다 : 茶山의 《論語古今注》에 이 내용이 보인다. 그러나 《集註》에서는 '찾아옴을 허여할 뿐이요 물러간 뒤에 잘못하는 것을 허여하는 것'으로 해석하지 않았다.

··· 毫 터럭 호 必 기필할 필 果 결행할 과

孟子께서 말씀하셨다. "大人은 말을 믿게 하기를 기필하지 않고 행실을 과단성 있게 하기를 기필하지 않고, 오직 義가 있는 데를 따른다."

按說 | '必'에 대하여, 朱子는 經文의 '必'을 '먼저 기필하는 것[先期]'으로 보았는데, 茶山은 '必'을 '사정이 중간에 변하였는데도 반드시 원래대로 하는 것'으로 보았다. 茶山은

《周易》〈乾卦 文言〉에 "평상시의 말을 믿게 하고 평상시의 행동을 삼간다." 하였으니, 말을 믿게 하고 행동을 과단성 있게 하는 것은 본디 大人이 힘쓰는 바이다. 다만 먼저 말한 바가 있었으나 혹 사정이 중간에 변해서 義에 맞지 않는 것이 있으면, 굳이 예전에 한 말을 집착하여 지킬 필요는 없으며, 장차 행하려고 한 바가 있었으나 혹 사정이 중간에 변해서 義에 맞지 않는 것이 있으면 굳이 그 행하려던 바를 이룰 필요는 없다.……만약 말하고 행동하는 처음부터 믿게 하기를 기필하지 않거나 과단성 있게 하기를 기필하지 않는다면 어찌 군자의 義이 겠는가.《禮記》〈緇衣〉에 "말은 반드시 끝마칠 바를 생각해야 하고 행실은 반드시 병폐가 될 바를 상고해야 한다." 하였으며, 《周易》〈歸妹卦 象〉에 "終을 영구하게 하여 弊壞함을 안다." 하였으니, 모두 믿게 하기를 기필하고 과단성 있게 하기를 기필하는 말이다. '必'을 '기필'이라 하는 것은 본뜻이 아닌 듯하다.〔易日 庸言之信 庸行之謹 言信行果 固大人之所務 但先有所言 或其事情中變 義有不合 則不必膠守前言 將有所行 或其事情中變 義有不合 則不必遂成其行……若於言行之初 原不期信 原不期果 則豈君子之義乎 禮日 言必慮其所終 行必稽其所敝 易日 永終知敝 皆期乎信期乎果之說也 以必爲期 恐非本旨〕

하였다.

集註 | 必은 猶期也라 大人은 言行이 不先期於信果요 但義之所在면 則必從之[503]하

---

503 大人……則必從之:壺山은 "살펴보건대 이는 '硜硜章'과 '適莫章' 두 章의 뜻을 합하여 말씀한 것이다.〔按此合硜硜適莫二章之意 而爲言耳〕" 하였다. '硜硜章'은 《論語》〈子路〉 20장에 "말을 반드시 믿게 하고 행실을 반드시 과단성 있게 하는 것이 硜硜한 小人이다.〔言必信 行必果 硜硜然小人哉〕"라고 한 것을 가리키며, '適莫章'은 《論語》〈里仁〉 10장에 "君子는 天下의 일에 있어 오로지 주장함도 없으며 그렇게 하지 않는다는 것도 없어서 義를 따를 뿐이다.〔君子之於天下也 無適也 無莫也 義之與比〕"라고 한 것을 가리킨다.

나니 卒亦未嘗不信果也니라

'必'은 期(기필함)와 같다. 大人은 말과 행실을 먼저 믿게 하고 과단성 있게 하기를 기필하지 않고, 다만 義가 있는 곳이면 반드시 따르니, 결국에는 미덥고 과단성 있지 않은 것이 아니다.

章下註 | ○尹氏曰 主於義면 則信果在其中矣요 主於信果면 則未必合義니라
王勉曰 若不合於義而不信不果면 則妄人爾니라

○尹氏(尹焞)가 말하였다. "義를 주장하면 信과 果가 이 가운데 들어 있고, 信과 果를 주장하면 반드시 義에 합하지는 못한다."
王勉이 말하였다. "만일 義에 합하지도 못하면서 믿게 하지도 못하고 과단성도 없다면 망령된 사람일 뿐이다."

|大人章(赤子之心章)|

12. 孟子曰 大人者는 不失其赤子之心者也니라

孟子께서 말씀하셨다. "大人은 赤子의 마음을 잃지 않은 자이다."

集註 | 大人之心은 通達萬變하고 赤子之心은 則純一無僞而已라 然이나 大人之所以爲大人은 正以其不爲物誘而有以全其純一無僞之本然이라 是以로 擴而充之면 則無所不知하고 無所不能하여 而極其大也니라

大人의 마음은 온갖 변화를 통달하고, 赤子의 마음은 純一하여 거짓이 없을 뿐이다. 그러나 大人이 大人이 된 까닭은 바로 外物에 유인되지 않아서 純一하여 거짓이 없는 本然의 마음을 온전히 함이 있기 때문이다. 그러므로 이것을 확충하면 알지 못하는 바가 없고 능하지 못한 바가 없어서 그 큼을 다하게 된다.

|養生不足以當大事章|

13. 孟子曰 養生者 不足以當大事요 惟送死라야 可以當大事니라

··· 赤 붉을 적 僞 거짓 위 誘 꾈 유 擴 넓힐 확 送 보낼 송

孟子께서 말씀하셨다. "산 자(부모)를 봉양함은 大事에 해당될 수 없고, 오직 죽은 자를 葬送함이어야 大事에 해당될 수 있다."

按說 | '養生者'의 '者'字에 대하여, 壺山은

'者'字에 굳이 얽매일 필요가 없다.[者字 不必泥]

하였다.

集註 | 事生을 固當愛敬이라 然이나 亦人道之常耳요 至於送死하여는 則人道之大變이니 孝子之事親에 舍是면 無以用其力矣라 故로 尤以爲大事[504]하여 而必誠必信하여 不使少有後日之悔也[505]니라

산 자를 섬김을 진실로 마땅히 사랑과 공경으로 해야 한다. 그러나 이는 또한 人道의 떳떳함일 뿐이요, 죽은 자를 葬送함에 이르러는 人道의 큰 변고이니, 孝子가 어버이를 섬김에 이를 버린다면 그 힘을 쓸 데가 없다. 그러므로 더욱 이것을 큰 일로 여겨서 반드시 정성스럽게 하고 반드시 信實히 하여 조금이라도 後日의 후회가 있지 않게 하는 것이다.

|深造自得章|

14. 孟子曰 君子深造之以道는 欲其自得之也니 自得之則居之安하고 居之安則資之深하고 資之深則取之左右에 逢其原이니 故로 君子는 欲其自得之也니라

---

504 尤以爲大事 : '爲大事'는 經文의 '當大事'를 해석한 것으로, 新安陳氏(陳櫟)는 "〈經文의 '當'은〉 '擔當'의 '當'이 아니다.[非擔當之當]" 하였고, 壺山은 "《集註》의 '爲'는 經文의〉'當(해당하다)'이다." 하였다. 茶山은 "大事는 본래 喪事의 호칭이므로 옛날에는 喪事를 바로 大事라고 불렀다. 《禮記》〈檀弓上〉에 '大事에 斂할 때 日中을 이용한다.' 했다.[大事本喪事之稱 故古者喪事直稱大事 檀弓曰 大事斂用日中]" 하였다.

505 必誠必信 不使少有後日之悔也 : 《禮記》〈檀弓上〉에 "초상이 난 지 사흘 만에 殯하되, 무릇 몸에 딸리는 것을 반드시 정성스럽게 하고 반드시 신실하게 하여 후회함이 없게 해야 할 것이요, 3개월 만에 장례하되, 棺에 딸리는 것을 반드시 정성스럽게 하고 반드시 신실하게 하여 후회함이 없게 해야 한다.[喪三日而殯 凡附於身者 必誠必信 勿之有悔焉耳矣 三月而葬 凡附於棺者 必誠必信 勿之有悔焉耳矣]"라고 한 子思의 말씀을 인용한 것이다.

⋯ 舍 버릴 사 悔 뉘우칠 회 造 나아갈 조 資 의뢰할 자 逢 만날 봉

孟子께서 말씀하셨다. "君子가 깊이 나아가기를 道(방법)로써 함은 自得(자연히 얻어짐)하고자 해서이니, 自得하면 居함이 편안하고, 居함이 편안하면 이용함이 깊고, 이용함이 깊으면 좌우에서 취하여 씀에 그 근원을 만나게 된다. 그러므로 君子는 自得하고자 하는 것이다."

集註 | 造는 詣也니 深造之者는 進而不已之意라 道는 則其進爲之方也[506]라 資는 猶藉也[507]라 左右는 身之兩旁이니 言至近而非一處也라 逢은 猶値也라 原은 本也니 水之來處也라 言 君子務於深造而必以其道者는 欲其有所持循하여 以俟夫默識心通하여 自然而得之於己也라 自得於己면 則所以處之者 安固而不搖하고 處之安固면 則所藉者 深遠而無盡하고 所藉者深이면 則日用之間에 取之至近하여 無所往而不値其所資之本也니라

'造'는 나아감이니, '깊이 나아간다.'는 것은 나아가고 그치지 않는다는 뜻이다. '道'는 나아가는 방법이다. '資'는 藉(이용함)와 같다. '左右'는 몸의 양 곁이니, 지극히 가까우면서도 한 곳이 아님을 말한 것이다. '逢'은 値(만남)와 같다. '原'은 근본이니, 물이 오는 곳이다. 君子가 깊이 나아가기를 힘쓰되 반드시 그 道로써 하는 것은 믿고 따르는 바가 있어서 묵묵히 알고 마음속으로 통달하여 자연히 자기 몸에 얻어지기를 기다리고자 해서이다. 자기 몸에 얻어지면 處함이 편안하고 견고하여 흔들리지 않고, 處함이 편안하고 견고하면 이용함이 深遠하여 다함이 없고, 이용함이 深遠하면 날로 쓰는 사이에 지극히 가까운 곳에서 취해써서 가는 곳마다 이용하는 바의 근본을 만나지 않음이 없을 것이다.

---

506 道 則其進爲之方也 : 茶山은 "이는 군자가 사람을 가르치는 방법이라고 생각한다. 《禮記》〈學記〉에 '군자는 열어주기만 하고 끝까지 다 말해주지 않으며 유도하기만 하고 억지로 끌고 가지 않는다.' 하였으니, '道'는 유도한다는 뜻이다. 군자가 사람을 가르침에 차근차근 유도하여 깊은 곳에 이르게 하니, 이것이 이른바 '深造之以道'이다. 깊은 곳에 나아가게 하는 방법에 유도만 하고 억지로 끌고 가지 않는 것은 그로 하여금 자득하게 하려는 것이다.〔余謂此君子教人之法也 學記曰 君子開而不達 道而不牽 道者導也 君子教人 循循誘導 以達深處 此所謂深造之以道也 深造之法 道而不牽者 欲其自得之也〕" 하였다.

507 資 猶藉也 : 朱子는 "'資'字는 資給과 資助와 흡사하다.〔資字 恰似資給資助一般〕" 하였다.《語類》 '藉'는 빌려 쓰는 것으로, 이용함을 이른다.

··· 詣 나아갈 예 藉 빌릴 자 旁 곁 방 値 만날 치 持 잡을 지 循 따를 순 黙 잠잠할 묵 搖 흔들 요

章下註 | ○程子曰 學은 不言而自得者 乃自得也[508]니 有安排布置者는 皆非自得也[509]라 然이나 必潛心積慮하여 優游厭飫[510]於其間然後에 可以有得이니 若急迫求之면 則是私己而已니 終不足以得之也니라

○程子(明道)가 말씀하였다. "학문은 말하지 않고 스스로 아는 것이 바로 自得함이니, 安排하고 布置함이 있는 것은 모두 自得함이 아니다. 그러나 반드시 마음을 다하고 생각을 쌓아서 그 사이에 優游하고 厭飫한 뒤에야 自得함이 있을 수 있으니, 만일 급박하게 구한다면 이는 私己일 뿐, 끝내 얻지 못할 것이다."

|博學而詳說章|

15. 孟子曰 博學而詳說之는 將以反說約也니라

孟子께서 말씀하셨다. "널리 배우고 상세히 말함은 장차 돌이켜서 요약함을 말하고자 해서이다."

按說 | '博'과 '約'에 대하여, 程伊川은

博과 約은 정반대이니, 聖人이 사람을 가르친 것은 다만 이 두 글자(博約)이다. 博은 널리 배우는 것이니 많이 알고 많이 보고 많이 듣는 것을 이르고, 約은 다만 사람들로 하여금 요점을 알게 하는 것이다.[博與約正相對 聖人教人 只此兩字 博是博學, 多識, 多見, 多聞之謂 約只是使人知要也]《精義》

하였다.

---

508 不言而自得者 乃自得也:壺山은 "말하지 않음은 바로 묵묵히 알고 마음속으로 통한다는 뜻이다.[不言卽默識心通之意]"하였다.

509 有安排布置者 皆非自得也:新安陳氏(陳櫟)는 "安排하고 布置함이 있으면 바로 억지로 하는 것이니, 自然의 얻음이 아니다.[有安排布置 便是勉强 而非自然之得]"하였다.

510 優游厭飫:'優游'는 優柔로도 쓰는데 편안하다는 뜻으로 마음의 여유를 갖는 것이며, '厭飫'는 饜飫로도 쓰는데 음식을 배불리 먹는 것으로, '優游厭飫'는 충분한 시간을 갖고 오랫동안 學問에 종사하여 풍부한 지식과 실천적 경험을 쌓음을 뜻한다. 이 말은 원래 《春秋左傳》의 杜預 序文에 "마음을 편안하게 해 주어서 스스로 구하게 하였고, 그 뜻을 충분히 알게 해서 배우는 자들로 하여금 스스로 나아가게 하였다.[優而柔之 使自求之 饜而飫之 使自趣之]"라고 한 데서 유래한 것이다.

⋯ 排 배열할배 優 넉넉할우 游 놀유 厭 물릴염, 배부를염 飫 배부를어 詳 자세할상 約 요약할약

集註 | 言 所以博學於文而詳說其理者[511]는 非欲以誇多而鬪靡也요 欲其融會貫通하여 有以反而說到至約之地耳라 蓋承上章之意而言하니 學은 非欲其徒博[512]이요 而亦不可以徑約[513]也니라

글을 널리 배우고 그 이치를 상세히 말하는 까닭은 많은 지식을 자랑하고 화려함을 다투고자 해서가 아니요, 融會(자세히 이해)하고 貫通하여 돌이켜서 지극히 요약된 경지를 설명하고자 해서임을 말씀한 것이다. 이는 윗 장의 뜻을 이어서 말씀하였으니, 배움은 다만 博學하고자 할 것이 아니요 또한 곧바로 要約만을 해서도 안 되는 것이다.

|以善服人章|

16. 孟子曰 以善服人者는 未有能服人者也니 以善養人然後에 能服天下하나니 天下不心服而王者 未之有也니라

孟子께서 말씀하셨다. "善으로써 남을 복종시키려 하는 자는 남을 복종시키는 자가 있지 않으니, 善으로써 남을 길러준 뒤에야 천하를 복종시킬 수 있는 것이다. 천하가 마음으로 복종하지 않고서 왕 노릇한 자는 있지 않다."

集註 | 服人者는 欲以取勝於人이요 養人者는 欲其同歸於善[514]이니 蓋心之公私小

---

511 所以博學於文而詳說其理者:慶源輔氏(輔廣)는 《集註》에 이른바 '文'은 詩書·六藝의 文이고, '理'는 詩書·六藝의 글에 실려 있는 허다한 道理를 이른다.〔集註所謂文 謂詩書六藝之文 理 謂詩書六藝之文所載許多道理也〕하였다. 壺山은 "살펴보건대 여기의 '理'字는 만 가지 다른 이치를 가리키니, 만약 지극히 요약된 것으로 말하면, 이는 근본이 하나인 이치이다.〔按此理字 指萬殊之理 若其至約者 則是一本之理也〕"하였다.

512 學 非欲其徒博:壺山은 "徒博은 詞章의 학문이다.〔徒博 詞章之學〕"하였다.

513 亦不可以徑約:壺山은 "徑約은 陸象山(陸九淵)과 王陽明(王守仁)의 학문이다.〔徑約 陸王之學也〕"하였다.

514 服人者……欲其同歸於善:朱子는 "善으로써 남을 복종시키려는 자는 행여 남이 善으로 나올까 두려워하니, 예컨대 張華가 晉나라 武帝에게 대답하면서 행여 吳나라 사람이 훌륭한 군주로 바꿔 세우면 江南 지방을 점령할 수 없을까 염려한 따위가 이것이요, 善으로써 남을 길러주는 자는 행여 남이 善으로 들어오지 않을까 염려하니, 예컨대 湯王이 葛나라를 섬김에 제사에 쓸 소와 양을 보내주고 사람을 시켜 葛나라에 가서 제사에 올릴 곡식을 농사짓게 한 따위가 이것이다.〔以善服人者 惟恐人之進於善也 如張華之對晉武帝 恐吳人更立令主 則江南不可取之類是也 以善養人者 惟恐人之不入於善也 若湯之事葛 遺之牛羊 使人往爲之耕之類是也〕"하였다.《朱子大全 答張敬之》 湯王의 일은 〈滕文

⋯ 誇 자랑할 과 鬪 싸울 투 靡 화려할 미 融 밝을 융 會 알 회 徑 지름길 경

異에 而人之嚮背頓殊하니 學者於此에 不可以不審也니라

'服人'은 남에게 이김을 취하고자 하는 것이요, '養人'은 함께 善에 돌아가고자 하는 것이니, 마음의 公과 私가 조금 다름에 사람의 향하고 등짐(복종하지 않음)이 크게 다르니, 배우는 자가 이에 대하여 살피지 않으면 안 된다.

|言無實不祥章|

17. 孟子曰 言無實不祥하니 不祥之實은 蔽賢者 當之니라

孟子께서 말씀하셨다. "말에 실상이 없는 것이 길하지 못하니〔不祥〕, 길하지 못함의 실제는 어진이를 은폐함이 이에 해당된다."

集註 | 或曰 天下之言이 無有實不祥者하니 惟蔽賢이 爲不祥之實이라하고 或曰 言而無實者不祥이라 故로 蔽賢이 爲不祥之實이라하니 二說이 不同하여 未知孰是라 疑或有闕文焉이니라

或者는 이르기를 "천하의 말에 실제로 不祥한 것이 없으니, 오직 어진이를 은폐함이 不祥의 실제가 된다." 하고, 或者는 이르기를 "말에 실상이 없는 것이 不祥이다. 그러므로 어진이를 은폐함이 不祥의 실제가 된다." 하니, 두 말이 똑같지 아니하여 누가 옳은지 알 수 없다. 아마도 빠진 글자가 있는 듯하다.

|水哉水哉章(聲聞過情章)|

18-1. 徐子曰 仲尼亟(기)稱於水曰 水哉水哉여하시니 何取於水也시니잇고

徐子(徐辟)가 물었다. "仲尼께서 자주 물을 칭찬하시어 '물이여, 물이여.' 하셨으니, 무엇을 물에서 취하신 것입니까?"

公下〉5장 참조.

··· 嚮 향할 향 背 등질 배 頓 클 돈 殊 다를 수 祥 길할 상 蔽 가릴 폐 孰 누구 숙 亟 자주 기

集註│亟는 數(삭)也라 水哉水哉는 歎美之辭라

'亟'는 자주이다. '水哉水哉'는 찬미한 말씀이다.

18-2. 孟子曰 原泉이 混混하여 不舍晝夜하여 盈科而後에 進하여 放乎四海하나니 有本者如是라 是之取爾시니라

孟子께서 말씀하셨다. "근원이 있는 물이 混混히 흘러 밤낮을 그치지 아니하여 구덩이가 가득 찬 뒤에 나아가서 四海에 이르니, 행실에 근본이 있는 것이 이와 같다. 이 때문에 취하신 것이다.

按說│ '不舍晝夜'에 대하여, 官本諺解의 解釋은 '晝夜를 숨티 아니ᄒ야'로 되어 있는데, 壺山은

밤낮에 그치지 않는 것이니, 諺解의 解釋은 마땅히 다시 살펴보아야 할 듯하다.〔不舍於晝夜也 諺釋恐合更詳〕

하였다.
'有本者如是'에 대하여, 壺山은

살펴보건대 '有本者如是' 한 句를, 옛날에는 《論語》〈子罕〉16장〉에 '가는 것이 이와 같다.〔逝者如斯〕'라는 뜻으로 알았는데, 지금 보니 아랫절의 '근본이 없음'은 또한 물을 가지고 말씀한 것이다. 이는 물이 근본이 있고 없음을 가지고 사람이 실제 행실이 있고 없음을 비유한 것이다. 그렇다면 이 句는 《論語》의 글과 문세는 똑같으나 의의는 다르다.〔按有本者如是一句 舊認如論語逝者如斯之義 今看來 下節無本 亦以水言 蓋以水之有本無本 譬人之有實行無實行 然則此句與論語之文 語勢同而意義異耳〕

하였다.

集註│原泉은 有原之水也라 混混은 湧出之貌라 不舍晝夜는 言常出不竭也라 盈

··· 數 자주 삭 混 용솟음칠 혼 舍 그칠 사 盈 가득찰 영 科 구덩이 과 放 이를 방 湧 용솟음칠 용 竭 다할 갈

은 滿也요 科는 坎也[515]니 言其進以漸也라 放은 至也라 言 水有原本하여 不已而漸進[516]하여 以至于海하니 如人有實行이면 則亦不已而漸進하여 以至于極也니라

'原泉'은 근원이 있는 물이다. '混混'은 용솟음쳐 나오는 모양이다. '밤낮을 그치지 않는다.'는 것은 항상 나와 다하지 않음을 말한다. '盈'은 가득 참이요 '科'는 구덩이이니, 나아가기를 점진적으로 함을 말한 것이다. '放'은 이름이다. 물이 근원이 있어서 그치지 않고 점진하여 바다에 이르니, 사람이 실제 행실이 있으면 또한 그치지 않고 점진하여 지극한 경지에 이름과 같음을 말씀한 것이다.

18-3. 苟爲無本이면 七八月之間에 雨集하여 溝澮皆盈이나 其涸(확)也는 可立而待也라 故로 聲聞過情을 君子恥之니라

만일 근본이 없다면 7, 8월 사이에 빗물이 모여서 도랑이 모두 가득하나 그 마름은 서서도 기다릴 수 있다. 그러므로 명성이 실제보다 지나침을 君子는 부끄러워하는 것이다."

集註 | 集은 聚也라 澮는 田間水道也라 涸은 乾也라 如人無實行而暴(폭)得虛譽면 不能長久也[517]라 聲聞은 名譽也라 情은 實也라 恥者는 恥其無實而將不繼也라 林氏曰 徐子之爲人이 必有躐等干譽之病이라 故로 孟子以是答之하시니라

'集'은 모임이다. '澮'는 밭 사이의 물길이다. '涸'은 마름이다. 사람이 실제 행실이 없이 갑자기 헛된 명예를 얻으면 長久하지 못함과 같은 것이다. '聲聞'은 名譽이다. '情'은 실제이

---

515 科 坎也 : 茶山은 "'科'는 斗量(말의 용량)이다.【글자가 禾와 斗로 이루어졌다.】'科'를 坎(구덩이)으로 訓한 것은 소략하다. 또 '舍'는 息(쉬다)이다.……물이 근원으로부터 바다에 이르는 것은 본래 개통된 길로 나와서 흘러가는 것이 아니다. 물이 산골짜기로 흘러들어가서 그 용량을 채우고 나면 물은 지형이 낮은 곳을 따라 흘러가고, 또 산골짜기를 만나면 역시 그렇게 하여 수로를 이루는 것이다.〔科者斗量也【字從禾從斗】訓科爲坎 疏矣 又舍者息也……水之自源至海 本非通道出路而然 水注山谷 旣盈其科 則水從地勢卑處決出去 又遇山谷亦然 以成水路耳〕"하였다.

516 不已而漸進 : 《大全》에 '不已'는 "밤낮을 그치지 않는 것이다.〔不舍晝夜〕"하였고, '漸進'은 "웅덩이를 채운 뒤에 나아가는 것이다.〔盈科後進〕"하였다.

517 如人無實行而暴得虛譽 不能長久也 : 新安陳氏(陳櫟)는 "물이 근원이 없음은 사람이 실제 행실이 없음을 비유한 것이다. 도랑이 모두 찼으나 마르기를 서서도 기다릴 수 있는 것은 윗글에 '混混하여 구덩이를 채우고 나아가서 四海에 이른다.'는 것과 相反되니, 사람이 갑자기 헛된 명예를 얻어 長久하지 못함을 비유한 것이다.〔水無原本 人無實行之譬也 溝澮皆盈 而涸可立待 與上文混混盈科而進 以至放乎四海者相反 暴得虛譽而不能長久之譬也〕"하였다.

··· 坎 구덩이 감 漸 점점 점 苟 만일 구 溝 도랑 구 澮 도랑 회 涸 마를 학 乾 마를 간(건) 暴 갑자기 폭
躐 건너뛸 렵 干 요구할 간

다. '부끄러워하는 것'은 그 실제가 없어서 장차 이어지지 못할 것을 부끄러워하는 것이다. 林氏(林之奇)가 말하였다. "徐子의 사람됨이 반드시 등급을 건너뛰고 명예를 요구하는 병통이 있었을 것이다. 그러므로 孟子께서 이 말씀으로 대답하신 것이다."

章下註 | ○鄒氏曰 孔子之稱水는 其旨微矣[518]어늘 孟子獨取此者는 自徐子之所急者로 言之也라 孔子嘗以聞達로 告子張矣[519]시니 達者는 有本之謂也요 聞은 則無本之謂也라 然則學者其可以不務本乎아

○鄒氏(鄒浩)가 말하였다. "孔子께서 물을 칭찬하심은 그 뜻이 은미한데(깊은데), 孟子께서 유독 이것만을 취하심은 徐子의 시급한 바로써 말씀하신 것이다. 孔子께서 일찍이 聞과 達을 가지고 子張에게 말씀해 주셨으니, 達은 근본(德行)이 있음을 이르고 聞은 근본이 없음을 이른다. 그렇다면 배우는 자가 근본을 힘쓰지 않을 수 있겠는가."

|人之所以異於禽獸章(明於庶物章)|

19-1. 孟子曰 人之所以異於禽獸者 幾希하니 庶民은 去之하고 君子는 存之니라

孟子께서 말씀하셨다. "사람이 禽獸와 다른 것이 얼마 안 되니, 庶民(衆人)들은 이것을 버리고 君子는 이것을 보존한다.

> 按說 | '幾希'를 《集註》에서는 '少'로 訓하였으나 茶山은 '微微'로 訓하였다. 茶山은
>
> '幾'는 微이고 '希'도 微이다. '幾希'는 미묘하고 세미하여 얼마 되지 않는다는 뜻이다.……

---

518 孔子之稱水 其旨微矣 : 《論語》〈子罕〉16장에 孔子께서 냇가에 계시면서 감탄하여 "가는 것이 이와 같구나. 밤낮을 그치지 않는다.〔逝者如斯夫 不舍晝夜〕"라고 한 내용이 보인다. 이에 대하여 朱子는 《集註》에서 "天地의 造化가 가는 것은 지나가고 오는 것이 이어져서 한 순간의 그침이 없으니, 바로 道體의 本然이다. 그러나 지적하여 쉽게 볼 수 있는 것은 냇물의 흐름만한 것이 없다. 그러므로 여기에서 말씀하여 사람들에게 보여주셨으니, 배우는 자가 때때로 省察하여 털끝만한 間斷도 없게 하고자 하신 것이다." 하였다. 위에서 徐子가 이른바 '仲尼가 자주 물을 칭찬했다.'는 것은 바로 《論語》의 내용을 가리킨 것이며, 그 뜻이 깊다는 것 역시 道體의 本然과 學者들의 省察을 가리킨 것으로 보인다.

519 孔子嘗以聞達 告子張矣 : '聞'은 실제가 없으면서 명성을 얻는 것이고, '達'은 실제의 德이 있어 사람들이 믿어 주어서 모든 일이 뜻대로 됨을 이르는바, 《論語》〈顏淵〉20장에 자세히 보인다.

··· 鄒 성추 幾 몇 기 希 드물 희 庶 많을 서

〈인간과 금수가〉 다른 것은 오직 하나의 道心뿐인데, 道心의 물건됨은 形質이 없고 지극히 微微하니, 만약 이에 따라 道心을 버린다면 금수일 뿐이다. 장차 무엇으로 구별하겠는가.〔幾者微也 希亦微也 幾希者 微眇芒忽 無幾無何之意也……所異者惟是一箇道心而道心爲物 無形無質 至微至忽 若于是從而去之 則禽獸而已 將何以自別乎〕

하였다. 茶山은《集註》의 "사람과 금수의 性은 같고 차이는 오직 形氣에 있는데, 그 차이가 적다." 한 것을 비판하고, 사람과 금수의 性은 다르며 道心이 있고 없는 차이가 있는데 이 道心은 微微한 것이므로 '그 차이가 微微하다.'라고 한 것이다.

集註 | 幾希는 少也라 庶는 衆也라 人物之生에 同得天地之理以爲性하고 同得天地之氣以爲形하니 其不同者는 獨人於其間에 得形氣之正하여 而能有以全其性이 爲少異耳라 雖曰少異나 然人物之所以分이 實在於此하니 衆人은 不知此而去之면 則名雖爲人이나 而實無以異於禽獸요 君子는 知此而存之[520]라 是以로 戰兢惕厲하여 而卒能有以全其所受之正也니라

'幾希'는 적음이다. '庶'는 많음이다. 사람과 물건이 태어날 적에 똑같이 天地의 理를 얻어 性으로 삼았고 똑같이 天地의 氣를 얻어 형체로 삼았으니, 그 똑같지 않은 점은 오직 사람만이 그 사이에 形氣의 올바름을 얻어 本性을 온전히 보존할 수 있음이 조금 다를 뿐이다. 비록 조금 다르다고 말하나 사람과 물건의 구분되는 바가 실로 여기에 있다. 衆人들은 이를 알지 못하여 버리니, 그렇다면 이름은 비록 사람이라 하나 실제는 禽獸와 다를 것이 없고, 君子는 이를 알아 보존한다. 이 때문에 전전긍긍하며 두려워하고 조심하여 마침내 그 받은 바의 올바름을 온전히 보존하는 것이다.

19-2. 舜은 明於庶物하시며 察於人倫하시니 由仁義行이라 非行仁義也시니라

---

520 君子 知此而存之:《大全》에 "굶주리면 먹고 목마르면 마시는 따위는 사람이 금수와 똑같이 하는 것이요, 〈父子간에〉 親함이 있고 〈君臣간에〉 義가 있는 倫理가 바로 사람이 禽獸와 다른 점이다. '存'은 禽獸와 다른 所以의 道理를 보존하는 것인데, 지금 사람들이 스스로 능히 보존한다고 말하는 것은 다만 그 禽獸와 똑같은 점을 보존할 뿐이다.〔飢食渴飮之類 是人與禽獸同者 有親有義之倫 此乃與禽獸異者 存是存所以異於禽獸之道理 今人自謂能存 只是存其與禽獸同者耳〕" 하였다.

… 獨 홀로 독 異 다를 이 戰 두려울 전 兢 조심할 긍 惕 두려울 척 厲 두려울 려

舜임금은 여러 사물의 이치에 밝으시며 人倫에 특히 살피셨으니, 仁義를 따라 행하신 것이요 仁義를 행하려고 하신 것이 아니었다."

集註 | 物은 事物也요 明은 則有以識其理也라 人倫은 說見前篇하니라 察은 則有以盡其理之詳也라 物理固非度外로되 而人倫이 尤切於身이라 故로 其知之有詳略之異하니 在舜則皆生而知之[521]也라 由仁義行이요 非行仁義는 則仁義已根於心하여 而所行이 皆從此出이요 非以仁義爲美而後에 勉強行之니 所謂安而行之[522]也라 此則聖人之事니 不待存之而無不存矣니라

'物'은 事物이요, '明'은 그 이치를 아는 것이다. '人倫'은 해설이 前篇(滕文公上)에 보인다. '察'은 그 이치의 상세함을 다하는 것이다. 사물의 이치는 진실로 度外가 아니나 人倫이 더욱 사람의 몸에 간절하다. 그러므로 그 앎에 상세하고 간략한 차이가 있는 것이니, 舜임금에 있어서는 모두 生而知之이다. '仁義를 따라 행함이요 仁義를 행하려 함이 아니다.'라는 것은, 仁義가 이미 마음속에 근본하여 행하는 바가 모두 이로부터 나온 것이요, 仁義를 아름답게 여긴 뒤에 억지로 힘써 행한 것이 아니니, 이른바 '安而行之'라는 것이다. 이는 聖人의 일이니, 굳이 보존하려 하지 않아도 보존되지 않음이 없는 것이다.

章下註 | ○ 尹氏曰 存之者는 君子也요 存者는 聖人也라 君子所存은 存天理也니 由仁義行은 存者能之니라

○ 尹氏(尹焞)가 말하였다. "보존하려 하는 것은 君子요, 저절로 보존하는 것은 聖人이다. 君子가 보존하는 것은 天理를 보존함이니, 仁義를 따라 행함은 存者(聖人)만이 능하다."

---

521 生而知之 : 배우지 않고 태어나면서 저절로 道理를 아는 것으로 聖人을 이른다. 《中庸》 20장에 "혹은 태어나면서 이것을 알고 혹은 배워서 이것을 알고 혹은 애를 써서 이것을 아는데, 그 앎에 미쳐서는 똑같다.〔或生而知之 或學而知之 或困而知之 及其知也 一也〕"라고 보인다.

522 安而行之 : 道를 행함에 있어 억지로 힘쓰지 않고 편안히 행하는 것으로 聖人을 이른다. 《中庸》 20장에 "혹은 편안히 이것을 행하고 혹은 이롭게 여겨서 이것을 행하고 혹은 억지로 힘써서 이것을 행하는데, 그 成功함에 미쳐서는 똑같다.〔或安而行之 或利而行之 或勉強而行之 及其成功 一也〕"라고 보인다.

··· 勉 힘쓸 면 強 힘쓸 강

|思兼三王章(惡旨酒章)|

20-1. 孟子曰 禹는 惡(오)旨酒而好善言이러시다

孟子께서 말씀하셨다. "禹王은 맛있는 술을 싫어하고, 善言을 좋아하셨다.

> 按說ㅣ 慶源輔氏(輔廣)는
>
> 맛있는 술을 싫어하면 物欲이 행해지지 않고 善言을 좋아하면 天理가 밝게 드러난다.〔惡
> 旨酒 則物欲不行 好善言 則天理昭著〕
>
> 하였다.

集註ㅣ 戰國策曰 儀狄이 作酒어늘 禹飲而甘之曰 後世에 必有以酒亡其國者라하시
고 遂疏儀狄而絶旨酒라하니라 書曰 禹拜昌言이라하니라

《戰國策》《魏策》에 이르기를 "儀狄이 술을 만들자, 禹王은 그 술을 마셔보고 맛있게 여기며
말씀하시기를 '後世에 반드시 술로써 나라를 망칠 자가 있을 것이다.' 하시고는 마침내 儀
狄을 소원히 하고 맛있는 술을 끊었다." 하였다. 《書經》《大禹謨》에 이르기를 "禹王은 昌言
(善言)에 절하셨다." 하였다.

20-2. 湯은 執中하시며 立賢無方이러시다

湯王은 中道를 잡으시며, 어진 이를 세우되(등용하되) 일정한 方所가 없으셨다.

集註ㅣ 執은 謂守而不失[523]이라 中者는 無過不及之名이라 方은 猶類也니 立賢無方
은 惟賢則立之於位하고 不問其類也[524]라

'執'은 지키고 잃지 않음을 이른다. '中'은 過와 不及이 없는 것의 명칭이다. '方'은 類와

---

523 執 謂守而不失 : 朱子는 "이 執中은 子莫의 執中과 같지 않다.……湯임금은 일마다 매우 합당하여 지
나치거나 미치지 못함이 없게 하려 하셨을 뿐이다.〔這執中 卻與子莫之執中不同……湯只是要事事
恰好 無過不及而已〕" 하였다.《語類》

524 不問其類也 : 壺山은 "'類'는 귀천의 종류이다.〔貴賤之類〕" 하였다.

⋯ 旨 맛지 策 책책 儀 거동의 狄 오랑캐적 疏 소원할소 昌 좋은말창 方 방소방 類 종류류

같으니, '어진 이를 세우되 方所가 없으셨다.'는 것은 오직 어진 자이면 지위에 세우고, 그 종류를 따지지 않은 것이다.

20-3. 文王은 視民如傷하시며 望道而(如)未之見이러시다

文王은 백성을 보기를 다칠 듯이 여기셨으며, 道를 바라보시기를 보지 못한 듯이 하셨다.

按說 | 趙岐는

'視民如傷'은 온화하여 動擾(어지럽게 일을 벌임)하지 않는 것이다.

하였는데, 茶山은

趙岐의 註가 의미가 있다. 우리나라 속담에 '불면 날아갈 듯 쥐면 깨질 듯'이라 하니, 이것이 '如傷'을 이른 것이다. 《老子》(60장)에 "백성을 다스리는 것은 마치 작은 생선을 삶는 것과 같다.[어지럽게 뒤집으면 생선이 다 부서진다.]" 했다.〔趙注有味 吾東鄙諺曰 吹之恐簸 握之恐破 此之謂如傷也 老子曰 治民如烹小鮮 【擾之則盡碎】〕

하였다.

《大全》에

'而'는 '如'로 읽으니, 古字에 통용되었다.〔而 讀爲如 古字通用〕

하였는데, 壺山은

諺解의 音에 여전히 그 本字를 따름은 어째서인가.〔諺音 猶依其本字 何哉〕

하여, '而'를 '如'로 읽어야 함을 강조하였다.

集註 | 民已安矣로되 而視之를 猶若有傷하고 道已至矣로되 而望之를 猶若未見하시니 聖人之愛民深而求道切이 如此하니 不自滿足하여 終日乾乾之心也니라

백성이 이미 편안한데도 오히려 다칠 듯이 여기셨고, 道가 이미 지극한데도 바라보시기를 오히려 보지 못한 듯이 하셨으니, 聖人이 백성 사랑하기를 깊이 하고 道를 구하기를 간절

··· 傷 다칠 상 而 같을 이(如通) 乾 부지런히힘쓸 건

히 함이 이와 같았다. 이는 스스로 만족스럽게 여기지 않아 종일토록 부지런히 힘쓰신 마음이다.

20-4. 武王은 不泄邇하시며 不忘遠이러시다

武王은 가까운 자를 친압하지 않으셨으며, 먼 자를 잊지 않으셨다.

集註 | 泄은 狎也라 邇者는 人所易狎而不泄하시고 遠者는 人所易忘而不忘[525]하시니 德之盛이요 仁之至也니라

'泄'은 친압함(함부로 대함)이다. 가까운 자는 사람이 친압하기 쉬운 것인데도 친압하지 않으셨고, 먼 자는 사람이 잊기 쉬운 것인데도 잊지 않으셨으니, 德이 성하고 仁이 지극하시다.

20-5. 周公은 思兼三王하사 以施四事하사되 其有不合者어든 仰而思之하여 夜以繼日하사 幸而得之어시든 坐以待旦이러시다

周公은 세 王을 겸할 것을 생각하여 네 가지 일을 시행하시되 부합하지 않는 것이 있으면 우러러 생각하여 밤으로써 낮을 이어서 다행히 터득하시면 그대로 앉아 날이 새기를 기다리셨다."

按說 | '仰而思之'에 대하여, 壺山은

일이 前代에 있었으므로 '仰(우러르다)'이라고 말한 것이다.〔事在前世 故言仰〕

하였다.

集註 | 三王은 禹也, 湯也, 文武也요 四事는 上四條之事也라 時異勢殊라 故로 其事

---

525 泄……人所易忘而不忘:朱子는 '泄邇'와 '忘遠'에 대해 "이는 사람과 일을 통틀어 말한 것이다. '泄'字는 친근히 신임하며 경멸하고 소홀히 하는 뜻을 겸하여 가지고 있다.〔此通人與事而言 泄字 兼有親信狎侮忽略之意〕"하였다.《朱子大全 答吳伯豐》楊伯峻은 趙岐의 註에 "'近'은 조정의 신하를 이르고 '遠'은 諸侯를 이른다.〔近謂朝臣 遠謂諸侯也〕"한 것을 취하였다.

••• 泄 친압할설 邇 가까울 이 忘 잊을 망 狎 친압할압 兼 겸할겸 仰 우러를 앙 旦 아침 단

或有所不合이나 思而得之하면 則其理初不異矣라 坐以待旦은 急於行也라

'三王'은 禹王, 湯王, 文王·武王이요, '四事'는 위 네 조항의 일이다. 때가 다르고 勢가 다르기 때문에 그 일이 혹 부합하지 않는 바가 있으나 생각하여 터득하면 그 이치는 애당초 다르지 않다. '앉아서 날이 새기를 기다린다.'는 것은 실행하기를 급히 여긴 것이다.

章下註ㅣ ○ 此는 承上章言舜하여 因歷敍群聖以繼之하고 而各擧其一事하여 以見(현)其憂勤惕厲之意하시니 蓋天理之所以常存이요 而人心之所以不死也니라
程子曰 孟子所稱은 各因其一事而言이니 非謂武王不能執中立賢이요 湯却泄邇忘遠也라 人謂各擧其盛이라하나 亦非也라 聖人은 亦無不盛이시니라

○ 이는 윗장에 舜임금을 말씀한 것을 이어서 여러 聖人을 차례로 서술하여 뒤를 잇고 각각 한 가지 일을 들어 그 걱정하고 부지런히 힘쓰며 두려워한 뜻을 나타낸 것이니, 天理가 이 때문에 항상 보존되고 人心이 이 때문에 죽지 않는 것이다.
程子(伊川)가 말씀하였다. "孟子께서 칭한 바는 각각 한 가지 일을 인하여 말씀한 것이니, 武王은 中道를 잡지 못하고 어진 자를 세움에 方所가 없게 하지 못하였으며, 湯王은 가까운 자를 친압하고 먼 자를 잊었다고 말씀한 것은 아니다. 사람들이 이르기를 '각기 그 盛한 점을 들었다.' 하나 이 또한 잘못이다. 聖人은 또한 盛하지 않은 것이 없으시다."

|王者之跡熄章(橋杌章)|

21-1. 孟子曰 王者之跡이 熄而詩亡하니 詩亡然後에 春秋作하니라

孟子께서 말씀하셨다. "王者의 자취가 종식됨에 《詩》가 없어졌으니, 《詩》가 없어진 뒤에 《春秋》가 지어졌다.

按說ㅣ '詩亡'에 대하여, 《集註》에서는 "〈黍離〉가 강등되어 國風이 됨에 雅가 없어짐을 이른다." 하여, 周나라 平王이 洛邑으로 천도한 뒤에 政敎가 천하에 미치지 못하여 마땅히 〈雅〉가 되어야 하는 〈王風〉이 列國風으로 강등된 것을 '《詩》가 없어진 것'으로 보았으나, 淸代의 學者들은 平王 이후로 天子가 제후국을 巡狩하지 아니하여 詩를 채집

··· 敍 서술할 서 惕 두려워할 척 厲 두려울 려 跡 자취 적 熄 꺼질 식

하는 일이 없어진 것으로 보았다. 幽王이 鎬京에 도읍하였으나 포악무도하여 犬戎에게 죽임을 당하자, 그의 아들인 平王이 즉위하고 동쪽 洛邑으로 遷都하였는데, 王權이 크게 약화되어 天子라는 명칭만 있었을 뿐 약소국으로 전락하였다. 〈黍離〉는 어떤 大夫가 옛날 도성이었던 鎬京을 지나다가 궁궐터가 기장밭이 된 것을 보고 서글퍼하여 지은 詩로 《詩經》〈王風〉의 편명이다.

茶山은 원래의 詩는 천자에게 諷諫하고 제후를 포폄하는 것이었는데, 이러한 詩가 없어진 것을 '《詩》가 없어진 것'으로 보고는,

> 詩〔五言〕의 體는 오직 찬미와 풍자를 위주하여, 時政의 得失을 오로지 말하여 인도하고 諫하는 것인데, 더욱 중시된 것은 諫에 있었다. 그러므로 혹 이전의 일을 진술하여 비유적으로 찬미하고, 혹 당시의 일을 진술하여 풍자적으로 비탄한 것이다. 그중에 諷諭한 것을 風이라 하고, 바로 말한 것을 雅라 한다. 列國의 詩에 이르러는 王人이 채집해서 樂府를 지어 위로는 천자에게 諷諫하고 아래로는 제후를 포폄할 수 있었으니, 詩의 작용이 이와 같았다.……幽王이 죽고 平王이 東遷한 후에는 王者의 자취가 영원히 없어져, 비록 시를 짓는 이는 끊어지지 않았으나 풍유하고 외고 포폄하는 법은 없어졌으니, 시가 없어진 것이 아니겠는가. 이에 사관이 《春秋》를 지어 포폄하고 勸懲하였으니, 이것이 이른바 '《詩》가 없어진 뒤에 《春秋》가 지어졌다.'는 것이다.〔五言之體 唯以美刺爲主 專言時政得失 以導以諫 而其所重尤在於諫 故或陳前事以美諷之 或陳時事以刺諷之 其諷喩者謂之風 其正言者謂之雅 至於列國之詩 王人采之 以編樂府 上可以諷諫天子 下可以誅褒諸侯 詩之用如是也……幽王旣滅 平王旣遷 王跡永熄 則雖作詩者不絶 而其諷誦誅褒之法則亡矣 詩不亡乎 於是掌史之臣 作爲春秋 以誅以褒 以勸以懲 此所謂詩亡而春秋作也〕

하였다.

楊伯峻은 '迹(跡)'을 '迋(기)'의 誤字로 보고 《說文解字》에

> '迋'는 옛날의 遒(주)人이니, 木鐸을 가지고 돌아다니며 詩를 기록하였다.〔古之遒人 以木鐸記詩言〕

한 것을 취하였으며, 經文의 '王者之跡 熄而詩亡'을 '聖王의 詩를 채집하는 일이 폐지되자 《詩》 또한 없어졌다.'로 번역하였다.

集註 | 王者之跡熄은 謂平王東遷에 而政敎號令이 不及於天下也라 詩亡은 謂黍
離降爲國風而雅亡也라 春秋는 魯史記之名이니 孔子因而筆削之하사되 始於魯隱
公之元年하시니 實平王之四十九年也라

'王者의 자취가 종식되었다.'는 것은 平王이 동쪽(洛邑)으로 遷都함에 政敎와 號令이 천
하에 미치지 못함을 이른다. '詩亡'은 〈黍離〉가 강등되어 國風이 됨에 雅가 없어짐을 이른
다. 《春秋》는 魯나라 史記의 이름이니, 孔子께서 명칭을 그대로 인습하여 〈일을〉 기록하고
삭제하시되 魯나라 隱公 元年에서 시작하셨으니, 실로 平王 49년(B.C.722)이다.

21-2. 晉之乘과 楚之檮杌과 魯之春秋 一也니라

晉나라의 《乘》과 楚나라의 《檮杌》과 魯나라의 《春秋》가 똑같은 것이다.

集註 | 乘은 義未詳이라 趙氏는 以爲興於田賦乘馬之事라하고 或曰 取記載當時行
事而名之也라하니라 檮杌은 惡獸名이라 古者에 因以爲凶人之號하니 取記惡垂戒
之義也라 春秋者는 記事者必表年以首事하니 年有四時라 故로 錯擧以爲所記之
名也[526]라 古者에 列國이 皆有史官하여 掌記時事하니 此三者는 皆其所記冊書之名
也라

'乘'은 뜻이 상세하지 않다. 趙氏(趙岐)는 이르기를 "田賦 乘馬의 일에서 나왔다." 하고,
혹자는 이르기를 "당시 行事를 기재함을 취하여 이름하였다." 한다. '檮杌'은 흉악한 짐승
의 이름이다. 옛날에 인하여 凶人의 이름으로 삼았으니, 악한 일을 기록하여 경계를 남기는
뜻을 취한 것이다. '春秋'는 일을 기록하는 자가 반드시 年度를 표시하여 사건의 앞에 놓으
니, 年에는 四時가 있기 때문에 봄과 가을을 번갈아 들어서 기록한 바의 책명으로 삼은 것
이다. 옛날 列國에 모두 史官이 있어서 당시의 일을 기록하는 것을 관장하였으니, 이 세 가
지는 모두 그 기록한 책의 이름이다.

---

526 必表年以首事……錯擧以爲所記之名也:新安陳氏(陳櫟)는 "'必表年'이하는 晉나라 杜預가 지은
《春秋左傳》序文에 나온다. '錯'은 섞음이니, 봄과 가을 두 철을 섞어 들어서 四時를 포괄하여 말한
것이다.〔必表年以下 出晉杜預所作左傳序文 錯 雜也 雜擧春秋二時 以該四時也〕" 하였다. 壺山은
'錯擧'에 대하여 "하나를 사이하여 취하는 것을 일러 '번갈아 들었다'고 한다.〔間一而取 謂之錯擧〕" 하
였다.

••• 遷 옮길 천 黍 기장 서 離 이삭늘어질 리 雅 바를 아 削 삭제할 삭 檮 악한짐승이름 도 杌 악한짐승이름 올
錯 갈마들 착 冊 책 책

21-3. 其事則齊桓晉文이요 其文則史니 孔子曰 其義則丘竊取之矣로 라하시니라

그 일은 齊 桓公과 晉 文公의 일이요, 그 文體는 史官의 文體이다. 孔子께서 말씀하시기를 '그 義는 내(丘)가 속으로 취했다.' 하셨다."

> **集註**ㅣ春秋之時에 五霸迭興而桓文爲盛하니라 史는 史官也라 竊取者는 謙辭也[527]
> 라 公羊傳에 作其辭則丘有罪焉爾[528]라하니 意亦如此하니라 蓋言斷之在己하니 所謂
> 筆則筆, 削則削하여 游夏不能贊一辭者也[529]라
> 尹氏曰 言 孔子作春秋에 亦以史之文으로 載當時之事也로되 而其義則定天下之
> 邪正하여 爲百王之大法이니라

春秋時代에 五霸가 차례로 일어났는데, 桓公과 文公이 가장 성하였다. '史'는 史官이다. '竊取'는 謙辭이다. 《春秋公羊傳》에는 "그 말(글)인즉 내가 책임이 있다."라고 되어 있으니, 그 뜻이 또한 이와 같다. 이는 결단함이 자신에게 있었음을 말씀한 것이니, 《史記》〈孔子世家〉에 이른바 '기록할 것은 기록하고 삭제할 것은 삭제하여 子游와 子夏가 한 마디 말도 돕지 못했다.'는 것이다.

尹氏(尹焞)가 말하였다. "孔子께서 《春秋》를 지으실 적에 또한 史官의 문체로써 당시의 일을 기재하셨는데, 그 義는 天下의 邪正을 결정하여 百王의 大法이 되었음을 말씀한 것이다."

---

527 竊取者 謙辭也 : 茶山은 《春秋》의 義는 褒貶으로 《詩》의 교화를 대신함에 있다. 그러므로 孔子께서 '내가 옛날 春秋의 포폄하는 義를 속으로 취하여 《春秋》를 편수하였다.'라고 하신 것이다.〔春秋之義 在於誅褒 以代詩教 故孔子曰 我竊取古春秋誅褒之義 以修春秋〕" 하였다.

528 公羊傳 作其辭則丘有罪焉爾 : 《春秋公羊傳》昭公 12년에 "《春秋》는 진실한 역사이니, 그 제후 간에 서로 차례가 있었던 것은 齊 桓公과 晉 文公이요 그 모임은 會盟을 주관한 자가 한 것이요 그 글은 잘못이 나〔丘〕에게 있다.〔春秋之信史也 其序則齊桓晉文 其會則主會者爲之也 其詞則丘有罪焉爾〕" 하였다.

529 游夏不能贊一辭者也 : 壺山은 "一辭는 一字란 말과 같다.〔一辭 猶言一字〕" 하였다. 《史記》〈孔子世家〉에 "孔子가 지위에 계실 적에 송사를 다스리는 文辭는 남들과 함께할 수 있었고 단독으로 소유하지 않았으나, 《春秋》를 지음에 이르러는 기록할 것은 기록하고 삭제할 것은 삭제하여 子夏의 무리가 한 마디도 돕지 못했다.〔孔子在位 聽訟文辭 有可與人共者 弗獨有也 至於爲春秋 筆則筆 削則削 子夏之徒不能贊一辭〕"라고 보인다. 이는 孔子가 매우 신중을 기하여 文學에 뛰어난 子游·子夏도 《春秋》의 筆削에 참예하지 못하였음을 말한 것이다.

··· 竊 속으로절 迭 갈마들질 筆 기록할필 削 삭제할삭 贊 도울찬

章下註 | ○ 此는 又承上章歷敍群聖하여 因以孔子之事繼之로되 而孔子之事는 莫大於春秋라 故로 特言之하시니라

○ 이는 또 윗장에 여러 聖人을 차례로 서술함을 이어서 孔子의 일로써 뒤를 이었는데, 孔子의 일은 《春秋》보다 더 큰 것이 없다. 그러므로 특별히 말씀하신 것이다.

|五世而斬章(私淑諸人章)|

22-1. 孟子曰 君子之澤도 五世而斬이요 小人之澤도 五世而斬이니라

孟子께서 말씀하셨다. "君子의 遺澤도 五世면 끊기고, 小人의 遺澤도 五世면 끊긴다.

集註 | 澤은 猶言流風餘韻也라 父子相繼 爲一世요 三十年이 亦爲一世라 斬은 絶也니 大約君子小人之澤이 五世而絶也라

楊氏曰 四世而緦하니 服之窮也요 五世엔 袒免(단문)하니 殺(쇄)同姓也요 六世엔 親屬竭矣[530]라 服窮이면 則遺澤寢微라 故로 五世而斬이니라

'澤'은 流風 餘韻이란 말과 같다. 父子가 서로 계승하는 것이 一世이고, 30년이 또한 一世이다. '斬'은 끊김이니, 대략 君子와 小人의 遺澤이 五世면 끊긴다.

楊氏(楊時)가 말하였다. "四世엔 緦麻服을 입으니 服이 다한 것이요, 五世엔 袒免을 하니

---

530 五世……親屬竭矣 :《禮記》〈大傳〉에 의하면, 袒免은 한쪽 어깨의 옷을 벗고 冠을 벗는 것으로, 먼 친족의 喪에 두루마기의 오른쪽 소매와 冠을 벗고 四角巾을 쓰는 약식의 喪服을 가리킨다. 四世인 高祖가 같으면 8촌 형제간이니 緦麻服을 입으며, 五世가 지나 8촌을 넘으면 服이 없고 단지 袒免을 하여 애도의 뜻을 나타내며, 六世가 되면 親屬이 다한다고 하였는데,《大全》에는 이에 대한 孔穎達의 疏를 인용하여 "위로 高祖로부터 아래로 兄弟에 이르기까지가 똑같이 高祖의 뒤를 이어서 族兄弟가 된다. 친형제를 위해서는 期年服을 입고 從兄弟(4촌)는 大功服을 입고 再從兄弟(6촌)는 小功服을 입고 三從兄弟(8촌)는 緦麻服을 입으니, 四代를 함께하면 緦麻服이니, 服이 이에 다한다. 五世가 되면 袒免만 하고 정식 복이 없어서 減殺하여 同姓으로 내려오고, 六世가 되면 袒免도 하지 않고 오직 同姓일 뿐이다. 그러므로 '親屬이 다한다.'라고 한 것이다.【袒은 몸에 꾸밈을 제거하는 것이다. 袒免은 肉袒을 하고 免을 착용하는 것이니, 免은 모양이 冠과 같은데 넓이가 한 치이다. 冠은 지극히 높아서 肉袒한 몸에 쓸 수 없으므로 免을 만들어 대신하는 것이다.】【上自高祖 下至己兄弟 同承高祖之後 爲族兄弟 爲親兄弟期 一從兄弟大功 再從兄弟小功 三從兄弟緦麻 共四世而緦 服盡也 五世則袒免而無正服 減殺(쇄)同姓 六世則不復袒免 惟同姓而已 故親屬竭【袒 身去飾也 袒免者 肉袒而著免 免狀如冠而廣一寸 冠至尊 不可居肉袒之體 故爲免以代之】"라고 하였다.

··· 澤 은택 택 斬 끊을 참 韻 소리 운 緦 시마복 시 窮 다할 궁 袒 벗을 단 免 상복 문 殺 줄일 쇄 竭 다할 갈 寢 잠길 침

同姓으로 강등된 것이며, 六世엔 親屬이 다한다. 服이 다하면 遺澤이 점점 미미해지기 때문에 五世면 끊기는 것이다."

22-2. 子未得爲孔子徒也나 子는 私淑諸人也로라

나는 孔子의 門徒가 되지는 못하였으나 나는 남에게서 사사로이 善하게 하였노라."

> 按說 | '淑'에 대하여, 楊伯峻은
>
>   叔의 假借字이니, 《說文解字》에 "叔은 取(취하다)이다." 했다.
>
> 하였다.

集註 | 私는 猶竊也요 淑은 善也라 李氏以爲方言이라하니 是也[531]라 人은 謂子思之徒也라 自孔子卒로 至孟子遊梁時에 方百四十餘年而孟子已老[532]하시니 然則孟子之生이 去孔子未百年也라 故로 孟子言 予雖未得親受業於孔子之門이나 然聖人之澤이 尙存[533]하여 猶有能傳其學者라 故로 我得聞孔子之道於人하여 而私竊以善

---

531 李氏以爲方言 是也 : 慶源輔氏(輔廣)는 《孟子》에 또 '私淑艾'라고 말하였으나 다른 곳에는 보이는 바가 없으므로 方言이라고 의심한 것이다.〔孟子又言私淑艾 而他無所見 故疑是方言〕하였다.

532 孟子已老 : 壺山은 "惠王이 '叟'라고 칭함을 가지고 알 수 있다.〔以惠王稱叟而可知也〕" 하였다. 〈梁惠王上〉 첫머리에 惠王이 孟子를 만나보고 '叟不遠千里而來'라고 하였으므로 말한 것이다.

533 聖人之澤 尙存 : 茶山은 "위의 註로는 高祖에서 玄孫까지가 五世인 듯하고, 아래 註로는 150년이 五世인 듯한데, 쉽게 정할 수 없다. 子思의 문하에는 특별히 알려진 자가 없고 오직 子思의 아들 孔白 子上이 《禮記》〈檀弓上〉에 보이는데, 孔子로부터 四世이니 遺澤이 아직 끊기지 않았다. 孟子가 혹 子上으로부터 孔子의 微言을 들었으므로 앞에서 五世의 說을 언급하였는가 보다.〔以上注則似高祖玄孫爲五世 以下注則似百五十年爲五世 未易定也 子思之門 別無顯者 惟子思之子孔白子上 見於檀弓 於孔子爲四世 遺澤未絶 孟子或從子上得聞孔子之微言 故先爲五世之說也與〕" 하였다.

534 私竊以善其身 : 壺山은 "살펴보건대 《集註》의 뜻은 '私竊' 두 글자를 한 뜻으로 삼았다. '私淑艾'의 註에 참고할 만한 것이 있는데, 《大全》의 雙峰饒氏(饒魯)와 新安陳氏(陳櫟)는 '竊字를 해석하기를 '取'의 뜻과 같다고 하였으니, 옳지 않을 듯하다. 또 〈新安陳氏는 《集註》가 經文의 '諸人'을 해석함에 순하지 않다고 하였으나》 《集註》는 '諸人'이란 두 글자에 순하지 않음을 볼 수가 없으니, 만약 먼저 '諸人'을 해석하는 경우에는 더욱 그 순하고 편리함을 볼 수 있다.〔按集註之意 以私竊二字爲一義 私淑艾註 有可參考 而饒陳釋竊字 如取字義 恐不然 且集註於諸人二字 未見其不順 若其先釋諸人者 尤見其順便〕" 하였다.

… 徒 무리 도 淑 착할 숙 竊 훔칠 절, 속으로 절 遊 놀 유 梁 나라이름 량 尙 오히려 상

其身[534]이라하시니 蓋推尊孔子而自謙之辭也[535]시니라

'私'는 竊과 같고, '淑'은 善함이다. 李氏(李郁)가 이르기를 "〈私淑은〉方言이다." 하였으니, 그 말이 옳다. '人'은 子思의 무리를 이른다. 孔子께서 별세한 뒤로부터 孟子가 梁나라에 가셨을 때에 이르기까지 140여 년이었는데 孟子께서 이미 늙으셨으니, 그렇다면 孟子의 출생은 孔子와의 거리(차이)가 백 년이 못되는 것이다. 그러므로 孟子께서 말씀하시기를 "내 비록 孔子의 문하에서 친히 受業하지는 못하였으나 聖人의 遺澤이 아직 남아 있어서 그래도 그 학문을 전수한 자가 있었다. 그러므로 내가 孔子의 道를 남에게서 얻어들어 사사로이 몸을 善하게 할 수 있었다."라고 하신 것이니, 孔子를 推尊하고 스스로 겸양하신 말씀이다.

章下註 | ○ 此는 又承上三章歷敍舜禹至於周孔하여 而以是終之하시니 其辭雖謙이나 然其所以自任之重이 亦有不得而辭者矣니라

○ 이는 또 위의 세 章에서 舜임금과 禹王을 차례로 서술하고 周公과 孔子에 이른 것을 이어서 이것으로써 끝을 마치셨으니, 그 말씀은 비록 謙辭이나 그 스스로 책임지신 바의 重함은 또한 사양할 수 없는 점이 있는 것이다.

|可以取章(傷廉章)|

23. 孟子曰 可以取며 可以無取에 取면 傷廉이요 可以與며 可以無與에 與면 傷惠요 可以死며 可以無死에 死면 傷勇이니라

孟子께서 말씀하셨다. "얼핏 보면 취할 만하고 자세히 보면 취하지 말아야 할 경우에 취하면 청렴을 손상하며, 얼핏 보면 줄 만하고 자세히 보면 주지 말아야 할 경우에 주면 은혜를 손상하며, 얼핏 보면 죽을 만하고 자세히 보면 죽지 말아야 할 경우에 죽으면 용맹을 손상한다."

---

535 蓋推尊孔子而自謙之辭也:壺山은 '私淑'을 "後世에서는 마침내 문하에 미치지 못하고 그 사람을 스승삼는 것을 칭한다.〔後世遂爲不及門而師其人之名〕" 하였다.

··· 廉 청렴할 렴 勇 용감할 용

集註 | 先言可以者는 略見而自許之辭也요 後言可以無者는 深察而自疑之辭也
라 過取 固害於廉이라 然이나 過與 亦反害其惠요 過死 亦反害其勇[536]이니 蓋過猶
不及之意也[537]라

林氏曰 公西華受五秉之粟하니 是傷廉也요 冉子與之하니 是傷惠也[538]요 子路之
死於衛는 是傷勇也[539]니라

먼저 '可以'라고 말한 것은 대략 보고서 스스로 허여한 말이요, 뒤에 '可以無'라고 말한 것
은 깊이 살펴보고 스스로 의심한 말이다. 지나치게 취함은 진실로 청렴에 손상된다. 그러나
지나치게 주는 것도 또한 도리어 은혜를 손상하고, 지나치게 죽음 또한 도리어 용맹을 손상
하니, 過함이 不及함과 같다는 뜻이다.

---

536 過與……亦反害其勇 : 楊伯峻은 元나라 유학자 金履祥의 말을 인용하였다. "이것은 틀림없이 전국 시
대에 豪俠의 습속이 우세하여, 戰國의 四公子와 같이 가볍게 베풀어 빈객과 교분을 맺고, 荊軻·聶政
과 같이 刺客들이 목숨을 경시하는 일이 많았기 때문일 것이다. 그러므로 孟子가 당시를 경계한 것이
다.〔此必戰國之世 豪俠之習勝 多輕施結客 若四豪之類 刺客輕生 若荊聶之類 故孟子爲當時戒
耳〕 '戰國의 四公子'는 齊나라의 孟嘗君(田文), 趙나라의 平原君(趙勝), 魏나라의 信陵君(魏無
忌), 楚나라의 春申君(黃歇)으로, 이들은 豪俠을 좋아하여 食客이 수천 명에 달하였다.

537 過猶不及之意也 : 新安陳氏(陳櫟)는 "청렴을 손상함은 不及에 잘못된 것이고, 은혜를 손상하고 용맹
을 손상함은 너무 지나침에 잘못된 것이다.〔傷廉者 失之不及 傷惠, 傷勇者 失之太過〕" 하였다.

538 公西華受五秉之粟……是傷惠也 : 公西華는 孔子의 弟子인 公西赤으로 字가 子華이다. 1秉은 16斛
으로, 公西赤이 孔子를 위하여 齊나라로 심부름을 가자 冉求가 公西赤의 어머니를 위하여 곡식을 줄
것을 청하니, 孔子께서 조금만 주라고 하셨으나 冉求가 五秉의 곡식을 주었는바, 이 내용이 《論語》〈雍
也〉3장에 자세히 보인다.

539 子路之死於衛 是傷勇也 : 衛 靈公의 아들 蒯聵가 죄를 짓고 晉나라로 망명해 있었는데, 靈公이 죽자
蒯聵의 아들인 輒이 즉위하고 孔悝가 집정대신이 되었다. 蒯聵가 본국에 들어가 孔悝를 협박하여 아
들 輒을 축출하고 자신을 군주로 추대할 것을 강요하여 난이 일어나자, 孔悝의 읍재였던 子路가 이 난
에 뛰어들어 죽음을 맞는바, 자세한 내용이 《春秋左傳》哀公 15년 조에 다음과 같이 보인다. "子路
가 들어가 孔氏의 문에 이르니, 公孫敢이 문을 지키고 있다가 안에서 '들어올 것이 없다.'고 말하였다.
季子(子路)가 '이는 바로 公孫敢일 것이다. 孔氏에게 이익을 구하더니, 그 난은 피하는구나. 나는 그렇
게 할 수 없다. 孔氏의 녹을 이익으로 여겼으니, 반드시 그를 환난에서 구할 것이다.' 하였다. 나오는 使
者가 있어 〈문이 열리자〉 들어가 말하기를 '太子(蒯聵)께서는 어찌 孔悝를 이용하여 임금이 되려고 하
십니까? 그를 죽이더라도 반드시 다른 자가 그 뒤를 이을 것입니다.' 하고, 또 말하기를 '太子께서는 용
기가 없으시니 臺에 불을 질러 반 쯤 타면 반드시 孔叔(孔悝)을 놓아 주실 것입니다.' 하였다. 蒯聵가
이 말을 듣고 두려워하여 자신의 무리인 石乞과 盂黶을 내려 보내 子路를 대적하게 하였다. 그들이 창
으로 쳐서 子路의 冠의 끈을 끊자, 子路가 '군자는 죽을 때에도 冠을 벗지 않는다.' 하고는 冠의 끈을
매고 죽었다.〔子路入 及門 公孫敢門焉 曰 無入爲也 季子曰 是公孫也 求利焉而逃其難 由不然 利
其祿 必救其患 有使者出 乃入 曰 大子焉用孔悝 雖殺之 必或繼之 且曰 大子無勇 若燔臺半 必舍
孔叔 大子聞之 懼 下石乞盂黶 敵子路 以戈擊之 斷纓 子路曰 君子死 冠不免 結纓而死〕"

··· 略 대략 략 許 허여할 허 秉 열엿섬 병 粟 곡식 속 冉 성염, 나아갈 염 衛 나라이름 위

林氏(林之奇)가 말하였다. "公西華가 五秉의 곡식을 받았으니 이는 청렴을 손상한 것이요, 冉子가 이것을 주었으니 이는 은혜를 손상한 것이요, 子路가 衛나라에서 죽은 것은 용맹을 손상한 것이다."

|逢蒙學射章|

24-1. 逢蒙이 學射於羿하여 盡羿之道하고 思天下에 惟羿爲愈己라하여 於是에 殺羿한대 孟子曰 是亦羿有罪焉이니라 公明儀曰 宜若無罪焉하니이다 曰 薄乎云爾언정 惡(오)得無罪리오

逢蒙이 활쏘기를 羿에게서 배워 羿의 기술을 다 배우고, 생각하기를 '천하에 오직 羿만이 나보다 낫다.' 하여 이에 羿를 죽였다. 孟子께서 이를 평하시기를 "이는 또한 羿에게도 책임이 있다." 하셨다. 公明儀가 말하기를 "아마도 죄가 없을 듯합니다." 하니, 孟子께서 말씀하셨다. "薄할지언정(가벼울지언정) 어찌 죄가 없다 하겠는가.

按說 | '公明儀'에 대하여, 沙溪(金長生)는

《孟子》7편 가운데 公明儀가 모두 네 번 보이는데, 첫 번째는 《滕文公上》1장의 '文王我師也'이고, 두 번째와 세 번째는 《滕文公下》3장의 '三月無君則弔'와 9장의 '庖有肥肉'이고, 네 번째는 여기의 '宜若無罪'이다.〔七篇中 公明儀凡四見 一曰文王我師也 二曰三月無君則弔 三曰庖有肥肉 四曰宜若無罪〕《經書辨疑》

하였다. 栗谷은 公明儀를 孟子 이전의 人物로 보아 '宜若無罪焉이라하나 曰 薄乎云爾언정 惡得無罪리오하시니라'로 懸吐하여, 옛날에 公明儀가 評한 것을 孟子가 다시 評한 것으로 해석하였다. 그리하여

公明儀는 옛날의 賢人이니, 孟子와 동시대의 사람이 아니다. 이른바 '宜若無罪'도 의심컨대 옛날 公明儀의 말을 孟子가 인용한 것인 듯하다. 그렇지 않다면 公明儀가 두 사람이 있는데 한 사람은 孟子와 동시대의 사람일 것이다.〔公明儀 古之賢人 非與孟子同時 所謂宜若無罪 疑亦古公明儀之言 孟子引之也 不然 則公明儀有二人 而一人與孟子同時也〕《栗谷全書 語錄》

··· 逢 성 방(봉) 蒙 뒤집어쓸 몽 羿 이름 예 愈 나을 유 薄 적을 박

하였다. 壺山은

살펴보건대 栗谷諺解에는 《栗谷全書 語錄》의 앞에 있는 한 말씀의 뜻을 따른 것이다. 그
러나 〈經文의〉 '是亦', '宜若', '惡得' 세 句는 文勢가 일관되게 이어져서 분명한 대화체이
니, 인용한 것이 아니다. 더구나 羿의 죄가 있고 없다는 의논이 어찌 옛날에 이미 있었다고
장담할 수 있겠는가. 그렇다면 栗谷이 뒤에 한 말씀이 마땅히 定論이 될 듯하다. 혹 公明儀
가 실제는 한 사람인데, 이보다 앞서 인용한 세 곳은 다만 朱子가 張敬夫와 何叔京의 말을
인용한 것처럼 하였는가보다.[540] 비록 公明儀가 孟子와 동시대의 인물이라 하더라도 옛날
의 賢人이라고 하는 것이 문제될 것이 없다.〔按栗谷諺解 用語錄前一說之意 然是亦, 宜
若, 惡得三句 文勢一串接續 分明是對話 非引用也 況羿之有無罪之論 安可知其古已
有之乎 然則其後一說 恐當爲定論 抑或儀實一人 而前此所引三處 只如朱子之引用
張敬夫何叔京說歟 雖使與孟子同時 亦不害其爲古之賢人云〕

하였다.

集註 | 羿는 有窮后[541]羿也라 逢蒙은 羿之家衆也라 羿善射하여 篡夏自立이러니 後
爲家衆所殺[542]하니라 愈는 猶勝也라 薄은 言其罪差薄耳라

羿는 有窮國의 后(군주)인 羿이다. 逢蒙은 羿의 家衆(家臣)이다. 羿가 활쏘기를 잘하여
夏나라를 찬탈하고 스스로 즉위했었는데, 뒤에 家衆에게 살해당하였다. '愈'는 勝(나음)과
같다. '薄'은 그 죄가 조금 적음을 말한다.

24-2. 鄭人이 使子濯孺子로 侵衛어늘 衛使庚公之斯로 追之러니 子濯

---

540 朱子가……하였는가보다: 張敬夫(張栻)와 何叔京(何鎬)은 모두 朱子와 동시대 인물인데, 朱子가 《集
註》에서 그들의 說을 인용하여 '張敬夫曰' '何叔京曰'이라고 하였는바, 앞에서 孟子가 公明儀의 말을
인용한 것도 동시대 사람의 說을 인용하면서 '公明儀曰'이라고 한 것일 수 있다는 말이다.

541 有窮后: 壺山은 "后는 侯와 같다.〔猶侯也〕" 하였다.

542 逢蒙……後爲家衆所殺: 阮元의 《校勘記》에 逢蒙의 '逢'을 '逄'으로 교정하였으며, 楊伯峻도 逄으로
표기하고 음이 봉(蓬) 또는 방(龐)이라 하였다. 楊伯峻은 "逄蒙은 《莊子》에는 蓬蒙, 《荀子》와 《史記》
에는 蠭門, 《漢書》에는 逢門이라 하였다. 《春秋左傳》 襄公 4년 조에 〈羿가〉 장차 사냥에서 돌아오려
하자, 家臣의 무리가 그를 살해하여 삶아서 그의 아들에게 먹이니, 그의 아들이 차마 먹지 못하고 도망
하여 窮門에서 죽었다.〔將歸自田 家衆殺而亨(烹)之 以食其子 其子不忍食諸 死於窮門〕' 하였다."라
고 보인다.

··· 后 임금 후 篡 빼앗을 찬 差 조금 차 濯 씻을 탁 孺 어릴 유 庚 창고 유

孺子曰 今日에 我疾作이라 不可以執弓이로소니 吾死矣夫인저하고 問其僕曰 追我者는 誰也오 其僕曰 庾公之斯也로소이다 曰 吾生矣로다 其僕曰 庾公之斯는 衛之善射者也어늘 夫子曰吾生은 何謂也잇고 曰 庾公之斯는 學射於尹公之他하고 尹公之他는 學射於我하니 夫尹公之他는 端人也라 其取友必端矣리라 庾公之斯至하여 曰 夫子는 何爲不執弓고 曰 今日에 我疾作이라 不可以執弓이로라 曰 小人은 學射於尹公之他하고 尹公之他는 學射於夫子하니 我不忍以夫子之道로 反害夫子하노라 雖然이나 今日之事는 君事也라 我不敢廢라하고 抽矢扣輪하여 去其金하고 發乘矢而後에 反하니라

鄭나라 사람이 子濯孺子로 하여금 衛나라를 침략하게 하자, 衛나라에서는 庾公 斯로 하여금 그를 추격하게 하였다. 子濯孺子가 말하기를 '오늘 내가 병이 나서 활을 잡을 수 없으니, 나는 죽었구나.' 하고, 그 마부에게 묻기를 '나를 추격해 오는 자가 누구인가?' 하고 묻자, 마부가 '庾公 斯입니다.' 하고 대답하였다. 子濯孺子가 말하기를 '나는 살았구나.' 하니, 마부가 말하기를 '庾公 斯는 衛나라의 활쏘기를 잘하는 자인데, 夫子께서「내 살았다.」고 하심은 무슨 말씀입니까?' 하였다. 子濯孺子가 대답하기를 '庾公 斯는 활쏘기를 尹公 他에게서 배웠고 尹公 他는 활쏘기를 나에게서 배웠으니, 尹公 他는 단정한 사람이라서 벗을 취함에 반드시 단정할 것이다.' 하였다.

庾公 斯가 도착하여 이르기를 '夫子께서는 어찌하여 활을 잡지 않습니까?' 하고 묻자, 子濯孺子는 '오늘 나는 병이 나서 활을 잡을 수가 없네.'라고 대답하였다. 庾公 斯가 말하기를 '小人은 활쏘기를 尹公 他에게서 배웠고 尹公 他는 활쏘기를 夫子에게서 배웠으니, 나는 차마 夫子의 道(기술)로써 도리어 夫子를 해칠 수 없습니다. 그러나 오늘의 일은 군주(국가)의 일이니, 제가 감히 그만둘 수 없습니다.' 하고는 화살을 뽑아 수레바퀴에 두들겨 살촉을 빼버리고 네 개의 화살을 발사한 뒤에 돌아갔다."

按說 │ 《春秋左傳》襄公 14년 조에 여기에 나오는 인물과 상황이 유사한 내용이 다음과 같이 보인다.

··· 僕 마부 복 端 바를 단 抽 뽑을 추 矢 화살 시 扣 두드릴 구 輪 수레바퀴 륜 乘 넷 승

尹公佗는 庾公差에게 활쏘기를 배우고, 庾公差는 公孫丁에게 활쏘기를 배웠다. 尹公佗와 庾公差가 衛 獻公을 추격할 적에 公孫丁이 衛 獻公의 수레를 몰았다. 子魚(庾公差)가 "활을 쏘는 것은 스승을 배반하는 것이고 쏘지 않으면 죽임을 당하니, 쏘는 것이 禮에 맞을 것이다." 하고, 두 마리 말의 멍에를 쏘아 맞히고 물러갔다. 그러나 尹公佗는 "그대에게는 公孫丁이 스승이 되지만 저와는 관계가 멉니다." 하고 수레를 돌려 다시 추격하였다. 公孫丁이 衛 獻公에게 고삐를 주고 尹公佗에게 활을 쏘아 그의 팔뚝을 꿰뚫었다.〔尹公佗學射於 庾公差 庾公差學射於公孫丁 二子追公 公孫丁御公 子魚曰 射爲背師 不射爲戮 射 爲禮乎 射兩靷而還 尹公佗曰 子爲師 我則遠矣 乃反之 公孫丁授公轡而射之 貫臂〕

이에 대해 孔穎達은 《春秋左傳正義》에서

《孟子》에 나오는 성명이 여기 《春秋左傳》과 대략 같은데 義를 행한 것은 이와 정반대이다. 한 사람의 몸에 이런 두 행실이 있을 수 없다. 《孟子》는 아마도 辯士의 說을 빌려 말씀한 것인 듯하고, 이 《春秋左傳》이 사실일 것이다.〔其姓名與此略同 行義與此正反 不應一人 之身有此二行 孟子辯士之說 或當假爲之辭 此傳應是實也〕

하였으며, 茶山은

毛奇齡이 "孟子의 시대에는 簡冊이 아직 나오지 않아 전해들은 것이 서로 다르므로 말이 이와 같다.〔孟子時 策書未出 而傳聞互異 故言如此〕"라고 했다.

하였다.

集註 | 之는 語助也[543]라 僕은 御也라 尹公他는 亦衛人也라 端은 正也라 孺子以尹公 正人이니 知其取友必正이라 故로 度(탁)庾公必不害己하니라 小人은 庾公自稱也라 金은 鏃也라 扣輪出鏃하여 令不害人하고 乃以射也[544]라 乘矢는 四矢也라 孟子言 使

---

543 之 語助也:'庾公之斯'와 '尹公之他'의 두 '之'字를 가리켜 말한 것이다. 庾는 姓이고 公은 존칭이며 之는 어조사이고 斯는 이름으로, 庾公인 斯란 뜻이다. 壺山은 "두 '公'字 또한 複姓은 아니다.〔二公字 亦非複姓也〕" 하였다.

544 扣輪出鏃……乃以射也:程子(伊川)는 "만약 국가의 安危가 이 한 일에 달려 있다면 스승을 쏘아 죽여도 되나, 내버려두어도 국가에 해가 없으면 輕重을 저울질할 수 있으니, 어찌 네 개의 화살을 쏠 필요가 있겠는가.〔國之安危 在此一擧 則殺之可也 舍之而無害于國 權輕重可也 何用虛發四矢乎〕" 하였다.《精義》

··· 御 어거할 어 鏃 살촉 촉

羿如子濯孺子得尹公他而敎之면 則必無逢蒙之禍라 然이나 夷羿는 篡弑之賊이요 蒙乃逆儔며 庾斯는 雖全私恩이나 亦廢公義하니 其事皆無足論者라 孟子蓋特以取 友而言耳시니라

'之'는 어조사이다. '僕'은 수레를 모는 것이다. 尹公 他 또한 衛나라 사람이다. '端'은 단 정함이다. 孺子는 尹公이 단정한 사람이므로 그가 벗을 취함에 반드시 단정할 줄을 알았다. 그러므로 庾公이 반드시 자신을 해치지 않을 줄을 헤아렸던 것이다. '小人'은 庾公이 자신 을 칭한 것이다. '金'은 화살촉이다. 수레바퀴에 두들겨 화살촉을 빼내어 사람을 상하지 않 게 하고 그제야 활을 쏜 것이다. '乘矢'는 네 개의 화살이다. 孟子께서 말씀하시기를 "가령 羿가 子濯孺子가 尹公 他를 얻어서 가르친 것과 같이 하였더라면 반드시 逢蒙의 禍가 없 었을 것이다."라고 하신 것이다.

그러나 夷羿는 군주를 시해하고 찬탈한 역적이요 逢蒙은 바로 역적의 무리이며, 庾公 斯 는 비록 사사로운 은혜를 온전히 하였으나 또한 公義를 폐하였으니, 그 일이 모두 논할 만 한 것이 못된다. 孟子께서 다만 벗을 취함을 가지고 말씀하셨을 뿐이다.

| 西子蒙不潔章 |

25-1. 孟子曰 西子蒙不潔이면 則人皆掩鼻而過之니라

孟子께서 말씀하셨다. "西子가 불결한 것을 뒤집어쓰고 있으면 사람들이 모두 코를 막 고 〈그 앞을〉 지나갈 것이다.

集註 | 西子는 美婦人[545]이라 蒙은 猶冒也라 不潔은 汚穢之物也라 掩鼻는 惡(오)其臭 也라

西子는 아름다운 부인이다. '蒙'은 冒(뒤집어 씀)와 같다. '不潔'은 더러운 물건이다. '掩

---

545 西子 美婦人 : 趙岐는 "西子는 옛날의 미녀 西施이다.〔西子 古之好女西施也〕" 하였다. 楊伯峻은 "趙 岐가 '옛날의 미녀'라고 말하고 '越나라 미녀'라고 말하지 않은 것은 일찍이 《管子》〈小稱〉편에 보이기 때문일 것이다. 《莊子》〈齊物論〉의 '厲與西施'에 대한 司馬彪의 註에 '西施는 夏姬이다.' 하였는데, 周 柄中의 《孟子辨正》에 '아마도 옛날에 이 미인이 있었는데 후세에 인습하여 빌려서 미인의 호칭으로 쓴 듯하니, 활을 잘 쏘는 자를 모두 羿라고 칭하는 것과 같은 것이다.〔似乎古有此美人 而後世相因 借以 相美 如善射者皆稱羿之類〕' 했다." 하였다.

··· 儔 무리 주 蒙 뒤집어쓸 몽 潔 깨끗할 결 掩 가릴 엄 鼻 코 비 冒 뒤집어쓸 모 汚 더러울 오 穢 더러울 예

鼻'는 그 악취를 싫어하는 것이다.

25-2. 雖有惡人이라도 齊戒沐浴이면 則可以祀上帝니라

비록 추악한 사람이 있더라도 재계하고 목욕하면 上帝에게 제사지낼 수 있다."

按說 | '西子'와 '惡人'에 대하여 《集註》에서는 용모의 美惡을 가리키는 것으로 보았는데, 茶山은

문장과 학식이 純美한 사람이 한 번 더러운 행동을 범하면 사람들이 다 천하게 여기고 싫어한다. 西子는 이것을 비유한 것이다.……惡人은 용모가 추악한 사람이다. 살인과 도둑질, 음행과 망령된 행동으로 못하는 행위가 없었더라도 허물을 뉘우쳐 스스로 새로워지면 하늘을 섬길 수 있다. 추악한 모습은 추행을 비유한 것이다.〔文章學識純美之人 一犯醜穢之行 人皆賤惡之 西子所以喩是也……惡人者 惡貌者也 殺盜淫妄 無所不爲 而悔過自新 則可以事天 惡貌所以比醜行也〕

하였다.

그러나 純美한 사람이 한 번 더러운 행동을 범했다 하여 사람들이 모두 천하게 여겨 싫어하는 것은 너무 지나치지 않은가. 過而不改가 문제이지 過而能改는 문제될 것이 없다. 물론 弑逆大故야 말할 것이 없지만 더러운 행실이 이것을 가리키지는 않을 것이다. 반면에 '추행을 일삼던 사람도 허물을 뉘우쳐 스스로 새로워지면……' 하였는데, 허물이란 잘못인 줄을 알지 못하고 저지르는 것이니, 추행을 일삼는 사람에게 붙이기는 어려울 듯하다. 美惡은 일반적으로 용모로 말하지, 心性으로 말하지 않는다. 《集註》가 옳은 것으로 보인다.

'齊戒沐浴 則可以祀上帝'에 대하여, 南軒張氏(張栻)는

齊 桓公이 陳나라 轅濤塗를 한 번 사로잡자 《春秋》에 〈齊侯라고 쓰지 않고〉 '齊人'이라고 썼으니, 이는 齊나라를 夷狄으로 여긴 것이니, 不潔함을 뒤집어 쓴 자와 가까울 것이다. 秦 穆公이 한 번 잘못을 뉘우치는 말을 하자 〈秦誓〉를 《書經》에 올렸으니, 이는 善으로 옮겨가는 뜻이 있기 때문이니, 추악한 사람이 목욕재계하는 것에 가까울 것이다. 한 번 스스로

••• 齊 재계할 재 沐 머리감을 목 浴 목욕할 욕

더럽히면 아름다움을 상실하고, 한 번 스스로 새로워지면 악함을 깨끗이 씻어내니, 권고하고 경계함이 뚜렷하다.〔齊桓一執陳轅濤塗 而春秋書曰齊人 蓋夷狄之也 其近於蒙不潔者歟 秦穆一有悔過之言 則進秦誓於書 以其有遷善之意也 其近於惡人齊沐者歟 一自汚而喪其美 一自新而洗其惡 勸戒彰矣〕

하였다. 轅濤塗는 陳나라 대부로, 위 내용은 《春秋》僖公 4년 조에 보인다.

集註 | 惡人은 醜貌者也라

'惡人'은 용모가 추악한 자이다.

章下註 | ○ 尹氏曰 此章은 戒人之喪善하고 而勉人以自新也시니라

○ 尹氏(尹焞)가 말하였다. "이 章은 사람들이 善을 잃는 것을 경계하고, 사람들에게 스스로 새로워지기를 권면하신 것이다."

| 天下之言性章(大智章) |

26-1. 孟子曰 天下之言性也는 則故而己矣니 故者는 以利爲本이니라

孟子께서 말씀하셨다. "천하에 性을 말함은 곧 故로 할 뿐이니, 故라는 것은 利順을 근본으로 삼는다.

集註 | 性者는 人物所得以生之理也라 故者는 其已然之跡이니 若所謂天下之故者也[546]라 利는 猶順也니 語其自然之勢也라 言 事物之理 雖若無形而難知나 然其發見(현)之已然은 則必有跡而易見이라 故로 天下之言性者 但言其故而理自明하니 猶所謂善言天者必有驗於人也[547]라 然이나 其所謂故者는 又必本其自然之勢하

---

[546] 所謂天下之故者也 : 《周易》〈繫辭傳上〉에 "易은 생각함이 없고 함이 없어서 조용하여 動하지 않다가 감동하면 마침내 天下의 故(所以然)를 통한다.〔易无思也 无爲也 寂然不動 感而遂通天下之故〕" 하였다.

[547] 善言天者 必有驗於人也 : 《荀子》〈性惡篇〉에 "하늘을 잘 말하는 자는 반드시 사람에게 징험함이 있다.〔善言天者 必有徵於人〕" 하였는데, 이는 하늘의 이치를 잘 말하는 자는 반드시 사람에게서 실증을 댐을 이른다. 《大全》에 "董仲舒는 '하늘을 잘 말하는 자는 반드시 사람에게 징험함이 있으니, 天道는

··· 醜 추할추 貌 모양모 喪 잃을상 順 순할순 驗 징험할험

니 如人之善, 水之下하여 非有所矯揉⁵⁴⁸造作而然者也라 若人之爲惡, 水之在山은 則非自然之故矣니라

'性'은 사람과 물건이 얻어서 태어난 바의 理이다. '故'는 이미 그러한 자취이니, 《周易》〈繫辭傳〉에 이른바 '天下의 故'라는 것과 같은 것이다. '利'는 順과 같으니, 自然의 勢를 말한다. 사물의 이치가 비록 형체가 없어서 알기 어려운 듯하나 그 發見되어 이미 그러함은 반드시 자취가 있어서 보기 쉽다. 그러므로 천하에 性을 말하는 자가 단지 그 故를 말하면 理가 저절로 밝아지니, 이른바 '하늘을 잘 말하는 자는 반드시 사람에게 징험함이 있다.'는 것과 같다. 그러나 이른바 '故'라는 것은 또 반드시 자연의 勢에 근본하니, 사람의 性이 善함과 물이 아래로 흐르는 것과 같아서 억지로 矯揉하고 造作한 바가 있어 그러한 것이 아니다. 사람이 惡을 행하는 것과 물이 산에 있는 것으로 말하면 自然의 故가 아니다.

26-2. 所惡(오)於智者는 爲其鑿也니 如智者 若禹之行水也면 則無惡 (오)於智矣리라 禹之行水也는 行其所無事也시니 如智者 亦行其所無 事면 則智亦大矣리라

지혜로운 자를 미워하는 까닭은 穿鑿하기 때문이니, 만일 지혜로운 자가 禹王이 물을 흘러가게 하듯이 한다면 지혜를 미워할 까닭이 없을 것이다. 禹王이 물을 흘러가게 하심은 그 일삼아 함이 없는 바를 행하신 것이니, 만일 지혜로운 자가 그 일삼아 함이 없는 바를 행한다면 지혜가 또한 클 것이다.

按說 | '智'에 대하여, 壺山은

> 살펴보건대 '所惡於智'의 이 '智'字는 작은 지혜와 사사로운 지혜를 가지고 말하였고, '如智者'의 두 '智'字는 五常의 지혜를 가지고 범범히 말하였고, '智矣', '智亦'의 두 '智'字는 큰 지혜로써 말하였다.〔按所惡於智此智字 以小智私智言 如智之兩智字 汎以五常之智

형체가 없어 알기 어렵고, 사람의 일은 자취가 있어 보기 쉽다.' 했다.〔董仲舒曰 善言天者 必有徵於人 天道無形而難知 人事有迹而易見〕" 하였다.

548 矯揉 : '矯'는 굽은 나무를 곧게 바로잡는 것이고 '揉'는 곧은 나무를 굽게 휘는 것으로, 모두 자연을 따르지 않고 人力으로 교정함을 이른다.

··· 矯 바로잡을 교 揉 바로잡을 유 造 지을 조 鑿 뚫을 착

言 智矣智亦兩智字 以大智言〕

하였다.

集註 | 天下之理 本皆利順이어늘 小智之人이 務爲穿鑿하니 所以失之라 禹之行水
는 則因其自然之勢而導之요 未嘗以私智穿鑿而有所事라 是以로 水得其潤下之
性而不爲害也라

천하의 理는 본래 모두 利順한데 작은 지혜를 쓰는 사람들이 穿鑿하기를 힘쓰니, 이 때문
에 잃는 것이다. 禹王이 물을 흐르게 하심은 자연의 勢를 인하여 인도하였고, 일찍이 사
사로운 지혜로써 穿鑿하여 일삼은 바가 있지 않으셨다. 이 때문에 물이 그 潤下(적셔주고
아래로 흘러감)의 성질을 얻어 害가 되지 않은 것이다.

26-3. 天之高也와 星辰之遠也나 苟求其故면 千歲之日至를 可坐而致
也니라

하늘이 높이 있고 星辰이 멀리 있으나 만일 그 이미 지난 故를 찾는다면 千歲의 日至
(冬至)를 가만히 앉아서도 알 수 있다."

集註 | 天雖高하고 星辰雖遠이나 然求其已然之跡이면 則其運有常하여 雖千歲之久
라도 其日至之度를 可坐而得이니 況於事物之近에 若因其故而求之면 豈有不得其
理者而何以穿鑿爲哉[549]리오 必言日至者는 造歷(曆)者 以上古十一月甲子朔夜
半冬至로 爲歷元也[550]라

---

549 何以穿鑿爲哉 : '爲'는 反問을 나타내는 句末 종결어미로, '어찌 천착할 필요가 있겠는가.'의 뜻이다. 穿
鑿은 순리나 자연을 따르지 않고 억지로 구멍을 뚫어 해침을 이른다.

550 必言日至者……爲歷元也 : 日至는 冬至와 夏至를 통틀어 이르는데, 여기서 冬至라고 말한 것은 周나
라 曆法에 甲子年(癸亥年) 子月(동짓달) 甲子日 朔日 夜半인 子正(밤 12시)에 冬至가 되는 때를 冊
曆의 紀元으로 삼았기 때문이다. 《新唐書》〈曆志〉에 "책력을 다스리는 근본은 반드시 上元을 근본으
로 미루니, 上元에는 해와 달이 璧玉을 합한 듯하고 五星이 구슬을 연한 듯하며 한밤중 甲子 초하룻
날 冬至를 만나게 된다. 이로부터 七曜(日·月·火·水·木·金·土)가 흩어져 운행하여 어느 때 다시 餘
分이 다하여 처음처럼 다시 모일 줄을 알지 못한다.〔治曆之本 必推上元 日月如合璧 五星如連珠 夜
半甲子朔旦冬至 自此七曜散行 不復餘分普盡 總會如初〕" 하였고, 《新五代史》〈司天考〉에 "하늘과
사람의 사이가 멀고도 은미하나 재주가 있는 한 선비로 하여금 산대〔珠盤〕를 펴놓고 積分하여 위로 수

••• 穿 뚫을 천 潤 적실 윤 辰 별 신 運 돌 운 度 도수(度數) 도 歷 책력 력(曆通)

하늘이 비록 높고 星辰이 비록 멀리 있으나 그 이미 그러한 자취를 살펴보면 그 운행함에 일정함이 있어서, 비록 천 년의 오램이라 하더라도 그 日至의 度數를 가만히 앉아서 알 수 있으니, 하물며 가까이 있는 사물로서 만일 그 故를 인하여 찾는다면 어찌 그 이치를 알지 못함이 있어서 천착을 할 필요가 있겠는가. 반드시 日至라고 말한 것은 책력을 만든 자가 상고시대의 11월 甲子朔 夜半에 冬至가 든 날을 책력의 기원으로 삼았기 때문이다.

章下註 | ○程子曰 此章은 專爲智而發[551]이니라
愚謂 事物之理 莫非自然이니 順而循之면 則爲大智요 若用小智而鑿以自私면 則害於性而反爲不智라 程子之言이 可謂深得此章之旨矣로다

○程子(伊川)가 말씀하였다. "이 章은 오로지 지혜를 위하여 말씀하신 것이다."
내(朱子)가 생각하건대 事物의 이치는 自然 아님이 없으니, 이를 순히 하여 따르면 큰 지혜가 되고, 만일 작은 지혜를 써서 천착하여 스스로 사사롭게 하면 본성을 해쳐 도리어 지혜롭지 못함이 된다. 程子의 말씀은 이 章의 뜻을 깊이 알았다고 이를 만하다.

천만 년 이전의 일을 찾아보면, 반드시 甲子日 초하룻날 한밤중 冬至에 해와 달과 五星이 모두 子에 모이는 때를 얻을 것이니, 이것을 上元이라 일러 책력의 시초로 삼는다. 대체로 漢나라 이후 그 說이 비로소 세상에 자세히 나타났으나 그 근원이 시작된 것은 이와 같을 뿐이다. 이것이 과연 堯·舜과 三代의 法인지는 모두 상고할 수 없다. 그러나 이로부터 曆家의 術(방법)이 비록 시대마다 똑같지 않은 것이 많으나 애초에 여기에 근본을 두지 않은 적이 없다.〔夫天人之際 遠哉微矣 而使一藝之士 布算積分 上求數千萬歲之前 必得甲子朔旦夜半冬至 而日月五星皆會于子 謂之上元 以爲曆始 蓋自漢而後 其說始詳見於世 其源流所自 止於如此 是果堯舜三代之法歟 皆不可得而考矣 然自是以來 曆家之術 雖世多不同 而未始不本於此〕하였다. 新安陳氏(陳櫟)는 "夜半은 바로 甲子時이니, 年, 月, 日, 時가 모두 甲子인 것이 책력의 근원이 된다. '建寅月'로 正月을 삼으나 계산해보면 癸亥年 11월이니, '建子月'을 한 해의 최초로 삼는바, 계산해보면 甲子年의 氣候가 이때(癸亥年 11월)에 시작된다. 그러므로 그해를 또한 甲子라 한 것이다.〔夜半 卽甲子時 歲月日時皆甲子 爲曆元 蓋以建寅月 爲歲首 算之 則是癸亥歲十一月 以建子月 爲一歲之最初 算之 則甲子歲之氣候 已始於此矣 故云歲亦甲子也〕"하였다.

551 此章 專爲智而發 : 茶山은 "이 장은 性을 논하는 법을 위주하여 말씀하였다.……맹자께서 말씀하시기를 '그 마음을 다하는 자는 그 性을 안다.' 하였으니, 여기에서 말한 '智'는 性을 아는 지혜이다. 사람과 물건의 性을 알고자 하면서 順利로 근본을 삼지 않고, 굳이 穿鑿하고 견강부회하려고 하여 마치 告子의 행위와 같이 하는 것을 군자는 싫어한다. 사람과 물건의 性을 알고자 하는 자는 다만 이미 그러한 자취를 잡아서 그 차이가 있음과 없음을 증험하면 性을 논할 수 있다.〔此章主於論性之法而言……孟子曰 盡其心者 知其性 此云智者 知性之智也 欲知人物之性 而不以順利爲本 必欲穿鑿牽强 如告子之爲 則君子惡之 欲知人物之性者 但執已然之跡 以驗其差與不差 則斯可以論性矣〕"하였다.

··· 循 따를 순

|不與右師言章(簡驩章)|

27-1. 公行(항)子 有子之喪이어늘 右師往弔할새 入門커늘 有進而與右師言者하며 有就右師之位而與右師言者러니

公行子가 아들의 喪이 있으므로 右師가 가서 조문할 적에 右師가 문에 들어오자, 그 앞으로 나아가서 右師와 더불어 말하는 자가 있었으며, 〈右師가 자리에 나아가자〉[552] 右師의 자리로 나아가서 右師와 더불어 말하는 자가 있었다.

集註 | 公行子는 齊大夫라 右師는 王驩也라

公行子는 齊나라의 大夫이다. 右師는 王驩이다.

27-2. 孟子不與右師言하신대 右師不悅曰 諸君子皆與驩言이어늘 孟子獨不與驩言하시니 是는 簡驩也로다

孟子께서 右師와 말씀하시지 않자, 右師가 기뻐하지 않으며 말하였다. "여러 君子들이 모두 나와 말하는데 孟子만이 홀로 나와 말씀하지 않으니, 이는 나를 소홀히 하는 것이다."

集註 | 簡은 略也[553]라

'簡'은 소홀히 하는 것이다.

27-3. 孟子聞之하시고 曰 禮에 朝廷에 不歷位而相與言하며 不踰階而相揖也하나니 我欲行禮어늘 子敖以我爲簡하니 不亦異乎아

孟子께서 이 말을 들으시고 말씀하셨다. "禮에 조정에서는 남의 자리를 지나 서로 말하지 않으며, 계급을 지나 서로 揖하지 않는다. 내가 이 禮를 행하고자 하였는데, 子敖

---

552 右師가 자리에 나아가자 : 이 부분을 楊伯峻은 "그가 자리에 앉자〔他坐定了〕"로 번역하였다.

553 簡 略也 : 壼山은 "簡은 蔑(멸시)과 같다.〔猶蔑也〕" 하였다.

··· 弔 조문할조 驩 기쁠환 簡 소홀할간 踰 넘을유 階 계급계 揖 읍할읍

(王驩의 字)가 나더러 소홀히 한다고 말하니, 이상하지 않은가."

集註 | 是時에 齊卿大夫以君命弔하여 各有位次하니 若周禮에 凡有爵者之喪禮엔 則職喪이 涖其禁令하여 序其事[554]라 故로 云朝廷也라 歷은 更(경)涉也[555]라 位는 他人之位也라 右師未就位而進與之言이면 則右師歷己之位矣요 右師已就位而就與之言이면 則己歷右師之位矣[556]라 孟子右師之位 又不同階하니 孟子不敢失此禮[557]라 故로 不與右師言也하시니라

이때에 齊나라 卿大夫들이 군주의 명에 따라 조문을 가서 각각 位次가 있었으니, 이것이 《周禮》에 "모든 官爵이 있는 자의 喪禮에는 職喪이 그 자리에 가서 禁令을 맡아 그 일을 차례한다."는 것과 같기 때문에 朝廷이라고 말한 것이다. '歷'은 지나감이다. '位'는 他人의 자리이다. 右師가 아직 자리에 나아가지 않았는데 혹자가 나아가서 그와 더불어 말한다면 이는 右師가 자기 자리를 지나간 것이 되고, 右師가 이미 자기 자리로 나아갔는데 혹자가 찾아가서 그와 더불어 말한다면 자기가 右師의 자리를 지나간 것이 된다. 孟子와 右師의 지위는 또 계급이 같지 않았으니, 孟子가 감히 이 禮를 잃을 수 없었으므로 右師와 더불어 말씀하시지 않은 것이다.

|君子所以異於人章(仁禮存心章)|

28-1. 孟子曰 君子所以異於人者는 以其存心也니 君子는 以仁存心하

---

554 若周禮……序其事:《周禮》〈春官宗伯 職喪〉에 "職喪은 제후의 喪과 卿大夫와 士로서 모든 관작이 있는 자의 喪을 관장하여, 나라의 喪禮를 가지고 禁令을 임하여 다스리고 그 일을 차례한다.〔職喪掌 諸侯之喪 及卿大夫士凡有爵者之喪 以國之喪禮 涖其禁令 序其事〕"하였다. 여기서 말한 제후는 畿內의 王子와 同母弟로서 제후라고 칭하는 자를 이른다.

555 歷 更涉也:壼山은 "更涉은 犯과 같다." 하였다.

556 右師未就位而進與之言 則己歷右師之位矣:右師가 아직 자기 자리로 가지 않았는데 그 앞으로 나아가 말하면 결국 右師가 남의 자리를 침범함이 되고, 右師가 이미 자기 자리로 갔는데 찾아가 말하면 찾아간 그 자신이 右師의 자리를 침범함이 됨을 말한 것이다. 壼山은 '右師歷己之位矣'에 대하여 "비록 右師가 지나갔으나 실제는 자기가 右師로 하여금 지나가게 한 것이다.〔雖右師歷之 而實己使之歷也〕" 하였다.

557 孟子不敢失此禮:壼山은 "이 禮는 반드시 출처가 있었을 것이다.〔此禮必有所出〕" 하였다. 이는 孟子가 위에 인용한 禮가 현존하는 禮書에 보이지 않으므로 말한 것이다.

··· 職 맡을 직 涖 임할 리 更 지날 경

며 *以禮存心*이니라

孟子께서 말씀하셨다. "君子가 일반인과 다른 것은 그 마음에 두는 것 때문이니, 君子는 仁을 마음에 두며 禮를 마음에 둔다.

按說 | '存心'에 대하여, 茶山은

'存心'에는 옛날과 지금의 차이가 있다. 옛날의 이른바 '存心'은 장차 없어지려는 것을 보존하는 것인데, 지금의 이른바 '存心'은 마음에 工夫를 두어 잊지 않는 것이다. 이 편 19장에 "사람이 禽獸와 다른 것(道心)이 微微하니, 君子는 이것을 보존하고 小人들은 이것을 버린다." 하였는데, 무릇 이른바 '存心'은 모두 微微한 것을 보존하는 것을 이른다. 또 그 위의 12장에 "大人은 赤子의 마음을 잃지 않은 자이다." 하였으니, 이것은 微微한 것을 보존한 것이다. 아래 〈告子上〉 8장에 "낮에 하는 소행이 夜氣를 梏亡한다." 하였으니, 이는 微微한 것을 잃어버린 것이다. '微微한 것'은 道心이다. 道心이 아직 보존되어 있는 자는 사람이고, 道心이 보존된 것이 없는 자는 禽獸이며, 道心을 온전히 보존하여 잃지 않으면 聖人이다. 마음의 보존과 보존하지 못함은 다투는 바가 단지 이 道心이다. 이 道心을 보존하려면 어버이를 섬기고 어른을 섬기고 임금을 섬기고 벗을 사귀고 백성을 다스리고 사람을 가르치는 사이에 忠信을 힘써 행하여 터럭만큼의 속이고 성실하지 못한 잘못을 없게 하여야 하니, 그런 뒤에야 비로소 잃지 않았다고 말할 수 있다. '보존한다.'는 것은 '장차 없어지려는 것을 보존한다.'는 뜻이다. 후세의 이른바 '靜存·默存'은 思慮가 없고 말하지도 웃지도 않고 눈을 감고 마음을 집중하여 未發 이전의 氣象을 오로지 보아 本體를 虛明하고 洞澈하게 해서 한 티끌만큼도 더럽혀지지 않게 하여 活潑潑한 경지를 구하는 것이다. 이것이 옛날과 지금의 차이이다.〔存心 有古今之異 古之所謂存心者 將亡而保之也 今之所謂存心者 心有工而不忘也 上篇曰 人之所以異於禽獸者幾希 君子存之 小人去之 凡所謂存心者 皆存幾希之謂也 又其上章曰 大人者不失其赤子之心者 此存幾希者也 下篇曰 朝晝之所爲梏亡其夜氣 此亡幾希者也 幾希者道心也 道心猶有存者則人也 道心無攸存者則禽獸也 道心全存而不亡則聖人也 存與不存 所爭只是此物 欲存此物 則凡事親事長事君交友牧民敎人之際 勉行其忠信 無一毫欺詐不誠之差 然後方可曰不失也 存者保其將亡之意 後世所云靜存默存者 無思無慮 不言不笑 瞑目凝心 專觀未發前氣象 使

本體虛明洞澈 一塵不染 以求活潑潑地 此古今之異也〕

하였다. '靜存·默存'은 靜할 때에 天理를 보존하는 것이고, 여기의 '存心'은 動靜을 포함하는 것으로 언제나 仁과 禮를 마음에 생각하여 잊지 않음을 말한다. 茶山이 말한 '지금의 存心'은 性理學의 存心을 가리키는바, 이 說은 性理學의 存心을 부정한 것으로, 소략한 듯하다.

集註ㅣ以仁禮存心은 言以是存於心而不忘也[558]라

仁과 禮를 마음에 둔다는 것은 이것을 마음속에 두어 잊지 않음을 말한다.

28-2. 仁者는 愛人하고 有禮者는 敬人하나니

仁者는 남을 사랑하고, 禮가 있는 자는 남을 공경한다.

集註ㅣ此는 仁禮之施[559]라

이는 仁과 禮의 베풂이다.

28-3. 愛人者는 人恒愛之하고 敬人者는 人恒敬之니라

남을 사랑하는 자는 남이 항상 사랑해 주고, 남을 공경하는 자는 남이 항상 공경해 준다.

---

558 以仁禮存心 言以是存於心而不忘也:雙峰饒氏(饒魯)는 《集註》에 '於'字를 첨가하였으니, 孟子의 뜻이 仁과 禮를 내 마음에 보존하는 것임을 알 수 있다.〔添於字 便可見孟子意 是只把仁禮來存於我心〕하였다. 朱子는 "이 '存心'은 '存其心, 養其性'의 '存心'과 다르니, 단지 마음에 두는 것이다.〔這箇存心 與存其心養其性底存心不同 只是處心〕" 하였다.《語類》 '存其心, 養其性'은〈盡心上〉1장에 보이는데, 이 '存其心'은 '마음을 보존함'이고, 이 장의 '存心'은 '마음에 보존함〔存於心〕'이다. 官本諺解에 "君子의 써 人에 異흔 받 者는 그 心을 存홈으로써니 君子는 仁으로써 心을 存하며 禮로써 心을 存하느니라"로 되어 있으니 이는 '마음을 보존함'으로 해석한 것이고, 栗谷諺解에 "君子ㅣ 써 人의게 다른 바는 그 心의 存호물 써니 君子는 仁으로써 心의 存하며 禮로써 心의 存하느니라"로 되어 있으니 '마음에 보존함'으로 해석한 것이다. 壺山은 "세 '存心'이 모두 그러하니('存其心'과 다르니), 官本諺解의 해석은 잘못되었다.〔三存心皆然 諺釋誤矣〕" 하였다.

559 此 仁禮之施:慶源輔氏(輔廣)는 "안으로 말미암아 밖에 베푸는 것이다.〔由乎內以施外也〕" 하였다.

··· 施 베풀 시 恒 항상 항

集註 | 此는 仁禮之驗이라

이는 仁과 禮의 효험이다.

28-4. 有人於此하니 其待我以橫逆이어든 則君子必自反也하여 我必不仁也며 必無禮也로다 此物이 奚宜至哉오하나니라

여기에 어떤 사람이 있는데, 자신을 대하기를 橫逆으로써 하면 君子는 반드시 스스로 돌이켜서 '내 반드시 仁하지 못하며 내 반드시 禮가 없었는가보다. 이러한 일이 어찌 이를 수 있겠는가.'라고 한다.

集註 | 橫逆은 謂强暴不順理也[560]라 物은 事也라

'橫逆'은 强暴하여 이치를 순종하지 않음을 이른다. '物'은 일이다.

28-5. 其自反而仁矣며 自反而有禮矣로되 其橫逆이 由(猶)是也어든 君子必自反也하여 我必不忠이로다하나니라

스스로 돌이켜보아 仁하였고 스스로 돌이켜보아 禮가 있었는데도 그 橫逆이 예전과 같으면 君子는 반드시 스스로 돌이켜 '내가 반드시 忠(성실)하지 못한가보다.'라고 한다.

集註 | 忠者는 盡己之謂라 我必不忠은 恐所以愛敬人者 有所不盡其心也라

'忠'은 자기 마음을 다함을 이른다. '내 반드시 忠하지 못하다.'는 것은 남을 사랑하고 공경함이 자신의 마음을 다하지 못한 바가 있을까 두려워하는 것이다.

28-6. 自反而忠矣로되 其橫逆이 由是也어든 君子曰 此亦妄人也已矣로다하나니 如此면 則與禽獸奚擇哉리오 於禽獸에 又何難焉이리오

---

560 橫逆 謂强暴不順理也 : 慶源輔氏(輔廣)는 "'强暴'는 '橫'이요, '不順理'는 '逆'이다.〔强暴 橫也 不順理 逆也〕" 하였다.

••• 驗 효험 험 橫 제멋대로할 횡, 사나울 횡 反 돌이킬 반 物 일 물 奚 어찌 해 擇 가릴 택 難 힐난할 난 焉 어조사 언

스스로 돌이켜보아 성실하였으나 그 橫逆이 예전과 같으면 君子가 말하기를 '이 또한 妄人일 뿐이다.'라고 하니, 이와 같다면 禽獸와 어찌 다르겠는가. 禽獸에게 또 무엇을 꾸짖을 것이 있겠는가.

按說 | '如此'에 대하여, 壺山은

如此'는 세 橫逆을 가리킨 것이다.〔如此 指三橫逆〕

하였다.
栗谷諺解에 '禽獸의게 ᄯᅩ 므서슬 힐난ᄒᆞ리오 ᄒᆞᄂᆞ니라'로 되어 있는데, 이에 대하여 壺
山은

살펴보건대 栗谷諺解는 '曰'字의 뜻이 '難焉'에서 그친 것으로 보았으니, 아마도 다시 살펴
보아야 할 듯하다.〔按栗谷諺解 以曰字意 爲止於難焉 恐合更商〕

하였다.

集註 | 奚擇은 何異也라 又何難焉은 言不足與之校也[561]라

'奚擇'은 어찌 다름이다. '또 무엇을 꾸짖을 것이 있겠는가.'는 그와 더불어 따질 것이 못됨
을 말씀한 것이다.

28-7. 是故로 君子有終身之憂요 無一朝之患也니 乃若所憂則有之하
니 舜도 人也며 我亦人也로되 舜은 爲法於天下하사 可傳於後世어시늘 我
는 由(猶)未免爲鄕人也하니 是則可憂也라 憂之如何오 如舜而已矣니
라 若夫君子所患則亡(무)矣니 非仁無爲也며 非禮無行也라 如有一朝
之患이라도 則君子不患矣니라

이 때문에 君子는 종신토록 하는 근심은 있어도 하루아침의 걱정은 없는 것이다. 근심
하는 바로 말하면 있으니, 舜임금도 사람이며 나도 사람인데 舜임금은 천하에 모범이

---

561 又何難焉 言不足與之校也 : '難'은 논란하고 잘잘못을 따져 꾸짖음을 이른다.

··· 校 계교할교 免 면할면

되시어 後世에 전할 만하시거늘 나는 아직도 鄕人이 됨을 면치 못하였으니, 이는 근심할 만한 것이다. 근심하면 어찌하겠는가. 舜임금과 같이 할 뿐이다. 君子는 걱정하는 바가 없으니, 仁이 아니면 하지 않으며 禮가 아니면 행하지 않는다. 만일 하루아침의 걱정이 있다 하더라도 君子는 걱정하지 않는다."

按說 | '君子有終身之憂 無一朝之患'의 '終身之憂'는 聖賢이 되지 못할까 두려워하여 종신토록 노력하는 근심이며, '一朝之患'은 하루아침에 갑자기 닥쳐온 患難 등의 걱정을 이른다. 壺山은

'憂'는 公이고 '患'은 私이다.〔憂公而患私〕

하였다.

集註 | 鄕人은 鄕里之常人也라 君子存心不苟라 故로 無後憂라

'鄕人'은 鄕里의 보통 사람이다. 君子는 마음에 두기를 구차히 하지 않는다. 그러므로 뒤에 걱정이 없는 것이다.

| 禹稷當平世章(禹稷顔回同道章) |

29-1. 禹稷이 當平世하여 三過其門而不入하신대 孔子賢之하시니라

禹王과 后稷(姬棄)이 平世를 당하여 세 번 자기 집 문 앞을 지나면서도 들어가지 않으시자, 孔子께서 그들을 어질게 여기셨다.

集註 | 事見前篇하니라

일이 前篇(滕文公上)에 보인다.

29-2. 顔子當亂世하여 居於陋巷하사 一簞食(사)와 一瓢飮을 人不堪其憂어늘 顔子不改其樂하신대 孔子賢之하시니라

··· 常 보통상 苟 구차할구 稷 농관직 陋 더러울루 巷 골목항 簞 대그릇단 瓢 표주박표 堪 견딜감

顏子(顏回)가 亂世를 당하여 누추한 시골에 거처하면서 한 대그릇의 밥과 한 표주박의 음료로 사는 것을 딴 사람들은 그 걱정을 견뎌내지 못하는데 顏子는 그 즐거움을 변치 않으시자, 孔子께서 그를 어질게 여기셨다.

按說 | 이 내용은 《論語》〈雍也〉9장에, 孔子께서

> 어질다, 顏回여. 한 대그릇의 밥과 한 표주박의 음료로 누추한 시골에 있는 것을 딴 사람들은 그 걱정을 견뎌내지 못하는데, 顏回는 그 즐거움을 변치 않으니, 어질다, 顏回여.〔賢哉 回也 一簞食 一瓢飮 在陋巷 人不堪其憂 回也不改其樂 賢哉 回也〕

라고 말씀하신 것을 이른다.

29-3. 孟子曰 禹, 稷, 顏回 同道하니라

孟子께서 말씀하셨다. "禹王과 后稷과 顏回가 道가 같다.

按說 | 壺山은

> 여기에서 顏子의 이름을 든 것은 우연일 뿐이다.〔此擧顏子名者 蓋偶耳〕

하였다.

集註 | 聖賢之道는 進則救民하고 退則修己하니 其心이 一而已矣니라

聖賢의 道는 나아가면 백성을 구제하고 물러가면 몸을 닦으니, 그 마음이 똑같을 뿐이다.

29-4. 禹는 思天下有溺者어든 由(猶)己溺之也하시며 稷은 思天下有飢者어든 由己飢之也하시니 是以로 如是其急也시니라

禹王은 천하에 물에 빠진 자가 있으면 마치 자신이 그를 빠뜨린 것과 같이 여기시며, 后稷은 천하에 굶주리는 자가 있으면 마치 자신이 그를 굶주리게 한 것처럼 여겼으니, 이 때문에 이와 같이 급하게 하신 것이다.

··· 救 구원할 구 溺 빠질 닉 飢 굶주릴 기

集註 | 禹稷은 身任其職이라 故로 以爲己責而救之急也시니라

禹王과 后稷은 자신이 그 직책을 맡았기 때문에 자신의 책임으로 삼아 구제하기를 급하게 하신 것이다.

29-5. 禹, 稷, 顔子- 易地則皆然이시리라

禹王과 后稷과 顔子가 처지를 바꾸면 다 그러하셨을 것이다.

集註 | 聖賢之心은 無所偏倚[562]하여 隨感而應하여 各盡其道[563]라 故로 使禹稷居顔子之地면 則亦能樂顔子之樂이요 使顔子居禹稷之任[564]이면 亦能憂禹稷之憂也리라

聖賢의 마음은 편벽되고 치우친 바가 없어서 감동함에 따라 응하여 각각 道를 다한다. 그러므로 가령 禹王과 后稷이 顔子의 처지에 처했다면 또한 顔子의 樂을 즐거워했을 것이요, 가령 顔子가 禹王과 后稷의 책임을 맡았다면 또한 禹王과 后稷의 근심을 근심했을 것이다.

29-6. 今有同室之人이 鬪者어든 救之호되 雖被髮纓冠而救之라도 可也니라

이제 한 방에 같이 있는 사람이 싸우는 자가 있으면 이를 말리되, 비록 머리를 그대로 풀어 헤치고 갓끈만 매고 가서 말리더라도 可하다.

集註 | 不暇束髮而結纓往救[565]하니 言急也니 以喩禹稷이라

---

562 聖賢之心 無所偏倚:《大全》에 "大本의 中이다.〔大本之中〕" 하였다.

563 隨感而應 各盡其道:《大全》에 "時中의 中이다.〔時中之中〕" 하였다.

564 使禹稷居顔子之地……使顔子居禹稷之任:新安陳氏(陳櫟)는 "禹王과 后稷은 맡은 官職이 있었기 때문에 '任'이라 하였고, 顔子는 누추한 골목에 살았기 때문에 '地'라 한 것이다.〔禹稷有官守 故曰任 顔子居陋巷 故曰地〕" 하였다.

565 不暇束髮而結纓往救:新安陳氏(陳櫟)는 "마침 머리를 감고 있었으면 머리 묶을 겨를이 없이 冠을 산발한 위에 쓰고 갓끈만 매고 가서 구원하는 것이다.〔遇沐 不暇束髮 冒冠於所被髮上 結纓而往救〕" 하였다.

··· 偏 편벽될 편 倚 치우칠 의 鬪 싸울 투 救 말릴 구 被 산발할 피 髮 터럭 발 纓 갓끈 영 冠 갓 관 暇 겨를 가

머리를 묶을 겨를이 없어 갓끈만 매고 가서 말리는 것이니, 급함을 말한다. 이는 禹王과 后稷을 비유한 것이다.

29-7. 鄕鄰에 有鬪者어든 被髮纓冠而往救之면 則惑也니 雖閉戶라도 可也니라

鄕里와 이웃에 싸우는 자가 있거든 머리를 풀어 헤치고 갓끈만 매고 가서 말린다면 惑(미혹됨)한 것이니, 비록 문을 닫더라도 可하다."

按說 | 壺山은 "'惑'은 暗을 이른다.〔惑 謂暗也〕" 하였다.

集註 | 喩顔子也라

顔子를 비유한 것이다.

章下註 | ○ 此章은 言 聖賢이 心無不同이요 事則所遭或異라 然이나 處之各當其理하니 是乃所以爲同也니라
尹氏曰 當其可之謂時니 前聖後聖이 其心一也라 故로 所遇에 皆盡善[566]이니라

○ 이 章은, 聖賢이 마음은 똑같지 않음이 없고 일은 만나는 바가 혹 다르나 대처함에 각기 그 이치에 맞게 하니, 이것이 바로 똑같음이 된 이유임을 말씀한 것이다.
尹氏(尹焞)가 말하였다. "그 可함에 맞게 함을 '時'라 이르니, 앞의 聖人과 뒤의 聖人이 그 마음이 똑같다. 그러므로 만나는 바에 모두 극진히 善하게 하신 것이다."

---

566 當其可之謂時……皆盡善:程子(伊川)는 "君子의 時中은, 예컨대 세 번이나 자기의 문 앞을 지나면서도 들어가지 않는 것이 禹王과 后稷의 시대에는 中道가 되지만 누추한 골목에 살면서 이렇게 하는 것은 中道가 되지 못하고, 누추한 골목에 사는 것이 顔子의 때에 있어서는 中道가 되지만 세 번 자기의 집 문 앞을 지나면서도 들어가지 않는 것은 中道가 아니다.〔君子而時中 如三過其門而不入 在禹稷之世 爲中 若在陋巷 則不中矣 居陋巷 在顔子之時 爲中 三過其門而不入 則非中矣〕" 하였다.《精義》

··· 閉 닫을 폐 喩 비유할 유 遭 만날 조

30-1. 公都子曰 匡章을 通國이 皆稱不孝焉이어늘 夫子與之遊하시고 又從而禮貌之하시니 敢問何也잇고

公都子가 말하였다. "匡章을 온 나라 사람들이 모두 '不孝한다.'고 칭하는데, 夫子께서 그와 더불어 교유하시고 또 따라서 예우하시니, 감히 묻겠습니다. 어째서입니까?"

集註 | 匡章은 齊人이라 通國은 盡一國之人也라 禮貌는 敬之也라

匡章은 齊나라 사람이다. '通國'은 온 나라의 사람을 다한 것이다. '禮貌'는 그를 존경하는 것이다.

30-2. 孟子曰 世俗所謂不孝者五니 惰其四肢하여 不顧父母之養이 一不孝也요 博奕好飲酒하여 不顧父母之養이 二不孝也요 好貨財하며 私妻子하여 不顧父母之養이 三不孝也요 從耳目之欲하여 以爲父母戮이 四不孝也요 好勇鬪狠하여 以危父母 五不孝也니 章子有一於是乎아

孟子께서 말씀하셨다. "세속에 이른바 '不孝'라는 것이 다섯 가지이니, 四肢를 게을리하여 父母의 봉양을 돌보지 않음이 첫 번째 不孝요, 장기 두고 바둑 두며 술 마시기를 좋아하여 父母의 봉양을 돌보지 않음이 두 번째 不孝요, 재물을 좋아하며 妻子를 사사로이 하여(妻子만 보살펴) 父母의 봉양을 돌보지 않음이 세 번째 不孝요, 귀와 눈의 하고자 함을 따라 父母를 욕되게 함이 네 번째 不孝요, 용맹을 좋아하며 싸우고 분노하여 父母를 위태롭게 함이 다섯 번째 不孝이니, 章子에게 이중에 한 가지라도 있는가.

按說 | '從耳目之欲'에 대하여, 壺山과 楊伯峻은 '從'을 '縱'과 같다고 하였으니, 縱은 放縱으로 귀와 눈의 욕망을 함부로 부림을 말한 것이다.
新安陳氏(陳櫟)는

··· 匡 바로잡을 광 惰 게으를 타 肢 사지 지 顧 돌볼 고 博 장기 박 奕 바둑 혁 貨 재화 화 戮 욕될 륙
狠 사나울 한

다섯 가지 不孝의 순서는 가벼운 것으로부터 점점 무거운 것으로 말해 나갔다.〔五不孝之序 從輕漸說至重〕"

하였다.

集註 | 戮은 羞辱也라 狠은 忿戾也라

'戮'은 치욕을 당하는 것이다. '狠'은 분노하고 원망하는 것이다.

30-3. 夫章子는 子父責善而不相遇也니라

저 章子는 父子間에 善을 責하다가 뜻이 서로 맞지 않은 것이다.

按說 | 《戰國策》〈齊策〉에 '章子의 어머니 啓가 章子의 아버지에게 죄를 짓자, 아버지 가 죽여서 마구간 밑에 매장하고는 移葬을 허락하지 않았다.'고 하였는데, 全祖望의 《經 史問答》에

그렇다면 이른바 '責善'이라는 것은 필시 자기 아버지에게 〈어머니의 移葬에 관해〉 너무 심 하게 하시지 말라고 권한 것일 것이다. 그러나 아버지가 듣지 않아 마침내 가까이 할 수 없었 던 것이다.〔然則所云責善 蓋必勸其父以弗爲已甚 而父不聽 遂不得近〕

하였다.

集註 | 遇는 合也라 相責以善而不相合이라 故로 爲父所逐也라

'遇'는 합함이다. 善을 責하다가 뜻이 합하지 못하였으므로 아버지에게 쫓겨난 것이다.

30-4. 責善은 朋友之道也니 父子責善은 賊恩之大者니라

責善은 朋友의 道이니, 父子間에 責善함은 은혜를 해침이 큰 것이다.

集註 | 賊은 害也라 朋友는 當相責以善이어니와 父子行之면 則害天性之恩也라

··· 羞 부끄러울 수 辱 욕될 욕 忿 성낼 분 戾 어그러질 려 逐 쫓을 축 責 권할 책, 바랄 책 賊 해칠 적

'賊'은 해침이다. 朋友는 마땅히 서로 善을 責해야 하지만 父子間에 이를 행하면 天性의 은혜를 해치게 된다.

30-5. 夫章子는 豈不欲有夫妻子母之屬哉리오마는 爲得罪於父하여 不得近이라 出妻屛子하여 終身不養焉하니 其設心에 以爲不若是면 是則罪之大者라하니 是則章子已矣니라

저 章子는 어찌 夫妻와 子母의 家屬이 있기를 원하지 않겠는가마는 아버지에게 죄를 얻어 가까이 할 수 없었다. 이 때문에 아내를 내보내고 자식들을 물리쳐서 종신토록 〈妻子의〉 봉양을 받지 않았으니, 그 마음에 '이와 같이 하지 않으면 이는 죄가 크다.'고 여긴 것이니, 이것은 章子일 뿐이다."

按說 | 壺山은

'章子已矣'는 他人은 이렇게 하지 못함을 말한 것이다.〔章子已矣 言他人不能也〕

하였다.

集註 | 言 章子非不欲身有夫妻之配하고 子有子母之屬[567]이언마는 但爲身不得近於父라 故로 不敢受妻子之養[568]하여 以自責罰하니 其心에 以爲不如此면 則其罪益大也라하니라

章子가, 자신은 夫妻의 배필이 있고 자식은 子母의 등속이 있기를 원하지 않은 것이 아니었으나, 자신이 아버지를 가까이 할 수 없었기 때문에 妻子의 봉양을 받지 아니하여 스스로 꾸짖고 벌하였으니, 그 마음에 '이와 같이 하지 않으면 그 죄가 더욱 크다.'고 여겼음을 말씀하신 것이다.

---

567 身有夫妻之配 子有子母之屬 : 新安陳氏(陳櫟)는 "이 '屬'字는 바로 天屬과 家屬의 屬이다. 本文은 남편과 아내와 자식과 어머니를 총괄하여 말했는데,《集註》는 나누어 말했으므로 '配'字로써 '屬'字에 상대한 것이다.〔此屬字 卽天屬家屬之屬 本文總夫妻子母而言 集註分說 故以配字 對屬字〕" 하였다.

568 不敢受妻子之養 : 壺山은 "〈經文의〉 '不養'은 봉양을 받지 않음을 이른다.〔不養 謂不受養〕" 하였다.

··· 屛 물리칠병 設 베풀설 配 짝할배 罰 벌할벌

章下註 | ○ 此章之旨는 於衆所惡(오)而必察焉이니 可以見聖賢至公至仁之心矣로다

楊氏曰 章子之行을 孟子非取之也요 特哀其志而不與之絶耳시니라

○ 이 章의 뜻은 여러 사람들이 미워하는 바(사람)에 있어서도 반드시 살펴야 하니, 聖賢의 至公 至仁하신 마음을 볼 수 있다.

楊氏(楊時)가 말하였다. "孟子께서 章子의 행실을 취한 것이 아니요, 다만 그의 뜻을 가엾게 여겨 그와 절교하지 않으셨을 뿐이다."

|曾子居武城章(曾子子思同道章)|

31-1. 曾子居武城하실새 有越寇러니 或曰 寇至하나니 盍去諸리오 曰 無寓人於我室하여 毁傷其薪木하라 寇退則曰 修我牆屋하라 我將反호리라 寇退어늘 曾子反하신대 左右曰 待先生이 如此其忠且敬也어늘 寇至則先去하여 以爲民望하시고 寇退則反하시니 殆於不可로소이다 沈猶行曰 是는 非汝所知也라 昔에 沈猶有負芻之禍어늘 從先生者七十人이 未有與(예)焉이라하니라

曾子께서 武城에 거하실 적에 越나라의 침략이 있었다. 혹자가 말하기를 "침략군이 도착하는데, 어찌 떠나가지 않습니까." 하니, 曾子께서 말씀하시기를 "내 방에 사람을 붙여두어 섶과 나무를 毁傷하지 말도록 하라." 하셨다.

적이 물러갔다고 하자, "나의 담장과 지붕을 수리하라. 내 장차 돌아갈 것이다." 하셨다. 적이 물러간 다음 曾子께서 돌아오시자, 좌우에 있는 자들이 말하기를 〈武城의 大夫가〉 先生을 대하기를 이렇게 충성스럽고 또 공경하는데, 적이 이르자 먼저 떠나가시어 백성들이 바라보고 본받게 하시고 적이 물러가자 돌아오시니, 不可할 듯합니다." 하니, 沈猶行이 말하였다. "이는 너희들이 알 바가 아니다. 옛적에 우리 沈猶氏에게 負芻의 禍가 있었는데, 선생을 따르는 자 70명 중에 한 사람도 이에 참예한 자가 있지 않았다."

··· 越 나라 월 寇 침략할 구 盍 어찌아니 합 寓 붙일 우 毁 훼손할 훼 薪 나무섶 신 牆 담장 장 屋 지붕 옥
殆 자못 태 芻 꼴 추 與 참여할 예

按說 | '寇退'에 대하여, 尤菴(宋時烈)은

> 위의 '寇退'는 曾子가 장차 돌아오려 함을 가지고 말한 것이요, 아래의 '寇退'는 曾子가 이미 돌아옴을 가지고 말하였으니, 글이 비록 중복되어 나왔으나 뜻은 각각 다르다.〔上寇退 以曾子將返而言 下寇退 以曾子既返而言 文雖疊出 而意則各異也〕《宋子大全 答洪虞卿》

하였다.

'左右曰'에 대하여, 壺山은

> 아래에 曾子가 대답한 말씀이 없고 오직 沈猶行의 대답이 있는 것으로 보아 아마도 同門들끼리 사사로이 논란한 것인 듯하다.〔下文無曾子所答 而只有沈猶之答 蓋私與同門相難耳〕

하였다.

'殆於不可'의 '殆'에 대하여, 壺山은 '幾(거의 ~에 가깝다)'와 같다고 하였고, 楊伯峻은 '近(가깝다)'의 뜻이라고 하였다.

集註 | 武城은 魯邑名이라 盍은 何不也라 左右는 曾子之門人也라 忠敬은 言 武城之大夫 事曾子忠誠恭敬也라 爲民望은 言使民望而效之라 沈猶行은 弟子姓名也라 言 曾子嘗舍於沈猶氏러니 時有負芻者作亂하여 來攻沈猶氏어늘 曾子率其弟子去之하여 不與(예)其難하시니 言師賓不與臣同이라

武城은 魯나라의 고을 이름이다. '盍'은 '어찌 아니'이다. '左右'는 曾子의 門人이다. '忠敬'은 武城의 大夫가 曾子를 섬기기를 충성스럽고 공경히 함을 말한다. '爲民望'은 백성들로 하여금 바라보고 본받게 함을 말한다. 沈猶行은 弟子의 姓名이다. 曾子가 일찍이 沈猶氏의 집에 머물렀었는데, 이때 負芻라는 자가 亂을 일으켜서 沈猶氏를 공격하러 오자, 曾子가 그 弟子들을 거느리고 떠나가시어 亂에 참예하지 않았음을 말씀한 것이니, 스승과 손님은 신하와 똑같지 않음을 말씀한 것이다.

31-2. 子思居於衛하실새 有齊寇러니 或曰 寇至하나니 盍去諸리오 子思

... 效 본받을효 賓 손빈

曰 如伋去면 君誰與守리오하시니라

子思께서 衛나라에 계실 적에 齊나라의 침략이 있었다. 혹자가 말하기를 "적이 침략해 오는데, 어찌 떠나가지 않습니까?" 하니, 子思께서 말씀하시기를 "만일 내(伋)가 떠나가면 군주가 누구와 더불어 지키시겠는가." 하셨다.

集註 │ 言所以不去之意如此하시니라

떠나가지 않는 所以의 뜻을 말씀하기를 이와 같이 하신 것이다.

31-3. 孟子曰 曾子, 子思 同道하니 曾子는 師也며 父兄也요 子思는 臣也며 微也니 曾子子思 易地則皆然이시리라

孟子께서 말씀하셨다. "曾子와 子思가 道가 같으니, 曾子는 스승이며 父兄이었고 子思는 신하이며 미천하였으니, 曾子와 子思가 처지를 바꾼다면 다 그러하셨을 것이다."

集註 │ 微는 猶賤也라

尹氏曰 或遠害하고 或死難하여 其事不同者는 所處之地不同也일새라 君子之心은 不繫於利害하고 惟其是而已라 故로 易地則皆能爲之니라

'微'는 賤과 같다.

尹氏(尹焞)가 말하였다. "혹은 害를 멀리 피하고 혹은 亂에 죽을 각오를 하여, 그 일이 똑같지 않은 것은 만난 바의 처지가 똑같지 않기 때문이다. 君子의 마음은 利害에 관계하지 않고, 오직 그 옳은 것을 할 뿐이다. 그러므로 처지를 바꾸면 모두 능히 할 수 있는 것이다."

章下註 │ ○孔氏曰 古之聖賢이 言行不同하고 事業亦異나 而其道는 未始不同也라 學者知此면 則因所遇而應之를 若權衡之稱物하여 低昂屢變호되 而不害其爲同也니라

○孔氏(孔文仲)가 말하였다. "옛 聖賢들이 言·行이 똑같지 않고 事業 또한 달랐으나 그

··· 伋 이름급 微 미천할미 繫 맬계 始 일찍이시 權 저울권 衡 저울대형 稱 저울질할칭 低 낮을저
昂 높을앙 屢 여러루

道는 일찍이 같지 않은 적이 없었다. 배우는 자들이 이것을 안다면 만나는 바에 따라 대응하기를 저울추와 저울대로 물건을 다는 것과 같이 하여, 오르내림이 여러 번 변하지만 똑같음이 됨에 해롭지 않은 것이다."

|儲子曰章(堯舜與人同章)|

32. 儲子曰 王이 使人瞯夫子하시나니 果有以異於人乎잇가 孟子曰 何以異於人哉리오 堯舜도 與人同耳시니라

儲子가 물었다. "王이 사람으로 하여금 夫子를 엿보게 하시니, 과연 다른 사람과 다른 점이 있습니까?"[569]

孟子께서 말씀하셨다. "어찌 다른 사람과 다르겠는가. 堯·舜도 다른 사람과 똑같으셨다."

集註ㅣ儲子는 齊人也라 瞯은 竊視也라 聖人亦人耳니 豈有異於人哉리오

儲子는 齊나라 사람이다. '瞯'은 몰래 훔쳐보는 것이다. 聖人도 또한 사람이니, 어찌 다른 사람과 다름이 있겠는가.

|齊人有一妻一妾章(墦間章)|

33-1. 齊人이 有一妻一妾而處室者러니 其良人이 出이면 則必饜酒肉而後에 反이어늘 其妻問所與飲食者하니 則盡富貴也러라 其妻告其妾曰 良人이 出이면 則必饜酒肉而後에 反할새 問其與飲食者호니 盡富貴也로되 而未嘗有顯者來하니 吾將瞯良人之所之也호리라하고 蚤(早)起하여 施(이)從良人之所之하니 徧國中호되 無與立談者러니 卒之東郭墦間之祭者하여 乞其餘하고 不足이어든 又顧而之他하니 此其爲饜足之道也러라 其妻歸告其妾曰 良人者는 所仰望而終身也어늘 今若此라하고 與其

妾으로 訓其良人而相泣於中庭이어늘 而良人이 未之知也하여 施施(시시) 從外來하여 驕其妻妾하더라

齊나라 사람 중에 아내와 첩을 두고 집에 사는 자가 있었는데, 남편(良人)이 밖으로 나가면 반드시 술과 고기를 배불리 먹은 뒤에 돌아오곤 하였다. 그 아내가 남편에게 누구와 더불어 음식을 먹었는가를 물었더니, 모두 富貴한 사람이었다.

그 아내가 첩에게 말하기를 "남편이 외출하면 반드시 술과 고기를 배불리 드신 뒤에 돌아오기에 내가 누구와 더불어 음식을 먹었는가를 물어보니, 모두 부귀한 사람이었다. 그런데도 일찍이 현달한 자가 찾아오는 일이 없으니, 내 장차 남편이 가는 곳을 엿보겠다." 하고는 아침 일찍 일어나 남편이 가는 곳을 미행하여 따라가 보니, 온 도성(國中)을 두루 배회하였으나 더불어 서서 말하는 자도 없었다. 그는 마침내 동쪽 성곽의 〈북망산에 있는〉 무덤 사이의 제사하는 자에게 가서 남은 음식을 빌어먹고, 거기에서 부족하면 또 돌아보고 딴 곳으로 가니, 이것이 술과 고기를 배불리 얻어먹는 방법이었다.

그 아내가 돌아와서 첩에게 말하기를 "남편은 〈우리가〉 우러러보면서 일생을 마쳐야 할 사람인데, 지금 이 모양이다." 하고는 첩과 더불어 남편을 원망하며 뜰 가운데서 울고 있었는데, 남편은 그것을 알지 못하고는 의기양양하게 밖으로부터 돌아와서 처첩에게 교만하게 하였다.

按說 | 윗장의 '使人瞯夫子'와 이 장의 '吾將瞯良人之所之也'의 '瞯'에 대하여, 茶山은

> 두 '瞯'字가 서로 조응하니, 윗절과 합하여 한 章이 되어야 한다. 孟子가 스스로 말씀하기를 "나는 부귀와 영달을 구하지 않는다. 어둡고 어두운 가운데의 행동이 밝게 드러나는 행동과 다르지 않은데, 나를 엿보아 장차 무엇을 하려는가."라고 한 것이다.〔兩瞯字相照 當與上節 合爲一章 孟子自言 我不求富貴利達 冥冥之行 無以異乎昭昭之行 瞯我將何爲哉〕

하였다. 茶山의 說이 일리가 있는 것으로 보이나 두 '瞯'字가 조응한다는 것은 맞지 않는 것으로 보인다. 우연의 일치일 뿐이다.

楊伯峻은 '卒之東郭墦間之祭者'를 '卒之東郭墦間 之祭者'로 句讀를 끊어 "마침내

··· 訕 꾸짖을 산 驕 교만할 교

동쪽 성곽의 무덤 사이에 가서, 다시 그곳의 제사하는 자에게 가서"로 번역하고,

  또 한 句로 읽을 수도 있으며, 大意는 서로 같다.

하였다.

'驕其妻妾'에 대하여, 官本諺解는 '그 妻妾을 驕하더라' 하였고, 栗谷諺解는 '그 妻妾의게 驕하더라' 하였다. 壺山은

  〈'驕其妻妾'은〉 그 妻妾에게 교만하다는 것이니, 官本諺解의 解釋이 자세하지 않다.〔驕於其妻妾 諺釋未瑩〕

하였다.

集註 | 章首에 當有孟子曰字하니 闕文也라 良人은 夫也[570]라 饜은 飽也라 顯者는 富貴人也라 施(이)는 邪施而行하여 不使良人知也라 墦은 冢也라 顧는 望也라 訕은 怨詈也라 施施는 喜悅自得之貌라

章 머리에 마땅히 '孟子曰'이란 글자가 있어야 하니, 글자가 빠진 것이다. '良人'은 남편이다. '饜'은 배부름이다. '顯者'는 부귀한 사람이다. '施'는 〈바른 길로 가지 않고〉 샛길로 가서 良人으로 하여금 알지 못하게 한 것이다. '墦'은 무덤이다. '顧'는 바라봄이다. '訕'은 원망하고 꾸짖음이다. '施施'는 喜悅하여 자득하는 모양이다.

33-2. 由君子觀之컨대 則人之所以求富貴利達者 其妻妾이 不羞也而不相泣者 幾希矣리라

君子의 입장에서 보건대, 사람 중에 부귀와 영달을 구하는 자들은 그 妻妾이 〈남편의 구걸하는 모습을 보면〉 부끄러워하여 울지 않을 자가 별로 없을 것이다.

  集註 | 孟子言 自君子而觀하면 今之求富貴者 皆若此人耳니 使其妻妾見之면 不

---

570 良人 夫也 : 楊伯峻은 《儀禮 士昏禮》 鄭玄의 註에 "婦人이 남편을 일컬어 良이라 한다.〔婦人稱夫曰良〕"와 王念孫의 《廣雅疏證》에 "옛날의 良을 지금은 郎(낭)이라 한다."를 인용하여, 良人을 남편으로 해석하는 근거를 제시하였다.

··· 飽 배부를 포 冢 무덤 총 詈 꾸짖을 리 達 영달할 달 羞 부끄러울 수 泣 울 읍 希 드물 희

羞而泣者少矣라하시니 言可羞之甚也라

孟子께서 말씀하시기를 "君子의 입장에서 본다면 지금 부귀를 구하는 자들은 모두 이 사람과 같으니, 가령 그 妻妾이 이것을 본다면 부끄러워하여 울지 않을 자가 적을 것이다." 하셨으니, 매우 수치스러운 행위임을 말씀한 것이다.

章下註 ㅣ ○ 趙氏曰 言 今之求富貴者 皆以枉曲之道로 昏夜乞哀以求之하여 而以驕人於白日하니 與斯人으로 何以異哉리오

○ 趙氏(趙岐)가 말하였다. "지금 부귀를 구하는 자들이 모두 부정한 방법으로 어두운 밤중에 애걸하여 부귀를 구하고는 한낮에 사람들에게 교만을 떨고 있으니, 이 사람과 어찌 다르겠느냐고 말씀한 것이다."

··· 枉 굽을 왕

萬章章句 上

集註 | 凡九章[571]이라

모두 9章이다.

|舜往于田章(怨慕章)|

1-1. 萬章이 問日 舜이 往于田하사 號泣于旻天하시니 何爲其號泣也잇고
孟子曰 怨慕也시니라

萬章이 물었다. "舜이 밭에 가서 하늘에 부르짖으며 우셨으니, 어찌하여 부르짖으며 우신 것입니까?"

孟子께서 말씀하셨다. "원망하여 사모하신 것이다."

集註 | 舜往于田은 耕歷山時也라 仁覆(부)閔下[572]를 謂之旻天이라 號泣于旻天은

---

571 凡九章 :〈萬章上〉에 대하여, 壺山은 "모두 世俗에 好事者들의 말을 분별하였고, 또 한 章 외에는 모두 萬章의 질문이다. 여러 편 가운데 별도로 한 例가 되니, 또한《論語》에〈季氏〉가 있는 것과 같은 文體이다.〔皆辨世俗好事者之說 且除一章外 皆萬章問也 於諸篇別爲一例 亦猶論語之有季氏文體云〕"하였다.

572 仁覆閔下 : 壺山은 "仁으로써 덮어주어 이 下民을 가엾게 여기는 것이다.〔仁以覆之 閔此下民〕"하였다.

··· 號 부르짖을 호 泣 울 읍 旻 하늘 민 怨 원망할 원 慕 사모할 모 覆 덮을 부 閔 불쌍할 민

呼天而泣也니 事見(현)虞書大禹謨篇[573]하니라 怨慕는 怨己之不得其親[574]而思慕
也라

'舜이 밭에 갔다.'는 것은 歷山에서 밭을 갈 때이다. 仁으로 덮어주어 아랫사람들을 불쌍히
여김을 '旻天'이라 이른다. '旻天에 號泣했다.'는 것은 하늘에 부르짖으며 운 것이니, 이 일
이《書經》虞書 大禹謨〉편에 보인다. '怨慕'는 자기가 어버이에게 사랑을 얻지 못함을 원
망하고 사모한 것이다.

1-2. 萬章曰 父母愛之어시든 喜而不忘하고 父母惡(오)之어시든 勞而不怨
이니 然則舜은 怨乎잇가 曰 長息이 問於公明高曰 舜이 往于田은 則吾
既得聞命矣어니와 號泣于旻天과 于父母는 則吾不知也로이다 公明高曰
是는 非爾所知也라하니 夫公明高는 以孝子之心이 爲不若是恝이라 我
竭力耕田하여 共(恭)爲子職而已矣니 父母之不我愛는 於我에 何哉오하
니라

萬章이 말하였다. "父母가 사랑하시면 기뻐하여 잊지 않고, 父母가 미워하시면 더욱
노력하고 원망하지 않아야 하니, 그렇다면 舜은 원망하셨습니까?"
孟子께서 말씀하셨다. "長息이 公明高에게 묻기를 '舜이 밭에 간 이유는 제가 이미
가르침을 들었지만 旻天과 父母에게 號泣한 것은 제가 알지 못하겠습니다.' 하자, 公
明高가 말하기를 '이것은 네가 알 바가 아니다.' 하였으니, 저 公明高는 '효자의 마음
이 이처럼 무관심할 수 없다. 나는 힘을 다해 밭을 갈아 공손히 자식이 된 직분을 할 따
름이니, 부모께서 나를 사랑하지 않음은 나에게 무슨 죄가 있어서인가?'라고 여긴 것
이다.

按說 │ '勞而不怨'에 대하여, 楊伯峻은 '勞'를 憂(근심하다)의 뜻으로 보아 '근심하다

---

573 事見虞書大禹謨篇:《書經》〈大禹謨〉에 "帝舜이 처음 歷山에서 밭에 가시어 날마다 하늘과 부모를 부
르짖으며 우셨다.〔帝初于歷山 往于田 日號泣于旻天于父母〕"라고 보인다.
574 不得其親:壺山은 "어버이에게 사랑을 얻지 못하는 것이다.〔不得於親〕"하였다.

··· 虞 나라이름 우 謨 가르칠 모 喜 기쁠 희 忘 잊을 망 命 가르침 명 恝 무관심할 괄 竭 다할 갈 共 공손 공(恭同)
職 직분 직

라도 이로 인해 원망하지 않는다.'라고 번역하였다.

'聞命'은 '선생님의 가르침을 들었다.'는 뜻으로, 이에 대하여, 壺山은

　　聞命은 舜이 힘을 다해 자신의 직분을 바침을 이른다.〔聞命 蓋謂竭力供職也〕

하였다.

'我竭力耕田……於我何哉'에 대하여, 茶山은

　　'我竭力' 이하 22개의 글자는 바로 '怨'字의 주석이다. 자식이 부모에게 만약 "나는 다만 내
　　게 있는 도리를 다할 뿐이다. 부모가 사랑하지 않는 것이 나에게 무슨 상관이 있는가."라고 한
　　다면 어찌 큰 불효가 아니겠는가. 자식이 부모에 대해 차라리 원망할지언정 무관심할 수 없
　　으니, 이것이 舜이 원망하고 사모한 이유이다.〔我竭力以下二十二字 乃怨字之注脚 子之於
　　父母 若云我但盡在我之道而已 彼之不慈 干我甚事云爾 則豈非大不孝乎 子之於父
　　母 寧怨無怨 此舜之所以怨慕也〕

하였다. 茶山은 "《孟子》에 이런 문법이 많다." 하고, 예를 들어 〈梁惠王下〉 1장의

　　어찌 우리들로 하여금 이 곤궁함에 이르게 해서 父子間이 서로 만나보지 못하며 兄弟와 妻
　　子가 離散되게 하는가.〔夫何使我至於此極也 父子不相見 兄弟妻子離散〕

에서 '父子不相見 兄弟妻子離散'은 '極'의 주석이며, 〈公孫丑下〉 12장의

　　내 어찌 이 小丈夫와 같이 君主에게 간하다가 받아주지 않으면 노하여 悻悻 하게 그 얼굴빛
　　에 〈노기를〉 나타내어, 떠나면 종일토록 갈 수 있는 힘을 다한 뒤에 留宿하는 것처럼 하겠는
　　가.〔予豈若是小丈夫然哉 諫於其君而不受則怒 悻悻然見於其面 去則窮日之力而後
　　宿哉〕

에서 '諫於其君而不受則怒……宿哉'는 '小丈夫'의 주석이라고 하였다.

'於我何哉'에 대하여, 《集註》에는 '나에게 무슨 죄가 있어서인가?'로 해석하였으나 茶
山은 '나에게 무슨 관계가 있겠는가.'로 해석하였다. 이는 앞의 '孝子의 마음은 이와 같
이 무관심할 수 없다.'고 한 말을 이어 받은 것으로 "효자의 마음은 이와 같이 무관심할
수가 없다. '나는 힘을 다해 밭을 갈아 공손히 자식이 된 직분을 할 따름이니, 부모가 나
를 사랑하지 않음은 나와 무슨 상관이 있겠는가?'라고 여길 수 없다."는 것으로, 朱子의
해석보다 文理가 순하며 孟子의 '怨慕'라는 말씀과 더욱 부합된다고 생각되는바, 中國

本(《四書章句集注》)에도 이렇게 해석한 경우가 있음을 밝혀 둔다.

集註ㅣ長息은 公明高弟子요 公明高는 曾子弟子라 于父母는 亦書辭니 言呼父母而泣也라 忨은 無愁之貌라 於我何哉는 自責不知己有何罪耳니 非怨父母也라
楊氏曰 非孟子深知舜之心이면 不能爲此言이라 蓋舜은 惟恐不順於父母요 未嘗自以爲孝也시니 若自以爲孝면 則非孝矣니라

長息은 公明高의 제자이고, 公明高는 曾子의 제자이다. '부모에게 〈號泣〉했다.'는 것 또한 《書經》의 말이니, 부모를 부르짖으며 운 것을 말한다. '忨'은 근심이 없는 모양이다. '於我何哉'는 자신에게 무슨 죄가 있어서인지 알지 못하겠다고 자책한 것이니, 부모를 원망한 것이 아니다.

楊氏(楊時)가 말하였다. "舜의 마음을 깊이 아신 孟子가 아니라면 이러한 말씀을 할 수 없었을 것이다. 舜은 오직 부모에게 順하지 못함을 두려워하였고 일찍이 스스로 효도한다고 여긴 적이 없으셨다. 만일 스스로 효도한다고 여긴다면 孝가 아니다."

1-3. 帝使其子九男二女로 百官牛羊倉廩을 備하여 以事舜於畎畝之中하시니 天下之士 多就之者어늘 帝將胥天下而遷之焉이러시니 爲不順於父母라 如窮人無所歸러시다

堯임금이 자식인 9남 2녀로 하여금 百官과 牛羊과 倉廩을 갖추어 舜을 畎畝의 가운데에서 섬기게 하시니, 천하의 선비가 찾아가는 자가 많았다. 이에 堯임금이 장차 天下의 人心을 살펴보아 帝位를 물려주려 하셨는데, 〈舜은〉 부모에게 順하지 못하였으므로 곤궁한 사람이 돌아갈 데가 없는 것처럼 여기셨다.

集註ㅣ帝는 堯也라 史記云 二女妻之하여 以觀其內하고 九男事之⁵⁷⁵하여 以觀其

---

575 九男事之:《書經》에는 '九男'의 내용이 보이지 않는다. 이에 대해 趙岐는 "孟子 때에 《書經》이 모두 120편이었고 없어진 《書經》에 〈舜典〉의 서술이 있었는데, 그 글을 亡失하였다. 孟子가 말씀한 舜의 여러 일은 모두 〈舜典〉의 내용으로 없어진 《書經》에 기재된 것이다.〔孟子時 尚書凡百二十篇 逸書有舜典之敍 亡失其文 孟子諸所言舜事 皆舜典逸書所載〕"하였다. 茶山은 "지금 사람들은 다만 〈堯典〉의 아래쪽 반을 〈舜典〉으로 알고 있으나, 趙岐의 이 註를 보면 〈舜典〉을 별도로 찾아야 한다.〔今人但

••• 愁 근심 수 貌 모양 모 倉 창고 창 廩 창고 름 備 갖출 비 畎 밭이랑 견 畝 밭이랑 묘(무) 就 나아갈 취
胥 볼 서 遷 옮길 천

外⁵⁷⁶라하고 又言 一年에 所居成聚하고 二年에 成邑하고 三年에 成都라하니 是는 天下之士就之也라 胥는 相視也⁵⁷⁷라 遷之는 移以與之也라 如窮人之無所歸는 言其怨慕迫切之甚也라

帝는 堯임금이다. 《史記》〈五帝本紀〉에 이르기를 "두 딸을 舜에게 시집보내어 그 안을 관찰하게 하고, 아홉 아들로 하여금 舜을 섬기게 하여 그 밖을 관찰하게 했다." 하였다. 또 이르기를 "1년 만에 거주한 곳이 聚落(부락)을 이루었고 2년 만에 邑을 이루었고 3년 만에 都를 이루었다." 하였으니, 이것은 천하의 선비가 찾아간 것이다. '胥'는 살펴봄이다. '遷之'는 帝位를 옮겨 주는 것이다. '곤궁한 사람이 돌아갈 데가 없는 것처럼 여겼다.'는 것은 怨慕함의 절박함이 심함을 말씀한 것이다.

1-4. 天下之士悅之는 人之所欲也어늘 而不足以解憂하시며 好色은 人之所欲이어늘 妻帝之二女하사되 而不足以解憂하시며 富는 人之所欲이어늘 富有天下하사되 而不足以解憂하시며 貴는 人之所欲이어늘 貴爲天子하사되 而不足以解憂하시니 人悅之와 好色과 富貴에 無足以解憂者요 惟順於父母라야 可以解憂러시다

천하의 선비가 자신을 좋아함은 사람들이 원하는 바인데도 족히 근심을 풀지 못하셨으며, 아름다운 女色은 사람들이 원하는 바인데도 堯임금의 두 딸을 아내로 삼으셨으나 족히 근심을 풀지 못하셨으며, 富는 사람들이 원하는 바인데도 富는 천하를 소유하

以堯典之下半 認作舜典 觀此註 宜別求舜典〕"하였다.

576 史記云……以觀其外 : 《史記》〈五帝本紀〉에 "帝舜은 나이 20세에 孝行으로 알려졌다. 30세가 되었을 적에 帝堯가 신하들에게 등용할 만한 자를 묻자, 四岳이 모두 虞舜을 천거하여 '可하다' 하므로 이에 帝堯가 두 딸을 帝舜에게 시집보내어 그 안(齊家)을 살펴보고, 아홉 아들로 하여금 함께 거처하게 하여 그 밖(治外)을 관찰하였다. 帝舜이 嬀水 안에 거주할 적에 안의 행실을 더욱 삼가니, 帝堯의 두 딸이 감히 자신들이 귀하다 하여 帝舜의 친척들을 교만하게 대하지 않아 매우 婦人의 道가 있었고, 帝舜의 아홉 아들은 모두 舜을 섬김이 더욱 돈독했다.〔舜年二十以孝聞 三十而帝堯問可用者 四岳咸薦虞舜曰可 於是堯乃以二女妻舜 以觀其內 使九男與處 以觀其外 舜居嬀汭 內行彌謹 堯二女不敢以貴驕事舜親戚 甚有婦道 堯九男皆益篤〕"하였다. 朱子는 "〈二女는〉娥皇과 女英이다." 하였다.《朱子大全 雜著 虞書》

577 胥 相視也 : 楊伯峻은 《爾雅》〈釋詁〉에 '胥는 皆(모두)의 뜻이다.〔胥 皆也〕' 하였으니, 引伸하여 盡의 뜻이 있다. '胥天下'는 盡天下(천하를 모두 다)'라는 말과 같다." 하였다.

··· 聚 부락 취 相 볼 상 移 옮길 이 迫 절박할 박 悅 기쁠 열 解 풀 해 憂 근심 우 好 아름다울 호 妻 아내삼을 처

셨으나 족히 근심을 풀지 못하셨으며, 貴는 사람들이 원하는 바인데도 貴는 天子가 되셨으나 족히 근심을 풀지 못하셨으니, 사람들이 좋아함과 아름다운 女色과 富와 貴에 족히 근심을 풀 만한 것이 없었고 오직 부모에게 順하여야 근심을 풀 수 있으셨다.

> 集註 | 孟子推舜之心如此하여 以解上文之意하시니라 極天下之欲이라도 不足以解憂요 而惟順於父母라야 可以解憂라하시니 孟子眞知舜之心哉신저
>
> 孟子께서 舜의 마음을 추측하기를 이와 같이 하여 윗글의 뜻을 해석하신 것이다. "천하의 욕망을 지극히 하였으나 족히 근심을 풀 수가 없었고, 오직 부모에게 順하여야 근심을 풀 수 있었다." 하셨으니, 孟子께서는 舜의 마음을 참으로 아신 것이다.

1-5. 人이 少則慕父母하다가 知好色則慕少艾(애)하고 有妻子則慕妻子하고 仕則慕君하고 不得於君則熱中이니 大孝는 終身慕父母하나니 五十而慕者를 子於大舜에 見之矣로라

사람들이 어릴 때에는 부모를 사모하다가 女色을 좋아할 줄 알면 젊고 예쁜 소녀를 사모하고, 妻子를 두면 妻子를 사모하고, 벼슬하면 군주를 사모하고, 군주에게 신임을 얻지 못하면 가슴속에 열병이 난다. 大孝는 종신토록 부모를 사모하니, 50세가 되어서도 부모를 사모한 자를 나는 大舜에게서 보았노라."

> 集註 | 言 常人之情은 因物有遷이나 惟聖人은 爲能不失其本心也라 艾는 美好也니 楚辭, 戰國策에 所謂幼艾 義與此同[578]이라 不得은 失意也라 熱中은 躁急心熱也라

---

[578] 楚辭戰國策……義與此同: 《楚辭》〈九歌 少司命〉에 "長劍을 잡고 어린 사람(幼艾)을 보호하도다. 아름다운 司命이 홀로 백성의 바름이 된다.(竦長劍兮擁幼艾 蓀獨宜兮爲民正)" 하였다. 《戰國策》〈趙策 三〉에 公子 魏牟가 趙나라를 방문했을 적에 趙王(孝成王)이 천하를 다스리는 방법을 묻자, 魏牟가 工人을 시켜 비단으로 冠을 만드는 것에 비유하여 "冠을 만들다 잘못하여 실패하면 王의 나라에 무슨 손해가 있기에 王은 반드시 훌륭한 工人을 기다린 뒤에 冠을 만들려 하십니까. 지금 천하를 다스리는 工人(정치가)가 훌륭한 사람이 아니면 社稷이 빈 그릇이 되고 先王이 血食하지 못하게 되는데, 王께서는 훌륭한 工人에게 정사를 맡겨 주지 않으시고 어리고 예쁜 사람(幼艾)에게 주십니다.〔爲冠而敗之 奚虧於王之國 而王必待工而后 乃使之 今爲天下之工 或非也 社稷爲虛器 先王不血食 而王不以予工 乃與幼艾〕" 하였다. 王逸의 《楚辭》 註에는 '幼艾'를 幼는 少(어린이), 艾는 長(어른)으로 訓하였으나 朱子는 "幼는 少(젊음)이고 艾는 아름다움이다. 幼艾란 말이 《孟子》와 《戰國策》에 보이니, 바

••• 少 젊을 소 艾 예쁠 애 熱 더울 열 遷 옮길 천 躁 조급할 조

言五十者는 舜攝政時年五十也[579]라 五十而慕면 則其終身慕를 可知矣니라

보통 사람들의 情은 사물에 따라 옮겨감이 있으나 오직 聖人만은 능히 그 본심을 잃지 않음을 말씀한 것이다. '艾'는 아름답고 예쁨이니, 《楚辭》와 《戰國策》에 이른바 '幼艾'라는 것이 뜻이 이와 같다. '不得'은 失意이다. '熱中'은 조급하여 마음에 열병이 나는 것이다. 50세라고 말한 것은 舜이 攝政할 때의 연세가 50세였다. 50세가 되어서도 사모했다면 종신토록 사모했음을 알 수 있다.

章下註 | ○ 此章은 言 舜不以得衆人之所欲으로 爲己樂하시고 而以不順乎親之心으로 爲己憂하시니 非聖人之盡性이면 其孰能之리오

○ 이 章은 舜이 衆人들의 원하는 바를 얻은 것으로써 자신의 樂을 삼지 않고, 어버이의 마음에 順하지 못함으로써 자신의 근심을 삼았음을 말씀한 것이니, 本性을 다한 聖人이 아니면 그 누가 이렇게 할 수 있겠는가.

|詩云娶妻如之何章(象憂亦憂章)|

2-1. 萬章이 問曰 詩云 娶妻如之何오 必告父母라하니 信斯言也인댄 宜莫如舜이어시니 舜之不告而娶는 何也잇고 孟子曰 告則不得娶하시리니 男女居室은 人之大倫也니 如告則廢人之大倫하여 以懟父母라 是以로 不告也시니라

萬章이 물었다. "《詩經》에 이르기를 '장가들려면 어떻게 하여야 하는가? 반드시 父母에게 아뢰어야 한다.' 하였으니, 진실로 이 말대로라면 의당 舜과 같은 분이 없어야 할

로 최상의 美人(善人)을 가리킨 것이다. '正'은 공평함이다.……이는 神이 凶穢를 제거하고 善良한 사람을 보호해서 마땅히 백성들이 바름을 취하는 바가 됨을 말한 것이다.〔幼 少也 艾 美好也 語見孟子, 戰國策 卽指上美人也 正 平也……言……誅除凶穢 擁護良善 而宜爲民之所取正也〕" 하였다.《楚辭集註》

579 言五十者 舜攝政時年五十也:趙岐는 《書經》〈舜典〉에 '舜이 태어난 지 30년에 부름을 받아 등용되고 20년 동안 在位하였다.' 하였으니, 在位 기간 동안에도 오히려 사모하였기 때문에 50이라고 했다.〔書曰舜生三十徵庸 二十在位 在位時尙慕 故言五十也〕" 하였다. '二十在位'의 '二十'이 《孟子注疏》의 여러 本에 '三十' 혹은 '五十'으로 되어 있으나, 阮元 《校勘記》에 잘못을 지적하였고, 楊伯峻도 阮元을 따랐다.

··· 攝 대신할 섭 娶 장가들 취 信 진실로 신 廢 폐할 폐 懟 원망할 대

듯합니다. 그런데 舜이 부모에게 아뢰지 않고 장가든 것은 어째서입니까?"

孟子께서 말씀하셨다. "부모에게 아뢰었다면 장가들 수가 없었을 것이다. 男女가 〈혼인하여〉 한 방에 거처함은 사람의 큰 윤리이니, 만일 부모에게 아뢰었다면 사람의 큰 윤리를 폐지하여 부모를 원망하였을 것이다. 이 때문에 아뢰지 않으신 것이다."

集註 | 詩는 齊國風南山之篇也라 信은 誠也니 誠如此詩之言也라 懟는 讐怨也라 舜이 父頑母嚚하여 常欲害舜하니 告則不聽其娶하리니 是는 廢人之大倫하여 以讐怨於父母也라

詩는 〈齊風 南山〉篇이다. '信'은 진실로이니, 진실로 이 詩의 말과 같음이다. '懟'는 원망함이다. 舜이 아버지는 완악하고 어머니는 간악하여 항상 舜을 해치고자 하였으니, 부모에게 아뢰었다면 장가드는 것을 허락해 주지 않았을 것이다. 이는 인간의 큰 윤리를 폐지하여 부모를 원망하는 것이다.

2-2. 萬章曰 舜之不告而娶는 則吾旣得聞命矣어니와 帝之妻舜而不告는 何也잇고 曰 帝亦知告焉이면 則不得妻也시니라

萬章이 말하였다. "舜이 아뢰지 않고 장가드신 것은 제가 이미 가르침을 들었지만 堯임금이 舜에게 딸을 시집보내면서도 그 부모에게 말씀하지 않음은 어째서입니까?"

孟子께서 말씀하셨다. "堯임금 또한 고하면 딸을 시집보낼 수 없음을 아셨기 때문이다."

集註 | 以女爲人妻曰妻라

程子曰 堯妻舜而不告者는 以君治之而已니 如今之官府에 治民之私者亦多[580]니라

---

580 堯妻舜而不告者……治民之私者亦多 : 慶源輔氏(輔廣)는 "인군의 명령으로 다스려서 瞽瞍가 듣지 않음을 용납하지 않은 것을 이른다. '官府에서 백성의 사사로움을 다스린다.'는 것은, 혹 이치와 법에 당연한 일인데도 사사로움에 끌려서 즐겨하려 하지 않는 자가 있으면, 관청에서 법으로 다스려 반드시 그렇게 하게 한 것이다.〔謂以君命治之 不容瞽瞍之不聽也 官府治民之私 或有理法當然而牽於私 不肯然者 則官司以法治之 必使之然也〕"하였다.

··· 誠 진실로 성 讐 원수 수 頑 완악할 완 嚚 완악할 은

딸을 〈시집보내어〉 남의 아내가 되게 하는 것을 '妻' 라 한다.

程子(伊川)가 말씀하였다. "堯임금이 舜에게 딸을 시집보내면서 그 부모에게 고하지 않은 것은 군주로서 다스렸을 뿐이니, 예컨대 지금 官府(官廳)에서도 백성의 사사로운 일을 다스리는 경우가 많다."

2-3. 萬章曰 父母使舜으로 完廩(름)捐階하고 瞽瞍焚廩하며 使浚井하여 出커시늘 從而揜之하고 象曰 謨蓋都君은 咸我績이니 牛羊父母요 倉廩父母요 干戈朕이요 琴朕이요 弤朕이요 二嫂는 使治朕棲호리라하고 象이 往入舜宮한대 舜이 在牀琴이어시늘 象曰 鬱陶思君爾라하고 忸怩(뉵니)한대 舜曰 惟茲臣庶를 汝其于予治라하시니 不識케이다 舜이 不知象之將殺己與잇가 曰 奚而不知也시리오마는 象憂亦憂하시고 象喜亦喜하시니라

萬章이 말하였다. "〈전설에 舜의〉 父母가 舜으로 하여금 창고를 손질하게 하고 사다리를 치운 다음 瞽瞍가 창고에 불을 질렀으며, 舜에게 우물을 파게 하고는 舜이 나오시려 하자 따라서 흙을 덮고, 象이 말하기를 '꾀하여 都君을 생매장시킨 것은 모두 나의 공로이니, 牛·羊은 부모의 것이요 倉廩은 부모의 것이요 干·戈는 朕의 것이요 琴은 朕의 것이요 활은 朕의 것이요 두 형수는 朕의 침상을 다스리게 하겠다.' 하고는 象이 가서 舜의 집에 들어갔는데, 舜이 平牀에서 거문고를 타고 계셨다. 象이 말하기를 '울적〔鬱陶〕하게 都君이 그리웠습니다.' 하고 부끄러워하자, 舜이 말씀하시기를 '이 여러 신하들을 너는 내게 와서 다스리라.' 하셨다 하니, 알지 못하겠습니다. 舜은 象이 자신을 죽이려 한 것을 모르셨습니까?"

孟子께서 말씀하셨다. "어찌 알지 못하셨겠는가마는 象이 근심하면 또한 근심하시고 象이 기뻐하면 또한 기뻐하신 것이다."

按說│ '出'에 대하여, 楊伯峻은 趙岐의 註에 "舜에게 우물을 파게 하자 舜은 들어갔다가 곧바로 나왔으나 瞽瞍는 그가 이미 나왔다는 것을 알지 못하고 따라서 우물을 덮었다.〔使舜浚井 舜入而卽出 瞽瞍不知其已出 從而蓋揜其井〕"라고 한 것을 따라 〈舜이

··· 完 다스릴 완 廩 창고 름 捐 버릴 연 階 사다리 계 瞽 소경 고 瞍 소경 수 焚 태울 분 浚 팔 준 揜 가릴 엄 謨 꾀 모 蓋 덮을 개 績 공적 적 朕 나 짐 琴 거문고 금 弤 붉은칠한활 저 嫂 아주머니 수 棲 평상 서 牀 평상 상 鬱 막힐 울 陶 울적할 도 忸 부끄러울 뉵 怩 부끄러울 니 奚 어찌 해

옆면의 굴을 통해 나왔다는 것도 모르고〉舜이 이미 나온 뒤에 흙으로 우물을 덮어 버렸다.'라고 번역하였다. 반면에 또 "'出'은 瞽瞍 등이 나온 것으로 보아야 아래 문장의 '從而揜之'의 '從而'와 서로 호응한다."는 내용의 다른 說도 언급하였다.

'謨蓋都君 咸我績'에 대하여, 楊伯峻은 '蓋'를 '害(해하다)'의 假借字로 본 阮元의 說을 취하였는데, 阮元은

> '謨蓋都君'은 '우물'과 '창고'의 일을 겸하여 말한 것이니, '蓋'는 '害'로 訓해야 한다. 만일 '謨蓋'가 오로지 '우물을 덮은 것'이고 '창고에 불을 지른 것'을 겸하지 않는다면, '모두 나의 공로이다.[咸我績]'의 '咸'字가 붙을 곳이 없다."

하였다.

'惟玆臣庶 汝其于予治'에 대하여, 楊伯峻은 '惟'를 '생각하다[思]'의 뜻으로 보고, "이 신하와 백성들을 생각해 보았는데, 네가 나를 대신하여 관리해 주기를 바란다."라고 번역하였다. 壺山은

> 于予治는 나의 집에 함께 있으면서 다스림을 말한 것이다.[于予治 言其同在予宮而治也]

하였다.

'奚而'에 대하여, 楊伯峻은 '奚爲(어찌)'와 같은 말이라고 하였다.

集註 | 完은 治也라 捐은 去也라 階는 梯也라 揜은 蓋也라 按史記曰 使舜으로 上塗廩하고 瞽瞍從下하여 縱火焚廩이어늘 舜乃以兩笠으로 自捍而下去하여 得不死하며 後又使舜穿井이어늘 舜穿井에 爲匿空旁出이러니 舜旣入深에 瞽瞍與象으로 共下土實井이어늘 舜從匿空中出去라하니 卽其事也라 象은 舜異母弟也라 謨는 謀也라 蓋는 蓋井也라 舜所居에 三年成都라 故로 謂之都君이라 咸은 皆也라 績은 功也니 舜旣入井에 象이 不知舜已出하고 欲以殺舜爲己功也라 干은 盾也[581]요 戈는 戟也[582]라 琴은 舜

---

581 干 盾也:《周禮》〈夏官司馬 司兵〉에 "司兵이 다섯 가지 兵器와 다섯 가지 방패를 관장한다.[司兵 掌五兵五盾]" 하였는데, 鄭玄의 註에 "五盾은 방패[干櫓]의 등속이다.[五盾 干櫓之屬]" 하였다.

··· 梯 사다리제 塗 바를도 縱 놓을종 笠 삿갓립 捍 막을한 穿 뚫을천 匿 숨을닉 旁 곁방 盾 방패순 戟 창극

所彈五弦琴也[583]요 弢는 珚弓也[584]니 象欲以舜之牛羊倉廩으로 與父母而自取此物也라 二嫂는 堯二女也요 棲는 牀也니 象欲使爲己妻也라 象往舜宮하여 欲分取所有라가 見舜生在牀彈琴하니 蓋旣出에 卽潛歸其宮也라 鬱陶는 思之甚而氣不得伸也라 象言 己思君之甚이라 故로 來見爾라 忸怩는 慚色也라 臣庶는 謂其百官也니 象素憎舜하여 不至其宮이라 故로 舜見其來而喜하여 使之治其臣庶也[585]라 孟子言 舜非不知其將殺己언마는 但見其憂則憂하고 見其喜則喜하시니 兄弟之情이 自有所不能已耳라 萬章所言은 其有無를 不可知[586]라 然이나 舜之心則孟子有以知之矣시니

582 戈 戟也:《周禮》〈冬官考工記 冶氏〉의 註에 "戟은 지금의 三鋒戟으로, 內의 길이가 4寸 반이고 胡의 길이가 6寸, 援의 길이기 7寸 반이다.〔戟 今三鋒戟也 內長四寸半 胡長六寸 援長七寸半〕" 하였으니, 戈와 戟은 똑같지 않다. 趙岐의 註에 '戈는 戟이다.'라고 하였는데, 그 疏에 "戈와 유사하기 때문에 '戈는 戟이다.'라고 한 것이다.〔以其與戈相類 故云戈戟也〕" 하였다. 戈와 戟의 차이와 內·胡·援은 그림 참조.

戈　　　　戟

583 琴 舜所彈五弦琴也:《史記》〈樂書〉에 "舜이 다섯 줄의 琴을 타고 南風의 詩를 노래했다.〔舜彈五弦之琴 歌南風之詩〕" 하였다.

584 弢 珚弓也:《大全》에 "珚弓은 붉은 색을 칠한 활이니,《尙書》의 彤弓이 이것이다.〔珚弓 漆赤弓 尙書彤弓 是也〕" 하였다.

585 舜見其來而喜 使之治其臣庶也:茶山은 "만약《集註》의 뜻과 같다면 舜이 堯임금의 아홉 아들과 百官을 받아 사사로이 象에게 준 것이니, 事理에 맞지 않는다. 子噲도 燕나라를 남에게 줄 수 없으며, 子之도 燕나라를 子噲에게 받을 수 없는 것이니, 쇠락한 周나라 天子의 命도 감히 태만히 할 수 없는데 하물며 堯임금 시대에 그리하겠는가. 이 章은 孟子의 친필이 아닌 듯하다.〔若如集義 則舜受堯之九男百官 私自授象 不合事理 子噲不得與人燕 子之不得受燕於子噲 衰周天子之命 尙不敢慢 況於帝堯乎 此章恐非孟子親筆〕" 하였다. 子噲는 전국 시대 燕나라의 王으로 정승인 子之에게 왕위를 선양하였다가 나라가 큰 혼란에 빠져 멸망에 이르게 되었는바, 茶山이 인용한 내용은 위의 〈公孫丑下〉8장에 보인다.

586 萬章所言……不可知:程子(伊川)는 "堯임금이 위에 계시면서 百官으로 하여금 畎畝의 가운데에서 舜을 섬기게 하였으니, 어찌 象이 형을 죽이고 두 형수로 하여금 침상을 다스리게 하도록 용납하겠는가.《孟子》를 배우는 자는 〈보는 자의〉 뜻으로 〈작자의〉 뜻을 헤아려 맞추는 것이 옳다.〔堯在上而使百官 事舜於畎畝之中 豈容象得以殺兄而使二嫂治其棲乎 學孟子者 以意逆志 可也〕" 하였다.《精義》茶山은 이 章의 내용이《書經》〈堯典〉과 맞지 않으므로 믿을 수 없다고 하였다. 茶山은 "舜이 처음 천거되었을 적에 이미 '능히 孝로써 화합하여 점점 다스려서 간악한 데에 이르지 않게 하였다.' 하였는바, 瞽瞍가 기뻐함에 이른 것이 이미 堯임금의 두 딸이 舜에게 출가하기 전이었으니, '부모에게 아뢰지 않고 장가들었다.'는 것은 원래 황당하다. 하물며《孟子》에서 말한 '창고를 손질하게 하고 우물을 파게 하

… 彈 탈 탄 弦 줄 현 珚 새길 조 牀 평상 상 潛 몰래 잠 慚 부끄러울 참 素 본래 소 憎 미워할 증

他亦不足辨也니라

程子曰 象憂亦憂하시고 象喜亦喜하시니 人情, 天理 於是爲至니라

'完'은 다스림이다. '捐'은 버림이다. '階'는 사다리이다. '揜'은 덮음이다.

《史記》〈五帝本紀〉를 상고해보면 "舜으로 하여금 창고에 올라가 흙을 바르게 하고는 瞽瞍가 아래에서 불을 놓아 창고를 불태우자, 舜이 마침내 두 개의 삿갓으로 스스로 몸을 가리고 내려가서 죽지 않았다. 그 뒤 또 舜으로 하여금 우물을 파게 하였는데, 舜은 우물을 파면서 옆으로 나올 수 있는 숨은 구멍을 만들어 놓았다. 舜이 깊이 들어가자 瞽瞍가 象과 함께 흙을 내리부어 우물을 메우므로 舜이 숨겨놓았던 구멍을 통하여 밖으로 나갔다." 하였으니, 바로 이 일이다.

象은 舜의 배다른 아우이다. '謨'는 꾀함이다. '蓋'는 우물을 덮는 것이다. 舜이 거주한 곳에는 3년이면 都를 이루었기 때문에 舜을 '都君'이라 이른 것이다. '咸'은 모두이다. '績'은 功이니, 舜이 우물에 들어간 뒤에 象은 舜이 이미 나온 줄을 알지 못하고, 舜을 죽인 것을 자신의 공로로 삼고자 한 것이다. '干'은 방패요, '戈'는 창이다. '琴'은 舜이 타던 五弦琴이요 '弤'는 붉은 색을 칠한 활이니, 象이 舜의 牛·羊과 倉廩을 부모에게 주고 자기는 이 물건들을 취하고자 한 것이다. '두 형수'는 堯임금의 두 따님이요 '棲'는 寢牀이니, 象이 자신의 아내로 삼고자 한 것이다.

象이 舜의 집으로 가서 舜의 소유물을 나누어 취하고자 하다가 舜이 살아서 牀에 앉아 琴을 타는 것을 보았으니, 이는 舜이 이미 나온 다음 즉시 몰래 자기 집으로 돌아가신 것이다. '鬱陶'는 생각하기를 심하게 해서 氣가 펴지지 못한 것이다. 象이 말하기를 "내가 君을 몹시 그리워하여 뵈러 왔다."고 한 것이다. '忸怩'는 부끄러워하는 빛이다. '臣庶'는 百官을 이르니, 象이 평소 舜을 미워하여 집에 찾아오지 않았으므로, 舜이 그가 온 것을 보시고는 기뻐하여 그로 하여금 여러 신하들을 다스리게 하신 것이다.

孟子께서 말씀하시기를 "舜은 象이 자기를 죽이려 함을 모르신 것은 아니지만 다만 그가

고 꾀하여 都君을 생매장시킨 일이 舜에게 시집온 뒤의 일이라면, 이는 瞽瞍가 이미 기뻐함에 이르고서 또다시 죽이려고 한 것이니, 이런 이치가 있겠는가. 진실로 이와 같다면 '능히 화합했다'고 말할 수 있겠는가. 대저 《書經》〈堯典〉의 글은 믿을 만한 것이니, 무릇 믿을 만한 經文에 위배되는 것은 모두 믿을 수 없다.〔舜之初薦也 已云克諧以孝 烝烝乂 不格姦 則瞽瞍底豫 已在二女釐降之前矣 不告而娶 原屬荒唐 況孟子所云完廩浚井 謨蓋都君之事 却在嬪虞之後 是瞽瞍旣已底豫 而又復謀殺也 有是理哉 苟如是也 其可曰克諧乎 大抵帝典可信也 凡有乖於可信之經文者 悉不可信〕" 하였다.

··· 辨 변론할 변

근심함을 보면 근심하고 그가 기뻐함을 보면 기뻐하셨으니, 兄弟의 情이 자연히 그만둘 수 없는 바가 있는 것이다."라고 하신 것이다. 萬章이 말한 것은 그 사실의 有無를 알 수 없으나 舜의 마음은 孟子께서 아신 것이니, 다른 것은 족히 변론할 것이 못된다.

程子(伊川)가 말씀하였다. "象이 근심하면 또한 근심하고 象이 기뻐하면 또한 기뻐하셨으니, 人情과 天理가 이에 지극하다."

2-4. 曰 然則舜은 僞喜者與잇가 曰 否라 昔者에 有饋生魚於鄭子産이어늘 子産이 使校人으로 畜(흑)之池한대 校人이 烹之하고 反命曰 始舍之하니 圉圉焉이러니 少則洋洋焉하여 攸(悠)然而逝하더이다 子産曰 得其所哉인저 得其所哉인저 校人이 出曰 孰謂子産智오 予旣烹而食之어늘 曰 得其所哉인저 得其所哉인저하니 故로 君子는 可欺以其方이어니와 難罔以非其道니 彼以愛兄之道來라 故로 誠信而喜之시니 奚僞焉이시리오

萬章이 말하였다. "그렇다면 舜은 거짓으로 기뻐하신 것입니까?"

孟子께서 말씀하셨다. "아니다. 옛날에 살아있는 물고기를 鄭나라 子産에게 선물한 자가 있었다. 子産이 校人으로 하여금 이것을 못에서 기르게 하였는데, 校人이 삶아 먹고 復命하기를 '처음에 고기를 놓아주자 어릿어릿하더니, 조금 있다가는 洋洋해져서 攸攸(悠悠)히 가더이다.' 하니, 子産이 말하기를 '살 곳을 얻었구나, 살 곳을 얻었구나.' 하였다. 校人이 나와서 말하기를 '누가 子産을 지혜롭다고 말하는가. 내 이미 물고기를 삶아먹었는데, 子産은 「살 곳을 얻었구나, 살 곳을 얻었구나.」라고 했다.' 하였다. 그러므로 君子는 方道로써 속일 수는 있지만 方道가 아닌 것으로 터무니없이 속이기는 어려운 것이다. 저 象이 兄을 사랑하는 도리로써 왔으므로 舜이 진실로 믿고서 기뻐하셨으니, 어찌 거짓이셨겠는가."

按說 | '君子……難罔以非其道'는 《論語》〈雍也〉 24장에 "君子는 이치에 있는 말로 속일 수는 있으나 터무니없는 말로 속일 수는 없다.〔君子 可欺也 不可罔也〕"라고 보인다.

集註 | 校人은 主池沼小吏也라 圉圉는 困而未紓之貌요 洋洋則稍縱矣라 攸然而

··· 僞 거짓 위 饋 선물할 궤 畜 기를 흑 烹 삶을 팽 圉 어릿어릿할 어 攸 한가할 유(悠通) 逝 갈 서 罔 속일 망 沼 못 소 紓 풀 서 稍 점점 초 縱 풀어놓을 종

逝者는 自得而遠去也라 方은 亦道也라 罔은 蒙蔽也라 欺以其方은 謂誑之以理之
所有요 罔以非其道는 謂昧之以理之所無라 象以愛兄之道來하니 所謂欺之以其
方也라 舜本不知其僞라 故로 實喜之하시니 何僞之有리오

'校人'은 못을 주관하는 낮은 관리이다. '圉圉'는 지쳐서 기를 펴지 못하는 모양이요, '洋
洋'은 조금 펴진 것이다. '攸然而逝'는 自得하여 멀리 간 것이다. '方' 또한 道이다. '罔'은
덮어 씌워 가리는 것이다. '方道로써 속인다[欺]'는 것은 이치에 있는 바로써 속임을 이르
고, '方道가 아닌 것으로써 터무니없이 속인다[罔]'는 것은 이치에 없는 바로써 속임을 이
른다. 象이 兄을 사랑하는 도리로써 왔으니, 이것이 이른바 方道로써 속인다는 것이다. 舜
이 본래 그의 거짓을 몰랐으므로 실제로 기뻐하셨으니, 어찌 거짓됨이 있겠는가.

章下註 | ○此章은 又言 舜遭人倫之變[587]而不失天理之常也시니라

○이 章은 또 舜이 人倫의 變故를 만났으나 天理의 떳떳함을 잃지 않으심을 말씀한 것이다.

|象日以殺舜爲事章(封之有庳章)|

3-1. 萬章이 問日 象이 日以殺舜爲事어늘 立爲天子則放之는 何也잇고
孟子曰 封之也어시늘 或曰放焉이라하니라

萬章이 물었다. "象이 날마다 舜을 죽일 것을 일삼았는데, 舜이 즉위하여 天子가 되
셔서는 그를 〈죽이지 않고〉 추방(유치)한 것은 어째서입니까?"
孟子께서 말씀하셨다. "그를 봉해 주셨는데, 혹자가 '추방했다.'고 하는 것이다."

集註 | 放은 猶置也니 置之於此하여 使不得去也라 萬章이 疑舜何不誅之오한대 孟
子言 舜實封之어시늘 而或者誤以爲放也라하시니라

'放'은 置(추방하여 한곳에 留置함)와 같으니, 이곳에 留置하여 떠나가지 못하게 하는 것
이다. 萬章이 "舜이 어찌하여 죽이지 않았습니까?" 하고 의심하자, 孟子께서 "舜이 실제로

---

587 舜遭人倫之變:壺山은 '人倫之變'에 대하여 "아버지는 장가드는 것을 허락하지 않고 아우는 장차 자기
를 죽이려 한 것이다.〔父不聽娶 弟將殺己〕" 하였다.

··· 蒙 덮어씌울 몽 蔽 가릴 폐 誑 속일 광 遭 만날 조 放 留置할 방 置 둘 치

는 그를 봉해 주신 것인데, 혹자들이 잘못 '추방했다.'라고 한다."라고 말씀하셨다.

3-2. 萬章曰 舜이 流共工于幽州하시고 放驩兜于崇山하시고 殺三苗于
三危하시고 殛鯀于羽山하사 四罪하신대 而天下咸服은 誅不仁也니 象이
至不仁이어늘 封之有庳하시니 有庳之人은 奚罪焉고 仁人도 固如是乎잇
가 在他人則誅之하고 在弟則封之온여 曰 仁人之於弟也에 不藏怒焉하
며 不宿怨焉이요 親愛之而已矣니 親之인댄 欲其貴也요 愛之인댄 欲其
富也라 封之有庳는 富貴之也시니 身爲天子요 弟爲匹夫면 可謂親愛之
乎아

萬章이 말하였다. "舜이 共工을 幽州에 유배하고 驩兜를 崇山으로 추방하고 三苗
의 군주를 三危에서 죽이고 鯀을 羽山에서 죽여 네 사람을 처벌하시자, 천하가 다 복
종한 것은 不仁한 자를 처벌했기 때문입니다. 象이 지극히 不仁하였는데도 그를 有庳
에 봉해 주셨으니, 有庳의 백성들은 무슨 죄입니까? 仁人도 진실로 이와 같단 말입니
까? 타인에 있어서는 죽이고 아우에 있어서는 봉해 주었군요."
孟子께서 말씀하셨다. "仁人은 아우에 대해서 노여움을 감추지 않으며 원망을 묵혀 두
지 않고, 그를 친히 하고 사랑할 뿐이니, 친히 한다면 그가 귀해지기를 바랄 것이요 사랑
한다면 그가 부유해지기를 바랄 것이다. 그를 有庳에 봉하심은 그를 부귀하게 하신 것
이니, 자신은 天子가 되고 아우는 匹夫가 된다면 아우를 친히 하고 사랑한다고 이를
수 있겠는가."

按說 | '殺三苗于三危'의 '殺'이 《書經》 〈舜典〉에는 '竄(몰아내다)'으로 되어 있다.

集註 | 流는 徙也라 共工은 官名이요 驩兜는 人名이니 二人比周하여 相與爲黨하니라
三苗는 國名이니 負固不服하니라 殺은 殺其君也라 殛은 誅也[588]라 鯀은 禹父名이니 方

---

[588] 殛 誅也:沙溪(金長生)는 《書經》 蔡沈의 註에 '殛은 구속하여 곤궁하게 하는 것이다.' 하였고, 《語
類》에 伊川의 말씀을 인용하여 '殛은 죽이지 않은 것이니, 〈洪範〉의 殛死는 유배 가서 죽은 한 類일
뿐이다.[書蔡氏註 殛 拘囚困苦之也 語類 引伊川說 以爲殛不是死 洪範殛死 只是貶死之類]" 하였

⋯ 流 귀양보낼 류 幽 그윽할 유 驩 즐길 환 兜 투구 도 崇 높을 숭 殛 죽일 극 鯀 이름 곤 庳 땅이름 비, 낮을 비
藏 감출 장 宿 묵을 숙 徙 귀양보낼 사 比 아첨할 비 負 믿을 부 方 거역할 방

命圯(비)族하고 治水無功⁵⁸⁹하니 皆不仁之人也라 幽州, 崇山, 三危, 羽山, 有庳는 皆地名也⁵⁹⁰라 或曰 今道州鼻亭이 卽有庳之地也라하니 未知是否라 萬章이 疑舜不當封象이니 使彼有庳之民으로 無罪而遭象之虐은 非仁人之心也라 藏怒는 謂藏匿其怒요 宿怨은 謂留蓄其怨이라

'流'는 귀양보냄이다. '共工'은 官名이요 驩兜는 人名이니, 두 사람이 빌붙어 서로 黨을 하였다. 三苗는 國名이니, 〈이 나라 군주가〉 지형의 험고함을 믿고 복종하지 않았다. '殺'은 그 군주를 죽임이다. '殛'은 벰이다. 鯀은 禹王의 아버지 이름이니, 왕명을 거역하고 종족을 해쳤으며 홍수를 다스림에 공이 없었으니, 모두 不仁한 사람들이었다. 幽州·崇山·三危·羽山·有庳는 모두 地名이다. 혹자는 말하기를 "현재의 道州 鼻亭이 바로 有庳의 지역이다." 하는데, 그 말이 옳은지는 알지 못하겠다.
萬章은 '舜이 象을 봉해주지 말았어야 하니, 저 有庳의 백성들로 하여금 죄 없이 象의 虐政을 만나게 함은 仁人의 마음이 아니다.'라고 의심한 것이다. '藏怒'는 노여움을 감춤을 이르고, '宿怨'은 원한을〈가슴속에〉남겨둠(쌓아둠)을 이른다.

3-3. 敢問 或曰放者는 何謂也잇고 曰 象이 不得有爲於其國하고 天子 使吏로 治其國而納其貢稅焉이라 故로 謂之放이니 豈得暴彼民哉리오 雖然이나 欲常常而見之라 故로 源源而來하니 不及貢하여 以政接于有庳라하니 此之謂也니라

〈萬章이 말하였다.〉"감히 묻겠습니다. 혹자가 '추방했다.'고 말하는 것은 어째서입

다.《經書辨疑》

589 方命圯族 : 方은 逆의 뜻으로 '方命'은 王命을 거역하는 것이고, '圯族'은 宗族에게 폐해를 끼치는 것이다. 新安倪氏(倪士毅)는 "'方命圯族'은《書經》〈堯典〉에 보이니, '方命'은 윗사람의 명령을 거슬러 행하지 않는 것이요, '圯'는 敗이고 '族'은 類이니, '方命圯族'은 여러 사람들과 화합하지 못하여 사람을 상하고 물건을 해침을 말한 것이다.〔方命圯族 見書堯典篇 方命者 逆上命而不行也 圯敗族類 言與衆不和 傷人害物也〕" 하였다.

590 幽州……皆地名也 : 趙氏(趙順孫)는 "幽州는 북쪽 변방의 땅이니, 舜임금이 冀州의 북쪽을 나누어 幽州를 만들었다. 崇山은 남쪽 변방에 있는 山이니, 지금의 澧州 慈利縣에 있다. 三危는 서쪽 변방의 땅으로, 〈禹貢〉에 '雍州에 있다.' 하고 혹자는 '燉煌이다.' 하니, 자세하지 않다. 羽山은 동쪽 변방의 땅이니, 지금 海州 朐山縣에 있다.〔幽州 北裔之地 舜分冀北爲幽州 崇山 南裔之山 在今澧(예)州慈利縣 三危 西裔之地 禹貢在雍州 或以爲燉煌 未詳 羽山 東裔之山 在今海州朐山縣〕" 하였다.

··· 圯 무너질 비 鼻 코 비 遭 만날 조 匿 숨길 닉 蓄 쌓을 축 納 들일 납, 바칠 납 貢 구실 공 暴 사나울 포
彼 저 피 接 접할 접

니까?"

孟子께서 말씀하셨다. "象이 그 나라에서 정사를 할 수 없게 하고, 天子가 관리로 하여금 그 나라를 다스리게 하고 세금만을 〈象에게〉 바치게 하였다. 그러므로 그를 추방했다고 하는 것이니, 어찌 저 백성들에게 포악하게 할 수 있었겠는가. 그러나 항상 그를 만나보고자 하셨으므로 끊임없이 오게 하셨으니, '朝貢할 시기에 미치지 아니하여 〈舜이〉 정사로 有庳의 군주를 접견했다.' 하였으니, 바로 이것을 말한 것이다."

按說 | 茶山은

有庳는 百越의 황무지이다. 舜이 이미 아우를 사랑하는 뜻으로 象을 봉하였다면 어찌 이런 땅에 봉하겠는가. 이 땅은 冀州에서 거리가 만 리가 넘는데 또 어찌 항상 그를 만나보고자 하여 끊임없이 오게 할 수 있었겠는가. 모두 이해할 수 없다.〔有庳者 百越蓁荒之地也 舜旣以愛弟之意封象 何乃封於此地 此地距冀州不下萬里 又何得常常欲見 使之源源而來乎 總不可曉〕

하였다. 楊伯峻은

有庳는 湖南省 道縣 북쪽으로 여겨진다. 그러나 舜은 蒲阪에 도읍하고 象은 道縣에 봉해졌으니, 육로로는 太行山이 가로막고 뱃길로는 洞庭湖의 물결이 막고 있으며 거리가 삼천 리인데 어찌 항상 볼 수 있고 끊임없이 오게 할 수 있겠는가. 이 때문에 閻若璩의 《四書釋地續》에서 이를 매우 의심한 것이다.

하였다.

集註 | 孟子言 象雖封爲有庳之君이나 然不得治其國이요 天子使吏代之治하고 而納其所收之貢稅於象하니 有似於放이라 故로 或者以爲放也라 蓋象至不仁하니 處之如此면 則旣不失吾親愛之心이요 而彼亦不得虐有庳之民也라 源源은 若水之相繼也라 來는 謂來朝覲也라 不及貢以政接于有庳는 謂不待及諸侯朝貢之期하고 而以政事로 接見有庳之君이니 蓋古書之辭[591]니 而孟子引以證源源而來之意하여

---

591 蓋古書之辭 : 茶山은 "'不及貢' 이하는 《書經》의 없어진 편의 글인 듯하다.〔不及貢以下 似逸篇之

⋯ 虐 모질 학 朝 조회할 조 覲 뵐 근 證 증명할 증

見其親愛之無已 如此也하시니라

孟子께서 말씀하기를 "象을 비록 有庳의 군주로 봉했으나 그 나라를 다스릴 수 없게 하고, 天子가 관리로 하여금 대신 다스리게 하고 여기에서 거두는 세금을 象에게 바치게 하였으니, 추방함과 유사함이 있었다. 이 때문에 혹자들이 추방했다고 한다." 하셨다. 象이 지극히 不仁하였으니, 대처하기를 이와 같이 한다면, 내가 그를 親愛하는 마음을 잃지 않고 저 또한 有庳의 백성들에게 포악하게 할 수 없는 것이다. '源源'은 물이 서로 이어짐과 같은 것이다. '來'는 와서 조회함을 이른다. '朝貢할 시기에 미치지 아니하여 〈舜이〉 정사로 有庳의 군주를 접견했다.'는 것은 제후들이 朝貢하는 시기에 미치기를 기다리지 않고, 〈舜이〉 정사로써 有庳의 군주를 접견함을 이르니, 이것은 아마도 옛 《書經》의 말인 듯한데, 孟子께서 이것을 인용하여 끊임없이 오게 한 뜻을 증명하여 친애하는 마음이 끝이 없음이 이와 같으셨음을 나타내신 것이다.

章下註 | ○吳氏曰 言 聖人은 不以公義廢私恩하고 亦不以私恩害公義하시니 舜之於象에 仁之至요 義之盡也시니라

○吳氏(吳棫)가 말하였다. "聖人은 공적인 義로써 사사로운 은혜를 폐하지 않고, 또한 사사로운 은혜로써 공적인 義를 해치지 않으니, 舜이 象에 대한 것은 仁이 지극하고 義가 극진하신 것이다.

|咸丘蒙章(齊東野人章)|

4-1. 咸丘蒙이 問曰 語云 盛德之士는 君不得而臣하며 父不得而子라 舜이 南面而立이어시늘 堯帥(솔)諸侯하여 北面而朝之하시고 瞽瞍亦北面而朝之어늘 舜이 見瞽瞍하시고 其容이 有蹙이라하여늘 孔子曰 於斯時也에 天下殆哉岌岌乎인저하시니 不識케이다 此語 誠然乎哉잇가 孟子曰 否라 此非君子之言이라 齊東野人之語也라 堯老而舜攝也러시니 堯典曰 二十有八載에 放勳이 乃徂落커시늘 百姓은 如喪考妣三年하고 四海는

文〕" 하였다.

••• 帥 거느릴 솔 蹙 찌푸릴 축 殆 위태할 태 岌 위태할 급 攝 대신할 섭 載 해 재 放 클 방 勳 공훈 徂 죽을 조 考 죽은아버지고 妣 죽은어머니 비

遏密八音이라하며 孔子曰 天無二日이요 民無二王이라하시니 舜이 旣爲天
子矣요 又帥天下諸侯하여 以爲堯三年喪이면 是는 二天子矣니라

咸丘蒙이 물었다. "옛말에 이르기를 '德이 성대한 선비는 군주가 그를 신하로 삼을 수
없으며, 아버지가 자식으로 삼을 수 없다. 이 때문에 舜이 南面하고 서 계시자 堯임금
이 제후를 거느리고 北面하여 조회하시고, 瞽瞍 또한 北面하여 조회하니, 舜이 瞽瞍
를 보시고 불안하여 위축됨이 있었다.' 하였는데, 孔子께서 말씀하시기를 '이때에 천하
가 매우 위태로웠다.' 하셨다 하니, 알지 못하겠습니다. 이 말이 사실입니까?"
孟子께서 말씀하셨다. "아니다. 이것은 君子의 말이 아니요, 齊나라 동쪽 野人의 말이
다. 堯임금이 年老하자 舜이 攝政하신 것이다. 〈堯典〉에 이르기를 '舜이 攝政한 지
28년 만에 放勳(堯)이 마침내 별세하시니, 〈畿內의〉 백성들은 考妣를 잃은 듯이 3년
을 슬퍼하였고 四海에서는 八音을 연주하는 것을 그쳤다.' 하였으며, 孔子께서 말씀하
시기를 '하늘에는 두 해(태양)가 없고 백성에게는 두 왕이 없다.' 하셨으니, 舜이 이미 天
子가 되시고 또 천하의 제후들을 거느리고서 堯임금을 위해 삼년상을 하였다면, 이것은
天子가 둘인 것이다."

按說 | '百姓'에 대하여, 閻若璩는 《四書釋地又續》에서

百姓의 뜻은 두 가지가 있으니, 첫째는 百官을 가리켜 말한 것으로 《書經》에 '百姓'과 '黎
民'이 상대되고, 《禮記》〈大傳〉에 '百姓'과 '庶民'이 상대되는 것이 그것이다. 둘째는 평민
〔小民〕을 가리켜 말한 것으로 《書經》〈舜典〉에 '百姓이 친목하지 않고 五品이 순하지 않
다.〔百姓不親 五品不遜〕' 한 것이 그것이다. 四書에 百姓은 모두 25번 보이는데, 오직 '百
姓 如喪考妣'에서만 百官을 가리키니, 벼슬이 있는 선비는 천자를 위해 斬衰 삼년복을 입
는 것이 禮이다.

하였는데, 楊伯峻은 閻若璩의 說을 따랐다.
'天無二日 土無二王'은 《禮記》〈曾子問〉과 〈坊記〉에 보이는 孔子의 말씀이다.

集註 | 咸丘蒙은 孟子弟子也라 語者는 古語也라 蹙은 顣(빈)蹙不自安也라 岌岌은

··· 遏 그칠 알 密 조용할 밀 顣 찌푸릴 빈

不安之貌也니 言人倫[592]乖亂하여 天下將危也라 齊東은 齊國之東鄙也라 孟子言
堯但老不治事어시늘 而舜攝天子之事耳요 堯在時에 舜未嘗即天子位하시니 堯何
由北面而朝乎아하시고 又引書及孔子之言하여 以明之하시니라 堯典은 虞書篇名이라
今此文은 乃見於舜典하니 蓋古書는 二篇이 或合爲一耳라 言舜攝位二十八年而
堯死也라 徂는 升也요 落은 降也니 人死則魂升而魄降이라 故로 古者에 謂死爲徂落
이라 遏은 止也요 密은 靜也라 八音은 金石絲竹匏土革木[593]樂器之音也라

咸丘蒙은 孟子의 제자이다. '語'는 옛말이다. '蹙'은 찌푸려 스스로 편안하지 못함이다.
'岌岌'은 불안한 모양이니, 인륜이 어그러지고 혼란하여 천하가 장차 위태로움을 말한 것이
다. '齊東'은 齊나라의 동쪽 시골이다. 孟子께서 말씀하시기를 "堯임금이 늙어서 정사를
다스리지 못하시자 舜이 天子의 일을 대행하였을 뿐이요, 堯임금이 살아계실 때에 舜이 일
찍이 天子의 지위에 나아가지 않으셨으니, 堯임금이 무슨 이유로 北面하여 조회했겠는가."
하시고, 또《書經》과 孔子의 말씀을 인용하여 밝히신 것이다.

〈堯典〉은《書經》《虞書》의 篇名이다. 지금 이 글은 바로 〈舜典〉에 보이니, 옛《書經》은 두
편이 혹 합하여 하나였던 듯하다. 舜이 攝位한 지 28년 만에 堯임금이 죽었음을 말한 것이
다. '徂'는 오름이요 '落'은 내림이니, 사람이 죽으면 혼은 하늘로 올라가고 넋은 땅속으로
내려가므로 옛날에 죽음을 徂落이라 하였다. '遏'은 중지함이요, '密'은 고요함이다. '八音'
은 쇠〔金〕·돌〔石〕·실〔絲〕·대〔竹〕·박〔匏〕·흙〔土〕·가죽〔革〕·나무〔木〕로 만든 악기의 소
리이다.

4-2. 咸丘蒙曰 舜之不臣堯는 則吾旣得聞命矣어니와 詩云 普天之下
莫非王土며 率土之濱이 莫非王臣이라하니 而舜이 旣爲天子矣시니 敢問
瞽瞍之非臣은 如何잇고 曰 是詩也는 非是之謂也라 勞於王事而不得
養父母也하여 曰 此莫非王事어늘 我獨賢勞也라하니 故로 說詩者 不以

---

592 人倫:壺山은 "君臣과 父子이다." 하였다.

593 八音 金石絲竹匏土革木:新安倪氏(倪士毅)는 "金은 종, 石은 경쇠, 絲는 琴과 瑟, 竹은 퉁소와 젓대,
匏는 笙簧과 피리, 土는 塤(질나팔), 革은 북, 木은 柷과 敔이다.〔金 鐘也 石 磬也 絲 琴瑟也 竹 簫籈
(지)也 匏 笙竽也 土 塤(훈)也 革 鼓也 木 柷敔(축어)也〕" 하였다.

••• 乖 어그러질 괴 鄙 변방 비 虞 나라이름 우 魂 혼 혼 魄 넋 백 匏 박 포 革 가죽 혁 普 넓을 보 率 따를 솔
濱 물가 빈

文害辭하며 不以辭害志요 以意逆志라야 是爲得之니 如以辭而已矣인댄 雲漢之詩에 曰 周餘黎民이 靡有孑(혈)遺라하니 信斯言也인댄 是는 周無遺民也니라

咸丘蒙이 말하였다. "舜이 堯임금을 신하 삼지 않으심은 제가 이미 가르침을 들었습니다만, 《詩經》에 이르기를 '온 하늘의 아래가 왕의 토지 아님이 없으며 온 땅의 안이 왕의 신하 아닌 자가 없다.' 하였으니, 舜이 이미 天子가 되셨으니, 감히 묻겠습니다. 瞽瞍를 신하로 삼지 않음은 어째서입니까?"

孟子께서 말씀하셨다. "이 詩는 이것을 말한 것이 아니다. 〈이 詩를 지은 자가〉 王事(國事)에 수고로워 부모를 봉양할 수 없어서 말하기를 '이것은 國事가 아님이 없는데 나만이 홀로 어질다 하여 수고롭다.'고 한 것이다. 그러므로 詩를 해설하는 자는 글자로써 말을 해치지 말며 말(글)로써 본래의 뜻을 해치지 말고, 〈보는 자의〉 뜻으로써 〈작자의〉 뜻에 맞추어야 詩를 알 수 있는 것이다. 만일 말만 가지고 볼 뿐이라면 〈雲漢〉의 詩에 이르기를 '周나라의 남은 黎民들이 孑遺가 없다.' 하였으니, 진실로 이 말대로라면 이것은 周나라에 남은 백성이 없는 것이다.

按説 | '我獨賢勞'에 대하여, 楊伯峻은 《毛傳》에 "賢은 勞이다." 한 것을 취하여 '賢勞'를 "수고롭다."로 번역하였다.

'以意逆志'에 대하여, 楊伯峻은 '逆'을 '揣測(헤아림)'의 뜻으로 보고, "자기가 직접 체험하여 깨달은 것을 가지고 작자의 뜻을 헤아려 아는 것이다."라고 번역하였다.

集註 | 不臣堯는 不以堯爲臣하여 使北面而朝也라 詩는 小雅北山之篇也라 普는 徧也요 率은 循也라 此詩는 今毛氏序云 役使不均하여 己勞於王事而不得養其父母焉이라하고 其詩下文에 亦云 大夫不均하여 我從事獨賢이라하니 乃作詩者 自言 天下皆王臣이어늘 何爲獨使我以賢才而勞苦乎아하니 非謂天子可臣其父也라 文은 字也요 辭는 語也라 逆은 迎也라 雲漢은 大雅篇名也라 孑은 獨立之貌라 遺는 脫也라 言說詩之法은 不可以一字而害一句之義하며 不可以一句而害設辭之志요 當以己意로 迎取作者之志라야 乃可得之니 若但以其辭而已면 則如雲漢所言인댄 是周之

··· 逆 맞출 역 黎 검을 려 靡 없을 미 孑 외로울 혈 遺 남길 유 徧 두루 변(편) 循 따를 순 脫 벗을 탈

民이 眞無遺種矣라 惟以意逆之면 則知作詩者之志 在於憂旱이요 而非眞無遺民
也니라

'不臣堯'는 堯임금을 신하로 삼아 北面하여 조회하게 하지 않은 것이다. 詩는 〈小雅 北山〉
篇이다. '普'는 누부요 '率'은 따름이다. 이 詩는 지금 毛氏(毛亨)의 序에 이르기를 "役事
가 균등(공평)하지 못하여 자기만이 國事에 수고로워 그 부모를 봉양할 수 없기 때문이었
다." 하였고, 그 詩의 아랫글에 또한 이르기를 "大夫가 均平(공평)하지 못해서 나만 종사
하게 하여 홀로 어질다 한다." 하였으니, 이것은 바로 詩를 지은 자가 스스로 말하기를 "천
하가 모두 왕의 신하인데 어찌하여 유독 나로 하여금 어질고 재주 있다 하여 수고롭게 하는
가."라고 한 것이니, 天子가 아버지를 신하로 삼을 수 있음을 말한 것은 아니다.

'文'은 글자요, '辭'는 말이다. '逆'은 맞이함이다. 〈雲漢〉은 《詩經》〈大雅〉의 편명이다. '孑'
은 홀로 서 있는 모양이요, '遺'는 벗어남이다. 詩를 해설하는 방법은 한 글자로써 한 구절
의 뜻을 해치지 말고 한 구절로써 말을 한(글을 쓴) 뜻을 해치지 말 것이요, 마땅히 자신의
뜻으로써 작자의 뜻을 맞추어 취해야 비로소 詩를 알 수 있으니, 만일 다만 그 말만 가지고
볼 뿐이라면 〈雲漢〉에서 말한 바와 같을진댄 이는 周나라 백성들이 참으로 남은 종자가 없
는 것이다. 오직 보는 자의 뜻으로써 작자의 뜻을 맞춰보면 이 詩를 지은 자의 뜻이 가뭄을
걱정함에 있고, 참으로 遺民이 없는 것이 아님을 알게 될 것이다.

4-3. 孝子之至는 莫大乎尊親이요 尊親之至는 莫大乎以天下養이니 爲
天子父하니 尊之至也요 以天下養하시니 養之至也라 詩曰 永言孝思라
孝思維則이라하니 此之謂也니라

孝子의 지극함은 어버이를 높임보다 더 큰 것이 없고, 어버이를 높임의 지극함은 천하
로써 봉양함보다 더 큰 것이 없으니, 〈瞽瞍는〉 천자의 아버지가 되었으니 높임이 지극하
고, 〈舜은〉 천하로써 봉양하였으니 봉양함이 지극하신 것이다. 《詩經》에 이르기를 '효
도하는 마음을 길이 생각하기에 효도하는 마음이 법칙이 될 만하다.' 하였으니, 이것을
말한 것이다.

按說 | '永言孝思'에 대하여, 朱子는 앞의 〈公孫丑上〉 4장에 《詩經》의 '永言配命'을

··· 種 씨종 旱 가물 한 尊 높일 존 養 봉양할 양 言 생각할언, 어조사언

해석하면서 "言은 念과 같다." 하였는데, 여기에서도 言을 念으로 해석하여 《集註》에서 '長言孝思而不忘'으로 해석한 것으로 보인다. 官本諺解에서는 '기리 孝ᄒ며 思ᄒ논디라'로 해석하여 '言'字를 助辭로 보았으나, 壺山은 《集註》의 '長言孝思而不忘'을 들어

'不忘'字는 '言'과 '思' 두 글자에 맞추어서 《詩經》에서 語助辭로 본 예를 따르지 않았으니, 이는 斷章取義[594]한 것이다.〔不忘字 襯言思二字 不依詩作語辭者 是斷章取義也〕

하였다. 壺山은 뒤이어 諺解에서 '言'字를 해석하지 않은 잘못을 지적하고,

'言'字는 앞 편의 '配命' 註를 이어받아서 별도로 訓하지 않았는데, 官本諺解의 해석에서는 마침내 '言'字를 해석하지 않았다. 또 '孝思'는 마땅히 효도를 생각한다는 뜻이 되어야 하는데, 官本諺解에서는 '효도하고 또 생각함'으로 해석하였으니, 모두 미진한 듯하다.〔言字 蒙前篇配命註 不別訓之 而諺解遂不釋言字 且孝思 當爲以孝爲思之義 而諺解作孝 且思 恐皆未盡〕

하였다. 이상의 설명으로 볼 때 '孝思'는 孝心의 뜻으로, '永言孝思'는 '길이 孝心을 생각한다.'로 보는 것이 좋을 듯하다. 참고로 栗谷諺解에서는 '기리 孝思를 念흔디라'로 해석하였다.

集註 | 言 瞽瞍旣爲天子之父면 則當享天下之養이니 此는 舜之所以爲尊親養親之至也라 豈有使之北面而朝之理乎아 詩는 大雅下武之篇이라 言 人能長言孝思而不忘이면 則可以爲天下法則也라

'瞽瞍가 이미 천자의 아버지가 되었으면 마땅히 천하의 봉양을 누려야 하니, 이것은 舜이 어버이를 높이고 어버이를 봉양하기를 지극히 하심이 되는 것이다. 어찌 자기 아버지로 하여금 北面하여 조회하게 할 리가 있겠는가.'라고 말씀한 것이다. 詩는 〈大雅 下武〉篇이니, 사람이 효도하는 마음을 길이 생각하여 잊지 않으면 천하의 법칙이 될 수 있음을 말씀한 것이다.

4-4. 書曰 祗載見(현)瞽瞍하사되 夔夔齊(재)栗하신대 瞽瞍亦允若이라하니

594 斷章取義 : 글을 인용할 적에 원래의 뜻대로 해석하지 않고 한 句를 잘라 다른 뜻을 취함을 이른다.

••• 祗 공경 지 載 일 재 夔 공경 기 齊 공손할 재 栗 공경할 률 允 믿을 윤 若 순할 약

是爲父不得而子也니라

《書經》에 이르기를 〈舜이〉 공경히 섬겨 瞽瞍를 뵙되 공경하고 두려워하시자 瞽瞍 또
한 믿고 따랐다.' 하였으니, 이것이 '아버지가 자식으로 삼을 수 없다'는 것이다."

按說 | '祗載'의 '載'를 《集註》에 '事也'라 하였는데, 蔡沈은 '일'로 보아, 《書經集傳》
에 '祗載'를 '자식이 된 직분의 일을 공경히 하는 것'으로 보았고, 官本諺解와 栗谷諺解
에서도 이를 따라 '일을 공경히 하다'로 해석하였으나, 壺山은 《集註》의 '事'를 '섬기다'로
해석하여,

　　살펴보건대 諺解의 해석에 蔡氏의 이 설을 사용하였으나 《集註》의 해석과 위배되니, 마땅
　　히 다시 헤아려 보아야 할 듯하다.〔按諺解 蓋用蔡氏此說 然與集註之釋有違 恐合更
　　商〕

하고

　　〈祗載'는〉 공경히 섬기는 것이다.〔祗事之〕

하였다. 《集註》에 '事之'라고 표기하지 않았으므로 '일'로 보는 것이 옳을 듯하나 또 뒤에
'敬事瞽瞍'라 하였으므로 壺山의 說을 따라 '공경히 섬김'으로 번역하였음을 밝혀 둔다.
茶山은 《史記》〈五帝本紀〉에 "舜이 帝位에 오르자 天子의 旗를 세우고 가서 아버지 瞽
瞍를 뵈었는데, 공경하고 삼가 자식의 도리와 같이 하였다.〔舜之踐帝位 載天子旗 往朝父
瞽瞍 夔夔唯謹 如子道〕" 한 것을 인용하여

　　'載'는 旗를 세우는 것이다.〔載者 載旗也〕

하였으며, 《禮記》〈曲禮上〉에 "푸른 물새를 그린 깃발을 세운다.〔載青旌〕" 한 것과 《禮
記》〈月令〉에 "푸른 깃발을 세운다.〔載青旂〕" 한 것을 예로 들었다.
'是爲父不得而子也'에 대하여, 楊伯峻은 俞樾의 《孟子平議》의 說을 따라 '也'를 의
문을 나타내는 어조사 '邪'로 보고, "이것이 바로 아버지가 그를 자식으로 삼지 못했다
는 것이 아니겠는가."라고 번역하였다.

集註 | 書는 大禹謨篇也라 祗는 敬也요 載는 事也라 夔夔齊栗은 敬謹恐懼之貌라 允

··· 敬 공경 경 謹 삼갈 근 恐 두려울 공 懼 두려울 구

은 信也요 若은 順也라 言 舜敬事瞽瞍하여 往而見之에 敬謹如此하시니 瞽瞍亦信而
順之也라 孟子引此而言 瞽瞍不能以不善及其子하고 而反見化於其子하니 則是
所謂父不得而子者요而非如咸丘蒙之說也니라

書는 〈大禹謨〉篇이다. '祗'는 공경함이요, '載'는 섬김이다. '夔夔齊栗'은 공경하고 삼가
고 두려워하는 모양이다. '允'은 믿음이요 '若'은 순함이다. 舜이 瞽瞍를 공경히 섬겨 가서
뵐 적에 공경하고 삼감이 이와 같으시니, 瞽瞍 또한 믿고 따랐음을 말한 것이다. 孟子께서
이 글을 인용하고 말씀하시기를 "瞽瞍가 不善으로써 자기 아들에게 미치지 못하고, 도리어
자기 아들에게 교화를 당하였으니, 이것이 이른바 '아버지가 자식으로 삼을 수 없다'는 것이
요, 咸丘蒙이 말한 것과 같은 것이 아니다." 하셨다.

|堯以天下與舜章(天與之章)|

5-1. 萬章曰 堯以天下與舜이라하니 有諸잇가 孟子曰 否라 天子不能以
天下與人이니라

萬章이 말하였다. "堯임금이 천하를 舜에게 주셨다 하니, 그런 일이 있었습니까?"
孟子께서 말씀하셨다. "아니다. 天子가 천하를 남에게 줄 수 없다."

> 按說| '與'에 대하여, 壺山은
>
> '與'는 사사로이 줌을 이르니, 사사로이 줌은 燕王 子噲가 子之에게 왕위를 준 것과 같은 따
> 위가 이것이다.〔與 謂私與也 私與 如子噲之類是也〕
>
> 하였다.

集註| 天下者는 天下之天下요 非一人之私有故也라

天下는 천하 사람들의 천하요, 〈天子〉 한 사람의 私有物이 아니기 때문이다.

5-2. 然則舜有天下也는 孰與之잇고 曰 天與之시니라

··· 反 도리어 반 見 당할 견 與 줄 여 孰 누구 숙

〈萬章이 물었다.〉 "그렇다면 舜이 천하를 소유한 것은 누가 주신 것입니까?"
孟子께서 말씀하셨다. "하늘이 주신 것이다."

> 集註 | 萬章問而孟子答也라
>
> 萬章이 물음에 孟子께서 대답하신 것이다.

5-3. 天與之者는 諄諄然命之乎잇가

〈萬章이 물었다.〉 "하늘이 주었다는 것은 상세하게 말씀하여 명한 것입니까?"

> 集註 | 萬章問也라 諄諄은 詳語之貌라
>
> 萬章이 물은 것이다. '諄諄'은 상세히 말하는 모양이다.

5-4. 曰 否라 天不言이라 以行與事로 示之而已矣시니라

孟子께서 말씀하셨다. "아니다. 하늘은 말씀하지 않는다. 행실과 일로써 보여주실 뿐이다."

> 集註 | 行之於身을 謂之行이요 措諸天下를 謂之事라 言 但因舜之行事하여 而示以與之之意耳라
>
> 몸에 행함을 '行'이라 이르고, 천하에 베풂을 '事'라 이른다. 다만 舜의 행실과 일로 인하여 그에게 주려는 뜻을 보여줄 뿐임을 말씀한 것이다.

5-5. 曰 以行與事로 示之者는 如之何잇고 曰 天子能薦人於天이언정 不能使天으로 與之天下며 諸侯能薦人於天子언정 不能使天子로 與之諸侯며 大夫能薦人於諸侯언정 不能使諸侯로 與之大夫니 昔者에 堯薦舜於天而天受之하시고 暴(폭)之於民而民受之하니 故로 曰 天不言이라 以行與事로 示之而已矣라하노라

··· 諄 자세할 순 示 보일 시 措 베풀 조, 조처할 조 薦 천거할 천 暴 드러낼 폭

萬章이 물었다. "행실과 일로써 보여준다는 것은 어떻게 하는 것입니까?"

孟子께서 말씀하셨다. "天子가 사람을 하늘에 천거할 수는 있을지언정 하늘로 하여금 그에게 천하를 주게 할 수는 없으며, 諸侯가 사람을 天子에게 천거할 수는 있을지언정 天子로 하여금 그에게 諸侯를 주게 할 수는 없으며, 大夫가 사람을 諸侯에게 천거할 수는 있을지언정 諸侯로 하여금 그에게 大夫를 주게 할 수는 없는 것이다. 옛날에 堯임금이 舜을 하늘에 천거함에 하늘이 받아주시고, 백성들에게 드러냄에 백성들이 받아주었다. 그러므로 '하늘은 말씀하지 않는다. 행실과 일로써 보여주실 뿐이다.'라고 한 것이다."

> 集註 | 暴은 顯也[595]라 言 下能薦人於上이언정 不能令上必用之라 舜爲天人所受하시니 是는 因舜之行與事而示之以與之之意也라
>
> '暴'은 드러냄이다. 아랫사람이 윗사람에게 사람을 천거할 수는 있지만 윗사람으로 하여금 반드시 쓰게 할 수는 없음을 말씀한 것이다. 舜이 하늘과 백성들에게 받아들여졌으니, 이것은 〈하늘이〉 舜의 행실과 일로 인하여 그에게 주려는 뜻을 보여준 것이다.

5-6. 曰 敢問薦之於天而天受之하시고 暴之於民而民受之는 如何잇고 曰 使之主祭而百神이 享之하니 是는 天受之요 使之主事而事治하여 百姓이 安之하니 是는 民受之也라 天與之하며 人與之라 故로 曰天子不能以天下與人이라하노라 舜이 相堯二十有八載하시니 非人之所能爲也라 天也라 堯崩커시늘 三年之喪을 畢하고 舜이 避堯之子於南河之南이어시늘 天下諸侯朝覲者 不之堯之子而之舜하며 訟獄者 不之堯之子而之舜하며 謳歌者 不謳歌堯之子而謳歌舜하니 故로 曰天也라 夫然後에 之中國하사 踐天子位焉하시니 而(如)居堯之宮하여 逼堯之子면 是는 篡也라 非天與也니라

萬章이 말하였다. "감히 묻겠습니다. 하늘에 천거함에 하늘이 받아주시고 백성들에게

---

595 暴 顯也:壺山은 "그 德을 드러냄이다.〔顯其德也〕" 하였다.

⋯ 顯 드러날 현 享 흠향할 향 相 도울 상 載 해 재 崩 천자가죽을 붕 畢 마칠 필 避 피할 피 覲 뵐 근 訟 송사 송 獄 감옥 옥 謳 노래 구 踐 밟을 천, 나아갈 천 逼 핍박할 핍 篡 빼앗을 찬

드러냄에 백성들이 받아주었다는 것은 어떻게 한 것입니까?"

孟子께서 말씀하셨다. "舜으로 하여금 제사를 주관하게 함에 온갖 神들이 흠향하였으니 이는 하늘이 받아주신 것이요, 일을 주관하게 함에 일이 잘 다스려져 백성들이 편안하였으니 이는 백성들이 받아준 것이다. 하늘이 받아주시고 백성들이 받아주었기 때문에 '天子가 천하를 남에게 줄 수 없다.'고 말한 것이다.

舜이 堯임금을 28년 동안 〈정승이 되어〉 도우셨으니, 이는 인력으로 할 수 있는 것이 아니요 하늘(天運)이다. 堯임금이 붕어하시자 삼년상을 마치고 舜이 堯임금의 아들을 피해 南河의 남쪽으로 가셨는데, 천하의 諸侯로서 조회하는 자들이 堯임금의 아들에게 가지 않고 舜에게 갔으며, 獄事를 송사하는 자들이 堯임금의 아들에게 가지 않고 舜에게 갔으며, 德을 謳歌하는 자들이 堯임금의 아들을 謳歌하지 않고 舜을 謳歌하였다. 그러므로 하늘이라고 말한 것이다. 그런 뒤에야 中國(서울)에 가서 天子의 지위에 나아가셨으니, 만일 堯의 궁궐에 거하여 堯의 아들을 핍박하였다면 이는 찬탈이요 하늘이 주신 것이 아니다.

按說 | '百神享之'에 대하여, 朱子는

> 陰과 陽이 조화롭고 바람과 비가 때에 맞은 것이 온갖 神이 흠향한 것이다.〔陰陽和 風雨時 便是百神享之〕《語類》

하였다.

'堯임금이 붕어하시자 삼년상을 마치고 舜이 堯임금의 아들을 피해 南河의 남쪽으로 가셨다.'에 대하여, 茶山은 이 내용이《書經》〈堯典〉과 맞지 않음을 지적하여,

> 殷나라 高宗 이전에는 天子의 후사가 된 자가 居喪하는 3년 동안 百官이 家宰에게 명령을 들었다. 그러나 改元하고 即位하는 것은 반드시 王이 崩한 다음 해에 있었으니, 어찌 삼년상을 마친 뒤에야 天子의 후사를 세우는 것을 의논하겠는가. 舜이 미천하게 지낸 것이 30년이고 부름을 받아 등용된 것이 30년이고 재위한 것이 50년이니, 분명히 정해진 수가 〈堯典〉에 실려 있다. 이제 〈堯典〉의 經文을 살펴보면 堯임금이 舜의 말이 功績을 이룰 수 있음을 본 것이 3년이고 섭정이 28년이니 30년의 숫자에 맞는다.〔3년은 공적을 고과한 해이니 堯임금이 이때에 讓位하였다. 그러므로 실로 30년을 넘지 않는다.〕服喪 3년과 자리를 피한 1년은

끼어들 틈이 없다. 舜이 攝政한 28년 동안에 이미 始祖의 사당에서 帝位를 받았고 이미 方岳을 巡守하였는데, 이때 와서 南河로 자리를 피하여 丹朱에게 양위했다면 거짓되고 성실하지 않음이 이보다 심할 수 없다. 《孟子》의 이 장은 〈堯典〉과 맞지 않는다. 이로 미루어보면 아랫장에서 말한 禹와 益의 일도 옳지 않은 듯하다. 나는 이 때문에 《孟子》가 모두 孟子의 친필은 아니라고 말하는 것이다.〔殷高宗以前 嗣天子諒闇三年 百官聽於冢宰 然改元卽位 必在王崩之明年 何至三年喪畢而後 乃議立嗣天子哉 舜側陋三十載 徵庸三十載 在位五十載 明有定數 載於堯典 今考經文 言可績三載 攝政二十八載 以當三十之數【三載考績之年 堯乃讓位 故實不過三十年】服喪三年 避位一年 其亦無隙可插矣 舜攝政二十有八載 旣受終文祖矣 旣巡守方岳矣 至是避位南河 以讓丹朱 則詐僞不誠 莫此爲甚 孟子此章 與堯典不合 以此推之 則下章所言禹益之事 亦恐不然 余故曰孟子非皆孟子之親筆〕

하였다.

'而居堯之宮'을 官本諺解에서 '~하시니 堯의 宮에 居ᄒᆞ야'라고 하여 '而'를 助辭로 보았으나, 古文에는 '如'字와 통용되었는바, '만일'로 해석하면 뜻이 명확하고 文法이 맞으므로 '如'字로 해석하였다. 楊伯峻도 이 '而'를 "如와 같다." 하였으며, 뒤의 8장 '而主癰疽與侍人瘠環'의 경우도 이와 같다.

集註 | 南河는 在冀州之南[596]하니 其南은 卽豫州也라 訟獄은 謂獄不決而訟之也라

南河는 冀州의 남쪽에 있으니, 그 남쪽은 바로 豫州이다. '訟獄'은 獄事를 결단하지 못하여 송사함을 이른다.

5-7. 太(泰)誓曰 天視 自我民視며 天聽이 自我民聽이라하니 此之謂也니라

《書經》〈太誓〉에 이르기를 '하늘의 봄이 우리 백성의 봄으로부터 하며 하늘의 들음이 우리 백성의 들음으로부터 한다.' 하였으니, 이것을 이른 것이다."

---

596 南河 在冀州之南 : 新安倪氏(倪士毅)는 "冀州는 皇帝의 都邑이다. 河水가 그 남쪽에 있으므로 南河라 한 것이다.〔冀州爲帝都 河在其南 故謂之南河〕" 하였다.

··· 冀 바랄 기 豫 즐길 예 誓 맹세할 서 自 부터 자

'自我民視'와 '自我民聽'의 '自'에 대하여, 官本諺解의 해석은 '우리 民의 視
ᄒ욤으로 브테며'와 '우리 民의 聽ᄒ욤으로 브테라'고 하였는데, 壺山은

官本諺解의 解釋은 '由'의 뜻으로 삼았으니, 미진한 듯하다.〔諺釋作由義 恐未盡〕

하였다. 이는 《集註》의 '從於民之視聽'에 의거하여 '따름'으로 본 듯하다. 그러나 由와
從은 모두 '自(부터)'의 뜻이다.

集註 | 自는 從也라 天無形하여 其視聽이 皆從於民之視聽하니 民之歸舜이 如此면
則天與之를 可知矣니라

'自'는 따름(부터)이다. 하늘이 형체가 없어 보고 들음을 모두 백성들의 보고 들음에서 하
니, 백성들이 舜에게 돌아감이 이와 같다면 하늘이 주신 것을 알 수 있다.

|至於禹而德衰章|

6-1. 萬章이 問曰 人이 有言호되 至於禹而德衰하여 不傳於賢而傳於
子라하니 有諸잇가 孟子曰 否라 不然也라 天이 與賢則與賢하고 天이 與
子則與子니라 昔者에 舜이 薦禹於天十有七年에 舜崩커시늘 三年之喪
을 畢하고 禹避舜之子於陽城이러시니 天下之民이 從之를 若堯崩之後에
不從堯之子而從舜也하니라 禹薦益於天七年에 禹崩커시늘 三年之喪을
畢하고 益이 避禹之子於箕山之陰이러니 朝覲訟獄者 不之益而之啓曰
吾君之子也라하며 謳歌者 不謳歌益而謳歌啓曰 吾君之子也라하니라

萬章이 물었다. "사람들이 말하기를 '禹王에 이르러 德이 쇠해서 賢者에게 자리를 물
려주지 않고 아들에게 물려주었다.' 하니, 그런 일이 있습니까?"
孟子께서 말씀하셨다. "아니다. 그렇지 않다. 하늘이 賢者에게 주게 하면 賢者에게 주
고, 하늘이 아들에게 주게 하면 아들에게 주는 것이다. 옛날에 舜임금이 禹를 하늘에
천거한 지 17년 만에 舜임금이 붕어하시자, 삼년상을 마치고 禹가 舜임금의 아들을 피
해 陽城으로 가셨는데, 천하의 백성들이 따라오기를 堯임금이 붕어한 뒤에 堯임금의

···   衰 쇠할 쇠 箕 키 기 陰 산북쪽 음

아들을 따르지 않고 舜을 따르듯이 하였다. 禹王이 益을 하늘에 천거한 지 7년 만에 禹王이 붕어하시자, 삼년상을 마치고 益이 禹王의 아들을 피해 箕山의 북쪽으로 갔는데, 조회하고 옥사를 송사하는 자들이 益에게 가지 않고 啓에게 가며 말하기를 '우리 임금님의 아들이다.' 하였으며, 德을 謳歌하는 자들이 益을 謳歌하지 않고 啓를 謳歌하며 말하기를 '우리 임금님의 아들이다.' 하였다.

> 集註 | 陽城, 箕山之陰은 皆嵩山下深谷中可藏處라 啓는 禹之子也라
>
> 楊氏曰 此語는 孟子必有所受라 然이나 不可考矣로다 但云 天與賢則與賢하고 天與子則與子라하시니 可以見堯舜禹之心이 皆無一毫私意也시니라
>
> 陽城과 箕山의 북쪽은 모두 嵩山 아래 깊은 골짝의 가운데로 몸을 숨길 만한 곳이다. 啓는 禹王의 아들이다.
>
> 楊氏(楊時)가 말하였다. "이 말씀은 孟子께서 반드시 전수받은 바가 있었을 것이나 상고할 수가 없다. 다만 '하늘이 賢者에게 주게 하면 賢者에게 주고 하늘이 아들에게 주게 하면 아들에게 준다.' 하셨으니, 堯·舜·禹의 마음이 모두 털끝만큼의 사욕이 없으셨음을 볼 수 있다."

6-2. 丹朱之不肖에 舜之子亦不肖하며 舜之相堯와 禹之相舜也는 歷年이 多하여 施澤於民이 久하고 啓는 賢하여 能敬承繼禹之道하며 益之相禹也는 歷年이 少하여 施澤於民이 未久하니 舜禹益相去久遠과 其子之賢不肖 皆天也라 非人之所能爲也니 莫之爲而爲者는 天也요 莫之致而至者는 命也니라

丹朱가 불초함에 舜의 아들 또한 불초했으며, 舜이 堯를 도운 것과 禹가 舜을 도운 것은 지나온 햇수가 많아서 백성들에게 은택을 베푼 지가 오래되었고, 啓는 어질어 능히 禹의 道를 공경히 승계하였으며, 益이 禹를 도운 것은 지나온 햇수가 적어서 백성들에게 은택을 베푼 지가 오래지 못했으니, 舜·禹·益의 거리가 오래고 멂과 그 아들의 어질고 불초함이 다 천운이다. 인력으로 할 수 있는 것이 아니다. 그렇게 함이 없는데도 그렇게 되는 것은 天(천운)이요, 이르게 함이 없는데도 이르는 것은 命이다.

··· 嵩 산이름 숭 藏 감출 장 澤 은택 택 啓 열 계 致 이르게할 치

按說 | '丹朱'에 대하여, 楊伯峻은

본명은 '朱'인데, 뒷날 丹에 봉해졌으므로 丹朱라고 호칭했다.

하였다.

'能敬承繼禹之道'에 대하여, 官本諺解는 '能히 敬承ᄒ야 禹의 道를 繼ᄒ며'로 해석하였고, 栗谷諺解는 '能히 敬ᄒ야 禹의 道를 니으시며'로 해석하였는데, 壺山은

'能敬承繼禹之道'를 官本諺解의 해석에서는 '능히 공경히 받들어서 禹王의 道를 계승한 것'으로 보았으니, 마땅히 다시 살펴보아야 할 듯하다.〔能敬承繼禹之道 諺釋作能敬承而繼禹之道 恐合更商〕

하여, '承繼'를 栗谷諺解에서처럼 한 단어로 보아야 함을 강조하였다.

'相去久遠'에 대하여, 沙溪(金長生)는

栗谷(李珥)은 "'遠'은 '速'字의 誤字인 듯하다." 하였는데, 景任(鄭經世)이 말하기를 "만약 栗谷의 말씀과 같다면 마땅히 '舜·禹·益이 정승 노릇한 것〔爲相〕'이라고 말해야 할 터인데, 이제 '相去'라고 말했으면 '久遠'으로 읽는 것이 옳으니, 歷年의 많고 적음이 相去가 매우 멂을 말한 것이다. 만약 '相去久速'이라고 하면 글뜻이 옳지 않을 듯하다." 하였다. 내(沙溪)가 살펴보건대 栗谷의 뜻은 舜임금과 禹王의 사이는 相去가 오래고 禹王과 益의 사이는 相去가 빠르다고 여긴 것이니, 뜻이 매우 평탄하고 순하여 글뜻이 옳지 않음을 발견할 수 없다. 또 景任은 歷年이 많고 적은 사이에 相去가 매우 멂을 가지고 말하였으니, 만약 '遠'字만 말했으면 다소 통하지만 '久'字와 아울러 말하면 끝내 적절하지 않다.〔栗谷云 遠疑速字之誤 景任曰 若如栗谷說 則當言舜禹益爲相 今旣曰相去 則作久遠爲是 謂歷年之多少相去遠甚也 若曰相去久速 則恐文義不然 愚按栗谷之意 以爲舜禹之間 相去則久 禹益之間 相去則速也 意甚平順 未見其文義不然 且景任以歷年多少之間 相去甚遠爲言 若單說遠字 則稍通 而并與久字爲說 則終不襯貼〕《經書辨疑》

하였고, 壺山 또한

살펴보건대 '舜禹益相去久速'과 '其子之賢不肖' 두 句는 그 윗글을 총괄하여 거둔 것이니, 愚伏(鄭經世)의 말씀은 끝내 이해할 수 없다.〔按舜禹益相去久速 其子之賢不肖二句 是總收其上文者也 愚伏說 果不可曉〕

하여, '相去久速'으로 보았다.

집註 | 堯舜之子는 皆不肖하고 而舜禹之爲相은 久하니 此堯舜之子所以不有天下而舜禹有天下也며 禹之子는 賢하고 而益相은 不久하니 此啓所以有天下而益不有天下也라 然이나 此皆非人力所爲而自爲요 非人力所致而自至者라 蓋以理言之하면 謂之天이요 自人言之하면 謂之命이니 其實則一而已니라

堯와 舜의 아들은 모두 불초하였고 舜과 禹가 정승 노릇한 것은 오래였으니, 이는 堯와 舜의 아들이 천하를 소유하지 못하고 舜과 禹가 천하를 소유하게 된 이유이다. 禹의 아들은 어질고 益이 정승 노릇한 것은 오래지 못하였으니, 이는 啓가 천하를 소유하고 益이 천하를 소유하지 못한 이유이다. 그러나 이는 다 인력으로 한 것이 아니요 저절로 된 것이며, 인력으로 이르게 한 것이 아니요 저절로 이른 것이다. 理로써 말하면 天이라 이르고 사람으로써 말하면 命이라 이르니, 그 실제는 하나일 뿐이다.

6-3. 匹夫而有天下者는 德必若舜禹而又有天子薦之者라 故로 仲尼不有天下하시니라

匹夫로서 천하를 소유하는 자는 德이 반드시 舜·禹와 같고 또 天子가 천거해줌이 있어야 한다. 그러므로 仲尼가 천하를 소유하지 못하신 것이다.

集註 | 孟子因禹益之事하여 歷擧此下兩條하여 以推明之하시니라 言 仲尼之德이 雖無媿於舜禹나 而無天子薦之者라 故로 不有天下하시니라

孟子께서 禹와 益의 일로 인하여 이 아래 두 조항을 차례로 들어서 미루어 밝히신 것이다. 仲尼의 德은 비록 舜과 禹에게 부끄러움(뒤짐)이 없었으나 天子가 천거해줌이 없었으므로 천하를 소유하지 못하였음을 말씀하신 것이다.

6-4. 繼世以有天下에 天之所廢는 必若桀紂者也라 故로 益, 伊尹, 周公이 不有天下하시니라

••• 媿 부끄러울 괴 廢 폐할 폐

대를 이어 천하를 소유할 적에 하늘이 폐하는(버리는) 바는 반드시 桀·紂와 같은 자이다. 그러므로 益과 伊尹과 周公이 천하를 소유하지 못한 것이다.

集註ㅣ繼世而有天下者는 其先世皆有大功德於民이라 故로 必有大惡如桀紂라야 則天乃廢之요 如啓及太甲成王은 雖不及益伊尹周公之賢聖이나 但能嗣守先業이면 則天亦不廢之라 故로 益伊尹周公이 雖有舜禹之德이나 而亦不有天下하시니라

대를 이어 천하를 소유하는 자는 그 先代가 모두 백성들에게 큰 공덕이 있었다. 그러므로 반드시 桀·紂와 같은 큰 악행이 있어야 하늘이 비로소 그를 폐하는 것이요, 啓와 太甲과 成王 같은 이는 비록 益과 伊尹과 周公의 어짊과 성스러움에 미치지 못하였으나 다만 선대의 업을 이어 지키면 하늘이 또한 폐하지 않았다. 그러므로 益과 伊尹과 周公이 비록 舜·禹의 덕을 가지고 있었으나 또한 천하를 소유하지 못한 것이다.

6-5. 伊尹이 相湯하여 以王於天下러니 湯崩커시늘 太丁은 未立하고 外丙은 二年이요 仲壬은 四年이러니 太甲이 顚覆湯之典刑이어늘 伊尹이 放之於桐三年한대 太甲이 悔過하여 自怨自艾(예)하여 於桐에 處仁遷義三年하여 以聽伊尹之訓己也하여 復歸于亳(박)하니라

伊尹이 湯王을 도와 천하에 왕 노릇하게 하였는데, 湯王이 붕어하시자 太丁은 즉위하지 못하고 죽었고, 外丙은 2년이요 仲壬은 4년을 하였다. 太甲이 湯王의 떳떳한 법을 전복시키므로 伊尹이 그를 桐땅에 3년 동안 유폐시키니, 太甲이 자신의 과오를 뉘우쳐 스스로 원망하고 스스로 다스려 桐 땅에서 仁에 처하고 義에 옮기기를 3년 동안 하여, 伊尹이 자기를 훈계한 것을 따라서 다시 亳邑으로 돌아왔다.

集註ㅣ此는 承上文하여 言伊尹不有天下之事하시니라 趙氏曰 太丁은 湯之太子니 未立而死하고 外丙은 立二年이요 仲壬은 立四年이니 皆太丁弟也요 太甲은 太丁子也라하고 程子曰 古人이 謂歲爲年하니 湯崩時에 外丙은 方二歲요 仲壬은 方四歲요

··· 嗣 이을 사 顚 엎어질 전 覆 뒤엎을 복 刑 법 형 桐 오동나무 동 悔 뉘우칠 회 艾 다스릴 예 亳 땅이름 박

惟太甲差長이라 故로 立之也라하시니 二說이 未知孰是[597]라 顚覆은 壞亂也라 典刑은
常法也라 桐은 湯墓所在라 艾는 治也라 說文云 芟草也라하니 蓋斬絶自新之意[598]라
亳은 商所都也[599]라

이것은 윗글을 이어서 伊尹이 천하를 소유하지 못한 일을 말씀한 것이다. 趙氏(趙岐)는 말
하기를 "太丁은 湯王의 太子이니 즉위하지 못하고 죽었으며, 外丙은 재위 2년, 仲壬은 재
위 4년이니 두 사람은 다 太丁의 아우이며, 太甲은 太丁의 아들이다." 하였고, 程子(伊川)
는 말씀하기를 "옛사람은 歲를 年이라 하였으니, 湯王이 붕어할 때에 外丙은 나이가 2세였
고 仲壬은 4세였으며, 오직 太甲이 나이가 조금 많았으므로 그를 세웠다." 하였으니, 두 분
의 말씀이 누가 옳은지는 알 수 없다. '顚覆'은 壞亂함이다. '典刑'은 떳떳한 법이다. 桐은
湯王의 묘소가 있는 곳이다. '艾'는 다스림이다. 《說文解字》에 "艾는 풀을 베는 것이다."

597 二說 未知孰是 : 農巖(金昌協)은 "'外丙 2년, 仲壬 4年'은 분명히 在位한 年數이다. 만약 그 태어난
나이를 말하여 지금 2세와 4세라면 仲壬이 外丙의 형이 되어야 하니, 어떻게 두 살 아래의 아우를 먼
저 말한 뒤에 그 형을 말했겠는가.〔外丙二年 仲壬四年 明是在位年數 若言其生 方二歲四歲 則仲壬
當爲外丙之兄 何得先言二歲之弟而後言其兄耶〕" 하였다.《農巖雜識 內篇1》茶山은 "太丁·外丙·
仲壬 삼형제의 서열과 나이는 모두《史記》〈殷本紀〉·《竹書紀年》·《帝王世紀》등 여러 책에 기재되어
있어 분명히 징험할 수 있다. 그런데 程子는 도리어 '湯王이 붕어할 때에 外丙은 나이가 2세였고 仲壬
은 4세였다' 하였으니, 형이 2세인데 그 아우가 이미 4세인 경우는 세상에 없다. 만약 外丙이 아우인데
孟子가 가장 어린 자부터 거꾸로 열거했다면 더욱 통하기 어렵다. 어째서인가? 太甲의 나이가 가장 많
았다면 본래 殷王의 元子이니 서열이 마땅히 즉위해야 하는데 外丙·仲壬 등을 어찌 굳이 일일이 열거
하겠는가. 梅賾이 위조한 孔安國의 《書傳》에 '湯王이 죽자 太甲이 이어 즉위하였다'라고 잘못 말하였
는데, 程子가 이에 근거해 말한 것일 뿐이다.〔太丁外丙仲壬三兄弟 序次年數 俱載殷本紀竹書紀年帝
王世紀諸書 鑿鑿可徵 而程子乃云 湯崩之時 外丙二歲 仲壬四歲 世未有其兄二歲 而其弟已四歲
者 若云 外丙是弟 而孟子自最幼者而逆數之 則又益難通 何者 太甲年旣最長 則自是殷王元子 序
次當立 外丙仲壬之等 何必歷數 梅賾僞造孔傳 謬云 湯沒而太甲嗣立 程子據此而爲言耳〕" 하였다.
《史記》〈殷本紀〉에는 "湯王이 崩하였는데, 太子인 太丁이 서지 못하고 卒하였다. 이에 太丁의 아우 外
丙을 세우니 이가 外丙 임금이다. 外丙 임금이 즉위한 지 3년 만에 崩하자, 外丙의 아우 中壬(仲壬)을
세우니 이가 中壬 임금이다. 中壬 임금이 즉위한 지 3년 만에 崩하자, 伊尹이 太丁의 아들 太甲을 세웠
다.〔湯崩 太子太丁未立而卒 於是迺立太丁之弟外丙 是爲帝外丙 帝外丙卽位三年崩 立外丙之弟
中壬 是爲帝中壬 帝中壬卽位四年崩 伊尹迺立太丁之子太甲〕" 하였는데, 孫奭은《孟子正義》에서
"《史記》에는 '外丙이 즉위한 지 3년 만에 崩하였다.' 하였고, 이제《孟子》에서는 '外丙은 2년'이라 하였
으니, 이는《史記》에서《孟子》를 상고하지 않은 잘못이다.〔史記乃云 外丙卽位三年 今孟子云 外丙二
年 蓋史記不稽孟子之過也〕" 하였다.

598 艾治也……蓋斬絶自新之意 : 艾는 刈·乂와 통용되며, 풀을 베는 것으로, 자신의 잘못을 잘라내어 스
스로 새로워지는 뜻이 된다.《詩經》〈小雅 小旻〉의 '或肅或艾'에 대한《集傳》에도 "艾는 乂와 같으니,
다스림이다.〔艾與乂同 治也〕"라고 보인다.

599 亳 商所都也 : 楊伯峻은 "亳은 지금의 河南省 偃師縣 서쪽이며, 尸鄕이라고도 한다." 하였다.

··· 差 조금차 壞 무너질괴 亂 어지러울란 墓 무덤묘 芟 풀벨삼 斬 벨참

하였으니, 惡의 싹을 잘라내어 스스로 새로워진다는 뜻이다. 亳은 商나라가 도읍한 곳이다.

6-6. 周公之不有天下는 猶益之於夏와 伊尹之於殷也니라

周公이 천하를 소유하지 못하심은 益이 夏나라에 있어서와 伊尹이 殷나라에 있어서와 같다.

集註 | 此는 復言周公所以不有天下之意하시니라

이는 다시 周公이 천하를 소유하지 못하신 이유의 뜻을 말씀한 것이다.

6-7. 孔子曰 唐虞는 禪하고 夏后, 殷, 周는 繼하니 其義一也라하시니라

孔子께서 말씀하시기를 '唐·虞는 禪位하였고 夏后와 殷·周는 繼承하였으니, 그 義가 똑같다.' 하셨다."

集註 | 禪은 受也라 或禪或繼 皆天命也니 聖人이 豈有私意於其間哉시리오

'禪'은 물려받음이다. 혹은 禪位하고 혹은 繼承함이 다 天命이니, 聖人이 어찌 그 사이에 사사로운 마음을 두셨겠는가.

章下註 | ○尹氏曰 孔子曰 唐虞는 禪하고 夏后殷周는 繼하니 其義一也[600]라하시고 孟子曰 天與賢則與賢하고 天與子則與子라하시니 知前聖之心者는 無如孔子요 繼孔子者는 孟子而已矣시니라

○尹氏(尹焞)가 말하였다. "孔子께서 '唐·虞는 禪位하였고 夏后와 殷·周는 繼承하였으니, 그 義가 똑같다.' 하셨고, 孟子께서 '하늘이 賢者에게 주게 하면 賢者에게 주고 하늘이 아들에게 주게 하면 아들에게 준다.' 하셨으니, 前聖의 마음을 안 자는 孔子만한 분이 없고, 孔子를 계승한 자는 孟子일 뿐이다."

---

600 其義一也: 南軒張氏(張栻)는 "하나란 무엇인가? 또한 天命을 받들 뿐이다.〔一者 何也 亦曰奉天命而已矣〕" 하였다.

··· 猶 같을 유 禪 선양할 선, 물려줄 선

|伊尹割烹要湯章|

7-1. 萬章이 問曰 人이 有言호되 伊尹이 以割烹要湯이라하니 有諸잇가

萬章이 물었다. "사람들이 말하기를 '伊尹이 고기를 자르고 요리함으로써 湯王에게 등용되기를 구하였다.' 하니, 그러한 일이 있었습니까?"

> 集註 | 要는 求也라 按史記컨대 伊尹이 欲行道以致君而無由하여 乃爲有莘氏之媵臣[601]하여 負鼎俎하고 以滋味說(세)湯하여 致於王道라하니 蓋戰國時에 有爲此說者하니라
>
> '要'는 구함이다. 《史記》〈殷本紀〉를 상고해보면 "伊尹이 道를 행하여 훌륭한 君主를 만들고자 하였으나 방법이 없자, 마침내 有莘氏의 媵臣이 되어 鼎과 俎를 지고 〈찾아가서〉 맛있는 음식으로 湯王을 설득하여 王道에 이르게 했다." 하였으니, 戰國時代에 이러한 말을 하는 자가 있었다.

7-2. 孟子曰 否라 不然하니라 伊尹이 耕於有莘之野而樂(락)堯舜之道焉하여 非其義也며 非其道也어든 祿之以天下라도 弗顧也하며 繫馬千駟라도 弗視也하고 非其義也며 非其道也어든 一介를 不以與人하며 一介를 不以取諸人하니라

孟子께서 말씀하셨다. "아니다, 그렇지 않다. 伊尹이 有莘의 들에서 밭을 갈면서 堯·舜의 道를 좋아하여 그 義가 아니고 그 道가 아니면 천하로써 녹을 주더라도 돌아보지 않고 말 千駟를 매어놓아도 돌아보지 않았으며, 그 義가 아니고 그 道가 아니면 지푸라기 하나도 남에게 주지 않았으며 지푸라기 하나도 남에게서 취하지 않았다.

> 集註 | 莘은 國名이라 樂堯舜之道者는 誦其詩하고 讀其書[602]하여 而欣慕愛樂之也라

---

601 有莘氏之媵臣 : 莘은 國名으로 有莘의 有는 朝代의 앞에 쓰이는 助詞인바, 有虞·有宋·有明 등이 그 예이다. 媵臣은 시집오는 夫人을 따라온 신하를 이른다.

602 誦其詩 讀其書 : 新安陳氏(陳櫟)는 "'詩'는 康衢의 가요와 舜임금·皐陶의 노래와 같은 따위이고 '書'는 二典과 三謨와 같은 것이니, 반드시 이와 같이 해석하여야 이 句가 비로소 진실해진다.〔詩 如康衢

⋯ 割 벨 할 烹 요리할 팽 要 구할 요 莘 나라이름 신 媵 잉첩 잉 鼎 솥 정 俎 도마 조 滋 맛있을 자 顧 돌아볼 고
繫 맬 계 駟 사마 사 介 지푸라기 개 欣 기쁠 흔

駟는 四匹也라 介는 與草芥之芥로 同하니 言其辭受取與를 無大無細히 一以道義而 不苟也라

莘은 나라 이름이다. '堯·舜의 道를 즐거워하였다.'는 것은 그 詩를 외고 그 글을 읽어 흠모하고 사랑하고 좋아한 것이다. '駟'는 말 네 필이다. '介'는 草芥라는 芥와 같으니, 사양하고 받고 취하고 줌을 크고 작은 것 할 것 없이 한결같이 道義로써 하고 구차히 하지 않음을 말씀한 것이다.

7-3. 湯이 使人以幣聘之하신대 囂(효)囂然曰 我何以湯之聘幣爲哉리오 我豈若處畎畝之中하여 由是以樂堯舜之道哉리오하니라

湯王이 사람을 시켜 폐백을 가지고 가서 伊尹을 초빙하자, 囂囂然히 말하기를 '내 湯王의 초빙하는 폐백을 어디에 쓰겠는가. 내 어찌 畎畝의 가운데에 처하여 이대로 堯·舜의 道를 즐기는 것만 하겠는가.' 하였다.

集註 | 囂囂는 無欲自得之貌라

'囂囂'는 욕심이 없이 스스로 만족해하는 모양이다.

7-4. 湯이 三使往聘之하신대 旣而요 幡然改曰 與我處畎畝之中하여 由是以樂堯舜之道로는 吾豈若使是君으로 爲堯舜之君哉며 吾豈若使是民으로 爲堯舜之民哉며 吾豈若於吾身에 親見之哉리오

湯王이 세 번 사람을 보내어 초빙하시자, 이윽고 幡然히 마음을 고쳐 생각하기를 '내가 畎畝의 가운데 처하여 이대로 堯·舜의 道를 즐기기보다는 내 어찌 이 군주로 하여금 堯·舜과 같은 군주가 되게 하는 것만 하며, 내 어찌 이 백성들로 하여금 堯·舜의 백성이 되게 하는 것만 하며, 내 어찌 내 몸에 직접 이것을 보는 것만 하겠는가.

之謠 舜皐之歌之類 書 如二典三謨是也 必如此解 此句方實)" 하였다. 康衢의 가요는 堯임금 때의 태평성대를 노래한 것이고, 二典은 《書經》의 〈堯典〉·〈舜典〉이고, 三謨는 〈大禹謨〉·〈皐陶謨〉·〈益稷〉을 이른다.

··· 幣 폐백 폐 聘 초빙할 빙 囂 만족할 효 畎 밭두둑 견 畝 밭이랑 묘(무) 幡 뒤집을 번

集註 | 幡然은 變動之貌라 於吾身親見之는 言 於我之身에 親見其道之行이요 不徒 誦說向慕之而已也라

'幡然'은 변동하는 모양이다. '내 몸에 직접 본다.'는 것은 내 몸에 직접 그 道가 행해짐을 보고, 한갓 외우고 말하며 향하고 흠모할 뿐만이 아님을 말한 것이다.

7-5. 天之生此民也는 使先知로 覺後知하며 使先覺으로 覺後覺也시니 予는 天民之先覺者也로니 予將以斯道로 覺斯民也니 非予覺之요 而 誰也리오

하늘이 이 백성(사람)을 내심은 먼저 안 자로 하여금 늦게 아는 자를 깨우치며, 먼저 깨 달은 자로 하여금 뒤늦게 깨닫는 자를 깨우치게 하신 것이다. 나는 하늘이 낸 백성 중에 먼저 깨딜은 자이니, 내 징차 이 道로씨 이 백성들을 깨우칠 것이니, 내가 이들을 깨우 치지 않고 그 누가 하겠는가.' 하였다.

集註 | 此亦伊尹之言也라 知는 謂識其事之所當然이요 覺은 謂悟其理之所以然[603] 이라 覺後知後覺은 如呼寐者而使之寤也라 言天使者는 天理當然하여 若使之也라 程子曰 予天民之先覺은 謂我乃天生此民中에 盡得民道而先覺者也라 旣爲先覺 之民인댄 豈可不覺其未覺者리오 及彼之覺하여는 亦非分我所有以予之也라 皆彼 自有此理어늘 我但能覺之而已니라

이 또한 伊尹의 말이다. '知'는 일의 당연한 바를 아는 것을 이르고, '覺'은 이치의 所以然 을 깨닫는 것을 이른다. 後知와 後覺을 깨우친다는 것은 마치 잠자는 자를 불러 잠을 깨게 함과 같은 것이다. '하늘이 시켰다.'고 말한 것은 天理에 당연하여 마치 그렇게 시킴과 같은 것이다.

程子(明道)가 말씀하였다. "'나는 하늘이 낸 백성 중에 먼저 깨달은 자'라는 것은 내가 바로 하늘이 낸 이 백성 중에 사람의 道를 다 알아서 먼저 깨달은 자임을 이른 것이다. 이미 먼저 깨달은 사람이 되었다면 아직 깨닫지 못한 자들을 어찌 깨우치지 않을 수 있겠는가. 저들이

---

603 知……謂悟其理之所以然 : '所當然'은 사람이 당연히 해야 할 道理로 忠孝와 五倫과 같은 것이고, '所以然'은 所當然이 나오게 된 所以로 仁·義·禮·智의 본성과 같은 것이다.

⋯ 變 변할 변 徒 한갓 도 誦 외울 송 覺 깨달을 각 誰 누구 수 悟 깨달을 오 寐 잘 매 寤 잠깰 오

깨우침에 미쳐서는 또한 내가 소유한 것을 나누어 그들에게 준 것이 아니라, 다 저들이 본래 이 理를 간직하고 있었는데, 내가 다만 그를 깨우쳐 주었을 뿐인 것이다."

7-6. 思天下之民이 匹夫匹婦 有不被堯舜之澤者이든 若己推(퇴)而內(納)之溝中하니 其自任以天下之重이 如此라 故로 就湯而說(세)之하여 以伐夏救民하니라

〈伊尹은 생각하기를〉'천하의 백성들이 匹夫(한 지아비)와 匹婦(한 지어미)라도 堯·舜의 혜택을 입지 못하는 자가 있으면 마치 자신이 그를 밀쳐 도랑 가운데로 들어가게 한 것'과 같이 여겼으니, 그가 천하의 重任으로써 自任함이 이와 같았다. 그러므로 湯王에게 나아가 설득하여 夏나라를 정벌해서 백성들을 구제한 것이다.

> 集註 | 書日 昔先正保衡[604]이 作[605]我先王하여 日 予弗克俾厥后爲堯舜이면 其心愧恥 若撻于市하며 一夫不獲이어든 則日 時予之辜라하니 孟子之言이 蓋取諸此하시니라 是時에 夏桀이 無道하여 暴虐其民이라 故로 欲使湯伐夏以救之하니라
> 徐氏曰 伊尹이 樂堯舜之道로되 堯舜揖遜이어늘 而伊尹이 說湯以伐夏者는 時之不同이니 義則一也니라

《書經》에 이르기를 "옛 先正(先賢)인 保衡(伊尹)이 우리 선왕을 진작시켜 '내 능히 우리 군주를 堯·舜과 같은 임금으로 만들지 못하면 그 마음에 부끄러워함이 시장에서 종아리를 맞는 것과 같았다.' 하였으며, 한 지아비라도 살 곳을 얻지 못하면 '이것은 나의 죄이다.'라고 했다." 하였으니, 孟子의 말씀은 여기에서 취한 것이다. 이때에 夏나라의 桀王이 無道하여 백성들에게 포학하게 하였다. 그러므로 湯王으로 하여금 夏나라를 정벌하여 백성들을 구제하게 하고자 한 것이다.

徐氏(徐度)가 말하였다. "伊尹이 堯·舜의 道를 좋아하였는데, 堯·舜은 揖하고 양보하였

---

604 昔先正保衡 : '先正'은 先臣·先賢과 같은 뜻이다. '保衡'은 阿衡이라고도 하는데 殷나라의 官名으로 임금을 도와 국정을 총괄하였는바, 伊尹이 이 벼슬을 하였다. 《史記》〈殷本紀〉에 "伊尹의 이름은 阿衡이다.〔伊尹名阿衡〕" 하고, 《書經》의 孔穎達의 疏에 "保衡과 阿衡은 모두 伊尹이다.〔保衡, 阿衡 俱伊尹也〕" 하여 保衡을 伊尹의 號로 보기도 한다.

605 作 : 壺山은 "興起함이다.〔興起之也〕" 하였다.

••• 被 입을 피 推 밀 퇴 內 넣을 납(納通) 溝 도랑 구 衡 저울대 형 俾 하여금 비 愧 부끄러울 괴 撻 종아리칠 달 獲 얻을 획 時 이 시 辜 죄 고 揖 읍할 읍 遜 사양할 손

으나 伊尹이 湯王을 설득하여 夏나라를 정벌하게 한 것은 때가 같지 않았기 때문이니, 의리는 똑같은 것이다."

7-7. 吾未聞枉己而正人者也로니 況辱己以正天下者乎아 聖人之行이 不同也라 或遠, 或近하며 或去, 或不去나 歸는 潔其身而已矣니라

나는 자신을 굽히고서 남을 바로잡았다는 자는 들어보지 못하였으니, 하물며 자신을 욕되게 하고서 천하를 바로잡은 자에 있어서랴. 聖人의 행실은 똑같지 않아서 혹은 멀리 은둔하고 혹은 가까이 군주를 모시며 혹은 떠나가고 혹은 떠나가지 않았으나 귀결은 그 몸을 깨끗이 하는 것일 뿐이다.

集註 | 辱己는 甚於枉己하고 正天下는 難於正人하니 若伊尹이 以割烹要湯이면 辱己甚矣니 何以正天下乎리오 遠은 謂隱遁也요 近은 謂仕近君也라 言 聖人之行이 雖不必同이나 然其要歸는 在潔其身而已니 伊尹이 豈肯以割烹要湯哉리오

자신을 욕되게 함은 자신을 굽힘보다 심하고, 천하를 바로잡음은 남을 바로잡음보다 어려우니, 만일 伊尹이 割烹(고기를 자르고 요리함)으로써 湯王에게 등용되기를 구하였다면 자신을 욕되게 함이 심한 것이니, 어떻게 천하를 바로잡을 수 있었겠는가. '遠'은 은둔함을 이르고 '近'은 벼슬하여 군주를 가까이 함을 이른다. 聖人의 행실이 비록 반드시 똑같지는 않으나 그 귀결은 몸을 깨끗이 함에 있을 뿐이니, 伊尹이 어찌 割烹으로써 湯王에게 등용되기를 구하였겠느냐고 말씀한 것이다.

7-8. 吾는 聞其以堯舜之道로 要湯이요 未聞以割烹也로라

나는 堯·舜의 道로써 湯王에게 등용되기를 구했다는 말은 들었고, 割烹으로써 했다는 말은 들어보지 못하였다.

集註 | 林氏曰 以堯舜之道要湯者는 非實以是要之也요 道在此而湯之聘自來耳

··· 枉 굽힐 왕 潔 깨끗할 결 遁 숨을 둔 肯 즐길 긍 聘 초빙할 빙

니 猶子貢言 夫子之求之는 異乎人之求之也[606]라

愚謂 此語는 亦猶前章所論父不得而子之意[607]니라

林氏(林之奇)가 말하였다. "'堯·舜의 道로써 湯王에게 등용되기를 구했다.'는 것은 실제이것으로써 구한 것이 아니요, 道가 이곳에 있음에 湯王의 초빙이 저절로 왔을 뿐이니, 子貢이 '夫子의 구하심은 일반인의 구함과 다르다.'고 말한 것과 같은 것이다."

내가 생각하건대 이 말씀은 앞장에서 말한 '아버지가 자식으로 삼을 수 없다.'는 뜻과 같다.

7-9. 伊訓曰 天誅造攻을 自牧宮은 朕載自亳이라하니라

〈伊訓〉에 이르기를 '하늘의 토벌이 처음 내림을 牧宮에서부터 한 것은 내(伊尹)가 亳邑에서부터 시작했다.' 하였다."

按說 | 하늘의 토벌이 桀王의 궁궐인 牧宮에 처음 내려진 것은 내(伊尹)가 맨처음 亳邑에서 일할 때부터였으며, 군대를 동원하여 토벌하는 날에 처음 이루어진 것이 아니라는 뜻이다. 《集註》에는 이를 "無道한 桀王을 처음 공격함은 내가 그 일을 亳邑에서 시작함으로부터 비롯되었다."고 해석하였는데, 沙溪(金長生)는 이에 대하여

《書經》의 註에는 "공격할 수 있는 단서를 만든 것은 桀이 鳴條에서 惡을 쌓음에서 말미암고, 湯王이 德을 닦은 것은 亳邑에서 시작하였음을 말한 것이다." 하였다. 本註(《集註》)의 이른바 '造攻'은 湯王을 위주하여 말하였고, 《書經》의 註는 桀王을 위주하여 말하였으니, 뜻이 똑같지 않다.〔書註 造可攻之釁者 由桀積惡於鳴條 而湯德之修 始於亳都也 本註所謂造攻 主湯言之 書註 主桀言之 意不同〕《經書辨疑》

---

606 子貢言……異乎人之求之也 : 이 내용은 子禽이 "夫子께서 이 나라에 이르셔서 반드시 그 나라의 政事를 들으시니, 구해서 되는 것입니까? 아니면 주어서 되는 것입니까?" 하고 묻자, 子貢이 대답한 것으로 《論語》〈學而〉 10장에 보인다.

607 前章所論父不得而子之意 : 앞의 4장에서 '父不得而子'를 사람들은 "瞽瞍가 舜을 아들로 대하지 못하여 北面하고 섬겼다." 하였는데, 孟子는 이를 부정하면서도, "아버지인 瞽瞍가 아들인 舜에게 교화되었으니 '父不得而子'라고 할 수 있다." 하여 이 말을 완전히 부정하지는 않았으며, 여기에서도 '要湯'을 사람들은 "伊尹이 맛있는 요리로 湯王에게 등용되기를 구했다." 하였는데, 孟子는 이를 부정하면서도, "伊尹이 堯·舜의 道로써 湯王에게 구했다는 말은 들었다." 하여 이 말 역시 완전히 부정하지는 않았으므로, '父不得而子'의 뜻과 같다고 한 것이다.

··· 誅 토벌 주 造 비로소 조 朕 나 짐 載 비로소 재 亳 땅이름 박

하였다. 壺山은

살펴보건대 '造攻'은 《書經》의 註를 따라 '나라는 반드시 스스로 정벌한 뒤에 남이 정벌한
다.〔國必自伐而後人伐之〕'는 뜻과 같이 읽더라도 무방할 듯하나, '天誅' 두 글자는 지금
《書經》에 없는 글이어서 그 文勢가 끝내 이 註를 따라 읽는 것만 못하다. '天誅攻桀'은 湯
王을 위주하여 말한 것이고 '朕載自亳'은 伊尹을 위주하여 말한 것이다.〔按造攻 依書註
讀如國必自伐而後人伐之之意 恐亦無妨 但天誅二字 是今書所無 而其文勢終不如
依此註讀之耳 蓋天誅攻桀 主湯言 朕載自亳 主伊尹言云〕

하였다.

集註 | 伊訓은 商書篇名이니 孟子引以證伐夏救民之事也라 今書에 牧宮을 作鳴
條[608]하니라 造, 載는 皆始也[609]라 伊尹이 言 始攻桀無道는 由我始其事於亳也니라

〈伊訓〉은 〈商書〉의 편명이니, 孟子께서 인용하여 夏나라를 정벌해서 백성을 구원한 일을
증명하신 것이다. 지금 《書經》에는 '牧宮'이 鳴條로 되어 있다. '造'와 '載'는 모두 시작이
다. 伊尹이 말하기를 "無道한 桀王을 처음 공격함은 내가 그 일을 亳邑에서 시작함으로부
터 비롯되었다."라고 한 것이다.

| 孔子曰有命章(孔子主癰疽章) |

8-1. 萬章이 問曰 或謂孔子於衛에 主癰疽(옹저)하시고 於齊에 主侍人瘠
環이라하니 有諸乎잇가 孟子曰 否라 不然也라 好事者 爲之也니라

萬章이 물었다. "혹자가 이르기를 '孔子께서 衛나라에서는 癰疽를 주인으로 삼으셨
고, 齊나라에서는 侍人(內侍)인 瘠環을 주인으로 삼으셨다.' 하니, 이러한 일이 있었
습니까?"

---

608 今書牧宮 作鳴條:《書經》〈伊訓〉에 "공격을 시작함은 鳴條로부터 비롯되었는데 우리〔湯王〕가 德을
닦은 것은 亳邑으로부터 시작하였다.〔造攻 自鳴條 朕哉自亳〕"라고 보인다.《大全》에 "牧宮은 桀의 宮
이다.〔牧宮 桀宮也〕" 하였다.

609 造載 皆始也:壺山은 "'載'에는 始와 事의 두 뜻이 있으므로 아래《集註》에 '始其事(그 일을 시작함)'
로 해석하였다.〔載有始事二義 故下以始其事釋之〕" 하였다.

··· 條 가지 조 癰 종기 옹 疽 종기 저 瘠 수척할 척 環 고리 환

孟子께서 말씀하셨다. "아니다. 그렇지 않다. 일을 좋아하는 자들이 지어낸 말이다.

> 集註 | 主는 謂舍於其家하여 以之爲主人也라 癰疽는 瘍醫也[610]요 侍人은 奄人也[611]
> 라 瘠은 姓이요 環은 名이니 皆時君所近狎之人也라 好事는 謂喜造言生事之人也라
>
> '主'는 그 집에 머물러 그를 주인으로 삼음을 이른다. '癰疽'는 종기를 치료하는 의원이고
> '侍人'은 奄人(內侍)이다. 瘠은 성이고 環은 이름이니, 癰疽와 瘠環은 모두 당시 군주들
> 이 가까이 하고 친히 하던 사람이다. '일을 좋아한다.'는 것은 말을 지어내어 일 만들기를 좋
> 아하는 사람을 이른다.

8-2. 於衛에 主顏讐由러시니 彌子之妻는 與子路之妻로 兄弟也라 彌子
謂子路曰 孔子主我하시면 衛卿을 可得也라하여늘 子路以告한대 孔子曰
有命이라하시니 孔子進以禮하시며 退以義하사 得之不得에 曰 有命이라하시
니 而(如)主癰疽與侍人瘠環이시면 是는 無義無命也니라

衛나라에 계실 적에 顏讐由를 주인으로 삼으셨는데, 彌子의 아내는 子路의 아내와
형제간이었다. 彌子가 子路에게 이르기를 '孔子께서 나를 주인으로 삼으시면 衛나라
의 卿을 얻을 수 있을 것이다.' 하자, 子路가 이 말을 아뢰니, 孔子께서 말씀하시기를
'天命에 달려 있다.' 하셨다. 孔子는 나아갈 때에 禮로써 하시며 물러날 때에 義로써
하시어 벼슬을 얻고 얻지 못함에 '天命에 달려 있다.' 하셨으니, 만일 癰疽와 侍人인
瘠環을 주인으로 삼으셨다면 이는 義도 없고 命도 없는 것이다.

> 按說 | '得之不得'에 대하여, 楊伯峻은

---

610 癰疽 瘍醫也 : 瘍醫는 지금의 외과 의사로, 《周禮》〈天官冢宰〉에 下士 8명을 瘍醫로 삼는다고 하였는
데, 그 註에 "瘍은 종기이다.〔瘍 創癰也〕" 하였다. 楊伯峻은 癰疽를 "《史記》〈孔子世家〉에는 '雍渠',
《韓非子》에는 '雍鉏', 《說苑》〈至公〉에는 '雍雎'로 표기했다." 하였다.

611 侍人 奄人也 : 楊伯峻은 "'侍人'은 《說苑》〈至公〉에 '寺(시)人'이라 하였기 때문에 朱子의 《集註》에 '侍
人은 奄人(內侍)이다.' 한 것이다. 癰疽 역시 寺人(환관)이었으나 말하지 않은 것은 아마도 그가 다른
사람들에게 잘 알려졌기 때문일 것이다. 고대에는 환관과 왕래하는 일을 추한 일로 여겼다." 하였다.

··· 舍 머물 사 瘍 종기 양 醫 의원 의 奄 내시 엄 狎 친할 압 讐 원수 수 彌 더할 미

이 '之'字는 '與'字의 뜻으로 쓰였다.

하였다.

'而主癰疽與侍人瘠環'에서 '而'는 '如'字와 통용되므로 '만일'로 해석하였는바, 앞의
5장 '而居堯之宮'에서 이미 설명하였다.

集註ㅣ 顏讐由는 衛之賢大夫也니 史記에 作顏濁鄒하니라 彌子는 衛靈公幸臣彌子
瑕也라

徐氏曰 禮는 主於辭遜이라 故로 進以禮하고 義는 主於斷制라 故로 退以義[612]하니 難
進而易退者也라 在我者는 有禮義而已요 得之不得은 則有命存焉이니라

顏讐由는 衛나라의 어진 大夫이니, 《史記》〈孔子世家〉에 '顏濁鄒'로 되어 있다. 彌子는
衛나라 靈公의 총애하는 신하인 彌子瑕이다.

徐氏(徐度)가 말하였다. "禮는 사양함을 주장하기 때문에 나아가기를 禮로써 하는 것이요,
義는 결단하고 제재함을 주장하기 때문에 물러가기를 義로써 하는 것이니, 나아감을 어렵
게 여기고 물러감을 쉽게 여기는 것이다. 나에게 있는 것은 禮義가 있을 뿐이요, 벼슬을 얻
고 얻지 못함은 天命이 있는 것이다."

8-3. 孔子不悅於魯衛하사 遭宋桓司馬將要而殺之하여 微服而過宋하시니 是時에 孔子當阨하사되 主司城貞子爲陳侯周臣하시니라

孔子께서 魯나라와 衛나라에 〈머물기를〉 좋아하지 않으시어 〈魯·衛를 떠나 宋나라
로 가셨다가〉 宋나라 桓司馬가 장차 길을 가로막고 죽이려 함을 만나서 微服 차림으
로 宋나라를 지나가셨으니, 이때에 孔子께서 困厄을 당하셨으나 陳侯 周의 신하가
된 司城貞子를 주인으로 삼으셨다.

按說ㅣ '主司城貞子爲陳侯周臣'에 대하여 司城貞子가 陳侯 周의 신하로 보는 해석
과 主司城貞子와 爲陳侯周臣을 두 사건으로 보는 해석이 있다. 官本 및 栗谷諺解에

---

612 禮……退以義 : 朱子는 〈君子가 벼슬할 적에〉 세 번 揖하고 나아가며, 한 번 사양하고 물러간다.〔三揖
而進 一辭而退〕 하였다.《語類》

··· 濁 흐릴 탁 鄒 나라이름 추 瑕 흠 하 遜 사양할 손 遭 만날 조 要 맞이할 요 服 옷 복 阨 곤할 액

'司城이언 貞子ㅣ 陳侯周의 臣 되얀는디 主ᄒ시니라'로 해석하였는바, '陳侯 周의 신하가 된 司城貞子를 주인으로 삼았다.'는 뜻으로 전자의 해석에 해당한다. 그런데《集註》에 "司城貞子는 宋나라 大夫의 어진 자이다."라고 하고, 陳侯 周의 신하가 된 까닭을 분명하게 설명하지 않아 의문의 여지가 있다. 그리하여 新安陳氏(陳櫟)는

文勢를 가지고 살펴보면〈孔子가〉宋나라를 떠나실 때를 당하여 司城貞子를 주인으로 정하시고, 陳나라에 가서 陳侯 周의 신하가 되신 듯하다.〔以文勢觀 似是臨去宋時 主於司城貞子 適陳 爲陳侯周臣〕

라고 해석하여 후자의 해석을 취하였다. 壺山도 몇 가지 문제점을 지적하면서

살펴보건대《集註》의 說(司城貞子는 宋나라 大夫라는 說)과 같다면 新安陳氏의 설이 옳고, 만약《集註》에〉인용한《史記》의〈陳나라에 이르시어 司城貞子를 주인으로 삼으셨다.'고 한〉說과 같다면 諺解의 해석이 옳다. 貞子가 宋나라 신하이면 孔子가 陳나라에 이르러 그 사람을 주인 삼을 이유가 없으니, 아마도 貞子가 宋나라에서 나가 陳나라에서 벼슬하였거나 아니면 본래 陳나라의 신하였던가 보다. 이미〈貞子가〉陳나라에서 벼슬했으면 또 어찌 陳侯 周의 신하가 되었다고 말할 필요가 있겠는가. 또 孔子가 陳나라에서 벼슬한 일이 없고, 설령 있더라도 굳이 陳侯 周의 신하가 되었다고 말하여 마치 남의 가신이 된 것처럼 하지는 않았을 것이다. 그렇다면〈爲陳侯周臣〉이 다섯 글자는 우선 제쳐놓는 것이 옳을 듯하다.〔按如集註上說 則陳氏是也 若如所引史記說 則諺解是也 夫貞子旣是宋臣 則孔子無緣至陳而主其人 豈貞子自宋而出仕於陳歟 抑本陳臣歟 旣仕於陳 則又何消言爲陳侯周臣耶 且孔子無仕陳之事 使其有之 必不當言爲陳侯周臣 有如爲人家臣者然耳 然則此五字 姑闕之爲可也耶〕

하여 전자와 후자의 해석이 모두 온당하지 않다고 보았다. 楊伯峻은

《史記》〈孔子世家〉에 "孔子가 마침내 陳나라에 이르러 司城貞子의 집에 머무셨다.〔孔子遂至陳 主於司城貞子家〕" 하였으니, 司城貞子는 陳나라 사람이다.……趙岐의 註에 宋나라 卿이라 한 것은 잘못인 듯하다.

하였으며, "司城貞子의 집에 머무시고 陳侯 周의 신하가 되셨다."라고 번역하여 후자의 해석을 취하였다. 본인은《集註》의 '宋大夫'는 '陳大夫'의 오기로 보인다. 司城貞子는 원

래 宋나라 사람이었으나 陳나라에 가서 벼슬하였으므로 孟子가 특별히 '陳侯 周의 신하가 되었다.'라고 말씀하신 듯하다.

集註 | 不悅은 不樂居其國也라 桓司馬는 宋大夫向魋(상퇴)也라 司城貞子는 亦宋大夫之賢者也[613]라 陳侯名周[614]라 按史記컨대 孔子爲魯司寇하시니 齊人이 饋女樂以間之어늘 孔子遂行하사 適衛月餘에 去衛適宋이러시니 司馬魋欲殺孔子어늘 孔子去至陳하사 主於司城貞子하시니라 孟子言 孔子雖當阨難이나 然猶擇所主하시니 況在齊衛無事之時에 豈有主癰疽侍人之事乎리오

'不悅'은 그 나라에 머무는 것을 즐거워하지 않는 것이다. 桓司馬는 宋나라 大夫 向魋이다. 司城貞子 또한 宋나라 大夫의 어진 자이다. 陳侯의 이름이 周이다. 《史記》〈孔子世家〉를 상고해보면 孔子께서 魯나라의 司寇가 되셨는데, 齊나라 사람들이 美女 樂師를 보내어 이간질하자, 孔子께서 마침내 魯나라를 떠나 衛나라로 가시어 한 달 남짓 있다가 衛나라를 떠나 宋나라로 가셨다. 이때 司馬 魋가 孔子를 죽이고자 하므로 孔子는 宋나라를 떠나 陳나라에 이르시어 司城貞子를 주인으로 삼으셨다. 孟子께서 말씀하시기를 "孔子는 비록 곤액과 어려움을 당하셨으나 그런데도 주인 삼을 상대를 선택하셨으니, 하물며 齊나라와 衛나라에서 無事할 때에 어찌 癰疽와 侍人인 瘠環을 주인 삼는 일이 있었겠느냐."라고 하신 것이다.

8-4. 吾聞 觀近臣호되 以其所爲主요 觀遠臣호되 以其所主라하니 若孔子主癰疽與侍人瘠環이시면 何以爲孔子리오

---

613 司城貞子 亦宋大夫之賢者也: 雙峰饒氏(饒魯)는 "司馬와 司城은 모두 宋나라의 官名이고 다른 나라에는 없었다. 宋나라는 王者의 후손이므로 天子의 禮를 모방하여 司馬와 司城이 있었던 것이다.[司馬司城 皆是宋之官 他國則無 宋是王者後 故倣天子禮 有司馬司城]" 하였다. 新安倪氏(倪士毅)는 "宋나라는 武公의 諱를 피하여 司空을 고쳐 司城이라 했다.[宋以武公諱 改司空 爲司城]" 하였다.

614 陳侯名周: 壺山은 《春秋左傳》을 가지고 살펴보면 이는 바로 陳 湣公 越이다. 陳侯 周는 《論語》와 《孟子》에 이렇게 쓴 법이 없으니, 아마도 그가 나라를 잃었기 때문에 폄하하여 이름한 것이거나, 비록 나라를 잃었으나 실로 德을 잃음이 없기 때문에 여기에서 중하게 여긴 것인가 보다.[以左傳考之 是陳 湣公越也 陳侯周 論孟無此書法 豈爲其失國 故貶而名之歟 雖失國 實無失德 故於此取重歟]" 하였다.

··· 樂 즐길락 向 성상 魋 이름퇴 按 살필안 司 맡을사 寇 도적구 饋 줄궤 間 이간질할간 適 갈적

내 들으니 '近臣을 관찰할 적에는 누구의 주인이 되었는가로써 하고, 遠臣을 관찰할 적에는 누구를 주인 삼는가로써 한다.' 하였으니, 만일 孔子께서 癰疽와 侍人인 瘠環을 주인 삼으셨다면 어떻게 孔子라 할 수 있겠는가."

> **集註** | 近臣은 在朝之臣이요 遠臣은 遠方來仕者라 君子小人이 各從其類라 故로 觀其所爲主與其所主者하면 而其人을 可知니라
>
> '近臣'은 조정에 있는 신하이고 '遠臣'은 먼 지방에서 와서 벼슬하는 자이다. 君子와 小人이 각기 그 부류를 따르므로, 그 주인 된 바와 주인 삼는 바를 보면 그 사람을 알 수 있는 것이다.

|百里奚自鬻章|

9-1. 萬章이 問日 或日 百里奚自鬻(육)於秦養牲者하여 五羊之皮로 食(사)牛하여 以要秦穆公이라하니 信乎잇가 孟子日 否라 不然하니라 好事者爲之也니라

萬章이 물었다. "或者가 이르기를 '百里奚가 秦나라의 희생을 기르는 자에게 스스로 팔려가서 다섯 장의 양가죽을 받고 소를 먹여 秦 穆公에게 등용되기를 구했다.' 하니, 이것이 사실입니까?"

孟子께서 말씀하셨다. "아니다. 그렇지 않다. 일을 만들어내기 좋아하는 자들이 지어낸 말이다.

> **按說** | '百里奚自鬻於秦養牲者 五羊之皮 食牛'에 대하여, 官本諺解의 해석은 '百里奚 秦ㅅ 養牲ㅎ는 者의게 스스로 ㅎ야 五羊의 皮로 牛를 食ㅎ야'라고 하였는데, 栗谷諺解에는 '百里奚] 秦牲 치는 者의게 스스로 폴이되 五羊의 皮로 ㅎ야 쇼를 머겨'라고 하였다. 壺山은
>
> 살펴보건대 栗谷諺解에는 '自鬻'으로부터 '之皮'까지를 한 句를 삼았으니, '五羊之皮' 네 글자는 불쑥 튀어나와 이어받은 것이 없기 때문에 그 文勢를 순히 하여 '五羊之皮'를 宮之

··· 奚 어찌 해 鬻 팔 육 牲 짐승 생 皮 가죽 피 食 먹일 사 穆 시호 목, 화목할 목

奇의 경우와 같이 사람의 姓名으로 본 것이다. 그 句法은 또 윗장의 '陳侯 周의 신하가 된 司城貞子를 주인 삼으셨다.〔主司城貞子爲陳侯周臣〕'는 官本諺解의 句讀와 서로 유사하다. 그러나 또 '五殺'라고 말하였으니,《集註》의 定論을 따라 '五羊之皮'를 犧牲을 기르는 것에 대한 품삯으로 보는 것만 못하다.〔按栗谷諺解 以自鬻至之皮 爲一句 蓋五羊之皮四字 突兀無承接 故順其文勢 而以五羊之皮 爲人姓名 如宮之奇也 其句法 則又與上章主司城 至周臣 諺解之讀相類 然又有云五殺 則不如從集註定論 以五羊之皮爲養牲之雇直也〕

하였다. 壺山은 栗谷諺解의 '五羊의 皮'를 사람의 姓名으로 보고, 아래 '宮之奇'의 경우처럼 '之'를 虛字로 본 것이다. 이는〈離婁下〉24장의 '庾公之斯'와 '尹公之他'의 경우와 같다 하겠다. 다만 栗谷諺解의 '五羊의 皮로 ᄒᆞ야'가 과연 사람의 姓名으로 해석한 것인지는 확실하지 않다. '다섯 羊의 가죽으로 하여'라고 볼 수도 있기 때문이다.

集註 | 百里奚는 虞之賢臣이라 人言 其自賣於秦養牲者之家하여 得五羊之皮而爲之食牛하여 因以干秦穆公也라하니라

百里奚는 虞나라의 賢臣이다. 사람들이 말하기를 "秦나라의 희생을 기르는 자의 집에 스스로 팔려가서 다섯 장의 양가죽을 받고 그를 위해 소를 먹여 주고는 인하여 이로써 秦 穆公에게 등용되기를 요구했다." 하였다.

9-2. 百里奚는 虞人也니 晉人이 以垂棘之璧과 與屈産之乘으로 假道於虞하여 以伐虢(괵)이어늘 宮之奇는 諫하고 百里奚는 不諫하니라

百里奚는 虞나라 사람이니, 晉나라 사람이 垂棘에서 나온 璧玉과 屈 땅에서 생산된 乘(네 필의 名馬)을 가지고 虞나라에 길을 빌려 虢나라를 정벌하려 하자, 宮之奇는 이것을 간하였고 百里奚는 간하지 않았다.

按說 | 이 일은《春秋左傳》僖公 2년 조에 다음과 같이 보인다.

晉나라 荀息이 屈 땅에서 생산된 네 필의 名馬와 垂棘에서 나온 璧玉을 가지고 虞나라

··· 虞 나라이름 우 賣 팔 매 干 구할 간 棘 멧대추나무 극 璧 둥근옥 벽 屈 땅이름 굴 乘 말네마리 승 假 빌릴 가 虢 나라 괵 諫 간할 간

에게 길을 빌려 虢나라를 정벌할 것을 請하자, 晉나라 獻公이 "이것은 나의 보물이다." 하니, 荀息이 대답하기를 "만약 虞나라에게 길을 빌릴 수 있다면 이것은 밖의 창고에 잠시 보관하는 것과 같습니다." 하였다.……마침내 獻公은 荀息을 虞나라로 보내 길을 빌리게 하였다.……虞公은 길을 허락하고 또 앞장서서 虢나라를 공격할 것을 請하였다. 宮之奇가 諫하였으나 虞公은 듣지 않고 마침내 군대를 일으켰다. 여름에 晉나라 里克과 荀息이 군대를 거느리고 虞나라 군대와 회동하여 虢나라를 정벌해서 下陽을 멸망시켰다.〔晉荀息請以屈産之乘與垂棘之璧 假道於虞以伐虢 公曰 是吾寶也 對曰 若得道於虞 猶外府也……乃使荀息假道於虞……虞公許之 且請先伐虢 宮之奇諫 不聽 遂起師 夏 晉里克, 荀息帥師會虞師 伐虢 滅下陽〕

또 5년 조에 다음과 같이 보인다.

晉侯가 다시 虞나라에 길을 빌려 虢나라를 치려 하니, 宮之奇가 諫하기를 "虢나라는 虞나라의 울타리이니, 虢나라가 망하면 虞나라도 반드시 따라 망할 것입니다. 晉나라에게 길을 열어주어서도 안 되고 침략을 익숙하게 해주어서도 안 됩니다. 한 번 길을 빌려준 것도 심하다 할 수 있는데 다시 빌려주어서야 되겠습니까. 속담에 볼의 살과 아래턱뼈는 서로 의지하고, 입술이 없어지면 이가 시리다는 것은 虞나라와 虢나라를 두고 한 말입니다." 하였다.……虞公이 듣지 않고 晉나라 사신에게 길을 허락하였다. 宮之奇는 집안 식구들을 거느리고 떠나갔다.……겨울 12월 丙子日 초하루에 晉軍이 虢나라를 멸망시키니, 虢公 醜가 京師로 달아났다. 晉軍이 돌아올 적에 虞나라에 머물다가 마침내 虞나라를 습격하여 멸망시키고 虞公을 사로잡았다.〔晉侯復假道於虞 以伐虢 宮之奇諫曰 虢 虞之表也 虢亡 虞必從之 晉不可啓 寇不可翫 一之謂甚 其可再乎 諺所謂輔車相依 唇亡齒寒者 其虞虢之謂也……弗聽 許晉使 宮之奇以其族行……冬十二月丙子朔 晉滅虢 虢公醜奔京師 師還館于虞 遂襲虞 滅之 執虞公〕

集註 | 虞, 虢은 皆國名이라 垂棘之璧은 垂棘之地所出之璧也요 屈産之乘은 屈地所生之良馬也라 乘은 四匹也라 晉欲伐虢할새 道經於虞라 故로 以此物借道하니 其實은 欲幷取虞라 宮之奇는 亦虞之賢臣이니 諫虞公하여 令勿許로되 虞公不用이라가 遂爲晉所滅하니라 百里奚는 知其不可諫이라 故로 不諫而去之秦하니라

··· 經 지날 경 借 빌릴 차 幷 아우를 병

虞와 虢은 모두 나라 이름이다. '垂棘之璧'은 垂棘의 땅에서 나온 璧玉이요, '屈産之乘'은 屈 땅에서 생산된 좋은 말이다. '乘'은 4필이다. 晉나라가 虢나라를 치고자 할 적에 길이 虞나라를 경유하므로 이 물건들로써 길을 빌렸으니, 실제는 虞나라까지 아울러 취하고자 한 것이다. 宮之奇 또한 虞나라의 賢臣이니, 虞公에게 간하여 허락하지 말도록 하였으나 虞公이 쓰지(듣지) 않았다가 虞나라는 마침내 晉나라에게 멸망당하였다. 百里奚는 虞公이 간할 수 없는 인물임을 알았으므로 간하지 않고 떠나 秦나라로 간 것이다.

9-3. 知虞公之不可諫而去之秦하니 年已七十矣라 曾不知以食牛로 干秦穆公之爲汚也면 可謂智乎아 不可諫而不諫하니 可謂不智乎아 知虞公之將亡而先去之하니 不可謂不智也니라 時擧於秦하여 知穆公之可與有行也而相之하니 可謂不智乎아 相秦而顯其君於天下하여 可傳於後世하니 不賢而能之乎아 自鬻以成其君을 鄕黨自好者도 不爲온 而謂賢者爲之乎아

〈百里奚는〉虞公이 간할 수 없는 인물임을 알고 떠나 秦나라로 가니, 이때 나이가 이미 70세였다. 일찍이 소를 먹이는 것으로 秦 穆公에게 등용되기를 구하는 것이 더러운 일이 됨을 몰랐다면 그를 지혜롭다 이를 수 있겠는가. 간할 수 없는 인물이기에 간하지 않았으니, 지혜롭지 않다고 이를 수 있겠는가. 虞公이 장차 멸망할 줄을 알고 먼저 그곳을 떠났으니, 지혜롭지 않다고 이를 수 없다. 당시에 秦나라에 등용되어 穆公이 더불어 道를 행할 만한 인물임을 알고 그를 도왔으니, 지혜롭지 않다고 이를 수 있겠는가. 秦나라를 도와 그 군주를 천하에 드러내어 後世에 전할 만하게 하였으니, 어질지 않고서 이렇게 할 수 있겠는가. 스스로 팔려가서 군주를 〈賢者로〉 만드는 것은 鄕黨에 자기 지조를 아끼는 자들도 하지 않는데, 하물며 賢者가 이런 짓을 한다고 이르겠는가."

按說 | '曾'에 대하여, 楊伯峻은

乃(마침내)의 뜻이고, 竟(마침내)의 뜻이다.

하였다.

··· 好 아낄 호

'有行'에 대하여, 楊伯峻은

'有爲(훌륭한 일을 함)'와 같다.

하였다.

集註 │ 自好는 自愛其身之人也라 孟子言 百里奚之智如此하니 必知食牛以干主之爲汚요 其賢又如此[615]하니 必不肯自鬻以成其君也[616]라 然이나 此事는 當孟子時하여 已無所據하니 孟子直以事理로 反覆推之하여 而知其必不然耳시니라

'自好'는 그 몸(지조)을 스스로 아끼는 사람이다. 孟子께서 말씀하시기를 "百里奚의 지혜가 이와 같았으니 필시 소를 먹여 군주에게 등용되기를 구하는 것이 더러운 일이 됨을 알았을 것이요, 그 어짊이 또 이와 같았으니 필시 스스로 팔려가 군주를 〈霸者로〉 만들려 하지 않았을 것이다." 하셨다. 그러나 이 일은 孟子 때에 이미 근거할 바가 없었으니, 孟子께서는 다만 事理로써 반복하여 미루어 반드시 그렇지 않았을 것임을 아셨을 뿐이다.

章下註 │ ○范氏曰 古之聖賢이 未遇之時에 鄙賤之事를 不恥爲之하니 如百里奚爲人養牛는 無足怪也라 惟是人君이 不致敬盡禮면 則不可得而見이니 豈有先自汚辱하여 以要其君哉리오 莊周曰 百里奚는 爵祿이 不入於心이라 故로 飯牛而牛肥하여 使穆公으로 忘其賤而與之政[617]이라하니 亦可謂知百里奚矣로다 伊尹, 百里奚之事는 皆聖賢出處之大節이라 故로 孟子不得不辨이시니라
尹氏曰 當時好事者之論이 大率類此하니 蓋以其不正之心으로 度(탁)聖賢也니라

○范氏(范祖禹)가 말하였다. "옛 聖賢들은 不遇할 때에 비천한 일을 하는 것을 부끄러워하지 않았으니, 예컨대 百里奚가 남을 위하여 소를 기름은 이상할 것이 없다. 다만 人君이

---

615 百里奚之智如此……其賢又如此 : 壺山은 "智는 知로써 말한 것이고 賢은 行으로써 말한 것이다.〔智以知言 賢 以行言〕" 하였다.

616 成其君也 : 新安陳氏(陳櫟)는 "그 군주의 霸業을 성취한 것이다.〔成就其君之霸業〕" 하였다.

617 莊周曰……忘其賤而與之政 : 《莊子》〈田子方〉에 "百里奚는 爵祿이 마음속에 들어오지 않았으므로 소를 먹이자 소가 살져서 秦 穆公으로 하여금 百里奚의 미천한 신분을 잊고 정사를 맡기게 하였고, 有虞氏(舜)는 死生이 마음속에 들어오지 않았으므로 사람들을 감동시킬 수 있었다.〔百里奚爵祿不入於心 故飯牛而牛肥 使秦穆公忘其賤 與之政也 有虞氏 死生不入於心 故足以動人〕"라고 보인다.

⋯ 肯 즐길 긍 據 의거할 거 直 다만 직 鄙 비루할 비 怪 괴이할 괴 汚 더러울 오 飯 먹일 반 度 헤아릴 탁

敬을 지극히 하고 禮를 다하지 않으면 그를 만나볼 수 없으니, 어찌 먼저 스스로 더럽히고 욕되게 하여 군주에게 등용되기를 구하겠는가. 莊周가 말하기를 '百里奚는 爵祿이 마음속에 들어오지 않았으므로 소를 먹임에 소가 살쪄서 穆公으로 하여금 그의 신분이 천함을 잊고 그에게 政事를 맡기게 했다.' 하였으니, 또한 百里奚를 잘 알았다고 이를 만하다. 伊尹과 百里奚의 일은 모두 聖賢의 出處의 큰 節(일)이다. 그러므로 孟子께서 분변하지 않을 수 없으셨던 것이다."

尹氏(尹焞)가 말하였다. "당시에 일을 만들어내기 좋아하는 자들의 의논이 대부분 이와 같았으니, 이는 자신의 바르지 못한 마음으로 聖賢을 헤아린 것이다."

萬章章句 下

集註 | 凡九章이라
모두 9章이다.

|伯夷目不視惡色章(孔子集大成章)|

1-1. 孟子曰 伯夷는 目不視惡色하며 耳不聽惡聲하고 非其君不事하며 非其民不使하여 治則進하고 亂則退하여 橫政之所出과 橫民之所止에 不忍居也하며 思與鄕人處호되 如以朝衣朝冠으로 坐於塗炭也러니 當紂之時하여 居北海之濱하여 以待天下之淸也하니 故로 聞伯夷之風者는 頑夫廉하며 懦夫有立志하니라

孟子께서 말씀하셨다. "伯夷는 눈으로는 나쁜 빛을 보지 않고 귀로는 나쁜 소리를 듣지 않으며, 섬길 만한 군주가 아니면 섬기지 않고 부릴 만한 백성이 아니면 부리지 아니하여, 세상이 다스려지면 나아가고 혼란하면 물러가서 나쁜 政事가 나오는 곳과 나쁜 백성들이 거주하는 곳에는 차마 거처하지 못하였으며, 鄕人들과 거처하는 것을 마치 朝服과 朝冠으로 塗炭에 앉은 듯이 생각하였는데, 紂王의 때를 당하여 北海 가에 살면서 천하가 깨끗해지기를 기다렸다. 그러므로 伯夷의 風度를 들은 자들은 완악한 지아비는 청렴해지고 나약한 지아비는 立志를 갖게 된다.

⋯ 橫 멋대로할 횡 塗 진흙 도 炭 숯 탄 濱 물가 빈 頑 완악할 완, 탐할 완 廉 청렴할 렴 懦 나약할 나

集註 | 橫은 謂不循法度라 頑者는 無知覺이요 廉者는 有分辨⁶¹⁸이라 懦는 柔弱也라 餘는 並見(현)前篇하니라

'橫'은 법도를 따르지 않음을 이른다. '頑'은 知覺이 없는 것이요, '廉'은 分辨이 있는 것이다. '懦'는 柔弱함이다. 나머지는 모두 前篇(公孫丑上)에 보인다.

1-2. 伊尹曰 何事非君이며 何使非民이리오하여 治亦進하며 亂亦進하여 曰 天之生斯民也는 使先知로 覺後知하며 使先覺으로 覺後覺이시니 予는 天民之先覺者也로니 予將以此道로 覺此民也라하며 思天下之民이 匹夫匹婦 有不與(예)被堯舜之澤者어든 若己推(퇴)而內(납)之溝中하니 其自任以天下之重也니라

伊尹은 생각하기를 '어느 사람을 섬긴들 군주가 아니며 어느 사람을 부린들 백성이 아니겠는가.' 하여, 세상이 다스려져도 나아가고 혼란해도 나아가서 말하기를 '하늘이 이 백성을 낸 것은 먼저 안 자로 하여금 뒤늦게 아는 자를 깨우쳐주며 먼저 깨달은 자로 하여금 뒤늦게 깨닫는 자를 깨우치게 하신 것이니, 나는 하늘이 낸 백성 중에 먼저 깨달은 자이니, 내 장차 이 道로써 이 백성들을 깨우치겠다.' 하였으며, 천하의 백성 중에 匹夫·匹婦라도 참예하여 堯·舜의 혜택을 입지 못한 자가 있으면 마치 자신이 그를 밀어 도랑 가운데로 넣은 것과 같이 생각하였으니, 이는 天下의 중함으로써 自任한 것이다.

集註 | 何事非君은 言所事卽君이요 何使非民은 言所使卽民이니 無不可事之君이며 無不可使之民也라 餘見前篇하니라

'何事非君'은 섬기는 바가 바로 군주임을 말하고 '何使非民'은 부리는 바가 바로 백성임을

---

618 頑者……有分辨:茶山은 "'頑'은 마땅히 完·刓 등의 글자와 통하여 보아야 한다. 무릇 물건이 둥글 둥글하여 모난 곳이 없는 것을 '完'이라 하고 물건이 마멸되어 모난 곳이 없는 것을 '刓'이라 하는데, '頑'은 이 두 뜻을 겸하였다.……'頑夫'는 이익을 탐하고 염치가 없으며 둥글고 모난 데가 없는 사람이다. '廉'은 圭角이 예리하고 모가 반듯하여 날카롭고 준엄한 것이다. '頑'은 圓과 같고 '廉'은 方과 같다. 〔頑當與完刓等字通看 凡物之圓圇無稜角者 謂之完 物之磨滅無方隅者 謂之刓 頑者 兼有此義 ……頑夫者 貪汙無恥 圓轉沒稜之人也 廉者 圭角銛銳 觚稜方直 劌劌乎其峭截者也 頑猶圓也 廉 猶方也〕"하였다. 楊伯峻은 '頑'字는 옛날에는 모두 '貪(탐낼 탐)'자였다는 毛奇齡의 說을 취하였다.

••• 循 따를 순 推 밀 퇴 溝 도랑 구

말하니, 섬기지 못할 군주가 없으며 부릴 수 없는 백성이 없는 것이다. 나머지는 前篇(公孫丑上, 萬章上)에 보인다.

1-3. 柳下惠는 不羞汚君하며 不辭小官하며 進不隱賢하여 必以其道하며 遺佚而不怨하며 遺窮而不憫하며 與鄕人處호되 由由然不忍去也하여 爾爲爾요 我爲我니 雖袒裼裸裎於我側인들 爾焉能浼(매)我哉리오하니 故로 聞柳下惠之風者는 鄙夫寬하며 薄夫敦하니라

柳下惠는 더러운 군주를 〈섬김을〉 부끄러워하지 않으며, 작은(낮은) 벼슬을 사양하지 않으며, 나아가면 어짊을 숨기지 아니하여 반드시 그 도리대로 하며, 〈벼슬길에서〉 버림을 받아도 원망하지 않고 곤궁을 당해도 걱정하지 않으며, 鄕人들과 더불어 처하되 由由(悠悠)하게 차마 떠나지 못해서 말하기를 '너는 너이고 나는 나이니, 〈네가〉 비록 내 옆에서 옷을 걷고 벗는다 한들 네가 어찌 나를 더럽히겠는가.' 하였다. 그러므로 柳下惠의 風度를 들은 자들은 비루한 지아비는 너그러워지며 薄한 지아비는 인심이 후해진다.

集註 | 鄙는 狹陋也라 敦은 厚也라 餘見前篇하니라

'鄙'는 좁고 누추함이다. '敦'은 厚함이다. 나머지는 前篇(公孫丑上)에 보인다.

1-4. 孔子之去齊에 接淅而行하시고 去魯에 曰 遲遲라 吾行也여하시니 去父母國之道也라 可以速而速하며 可以久而久하며 可以處而處하며 可以仕而仕는 孔子也시니라

孔子께서 齊나라를 떠나실 적에 〈밥을 지으려고〉 쌀을 담갔다가 건져 가지고 떠나셨고, 魯나라를 떠나실 적에는 말씀하시기를 '더디고 더디다. 내 걸음이여.' 하셨으니, 이는 父母의 나라를 떠나는 도리이다. 속히 떠날 만하면 속히 떠나고 오래 머물 만하면 오래 머물며, 은둔할 만하면 은둔하고 벼슬할 만하면 벼슬한 것은 孔子이시다.'

··· 羞 부끄러울 수 汚 더러울 오 佚 빠질 일 憫 근심할 민 袒 벗을 단 裼 벗을 석 裸 벗을 라 裎 벗을 정
浼 더럽힐 매 鄙 비루할 비 敦 도타울 돈 狹 좁을 협 陋 더러울 루 接 받을 접 淅 쌀뜨물 석 遲 더딜 지

集註│ 接은 猶承也요 淅은 漬米水也니 漬米將炊而欲去之速이라 故로 以手承水取米而行하여 不及炊也라 擧此一端하여 以見(현)其久速仕止 各當其可也하니라

或曰 孔子去魯에 不稅(脫)冕而行[619]하시니 豈得爲遲리오한대 楊氏曰 孔子欲去之意久矣로되 不欲苟去라 故로 遲遲其行也하시니 膰肉不至면 則得以微罪行矣라 故로 不稅冕而行하시니 非速也니라

'接'은 承(받음)과 같고 '淅'은 쌀을 담근 물이니, 쌀을 담가 장차 밥을 지으려다가 속히 떠나고자 하셨으므로 손으로 물을 받아 쌀을 건져 가지고 떠나시어 미처 밥을 짓지 못한 것이다. 이 한 가지를 들어 오래 머물고 속히 떠나며 벼슬하고 그만두는 것이 각각 그 可함에 마땅하셨음을 나타낸 것이다.

혹자가 말하기를 "孔子께서 魯나라를 떠나실 적에 면류관을 벗지 않고 떠나셨으니, 어찌 더디다고 할 수 있겠습니까?" 하자, 楊氏(楊時)가 대답하였다. "孔子께서는 떠나고자 하신 뜻이 오래되었으나 〈명분이 없이〉 구차히 떠나고자 하지 않으셨으므로 그 걸음을 더디고 더디게 하신 것이다. 제사 지낸 고기가 이르지 않으면 작은 죄(잘못)로써 떠날 수 있었다. 그러므로 면류관을 벗지 않고 떠나신 것이니, 이것은 速한 것이 아니다."

1-5. 孟子曰 伯夷는 聖之淸者也요 伊尹은 聖之任者也요 柳下惠는 聖之和者也요 孔子는 聖之時者也시니라

孟子께서 말씀하셨다. "伯夷는 聖人의 淸한 자요, 伊尹은 聖人의 自任한 자요, 柳下惠는 聖人의 和한 자요, 孔子는 聖人의 時中인 자이시다.

---

619 孔子去魯 不稅(脫)冕而行 : 이 내용은 아래 〈告子下〉 6장에 자세히 보인다.

··· 淅 담글 지 炊 불땔 취, 밥지을 취 稅 벗을 탈(脫通) 롯 면류관 면 膰 제사고기 번

集註｜張子曰 無所雜者는 淸之極이요 無所異者는 和之極이니 勉而淸은 非聖人之淸이요 勉而和는 非聖人之和라 所謂聖者는 不勉不思而至焉者[620]也라

孔氏曰 任者는 以天下爲己責也니라

愚謂 孔子는 仕止久速이 各當其可하시니 蓋兼三子之所以聖者而時出之[621]니 非如三子之可以一德名也니라

或疑伊尹出處合乎孔子어늘 而不得爲聖之時는 何也오 程子曰 終是任底意思在하니라

張子(張載)가 말씀하였다. "잡됨이 없는 것은 淸이 지극한 것이요 乖異함이 없는 것은 和가 지극한 것이니, 억지로 힘써서 淸한 것은 聖人의 淸이 아니요 억지로 힘써서 和한 것은 聖人의 和가 아니다. 이른바 聖은 힘쓰지 않고 생각하지 않고서도 이른다는 것이다."

孔氏(孔文仲)가 말하였다. "'任'은 天下를 자신의 책임으로 삼는 것이다."

내(朱子)가 생각하건대 孔子께서는 벼슬하고 그만두고 오래 머물고 속히 떠나심이 각각 그 可함에 마땅하셨으니, 이는 세 분의 聖을 겸하여 때에 맞게 나온 것이니, 세 분이 한 가지 德으로써 이름할 수 있는 것과는 같지 않다.

혹자가 의심하기를 "伊尹의 出處가 孔子에게 합하는데도 聖人의 時中이 되지 못함은 어째서입니까?" 하자, 程子(明道)가 말씀하였다. "끝내 自任하는 意思가 있었기 때문이다."

1-6. 孔子之謂集大成이니 集大成也者는 金聲而玉振之也라 金聲也者는 始條理也요 玉振之也者는 終條理也니 始條理者는 智之事也요 終條理者는 聖之事也니라

孔子를 일러 集大成이라 하니, 集大成은 〈음악을 연주할 적에〉 金(鐘)으로 소리를 퍼뜨리고 玉(磬)으로 거두는 것이다. 金으로 소리를 퍼뜨리는 것은 條理를 시작함이요 玉으로 거두는 것은 條理를 끝냄이니, 條理를 시작하는 것은 智의 일이요 條理를 끝

---

620 不勉不思而至焉者 : '힘쓰지 않고도 道에 맞고 생각하지 않고도 아는 것〔不勉而中 不思而得〕'으로 '生而知之'와 '安而行之'의 聖人을 가리키는바,《中庸》20장에 보인다.

621 兼三子之所以聖者而時出之 : 壺山은 "깨끗할 만하면 깨끗하고 自任할 만하면 自任하고 和할 만하면 和한 것이다.〔可以淸而淸 可以任而任 可以和而和〕" 하였다.

••• 雜 섞일 잡 疑 의심할 의 底 어조사 저 聲 소리퍼뜨릴 성 振 거둘 진

내는 것은 聖의 일이다.

按說 | '金聲而玉振'에 대하여, 程子(伊川)는

金으로 소리를 퍼뜨리고 玉으로 거둠은 이는 孟子가 배우는 자를 위하여 終과 始의 뜻을
말씀하신 것이다. 致知에서 시작함은 智의 일이요 아는 바를 행하여 그 極에 이름은 聖의
일이니, 《周易》에 이르기를 "그칠 데를 알아 그치고 끝마칠 데를 알아 끝마친다."는 것이 이
것이다.〔金聲而玉振之 此孟子爲學者 言終始之義也 始於致知 智之事也 行所知而至
其極 聖之事也 易曰 知至至之 知終終之 是也〕《二程遺書》

하였다. 趙岐는 '振'을 揚(드날림)이라고 하였는데, 茶山은

'聲'은 퍼뜨림이고 '振'은 들어 올림〔擧〕이다. 무릇 음악은 한 章 안에 각각 두 節이 있다. 처
음에 鍾師가 종을 쳐 음악을 퍼뜨리면 노랫소리가 이에 發하고 絲(현악기)와 竹(대나무로
만든 관악기)이 따라서 動하여 宮音으로 음악을 興起한다.〔宮·商·角·徵·羽는 각각 本音
을 本宮으로 삼는다.〕五音이 서로 울려 文理가 一周하면 音調가 쇠하여 다하니, 이것을 始
條理라고 한다. 이에 磬師가 磬을 쳐서 음악을 들어 올리면〔'振'은 擧(들어 올림)이니, 쇠하였
는데 다시 흥기시킨다는 뜻이다.〕노랫소리가 다시 일어나고 絲·竹이 따라 動하여 宮音으로
음악을 興起한다. 五音이 서로 울려 文理가 다시 一周하면 音調가 이에 끝나니, 이를 일
러 終條理라고 한다.〔만약 '振'을 收라고 하면 《書經》〈益稷〉에 '夔가 鳴球(玉磬의 이름)를 치
며 琴瑟을 어루만졌다.'고 한 말과 서로 맞지 않는다.〕始와 終이 갖추어지면 1章이라 부른다. 章
은 音이 열 개이다.《說文解字》에 '음악이 끝나는 것이 1章이다. 章은 音과 十에서 뜻을 취한 會
意자이다.' 하였다.〕五聲이 두 번 一周하니, 그 音이 열 개가 아니겠는가.……이른바 '條理'
는 絲와 竹의 曲折과 文理이고, 金과 玉의 두 聲은 興動시키고 들어 일으켜서〔振起〕곡조
를 통솔하는 것에 불과하다.……'玉振'이란 음악이 쇠한 뒤에 다시 일으키는 것이니, 쇠하였
다가 다시 일어나므로 條理가 있을 수 있다.〔終條理이다.〕만약 마침내 거두어 그친다면 어
찌 다시 條理가 있겠는가. '玉振'의 해석은 趙岐의 註를 따라야 한다.〔聲者宣也 振者擧也
凡樂一章之內 各有二節 其始也 鍾師擊鍾以聲之 則歌聲乃發 絲竹隨動 起之以宮〔
宮商角徵羽 各以本音爲本宮〕五音繁會 文理一周 音調衰歇 此之謂始條理也 於是磬
師擊磬以振之〔振者擧也 有衰而復興之意〕則歌聲再起 絲竹隨動 起之以宮 五音繁會

文理再周 音調乃闋 此之謂終條理也【若以振爲收 則與夔鳴球拊瑟之語 不相合】始終

旣具 乃稱一章 章者音十也【說文云樂竟爲一章 從音從十】五聲再周 厥音非十乎……

所謂條理 卽絲竹之曲折文理 金玉二聲 不過興動振起 以之領調而已……玉振者 旣

衰而復興也 衰而復興 故得有條理【終條理】若遂收止 則豈復有條理乎 玉振之解 當

從趙注〕

하여, '玉振'을 음악의 1節이 끝나면 玉으로 2節을 다시 일으키는 것으로 보았다.

集註 | 此는 言 孔子集三聖之事하여 而爲一大聖之事니 猶作樂者集衆音之小成

而爲一大成也라 成者는 樂之一終이니 書所謂簫韶九成[622]이 是也라 金은 鐘屬이요

聲은 宣也니 如聲罪致討之聲이라 玉은 磬也요 振은 收也니 如振河海而不洩之振이

라 始는 始之也요 終은 終之也라 條理는 猶言脈絡[623]이니 指衆音而言也라 智者는 知

之所及이요 聖者는 德之所就也라 蓋樂有八音하니 金石絲竹匏土革木이라 若獨奏

一音이면 則其一音이 自爲始終而爲一小成이니 猶三子之所知 偏於一하여 而其

所就亦偏於一也라 八音之中에 金石爲重이라 故로 特爲衆音之綱紀요 又金始震

而玉終詘(屈)然也[624]라 故로 並奏八音이면 則於其未作에 而先擊鎛(박)鐘하여 以宣

---

622 書所謂簫韶九成:《書經》〈益稷〉에 보이는 내용으로, 蔡沈의 《書經集傳》에 "'簫'는 古文에 箾로 썼으
니……'箾韶'는 舜임금 음악의 총칭이다.……'九成'은 음악이 아홉 번 끝난 것이다. 功이 아홉 번 펴졌
기 때문에 음악을 아홉 번 연주한 것이니, 九成은 《周禮》에 이른바 '九變'이란 것과 같다.〔簫 古文作箾
……箾韶 蓋舜樂之總名也……九成者 樂之九成也 功以九敍 故樂以九成 九成 猶周禮所謂九變
也〕" 하였다. 아홉 가지 功은 金·木·水·火·土·穀의 六府와 正德·利用·厚生의 三事가 제대로 이루
어지는 것으로 《書經》〈大禹謨〉에 보인다.

623 條理 猶言脈絡:南軒張氏(張栻)는 "條理는 차례가 있어 문란하지 않음을 이른다.〔有倫緒而不紊之
謂〕" 하였다.

624 金始震而玉終詘(屈)然也:《禮記》〈聘義〉에 "옛날 君子는 德을 玉에 견주었으니, 따뜻하면서 윤택함
은 仁이고, 치밀하면서 단단함은 智이고, 모나면서 상하지 않음은 義이고, 드리움에 떨어질 듯함은 禮
이고, 두드렸을 적에 그 소리가 맑고 드날려 길며 끝날 적에 소리가 딱 멈춤은 樂이다.〔昔者 君子比德
於玉焉 溫潤而澤 仁也 縝密以栗 知(智)也 廉而不劌(궤) 義也 垂之如隊(墜) 禮也 叩之 其聲淸越
以長 其終詘然 樂也〕" 하였다. 鄭玄의 註에 "'越'은 드날린다는 뜻이요 '詘然'은 끊어져 그치는 모양
이다.〔越 猶揚也 詘然 絶止貌〕" 하였다. 朱子는 "쇳소리는 큼과 줄어듦이 있는데 처음에는 크게 울리
다가 마지막에는 작아져서 여운이 있고, 옥소리는 始終이 한결같은데 마지막 두드림에 그 소리가 딱 끊
어져 그쳐서 여운이 없다.〔金聲有洪殺 始震終細 玉聲則始終如一 叩之 其聲詘然而止〕" 하였다. 《語
類》

··· 簫 퉁소 소 韶 풍류 소 鐘 쇠북 종 磬 경쇠 경 洩 샐 설 脈 줄기 맥 絡 이을 락 匏 박 포 震 진동할 진
詘 끊길 굴(屈通) 鎛 쇠북 박

其聲하고 俟其旣闋(결)而後에 擊特磬[625]하여 以收其韻하나니 宣以始之하고 收以終之하여 二者之間에 脈絡通貫하여 無所不備하면 則合衆小成而爲一大成이니 猶孔子之知無不盡而德無不全也라 金聲玉振, 始終條理는 疑古樂經之言이라 故로 兒(倪)寬云 唯天子建中和之極하여 兼總條貫하여 金聲而玉振之라하니 亦此意也[626]니라

이것은 孔子께서 세 聖人(伯夷·伊尹·柳下惠)의 일을 모아 한 大聖이 되신 일을 말한 것이니, 풍악을 일으키는 자가 衆音의 小成을 모아서 한 大成을 만드는 것과 같다. '成'은 음악이 한 번 끝남이니, 《書經》에 말한 '簫韶九成(簫韶를 아홉 번 연주하다)'이 이것이다. '金'은 鐘의 등속이고 '聲'은 퍼뜨림이니, 《春秋左傳》에 '聲罪致討(죄를 소리내어 토벌한다)'의 聲字와 같다. '玉'은 경쇠이고 '振'은 거둠이니, 《中庸》에 '振河海而不洩(河海를 거두어도 새지 않는다)'의 振字와 같다. '始'는 그것을 시작함이요, '終'은 그것을 끝냄이다. '條理'는 脈絡이란 말과 같으니, 여러 音을 가리켜 말한 것이다. '智'는 앎이 미치는 것이요, '聖'은 德이 성취된 것이다.

악기에는 八音이 있으니, 金·石·絲·竹·匏·土·革·木이다. 만일 한 音(악기)을 홀로 연주하게 되면 그 한 音이 스스로 始와 終이 되어 한 小成이 되니, 이는 마치 세 분의 아는 바가 하나에 편벽되어서 그 성취한 바가 또한 하나에 편벽됨과 같은 것이다. 八音 가운데에 金과 石이 중하므로 특별히 여러 音의 綱紀(큰 강령)가 되고, 또 金은 처음에 울리고 玉은 끝에 거둔다. 그러므로 八音을 한꺼번에 연주하게 되면 풍악을 일으키기 전에 먼저 特鐘을 쳐서 그 소리를 퍼뜨리고, 이미 끝나기를 기다린 뒤에 特磬을 쳐서 그 韻을 거두는 것이다. 소리를 퍼뜨려 시작하고 소리를 거두어 끝내어 두 가지 사이에 脈絡이 관통하여 갖추어지지 않음이 없으면 여러 小成을 합하여 하나의 大成이 되니, 孔子의 앎이 다하지 않음이 없어서 德이 완전하지 않음이 없음과 같은 것이다. 金聲玉振과 始終條理는 의심컨대 옛《樂

---

625 特磬 : 新安陳氏(陳櫟)는 "'特'은 오로지이니, 경쇠만 치는 것을 '特磬'이라 한다.[特 專也 單擊磬曰特磬]" 하였다. '特'은 한 架子에 하나의 경쇠를 매단 것으로 연주를 그칠 때에 치는바, 여러 개의 경쇠를 매단 編磬과 상대되는 말이다.

626 故……亦此意也 : 新安倪氏(倪士毅)는 "前漢의 倪寬이 武帝와 함께 封禪의 의식을 논할 적에 이 말이 있었으니 반드시 자기의 말이 아닐 것이요, 또 孟子의 말씀을 순수하게 들지 않았으며 또 내용이 간략하고 정밀하다. 그러므로 이것이 옛날《樂經》의 말인 듯하다고 의심한 것이다.[前漢兒(倪)寬 與武帝論封禪儀 而有是言 必非其自言 又不純擧孟子之言 且簡約精密 故疑其爲古樂書之言也]" 하였다.

••• 闋 마칠결 韻 소리운 貫 꿸관 兒 성 예(倪同)

經》의 말인 듯하다. 그러므로 漢나라 兒寬이 이르기를 "오직 天子만이 中和의 極을 세워서 條貫(條理)을 겸하여 총괄해서 金으로 소리를 퍼뜨리고 玉으로 거둔다." 하였으니, 또한 이러한 뜻이다.

1-7. 智를 譬則巧也요 聖을 譬則力也니 由(猶)射於百步之外也하니 其至는 爾力也어니와 其中은 非爾力也니라

智를 비유하면 공교함이요 聖을 비유하면 힘이니, 百步 밖에서 활을 쏘는 것과 같으니, 〈과녁이 있는 곳에〉 이름은 너의 힘이지만 과녁에 맞추는 것은 너의 힘이 아니다."

> 集註 | 此는 復以射之巧力으로 發明聖智二字之義하사 見孔子巧力俱全而聖智兼備하시고 三子則力有餘而巧不足이라 是以로 一節이 雖至於聖이나 而智不足以及乎時中也니라

이것은 다시 활쏘기의 공교함과 힘을 가지고 聖·智 두 글자의 뜻을 發明하여, 孔子는 재주(공교함)와 힘이 모두 온전하여 聖과 智를 겸비하셨고, 세 분은 힘은 有餘하나 재주가 부족하였기 때문에 한 부분은 비록 聖에 이르렀으나 지혜가 時中에 미칠 수 없음을 나타낸 것이다.

> 章下註 | ○此章은 言 三子之行은 各極其一偏[627]하고 孔子之道는 兼全於衆理하니 所以偏者는 由其蔽於始라 是以로 缺於終이요 所以全者는 由其知之至라 是以로 行之盡이라 三子는 猶春夏秋冬之各一其時요 孔子則太和元氣之流行於四時也니라

○이 章은 세 분의 행실은 각기 그 한 쪽에 지극하였고 孔子의 道는 모든 이치에 겸하여 온전하셨음을 말하였으니, 〈세 분이〉 한쪽에 치우치게 된 이유는 처음(知)에 가려졌기 때문에

---

627 三子之行 各極其一偏:茶山은 "經文의 '集大成' 이하의 문장은 단지 孔子가 이룬 德이 세 사람보다 크다고 찬미한 것이다. 만약 '세 사람은 한 音을 獨奏하고 孔子는 八音을 合奏하였으며, 세 사람은 힘은 있으나 공교함이 없었고 孔子는 공교함으로 맞출 수 있었다.'고 한다면 모두 본뜻이 아니다. 伯夷와 柳下惠는 혹 치우쳐 한 音을 연주하였다고 할 수 있지만 伊尹과 같은 경우 어찌 八音을 갖추지 못했다고 말할 수 있겠는가.〔此集大成以下 只是贊美孔子所成之德大於三子而已 若謂三子獨奏一音 孔子合奏八音 三子有力而無巧 孔子以巧而能中 則皆非本旨 伯夷柳惠 或可曰偏奏一音 如伊尹者 惡得云八音不具乎〕" 하였다.

••• 譬 비유할비 巧 공교할교 俱 함께구 偏 한쪽 편 蔽 가릴 폐 缺 이지러질 결

종말(行)에 결함이 있는 것이요, 〈孔子가〉 온전하게 된 이유는 그 앎이 지극하셨기 때문에 행실이 극진한 것이다. 세 분은 春·夏·秋·冬이 각기 그 철을 하나씩 갖고 있는 것과 같고, 孔子는 太和元氣가 四時에 유행함과 같다.

|班爵祿章|

2-1. 北宮錡(의)問曰 周室班爵祿也는 如之何잇고

北宮錡가 물었다. "周나라 왕실에서 爵祿을 반열함은 어떻게 했습니까?"

> 集註ㅣ北宮은 姓이요 錡[628]는 名이니 衛人이라 班은 列也라
>
> 北宮은 姓이요 錡는 이름이니, 衛나라 사람이다. '班'은 반열이다.

2-2. 孟子曰 其詳은 不可得而聞也로라 諸侯惡(오)其害己也하여 而皆去其籍이어니와 然而軻也 嘗聞其略也로라

孟子께서 말씀하셨다. "그 상세한 내용은 내 얻어듣지 못하였다. 諸侯들이 그것이 자신들에게 방해되는 것을 싫어하여 그 典籍을 모두 없애버렸지만 그러나 내가 일찍이 그 대략을 들었노라.

> 集註ㅣ當時諸侯 兼幷僭竊이라 故로 惡周制妨害己之所爲也라
>
> 당시 諸侯들이 兼幷하고 참람한 짓을 하였다. 그러므로 周나라의 제도가 자신들의 하는 바에 방해됨을 싫어한 것이다.

2-3. 天子一位요 公一位요 侯一位요 伯一位요 子男同一位니 凡五等也라 君一位요 卿一位요 大夫一位요 上士一位요 中士一位요 下士一

---

628 錡:《大全》에는 音이 '魚와 綺의 번절음(의)이다.〔魚綺反〕'하였으나, 楊伯峻은 音이 '奇(기)'라 하였다.

··· 錡 가마솥 의 班 반열 반 籍 서적 적 僭 참람할 참 竊 훔칠 절 妨 해로울 방

位니 凡六等이라

天子가 한 位요 公이 한 位요 侯가 한 位요 伯이 한 位요 子·男이 똑같이 한 位이니, 모두 다섯 등급이다. 君이 한 位요 卿이 한 位요 大夫가 한 位요 上士가 한 位요 中士가 한 位요 下士가 한 位이니, 모두 여섯 등급이다.

集註 | 此는 班爵之制也라 五等은 通於天下하고 六等은 施於國中이라

이것은 爵位를 반열한 제도이다. 〈앞의〉 다섯 등급은 天下에 공통되고, 〈뒤의〉 여섯 등급은 國中에 시행되었다.

2-4. 天子之制는 地方千里요 公侯는 皆方百里요 伯은 七十里요 子男은 五十里니 凡四等이라 不能五十里는 不達於天子하여 附於諸侯하나니 曰附庸이니라

天子의 제도는 땅(田地)이 方千里요 公과 侯는 모두 方百里요 伯은 70리요 子와 男은 50리이니, 모두 네 등급이다. 채 50리가 못되는 나라는 天子에게 직접 통하지 못하여 諸侯에게 붙으니, 이것을 附庸國이라 한다.

集註 | 此以下는 班祿之制也라 不能은 猶不足也라 小國之地 不足五十里者는 不能自達於天子하고 因大國하여 以姓名通하니 謂之附庸이라 若春秋邾儀父(보)之類[629] 是也라

이 이하는 祿을 반열하는 제도이다. '不能'은 不足과 같다. 小國의 땅이 채 50리가 못되는 나라는 직접 天子에게 통하지 못하고 大國을 인하여 姓名으로써 통하니, 이것을 附庸國이라 이른다. 예컨대《春秋》에 邾나라 儀父와 같은 類가 이것이다.

2-5. 天子之卿은 受地視侯하고 大夫는 受地視伯하고 元士는 受地視子

---

629 春秋邾儀父之類:《春秋左傳》隱公 元年에 "隱公이 邾 儀父와 蔑 땅에서 會盟했다.〔公及邾儀父 盟于蔑〕"라고 보인다.

··· 達 통할 달 附 붙일 부 庸 따를 용 邾 나라이름 주 父 남자이름 보(甫通) 視 견줄 시

男이니라

天子의 卿은 땅을 받음을 侯에 비하고, 大夫는 땅을 받음을 伯에 비하고, 元士는 땅을 받음을 子·男에 비한다.

> 集註 | 視는 比也라
> 徐氏曰 王畿之內에 亦制都鄙受地也라 元士는 上士也라
>
> '視'는 比함이다.
> 徐氏(徐度)가 말하였다. "王畿의 안 또한 都鄙(采地)를 만들어 땅을 받는 것이다. '元士'는 上士이다."

2-6. 大國은 地方百里니 君은 十卿祿이요 卿祿은 四大大요 大夫는 倍上士요 上士는 倍中士요 中士는 倍下士요 下士與庶人在官者는 同祿하니 祿足以代其耕也니라

큰 나라(제후국)는 땅이 方百里이니, 군주는 卿의 祿의 10배요 卿의 祿은 大夫의 4배요 大夫는 上士의 배요 上士는 中士의 배요 中士는 下士의 배요 下士와 庶人으로서 관직에 있는 자는 祿이 같으니, 祿이 충분히 그 경작하는 수입을 대신할 만하였다.

> 按說 | 朱子는
>
> '君十卿祿'의 祿은 지금의 俸祿과 같으니, 군주의 소득으로 사사로이 사용할 수 있는 것이다. 貢賦, 賓客, 朝覲, 祭饗, 交聘, 往來로 말하면 또 별도로 公用의 재물이 있으니 이른바 祿이 아니다.〔君十卿祿 祿者 猶今之俸祿 蓋君所得 得爲私用者 至於貢賦賓客朝覲祭饗交聘往來 又別有財儲公用 非所謂祿也〕《語類》
>
> 하였다.

> 集註 | 十은 十倍之也요 四는 四倍之也요 倍는 加一倍也라

徐氏曰 大國은 君田이 三萬二千畝니 其入이 可食(사)二千八百八十人이요 卿田은
三千二百畝니 可食二百八十八人이요 大夫田은 八百畝니 可食七十二人이요 上士
田은 四百畝니 可食三十六人이요 中士田은 二百畝니 可食十八人이요 下士與庶人
在官者田은 百畝니 可食九人至五人이라 庶人在官은 府史胥徒[630]라
愚按 君以下所食之祿은 皆助法之公田이니 藉農夫之力以耕하여 而收其租하고 士
之無田與庶人在官者는 則但受祿於官을 如田之入而已니라

'十'은 10배요 '四'는 4배요 '倍'는 1배를 가하는 것(두 배)이다.

徐氏(徐度)가 말하였다. "大國(公·侯의 나라)은 군주의 토지가 3만 2,000畝이니 그 수입
이 2,880명을 먹일 만하고, 卿의 토지는 3,200畝이니 288명을 먹일 만하고, 大夫의 토지는
800畝이니 72명을 먹일 만하고, 上士의 토지는 400畝이니 36명을 먹일 만하고, 中士의 토
지는 200畝이니 18명을 먹일 만하고, 下士와 庶人으로서 관직에 있는 자의 토지는 100畝
이니 9명 내지 5명을 먹일 만하다. '庶人으로서 관직에 있다.'는 것은 府·史·胥·徒의 아
전들이다."

내가 상고해보건대 君 이하가 먹는 바의 祿은 모두 助法의 公田이니 농부의 힘을 빌어 경
작하여 그 租稅를 거두는 것이요, 士로서 토지가 없는 자와 庶人으로서 관직에 있는 자는
다만 관청에서 祿을 받기를 토지의 수입과 같이 할 뿐이다.

2-7. 次國은 地方七十里니 君은 十卿祿이요 卿祿은 三大夫요 大夫는 倍 上士요 上士는 倍中士요 中士는 倍下士요 下士與庶人在官者는 同祿하 니 祿足以代其耕也니라

다음의 나라는 땅이 方 70리이니, 군주는 卿의 祿의 10배요 卿의 祿은 大夫의 3배요
大夫는 上士의 배요 上士는 中士의 배요 中士는 下士의 배요 下士와 庶人으로서
관직에 있는 자는 祿이 같으니, 祿이 충분히 그 경작하는 수입을 대신할 만하였다.

---

630 府史胥徒:《周禮》〈天官冢宰〉에 "卿인 大(太)宰가 1명이고 中大夫인 小宰가 2명이고……府가 6명이
고 史가 12명이고 胥가 12명이고 徒가 120명이다.〔大宰卿一人 小宰中大夫二人……府六人 史十有二
人 胥十有二人 徒百有二十人〕"하였다.《大全》에 "府는 창고를 다스리고, 史는 文書를 맡고, 胥와 徒
는 백성으로서 徭役을 지는 자이다.〔府治藏 史掌書 胥, 徒民服徭役者〕"하였다.

••• 胥 하급관리 서 徒 일꾼 도 租 구실조

集註 | 三은 謂三倍之也라

徐氏曰 次國은 君田이 二萬四千畝니 可食二千一百六十人이요 卿田은 二千四百畝니 可食二百十六人이라

'三'은 3배를 이른다.

徐氏(徐度)가 말하였다 "次國(伯의 나라)은 군주의 토지가 2만 4,000畝이니 2,160명을 먹일 만하고, 卿의 토지는 2,400畝이니 216명을 먹일 만하다."

2-8. 小國은 地方五十里니 君은 十卿祿이요 卿祿은 二大夫요 大夫는 倍上士요 上士는 倍中士요 中士는 倍下士요 下士與庶人在官者는 同祿하니 祿足以代其耕也니라

작은 나라는 땅이 方 50리이니, 군주는 卿의 祿의 10배요 卿의 祿은 大夫의 2배요 大夫는 上士의 배요 上士는 中士의 배요 中士는 下士의 배요 下士와 庶人으로서 관직에 있는 자는 祿이 같으니, 祿이 충분히 그 경작하는 수입을 대신할 만하였다.

集註 | 二는 卽倍也라

徐氏曰 小國은 君田이 一萬六千畝니 可食千四百四十人이요 卿田은 一千六百畝니 可食百四十四人이라

'二'는 바로 倍이다.

徐氏(徐度)가 말하였다. "小國(子·男의 나라)은 군주의 토지가 1만 6,000畝이니 1,440명을 먹일 만하고, 卿의 토지는 1,600畝이니 144명을 먹일 만하다."

2-9. 耕者之所獲은 一夫百畝니 百畝之糞에 上農夫는 食(사)九人하고 上次는 食八人하고 中은 食七人하고 中次는 食六人하고 下는 食五人이니 庶人在官者는 其祿이 以是爲差니라

경작하는 자의 소득은 한 家長이 100畝를 받으니, 100畝를 가꿈에 上農夫는 9명을 먹일 수 있고, 上農夫의 다음은 8명을 먹일 수 있고, 中農夫는 7명을 먹일 수 있고, 中

··· 獲 얻을 획 糞 거름 분 食 먹일 사 差 다를 차, 차등할 차

農夫의 다음은 6명을 먹일 수 있고, 下農夫는 5명을 먹일 수 있으니, 庶人으로서 관직에 있는 자는 그 祿을 이에 따라 차등하였다."

按說 │ '耕者之所獲(경작하는 자의 소득)'에 대하여, 《周禮》〈地官司徒 大司徒〉에

무릇 나라를 세울 적에 土圭尺을 가지고 땅을 헤아려 구역을 만든다. 諸公의 땅은 封疆(경계)이 方 500리이니 그 먹는 것이 절반이고, 諸侯의 땅은 封疆이 方 400리이니 먹는 것이 3분의 1이고, 諸伯의 땅은 封疆이 方 300리이니 먹는 것이 3분의 1이고, 諸子의 땅은 封疆이 方 200리이니 먹는 것이 4분의 1이고, 諸男의 땅은 封疆이 方 100리이니 먹는 것이 4분의 1이다.〔凡建邦國 以土圭 土其地而制其域 諸公之地 封疆方五百里 其食者半 諸侯之地 封疆方四百里 其食者參之一 諸伯之地 封疆方三百里 其食者參之一 諸子之地 封疆方二百里 其食者四之一 諸男之地 封疆方百里 其食者四之一〕

하였으며, 《禮記》〈王制〉에는 다음과 같이 보인다.

王者(천자)의 제도에 祿爵은 公·侯·伯·子·男 모두 다섯 등급이고, 이 다섯 등급 諸侯의 祿爵은 上大夫인 卿과 下大夫와 上士와 中士와 下士 모두 다섯 등급이다. 天子의 田地는 方千里이고 公과 侯의 田地는 方百里이고 伯은 70리이고 子와 男은 50리이니, 50리가 되지 못하는 나라는 天子國에 조회하지 못하여 諸侯에게 붙으니, 이것을 附庸이라 한다. 天子國 三公의 田地는 公과 侯에 견주고, 天子國 卿의 田地는 伯에 견주고, 天子國 大夫의 田地는 子와 男에 견주고, 天子國 元士의 田地는 附庸國의 君主에 견준다. 王者의 제도에 농부에게는 田地 100畝를 주니, 100畝를 나누어 줌에 上農夫는 9명을 먹이고, 그 다음은 8명을 먹이고, 그 다음은 7명을 먹이고, 그 다음은 6명을 먹이고, 下農夫는 5명을 먹이니, 庶人으로서 관직에 있는 자는 그 祿을 이에 따라 차등한다. 諸侯國의 下士는 祿을 받는 것을 上農夫에 견주니, 祿이 충분히 경작을 대신할 만하다. 中士는 下士의 배이고, 上士는 中士의 배이고, 下大夫는 上士의 배이고, 卿은 大夫의 네 배이고, 君은 卿의 열 배이다. 次國의 卿은 大夫의 세 배이고, 君은 卿의 열 배이다. 小國의 卿은 大夫의 배이고, 君은 卿의 열 배이다.〔王者之制祿爵 公, 侯, 伯, 子, 男, 凡五等 諸侯之上大夫卿, 下大夫, 上士, 中士, 下士 凡五等 天子之田 方千里 公侯田 方百里 伯 七十里 子男 五十里 不能五十里者 不合於天子 附於諸侯 曰附庸 天子之三公之田 視公侯 天子之卿 視伯

天子之大夫 視子男 天子之元士 視附庸 制農田百畝 百畝之分 上農夫 食(사)九人 其

次 食八人 其次 食七人 其次 食六人 下農夫 食五人 庶人在官者 其祿 以是爲差也

諸侯之下士 視上農夫 祿足以代其耕也 中士倍下士 上士倍中士 下大夫倍上士 卿四

大夫祿 君十卿祿 次國之卿 三大夫祿 君十卿祿 小國之卿 倍大夫祿 君十卿祿〕

그러나 方千里와 方百里의 '方'을 정방형의 한 변의 길이로 볼 경우 方百里는 方千里의
10분의 1이 아니고 100분의 1이 되는데, 기록마다 각기 달라 10분의 1로 계산한 곳도 있
고 100분의 1로 계산한 곳도 있어 정확히 단정하기 어렵다. 천자국은 方千里여서 兵車 萬
乘이 나오고 큰 제후국은 方百里여서 兵車 千乘이 나온다는 것 역시 10분의 1로 계산한
것인바, 朱子 역시 아래《集註》에서 "상고할 수 없다."고 하였다.

集註 l 獲은 得也라 一夫一婦 佃田百畝하여 加之以糞하니 糞多而力勤者 爲上農이
니 其所收可供九人이요 其次는 用力不齊라 故로 有此五等이라 庶人在官者는 其受
祿不同하여 亦有此五等也니라

'獲'은 얻음이다. 한 지아비와 한 지어미가 토지 100畝를 가꾸어서 거름을 加하니, 거름이
많고 힘이 부지런한 자는 上農夫가 되니 그 수입이 9명에게 공급할 만하고, 그 다음은 힘을
씀이 똑같지 않으므로 이 다섯 등급이 있는 것이다. 庶人으로서 관직에 있는 자는 그 祿을
받음이 똑같지 않아 또한 이 다섯 등급이 있는 것이다.

章下註 l ○愚按 此章之說은 與周禮王制로 不同하니 蓋不可考라 闕之可也니라
程子曰 孟子之時는 去先王未遠하고 載籍이 未經秦火로되 然而班爵祿之制를 已
不聞其詳이라 今之禮書[631]는 皆掇拾於煨燼之餘하고 而多出於漢儒一時之傅會하
니 奈何欲盡信而句爲之解乎아 然則其事를 固不可——追復矣[632]로다

---

631 今之禮書 : 禮書는 禮經으로 원래《儀禮》,《周禮》,《禮記》의 三禮를 가리키나, 여기서는 특히《周禮》
와《禮記》의〈王制〉를 가리킨 것이다.

632 固不可——追復矣 : 一本에는 '——'이 '一二'로 잘못되어 있다. 茶山은 "《周禮》는 원래 시행되지 못한
법이다. 孟子의 시대에 典籍이 흩어지고 멸실되어 전해들은 것이 각각 달라 반드시《周禮》와 서로 맞지
만은 않으니, 하물며《禮記》〈王制〉에 있어서랴. 국가를 다스리는 자는 여러 글을 모두 살펴 適中한 것
을 헤아려 제도를 세우는 것이 옳을 것이다. 어찌 군이 몇 조목이 맞지 않는다고 하여 타고 남은 잿더미
의 버려진 물건(책)으로 여기겠는가.〔周禮原是未及施行之法 孟子之時 典籍散滅 傳聞各殊 不必與

··· 佃 농사지을 전 闕 빼놓을 궐 經 지날 경 掇 주울 철 拾 주울 습 煨 불탈 외 燼 불탈 신 傅 붙일 부

○내가 상고하건대 이 章의 말은《周禮》및《禮記》의〈王制〉와 똑같지 않으니, 상고할 수 없다. 빼놓는 것이 可할 것이다.

程子(明道)가 말씀하였다. "孟子 때에는 先王과의 거리가 멀지 않았고 전적들이 秦나라의 불태움을 겪지 않았는데도 爵祿을 반열하는 제도에 대해 이미 그 상세함을 듣지 못하였다. 지금의 禮書들은 모두 불타 없어진 뒤에 주위 모은 것이고 대부분 漢儒들이 일시적으로 傅會한 것에서 나왔으니, 어찌하여 이것을 모두 믿어 句마다 해석을 하고자 한단 말인가. 그렇다면 그 일을 진실로 일일이 다시 회복할 수 없는 것이다."

|敢問友章(友其德章)|

3-1. 萬章이 問曰 敢問友하노이다 孟子曰 不挾長하며 不挾貴하며 不挾兄弟而友니 友也者는 友其德也니 不可以有挾也니라

萬章이 물었다. "감히 벗에 대해서 묻습니다."

孟子께서 말씀하셨다. "나이가 많음을 믿지 않고 귀함을 믿지 않고 兄弟間을 믿지 않고 벗해야 하니, 벗하는 것은 그 德을 벗하는 것이니 믿는 것이 있어서는 안 된다.

按說 | '不挾長'에 대하여, 壺山은

살펴보건대 '長'字에 음을 달지 않았으니, 아마도 如字인 平聲으로 읽어서 앞편의 '惡乎長'을 '所長'의 뜻으로 삼은 것처럼 보았나보다. 그러나 뒤편 '挾長' 註에서 上聲이라고 하였고, 또 一本에 去聲이라 하였는바, 두 곳의 挾長을 다르게 볼 수가 없을 듯하니 다시 살펴보아야 한다.[按長字 不著音 豈欲讀以如字平聲 如前篇惡乎長之爲所長之義歟 雖然後篇挾長註 旣著曰上聲 又一作去聲 兩處挾長 恐不可異同看 更詳之]

하였다. '長'은 '길다' 또는 '잘하다[所長]'의 뜻으로 읽을 경우 平聲이고, '어른' 또는 '나이가 많다'의 뜻으로 읽을 경우 上聲이고, '넉넉하다' 또는 '興旺하다'로 읽을 경우 去聲이다.

周禮相合 況於王制乎 爲國家者 通執諸文 權其中而立制 斯可矣 何必以數目之不合 指之爲煨燼之棄物乎]" 하였다.

··· 挾 낄협

'不挾兄弟而友'에 대하여, 壺山은

> '挾兄弟'는 陸氏가 朱子에게 대한 것과 같은 것이 이것이다. '而友' 두 글자는 앞 '不挾長'
> 과 '不挾貴' 두 句를 아울러 받는다.〔挾兄弟 蓋如陸氏之於朱子 是也 而友二字 幷統上
> 不挾長不挾貴二句〕

하였다. '陸氏'는 陸九齡·陸九淵 형제를 가리키는바, 이들은 朱子의 性理說을 공동으
로 집중 논박하였다. 楊伯峻은 趙岐가

> '兄弟'는 兄弟 중에 富貴한 자가 있는 것이다.〔兄弟 兄弟有富貴者〕

라고 한 것을 취하고, 또 趙岐와는 다른 說로 江永의《群經補義》에

> 古人들은 혼인으로 형제가 되었으니, 예컨대 張子가 二程에 있어서나 程允夫가 朱子에 있
> 어서, 모두 외종형제 관계가 있는 것과 같다. 이미 벗이 되었으면 師道가 있으니, 나와 그가
> 인척이라고 해서 의문이 있어도 下問하지 않으려고 해서는 안 된다.

한 說을 소개하였다. 下問은 아랫사람에게 물음을 이른다.

集註 | 挾者는 兼有而恃之之稱[633]이라

'挾'은 소유하고 믿는 것을 겸한 칭호이다.

3-2. 孟獻子는 百乘之家也라 有友五人焉하더니 樂正裘와 牧仲이요 其 三人은 則予忘之矣로라 獻子之與此五人者友也는 無獻子之家者也니 此五人者 亦有獻子之家면 則不與之友矣리라

孟獻子는 百乘의 집안이었다. 벗 다섯 명이 있었는데 樂正裘와 牧仲이요, 그 세 사
람은 내 그 이름을 잊었노라. 獻子가 이 다섯 사람과 벗한 것은 〈意中에〉 獻子(자신)
의 집안을 의식함이 없었던 자이니, 이 다섯 사람들 또한 〈意中에〉 獻子의 집안을 의식

---

633 挾者 兼有而恃之之稱 : 慶源輔氏(輔廣)는 "소유하고 믿는 두 가지의 뜻을 겸하여야 비로소 挾이라 이
르니, 다만 소유하기만 하고 믿지 않으면 挾이라 하지 않는다.〔兼夫有與恃二者之意 方謂之挾 但有之
而不恃 則未謂之挾也〕" 하였다.

··· 恃 믿을 시 裘 갖옷 구 牧 성 목

하고 있었다면 獻子는 이들과 더불어 벗하지 않았을 것이다.

按說 | ‘無獻子之家者也’와 ‘亦有獻子之家’의 ‘無’와 ‘有’에 대하여, ‘부귀한 집안이
없음과 있음’으로 해석하는 說과 ‘집안을 의식함이 없음과 있음’으로 해석하는 說이 있고,
또 ‘無獻子之家者也’와 ‘不與之友矣’의 주체를 孟獻子로 보느냐 五人으로 보느냐 하
는 문제가 있다. ‘의식함이 없음과 있음’으로 해석한 것은《集註》에 인용한 張子의 說이고,
‘집안이 없음과 있음’으로 해석한 說 중 하나가 范氏(范祖禹)의 說인데, 주자는 이에 대
하여

范氏의 論에 ‘이 다섯 사람은 자신들의 賢能함을 믿고 남에게 교만하고자 하였으나 도움이
없음에 굴하여 부득이 獻子를 벗하였다. 만일 그들도 百乘의 집안이 있었다면 또 장차 그
부귀까지 아울러 믿어 獻子와 벗하지 않았을 것이다.’라 하였으니, 이것이 어찌 賢者의 마음
이겠는가. 또한 반드시 그렇지 않을 것이다. 張子의 說은 좋으나 글이 지나치게 공교하여《孟
子》의 다른 글과 비슷하지 않고, 이른바 ‘亦有獻子之家’에서 그 ‘亦’字 또한 통하지 않는다.
상고할 수 없으니, 우선 張子의 說을 따르고 의심나는 것을 남겨두어 아는 자를 기다리는
것이 可하다.〔范氏之論 則是五人者 爲欲挾其賢以驕人 而屈於無資 故不得已而友獻
子 若亦有百乘之家 則且又將幷其富貴而挾之 而不與獻子爲友也 是豈賢者之心哉
其亦必不然矣 至於張子之說則善矣 然詞亦傷巧 與孟子他文不類 而所謂亦有獻子
之家者 其亦字亦未通 蓋不可考矣 姑從張子之說 而闕其疑 以俟知者可也〕《或問》

하였다. ‘집안이 없음과 있음’으로 해석한 范氏의 說은 ‘不與之友矣’의 주체를 五人으로
보았는데, 이 점을 朱子는 글의 뜻에 맞지 않다고 여겼고, ‘의식함이 없음과 있음’으로 본
張子의 說은 뜻은 좋으나 문장의 해석이 순하지 않다고 본 것이다. 또 ‘집안이 없음과 있
음’으로 해석하면 ‘無獻子之家者也’의 주체는 五人이 되어야 하지만, ‘의식함이 없음과
있음’으로 볼 때는 ‘無獻子之家者也’의 주체가 五人과 獻子 모두 가능한데 張子의 說에
서는 주체를 獻子로 보았다.
栗谷諺解는 ‘의식함이 없음과 있음’으로 보았는바, ‘獻子의 이 다섯 사롬으로 더브러
友홈은 獻子의 집을 업시녀기는 者ㅣ니 이 다섯 사롬이 쏘흔 獻子의 집을 잇게 녀기면
더브러 友티 아니ᄒ리라’로 해석하였다. 尤菴(宋時烈)도

'無'字는 바로 '忘'字의 뜻이고 '有'字는 '無'字를 상대하여 말한 것이다.〔無字 是忘字之 義 有字 對無字而言〕《宋子大全 答洪虞卿》

하여 '의식함이 없음과 있음'으로 보았다. 반면 官本諺解는 '獻子의 이 五人者로 더블어 友ㅎ욤애 獻子의 家ㅣ 업슨 者ㅣ니 이 五人者ㅣ 또흔 獻子의 家를 有ㅎ면 곧 더블어 友 티 아니ㅎ리라'로 해석하여 '無'와 '有'의 의미가 분명하지 않다. 또 栗谷諺解는 '獻子之 與此五人者友也는 無獻子之家者也ㅣ니'로 懸吐하여 無獻子之家者也의 주체를 獻子 로 보는 張子의 설과 부합하는 반면, 官本諺解는 '獻子之與此五人者로 友也애 無獻 子之家者也ㅣ니'로 懸吐하여 無獻子之家者也의 주체가 獻子인지 五人인지가 분명하 지 않다. 그래서 壺山은

'友也에'는 官本諺解의 諺讀(懸吐)이 분명하지 못하다.〔友也 諺讀未瑩〕

하였다. 壺山은 '無獻子之家者也'와 '不與之友矣'의 주체를 獻子로 하면 范氏의 說의 오류를 피할 수 있고, '집안이 없음과 있음'의 說을 취하면 해석이 순하지 못한 문제를 해 결할 수 있는데, 官本諺解의 뜻이 이와 같다고 보고 다음과 같이 설명하였다.

살펴보건대 尤翁의 說은 바로 張子의 뜻이니 "無字와 상대했다."는 것은 마음에 잊지 못하 여 그 세력을 의뢰하고자 함을 말한 것이다. 그러나 本文의 '亦'字의 뜻으로 보면 끝내 有無 (집안이 있음과 없음)의 뜻으로 삼은 듯하니, 朱子가 말씀한 '통하지 않는다'는 뜻이 옳다. 范氏가 五人을 위주하여 말한 것은 이 節의 큰 뜻을 완전히 잃었고, 張子가 '有·無' 두 글 자를 해석한 것(의식함이 있음과 없음)은 비록 지나치게 공교하나 獻子를 위주하여 말씀한 것은 진실로 맞다. 官本諺解에는 또 范氏와 張子의 뜻을 전혀 취하지 않고, 有無의 뜻(집 안이 있음과 없음)으로 해석하였으니, 이 節은 獻子를 위주하여 귀함을 믿지 않은 일을 말 한 것이다. '저 세력이 없는 賢者를 취하여 벗으로 삼은 뒤에야 비로소 귀함을 믿지 않음을 볼 수 있으니, 만약 세력이 있으면서 어질면 이는 獻子의 同流여서 자신이 귀함을 믿지 않음 을 보일 수 없기 때문에 獻子가 이들과 벗하지 않았다.'고 한다면, 이는 有意의 사사로움을 면치 못하여 中人 이하의 일인 것이다. 그러나 이 節은 본래 獻子를 위하여 도모한 것이요 聖人을 위하여 말씀한 것이 아니다. 그렇다면 이와 같이 벗을 취하는 것도 본래 어짊이 됨에 문제될 것이 없으니, 官本諺解의 뜻은 아마도 이와 같은 듯하다.〔按尤翁說 卽張子之意也 對無 謂不忘於心而欲資其勢也 然以本文亦字意觀之 終似作有無之義 朱子所云未

通 是也 范氏主五人言 全失此節之大意 張子釋有無二字 雖傷巧 其主獻子言 固得
之 而諺解又不全用其意 而釋作有無之義 蓋此節 主獻子而言其不挾貴之事者也 彼
無勢而賢者 取以爲友然後 乃見其不挾貴 若有勢而賢 則是獻子之同流也 不足以見
其不挾貴 故獻子不與之友 是未免有意之私而中人以下之事 然此節 本爲獻子謀 而
不爲聖人設也 則如此取友 自不害其爲賢 諺解之意 豈如是歟)

壺山의 說에 따르면 "獻子가 이 다섯 사람과 벗한 것은 자기와 같은 집안이 없었기 때문
이니, 이 다섯 사람들이 또한 獻子와 같은 집안이 있었다면 獻子는 이들과 더불어 벗하지
않았을 것이다."라고 해석할 수 있다. 獻子가 자신의 동류와 벗하지 않은 것은 私意에 해
당하므로 온당치 않아 보이지만, 이 내용은 聖人의 일이 아니라 獻子에 대해 말한 것이므
로 무방하다는 것이다.

集註ㅣ孟獻子는 魯之賢大夫仲孫蔑也라

張子曰 獻子는 忘其勢하고 五人者는 忘人之勢하니 不資其勢而利其有然後에 能
忘人之勢라 若五人者 有獻子之家면 則反爲獻子之所賤矣리라

孟獻子는 魯나라의 어진 大夫인 仲孫蔑이다.

張子(張載)가 말씀하였다. "孟獻子는 자신의 세력을 잊었고 다섯 사람은 남의 세력을 잊었
으니, 그의 세력을 이용하고 그의 소유함을 이롭게 여기지 않은 뒤에야 남의 세력을 잊을 수
있는 것이다. 만일 이들 다섯 사람이 獻子의 집안을 意中에 의식하고 있었다면 도리어 獻
子에게 천히 여김을 받았을 것이다."

3-3. 非惟百乘之家 爲然也라 雖小國之君이라도 亦有之하니 費惠公曰
吾於子思則師之矣요 吾於顔般則友之矣요 王順長息則事我者也라
하니라

비단 百乘의 집안만이 그러한 것이 아니라 비록 小國의 군주 중에도 또한 그러한 경우
가 있었으니, 費惠公이 말하기를 '내가 子思에 있어서는 스승으로 섬기고 顔般에 있
어서는 벗으로 대하고 王順과 長息은 나를 섬기는 자이다.' 하였다.

··· 蔑 없을멸 資 의뢰할자 費 쓸비 般 즐길반

集註 | 惠公은 費邑之君也[634]라 師는 所尊也요 友요 所敬也요 事我者는 所使也라

惠公은 費邑의 군주이다. '師'는 높이는 바요, '友'는 공경하는 바요, '나를 섬긴다.'는 것은 내가 부리는 바이다.

3-4. 非惟小國之君이 爲然也라 雖大國之君이라도 亦有之하니 晉平公之於亥唐也에 入云則入하며 坐云則坐하며 食云則食하여 雖疏食(사)菜羹이라도 未嘗不飽하니 蓋不敢不飽也라 然이나 終於此而已矣요 弗與共天位也하며 弗與治天職也하며 弗與食天祿也하니 士之尊賢者也라 非王公之尊賢也니라

비단 小國의 군주만이 그러한 것이 아니라 비록 大國의 군주 중에도 그러한 경우가 있었다. 晉 平公이 亥唐에 대하여 亥唐이 들어오라고 하면 들어가고 앉으라고 하면 앉고 먹으라고 하면 먹어서 비록 거친 밥과 나물국이라도 일찍이 배불리 먹지 않은 적이 없었으니, 이는 감히 배불리 먹지 않을 수가 없었던 것이다. 그러나 이에 그쳤을 뿐이었고, 그(亥唐)와 더불어 天位를 함께하지 않았으며 그와 더불어 天職을 다스리지 않았으며 그와 더불어 天祿을 먹지 않았으니, 이는 士가 賢者를 높이는 것이요 王公이 賢者를 높이는 것이 아니다.

集註 | 亥唐은 晉賢人也라 平公이 造之에 唐言入이라야 公乃入하고 言坐라야 乃坐하고 言食이라야 乃食也라 疏食는 糲飯也라 不敢不飽는 敬賢者之命也라

○ 范氏曰 位曰天位요 職曰天職이요 祿曰天祿[635]이라하니 言 天所以待賢人하여 使

---

634 惠公 費邑之君也:茶山은 王應麟이 '費는 魯나라 季氏의 邑인데 참칭한 것인 듯하다.'라고 한 것과, 毛奇齡이 費를 季氏의 邑이 아닌 또 다른 '작은 나라'라고 한 것을 인용하고, "費의 행적이 《春秋》에 보이지 않으니, 우선 의심나는 것은 제쳐놓아야 한다.[費之跡 不見春秋 且當闕疑]" 하였다. 楊伯峻은 "費는 작은 나라 이름이다." 하였다. 壺山은 "國이라고 말하지 않고 邑이라고 말한 것은 春秋시대에 費가 실로 魯나라 邑이어서이니, 惠公은 아마도 또한 楚나라 葉公의 무리인가 보다. 아니면 지금 費邑이 옛날 나라였을 때의 군주를 이른 것인가.[不云國而云邑者 春秋時 費實魯邑也 惠公豈亦楚葉公之流歟 抑謂今費邑 昔爲國時之君歟]" 하였다.

635 位曰天位……祿曰天祿:西山眞氏(眞德秀)는 "지위로써 처우하고 관직으로써 맡기고 녹으로써 길러 주는 것이다.[位以處 職以任 祿以養]" 하였다.

··· 亥 돼지해 疏 거칠소 食 밥사 菜 나물채 羹 국갱 飽 배부를포 糲 현미려

治天民이니 非人君所得專者也니라

亥唐은 晉나라의 賢人이다. 平公이 그의 집에 찾아갔을 적에 亥唐이 들어오라고 말해야 平
公이 그제야 들어가고 앉으라고 말해야 그제야 앉고 먹으라고 말해야 그제야 먹은 것이다.
'疏食'는 거친 밥이다. 감히 배불리 먹지 않을 수 없었던 것은 賢者의 命을 공경한 것이다.
○ 范氏(范祖禹)가 말하였다. "지위를 '天位'라 하고 직책을 '天職'이라 하고 祿을 '天祿'
이라 하였으니, 이는 하늘이 賢人을 대우하여 天民(하늘이 낸 백성)을 다스리게 한 것이니,
군주가 마음대로 할 수 있는 것이 아님을 말한 것이다."

3-5. 舜이 尙見(현)帝어시늘 帝館甥于貳室하시고 亦饗舜하사 迭爲賓主하시니 是는 天子而友匹夫也니라

舜임금이 위로 올라가 堯임금을 뵈었는데, 堯임금이 사위인 舜을 貳室에 머물게 하시
고 舜에게서도 음식을 얻어먹어 번갈아 賓·主가 되셨으니, 이는 天子로서 匹夫와 벗
한 것이다.

> 按說 | '尙見帝'의 '見'의 音을 官本諺解에는 '견'으로 표시하였으나, 謁見의 뜻으로
> 보아 '현'으로 읽었다.

集註 | 尙은 上也니 舜上而見於帝堯也라 館은 舍也라 禮에 妻父曰外舅니 謂我舅者
를 吾謂之甥이라하니 堯以女妻舜이라 故로 謂之甥이라 貳室은 副宮也니 堯舍舜於副
宮하고 而就饗其食[636]하시니라

'尙'은 위로 올라감이니, 舜이 위로 올라가서 堯임금을 뵌 것이다. '館'은 舍(머물게 함)이
다. 禮에 "妻父를 外舅라 하니, 나를 舅라고 하는 자를 나는 甥이라 한다." 하였으니, 堯임
금이 딸을 舜에게 시집보냈으므로 甥이라 이른 것이다. '貳室'은 副宮이니, 堯임금이 舜을
副宮에 거처하게 하고 〈舜의 宮으로〉 찾아가서 그 음식을 드신 것이다.

---

636 堯舍舜於副宮 而就饗其食 : 壺山은 "貳室에 사위를 머물게 했으면 堯임금이 주인이 된 것인데, 또 舜
임금에게 나아가 음식을 먹었으면 舜임금이 주인이 된 것이다.〔館甥于貳室 則堯爲主 旣又就饗於舜
則舜爲主〕" 하였다.

··· 尙 올라갈 상 館 머물 관 甥 사위생, 생질 생 貳 버금 이 饗 음식얻어먹을 향 迭 갈마들 질 舍 머물 사
舅 외삼촌 구, 장인 구 副 버금 부

3-6. 用下敬上을 謂之貴貴요 用上敬下를 謂之尊賢이니 貴貴, 尊賢이 其義一也니라

아랫사람으로서 윗사람을 공경함을 貴貴(귀한 사람을 귀하게 여김)라 이르고, 윗사람으로서 아랫사람을 공경함을 尊賢(어진이를 높임)이라 이르니, 貴貴와 尊賢이 그 義가 똑같다."

> 集註 | 貴貴, 尊賢은 皆事之宜者라 然이나 當時에 但知貴貴而不知尊賢이라 故로 孟子曰 其義一也라하시니라

'貴貴'와 '尊賢'은 모두 일의 마땅함이다. 그러나 당시에 단지 貴貴만을 알고 尊賢을 알지 못하였다. 그러므로 孟子께서 "그 義가 똑같다."라고 하신 것이다.

> 章下註 | ○ 此는 言 朋友는 人倫之一이니 所以輔仁이라 故로 以天子友匹夫而不爲詘(屈)이요 以匹夫友天子而不爲僭이니 此는 堯舜所以爲人倫之至하여 而孟子言必稱之也시니라

○ 이는 朋友는 人倫의 하나이니 仁을 돕는 것이므로, 天子로서 匹夫를 벗하여도 굽힘이 되지 않고 匹夫로서 天子를 벗하여도 참람함이 되지 않음을 말씀한 것이다. 이는 堯·舜이 人倫의 지극함이 되어 孟子께서 말씀마다 반드시 堯·舜을 칭하신 이유이다.

|萬章問交際章|

4-1. 萬章이 問曰 敢問交際는 何心也잇고 孟子曰 恭也니라

萬章이 물었다. "감히 여쭙겠습니다. 교제는 무슨 마음으로 합니까?"
孟子께서 말씀하셨다. "공손함이다."

> 集註 | 際는 接也니 交際는 謂人以禮儀幣帛으로 相交接也라

際는 接함이니, '交際'는 사람이 禮儀와 幣帛을 가지고 서로 사귀고 접함을 이른다.

... 輔 도울 보 詘 굽힐 굴 僭 참람할 참 際 사귈 제 幣 비단 폐

4-2. 曰 卻之卻之 爲不恭은 何哉잇고 曰 尊者賜之어든 曰 其所取之者
義乎아 不義乎아하여 而後受之라 以是爲不恭이니 故로 弗卻也니라

萬章이 말하였다. "예물을 물리치는 것을 不恭하다고 하는 것은 어째서입니까?"

孟子께서 말씀하셨다. "존귀한 자가 물건을 주면 받는 자가 〈그 물건을 대하면서〉 그가
이것을 취한 것이 義에 맞았는가 義에 맞지 않았는가를 생각하여, 義에 맞은 뒤에야 받
기 때문에 이것을 不恭이라 하니, 이 때문에 물리치지 않는 것이다."

> 按說 | '尊者'에 대하여, 楊伯峻은
>
> 長者와는 다르다. 尊者는 지위로 말한 것이며 長者는 나이를 가지고 말한 것이다.
>
> 하였다.

集註 | 卻은 不受而還之也라 再言之는 未詳이라 萬章疑 交際之間에 有所卻者면 人
便以爲不恭은 何哉오 孟子言 尊者之賜[637]에 而心竊計其所以得此物者未知合義
與否하여 必其合義然後에 可受요 不然則卻之矣니 所以卻之爲不恭也니라

'卻'은 받지 않고 되돌려 보냄이다. 두 번 '卻之'라고 말한 것은 未詳이다. 萬章이 의심하
기를 "교제하는 사이에 예물을 물리치는 자가 있으면 사람들이 곧 不恭하다고 말하는 것은
어째서입니까?" 하자, 孟子께서 말씀하시기를 "존귀한 자가 물건을 하사할 적에 〈받는 자
가〉 마음속으로 그가 이 물건을 얻은 것이 의리에 합하였는지 알지 못하겠다고 속으로 계산
하여, 반드시 義에 합한 뒤에야 받고 그렇지 않으면 물리치니, 이 때문에 물리침을 不恭이
라 하는 것이다." 하셨다.

4-3. 曰 請無以辭卻之요 以心卻之曰 其取諸民之不義也라하고 而以
他辭로 無受 不可乎잇가 曰 其交也以道요 其接也以禮면 斯는 孔子도
受之矣시니라

---

637 尊者之賜:壺山은 "諸侯가 士에게 하사함을 위주하여 말한 것이다.〔蓋主諸侯之賜於士而言〕" 하였
다.

··· 卻 물리칠 각 弗 아닐 불 竊 몰래 절

萬章이 말하였다. "청컨대 말로써 물리치지 말고 마음속으로 물리치기를 '그가 백성들에게서 취한 것이 의롭지 못하다.' 하고는 다른 말로 〈구실을 삼아〉 받지 않는 것이 불가합니까?"

孟子께서 말씀하셨다. "그 사귐을 道로써 하고 그 接함을 禮로써 하면 이는 孔子도 받으셨다."

按說 | '其取諸民之不義也'의 '民之'에 대하여 壺山은

'民之'의 之는 '者'와 같다.〔民之之 猶者也〕

하였다. 官本諺解에는 '其取諸民之不義也而以他辭로'라고 懸吐하고 '그 民의게 取홈이 義 아니라 ᄒ야 他辭로써'로 해석하였고, 栗谷諺解에는 '其取諸民之不義也ㅣ라 ᄒ야 而以他辭'라고 懸吐하고 '그 民의게 取홈이 義 아니라 ᄒ야 다른 말로써'로 해석하였다. 壺山은

'不義也'에 마땅히 句를 떼어야 하니, 官本諺解는 자세하지 못하다.〔不義也 當句絶 諺解欠詳〕

하였다. 官本諺解와 栗谷諺解는 句를 뗀 것은 다르지만 해석은 다르지 않다.

集註 | 萬章以爲 彼旣得之不義면 則其餽를 不可受니 但無以言辭間而卻之요 直以心度(탁)其不義하여 而託於他辭以卻之니 如此可否邪아하니라 交以道는 如餽賻, 聞戒, 周其飢餓[638]之類요 接以禮는 謂辭命恭敬之節이라 孔子受之는 如受陽貨蒸豚[639]之類也라

萬章이 묻기를 "저가 이미 얻기를 의롭지 않게 했다면 그가 주는 것을 받을 수 없으니, 다만 言辭로써 트집 잡아 물리치지 말고, 다만 마음속으로 그의 不義함을 헤아리고서 다른 말을 핑계대어 물리칠 것이니, 이와 같이 함이 可합니까?" 한 것이다. 道로써 사귄다는 것은 노

---

638 餽賻……周其飢餓 : '餽賻'은 노자를 주는 것이고 '聞戒'는 자신을 해치려는 자가 있어 경계한다는 말을 듣고 사람을 고용하여 자기 몸을 보호하는 것으로, 이 두 가지는 앞의 〈公孫丑下〉 3장에 보이며, '周其飢餓'는 굶주림을 구휼하는 것으로 뒤의 〈告子下〉 14장에 보인다.

639 受陽貨蒸豚 : 위 〈滕文公下〉 7장에 보인다.

··· 餽 선물할궤 直 다만직 度 헤아릴탁 託 가탁할탁 賻 노자신 周 구휼할주 餓 굶주릴아 蒸 찔증 豚 돼지돈

자를 주며 경계한다는 말을 듣고 비용을 주며 飢餓를 구휼해 주는 종류와 같은 것이요, 禮로써 접한다는 것은 辭命이 恭敬한 예절을 이른다. 孔子께서 받았다는 것은 陽貨의 삶은 돼지고기를 받은 것과 같은 類이다.

4-4. 萬章曰 今有禦人於國門之外者 其交也以道요 其餽也以禮면 斯可受禦與잇가 曰 不可하니 康誥曰 殺越人于貨하여 閔不畏死를 凡民이 罔不譈라하니 是는 不待敎而誅者也니 (殷受夏 周受殷 所不辭也 於今爲烈) 如之何其受之리오

萬章이 말하였다. "이제 國門의 밖에서 사람을 저지하여 强盜짓을 한 자가 그 사귐을 道로써 하고 그 줌을 禮로써 한다면 이 강도질한 물건을 받을 수 있습니까?"

孟子께서 말씀하셨다. "不可하다. 《書經》〈康誥〉에 이르기를 '사람을 죽여 쓰러뜨리고 재화를 취하고서 완강하여 죽음을 두려워하지 않는 자를 모든 사람들이 원망하지 않는 이가 없다.' 하였으니, 이는 굳이 가르치기를 기다리지 않고 죽일 자이다. 어찌 이것을 받을 수 있겠는가."

按說 │ '殺越人于貨'에 대하여, 官本諺解에는 '人을 貨애 殺ᄒ야 越ᄒ야'로 풀이하여 사람을 재화 때문에 죽인 것으로 보았으나, 栗谷諺解에는 '人을 殺越ᄒ고 貨를 가져'로 해석하였다. '于'는 取(취함)의 뜻이 있으며, 《集註》에도 '因取其貨'라 하였으므로 위와 같이 해석하였다. 壺山은

> 《集註》의 '因取其貨'의 '取'字는 '于'字를 해석한 것인데, 官本諺解의 해석엔 '於'字의 뜻으로 삼았으니, 註의 뜻을 잃은 것이다.〔取字釋于字 諺釋作於義 失註意矣〕

하였다. 楊伯峻은 '越'은 허사로 뜻이 없고 '于貨'는 《詩經》〈七月〉의 '于貉(가서 狐貍를 취하다)'과 같은 것으로 '그 재화를 취하다〔取其貨〕'는 말이라고 하였다.

'殷受夏……於今爲烈'에 대하여, 朱子는 뜻이 통하지 않는다 하여 빼놓고 해석하지 않았으나, 趙岐는

> 三代가 이 法을 서로 전수하여 굳이 말하여 물을 것이 없으니, 지금에 烈이 되었다. 烈은 명

… 禦 막을 어 越 넘어질 월 于 가서취할 우 貨 재화 화 閔 완강할 민(頑通) 譈 원망할 대

백한 法이다.〔三代相傳以此法 不須辭問也 於今爲烈 烈 明法〕

하였다. 茶山은

趙岐의 註가 명백하여 의심할 것이 없는 듯하다. 《滕文公上》2장에〉滕나라 사람이 喪禮에 대해 말하기를 '우리들이 전수받은 바가 있다.' 하였으니, 法을 서로 전수하는 것을 '受'라 한다. 獄事를 판결하는 법에 반드시 죄인의 진술〔爰辭〕이 있다. 《周禮》〈秋官司寇 大司寇〉에 〈곤궁한 백성이〉 朝廷의 문 밖에 설치한 붉은 돌〔肺石〕에 서면, 士〔獄官〕가 그 하소연〔辭〕을 듣는다.' 하였고, 〈秋官司寇 大司寇〉의 獄事를 다스리는 법에 '첫째, 진술〔辭〕을 듣는다.' 하였다.……오직 사람을 저지하여 强盜짓을 한 도적만은 그 진술을 받지 않고 바로 斬刑을 시행하니, 이것이 이른바 '三代가 서로 전수한, 말〔辭〕하지 않는 바'라는 것이다. 반드시 잘려나간 簡이나 闕文이 있는 것은 아닌 듯하다.〔趙註明白 恐無可疑 滕人說喪禮曰 吾有所受 法之相傳 謂之受也 斷獄之法 必有爰辭 周禮大司寇云 立於肺石 士聽其辭 小司寇聽獄之法 一曰辭聽……惟禦人之賊 不受其辭 直行斬殺 此所謂三代相傳 所不辭也 恐未必有斷簡闕文〕

하였다. 楊伯峻 역시 "殷나라는 夏나라의 이러한 법률을 계승하였고 周나라는 殷나라의 이러한 법률을 계승하여 바꾸지 않았다. 지금은 强盜殺人이 더욱 심해졌다." 라고 번역하였다.

《或問》에 묻기를

'殷受夏 周受殷 所不辭也 於今爲烈'에 대해 趙氏(趙岐)가 이룬 說이 있고, 혹자는 또 이르기를 "만약 義理에 있어 받을 만하면 三代에는 남의 天下를 받으면서도 사양하지 않았지만, 지금 남을 막고 강탈하는 자는 포학하고 맹렬하여 의롭지 못함이 이와 같으니, 어떻게 그의 선물을 받을 수 있겠는가. '烈'은 〈毛詩序〉에 이른바 '厲王의 烈'이라 한 것과 같으니 暴烈의 뜻이다." 하고, 혹자는 또 이르기를 "'烈'은 빛남이니, 三代가 서로 받아 빛나서 지금에 이르렀다." 하니, 이 세 가지 說 중에 하나를 선택하여 따르면 되는데, 어찌 빼놓고 설명하지 않음에 이르렀습니까?〔殷受夏, 周受殷 所不辭也 於今爲烈 趙氏有成說矣 或者又謂若義在可受 則三代受人之天下而不辭 今禦人者 乃爲暴烈不義如此 如何而可受其餽乎 烈 如詩序所謂厲王之烈者 暴烈之意云爾 或又以爲烈 光也 三代相受而烈光至今也 是三說者 擇一而從之可也 何至闕而不爲之說乎〕

하니, 朱子는

本文의 이 14字를 익숙히 읽어보니, 본래 위아래 글과 서로 연결되지 않는다. 趙氏의 說
과 같이 보면 '辭受' 두 글자가 위아래 문장과 또한 비슷하지 않고, 혹자의 두 說 또한 억지
로 힘을 허비했음을 느끼니, 李氏(李郁)의 빼놓아야 한다는 說의 나음을 따르는 것만 못하
다.〔熟讀本文此十四字 自與上下文不相屬 如趙氏之說 則辭受二字 與上下文亦不相
似 或者二說 亦覺費力 不若從李氏闕之之愈也〕

하였다.

集註 | 禦는 止也니 止人而殺之하고 且奪其貨也라 國門之外는 無人之處也라 萬章
以爲 苟不問其物之所從來하고 而但觀其交接之禮면 則設有禦人者 用其禦得
之貨하여 以禮餽我면 則可受之乎아하니라 康誥는 周書篇名이라 越은 顚越也니 今書
에 閔은 作暋하고 無凡民二字하니라 譈는 怨也라 言 殺人而顚越之하고 因取其貨하여
閔然不知畏死를 凡民이 無不怨之라 孟子言 此乃不待教戒而當卽誅者也니 如何
而可受之乎아하시니라 商〔殷〕受至爲烈十四字는 語意不倫하니 李氏以爲 此必有斷
簡或闕文者 近之어니와 而愚는 意其直爲衍字耳라 然이나 不可考하니 姑闕之可也
니라

'禦'는 저지함이니, 사람을 저지하여 죽이고 또 그 재화를 빼앗는 것이다. '國門의 밖'은 사
람이 없는 곳이다. 萬章이 말하기를 "만일 그 물건의 所從來를 따지지 않고, 다만 그 사귀
고 접하는 禮만 본다면 설령 사람을 저지하여 강도질한 자가 그 강도질하여 얻은 재화를 사
용해서 禮로써 나에게 준다면 그것을 받을 수 있습니까?" 한 것이다. 康誥는《書經》〈周書〉
의 篇名이다. '越'은 넘어뜨림이다. 지금《書經》에 '閔'은 '暋'으로 되어 있고, '凡民' 두 글
자는 없다. '譈'는 원망함이다. 사람을 죽여 그를 쓰러뜨리고 인하여 그 재물을 취하고서 완
강하여 죽음을 두려워할 줄 모르는 자를 모든 사람들이 원망하지 않는 자가 없다고 말한 것
이다.

孟子께서 말씀하시기를 "이것은 바로 가르침과 경계를 기다리지 않고 마땅히 즉시 죽여야
할 자이니, 어찌 받을 수 있겠는가." 하신 것이다. '殷受'로부터 '爲烈'까지의 열네 글자는
말뜻이 차례가 없으니, 李氏(李郁)가 "이것은 반드시 잘려나간 簡(竹簡·木簡)이나 혹은

··· 奪 빼앗을 탈 顚 넘어질 전 暋 완강할 민 倫 차례 륜 闕 빠질 궐 衍 남을 연

闕文이 있을 것이다."라고 한 것이 이치에 가깝지만 나는 다만 衍字가 될 뿐이라고 생각한다. 그러나 상고할 수 없으니, 우선 빼놓는 것이 可하다.

4-5. 曰 今之諸侯 取之於民也 猶禦也어늘 苟善其禮際矣면 斯는 君子도 受之라하시니 敢問何說也니잇고 曰 子以爲 有王者作인댄 將比今之諸侯而誅之乎아 其教之不改而後에 誅之乎아 夫謂非其有而取之者를 盜也는 充類至義之盡也라 孔子之仕於魯也에 魯人이 獵較(각)이어늘 孔子亦獵較하시니 獵較도 猶可온 而況受其賜乎아

萬章이 말하였다. "지금의 諸侯들이 백성들에게 취함은 강도질한 것과 같은데, '진실로 그 禮와 交際를 잘하면 이는 君子도 받는다.' 하시니, 감히 여쭙겠습니다. 무슨 말씀입니까?"

孟子께서 말씀하셨다. "자네가 생각하기에 王者가 나온다면 장차 지금의 제후들을 連合하여 죽이겠는가? 가르쳐도 고치지 않은 뒤에 죽이겠는가? 자신의 소유가 아닌데 취하는 자를 도둑이라 이르는 것은 종류를 미루어 義의 지극함에 이른 것이다. 孔子께서 魯나라에서 벼슬하실 적에 魯나라 사람들이 獵較을 하자 孔子 또한 獵較을 하셨으니, 獵較하는 것도 可한데 하물며 주는 것을 받음에 있어서이겠는가."

按説 | '其教之不改而後'에 대하여, 壺山은

'其教'의 '其'는 '抑'과 같다.〔其教之其 猶抑也〕

하였다. '抑'은 선택의문을 만드는 접속사로, '~인가, 아니면 ~인가?'의 용법으로 쓰인다.

集註 | 比는 連也라 言 今諸侯之取於民이 固多不義라 然이나 有王者起면 必不連合而盡誅之요 必教之不改而後에 誅之니 則其與禦人之盜不待教而誅者로 不同矣라 夫禦人於國門之外와 與非其有而取之는 二者固皆不義之類라 然이나 必禦人이라야 乃爲眞盜요 其謂非有而取를 爲盜者는 乃推其類하여 至於義之至精至密之處而極言之耳니 非便以爲眞盜也라 然則今之諸侯 雖曰取非其有나 而豈可遽以

··· 比 연결할 비 獵 사냥렵 較 다툴 각, 비교할 교 遽 갑자기 거

同於禦人之盜也哉아 又引孔子之事하여 以明世俗所尙을 猶或可從이니 況受其賜何爲不可乎아 獵較은 未詳이라 趙氏以爲 田獵相較(각)하여 奪禽獸以祭니 孔子不違는 所以小同於俗也라하고 張氏以爲 獵而較(교)所獲之多少也라하니 二說이 未知孰是⁶⁴⁰로라

'比'는 連함이다. '지금 諸侯들이 백성들에게 취함이 진실로 의롭지 않은 것이 많으나 王者가 나온다면 반드시 이들을 連合하여 다 베지는(죽이지는) 않을 것이요, 반드시 가르쳐도 고치지 않은 뒤에 벨 것이니, 그렇다면 사람을 저지한 강도로서 가르침을 기다리지 않고 죽여야 할 자와는 똑같지 않은 것이다. 國門의 밖에서 사람을 저지하는 것과 자신의 소유가 아닌데 취하는 것은 이 두 가지가 진실로 다 不義의 종류이다. 그러나 반드시 사람을 저지하여야 진짜 강도가 되는 것이요, 자신의 소유가 아닌데 취하는 자를 도둑이라 이르는 것은 바로 그 종류를 미루어서 義의 지극히 精하고 지극히 치밀한 곳에 이르러 極言했을 뿐이니, 곧바로 진짜 강도라고 말한 것은 아니다. 그렇다면 지금의 제후들이 비록 자신의 소유가 아닌 것을 취했다 하나 어찌 대번에 사람을 저지한 강도와 똑같이 대할 수 있겠는가.'라고 말씀한 것이다. 또 孔子의 일을 인용하여 '세속에서 숭상하는 바도 혹 따를 수 있는데, 하물며 주는 것을 받는 것이 어찌 不可하겠는가.'라고 밝히신 것이다.

'獵較'은 未詳이다. 趙氏(趙岐)는 이르기를 "田獵에 서로 다투어서 禽獸를 빼앗아 제사하는 것이니, 孔子께서 이것을 어기지 않으심은 다소 세속과 같이 하려 하신 것이다." 하였고, 張氏(張鎰)는 이르기를 "사냥하여 잡은 짐승의 많고 적음을 비교한 것이다." 하였으니, 두說 중에 어느 것이 맞는지 알지 못하겠다.

4-6. 曰 然則孔子之仕也는 非事道與잇가 曰 事道也시니라 事道어시니 奚獵較也잇고 曰 孔子先簿正祭器하사 不以四方之食으로 供簿正하시니라 曰 奚不去也시니잇고 曰 爲之兆也시니 兆足以行矣로되 而不行而後에

---

640 二說 未知孰是:壺山은 "'況'字를 가지고 보면 다투어서 빼앗는 뜻이 우세한 듯하니, '較'은 다투어 이김을 이른다. '祭'는 다투어 빼앗아 짐승을 나열해서 先代에 처음 수렵을 한 사람에게 제사하는 것이다. 奪이 受보다 심하므로 '況'字를 놓은 것이다.〔以況字觀之 較奪之義似長 較 謂角勝也 祭蓋角奪而羅列之 以祭先代始爲田獵之人耳 奪甚於受 故下況字〕" 하였다. '獵較'을 官本諺解에는 '獵에 較하시니'로, 栗谷諺解에는 '獵하여 較하시니'로 풀이하였다.

··· 獲 잡을 획 奚 어찌 해 簿 문서부 兆 조짐조

去하시니 是以로 未嘗有所終三年淹也시니라

萬章이 물었다. "그렇다면 孔子께서 벼슬하신 것은 道를 〈행함을〉 일삼으신 것이 아닙니까?"

孟子께서 말씀하셨다. "道를 일삼으신 것이다."

"道를 일삼으셨는데 어찌하여 獵較을 하셨습니까?"

"孔子께서 먼저 문서로 祭器를 바루어서 〈공급하기 어려운〉 四方의 귀한 음식으로 簿書에 바로잡은 祭器에 공급하지 않게 하신 것이다."

"어찌하여 떠나가지 않으셨습니까?"

"〈道를 행할 수 있는〉 조짐을 보이신 것이니, 조짐이 충분히 道를 행할 수 있는데도 道가 행해지지 않은 뒤에야 떠나셨다. 이 때문에 일찍이 3년을 마치도록 淹滯한(머문) 곳이 있지 않으신 것이다.

集註 | 此는 因孔子事而反覆辯論也라 事道者는 以行道爲事也라 事道奚獵較也는 萬章問也라 先簿正祭器는 未詳이라 徐氏曰 先以簿書로 正其祭器하여 使有定數하여 而不以四方難繼之物實之니 夫器有常數하고 實有常品이면 則其本正矣라 彼獵較者 將久而自廢矣라하니 未知是否也[641]라 兆는 猶卜之兆니 蓋事之端也[642]라 孔子所以不去者는 亦欲小試行道之端하여 以示於人하여 使知吾道之果可行也니 若其端이 旣可行이로되 而人不能遂行之然後에 不得已而必去之하시니 蓋其去雖不輕이나 而亦未嘗不決이라 是以로 未嘗終三年留於一國也시니라

---

641 先簿正祭器……未知是否也:趙岐는 "孔子가 쇠퇴한 세상에 벼슬하면서 잘못된 것을 갑자기 바꿀 수 없었으므로 점진적으로 바로잡으려 하였다. 먼저 簿書를 만들어서 종묘 제사의 祭器를 바로잡고 舊禮에 나아가 國中에서 祭物을 취하여 갖추었으며, 사방의 진귀한 음식으로 簿書에 바로잡은 祭器에 올리지 않았다. 진귀한 음식은 항상 장만하기가 어려워, 끊어지면 不敬이 됨을 헤아렸기 때문에 獵較을 해서 제사를 지낸 것이다.〔孔子仕於衰世 不可卒暴改戾 故以漸正之 先爲簿書 以正其宗廟祭祀之器 卽其舊禮 取備於國中 不以四方珍食 供其所簿正之器 度珍食難常有 乏絶則爲不敬 故獵較以祭也〕"하였는데, 茶山 또한 이 說을 취하였는바, 이 책의 經文 번역에도 趙岐의 說을 채택하였다.

642 兆……蓋事之端也:趙岐는 "'兆'는 始이다. 孔子는 매번 벼슬할 적에 항상 그 일에 대해 근본을 바루고 始端을 만들어 순차대로 다스리고자 하셨다.〔兆 始也 孔子每仕 常爲之正本造始 欲以次治之〕"하였다. 楊伯峻도 趙岐의 說을 취하여 '兆'를 始로 보고, "孔子께서 벼슬을 하신 것은 먼저 한 번 시행해 보시고자 하신 것이다."로 번역하였다.

••• 淹 지체할엄 覆 반복할복 實 채울실 廢 폐할폐 卜 점복 試 시험할시

이것은 孔子의 일로 인하여 반복해서 변론하신 것이다. '事道'는 道를 행함을 일삼는 것이다. '道를 행함을 일삼았는데 어찌하여 獵較을 하였느냐?'는 것은 萬章의 물음이다. '先簿正祭器'는 未詳이다. 徐氏(徐度)는 말하기를 "먼저 문서로써 祭器를 바루어서 일정한 數가 있게 하여 계속 공급하기 어려운 四方의 물건으로 담지 않게 하셨다. 그릇에 일정한 數가 있고 담는 데에 일정한 물품이 있게 하면 그 근본이 바르게 되니, 저 獵較은 장차 오래되면 저절로 없어질 것이다." 하였으니, 그 말이 옳은지는 알지 못하겠다. '兆'는 卜(점)의 조짐과 같으니, 일의 단서이다. 孔子께서 떠나가지 않으신 까닭은 또한 道를 행하는 단서(조짐)를 조금 시험하여 사람들에게 보여주시어 우리 道가 과연 행할 수 있음을 알게 하려고 하신 것이니, 만일 그 단서가 이미 행할 수 있는데도 사람들이 마침내 행하지 않은 뒤에야 부득이하여 반드시 떠나셨다. 떠나가기를 비록 가벼이 하지 않으셨으나 또한 일찍이 결단하지 않으신 적이 없으셨다. 이 때문에 일찍이 3년을 마치도록 한 나라에 머무신 적이 있지 않으신 것이다.

4-7. 孔子有見行可之仕하시며 有際可之仕하시며 有公養之仕하시니 於季桓子엔 見行可之仕也요 於衛靈公엔 際可之仕也요 於衛孝公엔 公養之仕也니라

孔子께서는 道를 행함이 가능한 것을 보신 벼슬도 있으셨으며, 交際하는 것이 可한 벼슬도 있으셨으며, 公養으로 하신 벼슬도 있으셨으니, 季桓子에 있어서는 道를 행함이 가능한 것을 보신 벼슬이었고, 衛 靈公에 있어서는 交際가 可한 벼슬이었고, 衛孝公에 있어서는 公養으로 하신 벼슬이었다."

集註 | 見行可는 見其道之可行也라 際可는 接遇以禮也요 公養은 國君養賢之禮也[643]라 季桓子는 魯卿季孫斯也라 衛靈公은 衛侯元也라 孝公은 春秋, 史記에 皆無之하니 疑出公輒也[644]라 因孔子仕魯하여 而言 其仕有此三者라 故로 於魯則兆足

---

643 際可……國君養賢之禮也:楊伯峻은 "'際可'와 '公養'은 서로 비슷한 듯하나, '際可'는 한 사람을 獨對하는 禮遇이고, '公養'은 齊나라 稷下의 賢者들의 경우처럼 당시 일반인에 대한 禮待일 수 있다." 하였다.

644 孝公……疑出公輒也:慶源輔氏(輔廣)는 "혹 글자가 잘못되었거나 혹은 당시의 사람이 出公을 孝公

··· 際 사귈 제 輒 문득 첩

以行矣而不行然後去요 而於衛之事엔 則又受其交際問餽而不卻之一驗也라

'見行可'는 그 道를 행할 수 있음을 본 것이다. '際可'는 접대하기를 禮로써 하는 것이요, '公養'은 國君이 어진이를 기르는 禮이다. 季桓子는 魯나라의 卿인 季孫斯이다. 衛 靈公은 衛나라 임금인 元이다. 孝公은 《春秋》와 《史記》에 모두 〈이러한 인물이〉 없으니, 의심컨대 出公인 輒인 듯하다. 孔子께서 魯나라에서 벼슬하심을 인하여, 말씀하시기를 "그 벼슬에 이 세 가지가 있었다. 그러므로 魯나라에 있어서는 조짐이 충분히 행할 수 있는데도 행해지지 않은 뒤에 떠나가셨고, 衛나라에 있어서의 일은 또 그 交際와 선물을 받고 물리치지 않으신 한 증거이다." 하셨다.

章下註 | ○ 尹氏曰 不聞孟子之義면 則自好者 爲於(오)陵仲子[645]而已니 聖賢辭受進退는 惟義所在니라
愚按 此章文義는 多不可曉하니 不必强爲之說이니라

○ 尹氏(尹焞)가 말하였다. "孟子의 義를 듣지 못하면 자신의 지조를 아끼는 자들이 於陵仲子〈의 행위〉를 할 뿐이니, 聖賢의 사양하고 받음과 나아가고 물러감은 오직 義가 있는 바를 따를 뿐이다."
내가(朱子) 상고하건대 이 章의 글 뜻은 알 수 없는 부분이 많으니, 굳이 억지로 해설할 필요가 없다.

|爲貧而仕章(抱關擊柝章)|

5-1. 孟子曰 仕非爲貧也로되 而有時乎爲貧하며 娶妻非爲養也로되 而有時乎爲養이니라

孟子께서 말씀하셨다. "벼슬함은 가난을 위해서가(가난 때문이) 아니지만 때로는 가난을 위한 경우가 있으며, 아내를 얻음은 봉양을 위해서가 아니지만 때로는 봉양을 위한 경우가 있다.

이라고 부른 듯하니, 모두 상고할 수 없다.〔或是字誤 或是當時人 呼出公爲孝公 皆不可考〕" 하였다.

645 自好者 爲於陵仲子 : '自好者'는 자신의 지조를 아끼는 자로, 앞의 〈萬章上〉 9장에 '鄕黨自好者'라고 보이며, '於陵仲子'는 〈滕文公下〉 10장에 자세히 보인다.

··· 餽 선물할 궤 好 아낄 호 辭 사양할 사 受 받을 수 曉 깨달을 효 貧 가난할 빈 娶 장가들 취

集註 | 仕本爲行道로되 而亦有家貧親老하여 或道與時違而但爲祿仕者하니 如娶妻本爲繼嗣로되 而亦有爲不能親操井臼하여 而欲資其饋養者니라

벼슬함은 본래 道를 행하기 위해서이나 또한 집이 가난하고 父母가 늙어 혹 道가 때와 맞지 않아 다만 祿仕를 하는 자가 있으니, 예를 들면 아내를 데려옴은 본래 〈자식을 낳아〉 後嗣를 잇기 위해서이나 또한 우물에서 물을 긷고 절구질하는 일을 친히 잡을 수가 없어서 그녀의 음식 봉양을 의뢰하고자 하는 자가 있음과 같은 것이다.

5-2. 爲貧者는 辭尊居卑하며 辭富居貧이니라

가난을 위해서 벼슬하는 자는 높은 자리를 사양하고 낮은 자리에 처하며, 祿俸이 많음을 사양하고 적음에 처해야 한다.

集註 | 貧富는 謂祿之厚薄이라 蓋仕不爲道면 已非出處之正이라 故로 其所居但當如此니라

'貧'과 '富'는 祿의 많고 적음을 이른다. 벼슬이 道를 위한 것이 아니면 이미 出處의 正道가 아니므로, 처하는 바를 다만 이와 같이 할 뿐이다.

5-3. 辭尊居卑하며 辭富居貧은 惡(오)乎宜乎오 抱關擊柝이니라

높은 자리를 사양하고 낮은 자리에 처하며, 祿俸이 많음을 사양하고 적음에 처함은 어떻게 하여야 마땅한가? 關門을 안고(지키고) 木柝을 치는 일이다.

集註 | 柝은 夜行所擊木也라 蓋爲貧者는 雖不主於行道나 而亦不可以苟祿이라 故로 惟抱關擊柝之吏 位卑祿薄하여 其職易稱하니 爲所宜居也라
李氏曰 道不行矣요 爲貧而仕者는 此其律令也니 若不能然이면 則是貪位慕祿而已矣니라

'柝'은 밤에 다니면서 치는 나무(목탁)이다. 가난을 위해서 벼슬하는 자는 비록 道를 행함을 주장하지 않으나 또한 구차히 祿만을 취할 수가 없다. 그러므로 오직 關門을 안고 목탁

··· 嗣 이을 사, 아들 사 操 잡을 조 井 우물 정 臼 절구 구 薄 적을 박 抱 안을 포 關 관문 관 柝 목탁 탁
稱 걸맞을 칭

을 치는 관리는 지위가 낮고 祿이 적어서 그 직책을 해내기 쉬우니, 처하기에 적당한 것이다. 李氏(李郁)가 말하였다. "道가 행해지지 않는데 가난을 위해서 벼슬하는 자는 이것이 그 律令(法則)이니, 만일 이렇게 하지 않는다면 이것은 지위를 탐하고 祿을 사모하는 것일 뿐이다."

5-4. 孔子嘗爲委吏矣사 曰 會計를 當而已矣라하시고 嘗爲乘田矣사 曰 牛羊을 茁(촬)壯長而已矣라하시니라

孔子께서 일찍이 委吏가 되시어 말씀하시기를 '會計를 마땅하게 할 뿐이다.' 하셨고, 일찍이 乘田이 되시어 말씀하시기를 '소와 양을 잘 키울 뿐이다.' 하셨다.

集註 | 此는 孔子之爲貧而仕者也라 委吏는 主委積(자)之吏也요 乘田은 主苑囿芻牧之吏也라 茁은 肥貌라 言 以孔子大聖으로도 而嘗爲賤官하사되 不以爲辱者는 所謂爲貧而仕하여 官卑祿薄而職易稱也니라

이것은 孔子가 가난을 위하여 벼슬하신 경우이다. '委吏'는 委積(창고)를 주관하는 관리요, '乘田'은 苑囿와 芻牧을 주관하는 관리이다. '茁'은 살진 모양이다. 孔子 같은 大聖으로서도 일찍이 천한 관원이 되셨으나 이것을 욕되게 여기지 않은 것은 이른바 가난을 위한 벼슬이어서 관직이 낮고 祿이 적어서 직책을 해내기 쉬웠기 때문임을 말씀한 것이다.

5-5. 位卑而言高 罪也요 立乎人之本朝而道不行이 恥也니라

지위가 낮으면서 말을 높게 하는 것이 죄요, 남의 本朝(조정)에 서 있으면서 道가 행해지지 않는 것이 부끄러운 일이다."

集註 | 以出位爲罪면 則無行道之責이요 以廢道爲恥면 則非竊祿之官이니 此는 爲貧者之所以必辭尊富而寧處貧賤也니라

지위를 벗어남으로써 죄를 삼는다면 道를 행할 책임이 없는 것이요, 道를 폐함으로써 부끄러움을 삼는다면 祿을 훔쳐 먹는 관원이 아니니, 이것이 가난을 위하여 벼슬하는 자가 반드시 높은 자리와 많은 祿俸을 사양하고 貧賤에 편안히 처하는 이유이다.

··· 委 창고 위 茁 살찔 촬, 자랄 촬 壯 장성할 장 積 저축할 자 苑 동산 원 囿 동산 유 芻 꼴 추 肥 살질 비 竊 훔칠 절 寧 편안할 녕

章下註 | ○尹氏曰 言 爲貧者는 不可以居尊이요 居尊者는 必欲以行道니라

○尹氏(尹焞)가 말하였다. "가난을 위해서 벼슬하는 자는 높은 자리에 처해서는 안되고, 높은 자리에 처한 자는 반드시 道를 행하고자 해야 함을 말씀한 것이다."

|士不託諸侯章(亟餽鼎肉章)|

6-1. 萬章曰 士之不託諸侯는 何也잇고 孟子曰 不敢也니라 諸侯失國而後에 託於諸侯는 禮也요 士之託於諸侯는 非禮也니라

萬章이 물었다. "선비가 諸侯에게 의탁하지 않음은 어째서입니까?"

孟子께서 말씀하셨다. "감히 하지 못하는 것이다. 諸侯가 나라를 잃은 뒤에 諸侯에게 의탁함은 禮요, 선비가 諸侯에게 의탁함은 禮가 아니다."

集註 | 託은 寄也니 謂不仕而食其祿也라 古者에 諸侯出奔他國하여 食其廩餼(름희)를 謂之寄公[646]이라 士無爵土하여 不得比諸侯하니 不仕而食祿이면 則非禮也라

'託'은 의탁함이니, 벼슬하지 않으면서 그 祿을 먹음을 이른다. 옛날에 諸侯가 他國으로 달아나 그 나라 창고(國庫)의 곡식을 먹는 사람을 寄公이라 하였다. 선비는 작위와 토지가 없어서 諸侯에게 견줄 수 없으니, 벼슬하지 않으면서 祿을 먹는다면 禮가 아니다.

6-2. 萬章曰 君이 餽之粟則受之乎잇가 曰 受之니라 受之는 何義也잇고 曰 君之於氓也에 固周之니라

萬章이 물었다. "군주가 곡식을 주면 그것을 받습니까?"

孟子께서 말씀하셨다. "받는다."

"받는 것은 무슨 義입니까?"

"군주는 백성에 대해서 진실로 구휼해 주는 것이다."

---

646 寄公:《禮記》〈郊特牲〉에 "諸侯는 寓公(寄公)을 신하로 삼지 않는다. 그러므로 옛날 寓公은 代를 잇지 않는다.[諸侯不臣寓公 故古者寓公不繼世]" 하였다. 《大全》에 "'寓'는 붙여 사는 것이다.[寓 寄也]" 하였다. 《禮記》〈喪大記〉에 "군주의 초상에 아직 小斂을 하지 않았으면 寄公과 國賓을(國賓은 외국에서 사신으로 온 卿大夫) 위하여 나가서 맞이한다.[君之喪 未小斂 爲寄公國賓 出]" 하였다.

··· 託 의탁할 탁 寄 붙일 기 廩 창고 름 餼 쌀 희 餽 줄 궤 粟 곡식 속 氓 백성 맹 周 구휼할 주

集註 | 周는 救也라 視其空乏이면 則周卹(恤)之 無常數하니 君待民之禮也라

'周'는 구휼함이다. 〈백성들이〉 空乏(식량이 떨어져 궁핍)함을 보면 〈군주가〉 구휼해 주는 것이 일정한 數가 없으니, 이것은 군주가 백성을 대하는 禮이다.

6-3. 曰 周之則受하고 賜之則不受는 何也잇고 曰 不敢也니라 曰 敢問 其不敢은 何也잇고 曰 抱關擊柝者 皆有常職하여 以食於上하나니 無常 職而賜於上者를 以爲不恭也니라

萬章이 물었다. "구휼해 주면 받고 하사해 주면 받지 않는 것은 어째서입니까?"
孟子께서 말씀하셨다. "감히 하지 못하는 것이다."
"감히 여쭙겠습니다. 감히 하지 못하는 것은 어째서입니까?"
"關門을 안고 목탁을 치는 자가 다 일정한 직책이 있어서 윗사람에게 祿을 먹으니, 일정한 직책이 없으면서 윗사람에게 하사받는 것을 不恭하다고 하는 것이다."

集註 | 賜는 謂予之祿이 有常數하니 君所以待臣之禮也라

'賜'는 祿을 주는 것이 일정한 數가 있음을 이르니, 군주가 신하를 대하는 禮이다.

6-4. 曰 君이 餽之則受之라하시니 不識케이다 可常繼乎잇가 曰 繆公之 於子思也에 亟(기)問하시고 亟餽鼎肉이어늘 子思不悅하사 於卒也에 摽使 者하여 出諸大門之外하시고 北面稽首再拜而不受하시고 曰 今而後에 知君之犬馬畜伋이라하시니 蓋自是로 臺無餽也하니 悅賢不能舉요 又不 能養也면 可謂悅賢乎아

萬章이 물었다. "군주가 구휼해 주면 받겠다 하시니, 알지 못하겠습니다. 항상 계속할 수 있습니까?"
孟子께서 말씀하셨다. "繆公이 子思에 대해서 자주 문안하시고 자주 삶은 고기를 주

⋯ 乏 다할 핍 卹 구휼할 휼 繆 나쁜시호 목(穆通) 亟 자주 기 鼎 솥 정 摽 손저을 표 稽 조아릴 계 畜 기를 휵 伋 이름 급 臺 하인 대

시자, 子思가 기뻐하지 아니하여 맨 마지막에는 손을 저어 使者를 대문 밖으로 내보내시고, 北面하여 머리를 조아려 再拜하며 받지 않으시고, 말씀하시기를 '지금에야 군주께서 개와 말로 나(仮)를 기름을 알았습니다.' 하셨으니, 이 뒤로부터 하인들이 물건을 갖다 줌이 없었으니, 賢者를 좋아하나 들어 쓰지 못하고 또 봉양하지도 못한다면 賢者를 좋아한다고 이를 수 있겠는가."

按説 | '亟問 亟餽鼎肉'에 대하여, 楊伯峻은

옛 사람들은 안부를 묻거나 문안을 드릴 때 대부분 선물을 보내어 정성스러운 마음을 나타냈으니, 여기의 '자주 문안하다〔亟問〕'와 '자주 삶은 고기를 주다〔亟餽鼎肉〕'는 한 가지 일인데 나누어 말한 것이다.

하였다.
'稽首再拜'에 대하여, 楊伯峻은

머리가 땅에 닿도록 절하는 것을 '稽首'라 하고, 무릎을 꿇고 두 손을 맞잡은 뒤에 머리를 손까지 숙여 가슴과 평행하게 하는 것을 '拜'라 한다.……再拜稽首를 吉拜라 하는데 禮物을 받아들임을 표시하고, 稽首再拜를 凶拜라 하는데 여기서는 禮物을 거절함을 나타낸다.

하였다.
'臺無餽也'에 대하여, 趙岐는

〈그 뒤로〉臺(下吏)가 음식을 가지고 오지 않았으니, 繆公이 노여워한 것이다.〔臺不持餽來 繆公慍也〕

하였고, 《集註》에는 '繆公이 부끄러워하고 깨달아 이 뒤로부터는 하인으로 하여금 와서 물건을 갖다 주게 하지 않은 것이다.'라고 하였는데, 茶山은

참으로 〈朱子의 說처럼〉繆公이 부끄러워하고 깨달았다면, 臺가 음식을 가지고 오지도 않고 푸줏간 사람이 고기를 대주거나 창고지기가 곡식을 대주지도 않는 그런 이치가 있겠는가. 趙岐의 說이 나은 듯하다.〔誠若愧悟 則旣不臺餽 又不庖廩 有是理乎 趙說似長〕

하였다. 楊伯峻은

'臺'는 '始'로 읽어야 한다. '蓋自是臺無餽'는 '魯 繆公이 이때부터 비로소 물건을 갖다 주는 일이 없었다.'고 한 것이다. 《說文解字》에 '始는 女의 처음이니,[647] 女가 뜻이고 台가 음인 形聲字이다.[始 女之初也 從女 台聲]' 하였는데, 臺와 台는 옛날에 음이 같았다.

라고 한 楊樹達의 說을 취하였다.

集註 | 亟는 數(삭)也라 鼎肉은 熟肉也라 卒은 末也라 摽는 麾也라 數以君命來餽면 當拜受之니 非養賢之禮라 故로 不悅而於其末後復來餽時에 麾使者出하고 拜而辭之하시니라 犬馬畜伋은 言不以人禮待己也라 臺는 賤官이니 主使令者[648]라 蓋繆公愧悟하여 自此로 不復令臺來致餽也라 擧는 用也라 能養者 未必能用이어든 況又不能養乎아

'亟'는 자주이다. '鼎肉'은 삶은 고기이다. '卒'은 맨 마지막이다. '摽'는 손을 젓는 것이다. 자주 군주의 命으로 와서 물건을 주면〈신하가〉마땅히 그것을 절하고 받아야 하니, 이는 賢者를 봉양하는 禮가 아니다. 그러므로 子思가 기뻐하지 아니하여 맨 마지막에 다시 와서 물건을 줄 때에 使者를 손 저어 내보내시고 절하며 사양하신 것이다. '개와 말로 나를 기른다.'는 것은 사람의 禮로써 자신을 대접하지 않음을 말씀한 것이다. '臺'는 천한 관리이니, 使令을 주관하는(맡은) 자이다. 繆公이 부끄러워하고 깨달아 이 뒤로부터는 하인으로 하여금 와서 물건을 갖다 주게 하지 않은 것이다. '擧'는 등용함이다. 봉양을 잘하는 자가 반드시 등용하지는 못하는데, 하물며 또 봉양하지도 못함에 있어서랴.

6-5. 曰 敢問 國君이 欲養君子인댄 如何라야 斯可謂養矣리잇고 曰 以君

---

647 女의 처음이니 : 徐鍇의 《說文繫傳》에 "《周易》〈序卦傳〉에 '천지가 있은 뒤에 만물이 있고, 만물이 있은 뒤에 남녀가 있고, 남녀가 있은 뒤에 부부가 있다.' 하였고, 또 《周易》〈坤卦 彖〉에 '지극하다, 坤의 元이여! 만물이 의뢰하여 생겨난다.' 하였으니 坤은 母道이다.〔易曰 有天地然後 有萬物 有萬物然後 有男女 有男女然後 有夫婦 又曰 至哉 坤元 萬物資生 坤母道也〕" 하였다.

648 臺……主使令者 : 《春秋左傳》昭公 7년에 "벼슬하는 사람에 열 등급의 차등이 있으니……王은 公을 신하로 삼고 公은 大夫를 신하로 삼고 大夫는 士를 신하로 삼고 士는 皁를 신하로 삼고 皁는 輿를 신하로 삼고 輿는 隷를 신하로 삼고 隷는 僚를 신하로 삼고 僚는 僕을 신하로 삼고 僕은 臺를 신하로 삼는다.〔人有十等……王臣公 公臣大夫 大夫臣士 士臣皁(조) 皁臣輿 輿臣隷 隷臣僚 僚臣僕 僕臣臺〕" 하였다.

••• 數 자주 삭 麾 손저을 휘 愧 부끄러울 괴 悟 깨달을 오

命將之어든 再拜稽首而受하나니 其後에 廩人이 繼粟하며 庖人이 繼肉하여 不以君命將之니 子思以爲 鼎肉이 使己僕僕爾亟拜也라 非養君子之道也라하시니라

萬章이 말하였다. "감히 여쭙겠습니다. 國君이 君子를 봉양하고자 하면 어떻게 하여야 봉양한다고 이를 수 있겠습니까?"

孟子께서 말씀하셨다. "〈하인들이〉 군주의 命에 따라 물건을 가져오면 〈신하가〉 再拜하고 머리를 조아리며 받으니, 그 뒤에는 계속해서 廩人이 곡식을 대주며 庖人이 고기를 대주어서 군주의 명령에 의해 갖다 주지 않아야 한다. 子思는 '삶은 고기가 자기로하여금 번거롭게 자주 절하게 하니, 君子를 봉양하는 禮가 아니다.'라고 여기신 것이다.

> 集註 | 初以君命來餼면 則當拜受니 其後에 有司各以其職으로 繼續所無요 不以君命來餼하여 不使賢者有亟拜之勞也라 僕僕은 煩猥貌라
>
> 처음에 군주의 명령에 따라 와서 물건을 주면 신하가 마땅히 절하고 받아야 하니, 그 뒤에는 有司들이 각각 자기 직책에 따라 없는 것을 계속해서 대주고, 군주의 명령으로 와서 물건을 주지 아니하여 賢者로 하여금 자주 절하는 수고로움이 있지 않게 하는 것이다. '僕僕'은 번거롭고 자잘한 모양이다.

6-6. 堯之於舜也에 使其子九男으로 事之하며 二女로 女焉하시고 百官牛羊倉廩을 備하여 以養舜於畎畝之中이러시니 後에 擧而加諸上位하시니 故로 曰王公之尊賢者也라하노라

堯임금은 舜에게 아홉 아들로 하여금 섬기게 하며 두 딸을 시집보내시고, 百官과 牛羊과 倉廩을 갖추어 舜을 畎畝의 가운데에서 봉양하게 하셨는데, 뒤에 들어서 윗자리에 올려놓으셨다. 그러므로 이것을 王公이 賢者를 높인 것이라고 말하는 것이다."

> 按說 | '擧而加諸上位'에 대하여, 楊伯峻은
>
>> '加'는 위 〈公孫丑上〉 2장의 '夫子加齊之卿相'의 '加'와 같은 뜻이니, '거하다(居)'의 뜻

··· 廩 창고 름 庖 무줏간 포 將 보낼 장 僕 두려울 복, 마부 복 煩 번거로울 번 猥 외람될 외, 번거로울 외 畎 밭두둑 견 畝 밭이랑 묘(무)

이다.

하였다.

集註 | 能養, 能擧는 悅賢之至也라 惟堯舜이 爲能盡之하시니 而後世之所當法也
니라

능히 봉양하고 능히 들어 씀은 賢者를 좋아함이 지극한 것이다. 이는 오직 堯·舜만이 능히
다하셨으니, 後世에서 마땅히 본받아야 할 것이다.

|不見諸侯章|

7-1. 萬章曰 敢問不見諸侯는 何義也잇고 孟子曰 在國曰市井之臣이요
在野曰草莽之臣이라 皆謂庶人이니 庶人이 不傳質(贄)爲臣하여는 不敢
見於諸侯 禮也니라

萬章이 말하였다. "감히 여쭙겠습니다. 〈선비가〉 諸侯를 만나보지 않는 것은 무슨 義
입니까?"
孟子께서 말씀하셨다. "國都(서울)에 있는 자를 '市井之臣'이라 하고 초야에 있는 자
를 '草莽之臣'이라 하는데, 이들은 모두 庶人이라 이른다. 庶人이 폐백을 올려 신하가
되지 않았으면 감히 諸侯를 만나보지 않는 것이 禮이다."

按說 | '傳質(贄)'에 대하여, 楊伯峻은

> 庶人은 폐백으로 집오리를 사용하였다. 《孟子音義》에 "폐백을 가지고 뵙기를 청할 적에 반
>
> 드시 명을 전달하는 자를 통하여 전하였기 때문에 '傳贄'라고 한 것이다." 했다.

하였다.

集註 | 傳은 通也라 質者는 士執雉하고 庶人執鶩하여 相見以自通者也라 國內莫非
君臣이나 但未仕者는 與執贄在位之臣으로 不同이라 故로 不敢見也니라

⋯ 莽 풀 망 傳 바칠 전 質 폐백 지(贄通) 雉 꿩 치 鶩 집오리 목

'傳'은 통함이다. '質'는, 士는 꿩을 잡고 庶人은 집오리를 잡아 서로 만나보면서 스스로 통하는 것이다. 國內는 君臣間 아님이 없으나 다만 벼슬하지 않는 자는 執贄하여 지위에 있는 신하와 같지 않다. 그러므로 감히 만나보지 않는 것이다.

7-2. 萬章日 庶人이 召之役則往役하고 君이 欲見之하여 召之則不往見之는 何也잇고 日 往役은 義也요 往見은 不義也니라

萬章이 물었다. "庶人이 〈군주가〉 불러 부역을 시키면 가서 부역을 하고, 군주가 자신을 만나보고자 하여 부르면 가서 만나 보지 않음은 어째서입니까?"
孟子께서 말씀하셨다. "가서 부역함은 義요, 가서 만나봄은 義가 아니기 때문이다.

集註 | 往役者는 庶人之職이요 不往見者는 士之禮라

가서 부역함은 庶人의 직책이요, 가서 만나보지 않음은 선비의 禮이다.

7-3. 且君之欲見之也는 何爲也哉오 日 爲其多聞也며 爲其賢也니이다 日 爲其多聞也인댄 則天子도 不召師온 而況諸侯乎아 爲其賢也인댄 則吾未聞欲見賢而召之也케라 繆公이 亟見於子思하고 日 古에 千乘之國이 以友士하니 何如하니잇고 子思不悅日 古之人이 有言日 事之云乎언정 豈日友之云乎리오하시니 子思之不悅也는 豈不日 以位則子는 君也요 我는 臣也니 何敢與君友也며 以德則子는 事我者也니 奚可以與我友리오 千乘之君이 求與之友로되 而不可得也온 而況可召與아

또 군주가 그를 만나보고자 함은 어째서인가?"
萬章이 말하였다. "聞見이 많기 때문이며 어질기 때문입니다."
孟子께서 말씀하셨다. "聞見이 많기 때문이라면 天子도 스승을 부르지 못하는데, 하물며 諸侯에 있어서이겠는가. 어질기 때문이라면 나는 賢者를 만나보고자 하면서 불렀다는 말을 들어보지 못하였다. 〈옛날에 魯나라〉 繆公이 자주 子思를 뵙고 말하기를 '옛날에 千乘의 國君이 선비를 벗하였으니, 어떻습니까?' 하자, 子思께서 기뻐하지 않

··· 役 부역 역 亟 자주 기 奚 어찌 해

으며 말씀하시기를 '옛사람이 말하기를 「섬겼다고 할지언정 어찌 벗했다고 하겠는가」」 하였습니다.' 하셨으니, 子思께서 기뻐하지 않으신 까닭은 어찌 '지위로 보면 그대는 군주이고 나는 신하이니 내 어찌 감히 군주와 벗할 수 있으며, 德으로 보면 그대는 나를 섬기는 자이니 어찌 나와 더불어 벗할 수 있겠는가.'라고 생각하신 것이 아니겠는가. 千乘의 군주가 그와 벗하기를 구하여도 될 수 없는데, 하물며 함부로 부를 수 있겠는가.

按說 | '事之云乎 豈曰友之云乎'의 '云乎'에 대하여, 楊伯峻은

'云乎'는 어조사이다.〔云乎 辭也〕

하였다.

集註 | 孟子引子思之言而釋之하여 以明不可召之意하시니라

孟子께서 子思의 말씀을 인용하고 이것을 해석하여 부를 수 없는 뜻을 밝히신 것이다.

7-4. 齊景公이 田할새 招虞人以旌한대 不至어늘 將殺之러니 志士는 不忘在溝壑이요 勇士는 不忘喪其元이라하시니 孔子는 奚取焉고 取非其招不往也시니라

齊 景公이 사냥할 적에 虞人을 旌(깃발)으로 불렀는데 오지 않자 장차 죽이려 하였다. 〈孔子께서 虞人을 칭찬하시기를〉 '志士는 〈죽어서〉 시신이 도랑에 버려짐을 잊지 않고 勇士는 〈싸우다가〉 자기 머리를 잃을 것을 잊지 않는다.' 하셨으니, 孔子께서는 무엇을 취하신 것인가? 자기의 〈신분에 맞는〉 부름이 아니면 가지 않음을 취하신 것이다."

按說 | '孔子奚取焉'에서 取한다 함은 그 점을 좋게 여김을 이른다.

集註 | 說見前篇하니라

해설이 前篇(滕文公下)에 보인다.

··· 釋 풀 석 虞 관직이름 우 旌 깃발 정 溝 도랑 구 壑 구렁 학 元 머리 원

7-5. 曰 敢問招虞人何以니잇고 曰 以皮冠이니 庶人은 以旃이요 士는 以旂요 大夫는 以旌이니라

萬章이 말하였다. "감히 여쭙겠습니다. 虞人을 부를 때는 무엇을 사용합니까?"

孟子께서 말씀하셨다. "皮冠을 사용하니, 庶人은 旃을 사용하고 士는 旂를 사용하고 大夫는 旌을 사용한다.

> 集註ㅣ 皮冠[649]은 田獵之冠也니 事見春秋傳[650]하니라 然則皮冠者는 虞人之所有事也[651]라 故로 以是招之라 庶人은 未仕之臣이라 通帛曰旃이라 士는 謂已仕者라 交龍爲旂요 析羽而注於旂干(竿)之首曰旌[652]이라

'皮冠'은 田獵할 때에 쓰는 冠이니, 이 일은 《春秋左傳》昭公 20년 조에 보인다. 그렇다면 皮冠은 虞人이 종사하는 바가 있는 것이다. 그러므로 이것으로 부르는 것이다. '庶人'은 아직 벼슬하지 않은 신하이다. 通帛(통째로 된 명주 비단)을 '旃'이라 한다. '士'는 이미 벼슬한 자를 이른다. 交龍(용 두 마리)을 두 마리를 그린 것을 '旂'라 하고, 꿩의 깃털을 쪼개어서 깃대의 머리에 단 것을 '旌'이라 한다.

7-6. 以大夫之招로 招虞人이어늘 虞人이 死不敢往하니 以士之招로 招

---

649 皮冠 : 壺山은 "〈'皮冠'은〉 가죽으로 만드니, 화살을 막는 것이다.〔以皮爲之 蓋禦矢也〕" 하였고, 楊伯峻은 周柄中의 《孟子辨正》을 인용하여 '禮冠 위에 덮어쓰는 것'이라고 하였다.

650 事見春秋傳 : 《春秋左傳》昭公 20년에 다음과 같이 보인다. "齊 景公이 沛에서 사냥할 적에 虞人을 활로써 불렀는데 나오지 않았다. 齊 景公이 사람을 시켜 그를 잡아오게 하자, 虞人이 해명하기를 '옛날 우리 先君께서 사냥하실 적에 旃으로써 大夫를 부르고 弓으로써 士를 부르고 皮冠으로써 虞人을 부르셨습니다. 臣은 皮冠을 보지 못했기 때문에 감히 나아가지 못한 것입니다.' 하니, 마침내 그를 풀어주었다.〔齊侯田于沛 招虞人以弓 不進 公使執之 辭曰 昔我先君之田也 旃以招大夫 弓以招士 皮冠以招虞人 臣不見皮冠 故不敢進 乃舍之〕"

651 虞人之所有事也 : '有事'는 종사함이 있는 것으로, 虞人을 부를 적에 사냥할 때 쓰는 皮冠을 사용하는 이유는 그가 이 冠을 쓰고 사냥에 종사하기 때문임을 말한 것이다.

652 交龍爲旂 析羽而注於旂干之首曰旌 : 《周禮》〈春官宗伯 司常〉에 "해와 달을 그린 것을 常이라 하고, 交龍을 그린 것을 旂라 하고, 通帛을 旜(旃)이라 하고, 색깔 있는 실로 짜서 만든 것을 物이라 하고, 곰과 범을 그린 것을 旗라 하고, 새와 새매를 그린 것을 旟라 하고, 거북과 뱀을 그린 것을 旐라 하고, 꿩의 깃털을 쪼개지 않고 그대로 깃대에 단 것을 旞라 하고, 꿩의 깃털을 쪼개어 단 것을 旌이라 한다.〔日月爲常 交龍爲旂 通帛爲旜 雜帛爲物 熊虎爲旗 鳥隼爲旟 龜蛇爲旐 全羽爲旞 析羽爲旌〕" 하였다.

··· 旃 깃발 전 旂 깃발 기(旗通) 旌 깃발 정 田 사냥 전 獵 사냥 렵 帛 흰비단 백 析 쪼갤 석 注 매달 주
干 장대 간(竿通)

庶人이면 庶人이 豈敢往哉리오 況乎以不賢人之招로 招賢人乎아

大夫의 부름으로써 虞人을 불렀는데 虞人이 죽어도 감히 가지 않았으니, 士의 부름으로써 庶人을 부른다면 庶人이 어찌 감히 갈 수 있겠는가. 하물며 어질지 않은 사람의 부름으로써 賢人을 부름에 있어서랴.

集註 | 欲見而召之는 是不賢人之招也라 以士之招로 招庶人이면 則不敢往이요 以不賢人之招로 招賢人이면 則不可往矣니라

만나보고자 하면서 부른다면 이것은 어질지 않은 사람의 부름인 것이다. 士의 부름으로써 庶人을 부르면 감히 가지 못하는 것이요, 어질지 못한 사람의 부름으로써 賢人을 부르면 갈 수 없는 것이다.

7-7. 欲見賢人而不以其道면 猶欲其入而閉之門也니라 夫義는 路也요 禮는 門也니 惟君子能由是路하며 出入是門也니 詩云 周道如底(지)하니 其直如矢로다 君子所履요 小人所視라하니라

賢人을 만나보고자 하면서 그 道로써 하지 않는다면 마치 문에 들어가고자 하면서 문을 닫는 것과 같다. 義는 〈사람이 걸어가야 할〉 길이요 禮는 〈사람이 출입하는〉 문이니, 오직 君子만이 능히 이 길을 따르며 이 문으로 출입한다. 《詩經》에 이르기를 '周道(큰길)가 평탄함이 숫돌과 같으니, 그 곧음이 화살과 같도다. 君子(爲政者)가 밟는 바요 小人(백성)이 우러러보는 바이다.' 하였다."

集註 | 詩는 小雅大東之篇이라 底는 與砥同하니 礪石也니 言其平也요 矢는 言其直也라 視는 視以爲法也라 引此하여 以證上文能由是路之義[653]하시니라

詩는 〈小雅 大東〉篇이다. '底'는 砥와 같으니 숫돌이니, 그 평평함을 말한 것이요, '矢'는 그 곧음을 말한 것이다. '視'는 보고서 본받음이다. 이것을 인용하여 윗글의 '능히 이 길을

---

653 以證上文能由是路之義:慶源輔氏(輔廣)는 "'周道가 君子의 밟는 바'라는 것을 가지고 '義로운 길이 賢者가 따르는 바'임을 증명한 것이다.〔以周道爲君子所履 證義路爲賢者所由〕" 하였다.

••• 閉 닫을 폐 周 두루 주 底 숫돌 지(砥同) 矢 화살 시 履 밟을 리 礪 숫돌 려

따른다.'는 뜻을 증명하신 것이다.

7-8. 萬章曰 孔子는 君이 命召어시든 不俟駕而行하시니 然則孔子非與잇 가 曰 孔子는 當仕有官職而以其官召之也시니라

萬章이 말하였다. "孔子께서는 군주가 명하여 부르면 말에 멍에하기를 기다리지 않고 가셨으니, 그렇다면 孔子께서 잘못하신 것입니까?"

孟子께서 말씀하셨다. "孔子께서는 마침 벼슬길에 나아가 맡은 관직이 있었는데, 그 관 직으로 불렀기 때문이셨다."

按說 | '孔子……不俟駕而行'은 《論語》〈鄕黨〉 13장에 그대로 보인다.

集註 | 孔子方仕而任職이어시늘 君이 以其官名召之라 故로 不俟駕而行하시니라
徐氏曰 孔子, 孟子易地則皆然이시리라

孔子는 벼슬길에 나아가 직책을 맡고 계셨는데, 군주가 그 官名으로 불렀기 때문에 말에 멍 에하기를 가다리지 않고 가신 것이다.
徐氏(徐度)가 말하였다. "孔子와 孟子께서 처지를 바꾸었다면 모두 그러하셨을 것이다."

章下註 | ○ 此章은 言不見諸侯之義 最爲詳悉하니 更合陳代, 公孫丑所問[654]者而 觀之하면 其說이 乃盡이니라

○ 이 章은 諸侯를 만나보지 않는 義를 말씀한 것이 가장 상세하니, 다시 陳代와 公孫丑가 물은 것을 합하여 살펴보면 그 말이 비로소 극진하게 될 것이다.

|一鄕善士章(尚友章)|

8-1. 孟子謂萬章曰 一鄕之善士라야 斯友一鄕之善士하고 一國之善

---

654 陳代公孫丑所問 : 앞의 〈滕文公下〉 1장과 7장에 각각 보이는바, 陳代가 '不見諸侯 宜若小然'이라고 물은 것과 公孫丑가 '不見諸侯 何義'라고 물은 것을 이른다.

··· 俟 기다릴 사 駕 말멍에할 가 悉 다할 실

士라야 斯友一國之善士하고 天下之善士라야 斯友天下之善士니라

孟子께서 萬章에게 이르시기를 "한 고을의 善士여야 한 고을의 善士를 벗할 수 있고, 一國의 善士여야 一國의 善士를 벗할 수 있고, 天下의 善士여야 天下의 善士를 벗할 수 있는 것이다.

集註 | 言 己之善이 蓋於一鄕然後에 能盡友一鄕之善士[655]니 推而至於一國天下에도 皆然하니 隨其高下하여 以爲廣狹[656]也니라

자신의 善이 한 고을을 덮을 만한 뒤에야 한 고을의 善士를 다 벗할 수 있다. 이를 미루면 一國과 天下에 이르러서도 모두 그러하니, 그 〈人品의〉 高下에 따라 넓고 좁음을 삼음을 말씀하였다.

8-2. 以友天下之善士로 爲未足하여 又尙論古之人하나니 頌其詩하며 讀其書호되 不知其人이 可乎아 是以로 論其世也니 是尙友也니라

天下의 善士를 벗하는 것으로 만족스럽지 못하게 여겨 또다시 위로 올라가서 옛사람을 논하니, 그의 詩를 외우며 그의 글을 읽으면서도 그의 사람됨을 알지 못한다면 되겠는가. 이 때문에 그 當世〈에 行事의 자취〉를 논하는 것이니, 이는 위로 올라가서 벗하는 것이다."

按說 | '論其世也'에 대하여, 趙岐는

그 글을 읽는 자가 아직도 古人의 高下(先後)를 알지 못함을 염려했기 때문에 그 시대를 논하여 구별한 것이다. 三皇 시대의 인물이 上이 되고 五帝 시대의 인물이 다음이 되고 三王

---

655 己之善……能盡友一鄕之善士:茶山은 이 章의 뜻을 두 가지로 보았는데, 하나는 朱子의 說로 '반드시 한 고을을 통틀어 제일가는 善士인 연후에야 비로소 한 고을의 모든 수많은 善士와 모두 벗할 수 있다.〔必也通一鄕第一善士 然後方能盡友擧一鄕許多善士〕'는 것이고, 다른 한 說은 '자신의 德이 한 고을 가운데 善士가 되기에 충분한 뒤에야 비로소 한 고을의 善士 가운데 자신과 德이 같은 자와 벗할 수 있다.〔己之德 足爲一鄕中善士 然後方得友一鄕中善士之與己同德者〕'는 것이다.

656 廣狹:茶山은 "'廣狹'의 뜻은 '사람의 많고 적음'으로 보아야 할 듯하다.〔廣狹之義 恐當以衆寡看矣〕" 하였다.

⋯ 蓋 덮을 개 隨 따를 수 廣 넓을 광 狹 좁을 협 尙 윗상, 오를 상 頌 외울 송(誦通)

시대의 인물이 下가 된다.〔讀其書者 猶恐未知古人高下 故論其世以別之也 在三皇之
世爲上 在五帝之世爲次 在三王之世爲下〕

하였고, 朱子는 '그 당시 行事(행실과 일)의 자취를 논하는 것〔論其當世行事之迹〕'이라
하였다. 茶山은

朱子의 '行事之迹' 네 글자는 〈쓸데없이〉 덧붙여진 것이 아니겠는가. '世' 한 글자가 이런
뜻을 포함할 수 없다.〔行事之迹四字 非添出乎 世一字無以含此意思〕

하였으니, 朱子는 '論其世'를 古人의 개인적 행적을 논함으로써 그 인물됨을 아는 것으
로 해석한 반면, 茶山은 趙岐의 說을 취하여, 《詩經》·《書經》의 각 편이 지어진 시기, 當
時 시대적 상황, 왕·제후·대부의 世系 등을 파악하는 것으로 해석한 것이다. 또 茶山은

그 詩를 외우며 그 글을 읽으면서도 그 時世를 소홀히 여기는 것은 후세의 弊習이다. 趙岐
의 註를 어찌 없앨 수 있겠는가.〔誦其詩讀其書而漫其時世者 後世之弊習也 趙註其可
沒乎〕

하였다.

集註 | 尙은 上同하니 言進而上也라 頌은 誦通이라 論其世는 論其當世行事之迹也
라 言 旣觀其言이면 則不可以不知其爲人之實이라 是以로 又考其行也라 夫能友
天下之善士면 其所友衆矣로되 猶以爲未足하여 又進而取於古人하니 是能進其取
友之道하여 而非止爲一世之士矣니라

'尙'은 上과 같으니, 나아가 위로 올라감을 말한다. '頌'은 誦과 통한다. '그 當世를 논한
다.'는 것은 그 당시 行事(행실과 일)의 자취를 논하는 것이다. 이미 그의 말(글)을 관찰하
였으면 그의 사람됨의 실제를 알지 않을 수 없기 때문에 또다시 그 行實을 상고함을 말씀한
것이다. 능히 天下의 善士와 벗한다면 벗 삼은 사람이 많은데도 오히려 만족스럽지 못하게
여겨서 또 나아가 古人에게서 취하니, 이는 능히 그 벗을 취하는 道를 진전하여 다만 一世
의 선비를 벗할 뿐만이 아닌 것이다.

··· 迹 자취 적 考 상고할 고 猶 오히려 유

9-1. 齊宣王이 問卿한대 孟子曰 王은 何卿之問也시니잇고 王曰 卿이 不同乎잇가 曰 不同하니 有貴戚之卿하며 有異姓之卿하니이다 王曰 請問貴戚之卿하노이다 曰 君有大過則諫하고 反覆之而不聽則易位니이다

齊 宣王이 卿을 묻자, 孟子께서 "王은 어떤 卿을 물으십니까?" 하고 反問하셨다.

王이 말씀하기를 "卿이 똑같지 않습니까?" 하였다.

孟子께서 말씀하셨다. "똑같지 않으니, 貴戚의 卿도 있으며 異姓의 卿도 있습니다."

王이 말씀하였다. "貴戚의 卿을 묻습니다."

孟子께서 말씀하셨다. "君主가 큰 잘못이 있으면 諫하고 반복하여도 듣지 않으면 君主의 자리를 바꿉니다."

集註 ┃ 大過는 謂足以亡其國者라 易位는 易君之位하고 更(경)立親戚[657]之賢者라 蓋與君有親親之恩하고 無可去之義하니 以宗廟爲重하여 不忍坐視其亡이라 故로 不得已而至於此也니라

'大過'는 충분히 그 나라를 망칠 수 있는 잘못을 이른다. '易位'는 군주의 자리를 바꾸고 친척 중에 어진 자로 바꾸어 세우는 것이다. 이것은 군주와 親親(친족을 친애함)의 은혜가 있고 떠날 수 있는 義가 없으니, 宗廟를 중하게 여겨 차마 앉아서 그 망함을 볼 수 없으므로 부득이하여 이에 이르는 것이다.

9-2. 王이 勃然變乎色한대

王이 勃然히 얼굴빛을 변하자,

集註 ┃ 勃然은 變色貌라

'勃然'은 얼굴빛을 변하는 모양이다.

---

657 親戚 : 新安陳氏(陳櫟)는 "옛 사람의 이른바 '親戚'은 모두 天倫의 親屬(일가친족)을 가리킨 것이다.〔古人所謂親戚 並指天屬之親〕"하였다.

⋯ 異 괴이할 이 戚 친척 척 更 바꿀 경 勃 변색할 발

9-3. 曰 王은 勿異也하소서 王이 問臣하실새 臣이 不敢不以正對호이다

孟子께서 말씀하셨다. "王은 괴이하게 여기지 마소서. 王께서 臣에게 물으셨기에 臣이 감히 바른대로 대답하지 않을 수 없었습니다."

按說 | '不敢不以正對'에 대하여, 楊伯峻은

《論語》〈述而〉33장에 '진실로 저희 弟子들이 배울 수 없는 점입니다.〔正唯弟子不能學也〕'에 대한 鄭玄의 註에 '魯나라에서는 正을 誠으로 읽는다.' 하였으니, 여기의 '正'도 誠(진실, 성실)으로 읽어야 한다.

하였다.

集註 | 孟子言也라

孟子께서 말씀하신 것이다.

9-4. 王이 色定然後에 請問異姓之卿한대 曰 君有過則諫하고 反覆之而不聽則去니이다

王이 얼굴빛이 안정된 뒤에 異姓의 卿에 대해 묻자, 孟子께서 말씀하셨다. "君主가 잘못이 있으면 간하고, 반복하여도 듣지 않으면 떠나갑니다."

集註 | 君臣은 義合하니 不合則去니라

君臣間은 義로써 합하였으니, 〈道가〉 합하지 않으면 떠나가는 것이다.

章下註 | ○ 此章은 言 大臣之義는 親疏不同이라 守經, 行權이 各有其分[658]하니 貴

---

[658] 守經行權 各有其分 : 新安陳氏(陳櫟)는 "친한 자는 權道를 행할 수 있고 소원한 자는 오직 經道를 지켜야 하는 것이다.〔親者 可以行權 疏者 惟當守經〕" 하였다. '經'은 經常的인 正道이고 '權'은 부득이하여 사세를 저울질해서 행하는 權道로, 군주의 잘못을 간하여 듣지 않으면 떠나가는 것은 經道이고, 부득이하여 군주를 바꿔 세우는 것은 權道이다.

··· 諫 간할 간 疏 소원할 소 經 떳떳할 경 權 저울질할 권, 권도 권

戚之卿은 小過를 非不諫也로되 但必大過而不聽이라야 乃可易位요 異姓之卿은 大過를 非不諫也로되 雖小過而不聽이라도 已可去矣라 然이나 三仁[659]은 貴戚이로되 不能行之於紂하고 而霍光은 異姓이로되 乃能行之於昌邑[660]하니 此又委任權力之不同이니 不可以執一論也니라

○이 章은 大臣의 義理는 親疏가 똑같지 않으므로 經道(正道)를 지키고 權道를 행함이 각기 그 분별이 있음을 말씀하신 것이다. 貴戚의 卿은 작은 잘못을 간하지 않는 것이 아니나 다만 반드시 큰 잘못을 〈간해도 군주가〉 듣지 않아야 자리를 바꿀 수 있는 것이요, 異姓의 卿은 큰 잘못을 간하지 않는 것이 아니나 비록 작은 잘못을 〈간하여 군주가〉 듣지 않더라도 이미 떠날 수 있는 것이다. 그러나 三仁은 貴戚인데도 이것을 紂王에게 행하지 못하였고, 霍光은 異姓이었으나 도리어 이것을 昌邑王에게 행하였으니, 이는 또 委任한 權力이 똑같지 않았기 때문이니, 한 가지만을 고집하여 논할 수는 없다.

---

659 三仁 : 殷나라 말기의 세 仁者로 比干·箕子·微子를 가리키는바, 《論語》〈微子〉 1장에 자세히 보인다.

660 霍光……乃能行之於昌邑 : 霍光은 前漢의 名將으로 武帝의 顧命을 받고 昭帝를 보필하였다. 昭帝가 죽은 다음 아들이 없어 昌邑王 劉賀를 후계자로 맞이하였으나 劉賀가 酒色에 빠지자 즉시 축출하고 宣帝를 옹립하여 國基를 튼튼히 하였다. 《大全》에는 《漢書》〈霍光傳〉의 기록을 다음과 같이 인용하고 있다. "昌邑王 賀는 武帝의 손자이고 昌邑 哀王의 아들이다. 즉위하여 음란한 짓을 행하니, 霍光이 걱정스럽고 답답하여 은밀히 친분이 있는 옛 관리인 大司農 田延年에게 묻자, 田延年이 대답하기를 '將軍이 국가의 柱石이 되었으니, 이 사람이 不可함을 아신다면 어찌 太后에게 여쭙고 다시 賢者를 선택하여 세우지 않습니까?' 하였다. 霍光이 '지금 내가 이와 같이 하고자 하는데, 옛날에도 일찍이 이런 일이 있었는가?' 하니, 田延年이 대답하기를 '伊尹이 殷나라에 정승으로 있을 적에 太甲을 폐위하여 종묘를 편안히 하자, 세상에서는 그의 충성을 칭찬하였으니, 장군께서 만약 능히 이것을 행하신다면 또한 漢나라의 伊尹입니다.' 하였다. 霍光은 마침내 田延年을 給事中으로 등용하여 은밀히 車騎將軍 張安世와 계책을 도모하였다. 霍光이 여러 신하들과 함께 太后를 뵙고 昌邑王이 종묘를 받들 수 없는 상황을 자세히 아뢰자, 皇太后가 마침내 수레를 타고 未央宮 承明殿에 행차하여 昌邑王을 불러 앞에 엎드려 詔命을 듣게 하였다. 霍光이 여러 신하와 함께 連名하여 왕의 잘못을 아뢰어 尙書令이 이 글을 다 읽자, 霍光이 창읍왕으로 하여금 일어나 절하고 詔命을 받게 하고는 즉시 그의 손을 잡아 玉璽를 맨 끈을 풀어 벗기고 昌邑王을 부축하여 대궐에서 내려가 昌邑王의 邸宅으로 보냈다.〔昌邑王賀 武帝之孫 昌邑哀王之子也 卽位 行淫亂 光憂懣 獨以問所親故吏大司農田延年 延年曰 將軍爲國柱石 審此人不可 何不建白太后 更選賢而立之 光曰 今欲如是 於古嘗有否 延年曰 伊尹相殷 廢太甲 以安宗廟 世稱其忠 將軍若能行此 亦漢之伊尹也 光乃引延年給事中 陰與車騎將軍張安世 圖計 光與群臣 俱見白太后 具陳昌邑王不可以承宗廟狀 皇太后乃車幸未央承明殿 召昌邑王 伏前聽詔 光與群臣 連名奏王 尙書令讀畢 光令王起拜受詔 乃卽持其手 解脫其璽組 扶王下殿 送至昌邑邸〕"

··· 霍 성곽

告子章句 上

集註 | 凡二十章[661]이라

모두 20章이다.

| 性猶杞柳章 |

1-1. 告子曰 性은 猶杞柳也요 義는 猶桮棬也니 以人性爲仁義는 猶以杞柳爲桮棬이니라

告子가 말하였다. "性은 杞柳(땅버들)와 같고 義는 땅버들로 만든 그릇과 같으니, 사람의 本性을 가지고 仁義를 행함은 杞柳를 가지고 그릇을 만드는 것과 같다."

按說 | '杞柳'와 '桮棬'에 대하여, 朱子는

杞柳는 지금의 상자를 만드는 버들인데 북쪽 지방 사람들은 이것으로 화살을 만들고 柳箭이라 이르니, 바로 땅버들이다.〔杞柳 只是而今做合箱底柳 北人以此爲箭 謂之柳箭 卽蒲柳也〕《語類》

---

661 凡二十章：勿軒熊氏(熊禾)는 "首章에서 6장까지는 性을 말하였고, 7장부터 19장까지는 心을 말하였고, 마지막 章은 學을 말하였다.〔首章至六章言性 七章至十九章言心 末章言學〕" 하였다.

⋯ 杞 땅버들 기 桮 그릇 배 棬 그릇 권

650 · 附 按說 孟子集註

하였다. 新安陳氏(陳櫟)는

'義猶桮棬也'는 '義' 위에 '仁'字가 빠졌다.〔義猶桮棬也 義上脫一仁字〕

하였다.

'桮'는 杯와 같다. 楊伯峻은《禮記》〈玉藻〉에 "어머니가 돌아가시면 차마 쓰시던 땅버들
로 만든 그릇으로 마시지 못한다.〔母沒而杯圈不能飲焉〕"라고 한 것의 '杯圈'이 바로
여기의 '桮棬'이라 하였다.

集註 | 性者는 人生所稟之天理也라 杞柳는 柜柳요 桮棬은 屈木所爲니 若巵匜之屬
이라 告子言 人性이 本無仁義하여 必待矯揉[662]而後成이라하니 如荀子性惡之說[663]
也라

性은 사람이 태어날 때에 받은 바의 天理이다. '杞柳'는 柜柳요 '桮棬'은 나무를 굽혀 만든
것이니, 巵와 匜의 등속이다. 告子가 "人性은 본래 仁義가 없어서 반드시 矯揉하기를 기
다린 뒤에야 이루어진다."라고 말하였으니, 荀子의 性惡說과 같다.

1-2. 孟子曰 子能順杞柳之性而以爲桮棬乎아 將戕賊杞柳而後에 以爲桮棬也니 如將戕賊杞柳而以爲桮棬이면 則亦將戕賊人하여 以爲仁義與아 率天下之人而禍仁義者는 必子之言夫인저

孟子께서 말씀하셨다. "그대는 杞柳의 성질을 順히 하여 桮棬을 만드는가? 장차 杞
柳를 해친 뒤에야 桮棬을 만들 것이니, 만일 장차 杞柳를 해쳐서 桮棬을 만든다면 또
한 장차 사람을 해쳐서 仁義를 하겠는가? 천하 사람을 몰아서 仁義를 해칠 것은 반드
시 그대의 이 말일 것이다."

集註 | 言 如此면 則天下之人이 皆以仁義爲害性而不肯爲하리니 是는 因子之言而
爲仁義之禍也라

---

662 矯揉 : '矯'는 굽은 것을 바로잡음을 이르고, '揉'는 곧은 것을 휨을 이른다.
663 荀子性惡之說 :《荀子》〈性惡篇〉에 "사람의 性은 惡하니, 그 善한 것은 僞(人爲)이다.〔人之性惡 其善
者僞也〕"라고 보인다.

··· 稟 받을 품 柜 버들 거 巵 술잔 치 匜 술그릇 이 矯 바로잡을 교 揉 휠 유 荀 성 순 戕 해칠 장 賊 해칠 적
肯 즐길 긍

'이와 같다면 천하 사람들이 모두 仁義를 本性을 해치는 것이라고 여겨서 즐겨 하려하지 않을 것이니, 이는 그대의 말로 인하여 仁義의 禍가 되는 것이다.'라고 말씀한 것이다.

|湍水章|

2-1. 告子曰 性은 猶湍水也라 決諸東方則東流하고 決諸西方則西流하나니 人性之無分於善不善也 猶水之無分於東西也니라

告子가 말하였다. "性은 여울물과 같다. 이것을 東方으로 터놓으면 동쪽으로 흐르고 西方으로 터놓으면 서쪽으로 흐르니, 人性이 善과 不善에 구분이 없음은 마치 물이 東·西에 분별이 없는 것과 같다."

> 集註 | 湍은 波流瀠回之貌也라 告子因前說而小變之[664]하니 近於揚子善惡混之說[665]하니라
>
> '湍'은 물결이 맴도는 모양이다. 告子가 앞의 말을 따르면서 약간 변화시켰으니, 揚子(揚雄)의 '善과 惡이 뒤섞여 있다.'는 말에 가깝다.

2-2. 孟子曰 水信無分於東西어니와 無分於上下乎아 人性之善也 猶水之就下也니 人無有不善하며 水無有不下니라

孟子께서 말씀하셨다. "물은 진실로 東·西에 분별이 없지만 上·下에도 분별이 없단 말인가? 人性의 善함은 물이 아래로 내려가는 것과 같으니, 사람은 不善한 사람이 없으며 물은 아래로 내려가지 않는 것이 없다.

---

[664] 告子因前說而小變之 : '앞의 말을 따름'은 여기에서도 앞 장과 마찬가지로 性을 氣로 여김을 의미하고, '약간 변화시킴'은 앞 장에서는 性惡을, 이 장에서는 性無善惡을 주장함을 가리킨다.

[665] 揚子善惡混之說 : 揚子는 前漢 말기의 학자인 揚雄을 가리키는데, 그가 지은 《法言》〈修身〉에 "사람의 性은 善과 惡이 뒤섞여 있으니, 善을 닦으면 善한 사람이 되고 惡을 닦으면 惡한 사람이 된다. 氣란 〈통솔하는 것에 따라〉 善으로도 가고 惡으로도 가는 말[馬]일 것이다.〔人之性也 善惡混 修其善則爲善人 修其惡則爲惡人 氣也者 所以適善惡之馬也與〕"라고 보인다.

··· 湍 여울물 단 決 터놓을 결 波 물결 파 瀠 돌아흐를 형 混 섞일 혼 就 나아갈 취

集註 | 言 水誠不分東西矣어니와 然이나 豈不分上下乎아 性卽天理니 未有不善者
也니라

'물은 진실로 東·西에 분별이 없지만 그러나 어찌 上·下에 분별이 없겠는가.'라고 말씀한
것이다. 性은 바로 天理니, 不善함이 있지 않다.

2-3. 今夫水를 搏而躍之면 可使過顙이며 激而行之면 可使在山이어니와 是豈水之性哉리오 其勢則然也니 人之可使爲不善이 其性이 亦猶是也니라

지금 물을 쳐서 튀어 오르게 하면 이마를 지나게 할 수 있으며, 激하여 흘러가게 하면
산에 있게 할 수 있지만 이것이 어찌 물의 本性이겠는가. 그 勢가 그러한 것이니, 사람
이 不善을 하게 함은 그 性이 또한 이와 같은 것이다."

集註 | 搏은 擊也라 躍은 跳也라 顙은 額也라 水之過額在山은 皆不就下也라 然이나
其本性은 未嘗不就下요 但爲搏擊所使而逆其性耳니라

'搏'은 침이다. '躍'은 뜀(튐)이다. '顙'은 이마이다. 물이 이마를 지나고 산에 있음은 모두
아래로 내려가지 않는 것이다. 그러나 그 本性은 일찍이 아래로 내려가지 않는 것이 아니
요, 다만 치고 격함에 부림을 당하여 그 本性을 거슬렀을 뿐이다.

章下註 | ○ 此章은 言 性本善故로 順之而無不善이요 本無惡故로 反之[666]而後에 爲
惡이니 非本無定體하여 而可以無所不爲也니라

○ 이 章은 性이 본래 善하기 때문에 順히 하면 不善함이 없고, 본래 惡함이 없기 때문에
반대로 한 뒤에야 惡을 하니, 본래 정해진 體가 없어서 하지 못하는 바가 없는 것이 아님을
말씀한 것이다.

---

666 反之 : 新安陳氏(陳櫟)는 "'反之'는 '逆之'라는 말과 같으니, 張子(張載)의 이른바 '잘 되돌린다.'는 말
과는 같지 않다. 저 張子의 말씀은 바로 회복함을 말한 것이다.〔反之 猶云逆之 與張子所謂善反之不
同 彼乃復之之謂〕" 하였다. '善反之'는 본성을 잘 회복하여 보존함을 이른다.

··· 搏 칠박 躍 뛸약 顙 이마상 激 격할격 擊 칠격 跳 뛸도 額 이마액

|生之謂性章|

3-1. 告子曰 生之謂性이니라

告子가 말하였다. "生(타고난 본능)을 性이라 한다."

按說 | '生之謂性'에 대하여, 《大全》에

타고난 것[生]을 일러 氣라 하고, 타고나게 한 理를 일러 性이라 한다.[生之謂氣 生之理之謂性]

하였다. 여기에서 말한 生은 사람이나 동물의 본능을 가리킨 것이다.

集註 | 生은 指人物之所以知覺運動者而言[667]이라 告子論性前後四章이 語雖不同이나 然其大指는 不外乎此[668]하니 與近世佛氏所謂作用是性[669]者로 略相似하니라

---

[667] 生 指人物之所以知覺運動者而言 : 朱子는 "'生之謂性'은 다만 氣에 나아가 말한 것이니, 이는 사람도 허다한 知覺과 運動이 있고 물건(동물)도 허다한 知覺과 運動이 있어서 사람과 물건이 똑같음을 말한 것이다. 그러나 사람이 물건과 다른 이유는 사람은 바른 氣를 얻었으므로 허다한 道理을 온전히 얻었고, 물건은 氣가 어두워 理 또한 어두운 것인데, 告子가 이를 모른 것이다.[生之謂性 只是就氣上說得 蓋謂人也有許多知覺運動 物也有許多知覺運動 人物只一般 却不知人所以異於物者 以其得正氣 故具得許多道理 如物則氣昏而理亦昏了]" 하였다.《語類》

[668] 其其大指 不外乎此 : 朱子는 告子가 性을 논한 여러 章의 大旨가 이 '生之謂性'이라는 말에 근본한다고 하면서 다음과 같이 부연하였다. "告子는 理가 性이 됨을 모르고서 마침내 사람의 몸에 나아가 능히 지각·운동을 할 수 있는 것을 가리켜 性에 해당시켰으니, 이른바 '生'이라는 것이 이것이다. 처음에는 性이 다만 지각·운동을 할 수 있어서 가르침이 아니면 이루어지지 않는다고 보았기 때문에 杞柳의 비유를 하였다. 그러다가 孟子의 말씀에 굽히고 나서는 자신의 說이 惡에 치우친 것을 병통으로 여기고 다시 이어 湍水의 비유를 해서, 性이 다만 지각·운동을 할 수 있을 뿐 善과 惡의 구분이 있는 것은 아니라고 보았다. 다시 孟子께서 자신의 뜻을 깨닫지 못했다고 여겨, 또 이 장에서 자신이 논의를 세운 본뜻을 지극히 하여 다 말하였고, 孟子께서 이를 꺾으심에 미쳐서는 그 說이 다시 궁하였으나 끝내 자신이 틀렸음을 깨닫지 못하였다. 그가 食色을 가지고 性이라고 말한 것도 生을 性이라 하는 것과 대체로 같으며 公都子가 인용한 바도 湍水의 비유에 덧붙인 의논이다. 이로써 살펴보면 告子가 性을 논한 모든 것이 生의 한 글자에서 벗어나지 않음이 분명하다.[告子不知理之爲性 乃卽人之身 而指其能知覺運動者以當之 所謂生者是也 始而見其但能知覺運動 非教不成 故有杞柳之譬 旣屈於孟子之言 而病其說之偏於惡也 則又繼而爲湍水之喩 以見其但能知覺運動 而非有善惡之分 又以孟子爲未喩已之意也 則又於此章極其立論之本意而索言之 至於孟子折之 則其說又窮 而終不悟其非也 其以食色爲言 蓋猶生之云爾 而公都子之所引 又湍水之餘論也 以是考之 凡告子之論性 其不外乎生之一字明矣]"《或問》

[669] 作用是性 : 禪家의 말로, 눈으로 보고 귀로 들으며 손으로 잡고 발로 걷는 등의 모든 作用(본능)을 性이

⋯ 指 가리킬 지, 뜻 지 外 벗어날 외 略 대략 략

'生'은 사람과 물건(동물)이 知覺하고 운동하는 것을 가리켜 말한 것이다. 告子가 性을 논한 앞뒤의 네 章이 말은 비록 똑같지 않으나 그 大指는 이에서 벗어나지 않으니, 近世에 佛家의 이른바 '作用하는 것이 性이다.'라는 것과 대략 비슷하다.

3-2. 孟子曰 生之謂性也는 猶白之謂白與아 曰 然하다 白羽之白也 猶白雪之白이며 白雪之白이 猶白玉之白與아 曰 然하다

孟子께서 말씀하셨다. "生을 性이라 함은 白色을 白色이라고 이르는 것과 같은가?"
告子가 말하였다. "그러하다."
"그렇다면 白羽의 白色이 白雪의 白色과 같으며, 白雪의 白色이 白玉의 白色과 같은가?"
"그러하다."

集註 | 白之謂白은 猶言凡物之白者를 同謂之白이요 更無差別也라 白羽以下는 孟子再問에 而告子曰然이라하니 則是謂凡有生者는 同是一性矣니라

'白之謂白'은 모든 물건의 白色을 똑같이 白色이라 이르고 다시 차별이 없다는 말과 같다. '白羽' 이하는 孟子께서 다시 물으심에 告子가 "그렇다."고 대답하였으니, 그렇다면 이는 모든 生을 가지고 있는 것은 똑같이 한 性이라고 말한 것이다.

3-3. 然則犬之性이 猶牛之性이며 牛之性이 猶人之性與아

〈孟子께서 말씀하셨다.〉"그렇다면 개의 性이 소의 性과 같으며, 소의 性이 사람의 性과 같은가."

라 한다. 朱子는 "〈告子의 說은〉 바로 禪家에서 '부처란 무엇인가? 性을 보면 부처가 된다. 性이란 무엇인가? 作用하는 것이 性이다.'라고 하는 說과 같다. 이는 눈이 보고 귀가 듣고 손이 잡고 발이 움직이고 달리는 것이 모두 性이라고 말한 것인데, 이리저리 반복하여 말하였으나 다만 形而下를 말한 것이다.〔正如禪家說 如何是佛 曰見性成佛 如何是性 曰作用是性 蓋謂目之視 耳之聽 手之執捉 足之運奔 皆性也 說來說去 只說得箇形而下者〕"하였다.《語類》또 말씀하기를 "예컨대 손은 잡을 수 있지만 만약 칼을 잡고 함부로 사람을 죽이더라도 이것을 性이라 할 수 있겠는가.〔且如手執捉 若執刀胡亂殺人 亦可爲性乎〕"하였다.《語類 釋氏》

··· 差 다를 차

集註 | 孟子又言 若果如此면 則犬牛與人이 皆有知覺하고 皆能運動하니 其性이 皆無以異矣라하시니 於是에 告子自知其說之非하고 而不能對也하니라

孟子께서 또 말씀하시기를 "만일 이와 같다면 개와 소와 사람이 모두 知覺이 있고 모두 運動할 수 있으니, 그 性이 모두 다름이 없을 것이다." 하시니, 이에 告子가 스스로 자신의 말이 틀렸음을 알고서 대답하지 못한 것이다.

章下註 | ○愚按 性者는 人之所得於天之理也요 生者는 人之所得於天之氣也니 性은 形而上者也요 氣는 形而下者라[670] 人物之生이 莫不有是性하고 亦莫不有是氣어니와 然이나 以氣言之하면 則知覺運動은 人與物이 若不異也로되 以理言之하면 則仁義禮智之稟이 豈物之所得而全哉[671]아 此는 人之性이 所以無不善而爲萬物之靈也라 告子不知性之爲理하고 而以所謂氣者로 當之라 是以로 杞柳湍水之喩와 食色無善無不善之說이 縱橫繆戾하고 紛紜舛錯이로되 而此章之誤 乃其本根

---

670 性 形而上者也……形而下者也:新安陳氏(陳櫟)는 《周易》〈繫辭傳上〉에 이르기를 '形而上을 道라 이르고 形而下를 器라 이른다.'고 하였으니, '上'字는 上聲으로 읽는다. 有形 이상은 바로 無形의 理이니 性은 바로 理이고, 有形 이하는 바로 有形의 器이니 氣는 形體가 있는 것이다.〔易大傳曰 形而上者 謂之道 形而下者 謂之器 上字 上聲讀 有形以上 便是無形之理 性卽理也 有形以下 便是有形之器 氣 有形者也〕"하였다.

671 以氣言之……豈物之所得而全哉:雲峰胡氏(胡炳文)는 《大學》과 《中庸》의 首章과 《或問》에 모두 '사람과 물건의 태어남이 理는 같고 氣는 다르다.'고 하였는데, 여기에서는 '氣는 같고 理는 다르다.'고 말한 것은 어째서인가? 朱子가 일찍이 말씀하기를 '萬物이 근원이 하나임을 論하면 理는 같고 氣는 다르며, 萬物이 體가 다름을 보면 氣는 오히려 서로 비슷하나 理는 서로 같지 않다.'고 하셨으니, 氣가 다른 것은 순수함과 잡박함이 똑같지 않은 것이요, 理가 다른 것은 편벽되고 온전함이 혹 다른 것이다. 일찍이 이 말씀으로 미루어 보건대 大本과 大原에서 큰 造化가 流行하여 萬物에 부여하는 것을 말한다면 어찌 일찍이 사람과 물건을 나눌 수 있겠는가. 이는 理가 같은 것이다. 다만 사람은 氣의 바르고 通한 것을 얻었고, 물건은 氣의 편벽되고 막힌 것을 얻었으니, 이는 氣가 다른 것이다. 사람과 물건이 이 氣를 얻어 태어나면 사람이 知覺運動을 할 수 있고 물건 또한 知覺運動을 할 수 있으니, 이는 또 氣가 같은 것이다. 그러나 사람은 氣의 온전함을 얻었기 때문에 理를 얻음도 또한 온전하고, 물건은 氣의 편벽됨을 얻었기 때문에 理를 얻음도 또한 편벽되니, 그렇다면 사람과 물건이 또 다르지 않을 수 없는 것이다. 理가 같고 氣가 다름은 이는 사람과 물건이 처음 태어남을 가지고 말한 것이고, 氣가 같고 理가 다름은 이는 사람과 물건이 태어난 이후를 가지고 말한 것이니, 朱子의 말씀이 정밀하다.〔大學中庸首章或問 皆以爲人物之生 理同而氣異 而此則以爲氣同而理異 何也 朱子嘗曰 論萬物之一原 則理同而氣異 觀萬物之異體 則氣猶相近而理絕不同 氣之異者 粹駁之不齊 理之異者 偏全之或異也 嘗因是而推之 蓋自大本大原上 說大化流行 賦予萬物 何嘗分人與物 此理之同也 但人得其氣之正且通者 物得氣之偏且塞者 此氣之異也 人物旣得此氣以生 則人能知覺運動 物亦能知覺運動 此又其氣之同也 然人得其氣之全 故於理亦全 物得其氣之偏 故於理亦偏 則人與物又不能不異矣 理同而氣異 是從人物有生之初說 氣同而理異 是從人物有生之後說 朱子之說 精矣〕"하였다.

··· 靈 영특할 령 喩 비유할 유 縱 세로 종 橫 가로 횡 繆 어그러질 류 戾 어그러질 려 紛 어지러울 분
紜 어지러울 운 舛 어그러질 천 錯 어그러질 착

이니 所以然者는 蓋徒知知覺運動之蠢然者 人與物同하고 而不知仁義禮智之粹然者 人與物異也[672]라 孟子以是折之하시니 其義精矣로다

○내(朱子)가 살펴보건대 性은 사람이 하늘에서 얻은 바의 理이고 生은 사람이 하늘에서 얻은 바의 氣이니, 性은 形而上인 것이요 氣는 形而下인 것이다. 사람과 물건(동물)이 태어날 적에 이 性을 가지고 있지 않은 것이 없고 또한 이 氣를 가지고 있지 않은 것이 없다. 그러나 氣로써 말한다면 知覺·運動은 사람과 물건이 다르지 않은 듯하나 理로써 말한다면 仁義禮智의 本性을 받음이 어찌 물건이 얻어서 온전히 할 수 있는 것이겠는가. 이는 사람의 性이 不善함이 없어서 萬物의 靈長이 되는 이유이다. 告子는 性이 理가 됨을 알지 못하고 이른바 '氣'라는 것을 가지고 性에 해당시켰다. 이 때문에 杞柳·湍水의 비유와 性은 食과 色이며 善도 없고 不善도 없다는 등의 말이 縱橫으로 어긋나고 어지럽게 잘못된 것인데, 이 章의 오류가 바로 그 뿌리이다. 이렇게 된 까닭은 다만 知覺·運動의 움직임은 사람과 물건이 똑같다는 것만 알고, 仁義禮智의 순수한 것은 사람과 물건이 다름을 몰랐기 때문이다. 孟子께서 이것으로써 꺾으셨으니, 그 뜻이 정밀하다.

| 食色性也章 |

4-1. 告子曰 食色이 性也니 仁은 內也라 非外也요 義는 外也라 非內也니라

告子가 말하였다. "食과 色이 性이니, 仁은 內面에 있는 것이라 外面에 있는 것이 아니요, 義는 外面에 있는 것이라 內面에 있는 것이 아니다."

集註 | 告子以人之知覺運動者로 爲性이라 故로 言 人之甘食悅色者卽其性이라 故

---

672 蓋徒知知覺運動之蠢然者……人與物異也:朱子는 "氣가 서로 비슷하다는 것은 예컨대 추위와 따뜻함을 알고 굶주림과 배부름을 알고, 살기를 좋아하고 죽음을 싫어하고, 이로운 데로 나아가고 해로움을 피하는 것과 같은 것이 사람과 물건이 모두 똑같다는 것이다. 理가 같지 않다는 것은 예컨대 벌과 개미의 君臣은 오직 이 義에만 조금 밝고 虎狼의 父子는 오직 이 仁에만 조금 밝을 뿐, 다른 것은 다시 미루어 가지 못하는 것과 같은 것이다.〔氣相近 如知寒暖 識饑飽 好生惡死 趨利避害 人與物都一般 理不同 如蜂蟻之君臣 只是他義上 有一點子明 虎狼之父子 只是他仁上 有一點子明 其他 更推不去〕"하였다.《語類》

··· 蠢 움직일 준, 미련할 준 悅 기쁠 열

로 仁愛之心은 生於內하고 而事物之宜는 由乎外[673]하니 學者但當用力於仁이요 而 不必求合於義也니라

告子는 사람이 知覺하고 運動하는 것을 性이라고 여겼다. 그러므로 말하기를 "사람이 음식을 좋아하고 女色을 좋아함이 바로 그 性이다. 그러므로 仁愛의 마음은 내면에서 생기고 사물의 마땅함은 외면에서 말미암는 것이니, 배우는 자들은 다만 마땅히 仁에 힘을 쓸 것이요 굳이 義에 합하기를 구할 것이 없다."라고 한 것이다.

4-2. 孟子曰 何以謂仁內義外也오 曰 彼長而我長之라 非有長於我也니 猶彼白而我白之라 從其白於外也라 故로 謂之外也라하노라

孟子께서 말씀하셨다. "어찌하여 仁은 내면에 있고 義는 외면에 있다고 이르는가?" 告子가 말하였다. "저가 어른이면 내가 그를 어른으로 여길 뿐, 나에게 그를 어른으로 여기는 마음이 본래부터 있는 것이 아니다. 이는 마치 저것이 白色이면 내가 그것을 白色이라고 여기기 때문에 그 白色을 외면에서 따르는 것과 같다. 그러므로 이것을 외면에 있다고 말하는 것이다."

集註 | 我長之는 我以彼爲長也요 我白之는 我以彼爲白也라

'我長之'는 내가 저를 어른이라고 여기는 것이요, '我白之'는 내가 저것을 白色이라고 여기는 것이다.

4-3. 曰 (異於)白馬之白也는 無以異於白人之白也어니와 不識케라 長馬之長也 無以異於長人之長與아 且謂長者義乎아 長之者義乎아

---

673 仁愛之心……由乎外:朱子는 "告子가 앞에서는 '義는 땅버들로 그릇을 만드는 것과 같다.' 하고, 아래에서는 '사람의 本性을 가지고 仁義를 행한다.' 하였으니, 그 뜻은 아마도 仁義가 本性에서 나왔다고 여긴 듯하다. 다만 아래 글에서는 또 仁을 가리켜 내면에 있다고 하였으니, 告子는 본래 仁과 義 모두를 외면에 있는 것으로 여기다가 孟子의 말씀을 들은 후에 책망을 약간 받아 들여 仁을 내면에 있는 것으로 여긴 듯하다.……그러나 또한 仁을 본성에 있는 것으로 여기지는 않고, 다만 義에 비하여 다소 내면에 있다고 한 듯하다.〔告子先云 義猶栝栲 而下云以人性爲仁義 其意蓋謂仁義出於本性 但下文又指仁爲在內 疑告子本皆以仁義爲外 旣得孟子說 略認責以爲內……似亦不以仁爲性之所有 但比義差在內耳〕" 하였다.《朱子大全 答鄭子上》

孟子께서 말씀하셨다. "말(馬)의 白色을 白色이라고 함은 사람의 白色을 白色이라고 하는 것과 다를 것이 없지만, 알지 못하겠다. 말의 나이 많은 것을 많게(쓸모없게) 여김이 사람의 나이 많은 것을 많게 여겨 존경하는 것과 차이가 없단 말인가. 또 나이 많은 것을 義라고 하겠는가? 나이 많게 여기는 것을 義라고 하겠는가?"

集註 | 張氏曰上異於二字는 宜衍이라하고 李氏曰 或有闕文焉이라하니라

愚按 白馬, 白人은 所謂彼白而我白之也요 長馬, 長人은 所謂彼長而我長之也라 白馬, 白人은 不異하나 而長馬, 長人은 不同하니 是乃所謂義也라 義不在彼之長이요 而在我長之之心하니 則義之非外 明矣니라[674]

張氏(張鎰)는 "위에 나오는 '異於' 두 글자는 아마도 衍文일 것이다." 하였고, 李氏(李郁)는 "혹 闕文이 있는 듯하다." 하였다.

내가 상고하건대 말을 白色이라 하고 사람을 白色이라 함은 이른바 '저가 白色이므로 내가 그것을 白色이라고 한다.'는 것이요, 나이 많은 말을 쓸모없게 여기고 나이 많은 사람을 어른으로 섬김은 이른바 '저가 어른이므로 내가 그를 어른으로 여긴다.'는 것이다. 말을 희다 하고 사람을 희다 함은 다르지 않으나, 나이 많은 말을 쓸모없게 여기고 나이 많은 사람을 〈어른이라 하여〉 공경함은 똑같지 않으니, 이것이 바로 이른바 '義'라는 것이다. 義는 저의 나이 많음에 있지 않고 내가 그를 어른으로 여기는 마음에 있는 것이니, 그렇다면 義가 외면에 있는 것이 아님이 분명하다.

4-4. 曰 吾弟則愛之하고 秦人之弟則不愛也하나니 是는 以我爲悅者也라 故로 謂之內요 長楚人之長하며 亦長吾之長하나니 是는 以長爲悅者也라 故로 謂之外也라하노라

告子가 말하였다. "내 아우이면 사랑하고 秦나라 사람의 아우이면 사랑하지 않으니, 이는 나를 위주로 하여 기쁨을 삼는 것이므로 내면에 있다고 이른 것이요, 楚나라의 어

---

674 義不在彼之長……明矣 : 慶源輔氏(輔廣)는 "어느 누가 나이 많은 사람을 어른으로 존경하는 마음으로 늙은 말을 어른으로 존경하겠는가. 그러한 까닭은 바로 내 마음의 義가 똑같지 않음이 있기 때문이니, 義는 일의 마땅함을 따라 制裁하기 때문이다.〔人孰以長人之心長馬乎 其所以然者 乃吾心之義 有不同耳 義 蓋隨事之宜而裁之也〕" 하였다.

••• 衍 남을 연 闕 빠질 궐

른을 어른으로 여기며 또한 내 어른도 어른으로 여기니, 이는 어른을 위주로 하여 기쁨을 삼는 것이므로 외면에 있다고 이른 것이다."

按説 | 秦나라와 楚나라는 모두 中原에서 멀리 떨어져 있는 나라로, 秦나라 사람과 楚나라 사람은 소원한 사람을 뜻한다.

集註 | 言 愛主於我라 故로 仁在內요 敬主於長이라 故로 義在外라

'사랑은 나를 위주로 하므로 仁은 내면에 있고, 敬은 어른을 위주로 하므로 義는 외면에 있다.'고 말한 것이다.

4-5. 曰 耆(嗜)秦人之炙 無以異於耆吾炙하니 夫物이 則亦有然者也니 然則耆炙도 亦有外與아

孟子께서 말씀하셨다. "秦나라 사람의 불고기를 좋아함이 나의 불고기를 좋아함과 다를 것이 없으니, 사물(어른으로 여김과 불고기를 좋아함)이 또한 그러한 것이 있는 것이다. 그렇다면 불고기를 좋아함도 또한 외면에 있는가."

集註 | 言 長之, 耆之 皆出於心也라

林氏曰 告子以食色爲性이라 故로 因其所明者而通之하시니라

'어른으로 여김'과 '불고기를 좋아함'이 모두 마음에서 나옴을 말씀한 것이다.

林氏(林之奇)가 말하였다. "告子가 食과 色을 性이라 하였기 때문에 그가 잘 알고 있는 것(음식)을 인하여 통하게 하신 것이다."

章下註 | ○ 自篇首로 至此四章히 告子之辯이 屢屈而屢變其說하여 以求勝하고 卒不聞其能自反而有所疑也하니 此正其所謂不得於言勿求於心[675]者니 所以卒於

---

675 不得於言 勿求於心 : 告子의 말로, 앞의 〈公孫丑上〉 2장에 자세히 보인다.

··· 耆 즐길 기(嗜通) 炙 불고기 자 屢 여러 루 屈 굽힐 굴

鹵莽而不得其正也⁶⁷⁶니라

○篇 머리로부터 이 4장에 이르기까지 告子의 변론이 여러 번 굽혔는데, 여러 번 그 말을 바꾸어 이기기를 구하였고, 끝내 스스로 돌이켜 의심한 바가 있다는 말을 듣지 못했으니, 이것이 바로 이른바 '말에 이해되지 않거든 마음에 알기를 구하지 말라.'는 것이다. 이 때문에 그 말이 鹵莽함(거칠고 소략함)에 마쳐서 그 마음이 올바름을 얻지 못했던 것이다.

|孟季子問章(義内章)|

5-1. 孟季子問公都子曰 何以謂義内也오

孟季子가 公都子에게 물었다. "어찌하여 義가 내면에 있다 이르는가?"

> 集註 | 孟季子는 疑孟仲子之弟也니 蓋聞孟子之言而未達이라 故로 私論之하니라
>
> 孟季子는 孟仲子의 아우인 듯하니, 그가 孟子의 말씀을 듣고 통달하지(이해되지) 못하였으므로 사사로이 논한 것이다.

5-2. 曰 行吾敬故로 謂之内也니라

公都子가 말하였다. "내 〈마음의〉 敬을 행하기 때문에 내면에 있다고 이르는 것이다."

> 集註 | 所敬之人이 雖在外나 然知其當敬하여 而行吾心之敬以敬之면 則不在外也니라
>
> 공경하는 바의 사람은 비록 외면에 있으나 마땅히 공경해야 함을 알아서 내 마음의 공경을 행하여 공경하니, 그렇다면 외면에 있는 것이 아니다.

5-3. 鄉人이 長於伯兄一歲면 則誰敬고 曰 敬兄이니라 酌則誰先고 曰

---

676 卒於鹵莽而不得其正也 : 壺山은 "鹵莽는 言에 속하고 不正은 心에 속한다.〔鹵莽屬言 不正屬心〕"하였다. 鹵莽는 노무 또는 노망으로 읽는다.

··· 鹵 거칠로 莽 거칠무 伯 맏 백 酌 술따를 작

先酌鄉人이니라 所敬은 在此하고 所長은 在彼하니 果在外라 非由內也로다

〈孟季子가 말하였다.〉"鄉人이 伯兄보다 나이가 한 살이 더 많으면 누구를 공경하겠는가?"

公都子가 대답하였다. "兄을 공경해야 할 것이다."

"술을 따를 때에는 누구에게 먼저 하겠는가?"

"鄉人에게 먼저 술을 따라야 할 것이다."

"그렇다면 공경하는 것은 여기(伯兄)에 있고 어른으로 여기는 것은 저기(鄉人)에 있으니, 義는 과연 외면에 있는 것이요 내면에서 나오는 것이 아니구나."

> 集註 | 伯은 長也라 酌은 酌酒也라 此皆季子問에 公都子答이요 而季子又言 如此면 則敬長之心이 果不由中出也라
>
> '伯'은 長(큼)이다. '酌'은 술을 따름이다. 이것은 모두 季子가 물음에 公都子가 답한 것이요, 季子가 또 말하기를 "이와 같다면 어른을 공경하는 마음은 과연 안(心中)에서 나오지 않는다."라고 한 것이다.

5-4. 公都子不能答하여 以告孟子한대 孟子曰 敬叔父乎아 敬弟乎아하면 彼將曰敬叔父라하리라 曰弟爲尸則誰敬고하면 彼將曰敬弟라하리라 子曰 惡(오)在其敬叔父也오하면 彼將曰在位故也라하리니 子亦曰 在位故也라하라 庸敬은 在兄하고 斯須之敬은 在鄉人하니라

公都子가 답변하지 못하여 孟子께 아뢰자, 孟子께서 말씀하셨다. "자네가 그에게 '叔父를 공경하겠는가? 아우를 공경하겠는가?' 하고 물으면 저가 장차 대답하기를 '叔父를 공경해야 할 것이다.'라고 할 것이다. '아우가 尸童이 되면 누구를 공경하겠는가?' 하고 물으면 저가 장차 대답하기를 '아우를 공경해야 할 것이다.'라고 할 것이다. 자네가 말하기를 '叔父를 공경함이 어디에 있는가?' 하고 되물으면 저가 장차 〈아우가 尸童의〉 자리에 있기 때문이다.'라고 대답할 것이니, 자네 역시 〈鄉人이 賓客의〉 자리에 있기

··· 尸 시동 시 庸 떳떳할 용

때문이다.'라고 말하라. 평상시의 공경은 兄에게 있고 잠시의 공경은 鄕人에게 있는 것이다."

集註 | 尸는 祭祀所主以象神이니 雖弟子爲之나 然敬之를 當如祖考也라 在位는 弟在尸位하고 鄕人在賓客之位也라 庸은 常也요 斯須는 暫時也라 言 因時制宜 皆由中出也[677]라

'尸'는 제사지낼 적에 神主로 삼아 神을 상징하는 것이니, 비록 아우와 아들이 尸童이 되더라도 그를 공경하기를 마땅히 祖·考와 같이 해야 한다. '在位'는 아우가 尸童의 자리에 있고 鄕人이 賓客의 자리에 있는 것이다. '庸'은 常(평상시)이고 '斯須'는 잠시이다. 때에 따라 마땅하게 制裁함이 모두 안에서 나옴을 말씀한 것이다.

5-5. 季子聞之하고 曰 敬叔父則敬하고 敬弟則敬하니 果在外라 非由內也로다 公都子曰 冬日則飮湯하고 夏日則飮水하나니 然則飮食도 亦在外也로다

孟季子가 이 말을 듣고 말하였다. "叔父를 공경하게 되면 叔父를 공경하고 아우를 공경하게 되면 아우를 공경하니, 義는 과연 외면에 있다. 내면에서 나오는 것이 아니로구나."

公都子가 말하였다. "겨울철에는 따뜻한 물을 마시고 여름철에는 찬물을 마시니, 그렇다면 마시고 먹는 것도 또한 외면에 있는 것이로다."

---

677 因時制宜 皆由中出也 : 趙氏(趙順孫)는 "때에 따라 마땅하게 制裁함이 이른바 '義'이다. 兄과 叔父를 마땅히 공경해야 하는 것은 이는 떳떳한 이치이다. 그러나 만약 아우가 시동의 자리에 있으면 제사할 때에 잠시 祖·考와 같이 보는 의리로써 制裁하여 아우를 공경해야 하고, 鄕人이 賓客의 자리에 있으면 잔치할 때에 잠시 賓客을 높이는 예의로써 제재하여 鄕人을 공경해야 하니, 이는 모두 잠시의 공경일 뿐이다. 혹은 평상시에 공경하고 혹은 잠시 공경하는 것을 때에 따라 마땅하게 제재함은 모두 내 마음에 근본한다. 그러므로 '안에서 나온다.'고 한 것이다.[因時制宜 所謂義也 兄叔父之當敬 此理之常 若弟在尸位 則祭時暫裁以視如祖考之義而敬弟 鄕人在賓位 則宴時暫裁以尊賓之儀而敬鄕人 此皆暫時之敬耳 或常或暫 因時而裁制其宜 皆本於吾心爾 故曰由中出也]" 하였다.

··· 象 상징할상, 코끼리 상 考 죽은아버지 고 暫 잠시 잠

集註 | 此亦上章耆炙之義[678]니라

이 역시 윗장의 불고기를 좋아한다는 뜻이다.

章下註 | ○范氏曰 二章問答이 大指略同하니 皆反覆譬喩하여 以曉當世하여 使明仁義之在內하시니 則知人之性善[679]하여 而皆可以爲堯舜矣리라

○范氏(范祖禹)가 말하였다. "두 章의 문답이 大指가 대략 같으니, 모두 반복하여 비유해서 當世를 깨우쳐 仁義가 내면에 있음을 알게 한 것이니, 그렇다면 사람의 性이 善함을 알아서 모두 堯·舜이 될 수 있을 것이다."

| 性無善無不善章(好是懿德章) |

6-1. 公都子曰 告子曰 性은 無善, 無不善也라하고

公都子가 말하였다. "告子는 말하기를 '性은 善함도 없고 不善함도 없다.' 하고,

---

678 此亦上章耆炙之義:雲峰胡氏(胡炳文)는 《集註》에 '이 역시 불고기를 좋아한다는 뜻'이라고 말한 것은 불고기는 외면에 있으나 이것을 좋아함은 마음에 있고, 차가운 물과 따뜻한 물은 외면에 있으나 마실 만하고 마실 만하지 못함을 헤아리는 것은 마음에 있으니, 그렇다면 事物의 마땅함은 외면에 있으나 事物의 마땅함을 헤아리는 것은 마음에 있는 것이다.〔集註以爲此亦耆炙之義者 炙在外 而耆之在乎心 水與湯在外 而斟酌其可飮不可飮 在乎心 然則事物之宜 在乎外 而所以斟酌事物之宜 則在乎心也〕'하였다.

679 知人之性善:性善에 관한 설명은 〈滕文公上〉 1장에 "孟子께서 性의 善함을 말씀하시되 말씀마다 반드시 堯·舜을 칭하셨다.〔孟子道性善 言必稱堯舜〕"라고 한 부분과 이 편 다음 장의 "그 情으로 말하면 善하다고 할 수 있으니, 이것이 내가 말하는 善하다는 것이다.……仁·義·禮·智가 밖으로부터 나를 녹여(나에게 침투해) 들어오는 것이 아니요, 내가 본래 소유하고 있지만 사람들이 생각하지 못할 뿐이다.〔乃若其情則可以爲善矣 乃所謂善也……仁義禮智 非由外鑠我也 我固有之也 弗思耳矣〕"라고 한 것 등을 참조할 수 있다. 朱子는 "性命의 理는 그 所以然을 궁구하여 논하면 진실로 쉽게 말할 수 없는 점이 있지만, 이미 그러한 大體에 있어서는 배우는 자가 진실로 알지 않으면 안 된다. 반드시 이를 안 뒤에야 天理와 人欲에 賓과 主의 구분이 있고 선과 악을 따르는 것에 順과 逆의 다름이 있음을 알게 된다. 董仲舒의 이른바 '天性에 밝아 자신이 物보다 귀함을 안 뒤에야 능히 仁義를 알고 仁義를 능히 안 뒤에야 禮節을 중하게 여기고 禮節을 중하게 여긴 뒤에야 善에 편안히 거하고 善에 편안히 거한 뒤에야 기꺼이 이치를 따른다.' 한 것과, 程子(明道)의 이른바 '性의 善함을 아는 것은 忠信을 근본으로 하니 이것이 먼저 그 큰 것을 세우는 것이다.' 한 것이 모두 이(性의 善함)를 이른 것이다.〔性命之理 若究其所以然而論之 則誠有不易言者 若其大體之已然 則學者固不可以不知也 蓋必知此 然後知天理人欲 有賓主之分 趨善從惡 有順逆之殊 董子所謂 明於天性 知自貴於物 然後能知仁義 知仁義 然後重禮節 重禮節 然後安處善 安處善 然後樂循理 程子所謂 知性善 以忠信爲本 此先立其大者 皆謂此也〕"하였다.《或問》

… 譬 비유할 비 喩 비유할 유 曉 깨우칠 효

集註 | 此亦生之謂性, 食色性也之意니 近世蘇氏胡氏之說이 蓋如此하니라[680]

이 또한 生을 性이라 하고 食과 色을 性이라 한 뜻이니, 近世에 蘇氏(蘇軾)와 胡氏(胡安國, 胡宏)의 말이 이와 같다.

6-2. 或曰 性은 可以爲善이며 可以爲不善이니 是故로 文武興則民이 好善하고 幽厲興則民이 好暴라하고

혹자는 말하기를 '性은 善을 할 수도 있고 不善을 할 수도 있다. 그러므로 文王과 武王이 일어나면 백성들이 善을 좋아하고 幽王과 厲王이 일어나면 백성들이 포악함을 좋아한다.' 하며,

집註 | 此는 卽湍水之說也라

이것은 바로 〈제2장의〉 '여울물과 같다.'는 말이다.

6-3. 或曰 有性善하며 有性不善하니 是故로 以堯爲君而有象하며 以瞽瞍爲父而有舜하며 以紂爲兄之子요 且以爲君이로되 而有微子啓, 王子比干이라하나니

혹자는 말하기를 '性이 善한 이도 있고 性이 不善한 이도 있다. 그러므로 堯를 군주로 삼았는데도 象이 있었으며, 瞽瞍를 아버지로 삼았는데도 舜이 있었으며, 紂王을 兄의

---

680 近世蘇氏胡氏之說 蓋如此:新安陳氏(陳櫟)는 "蘇東坡(蘇軾)는 性을 논하여 이르기를 '堯·舜으로부터 이래로 孔子에 이르기까지 부득이하여 中이라 하고 一이라 하였으며, 일찍이 善과 惡을 나누어 말씀하지 않았는데, 孟子께서 性이 善하다고 말씀한 뒤로부터 一과 中이 支離하게 되었다.' 하였다. 胡文定公(胡安國)은 性을 논하여 이르기를 '性은 善하다고 말할 수가 없으니, 조금이라도 善하다고 말할 때에는 惡과 상대가 되어서 本然의 性이 아니다. 孟子께서 「性이 善하다.」고 말씀한 것은 다만 찬탄한 말씀으로 性이 좋다고 말씀한 것뿐이니, 佛敎에서 「좋다, 좋다!(善哉 善哉)」라고 하는 것과 같다.' 하였다. 五峯(胡宏)은 性을 논하여 이르기를 '무릇 사람이 태어날 적에는 순수한 天地의 마음이다. 道義가 완전히 갖추어져서 오로지 주장함도 없고 주장하지 않음도 없으니, 善과 惡으로 구분할 수 없고 옳고 그름으로 나눌 수 없다.' 했다.〔蘇東坡論性 謂自堯舜以來 至孔子 不得已而曰中曰一 未嘗分善惡言也 自孟子道性善 而一與中支矣 胡文定公論性 謂性不可以善言 纔說善時 便與惡對 非本然之性矣 孟子道性善 只是贊歎之辭 說好箇性 如佛言善哉善哉 五峯論性云 凡人之生 粹然天地之心 道義全具 無適無莫 不可以善惡辨 不可以是非分〕"하였다.

··· 幽 어두울 유 厲 사나울 려 瞽 소경 고 瞍 소경 수

아들로 삼고 또 군주로 삼았는데도 微子 啓와 王子 比干이 있었다.' 하니,

按說 | '或'字에 대하여, 尤菴(宋時烈)은

두 '或'字가 만약 모두 告子이면 마땅히 '又曰'로 뒤를 이어야 하고 '或曰'이라고 말해서는
안 된다.〔兩或字 若皆是告子 則當以又曰承之 不當云或曰也〕《宋子大全 答三錫》

하였다. 壺山은

살펴보건대 '여울물과 같다.'는 것이 비록 또한 告子의 말이나, 그가 주장하여 독자적으로
얻은 묘한 말은 '生을 性이라 한다.'고 한 句이다. 여울물과 같다는 말은 당시 사람들도 이렇
게 주장한 자가 있었고 반드시 告子 혼자만 말한 것이 아니다. 그러므로 善함도 없고 不善
함도 없다는 말에만 告子를 해당시키고, 아래 두 節은 '或曰'이라고 칭하여 그 일을 넓혔으
니, 尤翁의 뜻은 이와 같은 것이다.〔按湍水雖亦告子之說 其所主以爲獨得之妙者 是生
之謂性一句也 湍水之說 則時人亦有爲之者 非必告子之所獨 故於無善無不善 特以
告子當之 下兩節則稱或曰 以廣其事 尤翁之意 蓋如是耳〕

하였다.

集註 | 韓子性有三品之說[681]이 蓋如此하니라 按此文하면 則微子, 比干이 皆紂之叔

---

681 韓子性有三品之說 : 韓子(韓愈)의 〈原性〉에 "性은 태어남과 더불어 함께 생겨난 것이요,……性의 品
類는 上·中·下 세 가지가 있으니, 上品인 자는 善할 뿐이요 中品인 자는 인도하여 위(善)로 갈 수도 있
고 아래(惡)로 갈 수도 있으며 下品인 자는 惡할 뿐이다.〔性也者 與生俱生也……性之品有上中下三
上焉者 善焉而已矣 中焉者 可導而上下也 下焉者 惡焉而已矣〕"라고 보인다. 이에 대하여 茶山은
"孔子가 '性은 서로 비슷하나 익힘(습관)에 따라 서로 멀어지게 된다. 오직 上智와 下愚는 변화되지 않
는다.《論語》〈陽貨〉2, 3장)' 하였는데, 韓愈가 이 문장을 잘못 읽어 三品說을 만든 것이다. 孔子의 말
씀은 대체로 '堯·舜과 桀·紂가 性은 모두 서로 가까운데 善人과 친숙하게 지내면 善하게 되고 惡人과
친숙하게 지내면 惡하게 된다. 오직 지혜로운 자는 비록 惡人과 친숙히 지내더라도 변화되지 않으며, 어
리석은 자는 비록 善人과 친숙히 지내더라도 변화되지 않는다.'고 한 것이다. 저 智와 愚의 명칭을 궁구
해 보면 자신의 일을 도모하기를 잘하고 못하는 데서 비롯되었으니, 이른바 '臧武仲의 지혜와 甯武子
의 어리석음'과 같은 것이다. 어찌 性品의 高下에 대한 명칭이겠는가.〔孔子曰 性相近也 習相遠也 惟
上智與下愚不移 韓子誤讀此文 爲三品之說也 孔子之言 蓋云堯舜桀紂 性皆相近 習於善人則爲善
習於惡人則爲惡 惟智明者 雖與惡人相習 不爲所移 愚暗者 雖與善人相習 不爲所移也 原夫智愚
之名 起於謀身之工拙 若所謂臧武仲之智 甯武子之愚 豈性品高下之名乎〕"하였다. 臧武仲의 지혜
와 甯武子의 어리석음은 《論語》〈憲問〉8장과 〈公冶長〉20장에 각각 보인다.

父로되 而書稱微子爲商王元子라하니 疑此或有誤字라

韓子(韓愈)의 "性은 〈上·中·下의〉 三品이 있다."는 말이 이와 같다. 이 글을 살펴보면 微子와 比干이 모두 紂王의 叔父인데, 《書經》〈微子之命〉에는 "微子는 商王의 元子이다."라고 칭했으니, 의심컨대 여기에 혹 誤字가 있는 듯하다.

6-4. 今日 性善이라하시니 然則彼皆非與잇가

지금 〈선생님께서〉 性이 善하다고 말씀하시니, 그렇다면 저들은 모두 틀린 것입니까?"

6-5. 孟子曰 乃若其情則可以爲善矣니 乃所謂善也니라

孟子께서 말씀하셨다. "그 情으로 말하면 善을 할 수 있으니, 이것이 내가 말하는 '善하다.'는 것이다.

> 集註 | 乃若은 發語辭[682]라 情者는 性之動也라 人之情은 本但可以爲善이요 而不可以爲惡이니 則性之本善을 可知矣니라
>
> '乃若'은 發語辭이다. '情'은 性이 動한 것이다. 사람의 情은 본래 다만 善을 할 수 있고 惡을 할 수 없으니, 그렇다면 性이 본래 善함을 알 수 있는 것이다.

6-6. 若夫爲不善은 非才之罪也니라

不善을 하는 것으로 말하면 타고난 材質의 죄가 아니다.

---

682 乃若 發語辭 : 慶源輔氏(輔廣)는 "先儒들이 모두 '若'字를 '順'으로 訓하여, 〈乃若其情 則可以爲善을〉'그 本然의 情을 順히 하면 善하지 않음이 없음을 말한 것이다.' 하였는바, 굳이 이와 같이 말할 필요가 없을 듯하다. 情은 본래 善하여 順하기를 기다리지 않고도 善하다. 또 여기의 '乃若'은 아래 글의 '若夫'라는 글자와 相對가 되므로 發語辭로 단정한 것이다.〔先儒皆訓若爲順 言順其本然之情 則無不善 恐不必如此說 蓋情自善 不待順之而善也 且此乃若 正與下文若夫字相對 故斷以爲發語辭〕" 하였다. 楊伯峻은 "程瑤田의 《論學小記》에 '乃若은 전환하는 말[轉語]이다.' 하였다. 살펴보건대 '若夫'나 '至於' 등의 말에 해당한다." 하였다. 《漢語大詞典》에 若夫는 "句의 첫머리나 문장의 단락의 시작 부분에 사용하여, 별도로 한 가지 일을 제기함을 표시한다.〔用於句首或段落的開始 表示另提一事〕" 하였다.

按說 | ‘才’에 대하여,《說文解字》에

才는 草木이 처음 나오는 모습이다.〔才 艸木之初也〕

하였다.《語類》에 혹자가 묻기를

《集註》에 ‘才는 材質과 같다.’ 하였는데 ‘才’와 ‘材’의 구별은 무엇입니까?〔集注言 才猶材質 才與材字之別如何〕

하니, 朱子가 대답하기를

‘才’字는 義理에 나아가 말한 것이고 ‘材’字는 適用에 나아가 말한 것이다. 맹자가 앞에서 “사람들은 牛山이 민둥산이 된 것을 보고 일찍이 훌륭한 재목이 있지 않았다고 한다.” 하였으니, 이때 木변의 ‘材’字를 쓴 것은 바로 適用을 가리킨 말이고, “하늘이 재주를 내림이 이와 같이 다른 것이 아니다.”의 ‘才’는 바로 義理에 나아가 말한 것이다.〔才字是就理義上說 材字是就用上說 孟子上說 人見其濯濯也 則以爲未嘗有材 是用木旁材字 便是指適用底說 非天之降才爾殊 便是就理義上說〕

하였다. 또 묻기를

‘才’字는 그 작용할 수 있는 것을 가지고 말한 것이고, 材質은 形體를 합하여 말한 것입니까?〔才字是以其能解作用底說 材質是合形體說否〕

하니, 朱子가 대답하기를

이는 形體를 겸하여 말하였으니, 바로 좋은 재목(재질)을 말한 것이다.〔是兼形體說 便是說那好底材〕

하였다. 또 묻기를

‘材料’라고 말하는 것과 비슷합니까?〔如說材料相似否〕

하니, 朱子가 대답하기를 “그렇다.” 하였다. 또 朱子는

情은 性이 동하여 함이 있는 것이고 才는 性이 갖추어 능히 하는 것이니, 性은 형용할 수 있는 形象·聲臭가 없기 때문에 두 가지를 가지고 말한 것이다.〔情則性之動而有爲 才則性之具而能爲者也 性無形象聲臭之可形容也 故以二者言之〕《或問》

하였다. 壺山은

　　살펴보건대 여기에서 情을 바꾸어 才라고 말씀한 것은 그 일을 넓힌 것이니, 이리보나 저리
　　보나 性이 善함을 알 수 있다고 말함과 같은 것이다.〔按此變情言才者 所以廣其事也 猶
　　言以此以彼 可知性之善云爾〕

하였다. 한편 楊伯峻은

　　사람이 처음 태어났을 때의 性도 '才'라 할 수 있다.〔人初生之性 亦可曰才〕

하였다.

集註 | 才는 猶材質이니 人之能也라 人有是性이면 則有是才하니 性旣善이면 則才亦
善이라 人之爲不善은 乃物欲陷溺而然이니 非其才之罪也니라

'才'는 材質과 같으니, 사람의 능함이다. 사람이 이 性을 가지고 있으면 이 材質을 가지고
있으니, 性이 이미 善하면 材質 또한 善하다. 사람이 不善을 함은 바로 物欲에 빠져서 그
러한 것이니, 材質의 죄가 아니다.

6-7. 惻隱之心을 人皆有之하며 羞惡之心을 人皆有之하며 恭敬之心을
人皆有之하며 是非之心을 人皆有之하니 惻隱之心은 仁也요 羞惡之心
은 義也요 恭敬之心은 禮也요 是非之心은 智也니 仁義禮智 非由外鑠
我也라 我固有之也언마는 弗思耳矣라 故로 曰 求則得之하고 舍則失之
라하니 或相倍蓰而無算者는 不能盡其才者也니라

惻隱之心을 사람마다 다 가지고 있으며 羞惡之心을 사람마다 다 가지고 있으며 恭
敬之心을 사람마다 다 가지고 있으며 是非之心을 사람마다 다 가지고 있으니, 惻隱
之心은 仁이요 羞惡之心은 義요 恭敬之心은 禮요 是非之心은 智이니, 仁·義·
禮·智가 밖으로부터 나를 녹여(나에게 침투해) 들어오는 것이 아니요 내가 본래 소유
하고 있지만 사람들이 생각하지 않아서 모를 뿐이다. 그러므로 말하기를 '구하면 얻고
버리면 잃는다.'라고 하는 것이니, 혹은 〈善·惡의〉 차이가 서로 倍가 되고 다섯 倍가 되
어서 계산할 수 없음에 이르는 것은 그 材質을 다하지 못했기 때문이다.

··· 陷 빠질 함 鑠 녹일 삭 舍 버릴 사 倍 갑절 배 蓰 다섯갑절 사 算 셀 산

按說 | '仁義禮智 非由外鑠我也'에 대하여, 慶源輔氏(輔廣)는

仁·義·禮·智는 性이고 惻隱으로부터 是非까지는 性이 動하여 情이 된 것이다. 性과 情을 다 마음(心)이라 이르니, 마음은 性과 情을 통합한 것이다. 네 가지의 마음이 本性에 근원하여, 불이 쇠를 녹일 적에 밖으로부터 안에 이르는 것과 같지 않은데, 다만 사람들이 스스로 생각하지 않고 찾지 않을 뿐이다(仁義禮智 性也 惻隱至是非 性之動而爲情也 皆謂之心 心統性情者也 四者之心 根於本性 非如火之銷金 自外至內 但人自不思不求耳)

하였다. 茶山은

'非由外鑠我'란 나의 안에 있는 네 가지 마음을 미루어 밖에 있는 네 가지 德(仁·義·禮·智)을 이루는 것이지, 밖에 있는 네 가지 德을 끌어와서 안에 있는 네 가지 마음을 일으키는 것이 아님을 말한 것이다. 이 惻隱之心에 나아가면 바로 仁을 얻을 수 있고, 이 羞惡之心에 나아가면 바로 義를 얻을 수 있으니, 이것이 바로 인간의 性이 본래 善하다는 분명한 징험이다. 그러므로 특별히 '端'字를 없애 사람들로 하여금 이 마음에 나아가 仁을 구하게 하고 이 마음에 나아가 義를 구하게 하였으니, 그 말씀이 더욱 직설적이고 명쾌하다. 仁·義·禮·智의 이름은 반드시 일을 행한 뒤에 이루어진다. 어린아이가 우물에 들어가려 할 때 측은히 여기면서도 가서 구원하지 않는다면 그 마음을 근원하여 仁이라 말할 수 없으며, 한 그릇의 밥을 혀를 차고 꾸짖으며 주거나 발로 밟아서 줄 적에 부끄러워하고 미워하는 마음이 있으면서도 그 밥을 버리지 않는다면, 그 마음을 근원하여 義라고 말할 수 없으며, 큰 손님이 문 앞에 왔을 적에 공경하면서도 맞이하여 절하지 않는다면 그 마음을 근원하여 禮라고 말할 수 없으며, 착한 사람이 참소를 당했을 적에 옳고 그름을 알면서도 분변하여 밝히지 않는다면 그 마음을 근원하여 智라고 말할 수 없다. 여기서 네 가지 마음은 人性에 본래 가지고 있는 것이며 네 가지 德은 네 가지 마음을 확충한 것임을 알 수 있다. 확충하는데 이르지 못하면 仁·義·禮·智의 이름은 끝내 성립될 수 없다.(非由外鑠我者 謂推我在內之四心 以成在外之四德 非挽在外之四德 以發在內之四心也 卽此惻隱之心 便可得仁 卽此羞惡之心 便可得義 此人性本善之明驗也 故特去端字 使之卽此心而求仁 卽此心而求義 其言更加直截 更加徑快 若其仁義禮智之名 必成於行事之後 赤子入井 惻隱而不往救 則不可原其心而曰仁也 簞食嘑蹴 羞惡而不棄去 則不可原其心而曰義也 大賓臨門

恭敬而不迎拜 則不可原其心而曰禮也 善人被讒 是非而不辨明 則不可原其心而曰
智也 是知四心者 人性之所固有也 四德者四心之所擴充也 未及擴充 則仁義禮智之
名 終不可立矣〕

하여, 惻隱·羞惡·恭敬·是非의 네 가지 마음을 미루어 확충하여 仁·義·禮·智의 네 가지
德을 이루는 것으로 보고, 仁·義·禮·智를 마음속에 있는 理로 보는 것에 반대하였다.

集註 | 恭者는 敬之發於外者也요 敬者는 恭之主於中者也라[683] 鑠은 以火銷金之
名이니 自外以至內也라 算은 數也라 言 四者之心이 人所固有로되 但人自不思而求
之耳니 所以善惡相去之遠은 由不思不求而不能擴充以盡其才也라 前篇에 言是
四者爲仁義禮智之端이어늘 而此不言端者는 彼欲其擴而充之요 此直因用以著其
本體라 故로 言有不同耳[684]니라

'恭'은 敬이 외모에 드러난 것이요, '敬'은 恭이 중심에 주장하는 것이다. '鑠'은 불로써 쇠
를 녹이는 명칭이니, 밖으로부터 안에 이르는 것이다. '算'은 셈이다. 네 가지의 마음은 사
람이 본래 소유하고 있는데, 다만 사람들이 스스로 생각하여 구하지 않을 뿐이니, 善과 惡
의 거리가 먼 이유는 생각하지 않고 구하지 않아서 능히 확충하여 그 재질을 다하지 못하기
때문임을 말한 것이다. 前篇(公孫丑上)에는 이 네 가지가 仁·義·禮·智의 '단서'라고 말
씀하였는데 여기에서 '단서'를 말씀하지 않은 것은, 저기에서는 그것(四端)을 확충하고자
하셨고 여기에서는 단지 用을 인하여 本體를 드러내셨을 뿐이다. 그러므로 말씀이 똑같지
않은 것이다.

6-8. 詩曰 天生蒸民하시니 有物有則(칙)이로다 民之秉夷(彝)라 好是懿

---

683 恭者……恭之主於中者也 : 北溪陳氏(陳淳)는 "'恭'은 모양을 가지고 말하였고 '敬'은 마음을 가지고
말하였다.〔恭 就貌上說 敬 就心上說〕" 하였다.

684 前篇……言有不同耳 : 雲峰胡氏(胡炳文)는 "앞 편(公孫丑上)에서 네 가지에 대해 '단서'를 말씀한 것
은 사람들로 하여금 채워 넓게 하려 한 것이고, 여기에서 端을 말씀하지 않고 곧바로 用을 인하여 本
體를 드러낸 것은 사람들로 하여금 體認하게 하려 한 것이다. 앞에서는 辭讓을 禮의 단서라 하였으니
辭讓은 모두 外貌에 나타나는 것을 가지고 말씀하였고, 여기에서 恭敬이라 한 것은 外와 內를 겸하여
말씀하였으므로 굳이 단서를 말할 필요가 없는 것이다.〔前篇於四者 言端 欲人充廣 此不言端而直因
用以著其本體 欲人體認 前以辭讓爲禮之端 辭讓皆以發乎外者言 此曰恭敬 則兼以外與內而言
故不必言端〕" 하였다.

··· 銷 녹일 소 擴 넓힐확 直 다만 직 蒸 무리 증(烝通) 秉 잡을 병 夷 떳떳할 이 彝 떳떳할 이 懿 아름다울 의

德이라하여늘 孔子曰 爲此詩者 其知道乎인저 故로 有物이면 必有則이니
民之秉夷也라 故로 好是懿德이라하시니라

《詩經》에 이르기를 '하늘이 여러 백성(사람)을 내시니, 사물이 있으면 법칙이 있도다. 사람들이 마음에 떳떳한 本性을 가지고 있으므로 이 아름다운 德을 좋아한다.' 하였는데, 孔子께서 말씀하시기를 '이 詩를 지은 자는 아마도 道를 알 것이다. 그러므로 사물이 있으면 반드시 법칙이 있는 것이니, 사람들이 떳떳한 本性을 가지고 있기 때문에 이 아름다운 德을 좋아한다.' 하셨다."

按說 | 茶山은

詩人과 孔子가 性을 논하면서 오로지 좋아하고 싫어함을 위주하여 말한 것을 여기에서 징험할 수 있다.〔詩人孔子論性 專主好惡而言 於此可驗〕

라고 하여, 이 내용을 그의 性嗜好說의 근거로 삼았다.

集註 | 詩는 大雅蒸民之篇이라 蒸은 詩作烝하니 衆也라 物은 事也요 則은 法也라 夷는 詩作彝하니 常也라 懿는 美也라 有物必有法은 如有耳目則有聰明之德하고 有父子則有慈孝之心하니 是民所秉執之常性也라 故로 人之情이 無不好此懿德者라 以此觀之하면 則人性之善을 可見이니 而公都子所問之三說은 皆不辨而自明矣니라

詩는 〈大雅 蒸民〉篇이다. '蒸'은 《詩經》에 烝으로 되어 있으니, 많음이다. '物'은 일이요, '則'은 법칙이다. '夷'는 《詩經》에 彝로 되어 있으니, 떳떳함이다. '懿'는 아름다움이다. 사물이 있으면 반드시 법칙이 있음은 예컨대 耳目이 있으면 聰明한 德이 있고 父子가 있으면 慈孝의 마음이 있는 것과 같으니, 이것은 사람들이 간직하고 있는 바의 떳떳한 本性이다. 그러므로 사람들의 情이 이 아름다운 德을 좋아하지 않는 자가 없는 것이다. 이로써 관찰한다면 사람의 性이 善함을 볼 수 있으니, 公都子가 물은 세 가지 말은 모두 변론하지 않아도 自明해진다.

章下註 | ○程子曰 性卽理也니 理則堯舜至於塗人이 一也요 才稟於氣하니 氣有淸

··· 烝 무리 증 聰 귀밝을 총 塗 길 도

濁하여 稟其淸者爲賢하고 稟其濁者爲愚하니 學而知之면 則氣無淸濁히 皆可至於
善而復性之本이니 湯武身之⁶⁸⁵ 是也라 孔子所言下愚不移者는 則自暴自棄之人
也⁶⁸⁶니라

又曰 論性不論氣면 不備요 論氣不論性이면 不明이며 二之則不是⁶⁸⁷니라

張子曰 形而後에 有氣質之性이니 善反之면 則天地之性⁶⁸⁸이 存焉이라 故로 氣質之
性을 君子有弗性者焉이니라

愚按 程子此說才字는 與孟子本文⁶⁸⁹으로 小異하니 蓋孟子는 專指其發於性者言
之라 故로 以爲才無不善이라하시고 程子는 兼指其稟於氣者言之하시니 則人之才는
固有昏明强弱之不同矣니 張子所謂氣質之性이 是也라 二說이 雖殊나 各有所當

---

685 湯武身之:'身之'는 몸으로 실천하여 잃었던 性을 되찾음을 이른다. 아래 〈盡心上〉 30장에 "堯·舜은
本性대로 하셨고, 湯·武는 몸으로 실천하셨고, 五霸는 빌린 것이다.〔堯舜性之也 湯武身之也 五霸假
之也〕" 하였는데, 《集註》에 "堯·舜은 天性이 온전하여 닦거나 익힘을 빌리지 않았고, 湯·武는 몸을
닦고 道를 體行하여 그 本性을 회복하였고, 五霸는 仁義의 이름을 빌려 그 貪慾의 私를 이루려고 했
을 뿐이다.〔堯舜 天性渾全 不假修習 湯武 修身體道 以復其性 五霸則假借仁義之名 以求濟其貪
欲之私耳〕" 하였다.

686 孔子所言下愚不移 則自暴自棄之人也:'下愚不移'는 《論語》〈陽貨〉 3장에 보이는데, 下愚는 지극
히 어리석어서 변화되지 않는 자를 이른다. '自暴自棄'는 앞의 〈離婁上〉 10장에 보이는데, 自暴는 스
스로 해치는 것으로 道德과 禮義를 부정함을 이르고, 自棄는 스스로 포기하는 것으로 자신은 道德과
仁義를 행할 수 없다고 체념함을 이른다.

687 論性不論氣……二之則不是:朱子는 "性만 論하고 氣를 논하지 않으면 타고난 資質의 다름을 볼 수
없고, 氣만 論하고 性을 논하지 않으면 義理가 同一함을 볼 수 없다.〔論性不論氣 則無以見生質之異
論氣不論性 則無以見理義之同〕" 하였다.《朱子大全 答連嵩卿》 또 "孟子가 性이 善하다고 말씀한
것은 예전의 聖人이 미처 발명하지 못하신 것이요, 〈程子의〉 이 말씀은 또 孟子가 미처 발명하지 못하
신 것이다.〔孟子之言性善者 前聖所未發也 而此言者 又孟子所未發也〕" 하였다.《或問》

688 天地之性:朱子는 "天地의 性을 논하면 오로지 理를 가리켜 말하고, 氣質의 性을 논하면 理와 氣를
섞어 말한다.〔論天地之性 則專指理言 論氣質之性 則以理與氣雜而言之〕" 하였다.《語類 性理一》
또 朱子는 "天地의 性은 太極의 本然한 묘함이니 萬 가지 다른 것이 근본은 하나인 것이요, 氣質의
性은 〈陰·陽〉 두 氣가 서로 운행하여 생긴 것이니, 근본은 하나이나 萬 가지로 다른 것이다.〔天地之性
則太極本然之妙 萬殊之一本也 氣質之性 則二氣交運而生 一本而萬殊也〕" 하였다.《性理大全書
권30》 또 朱子는 "氣質은 陰陽·五行이 만드는 것이고 性은 太極의 全體이다. 氣質의 性만 논하면
이 全體가 氣質의 가운데에 떨어져 있을 뿐이요, 별도로 하나의 性이 있는 것은 아니다.〔氣質是陰陽
五行所爲 性卽太極之全體 但論氣質之性 則此全體墮在氣質之中耳 非別有一性也〕" 하였다.《朱
子大全 答嚴時亨》 壺山은 "天地가 부여한 바의 사람의 性을 말한 것이고, 하늘의 性과 땅의 性을 말
한 것이 아니다.〔謂天地所賦與之人性 非謂天性地性也〕" 하였다.

689 孟子本文:앞의 '若夫爲不善 非才之罪也'를 가리킨다.

··· 稟 받을 품 濁 흐릴 탁 移 옮길 이 暴 해칠 포 殊 다를 수

이라 然이나 以事理考之하면 程子爲密[690]하니 蓋氣質所稟이 雖有不善이나 而不害性之本善이요 性雖本善이나 而不可以無省察矯揉之功이니[691] 學者所當深玩也니라

○ 程子(伊川)가 말씀하였다. "性은 바로 理이니 理는 堯·舜으로부터 塗人에 이르기까지 똑같고, 才는 氣에서 받았으니 氣에는 淸·濁이 있어 淸한 氣를 받은 자는 賢人이 되고 濁한 氣를 받은 자는 愚人이 된다. 그러나 배워서 알면 氣의 淸·濁에 관계없이 모두 善에 이르러 性의 근본을 회복할 수 있으니, '湯·武가 몸으로 실천하여 性을 회복했다.'는 것이 바로 이것이다. 孔子께서 말씀하신 '下愚不移'는 自暴·自棄하는 사람이다."

〈程子(明道)가〉 또 말씀하였다. "性만 논하고 氣를 논하지 않으면 구비되지 못하고, 氣만 논하고 性을 논하지 않으면 밝지 못하며, 이것을 두 가지로 나누면 옳지 못하다."

張子(張載)가 말씀하였다. "形이 있은 뒤에 氣質之性이 있는 것이니, 이를 잘 회복하면 天地의 본성이 그대로 보존된다. 그러므로 氣質之性을 君子는 性으로 여기지 않는 것이다."

내(朱子)가 살펴보건대 程子가 여기에서 말씀하신 '才'字는 孟子의 本文과 조금 다르다. 孟子는 오로지 性에서 發한 것을 가리켜 말씀하셨기 때문에 "材質이 不善함이 없다."고 하신 것이다. 程子는 氣에서 받은 것을 겸하여 가리켜 말씀하였으니, 그렇다면 사람의 材質은 진실로 昏·明과 强·弱의 똑같지 않음이 있는 것이니, 張子가 말씀한 '氣質之性'이란 것이 이것이다. 孟子와 程子의 두 말씀이 비록 다르나 각기 해당되는 바가 있다. 그러나 事理로써 상고해 보면 程子의 말씀이 더욱 치밀하다. 氣質의 받은 것이 비록 不善함이 있으나 性의 본래 善함에는 무방하고, 性이 비록 본래 선하나 省察하고 矯揉하는 공부가 없어서는 안 되니, 배우는 자들이 마땅히 깊이 살펴야 할 것이다.

---

690 二說……程子爲密:孟子와 程子가 '才'字를 論한 것의 같고 다름을 묻자, 朱子는 "才는 다만 똑같으니, 능히 할 수 있는 것을 才라 이른다.〔才只一般 能爲之謂才〕" 하였다. 또 묻기를 "《集註》에 '孟子는 오로지 性에서 發한 것을 가리켜 말씀하였고, 程子는 氣에서 받은 것을 겸하여 가리켜 말씀하였다.'고 하였는데, 또 이것은 어떠합니까?" 하니, 朱子가 대답하기를 "진실로 그러하다. 요컨대 才는 단지 同一한 才이니, 才의 초기에는 또한 不善이 없으나 저 氣稟에 善과 惡이 있기 때문에 才 또한 善·惡이 있는 것이다. 孟子는 같은 입장에서 말씀하였으므로 '才가 性에서 나왔다.'고 하셨고, 程子는 다른 입장에서 말씀하였으므로 '才를 氣에서 받았다.'고 하셨다. 대체로 孟子는 오로지 性을 가지고 말씀한 것이 많으므로 '性이 善하고 才 또한 不善이 없다.' 하셨는데, 周子와 程子, 張子에 이르러서 비로소 氣를 말씀하였으니, 요컨대 모름지기 〈理와 氣〉 두 가지를 겸해서 말하여야 비로소 구비된다.〔固是 要之 才只是一箇才 才之初 亦無不善 緣他氣稟有善惡 故其才亦有善惡 孟子自其同者言之 故以爲出於性 程子自其異者言之 故以爲稟於氣 大抵孟子 多是專以性言 故以爲性善 才亦無不善 到周子程子張子 方始說到氣上 要之須兼是二者言之 方備〕" 하였다.《語類》

691 省察矯揉之功:《大全》에 "省察은 知에 속하고 矯揉는 行에 속한다.〔省察屬知 矯揉屬行〕" 하였다.

••• 密 정밀할 밀 揉 바로잡을 유 玩 구경할 완

|富歲子弟多賴章(芻豢章)|

7-1. 孟子曰 富歲엔 子弟多賴하고 凶歲엔 子弟多暴하나니 非天之降才
爾殊也라 其所以陷溺其心者 然也니라

孟子께서 말씀하셨다. "풍년에는 子弟들이 돌아봄이 많고 흉년에는 子弟들이 포악함
이 많으니, 하늘이 재주를 내림이 이와 같이 다른 것이 아니라 그 마음을 빠뜨림이 그렇
게 만드는 것이다.

按說 | '賴'에 대하여, 趙岐는

'賴'는 善이고 暴는 惡이다.

하였다. 茶山은《史記集解》의 〈高祖本紀〉 주석 중에 晉灼이 "賴는 利이다." 하고, 혹자
가 "민간에서 어린 아이가 속임수가 많고 교활한 것을 無賴라고 한다.〔江湖之間 謂小兒
多詐狡猾爲無賴〕" 한 것을 인용하고,

趙岐가 '賴'를 善으로 訓한 것은 반드시 師承이 있을 것이니, 고쳐서는 안 된다. 만일 '賴'
를 의뢰함〔藉〕으로 訓하면 '暴'와 對가 될 수 없어 性善의 증거로 삼을 수 없다.〔趙氏之訓
賴爲善 必有師承 不可改也 若訓之爲藉 則不能與暴爲對 而無以爲性善之證〕

하였다. 楊伯峻은 阮元이

'賴'는 嬾(게으를 란)이다.

한 說을 취하였다. 無賴輩는 不良輩와 같은바, 본인은 '賴'를 善으로 해석한 것이 옳다고
본다. 다만 '顧藉' 또한 禮義와 廉恥를 돌아보고 생각하여 善行을 하는 것이어서 전혀
맞지 않는다고 보기는 어려울 듯하다.

集註 | 富歲는 豐年也라 賴는 藉也라 豐年엔 衣食饒足이라 故로 有所顧藉[692]而爲善
이요 凶年엔 衣食不足이라 故로 有以陷溺其心而爲暴니라

---

692 顧藉 : 一本에는 '賴藉'로 잘못되어 있다.

··· 賴 착할 뢰, 의뢰할 뢰 爾 이와같을 이 陷 함정에빠질 함 溺 물에빠질 닉 藉 의뢰할 자 饒 풍족할 요
顧 돌아볼 고

'富歲'는 豐年이다. '賴'는 의뢰함(돌아봄)이다. 풍년에는 衣食이 풍족하기 때문에 돌아보고 생각하는 바가 있어서 善行을 하고, 흉년에는 衣食이 부족하기 때문에 그 마음을 빠뜨림이 있어서 포악한 짓을 하는 것이다.

7-2. 今夫麰麥(모맥)을 播種而耰之호되 其地同하며 樹之時又同하면 浡(발)然而生하여 至於日至之時하여 皆熟矣나니 雖有不同이나 則地有肥磽하며 雨露之養과 人事之不齊也니라

지금 麰麥(보리)을 파종하고 씨앗을 덮되 그 땅이 똑같으며 심는 시기가 또 똑같으면 浡然히 싹이 나와서 日至의 때에 이르러 모두 익으니, 비록 똑같지 않음이 있으나 이것은 땅에 비옥하고 척박함이 있으며 雨露의 길러줌과 사람이 가꾸는 일이 똑같지 않기 때문이다.

> 按說 | '日至'는 원래 冬至와 夏至를 가리키는 말인데 《集註》에서 朱子가 '成熟之期'로 해석한 것은, 보리의 성숙하는 시기가 북부 지방과 남부 지방의 차이가 있는데, 朱子가 사시던 福建省 지역에서는 夏至 이전에 보리가 성숙하였기 때문인 듯하다. 茶山과 楊伯峻은 夏至로 해석하였는데, 옳은 것으로 보인다.

> 集註 | 麰는 大麥也라 耰는 覆(부)種[693]也라 日至之時는 謂當成熟之期也라 磽는 瘠薄也라

> '麰'는 大麥이다. '耰'는 씨앗을 덮는 것(곰방메)이다. '日至之時'는 成熟하는 시기를 당함을 이른다. '磽'는 척박함이다.

7-3. 故로 凡同類者 擧相似也니 何獨至於人而疑之리오 聖人도 與我同類者시니라

---

693 耰 覆種 : 耰는 櫌와 통용되는데, 《說文解字》에 櫌는 "밭을 가는 농기구이다.〔摩田器〕" 하였고, 《古今韻會擧要》에 "종자를 뿌린 뒤에 耒器로 밭을 갈아서 흙의 벌어져 있는 곳을 다시 합하여 씨앗을 덮는 것이다.〔布種後 以耒器摩之 使土開發處復合以覆種〕" 하였다.

··· 麰 보리 모 麥 보리 맥 播 뿌릴 파 耰 덮을 우 樹 심을 수 浡 일어날 발(勃通) 肥 비옥할 비 磽 척박할 요
覆 덮을 부 瘠 척박할 척 薄 척박할 박

그러므로 무릇 同類인 것은 대부분 서로 같으니, 어찌 홀로 사람에 이르러서만 의심하겠는가. 聖人도 나와 同類인 자이시다.

集註 | 聖人亦人耳니 其性之善이 無不同也라

聖人 또한 사람이니, 그 性의 善함이 똑같지 않음이 없다.

7-4. 故로 龍子曰 不知足而爲屨라도 我知其不爲蕢也라하니 屨之相似는 天下之足이 同也일새니라

그러므로 龍子가 말하기를 '사람의 발을 알지 못하고 신을 만들더라도 나는 그것이 삼태기가 되지 않을 줄을 안다.' 하였으니, 신이 서로 같음(비슷함)은 천하의 발이 똑같기 때문이다.

集註 | 蕢는 草器也라 不知人足之大小而爲之屨면 雖未必適中이나 然必似足形이요 不至成蕢也라

'蕢'는 풀(짚)로 만든 그릇이다. 사람의 발이 크고 작음을 알지 못하고 신을 만들면 비록 반드시 적중하지는 못하나 반드시 발의 형상과 같을 것이요, 삼태기가 되는 데에는 이르지 않을 것이다.

7-5. 口之於味에 有同耆(嗜)也하니 易(역)牙는 先得我口之所耆者也라 如使口之於味也에 其性이 與人殊 若犬馬之與我不同類也면 則天下何耆를 皆從易牙之於味也리오 至於味하여는 天下期於易牙하나니 是는 天下之口相似也일새니라

입이 맛(맛있는 음식)에 있어서 똑같이 즐김이 있으니, 易牙는 우리 입이 즐기는 것을 먼저 안 자이다. 가령 입이 맛에 있어서 그 性이 남과 다름이 마치 개와 말이 우리와 同類가 아닌 것처럼 다르다면 天下가 어찌 맛을 즐김을 모두 易牙가 조리한 맛을 따르겠는가. 맛에 이르러서는 천하가 易牙가 되기를 기약하니, 이것은 천하의 입이 서로 같기

··· 屨 신구 蕢 삼태기궤 味 맛미 牙 어금니아 期 기약할기

때문이다.

按說 | '與人殊'에 대하여, 楊伯峻은

> 사람마다 다름을 말한 듯하다. 여기서 '人與人殊'라고 해야 하는데, 원문은 '人'字 하나를 생
> 략한 듯하다.

하였다.
'天下期於易牙'의 '期'에 대하여, 壺山은

> 期는 얻고자 함을 이른다.〔期 謂欲得也〕

하였다.

集註 | 易牙는 古之知味者라[694] 言 易牙所調之味는 則天下皆以爲美也[695]라

易牙는 옛날에 맛을 잘 안 자이다. 易牙가 조리한 맛은 천하가 다 아름답게 여김을 말씀한
것이다.

7-6. 惟耳도 亦然하니 至於聲하여는 天下期於師曠하나니 是는 天下之耳 相似也일새니라

귀도 또한 그러하니, 소리에 이르러서는 천하가 師曠이 되기를 기약하니, 이것은 천하의
귀가 서로 같기 때문이다.

---

694 易牙 古之知味者 : 新安陳氏(陳櫟)는 "易牙는 齊나라 桓公의 신하이니, 淄水와 澠水 두 가지의 물맛
을 구분하였다. 여기에서 '우리 입이 즐기는 것을 먼저 안다.'는 것은 이미 아래 글에 '우리 마음에 똑같
이 옳게 여기는 것을 먼저 안다.'의 張本이 된다.〔易牙 齊桓公臣 能辨淄澠(치승)二水味 此先得我口
之所耆 已爲下文先得我心之所同然者張本矣〕" 하였다.

695 易牙所調之味 則天下皆以爲美也 : 壺山은 "이 두 句는 '則'字 이하 네 句의 뜻을 해석하였는데, '所
調' 두 글자는 '於'字의 뜻에 매우 부합하니, 官本諺解의 해석은 이것을 미처 살피지 못한 듯하다.〔此
二句 釋則字以下四句意 而所調二字 襯於字意 諺釋 恐未察耳〕" 하였다. 이는 '易牙之於味'를 '易牙
가 조리한 맛'으로 해석해야 함을 말한 것이다. 官本諺解에는 '從易牙之於味也'를 '易牙의 味에 從ᄒ
리오'로 해석하였는데, 壺山은 이를 '易牙의 味覺에 따르리오'의 의미로 본 듯하다. 栗谷諺解는 '味예
易牙를 조츠리오'로 해석하였다.

··· 調 고를 조 曠 빌 광

678 · 附 按說 孟子集註

集註 ┃ 師曠은 能審音者也라 言 師曠所和之音은 則天下皆以爲美也라

師曠은 音을 잘 살핀 자이다. 師曠이 調和(調律)한 음악은 천하가 다 아름답게 여김을 말씀한 것이다.

7-7. 惟目도 亦然하니 至於子都하여는 天下莫不知其姣也하나니 不知子都之姣者는 無目者也니라

눈도 또한 그러하니, 子都에 이르러는 천하가 그의 아름다움을 알지 못하는 이가 없으니, 子都의 아름다움을 알지 못하는 자는 눈이 없는 자이다.

集註 ┃ 子都는 古之美人也라[696] 姣는 好也라

子都는 옛날의 美人이다. '姣'는 아름다움이다.

7-8. 故로 曰 口之於味也에 有同耆焉하며 耳之於聲也에 有同聽焉하며 目之於色也에 有同美焉하니 至於心하여는 獨無所同然乎아 心之所同然者는 何也오 謂理也義也라 聖人은 先得我心之所同然耳시니 故로 理義之悅我心이 猶芻豢之悅我口니라

그러므로 말하기를 '입이 맛에 있어서 똑같이 즐김이 있으며 귀가 소리에 있어서 똑같이 들음이 있으며 눈이 色에 있어서 똑같이 아름답게 여김이 있다.'고 하는 것이니, 마음에 이르러서만 홀로 똑같이 옳게 여기는 바가 없겠는가. '마음에 똑같이 옳게 여긴다.'는 것은 어떤 것인가? 理와 義를 이른다. 聖人은 우리 마음에 똑같이 옳게 여기는 바를 먼저 아셨다. 그러므로 理·義가 우리 마음에 기쁨은 芻豢(고기)이 우리 입에 좋음과 같은 것이다."

---

696 子都 古之美人也 : 壺山은 "男子 중에 아름다운 자이다. '都'는 美이니, 용모가 아름답기 때문에 마침내 都로 字를 삼은 것이다. 또 鄭詩에 보인다.[男子之美者也 都 美也 蓋以貌美 故遂以都字之耳 又見鄭詩]" 하였다. 鄭詩는 《詩經》〈鄭風 山有扶蘇〉를 이른다.

··· 姣 예쁠 교 耆 즐길 기(嗜通) 芻 풀먹는짐승 추 豢 가축 환

集註 | 然은 猶可也⁶⁹⁷라 草食曰芻니 牛羊是也요 穀食曰豢이니 犬豕是也라

程子曰 在物爲理요 處物爲義니 體用之謂也⁶⁹⁸라 孟子言 人心이 無不悅理義者라 하시니 但聖人則先知先覺乎此耳요 非有以異於人也니라

程子又曰 理義之悅我心이 猶芻豢之悅我口라하시니 此語 親切有味하니 須實體察 得義理之悅心이 眞猶芻豢之悅口라야 始得⁶⁹⁹이니라

'然'은 可와 같다. 초식 가축을 '芻'라 하니 소와 양이 이것이요, 곡식을 먹는 가축을 '豢'이라 하니 개와 돼지가 이것이다.

程子(伊川)가 말씀하였다. "사물에 있는 것을 理라 하고 사물에 대처하는 것을 義라 하니, 體와 用을 이른다. 孟子께서 말씀하시기를 '사람의 마음이 理·義를 좋아하지 않는 자가 없다.' 하셨으니, 다만 聖人은 이것을 먼저 알고 먼저 깨달았을 뿐이요, 일반인보다 다름이 있는 것은 아니다."

程子(伊川)가 또 말씀하였다. "'理·義가 우리 마음에 기쁨은 芻豢이 우리 입에 좋음과 같다.' 하셨으니, 이 말씀이 친절하여 맛이 있다. 모름지기 義理가 마음에 기쁜 것이 참으로 芻豢이 우리 입에 좋은 것과 같음을 실제로 體察하여야 비로소 유익할 것이다."

| 牛山之木章 |

8-1. 孟子曰 牛山之木이 嘗美矣러니 以其郊於大國也라 斧斤이 伐之어니 可以爲美乎아 是其日夜之所息과 雨露之所潤에 非無萌蘗之生焉이언마는 牛羊이 又從而牧之라 是以로 若彼濯濯也하니 人이 見其濯濯也하고 以爲未嘗有材焉이라하나니 此豈山之性也哉리오

---

697 然 猶可也:朱子는 "〈經文의〉'同然'의 '然'은 옳은가 옳지 않은가의 '然'字와 같다.〔同然之然 如然否之然〕" 하였다.《語類》

698 程子曰……體用之謂也:壺山은 "理와 義를 상대하여 말한 것이 처음 여기에 보이는데, 程子가 또다시 따라 發明하였으니, '事物에 있는 것을 理라 한다.'는 것은 바로 물건의 性과 일의 이치요, '事物을 대처하는 것을 義라 한다.'는 것은 事物에 대처함에 각각 그 이치와 같게 하는 것이다. 程子가 비록 '如其理' 세 글자를 말씀하지 않았으나 그 뜻은 이미 다하였다.〔理義對說 始見於此 程子又從而發明之 蓋在物爲理 是物之性與事之理也 處物爲義 是處事物 各如其理也 程子雖不言如其理三字 而其意則已該矣〕" 하였다. 壺山은 또 "理가 體이고 義가 用이다.〔理體而義用〕" 하였다.

699 始得:壺山은 "'始得'은 始可, 始有益이란 말과 같다.〔始得 猶言始可始有益〕" 하였다.

··· 豕 돼지시 郊 들교 斧 도끼부 斤 자귀근 伐 벨벌 息 자랄식 潤 적실윤 萌 싹맹 蘗 싹얼 濯 민둥민둥할탁

孟子께서 말씀하셨다. "牛山의 나무가 일찍이 아름다웠는데, 大國의 郊外에 있기 때문에 도끼와 자귀가 늘 그 나무를 베니, 아름답게 될 수 있겠는가. 그 日夜에 자라나는 바와 雨露가 적셔주는 바에 싹이 나오는 것이 없지 않지마는 소와 양이 또 따라서 방목된다. 이 때문에 저와 같이 濯濯하게(민둥산) 되었다. 사람들은 그 濯濯한 것만을 보고는 〈牛山에〉 일찍이 훌륭한 재목이 있지 않았다고 하니, 이것이 어찌 山의 本性이겠는가.

按説 | '國'은 國都의 뜻으로 '大國'은 큰 나라의 국도를 가리킨다.
'日夜之所息'의 '日夜'는 밤낮의 뜻이나 여기서는 특히 밤을 위주하여 말한 것이다.
'息'은 生長의 뜻인바, 饒氏(饒魯)는 말하기를

　'息'字의 訓詁는 본래 止息인데, 물건은 쉬기만 하면 자라기 때문에 息字를 生長의 뜻으로
　도 풀이한다.〔息本訓止息 纔息便生 故息又訓生〕

하였다. 이 내용은 《心經附註》에도 수록되어 있는데, 金宗德의 《心經講錄刊補》에

　〈'日夜之所息' 아래의〉吐를 '이(是)'로 달아야 하니, '과(果)'로 다는 것은 잘못이다.

하였다. 그러나 官本諺解와 栗谷諺解 및 艮齋(田愚)의 懸吐에 모두 '과'로 표시되었으므로 그대로 따랐다. '日夜之所息이'로 懸吐할 경우 '日夜에 生長한 것이 비와 이슬의 적셔줌에'로 해석해야 할 것이다.
'牛羊又從而牧之'에 대하여, 楊伯峻은

　이 句는 '又從而牧牛羊焉(之)'의 변형이다.

하였다.

集註 | 牛山은 齊之東南山也[700]라 邑外를 謂之郊라 言 牛山之木이 前此에 固嘗美矣러니 今爲大國之郊하여 伐之者衆이라 故로 失其美耳라 息은 生長也라 日夜之所息은 謂氣化流行하여 未嘗間斷이라 故로 日夜之間에 凡物이 皆有所生長也라 萌은

700　牛山 齊之東南山也 : 楊伯峻은 牛山은 齊나라 국도였던 臨淄縣 남쪽 10리에 있다고 하였다.

芽也요 蘖은 芽之旁出者也라 濯濯은 光潔之貌라 材는 材木也라 言 山木雖伐이나 猶有萌蘖이어늘 而牛羊이 又從而害之라 是以로 至於光潔而無草木也니라

牛山은 齊나라 국도의 동남쪽에 있는 산이다. 邑 밖을 '郊'라 이른다. 牛山의 나무가 이보다 전에는 일찍이 아름다웠는데, 지금 大國의 교외가 되어 나무를 베는 자가 많기 때문에 그 아름다움을 잃었음을 말씀한 것이다. '息'은 生長함이다. '日夜에 生長하는 바'라는 것은 氣化가 流行하여 일찍이 間斷하지 않으므로 日夜의 사이에 모든 물건이 다 生長하는 바가 있는 것이다. '萌'은 싹이요, '蘖'은 싹이 곁에서 나온 것이다. '濯濯'은 빛나고 깨끗한 모양이다. '材'는 材木이다. 산의 나무가 비록 베어지나 그래도 싹이 나오는데, 소와 양이 또 따라서 해친다. 이 때문에 산이 빛나고 깨끗하여〈민둥산이 되어서〉草木이 없는 데에 이름을 말씀한 것이다.

8-2. 雖存乎人者인들 豈無仁義之心哉리오마는 其所以放其良心者 亦猶斧斤之於木也에 旦旦而伐之어니 可以爲美乎아 其日夜之所息과 平旦之氣에 其好惡 與人相近也者幾希어늘 則其旦晝之所爲 有梏亡之矣나니 梏之反覆이면 則其夜氣不足以存이요 夜氣不足以存이면 則其違禽獸 不遠矣니 人見其禽獸也하고 而以爲未嘗有才焉者라하나니 是豈人之情也哉리오

비록 사람에게 보존된 것인들 어찌 仁義의 마음이 없겠는가마는 그 良心을 잃는 것이 또한 도끼와 자귀가 나무에 대해서 아침마다 베는 것과 같으니, 이렇게 하고서 아름답게 될 수 있겠는가. 日夜에 자라나는 바와 平旦의 맑은 기운에 그 좋아하고 미워함이 사람들(正常人)과 서로 가까운 것이 얼마 되지 않는데 낮에 하는 소행이 또 이것을 梏亡하니, 梏亡하기를 반복하면 夜氣가 보존될 수 없고, 夜氣가 보존될 수 없으면 〈행실이〉禽獸와 거리가 멀지 않게 된다. 사람들은 그의 행실이 禽獸와 같은 것을 보고는 일찍이 훌륭한 材質이 있지 않았다고 말하니, 이것이 어찌 사람의 實情이겠는가.

按說 | '旦晝'에 대하여 楊伯峻은 焦循의《孟子正義》에 "'旦晝'는 '다음날(明日)'이

··· 芽 싹 아 旁 곁 방 放 놓을 방 旦 아침 단 希 드물 희 梏 형틀 곡 違 거리 위

란 말과 같다." 한 說을 따라 '旦晝'를 다음날(明日)로 보았다. 우리나라 本에는 太祖 李成桂의 이름이 旦이므로 피휘하여 모두 朝로 바꿔 놓았으며, 旦을 '단'으로 발음하지 않고 '조'로 발음하였다.

'有梏亡之矣'에 대하여, 楊伯峻은

　　'有'는 又와 같다.

하였다. 又로 訓할 경우 '낮에 하는 소행이 또 이것을 梏亡하니'로 해석해야 하는바, 朱子역시 '又已隨而梏亡之'라 하였다.

集註 | 良心者는 本然之善心이니 卽所謂仁義之心也라 平旦之氣는 謂未與物接之時淸明之氣也라 好惡與人相近은 言得人心之所同然也라 幾希는 不多也라 梏은 械也라[701] 反覆은 展轉也라 言 人之良心이 雖已放失이나 然其日夜之間에 猶必有所生長[702]이라 故로 平旦未與物接하여 其氣淸明之際에 良心이 猶必有發見(현)者[703]라 但其發見至微하고 而旦晝所爲之不善이 又已隨而梏亡之[704]하니 如山木旣伐에 猶有萌蘖이어늘 而牛羊이 又牧之也라 晝之所爲 旣有以害其夜之所息하고 夜之所息이 又不能勝其晝之所爲라 是以로 展轉相害하여 至於夜氣之生이 日以寢薄하여 而不足以存其仁義之良心이면 則平旦之氣亦不能淸하여 而所好惡 遂與人遠矣니라

---

701 梏 械也:朱子는 "梏은 행동을 금지하는 형틀의 속에 갇혀 있어서 다시 움직일 수 없는 것과 같고, '亡'은 자신의 물건을 잃어버린 것과 같은 것이다.[梏 如被他禁械在那裏 更不容他轉動 亡 如將自家物失去了]" 하였다.《語類》

702 其日夜之間 猶必有所生長:朱子는 "氣는 단지 이 氣뿐이니, 낮에도 생기고 밤에도 생긴다. 다만 낮에 생긴 것은〈良心이〉物欲에게 梏亡되어 즉시 또 흩어져 없어지고, 밤에 생긴 것은 모여서 그 안에 있고 흩어져 없어지지 않는다.[氣只是這箇氣 日裏也生 夜間也生 只是日間生底 爲物欲梏之 隨手又耗散了 夜間生底 則聚得在那裏 不曾耗散]" 하였다.《語類》

703 平旦未與物接……猶必有發見者:朱子는 "비유하면 마치 우물물이 종일토록 움직이면 물이 흐려지는데, 그 물이 밤에 이르러 잠시 정지되면 곧 맑은 물이 나오는 것과 같다.[譬如一井水 終日擾動 便渾了 那水至夜稍歇 便有淸水出]" 하였다.《語類》 經文의 '夜氣'는 밤에 잠을 자고 새벽에 일어났을 때의 깨끗한 정신 기운(心氣)으로, '日夜之所息'의 '夜'와 '平旦之氣'의 '氣'를 합하여 이름한 것이다.

704 旦晝所爲之不善 又已隨而梏亡之:朱子는 "이른바 '梏'을 사람들은 많이 '夜氣를 梏亡하는 것'으로 여기니, 또한 잘못이다. 낮에 하는 바가 능히 그 良心을 梏亡함을 이른다.[所謂梏者 人多謂梏亡其夜氣 亦非也 謂旦晝之爲 能梏亡其良心也]" 하였다.《語類》

··· 械 형틀 계 展 구를 전(輾同) 長 자랄 장 接 접할 접 隨 따를 수 寢 점점 침

'良心'은 本然의 善한 마음이니, 바로 이른바 '仁義之心'이란 것이다. '平旦之氣'는 사물과 접하지 않았을 때의 淸明한 기운을 이른다. '좋아하고 미워함이 사람들과 서로 가깝다.'는 것은 사람의 마음에 똑같이 옳게 여기는 바를 얻음(앎)을 말한다. '幾希'는 많지 않음이다. '梏'은 형틀이다. '反覆'은 展轉함이다.

이것은 '사람의 良心이 비록 이미 放失되었으나 日夜의 사이에 그래도 반드시 生長하는 것이 있다. 그러므로 平旦에 아직 사물과 접하지 않아서 그 기운이 淸明할 때에는 良心이 오히려 반드시 發見되는 것이 있다. 다만 그 發見됨이 지극히 미미한데 낮에 하는 바의 不善이 또 이미 따라서 梏亡시키니, 이것은 마치 산의 나무를 이미 베어도 오히려 싹이 돋아나지만 소와 양이 또 따라서 방목됨과 같은 것이다. 낮에 하는 행실이 이미 밤에 자라는 바를 해치고, 밤에 자라는 바가 또 낮에 하는 바의 나쁜 행실을 이기지 못한다. 이 때문에 展轉하여 서로 해쳐서 夜氣가 생겨나는 것이 날로 점점 薄해져서 仁義의 良心을 보존할 수 없음에 이르면 平旦의 기운 또한 맑지 못하여 좋아하고 싫어하는 바가 끝내 사람들과 거리가 멀어지게 되는 것이다.'라고 말씀한 것이다.

8-3. 故로 苟得其養이면 無物不長이요 苟失其養이면 無物不消니라

그러므로 만일 그 기름을 잘 얻으면 물건마다 자라지 않을 것이 없고, 만일 그 기름을 잃으면 물건마다 사라지지 않을 것이 없는 것이다.

集註 | 山木, 人心이 其理一也라

산의 나무와 사람의 마음이 그 이치가 똑같은 것이다.

8-4. 孔子曰 操則存하고 舍則亡하여 出入無時하며 莫知其鄉(向)은 惟心之謂與인저하시니라

孔子께서 말씀하시기를 '잡으면 보존되고 놓으면 잃어서 나가고 들어옴이 일정한 때가 없으며 그 방향을 알 수 없는 것은 오직 사람의 마음을 말함일 것이다.' 하셨다."

··· 消 사라질 소 操 잡을 조 舍 놓을 사 鄉 향할 향(向通)

按說 | '操則存 舍則亡'에 대하여, 茶山은

> 후세의 이른바 靜存, 默存, 存養, 存持는 진실로 또한 修道者의 善한 일이나, 孔子의 이른바 '잡으면 보존되고 놓으면 잃는다.'는 것은 필시 이런 말씀이 아닐 것이다. 孔子의 이른바 '操存'은 일에 응대하고 사물을 접할 때에 恕에 힘써 仁을 행하며, 말은 반드시 忠信하고 행실은 반드시 篤敬하며, 私慾을 따르지 않고 한결같이 道心을 따르고자 하는 것이지, 눈을 감고 단정히 앉아 보지도 듣지도 않으면서, 回光反照(자아성찰)하여 涵養의 공부를 하려는 것이 아니다. 涵養의 공부가 좋지 않다고 말하는 것은 아니지만, 이것이 孔子의 操存의 遺法은 아니다.……옛날의 학문은 힘을 씀이 行事에 있어 行事로 마음을 다스렸다.〔後世之所謂靜存默存存養存持 固亦修道者之善事 然孔子所謂操則存舍則亡 必非此說 孔子之所謂操存者 欲於應事接物之時 强恕行仁 言必忠信 行必篤敬 勿循私慾 一聽道心 非欲瞑目端坐 收視息聽 回光反照 以爲涵養之功也 涵養之功 非曰不善 但非孔子操存之遺法也……古學用力在行事 而以行事爲治心〕

하였다.

'鄕'에 대하여, 趙岐는

> '鄕'은 里와 같으니 거처를 비유한 것이다.〔鄕猶里 以喩居也〕

하였고, 北溪陳氏(陳淳)는

> 홀연히 나가고 홀연히 들어와서 일정한 때가 없고, 홀연히 여기에 있고 홀연히 저기에 있어서 또한 일정한 곳이 없어서, 잡으면 곧바로 보존되어 여기에 있고 놓으면 곧바로 잃어버리는 것이다.〔忽然出 忽然入 無有定時 忽在此 忽在彼 亦無定處 操之 便存在此 捨之 便亡失了〕《北溪字義》

하였으며, 茶山은

> 《集註》에 訓한 바가 없으니, 趙岐의 舊說과 같은 듯하다. 그러나 나는 '鄕'은 嚮(향할 향)으로 읽어야 한다고 생각한다.〔集註無所訓 疑與舊說同 余謂鄕當讀作嚮〕

하였다. 壺山은 '鄕'을 '所'로 보았으며, 朱子 역시 '亦無定處'라 하여 處所로 보았으나 우선 諺解를 따라 '方向'으로 해석하였다.

集註 | 孔子言 心은 操之則在此하고 舍之則失去하여 其出入이 無定時하고 亦無定處如此라하시니 孟子引之하사 以明心之神明不測이 得失之易而保守之難하여 不可頃刻失其養하시니 學者當無時而不用其力하여 使神淸氣定하여 常如平旦之時면 則此心常存하여 無適而非仁義矣리라

程子曰 心豈有出入이리오 亦以操舍而言耳니 操之之道는 敬以直內而已니라

孔子께서 말씀하시기를 "마음은 잡으면 여기에 있고 놓으면 잃어버려서 그 출입이 정해진 때가 없으며 또한 定한 곳이 없음이 이와 같다." 하셨는데, 孟子께서 이것을 인용하여 마음이 神明하고 측량할 수 없어 得失(잃음)이 쉽고 보존하여 지킴이 어려워서 잠시라도 그 기름을 잃어서는 안 됨을 밝히셨으니, 배우는 자가 마땅히 때마다 힘을 쓰지 않음이 없어서 정신이 맑고 기운이 안정되게 하여 항상 平旦의 때와 같게 한다면 이 마음이 항상 보존되어 가는 곳마다 仁義 아님이 없을 것이다.

程子(伊川)가 말씀하였다. "마음이 어찌 출입함이 있겠는가. 이 또한 잡아두는 것과 놓음으로써 말씀했을 뿐이니, 마음을 잡는 방법은 敬하여 마음을 곧게 하는 것일 뿐이다."

章下註 | ○ 愚聞之師[705]호니 曰 人理義之心이 未嘗無하니 惟持守之면 即在爾라 若於旦晝之間에 不至梏亡이면 則夜氣愈淸이요 夜氣淸이면 則平旦未與物接之時에 湛然虛明氣象을 自可見矣니라 孟子發此夜氣之說하시니 於學者에 極有力하니 宜熟玩而深省之也니라

○ 내(朱子)가 스승(延平先生)에게 들으니, 다음과 같이 말씀하였다. "사람은 義理의 마음이 일찍이 없지 않으니, 오직 이것을 잡아 잘 지키면 바로 여기에 있는 것이다. 만일 낮 사이에 良心을 梏亡하는 데에 이르지 않는다면 夜氣가 더욱 맑아질 것이요, 夜氣가 맑아지면 平旦에 아직 사물과 접하지 않았을 때에 湛然히 虛明한 氣象을 진실로 볼 수 있을 것이다. 孟子께서 이 夜氣의 말씀을 발하셨는데 배우는 자들에게 지극히 힘(효력)이 있으니, 마땅히 익숙히 보고 깊이 살펴야 할 것이다."

---

705 愚聞之師 : '愚'는 朱子가 자신을 겸칭한 것으로 그의 스승인 延平 李侗에게 들었음을 뜻한다. 다만 글로 쓰여 있지 않고 말씀으로만 들었기 때문에 이렇게 표현한 것이다.

··· 測 헤아릴 측 頃 잠깐 경 刻 시간 각 適 갈 적 愈 더욱 유 湛 맑을 담

9-1. 孟子曰 無或(惑)乎王之不智也로다

孟子께서 말씀하셨다. "王의 지혜롭지 못함을 이상하게 여길 것이 없구나.

集註 | 或은 與惑同하니 疑怪也라 王은 疑指齊王이라

'或'은 惑과 같으니, 의혹하고 괴이하게 여김이다. '王'은 齊王을 가리킨 듯하다.

9-2. 雖有天下易生之物也나 一日暴(폭)之요 十日寒之면 未有能生者也니 吾見(현)이 亦罕矣요 吾退而寒之者至矣니 吾如有萌焉에 何哉리오

비록 天下에 쉽게 生長하는 물건이 있더라도 하루 동안 햇볕을 쪼이고 열흘 동안 춥게 하면 능히 生長할 물건이 있지 않으니, 내가 임금을 뵈옴이 또한 드물고 내가 물러나오면 임금의 마음을 차갑게 하는 자가 이르니, 싹이 있은들 내가 어떻게 할 수 있겠는가.

集註 | 暴은 溫之也라 我見王之時少하니 猶一日暴之也요 我退則詔諛雜進之日多하니 是十日寒之也라 雖有萌蘖之生이나 我亦安能如之何哉리오

'暴'은 따뜻하게 함이다. 내가 王을 뵙는 때가 적으니 이것은 '하루 동안 햇볕을 쪼이는 것'과 같고, 내가 물러나오면 아첨하는 자들이 잡되게 나와 뵙는 날이 많으니 이것은 '열흘 동안 춥게 하는 것'이다. 비록 싹이 나옴이 있은들 내가 또한 어떻게 할 수 있겠는가.

9-3. 今夫奕之爲數 小數也나 不專心致志면 則不得也라 奕秋는 通國之善奕者也니 使奕秋로 誨二人奕이어든 其一人은 專心致志하여 惟奕秋之爲聽하고 一人은 雖聽之나 一心에 以爲有鴻鵠將至어든 思援弓繳而射(석)之하면 雖與之俱學이라도 弗若之矣나니 爲是其智弗若與아 曰非然也니라

지금 바둑의 數(기예)가 작은(하찮은) 數이나 專心致志(마음을 오로지 하고 뜻을 지

… 或 의혹할 혹(惑同) 怪 괴이할 괴 暴 햇볕쬘 폭 罕 드물 한 萌 싹 맹 諂 아첨할 첨 諛 아첨할 유 蘖 싹 얼
奕 바둑 혁 誨 가르칠 회 鴻 기러기 홍 鵠 큰새 곡, 고니 곡 援 당길 원 繳 주살 작 射 쏘아맞힐 석 俱 함께 구

극히 함)하지 않으면 터득하지 못한다. 奕秋는 온 나라에 바둑을 잘 두는 자이다. 奕秋로 하여금 두 사람에게 바둑을 가르치게 하거든 그 중에 한 사람은 專心致志하여 오직 奕秋의 말을 듣고, 한 사람은 비록 듣기는 하나 마음 한 편에 기러기와 큰 고니가 장차 이르거든 활과 주살을 당겨서 쏘아 맞힐 것을 생각한다면 비록 그와 함께 배운다 하더라도 그만 못할 것이니, 이것은 그 지혜가 그만 못해서인가? 그렇지 않다."

按說 | '專心致志'에 대하여, 雙峰饒氏(饒魯)는

'心'은 주장하는 것을 가지고 말하였고 '志'는 향하는 것을 가지고 말하였으니, '專心'은 마음의 주장하는 바가 오로지 여기에 있는 것이요, '致志'는 바로 그 마음의 향하는 바를 지극히 하여 곧바로 그 경지에 이르는 것이다.〔心 以所主者言 志 以所向者言 專心 是心之所主專在此 致志 是極其心之所向 直到那田地〕

하였다.

集註 | 奕은 圍棋也라 數는 技也라 致는 極也라 奕秋는 善奕者名秋也라 繳은 以繩繫矢而射也라

'奕'은 바둑이다. '數'는 技藝이다. '致'는 지극히 함이다. 奕秋는 바둑을 잘 두는 자의 이름이 秋이다. '繳'은 노끈을 화살에 매어서 쏘는 것이다.

章下註 | ○程子爲講官하여 言於上曰 人主一日之間에 接賢士大夫之時多하고 親宦官宮妾之時少하면 則可以涵養氣質而薰陶德性이라하여시늘 時不能用하니 識者恨之하니라
范氏曰 人君之心이 惟在所養하니 君子養之以善則智하고 小人養之以惡則愚라 然이나 賢人은 易疎하고 小人은 易親이라 是以로 寡不能勝衆하고 正不能勝邪하니 自古로 國家治日常少而亂日常多는 蓋以此也니라

○程子(伊川)가 講官이 되어 임금에게 말씀하시기를 "人主가 하루 사이에 어진 士大夫들을 접견하는 때가 많고 宦官과 宮妾을 친근히 하는 때가 적으면 氣質을 함양하여 德性을 薰陶할 수 있습니다." 하셨는데, 당시에 이 말씀을 쓰지 못하니 識者들이 한스럽게 여겼다.

··· 圍 포위할 위 技 재주 기 繩 노끈승 繫 맬계 矢 화살 시 宦 내시 환 涵 담글함 薰 향기쐴훈 陶 도야할도
疎 성길 소

范氏(范祖禹)가 말하였다. "임금의 마음은 오직 기르는 바에 달려 있으니, 君子가 善으로써 기르면 지혜로워지고, 小人이 惡으로써 기르면 어리석어진다. 그러나 賢人은 소원하기 쉽고 小人은 친근하기가 쉽다. 이 때문에 적은 사람이 많은 사람을 이기지 못하고 正直한 자가 邪惡한 자를 이기지 못하는 것이니, 예로부터 국가가 다스려지는 날이 항상 적고 혼란한 날이 항상 많음은 이 때문이다."

|魚我所欲章(熊魚章)|

10-1. 孟子曰 魚도 我所欲也며 熊掌도 亦我所欲也언마는 二者를 不可得兼인댄 舍魚而取熊掌者也로리라 生亦我所欲也며 義亦我所欲也언마는 二者를 不可得兼인댄 舍生而取義者也로리라

孟子께서 말씀하셨다. "魚物도 내가 원하는 바요 熊掌(곰 발바닥)도 내가 원하는 바이지만 이 두 가지를 겸하여 얻을 수 없다면 魚物을 버리고 熊掌을 취하겠다. 삶도 내가 원하는 바요 義도 내가 원하는 바이지만 이 두 가지를 겸하여 얻을 수 없다면 삶을 버리고 義를 취하겠다.

集註 | 魚與熊掌이 皆美味로되 而熊掌尤美也라

魚物과 熊掌이 모두 맛이 좋으나 熊掌이 더욱 좋다.

10-2. 生亦我所欲이언마는 所欲이 有甚於生者라 故로 不爲苟得也하며 死亦我所惡(오)언마는 所惡 有甚於死者라 故로 患有所不辟(避)也니라

삶도 내가 원하는 바이지만 원하는 바가 삶보다 심한 것이 있다. 그러므로 삶을 구차히 얻으려고 하지 않으며, 죽음도 내가 싫어하는 바이지만 싫어하는 바가 죽음보다 심한 것이 있다. 그러므로 患難을 피하지 않는 바가 있는 것이다.

集註 | 釋所以舍生取義之意라 得은 得生也라 欲生惡死者는 雖衆人利害之常情이

··· 熊 곰웅 掌 손바닥 장 兼 겸할 겸 舍 버릴 사 辟 피할 피(避同)

나 而欲惡有甚於生死者는 乃秉彝義理之良心[706]이라 是以로 欲生而不爲苟得하고
惡死而有所不避也니라

삶을 버리고 義를 취하는 이유의 뜻을 해석한 것이다. '得'은 삶을 얻는 것이다. 삶을 원하
고 죽음을 싫어함은 비록 衆人들의 利害의 常情이나 원하고 싫어함이 살고 죽는 것보다 심
함이 있는 것은 바로 秉彝의 義理의 良心이다. 이 때문에 살기를 원하면서도 구차히 얻으
려 하지 않고, 죽기를 싫어하면서도 피하지 않는 바가 있는 것이다.

10-3. 如使人之所欲이 莫甚於生이면 則凡可以得生者를 何不用也며 使人之所惡 莫甚於死者면 則凡可以辟患者를 何不爲也리오

가령 사람들이 원하는 바가 삶보다 심한 것이 없다면 무릇 삶을 얻을 수 있는 방법을 무
엇을 쓰지 않겠으며, 가령 사람들이 싫어하는 바가 죽음보다 심한 것이 없다면 무릇 환
난을 피할 수 있는 방법을 무엇을 하지 않겠는가.

集註 │ 設使人無秉彝之良心하고 而但有利害之私情이면 則凡可以偸生免死者[707]
를 皆將不顧禮義而爲之矣리라

가령 사람들이 秉彝의 良心이 없고 다만 利害의 私情만 있다면, 무릇 삶을 도둑질하고 죽
음을 면할 수 있는 방법을 모두 장차 禮義를 돌아보지 않고 할 것이다.

10-4. 由是라 則生而有不用也하며 由是라 則可以辟患而有不爲也니라

이 때문에(이 良心이 있기 때문에) 살 수 있는데도 〈그 방법을〉 쓰지 않음이 있으며, 이

---

706 衆人利害之常情……乃秉彝義理之良心 : '利害之常情'은 利害를 따지는 일반적인 心情이며, '秉彝'
는 사람이 간직하고 있는 本性의 발로로, '秉彝의 義理의 良心'이란 羞惡之心을 말한 것이다. 朱子는
"義가 삶에 있으면 죽음을 버리고 삶을 취하며 義가 죽음에 있으면 삶을 버리고 죽음을 취하는 것이
다.〔義在於生 則舍死而取生 義在於死 則舍生而取死〕"하였다.《語類》
707 凡可以偸生免死者 : 慶源輔氏(輔廣)는 "'偸'는 도둑질을 이르고 '免'은 구차하게 면함을 이르니, 이 두
글자는 사사로운 情의 뜻과 형상을 모두 말하였다. 오직 이렇게 하지 않는다면, 秉彝의 良心은 바로 나
의 固有한 것이고 利害의 私情은 바로 물건을 인하여 생겨났음을 알 것이다.〔偸 謂偸竊 免 謂苟免 此
兩字 說盡私情之意象 惟其不然 則知秉彝之良心 乃吾所固有 而利害之私情 乃因物而旋生出耳〕"
하였다.

··· 秉 잡을 병 彝 떳떳할 이 偸 훔칠 투 免 면할 면 顧 돌아볼 고

때문에 禍를 피할 수 있는데도 하지 않음이 있는 것이다.

按說 | '由是'에 대하여, 慶源輔氏(輔廣)는

由是의 '是'字는 秉彝의 良心을 가리켜 말한 것이다.〔由是之是 蓋指秉彝之良心而言也〕

하였으며, 《集註》에서도 '由是'를 '由其必有秉彝之良心(반드시 秉彝의 良心이 있기때문에)'라고 하였으므로 이를 따라 '이 良心이 있기 때문에'로 해석하였다.

반면 諺解에는 '이룰 由흐야 흐논디라'로 되어 있고, 茶山 또한

'由是則生', '由是則可以辟患'은 '이와 같이 하면 살 수 있다', '이와 같이 하면 禍를 피할수 있다'는 말과 같다. 사는 길을 따르면 살고 禍를 피하는 길을 따르면 禍를 피할 수 있는데,사람 중에 그 길을 버리고 따르지 않는 자가 있는 것은, 禮義를 따르고자 하는 것이 살고 싶은 것보다 심하고 非禮와 不義를 싫어하는 것이 죽음을 싫어하는 것보다 심하기 때문이다.'秉彝의 良心'은 맹자가 말씀하지 않은 것인데, 지금 '由是' 두 글자를 가지고 '秉彝의 良心에 말미암다.'라고 말하는 것은, 經文과 연관이 없는 듯하다.〔由是則生 由是則可以辟患猶言如是則生 如是則可以辟患 由生路則生 由辟患之路則辟患 而人有舍之而不由者 爲其禮義之可欲 甚於欲生 而非禮不義之可惡 甚於惡死也 秉彝良心 孟子之所不言 今以由是二字 謂由秉彝之良心者 恐無連絡處〕

하여 《集註》의 朱子의 說을 비판하였으며, 楊伯峻도 '由是'를 "이에 따라 행하면〔由此而行〕"으로 번역하였다. 茶山은 '由'를 猶로 본 것으로, 茶山의 해석은 一理가 있다고 생각된다. 다만 '是'가 良心을 가리키지 않고 무엇을 가리켰단 말인가. 禮義를 따르고자 하고 非禮와 不義를 싫어하는 것이 바로 羞惡의 마음으로 良心인 것이다.

集註 | 由其必有秉彝之良心이라 是以로 其能舍生取義如此하니라

반드시 秉彝의 良心이 있기 때문에 능히 삶을 버리고 義를 취하기를 이와 같이 하는 것이다.

10-5. 是故로 所欲이 有甚於生者하며 所惡 有甚於死者하니 非獨賢者

有是心也라 人皆有之언마는 賢者는 能勿喪耳니라

이러므로 원하는 바가 삶보다 심한 것이 있으며 싫어하는 바가 죽음보다 심한 것이 있으니, 다만 賢者만이 이러한 마음을 가지고 있는 것이 아니라 사람마다 다 가지고 있건마는 賢者는 능히 이것을 잃지 않을 뿐이다.

集註 | 羞惡之心을 人皆有之로되 但衆人은 汨於利欲而忘之[708]하고 惟賢者는 能存之而不喪耳니라

羞惡之心을 사람들이 모두 가지고 있으나 다만 衆人들은 利欲에 빠져서 이것을 잊고, 오직 賢者만이 이것을 보존해서 잃지 않을 뿐이다.

10-6. 一簞食(사)와 一豆羹을 得之則生하고 弗得則死라도 嘑爾而與之면 行道之人도 弗受하며 蹴爾而與之면 乞人도 不屑也니라

한 그릇의 밥과 한 그릇의 국을 얻어먹으면 살고 얻어먹지 못하면 죽더라도 혀를 차고 꾸짖으면서 주면 길 가는 사람도 받지 않으며 발로 밟아서 주면 乞人도 좋게 여기지 않는다.

按說 | '嘑爾'에 대하여, 楊伯峻은 趙岐의 註에

'嘑爾'는 呼爾와 같으니, 호통치며 꾸짖는 모양이다.〔嘑爾 猶呼爾 咄啐之貌也〕

한 것을 취하여

'嘑'는 呼와 같다.

하였는데, '呼爾'는 '노하여 질책한다.〔怒叱〕'는 뜻이다.
楊伯峻은 또《禮記》〈檀弓下〉에 나오는 故事를 이와 유사한 예로 제시하였다.

齊나라에 큰 흉년이 들자, 黔敖가 길가에서 음식을 만들어서 굶주린 자를 기다려 먹였다.

---

708 汨於利欲而忘之 : 壺山은 "忘은 '亡(잃음)'의 誤字인 듯하다.〔忘 恐亡之誤〕" 하고, 또 《集註》에 이 句를 보충했다.〔補此句〕" 하였다.

••• 喪 잃을 상 羞 부끄러울 수 惡 미워할 오 汨 빠질 골 簞 대그릇 단 豆 나무그릇 두 羹 국 갱 嘑 꾸짖을 호
蹴 찰 축 乞 빌 걸 屑 깨끗할 설

어떤 굶주린 자가 소매로 얼굴을 가리고 신발을 끌면서 힘이 없이 오자, 黔敖가 왼손으로는 음식을 받들고 오른손에는 음료를 잡고 말하기를 "아! 쯧쯧. 와서 먹어라." 하니, 그 사람은 눈을 치켜뜨고 보면서 말하기를 "나는 혀를 차며 와서 먹으라는 〈무례한 태도로 주는〉 음식을 먹지 않아서 이 지경에 이르렀노라." 하였다. 黔敖가 찾아가서 사죄하였으나 끝내 먹지 않고 죽었다.〔齊大饑 黔敖爲食於路 以待餓者而食之 有餓者蒙袂輯屨 貿貿然來 黔敖左奉食 右執飮 曰 嗟來食 揚其目而視之 曰 予唯不食嗟來之食 以至於斯也 從而謝焉 終不食而死〕

集註ㅣ豆는 木器也라 嘑는 咄啐(돌쵀)之貌라 行道之人은 路中凡人也라 蹴은 踐踏也라 乞人은 丐乞之人也라 不屑은 不以爲潔也라 言 雖欲食之急이라도 而猶惡無禮하여 有寧死而不食者하니 是其羞惡之本心이니 欲惡有甚於生死者를 人皆有之也니라

'豆'는 나무로 만든 그릇이다. '嘑'는 혀를 차고 성내는 모양이다. '行道之人'은 길 가운데의 일반인이다. '蹴'은 밟음이다. '乞人'은 빌어먹는 사람이다. '不屑'은 깨끗하게 여기지 않음이다. '비록 이것을 먹고자 함이 급하더라도 오히려 無禮함을 싫어해서 차라리 죽을지언정 먹지 않는 자가 있다.'라고 말한 것이다. 이것은 羞惡의 本心이니, 원하고 싫어함이 살고 죽는 것보다 심함이 있음을 사람이 모두 가지고 있는 것이다.

10-7. 萬鍾則不辨禮義而受之하나니 萬鍾이 於我何加焉이리오 爲宮室之美와 妻妾之奉과 所識窮乏者得我與인저

萬鍾의 祿은 禮義를 분별하지 않고 받으니, 萬鍾의 祿이 나에게 무슨 보탬이 되겠는가. 〈萬鍾을 받는 이유는〉 宮室의 아름다움과 妻妾의 받듦과 자신이 알고 있는 궁핍한 자가 나를 고맙게 여김을 위해서일 것이다.

集註ㅣ萬鍾於我何加는 言於我身에 無所增益也라 所識窮乏者得我는 謂所知識之窮乏者 感我之惠也라 上言人皆有羞惡之心하고 此言衆人所以喪之 由此三者[709]하니 蓋理義之心이 雖曰固有나 而物欲之蔽 亦人所易昏也니라

---

709 衆人所以喪之 由此三者:新安陳氏(陳櫟)는 "사람이 良心을 상실하는 것이 진실로 宮室을 이루고 妻

··· 咄 꾸짖을 돌 啐 나무랄 쵀 踐 밟을 천 踏 밟을 답 丐 빌 개 潔 깨끗할 결 寧 차라리 녕 妾 첩 첩 窮 곤궁할 궁 乏 다할 핍 得 감사할 득 增 더할 증 蔽 가릴 폐

'萬鍾이 나에게 무슨 보탬이 되겠느냐.'는 것은 내 몸에 增益되는 바가 없음을 말한 것이다. '알고 있는 궁핍한 자가 나를 고맙게 여긴다.'는 것은 내가 알고 있는 궁핍한 자가 나의 은혜에 감사함을 이른다. 위에서는 사람이 모두 羞惡之心을 가지고 있음을 말씀하였고, 여기서는 衆人이 이것을 잃는 이유가 이 세 가지에서 연유됨을 말씀하였으니, 理義의 마음이 비록 固有하다고 하나 物慾의 가림에 또한 사람이 쉽게 어두워지는 것이다.

10-8. 鄕(曏)爲身엔 死而不受라가 今爲宮室之美하여 爲之하며 鄕爲身엔 死而不受라가 今爲妻妾之奉하여 爲之하며 鄕爲身엔 死而不受라가 今爲所識窮乏者得我而爲之하나니 是亦不可以已乎아 此之謂失其本心이니라

지난번 자신을 위해서는 죽어도 받지 않다가 이제 宮室의 아름다움을 위하여 이것을 하며(받으며), 지난번 자신을 위해서는 죽어도 받지 않다가 이제 妻妾의 받듦을 위하여 이것을 하며, 지난번 자신을 위해서는 죽어도 받지 않다가 이제 자신이 알고 있는 궁핍한 자가 나를 고맙게 여김을 위하여 이것을 하니, 이 또한 그만둘 수 없는 것이겠는가. 이것을 일러 '그 本心을 잃었다.'고 하는 것이다."

> 按說 | '鄕爲身 死而不受'에 대하여, 官本諺解에는 '鄕애 身을 爲홈앤 死ᄒ야도 受티 아니ᄒ다가'로 되어 있는데, 東陽許氏(許謙)는
>
> > 세 번의 '鄕爲身'을 北山先生(何基)은 한 句로 읽었으니, '지난번에는 몸을 욕되게 하고 義를 잃는다는 이유 때문에 혀를 차고 발로 밟아서 주는 음식을 받지 않아 몸의 죽음을 구원하지 않았는데, 지금은 도리어 몸 밖의 물건과 남에게 은혜를 베풀기 위하여 義를 잃은 祿을 받는단 말인가, 良心이 없다고 이를 만하다.'고 말씀한 것이다.〔三鄕爲身 北山先生作一讀 言鄕爲辱身失義之故 尙不受嘑蹴之食以救身之死 今乃爲身外之物 施惠於人 而受失義之祿乎 可謂無良心矣〕

妾을 공양하고 아는 사람을 구제하는 세 가지에 그치지 않으니, 우선 세 가지를 열거했으면 다른 것도 유추하여 알 수 있는 것이다.〔人之喪其良心 固不止於成宮室 供妻妾 濟知識三者 姑擧三者 他可類推〕"하였다.

··· 鄕 지난번 향(曏同)

하였다. 반면 沙溪(金長生)와 壺山은 모두 '鄕爲身死而不受'를 한 句로 보아 "지난번에는 자기 몸이 죽는데도 받지 않았다."고 해석하여, 沙溪는

> 諺解는 '鄕爲身'을 句로 삼았으니 옳지 않다. 마땅히 '身死'를 이어 읽어야 한다.〔諺解 鄕爲身爲句 非是 當連身死讀〕《經書辨疑》

하였고, 또 壺山은

> 살펴보건대 諺解의 句讀는 바로 何北山의 뜻을 따른 것인데 《集註》와 다른 점이 있으니, 따라서는 안 될 듯하다.〔按諺讀 是從何北山意者 而與集註有違 恐不可從〕

하였다. 《集註》의 '鄕爲身死猶不肯受嘑蹴之食'은 中國本과 日本의 漢文大系本에 모두 '鄕爲身死 猶不肯受嘑蹴之食'으로 표점이 찍혀 있다. 沙溪와 壺山 등의 說을 따를 경우 '鄕爲身死라도 猶不肯受嘑蹴之食'으로 현토해야 하고, 《集註》 또한 '鄕爲身死라도'로 懸吐해야 하나, 그동안 諺解를 따라 '鄕爲身엔 死而不受'로 읽었고 또 이렇게 해석하여도 뜻이 통하므로 모두 바꾸지 않았음을 밝혀둔다.

集註 | 言 三者는 身外之物이니 其得失이 比生死爲甚輕이어늘 鄕爲身엔 死猶不肯受嘑蹴之食이라가 今乃爲此三者하여 而受無禮義之萬鍾하니 是豈不可以止乎아 本心은 謂羞惡之心이라

'세 가지는 몸 밖의 물건이니, 그 得失이 生死에 비하면 매우 가볍다. 그런데 지난번 자신을 위해서는 죽어도 오히려 혀를 차고 꾸짖으며 발로 밟아서 주는 음식을 받으려 하지 않다가 이제 마침내 이 세 가지를 위해서 禮義가 없는 萬鍾의 祿을 받으니, 이 어찌 그만둘 수 없는 것이겠는가.'라고 말씀한 것이다. '本心'은 羞惡之心을 이른다.

章下註 | ○此章은 言 羞惡之心이 人所固有언마는 或能決死生於危迫之際로되 而不免計豐約於宴安之時[710]라 是以로 君子不可頃刻而不省察於斯焉이니라

---

[710] 此章……而不免計豐約於宴安之時 : 茶山은 "이 章은 두 절로 나누어 보아야 한다. '態魚' 이하는 性善에 대한 확실한 증명이고, '一簞食' 이하는 '本心'을 잃는 것에 대한 지극한 경계이다. 위아래 두 절을 통합해 보는 것은 마땅하지 않다.〔此章當分二節看 態魚以下 乃性善之確證 一簞食以下 乃失心之至戒 上下節不宜通看〕"하였다.

··· 嘑 꾸짖을 호 蹴 찰 축 迫 급할 박 約 적을 약 宴 편안할 연

○이 章은 '羞惡之心은 사람이 본래 소유하고 있지만 혹 위급하고 절박할 때에는 능히 死生을 결단하면서도 한가하고 편안할 때에는 豐約(많고 적음)을 따짐을 면치 못한다. 이 때문에 군자는 頃刻이라도 여기에 省察하지 않으면 안 됨'을 말씀한 것이다.

|仁人心也章(求其放心章)|

11-1. 孟子曰 仁은 人心也요 義는 人路也니라

孟子께서 말씀하셨다. "仁은 사람의 마음이요, 義는 사람의 길이다.

按說 | 朱子는

'仁人心也'는 마음에 나아가 말씀한 것이요 '義人路也'는 일에 나아가 말씀한 것이다.〔仁人心也 是就心上言 義人路也 是就事上言〕《語類》

하였다.

集註 | 仁者는 心之德이니 程子所謂心如穀種이요 仁則其生之性[711]이 是也라 然이나 但謂之仁이면 則人不知其切於己라 故로 反而名之曰人心이라하시니 則可以見其[712] 爲此身酬酢萬變之主하여 而不可須臾失矣[713]니라 義者는 行事之宜니 謂之人路라 하시니 則可以見其爲出入往來必由之道하여 而不可須臾舍矣니라

仁은 마음의 德이니, 程子(伊川)의 이른바 '마음은 곡식의 씨와 같고 仁은 낳는 性(이치)이다.'라는 것이 이것이다. 그러나 다만 仁이라고만 말하면 사람들이 자신에게 간절한 줄을 모른다. 그러므로 돌이켜서 이름하기를 人心이라 하셨으니, 이 몸이 萬 가지 변화에 酬酢하는 주장이 되어서 잠시라도 잃어서는 안 됨을 볼 수 있다. 義는 行事의 마땅함이니 이

---

711 程子所謂心如穀種 仁則其生之性:朱子는 "'낳는 性'은 바로 사랑하는 이치이다.〔生之性 便是愛之理也〕" 하였다.《語類 論語》 勉齋黃氏(黃幹)는 "'마음은 바로 곡식의 종자이고 마음의 德은 바로 곡식 종자 가운데 낳는 性이니, 낳는 性이 바로 이 理이다.〔心是穀種 心之德是穀種中生之性也 生之性 便是理〕" 하였다.

712 則可以見其:一本에는 '以'字가 빠져 있다.

713 不可須臾失矣:《大全》에 "여기의 '失'字는 바로 아랫글의 '放'字이다.〔此失字 卽是下文放字〕" 하였다.

··· 穀 곡식 곡 酬 술권할 수 酢 술권할 작 臾 잠깐 유

것을 人路라고 이르셨으니, 그렇다면 出入하고 往來할 적에 반드시 행해야 할 길이 되어서 잠시라도 버려서는 안 됨을 볼 수 있다.

11-2. 舍其路而不由하며 放其心而不知求하나니 哀哉라

그 길을 버리고 따르지 않으며 그 마음을 잃어버리고 찾을 줄을 모르니, 애처롭다.

集註 | 哀哉二字를 最宜詳味하니 令人惕然有深省處니라

'哀哉' 두 글자를 가장 자세하게 음미해야 하니, 사람으로 하여금 惕然하여 깊이 살핌이 있게 하는 부분이다.

11-3. 人이 有鷄犬放則知求之호되 有放心而不知求하나니

사람이 닭과 개를 잃어버리면 찾을 줄을 알되 마음을 잃고서는 찾을 줄을 알지 못하니,

按說 | 農巖(金昌協)은

'仁人心'章(이 장)은 첫머리에 仁義를 겸하여 말씀하고 그런 뒤에 다만 仁을 말씀하였고, '人皆有所不忍'章(《盡心下》31장)은 첫머리에 仁義를 겸하여 말씀하고 그런 뒤에 다만 義를 말씀하였다.……앞 장에 仁義를 말씀한 것은 大體를 가지고 말씀한 것인데 仁이 또 統體이므로 仁을 위주하여 말씀하였고, 뒷 장에 仁義를 말씀한 것은 功用處를 가지고 말씀한 것인데 義가 비교적 갈래가 많으므로 義를 상세히 말씀한 것이다.〔仁人心章 首兼言仁義 而後只言仁 人皆有所不忍章 首兼言仁義 而後只言義……蓋前章言仁義 就大體上言 而仁又是統體 故主言仁 後章言仁義 就用功處言 而義較多頭項 故詳言義〕《農巖雜識 內篇1》

하였다.

集註 | 程子曰 心은 至重하고 鷄犬은 至輕이어늘 鷄犬放則知求之호되 心放則不知求하나니 豈愛其至輕而忘其至重哉리오 弗思而已矣니라

··· 鷄 닭 계 愛 아낄 애

愚謂 上兼言仁義하고 而此下專論求放心者는 能求放心이면 則不違於仁하여 而義在其中矣니라

程子(伊川)가 말씀하였다. "마음은 지극히 重하고 닭과 개는 지극히 輕한데, 닭과 개를 잃어버리면 찾을 줄을 알지만 마음을 잃고서는 찾을 줄을 알지 못하니, 어찌 그 지극히 輕한 것을 아끼고 지극히 重한 것을 잊는단 말인가. 이는 생각하지 않아서일 뿐이다."

내(朱子)가 생각하건대 위에서는 仁義를 겸하여 말씀하고 이 아래에서는 오로지 放心을 찾는 것만을 논한 것은, 放心을 찾으면 仁을 떠나지 않아서 義가 이 가운데에 들어 있기 때문이다.

11-4. 學問之道는 無他라 求其放心而已矣니라

學問하는 길은 다른 것이 없다. 그 放心을 찾을 뿐이다."

按說 | '放心'에 대하여, 朱子는

放心은 비단 마음이 달아나는 것을 '放'이라 이를 뿐 아니라, 조금 졸음이 오는 것도 放이니, 조금이라도 혼미하고 태만함이 있으면 바로 放인 것이다.〔放心 不獨是走作喚做放 才昏睡去 也是放 只有些昏惰 便是放〕《語類》

하였다. 沙溪(金長生)는

栗谷(李珥)은 "放心을 찾는 것은 바로 배우는 자의 工夫의 지극한 곳이다."라고 하셨는데, 나의 생각에는 옳지 않을 듯하다. 朱子는 "放心을 구하면 志氣가 淸明해져 위로 통달할 수 있다."라고 하였고, 또 "배우는 자가 모름지기 이 放心을 수습해야 한다.……"고 하셨는데, 栗谷의 말씀은 이와는 다르니, 의심할 만하다. 退溪(李滉)는 "放心을 찾는 것은 얕게 말하면 진실로 첫 번째로 손을 쓰고 발을 디디는 곳이요, 그 극을 가지고 말하면 순식간에 한 생각이 조금 잘못되더라도 또한 放인 것이다. 顔子도 仁을 떠남이 없지 못함은 바로 이 放에 해당된 것인데, 다만 顔子는 잘못을 하자마자 바로 능히 알고, 알자마자 바로 다시 싹트지 않았으니, 이 또한 放心을 구한 종류가 된다." 하셨으니, 살펴보건대 退溪의 說은 朱子와 栗谷의 두 뜻을 겸하여 포함한 것이다.〔栗谷曰 求其放心 乃學者工夫之極處也 愚意恐不

然 朱子曰 求放心이면 志氣淸明하여 可以上達이요 又曰 學者須先收拾這放心……栗谷之言이 與

此不同하니 可疑라 退溪曰 求放心을 淺言之 則固爲第一下手著脚處요 就其極言之 瞬息之頃에

一念少差도 亦是放이니 顔子猶不能無違가 斯涉於放이라 惟是顔子纔差失이면 便能知之하고 纔知之면 便

不復萌作하니 亦爲求放心之類也라 按退溪之說이 兼包朱子栗谷兩意라《經書辨疑》

하였다. 楊伯峻은 吳定의《紫石山房文集》의 글을 인용하여, '放心'은 바로 이 편 8장의
'放其良心'과 10장의 '失其本心'이라고 하였다.

集註 | 學問之事 固非一端이라 然이나 其道則在於求其放心而已라 蓋能如是면 則
志氣淸明하고 義理昭著하여 而可以上達이요 不然이면 則昏昧放逸[714]하여 雖曰從事
於學이나 而終不能有所發明矣리라 故로 程子曰 聖賢千言萬語 只是欲人將已放
之心約之하여 使反復入身來니 自能尋向上去[715]하여 下學而上達也[716]라하시니라 此
乃孟子開示切要之言이어늘 程子又發明之하여 曲盡其指하시니 學者宜服膺而勿
失也니라

學問하는 일이 진실로 한 가지가 아니나 그 道는 放心을 찾음에 있을 뿐이다. 이와 같이 하
면 志氣가 청명해지고 義理가 밝게 드러나 위로 통달할 수 있고, 그렇지 못하면 昏昧하고
放逸하여 비록 學問에 종사한다 하더라도 끝내 發明하는 바가 있지 못할 것이다. 그러므로
程子(明道)가 말씀하기를 "聖賢의 천 마디 말씀과 만 마디 말씀이 다만 사람들로 하여금
이미 잃어버린 마음을 가져다가 거두어서 돌이켜 몸에 들어오게 하고자 한 것이니, 이렇게
하면 자연히 위를(이것을) 찾아가서 아래로〈人間의 일을〉배우면서 위로〈天理를〉통달할
수 있을 것이다." 하였다.

---

714 昏昧放逸:新安陳氏(陳櫟)는 "靜할 때에 昏昧하고 動할 때에 放逸한 것이다.〔靜時昏昧 動時放逸〕"
　　하였다.

715 自能尋向上去:栗谷(李珥)은 "向上은 '그곳'이란 말과 같다.〔向上 猶言那處也〕"하였다.《栗谷全書
　　語錄》尤菴(宋時烈)은 "一說에는 '위를 찾아간다.' 하고, 一說에는 '위를 찾아 향해 간다.'고 하는데,
　　老先生(沙溪)은 일찍이 앞의 說을 옳다 하였다.〔一云 向上을 尋ᄒᆞ야가다 一云 上을 초자 向ᄒᆞ야가다
　　老先生嘗以前說爲是〕"하였다.《宋子大全 卷126 答或人》壺山은 "살펴보건대 뒤의 說은《小學》註
　　와 小學諺解가 그러하다.〔按後說 小學註及諺解然耳〕"하였다.

716 只是欲人將已放之心約之……下學而上達也:壺山은 "살펴보건대, 이는 '마음을 돌이켜 몸으로 들이
　　면 자연히 위를 찾아 배우게 되고, 배우기를 오래하면 자연히 위로 통달하게 된다.'라고 이른 것이다.〔按
　　此謂將心反入身 則自能尋向上而爲學 學之久 則自能上達耳〕"하였다.

••• 昭 밝을 소 著 드러날 저 逸 풀어놓을 일 將 가질 장 約 묶을 약 尋 찾을 심 曲 곡진할 곡 服 둘 복 膺 가슴 응

告子章句 上 ・ 699

이것은 바로 孟子께서 열어 보여주시기를 간절히 하고 요긴하게 하신 말씀인데, 程子가 다시 發明하여 그 뜻을 곡진히 다하였으니, 배우는 자가 마땅히 가슴속에 새겨두고 잃지 말아야 할 것이다.

|無名之指章|

12-1. 孟子曰 今有無名之指 屈而不信(伸)이 非疾痛害事也언마는 如有能信之者면 則不遠秦楚之路하나니 爲指之不若人也니라

孟子께서 말씀하셨다. "지금에 〈어떤 사람이〉 無名指가 굽혀져 펴지지 않는 것이 아프거나 일에 방해되지 않건마는 만일 이것을 펴주는 자가 있으면 秦·楚의 길을 멀다 여기지 않고 찾아가니, 이것은 손가락이 남들과 똑같지 않기 때문이다.

按說 | 壺山은

'今有'는 '今有人(이제 어떤 사람이)'이란 말과 같다.〔今有 猶言今有人〕

하였다.

集註 | 無名指는 手之第四指[717]也라

無名指는 손의 네 번째 손가락이다.

12-2. 指不若人이면 則知惡(오)之호되 心不若人이면 則不知惡하나니 此之謂不知類也니라

손가락이 남들과 똑같지 않으면 이것을 싫어할 줄 아나 마음이 남들과 똑같지 않으면 이것을 싫어할 줄 모르니, 이것을 일러 類를 알지 못한다고 하는 것이다."

---

717 無名指 手之第四指 : '無名指'는 다섯 손가락 가운데 이름이 없다 하여 붙여진 이름으로, 첫 번째는 拇指 또는 엄지손가락, 두 번째는 食指 또는 집게손가락, 세 번째는 中指 또는 가운데손가락, 맨 끝은 小指 또는 새끼손가락이라 하는데, 넷째 손가락은 이름이 없으므로 無名指라 한 것이다.

··· 指 손가락 지 信 펼 신(伸同) 類 종류 류

集註 | 不知類는 言其不知輕重之等也라

'不知類'는 그 輕重의 차등을 알지 못함을 말한다.

|拱把之桐梓章|

13. 孟子曰 拱把之桐梓를 人苟欲生之인댄 皆知所以養之者로되 至於身하여는 而不知所以養之者하나니 豈愛身이 不若桐梓哉리오 弗思甚也일새니라

孟子께서 말씀하셨다. "拱(두 움큼)과 把(한 움큼)의 오동나무와 가래나무를 사람들이 만일 생장시키고자 한다면 모두 이것을 기르는 방법을 아나, 자기 몸에 이르러서는 몸을 기르는 방법을 알지 못하니, 어찌 몸을 사랑함(아낌)이 오동나무와 가래나무만 못하겠는가. 생각하지 않음이 심하기 때문이다."

集註 | 拱은 兩手所圍也요 把는 一手所握也라 桐梓는 二木名[718]이라

'拱'은 두 손으로 에워싸는 것이요, '把'는 한 손으로 잡는 것이다. '桐'과 '梓'는 두 나무의 이름이다.

|兼所愛章|

14-1. 孟子曰 人之於身也에 兼所愛니 兼所愛면 則兼所養也라 無尺寸之膚를 不愛焉이면 則無尺寸之膚를 不養也니 所以考其善不善者는 豈有他哉리오 於己에 取之而已矣니라

孟子께서 말씀하셨다. "사람이 자기 몸에 대해서 사랑하는(아끼는) 바를 겸하였으니, 사랑하는 바를 겸하면 기르는 바를 겸하는 것이다. 한 자와 한 치의 살을 사랑하지 않음이 없다면 한 자와 한 치의 살을 기르지 않음이 없으니, 잘 기르고 잘못 기름을 상고하는 것은 어찌 다른 것이 있겠는가. 자신에게서 취할 뿐이다.

---

718 二木名:一本에는 '二'字가 '兩'字로 되어 있다.

··· 拱 잡을 공 把 잡을 파 桐 오동나무 동 梓 가래나무 재 圍 에워쌀 위 握 잡을 악 膚 살갗 부

集註 | 人於一身에 固當兼養이라 然이나 欲考其所養之善否者는 惟在反之於身하
여 以審其輕重而已矣니라

사람이 자기 한 몸에 대해서 진실로 마땅히 겸하여 길러야 한다. 그러나 그 기르는 바의 잘
잘못을 상고하고자 하는 것은, 오직 이것을 자기 몸에 돌이켜서 그 輕重을 살핌에 달려있을
뿐이다.

14-2. 體有貴賤하며 有小大하니 無以小害大하며 無以賤害貴니 養其小者 爲小人이요 養其大者 爲大人이니라

몸에는 貴한 것과 賤한 것이 있으며 작은 것과 큰 것이 있으니, 작은 것을 가지고 큰 것
을 해치지 말며 천한 것을 가지고 귀한 것을 해치지 말아야 하니, 작은 것을 기르는 자는
小人이 되고 큰 것을 기르는 자는 大人이 되는 것이다.

集註 | 賤而小者는 口腹也요 貴而大者는 心志也라

천하고 작은 것은 口腹이요, 귀하고 큰 것은 心志이다.

14-3. 今有場師 舍其梧檟하고 養其樲棘하면 則爲賤場師焉이니라

지금 場師(원예사)가 오동나무와 가래나무를 버리고 작은 대추나무를 기른다면 천한
(값어치 없는) 場師가 되는 것이다.

集註 | 場師는 治場圃者라 梧는 桐也요 檟는 梓也니 皆美材也라 樲棘은 小棗[719]니 非
美材也라

'場師'는 場圃(마당과 채전)를 다스리는 자이다. '梧'는 오동나무이고 '檟'는 가래나무이
니, 모두 아름다운 재목이다. '樲棘'은 작은 대추나무이니, 아름다운 재목이 아니다.

---

719 樲棘 小棗 : 楊伯峻은 "阮元의 《校勘記》에 '樲棘은 어떤 本에 樲棗로 되어 있다.' 하였다. 그러나 錢
大昕의 《十駕齋養新錄》에 '《爾雅》에 「樲는 멧대추(酸棗)이다.」 하였고, 樲棘이 작은 대추나무(小棗)
라는 것을 듣지 못했다. 梧檟가 두 가지 나무이므로, 樲棘 또한 반드시 한 가지 나무만은 아닐 것이다.
樲는 바로 멧대추이고 棘은 荊棘의 棘(가시나무)이다.' 하였다. 지금 이를 따른다." 하였다.

··· 審 살필 심 腹 배 복 檟 개오동나무 가 樲 멧대추나무 이 棘 멧대추나무 극 圃 동산 포 梓 가래나무 재
棗 대추나무 조

14-4. 養其一指하고 而失其肩背而不知也면 則爲狼疾人也니라

한 손가락만 기르고 어깨와 등을 잃으면서도 모른다면 이는 狼疾의 사람이 되는 것이다.

按說 | '狼疾'은, '疾'을 疾病으로 보아 '승냥이가 병들면 뒤를 돌아보지 못한다.'로 해석하기도 하고, 狼狽·狼藉(어지러움)의 뜻으로 해석하기도 한다. 趙岐는 '狼疾人'을 '어지러워 질병을 다스릴 줄 모르는 사람[狼藉亂不知治疾之人]'으로 해석하였고, 楊伯峻은 '지극히 사리에 어두운 사람'으로 번역하였다.

集註 | 狼은 善顧나 疾則不能이라 故로 以爲失肩背之喩하니라

승냥이는 돌아보기를 잘하는데, 병들면 그렇게 하지 못한다. 그러므로 어깨와 등을 잃는 것의 비유로 삼은 것이다.

14-5. 飮食之人을 則人이 賤之矣나니 爲其養小以失大也니라

음식을 밝히는 사람을 사람들이 천히 여기니, 작은 것을 길러 큰 것을 잃기 때문이다.

集註 | 飮食之人은 專養口腹者也라

'飮食之人'은 오로지 口腹만을 기르는 자이다.

14-6. 飮食之人이 無有失也면 則口腹이 豈適爲尺寸之膚哉리오

음식을 밝히는 사람이 잃음(잘못함)이 있지 않다면 口腹이 어찌 다만 한 자나 한 치의 살만 될 뿐이겠는가."

按說 | 앞에서는 음식을 밝히는 사람이 작은 것을 기르고 큰 것을 잃음을 말하였고, 이 구절에서는 口腹도 가볍지 않음을 말하여 마치 語勢가 거꾸로 된 듯하다. 이에 대하여, 朱子는

••• 肩 어깨견 背 등배 狼 이리랑 疾 빠를질,병질 顧 돌아볼고 喩 비유할유 適 다만적

이 몇 句는 이처럼 거꾸로 말하여 또한 자연 알기 어렵다. 생각건대 만일 음식을 밝히는 사람이 참으로 잃는 바가 없다면 口腹의 기름이 본래 해로울 것이 없으나 사람들이 口腹을 급급하게 챙기면 반드시 잃는 바가 있음을 의심할 것이 없다. 이 때문에 마땅히 大體를 기를 줄알아야 하니, 口腹은 제 스스로 가서 찾아먹을 줄 알아서 굶주림에 이르지 않는다.〔此數句被恁地說得倒了 也自難曉 意謂使飮食之人眞箇無所失 則口腹之養本無害 然人屑屑理會口腹 則必有所失無疑 是以當知養其大體 而口腹底他自會去討喫 不到得餓了也〕《語類》

하였다.

集註 | 此는 言 若使專養口腹而能不失其大體면 則口腹之養은 軀命所關이니 不但爲尺寸之膚而已라 但養小之人은 無不失其大者라 故로 口腹이 雖所當養이나 而終不可以小害大, 賤害貴也니라

이것은 가령 오로지 口腹만을 기르면서도 그 大體를 잃지 않을 수 있다면 口腹의 기름은 사람의 몸과 생명이 관계되는 것이니, 다만 한 자나 한 치의 살만 될 뿐이 아니다. 다만 작은 것을 기르는 사람은 그 큰 것을 잃지 않는 자가 없다. 그러므로 口腹이 비록 마땅히 길러야할 대상이나 끝내 작은 것으로써 큰 것을 해치고 천한 것으로써 귀한 것을 해쳐서는 안 됨을 말씀한 것이다.

|公都子問鈞是人也章(從其大體章)|

15-1. 公都子問曰 鈞是人也로되 或爲大人하며 或爲小人은 何也잇고 孟子曰 從其大體 爲大人이요 從其小體 爲小人이니라

公都子가 물었다. "똑같이 사람인데, 혹은 大人이 되며 혹은 小人이 되는 것은 어째서입니까?"
孟子께서 대답하셨다. "大體를 따르는 사람은 大人이 되고, 小體를 따르는 사람은 小人이 되는 것이다."

··· 軀 몸구 命 목숨 명 關 관계할 관 鈞 고를 균

集註 | 鈞은 同也라 從은 隨也라 大體는 心也요 小體는 耳目之類也[720]라

'鈞'은 같음이다. '從'은 따름이다. '大體'는 마음이요, '小體'는 耳目의 類이다.

15-2. 曰 鈞是人也로되 或從其大體하며 或從其小體는 何也잇고 曰 耳目之官은 不思而蔽於物하나니 物이 交物則引之而已矣요 心之官則思라 思則得之하고 不思則不得也니 此는 天之所與我者라 先立乎其大者면 則其小者 不能奪也니 此爲大人而已矣니라

公都子가 물었다. "똑같이 사람인데, 혹은 大體를 따르고 혹은 小體를 따름은 어째서입니까?"

孟子께서 대답하셨다. "귀와 눈의 기능은 생각하지 못하여 물건에 가려지니 물건(外物)이 물건(耳目)과 사귀면 거기에 끌려갈 뿐이요, 마음의 기능은 생각할 수 있으니 생각하면 얻고 생각하지 못하면 얻지 못한다. 이것은 하늘이 우리 인간에게 부여해 주신 것이니, 먼저 그 큰 것(心志)을 세우면 그 작은 것(耳目)이 능히 빼앗지 못할 것이니, 이 때문에 大人이 될 따름이다."

集註 | 官之爲言은 司也니 耳司聽하고 目司視하여 各有所職이나 而不能思라 是以로 蔽於外物하나니 旣不能思而蔽於外物이면 則亦一物而已라 又以外物로 交於此物이면 其引之而去 不難矣라 心則能思而以思爲職하니 凡事物之來에 心得其職이면 則得其理而物不能蔽요 失其職이면 則不得其理而物來蔽之라 此三者는[721] 皆天之所以與我者로되 而心爲大하니 若能有以立之면[722] 則事無不思하여 而耳目之欲

---

720 大體……耳目之類也 : 茶山은 "大體'는 형체가 없는 靈明이고 '小體'는 형체가 있는 몸뚱이다. '大體를 따른다'는 것은 性을 따르는 것이고, '小體를 따른다'는 것은 몸의 욕구를 따르는 것이다. 道心은 항상 大體를 기르고자 하나, 人心은 항상 小體를 기르고자 한다. 天理를 즐거워하고 天命을 알면 道心을 배양할 수 있고, 자기의 私慾을 이겨 禮로 돌아가면 人心을 제재할 수 있으니, 여기에서 선과 악이 판가름 난다.〔大體者 無形之靈明也 小體者 有形之軀殼也 從其大體者 率性者也 從其小體者 循欲者也 道心常欲養大 而人心常欲養小 樂天知命 則培養道心矣 克己復禮 則制伏人心矣 此善惡之判也〕"하였다.

721 三者 :《大全》에 "세 가지는 귀와 눈과 마음을 이른다.〔三者 謂耳目心〕"하였다.

722 能有以立之 : 朱子는 "우뚝히 이 마음을 세우는 것이 바로 '서는 것'이니, 이른바 '敬以直內'이다.〔卓然

… 官 맡을 관 蔽 가릴 폐 奪 빼앗을 탈

이 不能奪之矣니 此所以爲大人也라 然이나 此天之此를 舊本에 多作比하고 而趙註
에 亦以比方釋之어늘 今本엔 旣多作此하고 而註亦作此乃하니 未詳孰是라 但作比
字 於義爲短이라 故로 且從今本云[723]이라

'官'이란 말은 맡는다는 뜻이니, 귀는 듣는 것을 맡고 눈은 보는 것을 맡아서 각기 맡은 것
이 있으나 능히 생각하지는 못한다. 이 때문에 外物에 가려지니, 이미 생각하지 못하여 外
物에 가려지면 耳目 또한 한 물건일 뿐이다. 또 外物로써 이 물건(耳目)과 사귀게 되면 그
것에 끌려가는 것이 어렵지 않다. 마음은 능히 생각할 수 있어서 생각함을 직책(맡은 기능)
으로 삼으니, 모든 사물이 올 적에 마음이 그 직책을 잘 수행하면 그 도리를 얻어서 물건이
가리지 못하고, 그 직책을 잃으면 그 도리를 얻지 못하여 물건이 옴에 가려진다. 〈耳·目과
心〉이 세 가지는 모두 하늘이 우리 인간에게 주신 것인데 그 중에도 마음이 가장 크니, 만
일 능히 이 마음을 세울 수 있으면 일을 생각하지 않음이 없어서 귀와 눈의 욕심이 빼앗지
못할 것이니, 이것이 大人이 되는 이유이다.

그러나 '此天'의 '此'字를 옛 책에는 대부분 '比'字로 썼고 趙氏(趙岐)의 註에도 또한 比
方(비교함)으로 해석하였다. 그런데 今本에는 이미 대부분 '此'字로 되어 있고 註에도 또
한 '此乃'로 되어 있으니, 누가 옳은지 상세하지 않다. 다만 '比'字로 쓰는 것이 뜻에 부족
하기 때문에 우선 今本을 따른다.

章下註 | ○范浚心箴曰 茫茫堪輿 俯仰無垠하니 人於其間에 眇然有身이라 是身之
微 太倉稊米로되 參爲三才는 曰惟心爾[724]라 往古來今에 孰無此心이리오마는 心爲
形役하여 乃獸乃禽이라 惟口耳目과 手足動靜이 投間抵隙하여 爲厥心病이라 一心
之微를 衆欲攻之하니 其與存者 嗚呼幾希[725]로다 君子存誠하여 克念克敬하나니 天

堅起此心 便是立 所謂敬以直內也)"하였다.《語類》

723 且從今本云:一本에는 '云'字가 '是'字로 되어 있다.

724 茫茫堪輿……曰惟心爾:雲峰胡氏(胡炳文)는 "'堪輿'는 天地를 이른다. '천지가 지극히 큰데 사람이
천지의 사이에 처하였으니, 이 몸이 지극히 작아서 太倉에 한 낱알의 곡식과 같음에 불과할 뿐이나 사
람이 天地와 더불어 참예하여 三才가 된 까닭은 오직 이 마음에 있으니, 마음의 體가 어찌 매우 크지
않겠는가.'라고 한 것이다.〔堪輿 謂天地 言天地至大 而人處天地間 此身至小 不過如太倉一粒稊米
而已 然人之所以可與天地參爲三才者 惟在此心 心之體豈不甚大〕"하였다.

725 其與存者 嗚呼幾希:雲峰胡氏(胡炳文)는 "義理에서 발함이 매우 적은 것이다.〔發於義理者 甚微〕"
하였다. 壺山은 "'與'字에 굳이 집착할 필요가 없다.〔與字不必泥〕"하였다.

••• 釋 풀석, 해석할석 范 성범 浚 깊을준 箴 경계잠(침) 茫 아득할망 堪 땅감 輿 땅여 垠 땅가장자리은
眇 아득할묘, 작을묘 稊 올피제 參 참여할참 役 사역할역 投 던질투 抵 이를저 隙 틈극 厥 그궐
希 드물희(稀通)

君泰然하여 百體從令⁷²⁶하나니라

○范浚의 心箴에 말하였다. "아득하고 아득한 天地는 굽어보고 우러러봄에 끝이 없으니, 사람이 그 사이에 작게 몸을 두고 있다. 이 작은 몸은 비유하면 太倉의 한 낟알에 불과한데 참예하여 三才가 됨은 마음 때문이다. 예나 지금이나 누가 이 마음이 없겠는가마는 마음이 形體에 사역을 당하여 마침내 禽獸가 되는 것이다. 입과 귀와 눈, 手足과 動靜이 마음의 빈틈을 파고들어와 마음의 병이 된다. 한 작은 마음을 여러 욕심들이 공격하니, 그 보존된 것이 아, 얼마 되지 않는다. 君子는 誠을 보존하여 능히 생각하고 능히 敬하니, 天君(마음)이 泰然하여 百體(온몸)가 명령을 따른다."

|天爵人爵章|

16-1. 孟子曰 有天爵者하며 有人爵者하니 仁義忠信樂善不倦은 此天爵也요 公卿大夫는 此人爵也니라

孟子께서 말씀하셨다. "天爵이 있고 人爵이 있으니, 仁義와 忠信과 善을 좋아하여 게을리하지 않음은 이것이 天爵이요, 公·卿과 大夫는 이것이 人爵이다.

按說ㅣ '仁義忠信樂善不倦'에 대하여, 官本諺解에 "仁과 義왜며 忠이며 信ᄒᆞ야 善을 樂홈을 倦티 아니홈은"으로 되어 있으나, 栗谷諺解에는 "仁과 義와 忠과 信과 善을 樂ᄒᆞ야 倦티 아니홈은"으로 되어 있는바, 仁義와 忠信에 모든 善이 다 포함되었다고 볼 수 없으므로 栗谷諺解를 따랐음을 밝혀 둔다.

集註ㅣ天爵者는 德義可尊이니 自然之貴也라

---

726 君子存誠……百體從令:雲峰胡氏(胡炳文)는 "이 앞의 여덟 句는 바로 小人이 小體를 따름을 말하였고, 이 네 句는 바로 大人이 大體를 따름을 말하였다. 誠과 念과 敬을 말하였으니, 念은 바로 생각을 이르고 敬은 바로 誠을 보존하는 방법이다. 한 誠이 만 가지 거짓을 사라지게 하고, 한 敬이 천 가지 간사함을 대적할 수 있으니, 이른바 '먼저 그 큰 것을 세운다'는 것은 이보다 더 간절한 것이 없다. '天君(마음)이 태연함'은 '먼저 그 큰 것을 세운다'는 것이요, '百體가 명령을 따름'은 '작은 것이 빼앗지 못한다.'는 것이다.〔前八句 是說小人之從其小體 此四句 是說大人之從其大體 曰誠, 曰念, 曰敬 念卽思之謂 而敬卽存誠之方也 一誠足以消萬僞 一敬足以敵千邪 所謂先立乎其大者 莫切於此 天君泰然 是先立乎其大者 百體從令 是小者弗能奪〕"하였다.

··· 爵 벼슬 작 倦 게으를 권

'天爵'은 德義로서 높일 만한 것이니, 자연의 존귀함이다.

16-2. 古之人은 修其天爵而人爵從之러니라

옛사람은 天爵을 닦음에 人爵이 따라왔다.

> 集註 | 修其天爵은 以爲吾分之所當然者耳요 人爵從之는 蓋不待求之而自至也
> 라

'天爵을 닦는다'는 것은 내 분수의 당연한 바를 할 뿐이요, '人爵이 따라왔다'는 것은 구하기를 기다리지 않아도 저절로 오는 것이다.

16-3. 今之人은 修其天爵하여 以要人爵하고 旣得人爵이어든 而棄其天爵하나니 則惑之甚者也라 終亦必亡而已矣니라

지금 사람들은 天爵을 닦아서 人爵을 요구하고, 이미 人爵을 얻고 나면 天爵을 버리니, 이것은 미혹됨이 심한 것이다. 끝내는 반드시 人爵마저 잃을 뿐이다."

> 集註 | 要는 求也라 修天爵以要人爵하니 其心이 固已惑矣요 得人爵而棄天爵이면
> 則其惑又甚焉이니 終必幷其所得之人爵而亡之也라

'要'는 구함이다. 天爵을 닦아서 人爵을 요구하니 그 마음이 진실로 이미 미혹되었고, 人爵을 얻고 나서 天爵을 버린다면 그 미혹됨이 더욱 심한 것이니, 끝내는 반드시 그 얻은 바의 人爵까지 아울러 잃고 말 것이다.

| 欲貴者人之同心也章(良貴章) |

17-1. 孟子曰 欲貴者는 人之同心也니 人人이 有貴於己者언마는 弗思耳니라

孟子께서 말씀하셨다. "귀하고자 함은 사람의 똑같은 마음이니, 사람마다 자기에게 귀함이 있건마는 생각하지 않아서 모를 뿐이다.

···　惑 미혹할 혹

集註 | 貴於己者는 謂天爵也라

'자기에게 귀한 것'은 天爵을 이른다.

17-2. 人之所貴者는 非良貴也니 趙孟之所貴를 趙孟이 能賤之니라

남이 귀하게 해준 것은 良貴가 아니니, 趙孟이 귀하게 해준 것을 趙孟이 능히 천하게 할 수 있다.

集註 | 人之所貴는 謂人以爵位加己而後에 貴也라 良者는 本然之善也[727]라 趙孟은 晉卿也[728]라 能以爵祿與人而使之貴면 則亦能奪之而使之賤矣라 若良貴則人安 得而賤之哉리오

'남이 귀하게 해준다.'는 것은 남이 爵位를 내 몸에 加해 준 뒤에 귀하게 됨을 이른다. '良' 은 本然의 善이다. 趙孟은 晉나라의 卿이다. 능히 爵祿을 남에게 주어서 그로 하여금 귀하 게 할 수 있다면 또한 능히 빼앗아서 천하게 할 수 있는 것이다. 良貴로 말하면 남이 어떻게 그것을 천하게 할 수 있겠는가.

17-3. 詩云 旣醉以酒요 旣飽以德이라하니 言飽乎仁義也라 所以不願 人之膏粱之味也며 令聞廣譽施於身이라 所以不願人之文繡也니라

《詩經》에 이르기를 '이미 술로 취하고 이미 德으로 충족한다.' 하였으니, 仁義에 배부 르기 때문에 남의 膏粱之味를 원하지 않으며, 좋은 명성과 넓은 명예가 몸에 베풀어져

---

727 良者 本然之善也 : 茶山은 "거름을 주지 않아도 비옥한 것을 良田이라 하고, 길들이지 않아도 빨리 달 리는 것을 良馬라 하고, 가르치지 않아도 아는 것을 良知라 하고, 배우지 않아도 능한 것을 良能이라 한다.〔不糞而肥 謂之良田 不馴而驟 謂之良馬 不敎而知 謂之良知 不學而能 謂之良能〕" 하였다.

728 趙孟 晉卿也 : 新安倪氏(倪士毅)는 "晉나라 趙氏를 세상에서 趙孟이라 불렀으니, 예컨대 智氏를 세 상에서 智伯이라 부른 것과 같다. 晉나라가 盟主가 되고 趙氏가 대대로 卿이 되었기 때문에 당시에 '趙孟이 능히 사람을 賤하게 하기도 하고 貴하게 하기도 할 수 있다.'고 말한 것이다.〔晉趙氏 世呼趙 孟 如智氏 世呼智伯 晉爲盟主 趙氏世卿 故當時謂趙孟能賤貴人〕" 하였다. 楊伯峻은 "晉나라 正卿 인 趙盾(돈)의 字가 孟이었는데, 인하여 그 자손들도 모두 趙孟으로 호칭했다." 하였다. 趙盾의 자손은 趙朔과 趙武(趙文子)・趙成・趙鞅(趙簡子)・趙無恤(趙襄子)인데, 楊伯峻은 孫奕의 〈示兒編〉에 '趙 武, 趙鞅, 趙無恤이 趙孟으로 불렸다.' 한 것을 인용하였다.

••• 良 진실로 량 賤 천할 천 醉 취할 취 飽 충족할 포 膏 기름질 고 粱 찰기장량 令 좋을 령 聞 이름날 문 繡 수놓을 수

있기 때문에 남의 文繡를 원하지 않음을 말한 것이다."

集註 │ 詩는 大雅既醉之篇이라 飽는 充足也라 願은 欲也라 膏는 肥肉이요 粱은 美穀[729]이라 令은 善也요 聞은 亦譽也라 文繡는 衣之美者也라 仁義充足而聞譽彰著는 皆所謂良貴也라

詩는 〈大雅 既醉〉篇이다. '飽'는 충족함이다. '願'은 원함(하고자 함)이다. '膏'는 살진 고기요, '粱'은 아름다운 곡식이다. '令'은 좋음이요, '聞' 또한 명예이다. '文繡'는 아름다운 옷이다. 仁義가 충족되고 명예가 드러남은 모두 이른바 良貴라는 것이다.

章下註 │ ○尹氏曰 言 在我者重이면 則外物輕이니라

○尹氏(尹焞)가 말하였다. "나(자신)에게 있는 것이 重해지면 外物이 가벼워짐을 말씀한 것이다."

|仁之勝不仁章|

18-1. 孟子曰 仁之勝不仁也 猶水勝火하니 今之爲仁者는 猶以一杯水로 救一車薪之火也라 不熄則謂之水不勝火라하나니 此又與於不仁之甚者也니라

孟子께서 말씀하셨다. "仁이 不仁을 이김은 물이 불을 이김과 같으니, 지금에 仁을 행하는 자들은 한 잔의 물로 한 수레에 가득 실은 섶의 불을 끄는 것과 같다. 그리하여 불이 꺼지지 않으면 물이 불을 이기지 못한다고 말하니, 이는 또 不仁을 돕기를 심히 하는 것이다.

按說 │ 茶山은, 蔡淸의 《四書蒙引》에

梁 惠王이 작은 은혜를 능히 행한 것을 가지고 자기 나라 백성이 이웃 나라보다 많아지지 않

---

729 粱 美穀 : 楊伯峻은 "'粱'은 精細한 백색의 小米이다." 하였다.

··· 彰 드러날 창 勝 이길 승 杯 잔 배 救 불끌 구 薪 섶 신 熄 꺼질 식 與 도울 여

는 것을 의아하게 여겼으니, 이것이 바로 '불이 꺼지지 않으면 물이 불을 이기지 못한다고 말한다'는 것이다.〔梁惠王以能行小惠 而訝其民之不加多於鄰國 是正所謂不熄則謂之水不勝火者也〕

한 것을 인용하고, 지극히 옳다고 하였다.

集註┃與는 猶助也[730]라 仁之能勝不仁은 必然之理也로되 但爲之不力이면 則無以勝不仁이어늘 而人遂以爲眞不能勝이라하니 是는 我之所爲 有以深助於不仁者也라

'與'는 助와 같다. 仁이 不仁을 이김은 必然의 이치이나 다만 하기를 힘쓰지 않으면 不仁을 이길 수 없는데, 사람들은 마침내 참으로 이길 수 없다고 말하니, 이것은 나의 하는 바가 不仁을 깊이 도와줌이 있는 것이다.

18-2. 亦終必亡而已矣니라

또한 끝내 반드시 잃을 뿐이다."

集註┃言 此人之心이 亦且自怠於爲仁하여 終必幷與其所爲而亡之니라

이 사람의 마음 또한 장차 스스로 仁을 행함에 게을러져서 끝내는 반드시 그 하는 바마저 아울러 잃게 됨을 말씀한 것이다.

章下註┃○ 趙氏曰 言 爲仁不至而不反諸己也라

○ 趙氏(趙岐)가 말하였다. "仁을 하기를 지극히 하지 않고 자기 몸에 돌이키지 않음을 말씀한 것이다."

---

730 與 猶助也：楊伯峻은 "'與'는 '같다(同)'의 뜻이다." 하였다.

··· 怠 게으를 태 幷 아우를 병

19. 孟子曰 五穀者는 種之美者也나 苟爲不熟이면 不如荑稗(제패)니 夫仁도 亦在乎熟之而已矣니라

孟子께서 말씀하셨다. "五穀은 종자 중에 아름다운 것이지만 만일 익지 않으면 피만도 못하니, 仁 또한 이것을 익숙히 함에 달려 있을 뿐이다."

集註 | 荑稗는 草之似穀者[731]니 其實亦可食이라 然이나 不能如五穀之美也라 但五穀不熟이면 則反不如荑稗之熟이니 猶爲仁而不熟이면 則反不如爲他道之有成[732]이라 是以로 爲仁은 必貴乎熟이니 而不可徒恃其種之美요 又不可以仁之難熟而甘爲他道之有成也니라

'荑稗'는 풀 중에 곡식과 유사한 것이니, 그 열매 또한 먹을 수 있다. 그러나 五穀처럼 아름답지는 못하다. 다만 五穀이 익지 않으면 도리어 荑稗가 익음만 못하니, 仁을 하되 익숙히 하지 않으면 도리어 다른 道(일)를 하여 이룸이 있는 것만 못함과 같다. 이 때문에 仁을 행함은 반드시 익숙히 함을 귀하게 여기니, 다만 그 종자(종류)의 아름다움만을 믿어서는 안 되고, 또 仁이 익숙하기 어렵다 하여 다른 일을 해서 이룸이 있는 것을 달게 여겨서도 안 된다.

章下註 | ○尹氏曰 日新而不已則熟[733]이니라

○尹氏(尹焞)가 말하였다. "날로 새롭게 하고 그치지 않으면 익숙해진다."

|羿之敎人射章(必以規矩章)|

20-1. 孟子曰 羿之敎人射에 必志於彀(구)하나니 學者도 亦必志於彀

---

731 荑稗 草之似穀者:楊伯峻은 "'荑稗'는 바로 피(稊稗)이다." 하였다.

732 猶爲仁而不熟 則反不如爲他道之有成:壺山은 "두 句는 말 밖의 주된 뜻을 보충하였다.(二句 補言外之主意)" 하였다. 潛室陳氏(陳埴)는 "'他道'는 百工의 여러 技藝와 百家의 諸子 같은 것이 모두 이것이다.(他道 如百工衆技百家諸子皆是)" 하였다.

733 日新而不已則熟:慶源輔氏(輔廣)는 "날마다 새로워짐은 날마다 나아가는 것이요, 그치지 않음은 間斷함이 없는 것이니, 반드시 날마다 전일보다 진전되고 또 간단함이 없은 뒤에야 仁에 익숙해진다.(日新 日進也 不已 無間斷也 必日進於一日 而又無間斷 然後純熟夫仁)" 하였다.

··· 熟 익을 숙 荑 피제(이) 稗 피패 恃 믿을 시 羿 이름 예 彀 활당길 구

니라

孟子께서 말씀하셨다. "羿가 사람에게 활쏘기를 가르칠 적에 반드시 彀에 뜻하게 하니
(彀를 목표로 삼으니), 활쏘기를 배우는 자 역시 반드시 彀에 뜻을 둔다.

集註 | 羿는 善射者也라 志는 猶期也라 彀는 弓滿也니 滿而後發이 射之法也라 學은
謂學射라

羿는 활쏘기를 잘한 자이다. '志'는 期(기약함, 목표함)와 같다. '彀'는 활을 가득히 당김이
니, 활을 가득히 당긴 뒤에 발사하는 것이 활 쏘는 법이다. '學'은 활쏘기를 배움을 이른다.

20-2. 大匠이 誨人에 必以規矩하나니 學者도 亦必以規矩니라

큰 목수가 사람을 가르칠 적에 반드시 規矩로써 하니, 목수 일을 배우는 자 역시 반드
시 規矩로써 한다."

集註 | 大匠은 工師也라 規矩는 匠之法也라

'大匠'은 工師(都木手)이다. '規矩'는 목수(匠人)의 법이다.

章下註 | ○ 此章은 言 事必有法然後에 可成이니 師舍是則無以教요 弟子舍是則無
以學이라 曲藝도 且然이온 況聖人之道乎아

○ 이 章은 일은 반드시 법이 있은 뒤에야 이루어질 수 있으니, 스승이 이것을 버리면 가르
칠 수 없고 弟子가 이것을 버리면 배울 수 없음을 말씀한 것이다. 하찮은 技藝도 그러한데
하물며 聖人의 道에 있어서랴.

⋯ 滿 찰 만, 활가득당길 만 匠 장인 장 誨 가르칠 회 規 그림쇠 규 矩 곡척 구 曲 작을 곡 藝 재주 예

告子章句 下

集註 | 凡十六章이라
모두 16章이다.

|任人有問屋廬子章(色與禮孰重章)|

1-1. 任人이 有問屋廬子日 禮與食이 孰重고 日 禮重이니라

任나라 사람이 屋廬子에게 물었다. "禮와 밥(음식)은 어느 것이 더 重한가?"
屋廬子가 대답하였다. "禮가 重하다."

集註 | 任은 國名이라 屋廬子는 名連이니 孟子弟子也라

任은 나라 이름이다. 屋廬子는 이름이 連이니, 孟子의 弟子이다.

1-2. 色與禮 孰重고

"色과 禮는 어느 것이 더 重한가?"

集註 | 任人이 復問也라

任나라 사람이 다시 물은 것이다.

··· 屋 집옥 廬 집려 孰 무엇숙 連 이을련

1-3. 曰 禮重이니라 曰 以禮食則飢而死하고 不以禮食則得食이라도 必以禮乎아 親迎則不得妻하고 不親迎則得妻라도 必親迎乎아

"禮가 重하다."

"禮대로 먹으면 굶어 죽고 禮대로 먹지 않으면 밥을 얻을 수 있더라도 반드시 禮대로 해야 하는가? 親迎을 하면 아내를 얻지 못하고 親迎을 하지 않으면 아내를 얻을 수 있더라도 반드시 親迎을 해야 하는가?"

1-4. 屋廬子不能對하여 明日에 之鄒하여 以告孟子한대 孟子曰 於答是也에 何有리오

屋廬子가 대답하지 못하고는 다음날 鄒나라에 가서 孟子께 아뢰자, 孟子께서 말씀하셨다. "이것을 답함에 무슨 어려움이 있겠는가.

> 集註 | 何有는 不難也라
>
> '何有'는 어렵지 않음이다.

1-5. 不揣(췌)其本而齊其末이면 方寸之木을 可使高於岑樓니라

그 근본을 헤아리지 않고 그 끝만을 가지런히 한다면 한 치 되는 나무를 岑樓보다 높게 할 수 있다.

> 集註 | 本은 謂下요 末은 謂上이라 方寸之木은 至卑하니 喻食色이요 岑樓는 樓之高銳似山者니 至高하니 喻禮라 若不取其下之平하고 而升寸木於岑樓之上이면 則寸木反高하고 岑樓反卑矣니라
>
> '本'은 아래를 이르고 '末'은 위를 이른다. '方寸의 나무'는 지극히 낮으니 食·色을 비유하고, '岑樓'는 누대가 높고 뾰족하여 山과 같은 것으로 지극히 높으니 禮를 비유한 것이다. 만일 그 아래의 평함을 취하지 않고 한 치 되는 나무를 岑樓의 위에 올려놓는다면 한 치 되는 나무가 도리어 높고 岑樓가 도리어 낮게 된다.

··· 迎 맞이할 영 鄒 나라이름 추 揣 헤아릴 췌 岑 묏부리 잠 樓 층집 루, 누대 루 卑 낮을 비 銳 뾰족할 예 喻 비유할 유 升 오를 승

1-6. 金重於羽者는 豈謂一鉤金與一輿羽之謂哉리오

쇠가 깃털보다 무겁다는 것은 어찌 한 갈고리의 쇠와 한 수레의 깃털을 말함이겠는가.

集註 | 鉤는 帶鉤也라 金本重而帶鉤小라 故로 輕하니 喩禮有輕於食色者요 羽本輕而一輿多라 故로 重하니 喩食色有重於禮者라

'鉤'는 띠의 갈고리이다. 쇠는 본래 무거우나 띠의 갈고리는 작기 때문에 가벼우니 禮가 食·色보다 가벼운 경우가 있음을 비유하였고, 깃털은 본래 가벼우나 한 수레는 많기 때문에 무거우니 食·色이 禮보다 중한 경우가 있음을 비유하였다.

1-7. 取食之重者와 與禮之輕者而比之면 奚翅食重이며 取色之重者와 與禮之輕者而比之면 奚翅色重이리오

밥의 重한 것과 禮의 가벼운 것을 취하여 비교한다면 어찌 밥이 중할 뿐만이겠으며, 色의 중한 것과 禮의 가벼운 것을 취하여 비교한다면 어찌 色이 중할 뿐만이겠는가.

集註 | 禮食. 親迎은 禮之輕者也요 飢而死以滅其性과 不得妻而廢人倫은 食色之重者也라 奚翅는 猶言何但이니 言 其相去懸絶하여 不但有輕重之差而已라

음식을 禮대로 먹음과 아내를 親迎함은 禮의 가벼운 것이요, 굶어 죽어서 性命(生命)을 멸함과 아내를 얻지 못하여 人倫을 폐함은 食·色의 중한 것이다. '奚翅'는 何但(어찌 단지)이란 말과 같으니, 그 거리가 현격하여 단지 輕重의 차이가 있을 뿐만이 아님을 말한 것이다.

1-8. 往應之曰 紾兄之臂而奪之食則得食하고 不紾則不得食이라도 則將紾之乎아 踰東家牆而摟其處子則得妻하고 不摟則不得妻라도 則將摟之乎아하라

가서 대답하기를 '형의 팔을 비틀고 밥을 빼앗아 먹으면 밥을 먹을 수 있고, 형의 팔을 비틀지 않으면 밥을 먹을 수 없더라도 장차 비틀겠는가? 동쪽 집의 담장을 뛰어넘어 處

••• 鉤 갈구리쇠구 輿 수레 여 羽 깃 우 帶 띠 대 奚 어찌 해 翅 뿐 시 滅 멸할 멸 性 목숨 성 懸 멀 현, 매달릴 현 絶 막힐 절, 아득할 절 紾 비틀 진 臂 팔 비 踰 넘을 유 牆 담장 장 摟 끌 루

子를 끌어오면 아내를 얻고, 끌어오지 않으면 아내를 얻을 수 없더라도 장차 끌어오겠는가?'라고 하라."

集註 | 紾은 戾也라 摟는 牽也라 處子는 處女也라 此二者는 禮與食色이 皆其重者로되 而以之相較면 則禮爲尤重也라

'紾'은 비틂이다. '摟'는 끎이다. '處子'는 處女이다. 이 두 가지는 禮와 食·色이 모두 중한 경우인데, 이것을 가지고 서로 비교해 보면 禮가 더욱 重함이 된다.

章下註 | ○ 此章은 言 義理事物이 其輕重이 固有大分이라 然이나 於其中에 又各自有輕重之別하니 聖賢於此에 錯綜斟酌[734]하여 毫髮不差하시니 固不肯枉尺而直尋이요 亦未嘗膠柱而調瑟[735]이라 所以斷之를 一視於理之當然而已矣니라

○ 이 章은 '義理와 事物은 그 輕重이 진실로 큰 분별이 있으나, 이 가운데에 또 각자 輕重의 분별이 있다. 聖賢은 이에 대하여 이리저리 종합하고 참작하여 털끝만큼도 어긋나지 않게 하시니, 진실로 한 자를 굽혀 한 길을 펴기를 즐거워하지도 않고, 또한 일찍이 거문고의 기둥(雁足)에 아교칠을 하고서 비파를 고르지도 않는다. 그리하여 결단하기를 한결같이 이치의 당연함을 볼 뿐임'을 말씀한 것이다.

| 曹交問曰章(食粟而已章)|

2-1. 曹交問曰 人皆可以爲堯舜이라하나니 有諸잇가 孟子曰 然하다

曹交가 물었다. "사람이 모두 堯·舜이 될 수 있다 하니, 그러한 것이 있습니까?"
孟子께서 말씀하셨다. "그러하다."

---

734 錯綜斟酌:《大全》에 "'錯綜'은 經緯를 나누고, '斟酌'은 淺深을 헤아리는 것이다.〔錯綜 分經緯 斟酌 量淺深也〕"하였다.

735 膠柱而調瑟:雁足을 풀칠하여 고정시키고 비파나 거문고 줄을 고르는 것을 이르는바, 雁足을 고정시키고 탈 경우 음정이 고정되어 소리의 높낮음과 淸濁이 제대로 나타나지 않으므로 곧 변통할 줄을 모름을 비유한 것이다. 雁足은 가야금이나 거문고 따위의 줄을 고르는 기구인데, 단단한 나무로 기러기의 발 모양처럼 생겼다 하여 붙여진 이름이다.

··· 紾 비틀려 摟 끌 견 錯 갈마들 착 綜 종합할 종 斟 헤아릴 짐 酌 잔질할 작 枉 굽힐 왕 直 펼직 尋 길 심
膠 붙을 교 柱 기둥 주 調 고를 조 瑟 거문고 슬

集註 | 趙氏曰 曹交는 曹君之弟也[736]라 人皆可以爲堯舜은 疑古語어나 或孟子所
嘗言也라

趙氏(趙岐)가 말하였다. "曹交는 曹나라 군주의 아우이다. '사람이 모두 堯·舜이 될 수 있
다.'는 것은 의심컨대 옛말이거나 혹은 孟子께서 일찍이 말씀하신 듯하다."

2-2. 交는 聞 文王은 十尺이요 湯은 九尺이라하니 今交는 九尺四寸以長이로되 食粟而已로니 如何則可잇고

〈曹交가 말하였다.〉"제(交)가 들으니 文王은 〈身長이〉 10尺이요 湯임금은 9尺이라
하는데, 지금 저는 9尺 4寸이 되지만 곡식만 먹을 뿐이니, 어찌하면 좋습니까?"

集註 | 曹交問也라 食粟而已는 言無他材能也라

曹交가 물은 것이다. '곡식을 먹을 뿐'이라는 것은 다른 재능이 없음을 말한 것이다.

2-3. 曰 奚有於是리오 亦爲之而已矣니라 有人於此하니 力不能勝一匹雛면 則爲無力人矣요 今日舉百鈞이면 則爲有力人矣니 然則舉烏獲(오확)之任이면 是亦爲烏獲而已矣니라 夫人은 豈以不勝爲患哉리오 弗爲耳니라

孟子께서 말씀하셨다. "어찌 여기(身長)에 달려있겠는가. 또한 그것을 할 뿐이다. 여기
에 어떤 사람이 있는데, 힘이 한 마리 오리새끼를 이길 수 없다면 힘이 없는 사람이 될
것이요, 이제 百鈞을 든다고 한다면 힘이 있는 사람이 될 것이다. 그렇다면 烏獲이 들
었던 짐을 든다면 이 또한 烏獲이 될 뿐이다. 사람이 어찌 이기지 못함을 걱정하는가,
하지 않을 뿐인 것이다.

---

736 曹交 曹君之弟也 : 茶山과 楊伯峻은 王應麟의 《困學紀聞》에 《春秋左傳》 哀公 8년에 宋나라가 曹
나라를 멸망시켰으니, 맹자 때에는 曹나라가 망한 지 오래되었다.〔左傳哀公八年 宋滅曹 至孟子時 曹
亡久矣〕"한 것을 인용하여 趙岐의 註에 의문을 제기하였다.

··· 粟 곡식 속 匹 오리 필 雛 새끼추 鈞 서른근균 獲 이름 확

按說 | ‘一匹雛’의 ‘匹’에 대하여, 《集註》에 ‘오리’의 뜻으로 보았는데, 匹의 음을 鶩(집오리 목)으로 읽기도 하고 鴄(집오리 필)로 읽기도 한다. 鶩으로 읽은 것은, 《禮記》〈曲禮下〉에 “庶人의 폐백은 匹이다.〔庶人之摯匹〕”의 註에

> 匹은 鶩으로 읽는다. 들오리를 鳧라 하고 집오리를 鶩이라 한다.〔匹讀爲鶩 野鴨曰鳧 家鴨曰鶩〕

한 것에 근거한 것이다. 沙溪(金長生)는

> 諺解에 辟吉切(필)로 되어 있는데 이는 옳지 않다.《經書辨疑》

하였는데, 壺山은

> 鴄로 쓰면 諺解가 옳고 鶩으로 쓰면 沙溪가 옳다.

하였다. 반면 楊伯峻은 ‘匹’을 동물의 수를 세는 量詞로 보아

> ‘一匹雛’의 어법은 ‘一鉤金’이나 ‘一輿羽’와 같다. ‘鉤’와 ‘輿’가 모두 量詞로 쓰였으니, ‘匹’ 역시 量詞이다. 匹은 본래 말의 수를 세는 양사이다.……그런데 匹夫匹婦에서는 또 사람의 수를 세는 量詞로 쓰였고 여기서는 병아리를 세는 것에 차용되었다. ‘一匹雛’는 ‘병아리 한 마리’라는 말과 같다.

하였다.

集註 | 匹字는 本作鴄[737]하니 鴨也라 從省(생)作匹하니 禮記에 說匹爲鶩이 是也라 烏獲은 古之有力人也니 能擧移千鈞하니라

‘匹’字는 본래 鴄로 되어 있으니, 오리이다. 생략하여 匹로 썼으니, 《禮記》에 匹을 鶩(집오리)이라고 설명한 것이 이것이다. 烏獲은 옛날에 힘이 있던 사람이니, 능히 千鈞을 들어서 옮겼다.

2-4. 徐行後長者를 謂之弟요 疾行先長者를 謂之不弟니 夫徐行者는

---

[737] 匹字 本作鴄 : “匹字는 본래 鴄로 되어 있다.”로 읽기도 하고 “匹은 字本(字典)에 鴄로 되어 있다.”로 읽기도 하나, 文法上 모두 명확하지 않은바, 艮齋(田愚)의 吐를 따라 우선 위와 같이 해석하였다.

··· 鴄 집오리 필 鴨 오리 압 鶩 집오리 목 徐 천천히 서 弟 공경 제(悌同) 疾 빠를 질

豈人所不能哉리오 所不爲也니 堯舜之道는 孝弟而已矣니라

천천히 걸어서 長者보다 뒤에 감을 공경한다고 이르고, 빨리 걸어서 長者보다 앞서 감을 공경히지 않는다고 이르니, 천천히 걸어가는 것이 어찌 사람들이 능하지 못한 것이겠는가. 자신이 하지 않는 것이니, 堯·舜의 道는 孝弟일 뿐이다.

集註 | 陳氏曰 孝弟者는 人之良知良能自然之性也라 堯舜은 人倫之至로되 亦率是性而已니 豈能加毫末於是哉리오
楊氏曰 堯舜之道大矣로되 而所以爲之는 乃在夫行止疾徐之間이요 非有甚高難行之事也언마는 百姓이 蓋日用而不知耳니라

陳氏(陳暘)가 말하였다. "孝·弟는 사람의 良知와 良能으로 자연의 本性이다. 堯·舜은 人倫의 지극함인데도 또한 이 本性을 따른 것뿐이었으니, 어찌 이보다 털끝만큼이라도 더할 것이 있겠는가."
楊氏(楊時)가 말하였다. "堯·舜의 道가 크지만 이것을 행하는 것은 바로 가고 멈춤을 빨리하고 천천히 하는 사이에 있는 것이요, 매우 높아서 행하기 어려운 일이 있는 것이 아니지만 백성들이 날마다 사용하면서도 알지 못할 뿐이다."

2-5. 子服堯之服하며 誦堯之言하며 行堯之行이면 是堯而已矣요 子服桀之服하며 誦桀之言하며 行桀之行이면 是桀而已矣니라 '

그대가 堯임금이 입던 옷을 입고 堯임금의 말씀을 외우고 堯임금의 행실을 행한다면 바로 堯임금일 뿐이요, 그대가 桀王이 입던 옷을 입고 桀王의 말을 외우고 桀王의 행실을 행한다면 바로 桀王일 뿐이다."

按說 | 壺山은

오직 堯임금만을 말한 것은 중한 것을 든 것이다.〔單言堯者 擧重耳〕

하였다.

··· 率 따를 솔 毫 터럭 호 誦 외울 송 桀 횃대 걸

集註 | 言 爲善爲惡이 皆在我而已라 詳曹交之問하면 淺陋麤率하니 必其進見(현)
之時에 禮貌衣冠言動之間에 多不循理라 故로 孟子告之如此兩節云이라

善을 하고 惡을 함이 모두 자신에게 달려 있을 뿐임을 말씀한 것이다. 曹交의 물음을 살펴
보면 淺近하고 鄙陋하고 거칠고 경솔하니, 반드시 나아가 뵈었을 때에 禮貌와 衣冠과 言
動의 사이에 道理를 따르지 않음이 많았을 것이다. 그러므로 孟子께서 말씀하시기를 이 두
節과 같이 하신 것이다.

2-6. 曰 交得見於鄒君이면 可以假館이니 願留而受業於門하노이다

曹交가 말하였다. "제(交)가 鄒나라 군주를 뵈면 館舍를 빌릴 수 있을 것이니, 여기에
머물면서 門下에서 受業하기를 원합니다."

集註 | 假館而後에 受業하니 又可見其求道之不篤이라

館舍를 빌린 뒤에 受業하려고 하였으니, 또 道를 구함이 돈독하지 못함을 볼 수 있다.

2-7. 曰 夫道若大路然하니 豈難知哉리오 人病不求耳니 子歸而求之면
有餘師리라

孟子께서 말씀하셨다. "道는 大路와 같으니, 어찌 알기 어렵겠는가. 사람들이 구하지
않는 것이 병통일 뿐이니, 그대가 돌아가 찾는다면 남은 스승이 있을 것이다.(나 말고도
얼마든지 스승이 있을 것이다.)"

集註 | 言 道不難知하니 若歸而求之事親敬長之間이면 則性分之內에 萬理皆備하
여 隨處發見(현)하여 無不可師하니 不必留此而受業也니라

道는 알기 어렵지 않으니, 만일 돌아가 어버이를 섬기고 어른을 공경하는 사이에서 찾는다
면 性分의 안에 온갖 이치가 다 구비되어 있어 곳에 따라 發見되어 스승 삼을 만하지 않음
이 없을 것이니, 굳이 이곳에 머물며 受業할 것이 없음을 말씀한 것이다.

···　淺 얕을 천 陋 더러울 루 麤 거칠 추 率 거칠 솔 循 따를 순 鄒 나라이름 추 留 머무를 류 假 빌릴 가
　　館 객사 관 見 나타날 현

章下註 | ○ 曹交事長之禮 旣不至하고 求道之心이 又不篤이라 故로 孟子敎之以孝
弟하시고 而不容其受業하시니 蓋孔子餘力學文[738]之意요 亦不屑之敎誨[739]也시니라

○ 曹交는 어른을 섬기는 禮가 이미 지극하지 못하였고, 道를 구하는 마음이 또 돈독하지
못하였다. 그러므로 孟子께서 孝·弟로써 가르치시고 그의 受業함을 용납하지 않으셨으니,
孔子의 '餘力이 있으면 글을 배운다.'는 뜻이요 또한 不屑의 敎誨인 것이다.

|高子曰小弁章|

3-1. 公孫丑問曰 高子曰 小弁(반)은 小人之詩也라하더이다 孟子曰 何以言之오 曰 怨이니이다

公孫丑가 물었다. "高子가 말하기를 〈小弁〉은 小人의 詩이다.' 하였습니다."
孟子께서 말씀하셨다. "무엇을 가지고 말하는가?"
公孫丑가 대답하였다. "원망했기 때문입니다."

集註 | 高子는 齊人也라 小弁은 小雅篇名이라 周幽王이 娶申后하여 生太子宜臼하고
又得褒姒하여 生伯服한대 而黜申后하고 廢宜臼하니 於是에 宜臼之傅 爲作此詩[740]
하여 以敍其哀痛迫切之情也하니라

高子는 齊나라 사람이다. 〈小弁〉은 《詩經》《小雅》의 篇名이다. 周나라 幽王이 申后를 얻
어 太子 宜臼를 낳고 또 褒姒를 얻어 伯服을 낳았는데, 申后를 축출하고 宜臼를 폐위하
니, 이에 宜臼의 師傅가 그를 위해 이 詩를 지어서 그 哀痛하고 切迫한 심정을 서술한 것
이다.

---

738 餘力學文 : '餘力'은 餘暇를 가리킨 것으로, 《論語》〈學而〉 6장에 "행하고 餘力이 있으면 餘力을 이용
하여 글을 배운다.〔行有餘力 則以學文〕"라고 보인다.

739 不屑之敎誨 : '不屑'은 좋게 여기지 않아 거절하는 것으로, '不屑의 敎誨'는 잘못을 저지른 상대방을 좋
게 여기지 않아 거절함으로써 스스로 자신의 잘못을 깨닫게 함을 뜻하는바, 本篇 16장에 보인다.

740 宜臼之傅 爲作此詩 : 趙岐는 〈小弁〉을 伯奇(周 宣王의 신하 尹吉甫의 아들)의 詩라고 하였는데, 茶
山은 毛奇齡이 "趙岐의 註에 伯奇의 일이라고 한 것은 《韓詩》이고, 《集註》에 宜臼의 일이라고 한 것
은 《毛詩》이다.〔趙註作伯奇事 是韓詩 朱注作宜臼事 是毛詩〕" 한 것을 인용하였다.

··· 屑 깨끗할 설 誨 가르칠 회 弁 즐거울 반 臼 절구 구 褒 표창할 포 姒 성 사 黜 내쫓을 출 傅 스승 부 敍 펼 서
迫 절박할 박

3-2. 曰 固哉라 高叟之爲詩也여 有人於此하니 越人이 關(彎)弓而射(석)
之어든 則己談笑而道之는 無他라 疏之也요 其兄이 關弓而射之어든 則
己垂涕泣而道之는 無他라 戚之也니 小弁之怨은 親親也라 親親은 仁
也니 固矣夫라 高叟之爲詩也여

孟子께서 말씀하셨다. "고루하다, 高叟(高子)의 詩를 해석함이여. 여기에 어떤 사람
이 있으니, 越나라 사람이 활을 당겨 〈어떤 사람을〉 쏘려 하거든 자기가 말하고 웃으면
서 〈越나라 사람을〉 타이르는 것은 다름이 아니라 그(越人)를 소원하게 여기기 때문이
요, 그 兄이 활을 당겨 〈어떤 사람을〉 쏘려 하거든 자기가 눈물을 떨구며 〈자기 형을〉 타
이르는 것은 다름이 아니라 그(兄)를 친척으로 여기기 때문이다. 〈小弁〉의 원망은 어버
이를 친애한 것이다. 어버이를 친애함은 仁이니, 고루하다, 高叟의 詩를 해석함이여."

按說 | '疏之'와 '戚之'를 諺解에서는 '疏홈이오'와 '戚홈이니'로 해석하였는데, 壺山
은

'疏之', '戚之'를 諺解에서 내가 상대하는 뜻으로 해석하지 않았으니, 상세함이 부족한 듯
하다.〔疏之戚之 諺解不釋作吾待之之意 恐欠詳〕

하였다. '내가 상대하는 뜻으로 해석한다.'는 것은 '疏之'를 '내가 그를 소원하게 여김'으로
해석하는 것이다.

集註 | 固는 謂執滯不通也라 爲는 猶治也라 越은 蠻夷國名이라 道는 語也라 親親之
心은 仁之發也라

'固'는 執滯하여 통하지 못함을 이른다. '爲'는 治(다룸, 해석함)와 같다. 越은 蠻夷의 나라
이름이다. '道'는 말함이다. 친척을 친애하는 마음은 仁에서 나온 것이다.

3-3. 曰 凱風은 何以不怨이니잇고

公孫丑가 말하였다. "〈凱風〉은 어찌하여 원망하지 않았습니까?"

··· 叟 늙은이 수 關 활당길 만(彎通) 射 맞힐 석 道 타이를 도 疏 소원할 소 涕 눈물 체 泣 눈물 읍 執 막을 집
滯 막힐 체 蠻 오랑캐 만 凱 착할 개

按說 | '凱風'은《詩經》〈邶風〉의 편명으로 모두 4장인데, 그 2장에 "어머니가 聖스럽고 善하신데 우리들은 훌륭한 사람 없도다.〔母氏聖善 我無令人〕"하였고, 4장에 "일곱 명의 자식이 있으나 어머니 마음 위안하게 하지 못하는가.〔有子七人 莫慰母心〕"하였다. 新安陳氏(陳櫟)는

어머니가 일곱 명의 아들을 낳고 과부가 되어 바람이 나서 집안을 편안히 여기지 못하자, 일곱 아들이 詩를 지으면서 감히 그 어머니를 그르다 하지 못하고, 罪를 이끌어 自責하여 '자식이 어머니 마음을 위안하지 못해서 어머니로 하여금 불안하게 했다.' 하여 어머니를 감동시킨 것이다.〔母生七子而寡 不能安其室 七子作詩 不敢非其母 引罪自責 謂子不能慰母心 使母不安 以感動之也〕

하였는바, 〈凱風〉을 바람난 어머니의 일곱 아들이 스스로를 자책하는 내용으로 보는 것은 〈毛詩序〉와 朱子 역시 마찬가지이다. 반면 毛奇齡은《齊詩》·《魯詩》·《韓詩》의 三家詩에 '〈凱風〉을 어머니가 자식을 꾸짖는 詩'라고 한 說을 취하여, 〈小弁〉은 아버지가 자식을 해친 것이므로 잘못이 크고, 〈凱風〉은 자식을 꾸짖는 것이 지나친 것이므로 잘못이 작은 것으로 보았다. 그리하여

만일 바람이 나서 집을 편안히 여기지 못하였다면 과실이 작지 않다. 하물며 비교는 반드시 같은 종류로 해야 하는데, 어머니가 집을 편안히 여기지 못하는 것과 아버지가 자식을 사랑하지 않는 것이 어찌 비교할 만한가.〔若不安室 則過不小矣 況儗必以倫 母不安室與父不愛子 何足比儗〕《四書賸言》

하였다. 茶山도

참으로 일곱 아들이 있는데 개가했다면 어찌 어버이의 과실이 작은 것이라고 할 수 있겠는가. 《後漢書》〈東平王蒼傳〉에 "光烈皇后의 遺衣 한 상자를 하사하여 〈凱風〉의 詩처럼 어머니를 그리워하는 마음을 위로하였다.……"하였으니, 〈凱風〉이 만약 어머니가 집을 편안히 여기지 못한 詩라면 이처럼 인용해서는 안 될 듯하다.〔誠若有七子而改嫁 安得曰親之過小乎 後漢書東平王蒼傳 賜光烈皇后遺衣一篋 以慰凱風之思……凱風若是不安其室之詩 則恐不當引用如是〕

하였다.

集註 | 凱風은 邶風篇名이라 衛有七子之母 不能安其室이어늘 七子作此하여 以自
責也하니라

〈凱風〉은 〈邶風〉의 篇名이다. 衛나라에 일곱 아들을 둔 어머니가 〈바람이 나서〉 그 집을 편
안히 여기지 못하자, 일곱 아들이 이 詩를 지어 自責한 것이다.

3-4. 曰凱風은 親之過 小者也요 小弁은 親之過 大者也니 親之過 大而不怨이면 是는 愈疏也요 親之過 小而怨이면 是는 不可磯也니 愈疏도 不孝也요 不可磯도 亦不孝也니라

孟子께서 말씀하셨다. "〈凱風〉은 어버이의 과실이 작은 것이요 〈小弁〉은 어버이의 과
실이 큰 것이니, 어버이의 과실이 큰데도 원망하지 않는다면 이는 더욱 소원해지는 것이
요, 어버이의 과실이 작은데도 원망한다면 이는 磯할(자식의 성질을 건드릴) 수 없는 것
이니, 더욱 소원함도 不孝요 磯할 수 없음도 또한 不孝이다.

按說 | '不可磯'에 대하여, '磯'는 물 가운데에 나와 있는 돌로, 물이 여기에 부딪치면
激해지기(튀어오르기) 때문에 父母가 조금만 잘못을 저질러도 자식의 성질이 급하여 대
번에 격해짐을 비유한 것인바, 不可磯는 자식이 쉽게 노하여 부모가 자식을 건드릴 수 없
음을 뜻한다. 茶山은

'磯'는 機(고동)이니, 機는 격발하는 물건이다. '不可磯'는 그 성질이 사납고 독해서 조금도
부딪칠 수 없는 것이다.〔磯者機也 機者激發之物 不可磯者 言其性悍毒 不可小有激觸
也〕

하였다. 沙溪(金長生)는

磯는 어머니의 허물을 비유하고 물은 자식을 비유하였으니, 물이 激하는(흐름을 막는) 한
돌을 용납하지 못함은 자식이 어머니의 작은 허물을 용납하지 못함과 같은 것이다. 조금 激
함은 어머니가 한 것이고 갑자기 노함은 자식이 한 것이다.〔磯比母之過 水比之子 水不能
容一激石 猶子不能容母之小過也 微激 母之爲也 遽怒 子之爲也〕《經書辨疑》

⋯ 邶 나라이름 패 衛 나라이름 위 愈 더욱 유 磯 물가 기, 물이돌에부딪칠 기

하였고, 尤菴(宋時烈)은

'不可磯'는《集註》에 본래 의심할 것이 없고《經書辨疑》가 더욱 상세하니, 어찌 말을 덧붙
일 필요가 있겠는가.《古今韻會擧要》에 이른바 "磯는 激이다." 한 것은 본래 물 가운데 돌
이 나와 있어서 물의 흐름을 막음을 이른 것이니, 孟子의 말씀과 다른 점이 없다.〔不可磯 本
註本無可疑 而辨疑尤詳 何用贅說 韻會所謂磯激也者 本謂水中有石而激之也 與孟
子說無不同矣〕《宋子大全 答三錫》

하였다. 壺山은

살펴보건대 물 가운데 돌은 황하의 砥柱山과 灔澦堆와 같은 따위가 이것이다.〔按水中石
如砥柱灔澦之類 是也〕

하였다. 砥柱山은 黃河의 급류 가운데 솟아 있는 산 이름이며, 灔澦堆는 배를 타고 무사
히 건너기가 거의 불가능할 정도로 험하다는 長江 瞿塘峽의 여울물 이름이다.

集註 | 磯는 水激石也니 不可磯는 言微激之而遽怒也라

'磯'는 물이 부딪치는 돌이니, '不可磯'는 조금만 激하여도 대번에 노함을 말한다.

3-5. 孔子曰 舜은 其至孝矣신저 五十而慕라하시니라

孔子께서 말씀하시기를 '舜임금은 지극한 孝이실 것이다. 50세가 되어서도 사모했다.'
하셨다."

集註 | 言 舜猶怨慕[741]하시니 小弁之怨이 不爲不孝也라

舜임금도 오히려 원망하고 사모하였으니, 〈小弁〉의 원망이 不孝가 되지 않음을 말씀한 것

---

741 舜猶怨慕 : 이 내용은 위〈萬章上〉1장의 孟子의 말씀에 "〈舜임금은〉 원망하고 사모하신 것이다.〔怨慕
也〕" 하고, 또 "大孝는 종신토록 부모를 사모하니, 50세가 되어서도 부모를 사모한 자를 나는 大舜에게
서 보았노라.〔大孝 終身慕父母 五十而慕者 予於大舜 見之矣〕"라고 보인다. 楊伯峻은 "舜임금이 부
모에게 사모함을 인하여 원망하였으니, 〈經文의 '五十而慕'의〉 '慕'字에 비록 원망의 의미는 없지만, 여
기에서는 실로 원망하고 한스러워하는 뜻을 포함하고 있어 윗글의 여러 '怨'字와 서로 호응한다." 하였
다.

··· 激 물부딪칠 격 遽 갑자기 거

이다.

章下註ㅣ○ 趙氏曰 生之膝下하여 一體而分이라 喘息呼吸에 氣通於親하나니 當親
而疏면 怨慕號天이라 是以로 小弁之怨이 未足爲愆也니라

○ 趙氏(趙岐)가 말하였다. "자식은 膝下에서 태어나 한 몸에서 나누어졌다. 그리하여 숨을
쉬고 호흡함에 기운이 어버이와 통하니, 마땅히 친해야 하는데 소원하면 원망하고 사모하여
하늘에 부르짖는다. 이 때문에 〈小弁〉의 원망이 허물이 될 수 없는 것이다."

|宋牼將之楚章|

4-1. 宋牼이 將之楚러니 孟子遇於石丘하시다

宋牼이 장차 楚나라로 가려고 하였는데 孟子께서 그를 石丘에서 만나셨다.

集註ㅣ宋은 姓이요 牼은 名이라 石丘는 地名이라

宋은 姓이요 牼은 이름이다. 石丘는 地名이다.

4-2. 曰 先生은 將何之오

孟子께서 말씀하셨다. "先生은 장차 어디로 가려 하십니까?"

集註ㅣ趙氏曰 學士年長者라 故로 謂之先生이라

趙氏(趙岐)가 말하였다. "學士로 나이가 많은 자였다. 그러므로 先生이라 이르신 것이다."

4-3. 曰 吾聞秦楚構兵이라호니 我將見楚王하여 說(세)而罷之호되 楚王이 不悅이어든 我將見秦王하여 說而罷之호리니 二王에 我將有所遇焉이리라

宋牼이 말하였다. "내 들으니 秦나라와 楚나라가 兵(戰亂)을 맺고 있다(交戰 중이
라) 하니, 내 장차 楚王을 만나보고 설득하여 싸움을 그만두게 하되 楚王이 기뻐하지
않거든 내 장차 秦王을 만나보고 설득하여 싸움을 그만두게 할 것이니, 두 王 중에 내

⋯ 膝 무릎 슬 喘 헐떡거릴 천 息 숨쉴 식 呼 숨내쉴 호 吸 숨들이쉴 흡 愆 허물 건 牼 쇠정강이뼈 경 構 맺을 구
罷 그칠 파

장차 뜻이 합하는 사람이 있을 것이다."

按說 | '構'에 대하여, 壺山은

　　살펴보건대 마땅히 '원한을 맺는다.(構怨)'의 '構'와 같이 읽어야 하니, 병란(兵釁)을 맺음을
　　이른다.(按當讀如構怨之構 謂結兵釁也)

하였다. '構怨'의 '構'는 〈梁惠王上〉 7장의 '抑王興甲兵 危士臣 構怨於諸侯'를 가리
킨 것이다.

集註 | 時에 宋牼이 方欲見楚王호되 恐其不悅[742]이면 則將見秦王也라 遇는 合也라
按莊子書컨대 有宋鈃者 禁攻寢兵하여 救世之戰하여 上說(세)下教하여 强聒不舍라
하여늘 疏云 齊宣王時人이라하니 以事考之컨대 疑卽此人也[743]라

이때 宋牼이 막 楚王을 만나보고 설득하고자 하였는데, 楚王이 혹 기뻐하지 않으면 장차
秦王을 만나 설득하려고 한 것이다. '遇'는 합함이다. 《莊子》책을 상고해 보면 "宋鈃이라
는 자가 공격을 금하고 兵亂을 잠재워서 세상의 싸움을 말려 위로 설득하고 아래로 가르쳐
서 힘써 떠들어대고 그만두지 않았다." 하였는데, 疏에 이르기를 "〈宋鈃은〉 齊 宣王 때의
사람이다." 하였으니, 일로써 상고해 보면 바로 이 사람인 듯하다.

4-4. 曰 軻也는 請無問其詳이요 願聞其指하노니 說(세)之將如何오 曰
我將言其不利也호리라 曰 先生之志則大矣어니와 先生之號則不可
하다

孟子께서 말씀하셨다. "나는 청컨대 그 상세한 것은 묻지 않고 그 취지를 듣기 원하노
니, 설득하기를 장차 어찌하려 하십니까?"
宋牼이 말하였다. "내 장차 그 不利함을 말하려 하노라."

---

742 恐其不悅 : 壺山은 "'恐'은 或과 같다." 하였다.

743 按莊子書……疑卽此人也 : 楊伯峻은 "宋牼은 《莊子》〈天下〉와 《荀子》〈非十二子篇〉에는 '宋鈃'으로
　　표기하고, 《韓非子》〈顯學〉과 《莊子》〈逍遙遊〉에는 '宋榮'으로 표기했다" 하였다.

··· 按 살필 안 鈃 그릇 견 寢 잠재울 침 强 억지로 강 聒 떠들 괄 軻 맹자이름 가, 수레 가 號 부를 호

孟子께서 말씀하셨다. "先生의 뜻은 크지만 先生의 口號(명분)는 불가합니다.

集註 | 徐氏曰 能於戰國擾攘之中에 而以罷兵息民爲說하니 其志可謂大矣라 然이나 以利爲名이면 則不可也라

徐氏(徐度)가 말하였다. "능히 戰國의 紛亂한 가운데에 兵亂을 중지하여 백성을 휴식시키는 것을 가지고 말하였으니, 그 뜻이 크다고 할 만하다. 그러나 이익으로써 名分(口號)을 삼는다면 불가하다."

4-5. 先生이 以利로 說秦楚之王이면 秦楚之王이 悅於利하여 以罷三軍之師하리니 是는 三軍之士 樂罷而悅於利也라 爲人臣者 懷利以事其君하며 爲人子者 懷利以事其父하며 爲人弟者 懷利以事其兄이면 是는 君臣父子兄弟 終去仁義하고 懷利以相接이니 然而不亡者 未之有也니라

先生이 이익을 가지고 秦·楚의 王을 설득하면 秦·楚의 王이 이익을 좋아하여 三軍의 군대를 파(해산)할 것이니, 이는 三軍의 군사들이 파함을 즐거워하면서 이익을 좋아하는 것입니다. 신하된 자가 이익을 생각하여 그 군주를 섬기며 자식된 자가 이익을 생각하여 그 父母를 섬기며 아우된 자가 이익을 생각하여 그 형을 섬긴다면, 이는 君臣과 父子와 兄弟가 마침내 仁義를 버리고 이익을 생각하여 서로 대하는 것이니, 이렇게 하고서도 망하지 않는 자는 있지 않습니다.

按說 | '內閣本에는 위아래의 단락이 연결되어 있으나 원래의 《集註》를 살펴보면 '然而不亡者 未之有也' 아래에 '樂音洛 下同'이라는 音讀이 있고, 壺山도 《集註》에 해석한 글이 없다.〔集註無文〕' 하였으므로 두 단락으로 나누었음을 밝혀 둔다.

4-6. 先生이 以仁義로 說秦楚之王이면 秦楚之王이 悅於仁義하여 而罷三軍之師하리니 是는 三軍之士 樂罷而悅於仁義也라 爲人臣者 懷仁

··· 擾 시끄러울 요 攘 시끄러울 양 罷 그만둘 파 懷 생각할 회 悅 기쁠 열

義以事其君하며 爲人子者 懷仁義以事其父하며 爲人弟者 懷仁義以事其兄이면 是는 君臣父子兄弟 去利하고 懷仁義以相接也니 然而不王者 未之有也니 何必曰利리오

先生이 仁義를 가지고 秦·楚의 王을 설득하면 秦·楚의 王이 仁義를 좋아하여 三軍의 군대를 파할 것이니, 이는 三軍의 군사들이 파함을 즐거워하면서 仁義를 좋아하는 것입니다. 신하된 자가 仁義를 생각하여 그 군주를 섬기며 자식된 자가 仁義를 생각하여 그 父母를 섬기며 아우된 자가 仁義를 생각하여 그 형을 섬긴다면, 이는 君臣과 父子와 兄弟가 이익을 버리고 仁義를 생각하여 서로 대하는 것이니, 이렇게 하고서도 왕 노릇하지 못하는 자는 있지 않으니, 하필 이익을 말씀합니까."

章下註ㅣ ○此章[744]은 言 休兵息民이 爲事則一이나 然其心이 有義利之殊하여 而其效有興亡之異하니 學者所當深察而明辨之也니라

이 章은 兵亂을 그치게 하고 백성을 쉬게 함이 일은 똑같으나 그 마음에는 義와 利의 다름이 있어서 그 효험에 興하고 亡하는 차이가 있음을 말씀하였으니, 배우는 자들이 마땅히 깊이 살피고 밝게 분별해야 할 것이다.

|孟子居鄒章(以幣交章)|

5-1. 孟子居鄒하실새 季任이 爲任處守러니 以幣交어늘 受之而不報하시고 處於平陸하실새 儲子爲相이러니 以幣交어늘 受之而不報하시다

孟子께서 鄒나라에 居하실 적에 季任이 任나라의 處守(留守)가 되었었는데, 폐백을 보내와서 교제하자 폐백을 받기만 하고 答禮하지 않으셨고, 平陸에 處하실 적에 儲子가 齊나라의 정승이었는데, 폐백을 보내와서 교제하자 폐백을 받기만 하고 答禮하지 않으셨다.

---

744 ○此章:內閣本에는 圈點이 없으나 壺山이 "이 두 節은 訓釋할 만한 것이 없으므로 곧바로 圈下註(章下註)로 이어받았다.〔此二節無可訓釋 故卽以圈下註承之〕"하였으므로 이에 근거하여 章下註로 처리하였다.

··· 休 그칠 휴 鄒 나라이름 추 處 머물 처 幣 폐백 폐 陸 뭍 륙 儲 쌓을 저

集註 | 趙氏曰 季任은 任君[745]之弟라 任君이 朝會於鄰國이어늘 季任이 爲之居守其國也라 儲子는 齊相也라 不報者는 來見則當報之요 但以幣交則不必報也라[746]

趙氏(趙岐)가 말하였다. "季任은 任나라 군주의 아우이다. 任나라 군주가 이웃 나라에 朝會를 가자, 季任이 그를 위하여 그 나라에 거주하면서 지킨 것이다. 儲子는 齊나라 정승이다. 答禮하지 않은 것은 상대방이 와서 만나보면 마땅히 答禮해야 하고, 다만 폐백을 보내와서 교제하면 굳이 答禮하지 않는 것이다."

5-2. 他日에 由鄒之任하사 見季子하시고 由平陸之齊하사 不見儲子하신대 屋廬子喜曰 連이 得間矣로라

他日에 鄒나라에서 任나라로 가셔서는 季子를 만나보시고 平陸에서 齊나라로 가셔서는 儲子를 만나보지 않으시자, 屋廬子가 기뻐하며 말하였다. "내(連)가 좋은 틈을 얻었노라."

集註 | 屋廬子知孟子之處此에 必有義理라 故로 喜得其間隙而問之하니라

屋廬子는 孟子께서 이를 대처함에 반드시 義理가 있음을 알았다. 그러므로 그 틈을 얻어 물을 수 있음을 기뻐한 것이다.

5-3. 問曰 夫子之任하사 見季子하시고 之齊하사 不見儲子하시니 爲其爲相與잇가

屋廬子가 묻기를 "夫子께서 任나라에 가셔서는 季子를 만나보시고 齊나라에 가셔서

---

745 任君 : 楊伯峻은 "任나라는 風姓으로, 《春秋左傳》僖公 21년에 보이는데, 山東 濟寧市에 있었다." 하였다.

746 不報者……但以幣交則不必報也 : 朱子는 "처음에 직접 오지 않고 다만 폐백으로 교제한 것이 禮가 아닌 것은 아니다. 다만 孟子가 폐백을 받으신 뒤에 곧바로 찾아 만나 뵈어야 하는데, 또 오지 않았으면 그의 정성이 지극하지 않음을 알 수 있다. 그러므로 孟子께서 지나가면서도 〈그 사람을〉 찾아보지 않으신 것이니, 이는 베풂에 대한 보답을 마땅하게 하신 것으로, 또한 좋게 여기지 않은 가르침이시다.〔初不自來 但以幣交 未爲非禮 但孟子旣受之後 便當來見 而又不來 則其誠之不至 可知矣 故孟子過而不見 施報之宜也 亦不屑之敎誨也〕" 하였다.《朱子大全 答連嵩卿》

⋯ 鄰 이웃린 間 틈간 隙 틈극

는 儲子를 만나보지 않으셨으니, 儲子는 齊나라의 정승이었기 때문입니까?" 하였다.

> 集註 | 言 儲子但爲齊相하니 不若季子攝守君位라 故로 輕之邪아
>
> '儲子는 다만 齊나라의 정승이었으니, 季子가 대리하여 군주의 지위를 지킨 것과는 같지
> 않으므로 그를 가벼이 여긴 것입니까?' 하고 물은 것이다.

5-4. 曰 非也라 書曰 享은 多儀하니 儀不及物이면 曰 不享이니 惟不役 志于享이라하니

孟子께서 말씀하셨다. "아니다. 《書經》에 이르기를 '享(윗사람에게 물건을 올림)은 禮
儀를 重視하니, 〈비록 享을 했다 하더라도〉 예의가 물건에 미치지 못하면 이를 享하지
않았다 하니, 이는 享에 마음을 쓰지 않았기 때문이다.' 하였으니,

> 按說 | '享 多儀'에 대하여, 楊伯峻은 '多'를 '중시하다'로 본 周用錫의 《尙書證義》
> 의 說을 인용하여 '享은 禮儀를 중시한다.〔享以儀爲多也〕'로 해석하였다. 字義에 多는
> 중시하는 것이고 少는 경시하는 것으로, 周用錫의 해석이 매우 합당한 것으로 보인다.

> 集註 | 書는 周書洛誥之篇이라 享은 奉上也라 儀는 禮也요 物은 幣也라 役은 用也라
> 言 雖享이나 而禮意不及其幣하면 則是不享矣니 以其不用志于享故也라[747]
>
> 書는 《書經》〈周書 洛誥〉篇이다. '享'은 윗사람에게 물건을 받들어 올리는 것이다. '儀'는
> 禮儀이고 '物'은 폐백이다. '役'은 씀이다. 비록 享을 했다 하더라도 禮의 뜻이 그 폐백에
> 미치지 못하면 이것은 享하지 않은 것이니, 이는 享에 마음을 쓰지 않았기 때문임을 말씀한
> 것이다.

---

747 雖享……以其不用志于享故也 : 蔡沈은 《書經集傳》에서 "享은 폐백에 있지 않고 禮에 있으니, 폐백은
넉넉하지만 禮가 부족함은 또한 이른바 '享하지 않은 것'이다.〔享 不在幣而在於禮 幣有餘而禮不足
亦所謂不享也〕" 하였다.

··· 攝 대신할섭 享 올릴향 儀 예의의 洛 물이름락 誥 가르칠고

5-5. 爲其不成享也니라

그 享을 이루지 못했기 때문이다."

> 集註 | 孟子釋書意如此하시니라

孟子께서 《書經》의 뜻을 해석하기를 이와 같이 하신 것이다.

5-6. 屋廬子悅이어늘 或問之한대 屋廬子曰 季子는 不得之鄒요 儲子는 得之平陸일새니라

屋廬子가 기뻐하자 혹자가 물으니, 屋廬子가 말하였다. "季子는 鄒나라에 갈 수 없었고 儲子는 平陸에 갈 수 있었기 때문이다."

> 集註 | 徐氏曰 季子는 爲君居守하여 不得往他國以見孟子하니 則以幣交而禮意已備요 儲子는 爲齊相하여 可以至齊之境內로되 而不來見하니 則雖以幣交나 而禮意不及其物也라

徐氏(徐度)가 말하였다. "季子는 군주를 위하여 나라에 거주하면서 지키고 있어 他國에 가서 孟子를 뵐 수 없었으니 그렇다면 폐백만 가지고 교제하여도 禮의 뜻이 이미 구비되었고, 儲子는 齊나라의 정승이 되어 齊나라의 境內에 이를 수 있는데도 찾아와 뵙지 않았으니, 그렇다면 비록 폐백을 가지고 교제하였더라도 禮의 뜻이 그 물건에 미치지 못한 것이다."

|淳于髡曰先名實章|

6-1. 淳于髡曰 先名實者는 爲人也요 後名實者는 自爲也니 夫子在三卿之中하사 名實이 未加於上下而去之하시니 仁者도 固如此乎잇가

淳于髡이 물었다. "名(名聲)과 實(事功)을 먼저 하는 자는 人民을 위하는 것이요 名과 實을 뒤로 하는 자는 자신을 위하는 것이니, 夫子께서 三卿 가운데에 계셨으나 名과 實이 위와 아래에 加해지지 못하고 떠나셨으니, 仁者도 진실로 이와 같습니까?"

··· 備 갖출 비 境 지경 경 淳 순박할 순 髡 머리깎을 곤

集註 | 名은 聲譽也요 實은 事功也[748]라 言 以名實爲先而爲之者는 是有志於救民者也요 以名實爲後而不爲者는 是欲獨善其身者也[749]라 名實未加於上下는 言 上未能正其君하고 下未能濟其民也[750]라

'名'은 聲譽(名聲)이고 '實'은 事功이다. 名과 實을 우선으로 여겨서 이것을 하는 자는 백성을 구제함에 뜻을 둔 자요, 名과 實을 뒤로 여겨서 하지 않는 자는 홀로 자기 몸을 善하게 하고자 하는 자임을 말한 것이다. '名과 實이 위와 아래에 加해지지 못했다.'는 것은 위로는 군주를 바로잡지 못하고 아래로는 백성을 구제하지 못하였음을 말한 것이다.

6-2. 孟子曰 居下位하여 不以賢事不肖者는 伯夷也요 五就湯하며 五就桀者는 伊尹也요 不惡汚君하며 不辭小官者는 柳下惠也니 三子者 不同道하나 其趨는 一也니 一者는 何也오 曰 仁也라 君子는 亦仁而已矣니 何必同이리오

孟子께서 말씀하셨다. "낮은 지위에 있으면서 어짊으로써 어질지 못한 이를 섬기지 않은 자는 伯夷였고, 다섯 번 湯王에게 나아가고 다섯 번 桀王에게 나아간 자는 伊尹이었고, 더러운 군주를 싫어하지 않고 작은(낮은) 관직을 사양하지 않은 자는 柳下惠였으니, 이 세 분들은 길이 똑같지 않았으나 그 나아감은 똑같았으니, 똑같다는 것은 무엇인가? 仁이다. 君子는 또한 仁할 뿐이니, 어찌 굳이 똑같겠는가."

集註 | 仁者는 無私心而合天理之謂라

楊氏曰 伊尹之就湯은 以三聘之勤也[751]요 其就桀也는 湯進之也니 湯豈有伐桀之

---

748 名……事功也: 茶山은 "'名實'은 名을 따라 그 實을 구하는 것이다. 家宰가 되면 家宰의 實을 닦아서 그 名에 부응하고, 司徒가 되면 司徒의 實을 닦아서 그 名에 부응하니, 이것을 名實이라고 한다.〔名實者 循名而責實也 爲家宰則修家宰之實以副其名 爲司徒則修司徒之實以副其名 此之謂名實也〕" 하였다.

749 以名實爲先而爲之者……是欲獨善其身者也: 壺山은 "淳于髡의 뜻은 남을 위하는 것을 훌륭한 것으로 여기고 자신을 위하는 것을 부족한 것으로 여긴 것이다.〔髡意以爲人爲優而以自爲爲劣〕" 하였다.

750 名實未加於上下……下未能濟其民也: 壺山은 "孟子가 齊나라를 떠나간 것을 가지고 자신을 위했다고 기롱한 것이다.〔以孟子之去 爲自爲而譏之〕" 하였다.

751 伊尹之就湯 以三聘之勤也: 三聘은 세 번 초빙함이고 勤은 간곡함으로, 이 내용은 〈萬章上〉 7장에

••• 聲 명예성 譽 기릴예 濟 구제할제 肖 어질초, 닮을초 汚 더러울오 趨 향할추 聘 초빙할빙

意哉시리오 其進伊尹以事之也는 欲其悔過遷善而已니 伊尹이 旣就湯이면 則以湯之心爲心矣라 及其終也에 人歸之하고 天命之하니 不得已而伐之耳라 若湯이 初求伊尹에 卽有伐桀之心이어늘 而伊尹이 遂相之以伐桀이면 是는 以取天下爲心也니 以取天下爲心이면 豈聖人之心哉리오

仁은 私心이 없어 天理에 합함을 이른다.

楊氏(楊時)가 말하였다. "伊尹이 湯王에게 나아간 것은 湯王이 세 번 초빙한 부지런함(간곡함) 때문이었고, 桀王에게 나아간 것은 湯王이 그를 천거해서이니, 湯王이 어찌 桀王을 칠 뜻이 있었겠는가. 伊尹을 천거하여 桀王을 섬기게 한 것은 桀王이 過失을 뉘우치고 善으로 옮겨가기를 바라서일 뿐이었으니, 伊尹이 이미 湯王에게 나아갔다면 湯王의 마음을 자신의 마음으로 삼은 것이다. 그 종말에 미쳐서 사람(백성)들이 돌아오고 하늘이 명하니, 부득이 桀王을 정벌했을 뿐이다. 만일 湯王이 처음 伊尹을 구했을 적에 즉시 桀王을 칠 마음이 있었는데 伊尹이 마침내 湯王을 도와서 桀王을 정벌했다면 이것은 天下를 취함으로써 마음을 삼은 것이니, 천하를 취함으로써 마음을 삼았다면 이 어찌 聖人의 마음이겠는가."

6-3. 曰 魯繆公之時에 公儀子爲政하고 子柳, 子思爲臣이로되 魯之削也滋甚하니 若是乎賢者之無益於國也여

淳于髡이 말하였다. "魯나라 繆公 때에 公儀子가 정사를 하였고 子柳와 子思가 신하가 되었으나 魯나라의 侵削됨이 더욱 심하였으니, 이와 같이 賢者가 나라에 유익함이 없습니다."

集註 | 公儀子는 名休니 爲魯相[752]이라 子柳는 泄(설)柳也라 削은 地見侵奪也라 髡譏孟子雖不去나 亦未必能有爲也라

자세히 보인다.

752 公儀子……爲魯相:《史記》〈循吏列傳〉에 "公儀休는 魯나라의 博士였다. 높은 등급으로 魯나라 相이 되었는데, 법을 받들고 이치를 따르며 변경하는 바가 없자, 백관들이 저절로 바르게 되었다.〔公儀休者 魯博士也 以高第爲魯相 奉法循理 無所變更 百官自正〕" 하였다.

••• 悔 뉘우칠 회 遷 옮길 천 相 도울 상 繆 나쁜시호 목(穆通) 削 깎일 삭 滋 더할 자 泄 샐 설 見 당할 견
侵 침범할 침 奪 빼앗을 탈 譏 기롱할 기

公儀子는 이름이 休이니, 魯나라의 정승이었다. 子柳는 泄柳이다. '削'은 땅이 侵奪을 당하는 것이다. 淳于髡은 孟子가 〈齊나라를〉 떠나가지 않았더라도 반드시 훌륭한 일을 하지는 못했을 것이라고 기롱한 것이다.

6-4. 曰 虞不用百里奚而亡하고 秦穆公이 用之而霸하니 不用賢則亡이니 削을 何可得與리오

孟子께서 말씀하셨다. "虞나라는 百里奚를 쓰지 않아 망하였고 秦 穆公은 그를 등용하여 霸者가 되었으니, 賢人을 쓰지 않으면 나라가 망하니, 侵削됨을 어찌 얻을 수 있겠는가."

集註 | 百里奚는 事見前篇하니라

百里奚는 일이 前篇(萬章下)에 보인다.

6-5. 曰 昔者에 王豹處於淇에 而河西善謳하고 綿駒處於高唐에 而齊右善歌하고 華周杞梁之妻 善哭其夫에 而變國俗하니 有諸內면 必形諸外하나니 爲其事而無其功者를 髡이 未嘗覩之也로니 是故로 無賢者也니 有則髡必識之니이다

淳于髡이 말하였다. "옛적에 王豹가 淇水 가에 거주함에 河西 지방이 謳를 잘 하였고, 綿駒가 高唐에 처함에 齊나라 서쪽 지방이 노래를 잘 하였고, 華周와 杞梁의 아내가 그 남편의 喪에 哭을 잘함에 나라의 풍속이 변했습니다. 안에 가지고 있으면 반드시 밖에 나타나니, 그러한 일을 하고서 그러한 공효가 없는 자를 제가 일찍이 보지 못했습니다. 이러므로 〈이 세상에는〉 賢者가 없는 것이니, 있다면 제가 반드시 알 것입니다."

按說 | 楊伯峻은 '河西'에 대하여,

당시에 衛나라는 黃河 서쪽에 있었으니, 여기의 河西는 실제로 衛나라 지역을 가리켜 말한 것이다.

··· 奚 어찌 해 豹 표범 표 淇 기수 기 謳 노래 구 綿 솜 면 駒 망아지 구 覩 볼 도

하였고, 또 '齊右'에 대하여

高唐이 齊나라 서쪽에 있고, 서쪽은 〈군주의 남면을 기준으로〉 오른쪽이기 때문에 齊右라
고 했다.

하였다.

集註 | 王豹는 衛人이니 善謳[753]하니라 淇는 水名이라 綿駒는 齊人이니 善歌하니라 高唐
은 齊西邑이라 華周, 杞梁은 二人皆齊臣이니 戰死於莒어늘 其妻哭之哀[754]하니 國俗
이 化之하여 皆善哭하니라 髡이 以此로 譏孟子仕齊無功하니 未足爲賢也라

王豹는 衛나라 사람이니 謳를 잘하였다. 淇는 물 이름이다. 綿駒는 齊나라 사람이니 노래
를 잘하였다. 高唐은 齊나라 서쪽에 있는 고을이다. 華周와 杞梁은 두 사람 모두 齊나라
신하였는데, 莒 땅에서 戰死하자 그 아내가 哭하기를 애통하게 하니, 國俗이 변화하여 모두
哭을 잘하였다. 淳于髡이 이것을 가지고 孟子가 齊나라에 벼슬하였으나 功이 없었으니 賢

---

753 善謳 : 謳와 歌는 같은 뜻으로 쓰기도 하는데, 謳는 가락에 맞추는 것이라 하기도 하고 가락에 맞추지
않는 것이라 하기도 하여 說이 분분하다. 《大全》에 "謳는 소리에 曲折이 있는 것이고 歌는 길게 말하
는 것이다.〔謳 聲有曲折也 歌 長言也〕"하였다.

754 華周杞梁……其妻哭之哀 :《春秋左傳》襄公 23년에 "齊侯가 晉나라에서 돌아와 國都로 들어가지
않고 마침내 莒나라를 습격하여 且于邑의 성문을 공격하다가 다리에 상처를 입고 퇴각하였다. 다음날
齊侯는 다시 전투하기 위해 壽舒에서 집합하기로 기약하였다. 대부 杞殖(杞梁)과 華還(華周)이 수레
에 甲士를 싣고 밤에 且于의 小路로 들어가 莒나라의 교외에 노숙하였다. 다음날 杞殖과 華還이 선발
대로 가다가 蒲侯氏에서 莒子(莒나라 임금)가 거느린 大軍을 만났다. 莒子는 이들에게 많은 뇌물을 주
고 大軍과 무모한 싸움으로 죽지 말라고 설득하여 말하기를 '결맹하기를 청한다.' 하였다. 華周가 대답
하기를 '재물을 탐하여 君命을 버리는 것은 임금께서도 싫어하실 것입니다. 어제 저녁에 군주의 命을 받
고 해가 중천에 뜨기도 전에 그 命을 버린다면 어찌 임금을 섬길 수 있겠습니까?' 하였다. 莒子가 친히
북을 치며 齊나라 군대를 추격하여 杞梁을 죽였다. 莒人이 齊나라와 화친하였다. 齊侯가 돌아올 적에
남편의 영구를 맞이하러 나온 杞梁의 아내를 교외에서 만나자 사람을 보내어 조문하였다. 杞梁의 아
내가 齊侯의 조문을 사절하며 말하기를 '남편에게 죄가 있다면 감히 임금님의 조문을 받겠습니까. 만
약 죄가 없다면 先人의 낡은 집이 있으니 賤妾은 賤者가 받는 교외에서의 조문을 받을 수 없습니다.'
하니, 齊侯가 그 집으로 가서 조문하였다.〔齊侯還自晉 不入 遂襲莒 門于且于 傷股而退 明日 將復
戰 期于壽舒 杞殖華還載甲 夜入且于之隧 宿於莒郊 明日 先遇莒子於蒲侯氏 莒子重賂之 使無死
曰 請有盟 華周對曰 貪貨棄命 亦君所惡也 昏而受命 日未中而棄之 何以事君 莒子親鼓之 從而伐
之 獲杞梁 莒人行成 齊侯歸 遇杞梁之妻於郊 使弔之 辭曰 殖之有罪 何辱命焉 若免於罪 猶有先
人之敝廬在 下妾不得與郊弔 齊侯弔諸其室〕"하였다. 또 劉向의 《說苑》〈善說〉에는 "華舟와 杞梁
이 전투하다가 죽었는데, 그 처가 슬퍼하여 城을 향해 곡하니, 이로 인해 성벽 모퉁이가 무너지고 성벽
이 무너졌다.〔華舟杞梁戰而死 其妻悲之 向城而哭 隅爲之崩 城爲之阤〕"라고 보인다. 華舟 역시 華
周를 칭한 것이다.

··· 莒 땅이름 거 哭 울 곡

者라 할 수 없다고 기롱한 것이다.

6-6. 曰 孔子爲魯司寇러시니 不用하고 從而祭에 燔肉이 不至어늘 不稅
(脫)冕而行하시니 不知者는 以爲爲肉也라하고 其知者는 以爲爲無禮也
라하니 乃孔子則欲以微罪行하사 不欲爲苟去하시니 君子之所爲를 衆人
이 固不識也니라

孟子께서 말씀하셨다. "孔子께서 魯나라의 司寇가 되셨는데, 〈말씀이〉 쓰이지 않고
뒤이어 제사함에 제사고기가 이르지 않자 면류관을 벗지 않고 떠나가시니, 孔子를 알지
못하는 자들은 고기 때문에 떠났다고 말하고, 孔子를 안다고 하는 자들은 無禮하기
때문이라고 말하였다. 그러나 孔子께서는 하찮은 罪를 구실삼아 떠나고자 하여 구차
히 떠나려고 하지 않으신 것이니, 君子가 하는 바를 衆人들은 진실로 알지 못하는 것이
다."

按說 | '從而祭'에 대하여, 壺山은

從은 繼(뒤이어)와 같다.〔從 猶繼也〕

하였다.
'孔子則欲以微罪行'에 대하여, 楊伯峻은 閻若璩의 說을 취하여 "孔子께서는 작은 죄
를 스스로 지고 떠나고자 하셨다."라고 번역하였다. 閻若璩는《四書釋地續》에서《史
記》〈樂毅列傳〉에

忠臣은 나라를 떠날 적에 자기 이름을 깨끗하게 하지 않는다.〔忠臣去國 不潔其名〕

한 것과《禮記》〈曲禮下〉에

大夫와 士는 나라를 떠나가되……다른 사람에게 자신은 죄가 없다고 말하지 않는다.〔大夫
士去國……不說人以無罪〕

한 것을 인용하여, 孔子 자신도 죄를 분담하고자 한 것이라 하였다.

··· 寇 도적 구 燔 구울 번 稅 벗을 탈(脫通) 冕 면류관 면

集註 | 按史記컨대 孔子爲魯司寇하사 攝行相事하시니 齊人이 聞而懼하여 於是에 以女樂遺魯君한대 季桓子與魯君으로 往觀之하고 怠於政事어늘 子路曰 夫子可以行矣니이다 孔子曰 魯今且郊하니 如致膰(燔)⁷⁵⁵于大夫면 則吾猶可以止라하시더니 桓子卒受齊女樂하고 郊又不致膰肉于大夫어늘 孔子遂行하시니라 孟子言 以爲爲肉者는 固不足道요 以爲爲無禮도 則亦未爲深知孔子者라 蓋聖人이 於父母之國에 不欲顯其君相之失하시고 又不欲爲無故而苟去라 故로 不以女樂去而以膰肉行하시니 其見幾明決而用意忠厚하시니 固非衆人所能識也라 然則孟子之所爲를 豈髡之所能識哉리오

《史記》를 상고해 보면 "孔子가 魯나라의 司寇가 되어 정승의 일을 代行하시니, 齊나라 사람들이 이를 듣고 두려워하여 이에 女樂(미모의 舞姬)을 魯나라 군주에게 보내주었다. 季桓子가 魯나라 군주와 함께 가서 이를 구경하고는 정사에 태만하니, 子路가 '夫子께서 떠날 만하십니다.' 하고 말하였다. 孔子께서 말씀하시기를 '魯나라가 지금 장차 郊祭를 지낼 것이니, 만일 제사고기를 大夫에게 보내준다면 내 오히려 걸음을 멈출 수 있다.' 하셨는데, 季桓子가 마침내 齊나라의 女樂을 받고 郊祭에 또 제사고기를 大夫들에게 보내주지 않자 孔子께서 마침내 떠나셨다." 하였다.

孟子께서 말씀하시기를 "고기 때문이라고 말한 자들은 진실로 말할 것이 못되고, 無禮하기 때문이라고 말한 자들도 또한 孔子를 깊이 안 자가 되지 못한다. 聖人은 父母의 나라에 대해 그 군주와 재상의 過失을 드러내고자 하지 않으셨고, 또 연고(이유)없이 구차히 떠나려고 하지 않으셨다. 그러므로 女樂 때문에 떠나지 않고 제사고기를 구실삼아 떠나셨으니, 그 幾微를 보고 밝게 알아 결단하였으며 뜻을 씀이 忠厚하시니, 진실로 衆人들이 알 수 있는 바가 아니다."라고 하신 것이다. 그렇다면 孟子께서 하신 바를 어찌 淳于髡이 알 수 있겠는가.

章下註 | ○尹氏曰 淳于髡이 未嘗知仁하고 亦未嘗識賢也하니 宜乎其言若是로다

○尹氏(尹焞)가 말하였다. "淳于髡은 일찍이 仁을 알지 못하였고 또한 일찍이 賢者를 알지 못했으니, 그 말이 이와 같음이 당연하다."

---

755 膰(燔): 楊伯峻은 "제사고기를 胙, 脤, 福肉(飲福 고기), 釐肉이라고도 한다." 하였다.

••• 攝 대신할섭 相 정승상 遺 줄유 郊 천제교 膰 제사고기번 幾 기미기

7-1. 孟子曰 五霸者는 三王之罪人也요 今之諸侯는 五霸之罪人也요 今之大夫는 今之諸侯之罪人也니라

孟子께서 말씀하셨다. "五霸는 三王의 죄인이요, 지금의 諸侯들은 五霸의 죄인이요, 지금의 大夫들은 지금 諸侯의 죄인이다.

> 集註 | 趙氏曰 五霸는 齊桓, 晉文, 秦穆, 宋襄, 楚莊也⁷⁵⁶요 三王은 夏禹, 商湯, 周文武也니라
>
> 丁氏曰 夏昆吾와 商大彭, 豕韋⁷⁵⁷와 周齊桓, 晉文을 謂之五霸라하니라
>
> 趙氏(趙岐)가 말하였다. "五霸는 齊나라 桓公, 晉나라 文公, 秦나라 穆公, 宋나라 襄公, 楚나라 莊王이다. 三王은 夏나라의 禹王, 商나라의 湯王, 周나라의 文王·武王이다."
>
> 丁氏(丁公著)가 말하였다. "夏나라의 昆吾, 商나라의 大彭과 豕韋, 周나라의 齊桓公과 晉 文公을 五霸라 이른다."

7-2. 天子適諸侯曰巡狩요 諸侯朝於天子曰述職이니 春省耕而補不足하며 秋省斂而助不給하나니 入其疆하니 土地辟(闢)하며 田野治하며 養老尊賢하며 俊傑이 在位하면 則有慶이니 慶以地하고 入其疆하니 土地荒蕪하며 遺老失賢하며 掊克이 在位하면 則有讓이니 一不朝則貶其爵하고 再不朝則削其地하고 三不朝則六師로 移之라 是故로 天子는 討而不伐하고 諸侯는 伐而不討하나니 五霸者는 摟諸侯하여 以伐諸侯者也라 故로 曰 五霸者는 三王之罪人也라하노라

---

756 五霸……楚莊也:楊伯峻은 五霸에 대해 네 가지 說을 소개하였다. 첫째 說은 夏나라의 昆吾氏, 殷商의 大彭氏와 韋豕氏, 周나라의 齊 桓公과 晉 文公이고,《白虎通》〈號〉) 둘째 說은 齊 桓公, 晉 文公, 秦 穆公, 楚 莊王, 吳王 闔閭이고,《白虎通》〈號〉) 셋째 說은 齊 桓公, 晉 文公, 秦 穆公, 宋 襄公, 楚 莊王이고,《白虎通》〈號〉와 趙岐 註) 넷째 說은 齊 桓公, 晉 文公, 楚 莊王, 吳王 闔閭, 越王 勾踐이다.《荀子》〈王霸篇〉) 이 篇 6장에 "秦 穆公은 그(百里奚)를 등용하여 霸者가 되었다.〔秦 穆公 用之而霸〕" 한 것을 들어 楊伯峻은 秦 穆公이 포함된 둘째 說과 셋째 說이 孟子의 뜻에 맞는 것으로 보았다.

757 豕韋:다른 본에는 대부분 '韋豕'로 표기되어 있으며, 楊伯峻도 '韋豕'로 표기하였다.

··· 霸 으뜸 패 穆 화목할 목 襄 멍에양 昆 맏곤 彭 성팽 豕 돼지 시 韋 가죽 위 適 갈 적 巡 순행할 순 狩 순행할 수 斂 거둘 렴 給 넉넉할 급 疆 지경 강 辟 개간할 벽 慶 상줄 경 荒 거칠 황 蕪 황폐할 무 掊 거둘 부 克 세금많이거둘 극 讓 꾸짖을 양 貶 낮출 폄 摟 끌 루

天子가 諸侯國에 가는 것을 巡狩라 하고 諸侯가 天子에게 조회 가는 것을 述職이라 하니, 봄에는 경작하는 상태를 살펴 부족한 자를 보조해주고, 가을에는 수확하는 상태를 살펴 부족한 자를 보조해 준다. 〈天子가 諸侯國의〉 경내에 들어갔을 적에 토지가 잘 개간되고 田野가 잘 다스려졌으며 노인을 봉양하고 어진이를 높이며 준걸스러운 자가 지위에 있으면 賞이 있으니 賞은 땅으로 주고, 諸侯國의 경내에 들어갔을 적에 토지가 황폐하며 노인을 버리고 어진이를 잃으며 掊克(가렴주구)하는 자들이 지위에 있으면 꾸짖음이 있다. 〈제후가〉 한 번 조회하지 않으면 그 官爵을 貶하고 두 번 조회하지 않으면 그 땅(領地)을 떼어내고 세 번 조회하지 않으면 六軍을 동원하여 군주를 바꿔 세운다. 그러므로 天子는 죄를 聲討만 하고 征伐하지 않으며, 諸侯는 征伐하기만 하고 聲討하지 못한다. 그런데 五霸는 諸侯를 이끌어 諸侯를 정벌한 자들이다. 그러므로 〈내가〉 '五霸는 三王의 죄인'이라고 말하는 것이다.

集註 | 慶은 賞也니 益其地以賞之也라 掊克은 聚斂也라 讓은 責也라 移之者는 誅其人而變置之也라 討者는 出命以討其罪하고 而使方伯連帥(수)[758]로 帥(솔)諸侯以伐之也라 伐者는 奉天子之命하여 聲其罪而伐之也라 摟는 牽也라 五霸牽諸侯하여 以伐諸侯하고 不用天子之命也라 自入其疆으로 至則有讓은 言巡狩之事요 自一不朝로 至六師移之는 言述職之事라

'慶'은 賞이니, 그 땅(領地)을 더하여 상주는 것이다. '掊克'은 세금을 많이 거두는 것이다. '讓'은 꾸짖음이다. '移之'는 그 군주를 베고 다른 사람으로 바꾸어 두는 것이다. '討'는 명령을 내어 그의 죄를 聲討하고, 方伯과 連帥로 하여금 諸侯를 거느리고 정벌하게 하는 것이다. '伐'은 天子의 명령을 받들어 그의 죄를 聲討하고 정벌하는 것이다. '摟'는 끎이다. 五霸는 諸侯를 이끌어 諸侯를 정벌하였고 天子의 명령을 따르지 않았다. '入其疆'으로부터 '則有讓'까지는 巡狩의 일을 말하였고, '一不朝'로부터 '六師移之'까지는 述職의 일을

---

758 方伯連帥:《禮記》〈王制〉에 "千里의 밖에 方伯을 설치하여, 5國을 속국으로 삼으니 屬에는 長이 있고, 10國을 連으로 삼으니 連에는 帥가 있고, 30國을 卒로 삼으니 卒에는 正이 있고, 210國을 州로 삼으니 州에는 伯이 있어, 8州에는 8伯과 56正, 168帥와 336長이 있다.〔千里之外 設方伯 五國以爲屬 屬有長 十國以爲連 連有帥 三十國以爲卒 卒有正 二百一十國以爲州 州有伯 八州八伯 五十六正 百六十八帥 三百三十六長〕"라고 보인다. 方伯은 諸侯 중의 우두머리로, 東方에는 東伯이 있고 西方에는 西伯이 있고 南方과 北方에도 각각 南伯과 北伯이 있었다. 連帥는 연합국의 총수인데, 후대에는 道伯을 方伯, 兵使를 連帥라 칭하였다.

··· 斂 거둘 렴 牽 끌 견

말하였다.

7-3. 五霸에 桓公이 爲盛하더니 葵丘之會에 諸侯束牲載書而不歃血하고 初命曰 誅不孝하며 無易(역)樹子하며 無以妾爲妻라하고 再命曰 尊賢育才하여 以彰有德이라하고 三命曰 敬老慈幼하며 無忘賓旅라하고 四命曰 士無世官하며 官事無攝하며 取士必得하며 無專殺大夫라하고 五命曰 無曲防하며 無遏糴(적)하며 無有封而不告라하고 曰 凡我同盟之人은 旣盟之後에 言歸于好라하니 今之諸侯 皆犯此五禁하나니 故로 曰 今之諸侯는 五霸之罪人也라하노라

五霸 중에 桓公이 가장 성하였는데, 葵丘의 會盟에 諸侯들이 희생을 묶어 그 위에 맹약서를 올려놓고는 피를 마시지 않고, 첫 번째로 명령하기를 '不孝하는 자를 처벌하며 세운 아들(世子)을 바꾸지 말며 妾을 아내로 삼지 말라.' 하고, 두 번째로 명령하기를 '어진이를 높이고 인재를 길러서 德이 있는 이를 표창하라.' 하고, 세 번째로 명령하기를 '노인을 공경하고 어린이를 사랑하며 손님과 나그네를 잊지 말라.' 하고, 네 번째로 명령하기를 '선비는 대대로 벼슬시키지 말며 관청의 일을 겸직시키지 말며 선비를 취함에 반드시 〈적임자를〉 얻으며 마음대로 大夫를 죽이지 말라.' 하고, 다섯 번째로 명령하기를 '제방을 굽게 쌓지 말며 쌀을 수입해 가는 것을 막지 말며 大夫를 봉해 주고서 天子에게 고하지 않는 일이 없도록 하라.' 하고, 말하기를 '무릇 우리 同盟한 사람들은 이미 盟約한 뒤에 〈맹약을 잘 지켜〉 우호로 돌아가도록 하자.' 하였다. 그런데 지금의 諸侯들은 모두 이 다섯 가지 금지하는 것을 범한다. 그러므로 내가 '지금 諸侯들은 五霸의 죄인'이라고 말하는 것이다.

按說 | '無曲防'에 대하여, 《集註》의 해석은 '굽게 제방을 만들지 말며〔不得曲爲隄防〕'인데, 官本諺解에는 '防을 曲히 말며'로, 栗谷諺解에는 '曲히 防티 말며'로 해석하였다. 이에 대하여 壺山은

官本諺解의 해석은 이 註와 위반된다.〔諺釋 有違於此註〕

··· 葵 아욱 규 牲 짐승 생 歃 마실 삽 樹 세울 수 彰 드러낼 창 旅 나그네 려 遏 막을 알 糴 쌀사들일 적

하였다. 楊伯峻은

> 대체로 당시의 제후들은 각각 제방을 쌓아 홍수가 나면 이웃 나라를 골짜기로 삼고, 가뭄이
> 들면 오로지 자기 나라만 마음대로 물을 이용하여 이웃 나라가 재난을 받게 하였다.……'曲'
> 은 '두루[遍]'의 뜻이다.

하고, '無曲防'을 '여기저기 도처에 제방을 쌓지 말라.'로 번역하였다.

'無易樹子'에 대하여, 《集註》에 '이미 世子를 세웠으면 마음대로 바꿀 수 없는 것이다.'
라고 하였고, 諺解에는 '樹흔 子를 易디 말며'로 해석하였다. 壺山은

> '易樹子'에 대한 諺解의 해석은 '세운 바의 아들(太子)을 바꾸는 것'으로 되었으니, 이 註에
> 집착한 것이다. 그러나 文勢는 아마도 '그 아들(世子)을 바꿔 세우다.[易樹其子]'로 읽어야
> 할 듯하다.[易樹子 諺釋作易其所樹子 蓋泥於此註也 然文勢恐當作易樹其子]

하였다.

'言歸于好'는 '友好로 돌아간다'는 뜻으로, '言'은 助辭이다. 友好로 돌아간다는 것은
맹약한 제후들이 약속한 내용을 위반하여 토벌당하는 일이 없음을 이른다.

集註ㅣ按春秋傳컨대 僖公九年癸丘[759]之會에 陳牲而不殺[760]하고 讀書加於牲上[761]
하여 壹明天子之禁[762]하니라 樹는 立也니 已立世子를 不得擅易이라 初命三事는 所

---

759 癸丘 : 楊伯峻은 "春秋時代 宋나라에 속한 지명으로 지금의 河南省 考城縣 동쪽 30리이다." 하였다.

760 陳牲而不殺 : 不殺은 짐승을 잡기만 하고 피를 마시지 않는 것으로, 《春秋穀梁傳》范甯의 集解에 "이
것이 이른바 '피를 마시지 않는 맹약[無歃血之盟]'이란 것이다." 하였다. 新安陳氏(陳櫟)는 "위엄과 信
義로 사람들을 복종시켜서 피를 마셔 맹약할 필요가 없는 것이다.[威信服人 無事歃血]" 하였다.

761 讀書加於牲上 : '讀書'를 名詞로 보아 읽어야 할 規約書로 보기도 한다. 이에 대하여 沙溪(金長生)는
《經書辨疑》에서 "'讀'이 다른 本에는 '匵'로 되어 있다.[讀他本作匵]" 하여, '讀書'를 匵書(상자속의
맹약서)로 볼 수 있음을 말하였으나, 壺山은 "《春秋穀梁傳》본문에 '讀'으로 되어 있으니, 다시 살펴보
아야 한다." 하였다.

762 按春秋傳……壹明天子之禁 : 《春秋穀梁傳》僖公 9년의 經文인 "9월 戊辰日에 諸侯들이 葵丘에서
盟約하였다.[九月戊辰 諸侯盟于葵丘]"의 傳에 "桓公의 맹약에 날짜를 쓰지 않았는데, 여기에서는 어
찌하여 날짜를 기록하였는가. 〈이때의 일을〉 아름답게 여긴 것이요, 天子의 禁令을 나타내려 하였으므
로 자세히 기록한 것이다. 葵丘의 會盟에 犧牲을 진열해 놓기만 하고 피를 마시지 않고서 맹약서를 읽
고 희생 위에 올려놓아 天子의 금지하는 명령을 한번 밝혔으니, 그 맹약서에 이르기를 '흐르는 물을 막
지 말고 쌀 사들이는 것을 막지 말고 이미 세운 아들을 바꾸지 말고 妾을 아내로 삼지 말고 婦人을 國
事에 참여시키지 말라.' 하였다.[桓盟不日 此何以日 美之也 爲見天子之禁 故備之也 葵丘之會 陳牲
而不殺 讀書加于牲上 壹明天子之禁 曰 毋壅泉 毋訖糴 毋易樹子 毋以妾爲妻 毋使婦人與國事]"

··· 僖 즐거울 희 陳 늘어놓을 진 擅 멋대로할 천

以修身正家之要也라 賓은 賓客也요 旅는 行旅也니 皆當有以待之요 不可忽忘也
라 士世祿而不世官⁷⁶³은 恐其未必賢也라 官事無攝은 當廣求賢才以充之요 不可
以闕人廢事也라 取士必得은 必得其人也라 無專殺大夫는 有罪則請命于天子而
後에 殺之也라 無曲防은 不得曲爲隄防하여 壅泉激水하여 以專小利, 病鄰國也라
無遏糴은 鄰國凶荒이어든 不得閉糴也라 無有封而不告者는 不得專封國邑而不告
天子也라

《春秋穀梁傳》을 살펴보면 "僖公 9년 葵丘의 會盟에 희생을 진열해 놓기만 하고 피를 마시
지 않고서 책(맹약서)을 읽고 희생 위에 올려놓아 天子의 금지하는 명령을 한번(크게) 밝혔
다." 하였다. '樹'는 세움이니, 이미 세운 世子를 마음대로 바꿀 수 없는 것이다. 첫 번째 명
령한 세 가지 일은 몸을 닦고 집안을 바로잡는 바의 요점이다. '賓'은 賓客이요 '旅'는 行旅
이니, 모두 마땅히 이들을 대접해야 하고, 경홀히 하고 잊어서는 안 되는 것이다. 선비에게
대대로 祿은 주나 대대로 벼슬시키지 않는 것은 그 자손이 반드시 어질지는 못할까 두려워
해서이다. '관청의 일을 겸직시키지 말라.'는 것은 마땅히 賢才를 널리 구하여 충원시킬 것
이요, 사람이 없다고 하여 일을 폐해서는 안 되는 것이다. '선비를 취함에 반드시 얻는다.'는
것은 반드시 그 적임자를 얻는 것이다. '마음대로 大夫를 죽이지 말라.'는 것은 죄가 있으면
반드시 天子에게 命을 청한 뒤에 죽이는 것이다. '제방을 굽게 쌓지 말라.'는 것은 굽게 제
방을 만들어서 물을 막고 물을 激하게 하여 작은 이익을 독차지해서 이웃나라에 피해를 끼
치지 못하게 하는 것이다. '쌀을 수입해 가는 것을 막지 말라.'는 것은 이웃나라에 흉년이 들
거든 쌀을 수입해 가는 것을 막지 못하게 하는 것이다. '大夫를 봉해주고서 고하지 않음이
없도록 하라.'는 것은 마음대로 國邑을 봉해주고 天子에게 아뢰지 않는 일이 없도록 하는
것이다.

라고 보인다.

763 士世祿而不世官 : 茶山은 "'世祿'은 族과 邑을 하사하여 대대로 그 제사를 받들게 하는 것이니, 이른
바 '땅을 하사하고 그 땅의 이름으로 氏를 명한다.'는 것이다.《春秋左傳》隱公 8년) '世官'은 司徒의
아들이 司徒가 되고 司馬의 아들이 司馬가 되는 것이니, 梅賾의 이른바 '사람을 벼슬시키되 대대로 한
다.'는 것이다.《書經》〈泰誓上〉) 世祿은 先王의 훌륭한 법이고 世官은 亂世의 무너진 법이다.〔世祿者
賜族賜邑 使之世奉其祀 所謂胙之土而命之氏也 世官者 司徒之子爲司徒 司馬之子爲司馬 梅氏所
謂官人以世也 世祿者 先王之美法 世官者 亂世之壞法也〕" 하였다.

… 忽 소홀할 홀 闕 빠질 궐 隄 둑 제 壅 막을 옹 激 부딪칠 격 病 해로울 병 閉 막을 폐

7-4. 長君之惡은 其罪小하고 逢君之惡은 其罪大하니 今之大夫 皆逢君之惡하나니 故로 曰 今之大夫는 今之諸侯之罪人也라하노라

君主의 惡을 助長함은 그 죄가 작고 君主의 惡을 미리 맞춰줌은 그 죄가 크니, 지금 大夫들은 모두 군주의 惡을 미리 맞춰준다. 그러므로 내가 지금 大夫들은 지금 諸侯의 죄인이라고 말하는 것이다."

按說 │ 위의 내용에 대하여, 南軒張氏(張栻)는

군주의 악을 밖에서 조장함은 그 죄가 보기가 쉽고, 군주의 악을 안에서 미리 맞춰줌은 그 간악함을 알기 어려우니, 보기 쉬운 것은 폐해가 오히려 적고 알기 어려운 것은 폐해를 이루 말할 수 없다. 군주의 악을 미리 맞춰준다고 한 것은 小人의 情狀을 지극히 표현했다고 말할 만하다.〔長君惡於外者 其罪易見 逢君惡於內者 其慝難知 易見者 害猶淺 難知者 害不可言也 逢君之惡云者 可謂極小人之情狀矣〕

하였다. 慶源輔氏(輔廣)는

임금의 악을 조장하는 자는 無能하면서 나약하고 아첨하는 자이고, 임금의 악을 안에서 미리 맞춰주는 자는 재주가 있으면서 마음씀이 험악하고 陰邪한 자이다.〔長君之惡者 無能而巽懦阿諛之人也 逢君之惡者 有才而傾險陰邪之人也〕

하였다.

集註 │ 君有過에 不能諫하고 又順之者는 長君之惡也요 君之過未萌에 而先意導之者는 逢君之惡也라

군주가 과실이 있을 적에 간하지 못하고 또 그대로 순종함은 군주의 惡을 助長하는 것이요, 군주의 과실이 아직 싹트지 않았는데 뜻에 앞서서 인도함은 군주의 惡을 미리 맞춰주는 것이다.

··· 長 자랄 장 逢 맞이할 봉 萌 싹틀 맹

章下註 | ○林氏曰 邵子有言호되 治[764]春秋者 不先治[765]五霸之功罪면 則事無統理하여 而不得聖人之心이라 春秋之間에 有功者未有大於五霸요 有過者亦未有大於五霸라 故로 五霸者는 功之首요 罪之魁也라하니 孟子此章之義 其亦若此也與인저 然이나 五霸得罪於三王하고 今之諸侯得罪於五霸는 皆出於異世라 故로 得以逃其罪어니와 至於今之大夫하여는 宜得罪於今之諸侯하니 則同時矣로되 而諸侯非惟莫之罪也라 乃反以爲良臣而厚禮之하고 不以爲罪而反以爲功하니 何其謬哉오

○林氏(林之奇)가 말하였다. "邵子(邵雍)가 말씀하기를 '《春秋》를 공부하는 자가 먼저 五霸의 功과 罪를 밝히지 않으면 일이 統理(條理)가 없어서 聖人의 마음을 얻지 못한다. 春秋時代 사이에 功이 있는 자는 五霸보다 더 큰 이가 없고, 잘못이 있는 자 또한 五霸보다 더 큰 이가 있지 않다. 그러므로 五霸는 功의 으뜸이요 罪의 괴수이다.' 하였으니, 《孟子》의 이 章의 뜻도 이와 같을 것이다. 그러나 五霸가 三王에게 죄를 얻고 지금의 諸侯가 五霸에게 죄를 얻은 것은 모두 다른 時代에 나왔기 때문에 그 죄를 도피할 수 있지만, 지금의 大夫에 이르러는 마땅히 지금의 諸侯에게 죄를 얻었으니, 그렇다면 같은 시대인데도 諸侯들이 단지 이들을 죄주지 않을 뿐만 아니라 마침내 도리어 훌륭한 신하라고 생각하여 후하게 예우하며 죄로 삼지 않고 도리어 功으로 삼으니, 어찌 그리도 잘못되었는가."

| �④民章(一戰勝齊章) |

8-1. 魯欲使愼子로 爲將軍이러니

魯나라가 愼子를 將軍으로 삼고자 하였는데,

集註 | 愼子는 魯臣이라

愼子는 魯나라 신하이다.

8-2. 孟子曰 不敎民而用之를 謂之殃民이니 殃民者는 不容於堯舜之

---

764 治 : 壺山은 "學과 같다.〔猶學也〕" 하였다.

765 治 : 壺山은 "明과 같다.〔猶明也〕" 하였다.

⋯ 魁 우두머리 괴 逃 달아날 도 謬 그릇될 류 愼 삼갈 신 殃 재앙 앙

世나라

孟子께서 말씀하셨다. "백성을 가르치지 않고 전쟁에 쓰는 것을 '백성에게 재앙을 입힌다.'고 이르니, 백성에게 재앙을 입히는 자는 堯·舜의 세상에는 용납되지 못하였다.

集註 | 教民者는 教之禮義하여 使知入事父兄하고 出事長上也라 用之는 使之戰也라

'백성을 가르친다.'는 것은 백성들에게 禮義를 가르쳐서 들어가서는 父兄을 섬기고 나와서는 長上을 섬길 줄 알게 하는 것이다. '用之'는 그들로 하여금 싸우게 하는 것이다.

8-3. 一戰勝齊하여 遂有南陽이라도 然且不可하니라

한 번 싸워 齊나라를 이겨서 마침내 南陽을 소유하더라도 이것도 不可하다."

集註 | 是時에 魯蓋欲使愼子伐齊하여 取南陽[766]也라 故로 孟子言 就使愼子善戰하여 有功如此라도 且猶不可라하시니라

이때에 魯나라가 아마도 愼子로 하여금 齊나라를 정벌하여 南陽을 점령하고자 한 듯하다. 그러므로 孟子께서 말씀하시기를 "가령 愼子가 전쟁을 잘하여 功을 이와 같이 세운다 하더라도 오히려 不可하다."고 하신 것이다.

8-4. 愼子勃然不悅曰 此則滑釐(골리)所不識也로소이다

愼子가 勃然히 기뻐하지 않으며 말하였다. "이것은 제(滑釐)가 알지 못하는 바입니다."

集註 | 滑釐는 愼子名이라

---

766 南陽 : 沙溪(金長生)는 任茂叔(任叔英)이 "南陽은 南武陽을 줄여 쓴 글인 듯하다. 南武陽은 본래 顓臾의 옛 땅이니, 春秋時代에 魯나라에 속했는데 그 뒤에 미약해져 齊나라에 빼앗겼는가 보다.〔南陽恐是南武陽之省文也 南武陽本顓臾故地 春秋屬魯 其後微弱 抑爲齊所奪乎〕" 한 것을 인용하였다.《經書辨疑》) 楊伯峻은 "바로 汶陽이니, 泰山의 서남쪽, 汶水의 북쪽에 있다. 春秋時代에 魯나라와 齊나라가 다투었던 지역으로, 본래 魯나라에 속하였으나 뒤에 점차 齊나라에 빼앗겼다." 하였다.

··· 遂 마침내 수 就 가령 취 勃 변색할 발, 성낼 발 滑 어지러울 골 釐 바로잡을 리

滑釐는 愼子의 이름이다.

8-5. 曰 吾明告子호리라 天子之地 方千里니 不千里면 不足以待諸侯요 諸侯之地 方百里니 不百里면 不足以守宗廟之典籍이니라

孟子께서 말씀하셨다. "내 분명히 그대에게 말해 주겠다. 天子의 땅은 方千里이니 千里가 못되면 諸侯를 대접할 수 없고, 諸侯의 땅은 方百里이니 百里가 못되면 宗廟의 典籍을 지킬 수 없다.

集註 | 待諸侯는 謂待其朝覲聘問之禮라 宗廟典籍[767]은 祭祀會同之常制也라

'諸侯를 대접한다.'는 것은 朝會하고 聘問하는 禮에 대접함을 이른다. '宗廟의 典籍'은 祭祀하고 會同하는 떳떳한 제도이다.

8-6. 周公之封於魯에 爲方百里也니 地非不足이로되 而儉於百里하며 太公之封於齊也에 亦爲方百里也니 地非不足也로되 而儉於百里하니라

周公이 魯나라에 봉해질 적에 方百里였으니 땅이 부족하지 않았으나 百里에 제한하였고, 太公이 齊나라에 봉해질 적에 또한 方百里였으니 땅이 부족하지 않았으나 百里에 제한하였다.

集註 | 二公이 有大勳勞於天下로되 而其封國이 不過百里하니라 儉은 止而不過之意也라

두 公이 天下에 큰 공로가 있었는데도 그 봉해 준 나라가 百里를 넘지 않았다. '儉'은 그치고 지나치지 않는 뜻이다.

---

767 宗廟典籍:壺山은 "무릇 나라의 典籍을 宗廟에 두므로 宗廟의 典籍이라고 한 것인가? 또《集註》에 '之'字를 빼버린 뜻을 미루어보면 宗廟와 典籍이라고 말할 수 있는가?〔凡國之典籍 藏於宗廟 故謂之 宗廟之典籍歟 又以集註去之字意推之 抑謂宗廟與典籍歟〕"하였다.

⋯ 待 대접할 대 籍 서적 적 覲 뵐 근 聘 빙문할 빙 儉 제한할 검

8-7. 今魯는 方百里者五니 子以爲有王者作인댄 則魯在所損乎아 在所益乎아

지금 魯나라는 方百里되는 것이 다섯이니, 그대가 생각하건대 王者가 나온다면 魯나라는 덜어내야 할 쪽에 있겠는가? 보태주어야 할 쪽에 있겠는가?

按說 | '今魯 方百里者五'에 대하여, 趙岐는

지금 魯나라는 5백 리이다.〔今魯乃五百里〕

하였는데, 茶山은

開方으로는 2백여 리를 넘지 못하니, 趙岐의 註는 잘못이다.〔開方不得過二百里有餘 趙注誤〕

하였다. 이로 미루어 보면, 趙岐는 땅의 한 변의 길이를 500리로 보아 그 넓이를 500×500 즉 250,000으로 보았고, 반면 茶山은 方百里(한 변의 길이가 100리)인 땅이 다섯인 것으로 보아 그 넓이를 100×100×5 즉 50,000으로 보았는바, 이때 땅의 한 변의 길이를 구하면 약 224리이므로 '2백여 리를 넘지 못한다.'라고 한 것이다.

'在所損乎 在所益乎'는 '덜어내야 할 對象(입장)에 있겠는가? 더 보태주어야 할 대상에 있겠는가?'를 물은 것으로, '在'는 '有'와 달리 어느 쪽에 있음을 뜻한다.

集註 | 魯地之大는 皆幷吞小國而得之니 有王者作이면 則必在所損矣리라

魯나라 땅이 커짐은 모두 작은 나라들을 幷吞하여 얻은 것이니, 王者가 나온다면 반드시 덜어내야 할 쪽에 있을 것이다.

8-8. 徒取諸彼하여 以與此라도 然且仁者不爲은 況於殺人以求之乎아

한갓 저기에서 취하여 여기에 준다 하더라도 이것도 仁者는 하지 않는데, 하물며 사람을 죽이면서 구하겠는가.

··· 呑 삼킬 탄 徒 한갓 도

集註 | 徒는 空也니 言不殺人而取之也라

'徒'는 한갓(거저)이니, 사람을 죽이지 않고 취함을 말한다.

8-9. 君子之事君也는 務引其君以當道하여 志於仁而已니라

君子가 군주를 섬김은 힘써(되도록) 그 군주를 이끌어 道에 합당하게 하여 仁에 뜻하게 할 뿐이다."

集註 | 當道는 謂事合於理요 志仁은 謂心在於仁이라

'當道'는 일이 이치에 합함을 이르고, '志仁'은 마음이 仁에 있음을 이른다.

|民賊章(輔桀章)|

9-1. 孟子曰 今之事君者曰 我能爲君하여 辟(闢)土地하며 充府庫라하나니 今之所謂良臣이요 古之所謂民賊也라 君不鄕(向)道하여 不志於仁이어든 而求富之하니 是는 富桀也니라

孟子께서 말씀하셨다. "지금 군주를 섬기는 자들이 말하기를 '내 능히 군주를 위하여 土地를 개간하며 府庫를 충실히 할 수 있다.'라고 하니, 지금에 이른바 '훌륭한 신하'요 옛날에 이른바 '백성의 賊'이라는 것이다. 군주가 道를 향하지 않아 仁에 뜻을 두지 않는데 그를 富하게 하려고 하니, 이것은 桀王을 부유하게 하는 것이다.

集註 | 辟은 開墾也라

'辟'은 개간함이다.

9-2. 我能爲君하여 約與國하여 戰必克이라하나니 今之所謂良臣이요 古之所謂民賊也라 君不鄕道하여 不志於仁이어든 而求爲之强戰하니 是는 輔桀也니라

··· 辟 개간할 벽 鄕 향할 향(向通) 墾 개간할 간 約 약속할 약 强 억지로 강

〈지금 군주를 섬기는 자들이 말하기를〉 '내 능히 군주를 위하여 與國(동맹국)과 盟約하여 전쟁을 하면 반드시 승리할 수 있다.'라고 하니, 지금에 이른바 '훌륭한 신하'요 옛날에 이른바 '백성의 賊'이라는 것이다. 군주가 道를 향하지 않아 仁에 뜻을 두지 않는데 그를 위하여 힘써 전쟁을 하려고 하니, 이것은 桀王을 도와주는 것이다.

按説 │ 新安陳氏(陳櫟)는

앞의 節은 바로 군주를 위해 나라를 부유하게 해서 아래 백성들을 긁어모아 윗사람을 받드는 자이고, 이 節은 군주를 위해 군대를 强하게 해서 싸움에 승리하고 공격하여 빼앗는 자이니, 暴君의 훌륭한 신하는 진실로 治世(다스려진 세상)에 백성의 적인 것이다. 능히 군주를 인도하여 道로 향하게 하고 仁에 뜻을 두게 하지 못하고, 不道와 不仁으로써 군주를 인도함은 桀王을 도와 포학한 짓을 하게 하는 자이다.〔前是爲君富國 剝下奉上者 此是爲君强兵 戰勝攻取者 暴君之良臣 實治世之民賊 不能引君鄕道志仁 而導以不道不仁 助桀爲虐者也〕

하였다.

集註 │ 約은 要結也라 與國은 和好相與之國也라

'約'은 要結(盟約)이다. '與國'은 우호하여 서로 친한 나라이다.

9-3. 由今之道하여 無變今之俗이면 雖與之天下라도 不能一朝居也라

지금의 道를 따라 지금의 풍속을 바꾸지 않는다면, 비록 천하를 준다 하더라도 하루아침도 차지할 수 없을 것이다."

集註 │ 言 必爭奪而至於危亡也라

반드시 쟁탈하여 危亡에 이름을 말씀한 것이다.

··· 奪 빼앗을 탈

|吾欲二十而取一章(貉道章)|

10-1. 白圭曰 吾欲二十而取一하노니 何如하니잇고

白圭가 말하였다. "나는 〈租稅를〉 20분의 1을 취하고자 하는데 어떻습니까?"

集註 | 白圭는 名丹이니 周人也라 欲更(경)稅法하여 二十分而取其一分하니라 林氏曰 按史記컨대 白圭能薄飮食하고 忍嗜欲하여 與童(僮)僕同苦樂하며 樂觀時變하여 人棄我取하고 人取我與하여 以此居積致富[768]하니 其爲此論은 蓋欲以其術로 施之國家也니라

白圭는 이름이 丹이니, 周나라 사람이다. 稅法을 변경하여 20분의 1을 취하고자 한 것이다. 林氏(林之奇)가 말하였다. "《史記》〈貨殖列傳〉을 상고해 보면 '白圭가 음식을 박하게 하고 嗜欲을 참아서 종들과 苦樂을 함께하였으며, 시세의 변화를 관찰하기 좋아하여 남들이 버리면 자신은 취하고 남들이 취하면 자신은 주어서 이로써 재물을 쌓아 致富하였다.' 하였으니, 그가 이러한 의논을 한 것은 이 방법을 국가에 시행하고자 한 듯하다."

10-2. 孟子曰 子之道는 貉(貊)道也로다

孟子께서 말씀하셨다. "그대의 방법은 오랑캐의 道이다.

集註 | 貉[769]은 北方夷狄之國名也라

---

768 按史記……以此居積致富:《史記》〈貨殖列傳〉에 "白圭는 周나라 사람이다. 魏 文侯의 때를 당하여 李克(이극)은 地力을 다하는 것을 힘쓰고 白圭는 시대의 변화를 관찰하기를 좋아하였다. 그러므로 남이 버리면 자신은 취하고 남이 취하면 자신은 주었다.……飮食을 박하게 하고 嗜欲을 참고 의복을 절약하여 일하는 종들과 苦樂을 함께하고, 시세에 맞추기를 猛獸와 猛禽이 새를 잡듯이 하였다. 그러므로 말하기를 '내가 生業을 다스림은 伊尹과 呂尙의 계책과 孫子와 吳子의 用兵과 商鞅의 法을 행하는 것과 같다. 이 때문에 그 지혜가 함께 임기응변할 만하지 못하고 용맹이 결단하지 못하고 인자함이 남에게 주지 못하고 强함이 지키는 바가 있지 못하면, 비록 나의 방법을 배우고자 하더라도 끝내 말해주지 않는다.' 하였으니, 천하에서 생업을 다스림을 말하는 자들이 白圭를 원조로 했다.〔白圭 周人也 當魏文侯時 李克務盡地力 而白圭樂觀時變 故人棄我取 人取我與……能薄飮食 忍嗜欲 節衣服 與用事僮僕同苦樂 趨時若猛獸摯鳥之發 故曰 吾治生産 猶伊尹呂尙之謀 孫吳用兵 商鞅行法 是也 是故 其智不足與權變 勇不足以決斷 仁不能以取予 强不能有所守 雖欲學吾術 終不告之矣 蓋天下言治生 祖白圭〕" 하였다.

769 貉:茶山은 "'濊貉'은 지금 盛京(瀋陽)의 북쪽 開原縣이 바로 그 本地이다.〔濊貉者 今盛京之北開原

··· 圭 홀 규 更 바꿀 경 童 종 동(僮同) 僕 종 복 居 쌓을 거 貉 오랑캐 맥(貊同)

貉은 北方 夷狄의 나라 이름이다.

10-3. 萬室之國에 一人이 陶則可乎아 曰 不可하니 器不足用也니이다

萬室(萬戶)의 나라에 한 사람이 질그릇을 구우면 되겠는가?"
白圭가 말하였다. "不可하니, 그릇을 충분히 쓸 수 없습니다."

集註 | 孟子設喩以詰圭에 而圭亦知其不可也라

孟子께서 비유를 베풀어 白圭를 힐난하시자, 白圭 또한 그 不可함을 안 것이다.

10-4. 曰 夫貉은 五穀이 不生하고 惟黍生之하나니 無城郭宮室宗廟祭祀之禮하며 無諸侯幣帛饔飧하며 無百官有司라 故로 二十에 取一而足也니라

孟子께서 말씀하셨다. "貉國은 五穀이 자라지 않고 오직 기장만이 자라니, 城郭과 宮室과 宗廟와 祭祀의 禮가 없으며 諸侯들과 폐백을 교환하고 음식을 대접하는 일이 없으며 百官과 有司가 없다. 그러므로 20분의 1만 취하여도 충분한 것이다.

按說 | '黍'에 대하여, 楊伯峻은

黍(찰기장)는 찰기가 있는 것인데 아마도 여기서는 찰기가 없는 기장인 稷(메기장)을 가리킨 듯하다.

하였다.

集註 | 北方은 地寒하여 不生五穀하고 黍早熟이라 故로 生之라 饔飧은 以飲食饋客之禮也라

北方은 땅이 추워서 五穀이 자라지 못하고 기장은 일찍 익기 때문에 생산된다. '饔飧'은 음

縣 卽其本地也)" 하였다.

··· 陶 질그릇구울 도 詰 힐문할 힐 黍 기장 서 郭 성곽 곽 饔 아침밥 옹 飧 저녁밥 손 饋 먹일 궤(饋同)

식을 손님에게 먹이는 禮이다.

10-5. 今에 居中國하여 去人倫하며 無君子면 如之何其可也리오

지금 中國에 거주하면서 人倫을 버리고 君子(벼슬아치)가 없다면 어찌 可하겠는가.

集註 | 無君臣祭祀交際之禮면 是去人倫이요 無百官有司면 是無君子라

君臣과 祭祀와 交際하는 禮가 없다면 이는 人倫을 버리는 것이요, 百官과 有司가 없다면 이는 君子가 없는 것이다.

10-6. 陶以寡라도 且不可以爲國이온 況無君子乎아

질그릇이 너무 적더라도 나라를 다스릴 수 없는데, 하물며 君子가 없음에랴.

按說 | '陶以寡'에 대하여, 壺山은

위의 '以'字에 굳이 집착할 필요가 없다.〔上以字不必泥〕

하였다. 그러나 '以'는 已와 통하는바, '너무'의 뜻으로 보아도 될 듯하다. 楊伯峻도 "질그릇을 굽는 사람이 너무 적더라도"로 번역하였다.

集註 | 因其辭以折之하시니라

그의 말을 인하여 꺾으신 것이다.

10-7. 欲輕之於堯舜之道者는 大貉에 小貉也요 欲重之於堯舜之道者는 大桀에 小桀也니라

〈조세를〉 堯・舜의 道보다 경감하고자 하는 자는 큰 貉國에 작은 貉國이요, 堯・舜의 道보다 무겁게 하고자 하는 자는 큰 桀王에 작은 桀王이다."

集註ㅣ什一而稅는 堯舜之道也니 多則桀이요 寡則貉이니 今欲輕重之면 則是小貉小桀而已니라

10분의 1의 稅法은 堯·舜의 道이니, 이보다 많으면 桀王이요 적으면 오랑캐의 道이다. 이제 이보다 경감하거나 무겁게 하고자 한다면 이것은 작은 貉國과 작은 桀王일 뿐이다.

|丹之治水章|

11-1. 白圭曰 丹之治水也 愈於禹호이다

白圭가 말하였다. "제(丹)가 물을 다스림이 禹王보다 낫습니다."

集註ㅣ趙氏曰 當時諸侯에 有小水어늘 白圭爲之築堤하여 壅而注之他國하니라

趙氏(趙岐)가 말하였다. "당시 諸侯國에 작은 洪水가 있었는데, 白圭가 이를 위하여 제방을 쌓아 물을 막아 他國으로 주입시켰다."

11-2. 孟子曰 子過矣로다 禹之治水는 水之道也니라

孟子께서 말씀하셨다. "그대가 지나치다(잘못하였다). 禹王이 물을 다스림은 물의 길을 따르신 것이다.

集註ㅣ順水之性也라

물의 성질을 順히 한 것이다.

11-3. 是故로 禹는 以四海爲壑이어시늘 今에 吾子는 以鄰國爲壑이로다

이 때문에 禹王은 四海를 壑(물을 받는 곳)으로 삼으셨는데, 지금 그대는 이웃나라를 壑으로 삼았도다.

集註ㅣ壑은 受水處也라

··· 愈 나을 유 築 쌓을 축 堤 둑 제 壅 막을 옹 注 물댈 주 壑 골짜기 학

'壑'은 물을 받는 곳이다.

11-4. 水逆行을 謂之洚水니 洚水者는 洪水也라 仁人之所惡(오)也니 吾子過矣로다

물이 逆行함을 '洚水'라 이르니 洚水는 洪水이다. 仁人이 미워하는 것이니 그대가 지나치도다."

集註 | 水逆行者는 下流壅塞이라 故로 水逆流니 今乃壅水以害人이면 則與洪水之災로 無異矣니라

'물이 逆行한다'는 것은 下流가 막혔기 때문에 물이 逆流하는 것인데, 이제 도리어 물을 막아서 남을 해친다면 洪水의 재앙과 다를 것이 없다.

│君子不亮章│

12. 孟子曰 君子不亮이면 惡(오)乎執이리오

孟子께서 말씀하셨다. "君子가 성실하지 않으면 어떻게 일을 잡아서 할 수 있겠는가."

集註 | 亮은 信也니 與諒同이라 惡乎執은 言 凡事苟且하여 無所執持也라

'亮'은 信이니, 諒과 같다. '惡乎執'은 모든 일이 苟且하여 잡아 지킬 바가 없음을 말씀한 것이다.

│魯欲使樂正子爲政章(好善優於天下章)│

13-1. 魯欲使樂正子로 爲政이러니 孟子曰 吾聞之하고 喜而不寐호라

魯나라에서 樂正子로 하여금 정사를 다스리게 하려고 하였는데, 孟子께서 말씀하셨다. "내가 이 말을 듣고 기뻐서 잠을 이루지 못했노라."

集註 | 喜其道之得行이라

··· 洚 물가없을 홍(강) 洪 큰물 홍 塞 막을 색 亮 성실할 량 諒 믿을 량 寐 잘 매

그 道가 행해질 수 있음을 기뻐하신 것이다.

13-2. 公孫丑曰 樂正子는 强乎잇가 曰 否라 有知(智)慮乎잇가 曰 否라 多聞識乎잇가 曰 否라

公孫丑가 말하였다. "樂正子는 강합니까?"

孟子께서 말씀하셨다. "아니다."

"지혜와 사려가 있습니까?"

"아니다."

"聞見과 지식이 많습니까?"

"아니다."

集註 | 此三者는 皆當世之所尙이로되 而樂正子之所短이라 故로 丑疑而歷問之하니라

이 세 가지는 모두 당시에 숭상하는 바였으나 樂正子의 부족한 바였다. 그러므로 公孫丑가 의심하여 하나하나(차례로) 물은 것이다.

13-3. 然則奚爲喜而不寐시니잇고

〈公孫丑가 말하였다.〉 "그렇다면 어찌하여 기뻐서 잠을 이루지 못하셨습니까?"

集註 | 丑問也라

公孫丑가 물은 것이다.

13-4. 曰 其爲人也好善이니라

孟子께서 말씀하셨다. "그 사람됨이 善을 좋아한다."

13-5. 好善이 足乎잇가

〈公孫丑가 말하였다.〉 "善을 좋아함이 충분합니까?"

··· 慮 생각할 려 識 알 식

集註 | 丑問也라

公孫丑가 물은 것이다.

13-6. 曰 好善이 優於天下어든 而況魯國乎아

孟子께서 말씀하셨다. "善을 좋아함은 천하를 다스리기에도 충분한데, 하물며 魯나라에 있어서랴.

按說 | '優於天下'에 대하여, 楊伯峻은 '優於治天下(천하를 다스리기에 충분하다.)'의 뜻이라고 하였는바, 《集註》와 크게 다르지 않다.

集註 | 優는 有餘裕也니 言雖治天下라도 尙有餘力也라

'優'는 여유가 있음이니, 비록 천하를 다스리더라도 오히려 餘力이 있음을 말씀한 것이다.

13-7. 夫苟好善이면 則四海之內 皆將輕千里而來하여 告之以善하고

〈爲政者가〉 만일 善을 좋아하면 四海의 안이 모두 장차 千里를 가볍게 여기고 찾아와서 善을 말해주고,

集註 | 輕은 易也니 言不以千里爲難也라

'輕'은 쉬움이니, 千里를 어렵게 여기지 않음을 말한 것이다.

13-8. 夫苟不好善이면 則人將曰 訑訑를 予旣已知之矣로라하리니 訑訑 之聲音顏色이 距人於千里之外하나니 士止於千里之外하면 則讒諂面

··· 優 넉넉할우 裕 넉넉할유 訑 잘난체할 이 距 막을 거

諛之人이 至矣리니 與讒諂面諛之人으로 居면 國欲治인들 可得乎아

만일 善을 좋아하지 않으면 사람들이 장차 말하기를 '잘난 체함을 내 이미 안다.' 할 것이니, 〈위정자의〉 잘난 체하는 음성과 얼굴빛이 사람을 千里 밖에서 막는다. 그리하여 선비가 千里 밖에서 발걸음을 멈춘다면 참소하고 아첨하고 면전에서 비위 맞추는 사람들이 올 것이니, 〈위정자가〉 참소하고 아첨하고 면전에서 비위 맞추는 사람들과 더불어 거처한다면 나라가 다스려지기를 바란들 될 수 있겠는가.'

按說 | '則人將曰'에 대하여, 慶源輔氏(輔廣)는

세상에 이러한 사람 또한 매우 많으나 그들이 지혜롭다고 여기는 것은 바로 어리석음이 되는 것이다. 그러나 그 허물의 시초를 근원해 보면 '내가 이미 안다.'는 뜻이 心中에 싹튼 데에서 연유할 뿐이니, 두려워할 만하지 않겠는가.〔世間此等人亦甚矣 然其所謂智者 乃所以爲愚也 然原其始 則起於予旣已知之之意 萌于中而已 可不畏乎〕

라고 하여 '人'을 不好善之人으로 보았다. 이에 대해 沙溪(金長生)는 다음과 같은 혹자의 말을 인용하여 반론을 제기하였다.

慶源輔氏의 說대로라면 〈經文의〉 '人'字, '曰'字, '予'字, '知'字가 모두 不好善之人에 속하게 된다.……慶源輔氏의 小註는 옳지 않다. 위아래 장의 '好善'과 '不好善'은 모두 爲政者를 가리켜 말한 것이다. 善을 좋아하면 四海의 안이 저와 같고 善을 좋아하지 않으면 사람들이 장차 이와 같이 말할 것이라는 것이다. '人'字를 不好善之人으로 하면 문세를 이루지 못하니, 만일 이 說과 같다면 이 사이에 하필 '則'字를 놓을 것이 있겠는가. 또 '曰'字는 '將'字 다음에 있어서는 안 되고 '訑訑' 다음에 있어야 한다.〔若慶源輔氏說 則人字曰字予字知字 皆屬不好善之人……輔註非是 上下章好善不好善 皆指爲政者言也 好善則四海之內如彼 不好善則人將曰如此云耳 若以人字爲不好善之人 則不成文勢 苟如此說 則其間何必著則字乎 且曰字不當在將字下 而當在訑訑之下矣〕《經書辨疑》

'旣'에 대하여 楊伯峻은

'旣'는 '盡(모두)'의 뜻이다.

··· 讒 참소할 참 諂 아첨할 첨 諛 아첨할 유

하였다. 그러나 '旣已'는 '이미'를 중복으로 나타낸 것으로 '業已'와 같이 사용한다. 만일 '盡'으로 썼다면 '予已旣知之矣'로 표기해야 할 것이다. 楊伯峻의 說은 잘못된 것으로 보인다.

集註 | 訑訑는 自足其智하여 不嗜善言之貌라 君子小人이 迭爲消長하니 直諒多聞[770]之士遠이면 則讒諂面諛之人至는 理勢然也니라

'訑訑'는 자신의 지혜를 스스로 만족히 여겨서 善言을 좋아하지 않는 모양이다. 君子와 小人은 번갈아 사라지고 자라나니, 정직하고 성실하고 聞見이 많은 선비가 멀어지면 참소하고 아첨하고 면전에서 비위 맞추는 사람이 오는 것은 이치와 형세상 당연한 것이다.

章下註 | ○ 此章은 言 爲政이 不在於用一己之長이요 而貴於有以來天下之善이니라

○ 이 章은 정사를 함이 한 자신의 장점을 쓰는 데에 있지 않고, 천하의 善人을 오게 함을 귀하게 여김을 말씀한 것이다.

|古之君子何如則仕章(所就三章)|

14-1. 陳子曰 古之君子 何如則仕니잇고 孟子曰 所就三이요 所去三이니라

陳子(陳臻)가 말하였다. "옛날 君子들은 어떠하면 벼슬하였습니까?"
孟子께서 말씀하셨다. "나아간 것이 세 가지요, 떠난 것이 세 가지였다.

按說 | '陳子'에 대하여, 壺山은

　　바로 陳臻이니, 반드시 陳代가 아닐 것이다.〔卽陳臻也 必非陳代也〕

하였다.

770 　直諒多聞 : 정직하고 성실하고 聞見이 많은 것으로《論語》〈季氏〉4장에 "벗이 정직하며 벗이 성실하며 벗이 聞見이 많으면 유익하다.〔友直 友諒 友多聞 益矣〕"라고 보인다.

··· 嗜 즐길 기 迭 번갈아 질

集註ㅣ其目在下하니라

그 조목이 아래에 있다.

14-2. 迎之致敬以有禮하며 言將行其言也則就之하고 禮貌未衰나 言弗行也則去之니라

맞이하기를 공경을 지극히 하여 禮를 갖추며 말하기를 장차 그 말씀을 행하겠다고 하면 나아가고, 禮貌가 쇠하지 않았더라도 말이 행해지지 않으면 떠나간다.

集註ㅣ所謂見行可之仕[771]니 若孔子於季桓子是也라 受女樂而不朝하니 則去之矣[772]시니라

이른바 '見行可의 벼슬'이라는 것이니, 孔子께서 季桓子에 있어서와 같은 경우가 이것이다. 女樂(舞姬)을 받아들이고 조회하지 않자 떠나가신 것이다.

14-3. 其次는 雖未行其言也나 迎之致敬以有禮則就之하고 禮貌衰則去之니라

그 다음은 비록 그 말씀을 행하지 않으나 맞이하기를 공경을 지극히 하여 禮가 있으면 나아가고, 禮貌가 쇠하면 떠나간다.

集註ㅣ所謂際可之仕니 若孔子於衛靈公이 是也라 故로 與公遊於圃에 公이 仰視蜚雁而後去之[773]하시니라

---

771 見行可之仕 : 道를 행함이 가능한 것을 보고 하는 벼슬로, 孟子는 "孔子께서는 見行可之仕와 交際가 可한 際可之仕와 供養을 위한 公養之仕가 있었다."라고 하셨는바, 앞의 〈萬章下〉 4장에 자세히 보인다.

772 若孔子於季桓子是也……則去之矣 : 이 내용은 《論語》〈微子〉 4장에 보인다.

773 若孔子於衛靈公……仰視蜚雁而後去之 : 《史記》〈孔子世家〉에 다음과 같이 보인다. "〈孔子가〉 衛나라로 돌아와서 蘧伯玉의 집에 들어가 주인 삼으셨는데, 後日에 靈公이 군대의 陳法을 묻자, 孔子께서 말씀하시기를 '俎豆의 일은 일찍이 들었지만 군대의 일은 배우지 못했습니다.' 하셨다. 다음날 〈靈公이〉 孔子와 말씀할 적에 날아가는 기러기를 보고 올려다보면서 얼굴빛이 孔子에게 있지 않자, 孔子가 마침

••• 致 극진할 치 貌 모양 모 圃 동산 유 蜚 날 비(飛同) 雁 기러기 안

이른바 '際可의 벼슬'이라는 것이니, 孔子께서 衛 靈公에 있어서와 같은 경우가 이것이다. 그러므로 公과 더불어 동산에서 놀 적에 公이 나는 기러기를 올려다본 뒤에 떠나신 것이다.

14-4. 其下는 朝不食하고 夕不食하여 飢餓不能出門戶어든 君聞之하고 曰 吾大者론 不能行其道하고 又不能從其言也하여 使飢餓於我土地를 吾恥之라하고 周之인댄 亦可受也어니와 免死而已矣니라

그 아래는(최하는) 선비가 아침도 먹지 못하고 저녁도 먹지 못하여 굶주려서 門戶를 나갈 수 없으면, 군주가 이 말을 듣고 말하기를 '내 크게는 그 道를 행하지 못하고 또 그 말을 따르지 못해서 내 땅에서 굶주리게 하는 것을 내 부끄러워한다.' 하고 구원해 준다면 또한 그것을 받을 수 있지만 죽음을 면할 뿐이다."

按說 | '大者'에 대하여, 新安陳氏(陳櫟)는

'大者'는 大節을 가지고 論하였고, '又'는 그 다음을 가지고 말하였다.〔大者 以大節論 又 者 以其次言〕

하였는데, 壺山은

'大者'는 '大則(크게는)'이란 말과 같다.〔大者 猶大則也〕

하였다.

集註 | 所謂公養之仕也라 君之於民에 固有周之之義요 況此又有悔過之言하니 所 以可受라 然이나 未至於飢餓不能出門戶면 則猶不受也라 其曰免死而已면 則其 所受亦有節矣니라

이른바 '公養의 벼슬'이라는 것이다. 군주가 백성에 대해서 진실로 구휼해 주는 義(의무)가 있으며 더구나 또 자신의 과오를 뉘우치는 말이 있으니, 이 때문에 받을 수 있는 것이다. 그

내 떠나시어 다시 陳나라로 가셨다.〔反乎衛 入主蘧伯玉家 他日靈公問兵陳 孔子曰 俎豆之事 則嘗 聞之 軍旅之事 未之學也 明日與孔子語 見蜚鴈 仰視之 色不在孔子 孔子遂行 復如陳〕"

··· 飢 굶주릴 기 餓 굶주릴 아 周 구휼할 주

러나 굶주려 門戶를 나갈 수 없는 지경에 이르지 않는다면 오히려 받을 수 없는 것이다. 그 죽음을 면할 뿐이라고 말했다면 받는 것도 또한 節制(제한)가 있는 것이다.

|舜發於畎畝章(動心忍性章)|

15-1. 孟子曰 舜은 發於畎畝之中하시고 傅說(부열)은 擧於版築之間하고 膠鬲(교격)은 擧於魚鹽之中하고 管夷吾는 擧於士하고 孫叔敖는 擧於海하고 百里奚는 擧於市하니라

孟子께서 말씀하셨다. "舜임금은 畎畝의 가운데에서 發身하셨고, 傅說은 版築의 사이에서 등용되었고, 膠鬲은 어물과 소금을 파는 가운데에서 등용되었고, 管夷吾는 士官(獄官)에게 갇혀 있다가 등용되었고, 孫叔敖는 바닷가에서 등용되었고, 百里奚는 시장에서 등용되었다.

按說 | '擧於士'에 대하여, 楊伯峻은

'士'는 獄官의 우두머리이다.

하였다.
'擧於市'에 대하여, 茶山은

'市'는 '스스로 팔려감'을 이르니, 市井의 市가 아니다.〔市謂自鬻也 非市井之市〕

하였다.

集註 | 舜은 耕歷山이러시니 三十에 登庸하시고 說은 築傳巖이러니 武丁이 擧之[774]하고

---

774 說……擧之:《史記》〈殷本紀〉에 "武丁이 밤중에 꿈속에서 聖人을 만났는데 이름이 說이었다. 꿈에 보았던 모습에 의거해 여러 신하와 관리들을 살펴보았는데 모두 說이 아니었다. 이에 마침내 百官을 보내어 郊野에서 찾도록 하여 傅險에서 說을 찾았는데, 이때 說은 胥靡(가벼운 형벌로 노역하는 자)가 되어 傅險에서 성을 쌓고 있었다. 武丁에게 보이자, 武丁이 '이 사람이다.' 하고는 그를 만나 함께 말을 해보니 과연 聖人이었다. 등용하여 재상으로 삼자 殷나라가 크게 다스려졌다. 그리하여 마침내 傅險을 姓으로 하여 傅說이라고 불렀다.〔武丁夜夢得聖人 名曰說 以夢所見視群臣百吏 皆非也 於是乃使百工營求之野 得說於傅險中 是時說爲胥靡 築於傅險 見於武丁 武丁曰 是也 得而與之語 果聖人 擧以爲相 殷國大治 故遂以傅險姓之 號曰傅說〕" 하였다. 일설에는 傅說이 집이 가난하였으므로 대

••• 畎 밭두둑 견 畝 밭이랑 묘(무) 版 조각 판 築 쌓을 축 膠 아교 교 鬲 오지병 격 鹽 소금 염 敖 오만할 오 庸 쓸 용(用通)

膠鬲은 遭亂하여 鬻販魚鹽이러니 文王이 擧之[775]하시고 管仲은 囚於士官이러니 桓公이 擧以相國하고 孫叔敖는 隱處海濱이러니 楚莊王이 擧之爲令尹하니라 百里奚는 事見前篇하니라

舜임금은 歷山에서 밭을 갈았는데(농사지었는데) 30세에 등용되셨고, 傅說은 傅巖이란 곳에서 담장(성)을 쌓고 있었는데 武丁이 들어 썼고, 膠鬲은 난리를 만나 어물과 소금을 팔고 있었는데 文王이 들어 썼고, 管仲은 士官에게 갇혀 있었는데 桓公이 들어서 정승을 삼아 나라를 돕게 하였고, 孫叔敖는 바닷가에 隱居하였는데 楚 莊王이 들어서 令尹을 삼았다. 百里奚에 대한 일은 前篇(萬章上)에 보인다.

15-2. 故로 天將降大任於是人也신댄 必先苦其心志하며 勞其筋骨하며 餓其體膚하며 空乏其身하여 行拂亂其所爲하나니 所以動心忍性하여 曾(增)益其所不能이니라

그러므로 하늘이 장차 큰 임무를 이 사람에게 내리려 하실 적에는 반드시 먼저 그 心志를 괴롭게 하며 그 筋骨(힘줄과 뼈)을 수고롭게 하며 그 體膚(몸과 피부)를 굶주리게 하며 그 몸을 空乏(빈궁)하게 하여 행함에 그 하는 바를 拂亂시키니, 이것은 마음을 분발시키고 성질을 참게 하여 그 능하지 못한 바를 增益하게 하려는 것이다.

按說 | 新安陳氏(陳櫟)는

'心志를 괴롭게 함'은 '마음을 분발시키는 것'이요……'수고롭게 하고, 굶주리게 하고, 궁핍하게 하는 것'은 '성질을 참게 하는 것'이다.……舜임금은 큰 聖人이시니, 〈훌륭하게 된 이유가〉 반드시 모두 여기에 연유하지는 않았으나 곤궁하고 고생한 자취가 실로 이와 같으니, 이러한 환경을 만나면 어찌 경계하고 살피는 바가 없겠는가. '傅說' 이하로 말하면 큰 임무를

신 胥靡의 일을 하여 품삯을 받은 것이라 하고, 蔡沈의 《書經集傳》에는 '築'을 卜築으로 보아 傅巖이라는 곳에 은거한 것으로 해석하였다.

775 膠鬲……擧之：楊伯峻은 "'膠鬲擧於魚鹽之中'의 故事는 다른 책에는 보이지 않는다. 이른바 '魚鹽之中'은 '어물과 소금을 판매하는 자 가운데'인지, 아니면 '어물과 소금을 생산하는 자 가운데'인지 알 수 없다." 하였다.

… 鬻 팔육 販 팔판 囚 가둘수 濱 물가빈 筋 힘줄근 膚 살갗부 乏 다할핍 拂 어길불 曾 더할증(增同)

잘 담당할 수 있었던 이유가 실로 여기에 있었다.〔苦心志 所以動心……勞餓空乏 所以忍性……舜 大聖人 未必盡由此 而窮苦之迹 實如此 履此 豈無所警省 若傅說以下 所以能當大任 實由乎此也〕

하였다.

集註 | 降大任은 使之任大事也니 若舜以下 是也라 空은 窮也요 乏은 絶也라 拂은 戾也니 言 使之所爲不遂하여 多背戾也라 動心忍性은 謂竦動其心하고 堅忍其性也라 然이나 所謂性은 亦指氣稟食色而言耳니라
程子曰 若要熟也인댄 須從這裏過[776]니라

'큰 임무를 내린다.'는 것은 그로 하여금 큰일을 맡게 하는 것이니, 舜임금 이하와 같은 것이 이것이다. '空'은 窮함이요 '乏'은 다함이다. '拂'은 이김이니, 그들로 하여금 하는 바를 이루지 못하게 해서 어그러짐이 많음을 말한다. '動心忍性'은 그 마음을 竦動(驚動, 奮發)시키고 그 성질을 굳게 참는 것을 이른다. 그러나 여기에서 말한 性은 또한 氣稟과 食色의 氣質之性을 가리켜 말하였을 뿐이다.
程子(明道)가 말씀하였다. "만일 완숙하기를 요구한다면 모름지기 이 시련을 통과해야 한다."

15-3. 人恒過然後에 能改하나니 困於心하며 衡(橫)於慮而後에 作하며 徵於色하며 發於聲而後에 喻니라

사람은 항상 잘못이 있은 뒤에 능히 고치니, 마음에 곤궁하고 생각에 걸린 뒤에야 분발하며, 얼굴빛에 징험되고 음성에 나타난 뒤에야 깨닫는다.

集註 | 恒은 常也니 猶言大率也라 橫은 不順也라 作은 奮起也라 徵은 驗也라 喻는 曉也라 此는 又言 中人之性이 常必有過然後에 能改하나니 蓋不能謹於平日이라 故로

---

776 若要熟也 須從這裏過：'若要熟인댄 也須從這裏過'로 읽기도 하는데, 이 경우 '也'는 '또한'의 뜻이다. 壺山은 "憂患에 익숙하고자 한다면 모름지기 憂患 가운데를 통과하여야 비로소 익숙해짐을 말한 것이다.〔言欲熟於憂患 須從憂患中經過 方熟〕"하였다.

••• 戾 어그러질 려 遂 이룰 수 竦 두려울 송 這 이 저 裏 속 리 衡 걸릴 횡(橫同) 徵 징험할 징 喻 깨달을 유
奮 분발할 분 驗 징험할 험

必事勢窮蹙하여 以至困於心, 橫於慮然後에 能奮發而興起하고 不能燭於幾微라 故로 必事理暴(폭)著하여 以至驗於人之色, 發於人之聲然後에 能警悟而通曉也라

'恒'은 항상이니, 大率이란 말과 같다. '橫'은 順하지 못함이다. '作'은 분발하여 일어남이다. '徵'은 징험이다. '喩'는 깨우침이다. 이것은 또 中人의 성품이 항상 반드시 잘못이 있은 뒤에 능히 고치니, 평소에 삼가지 못하기 때문에 반드시 事勢가 곤궁하고 위축되어 마음에 곤궁하고 생각에 걸림에 이른 뒤에야 능히 분발하여 흥기하고, 幾微에 밝게 알지 못하기 때문에 반드시 事理가 크게 드러나서 〈질책함이〉 사람의 얼굴빛에 징험되고 사람의 음성에 發함에 이른 뒤에야 능히 깨우쳐 통달함을 말씀한 것이다.

15-4. 入則無法家拂(弼)士하고 出則無敵國外患者는 國恒亡이니라

들어가면 法度를 지키는 世臣의 집안과 보필하는 선비가 없고 나오면 敵國과 外患이 없는 자(군주)는 나라가 항상 망한다.

按說 | 新安陳氏(陳櫟)는

군주가 나라를 다스릴 적에 안에 法度를 지키고 正道를 지키는 자가 있어 諫하고, 밖에 敵國과 外患이 있어 경계하고 두렵게 하면 감히 방종하거나 함부로 행동하지 못하여 나라를 보존할 수 있고, 그렇지 않으면 교만하고 방종하여 나라가 망한다.〔人主爲國 內有守法持正者規諫之 外有敵國外患以警懼之 則不敢縱肆而國可保 否則驕縱而國亡矣〕

하였다.

集註 | 此는 言國亦然也라 法家는 法度之世臣也요 拂士는 輔弼之賢士也라

이것은 나라 역시 그러함을 말씀한 것이다. '法家'는 法度를 지키는 世臣이요, '拂士'는 보필하는 어진 선비이다.

15-5. 然後에 知生於憂患而死於安樂也니라

그런 뒤에야 〈사람은〉 憂患에서 살고 安樂에서 죽음을 알 수 있는 것이다."

··· 蹙 위축될 축 燭 밝을 촉 暴 드러날 폭 拂 도울 필(弼同)

集註 | 以上文觀之하면 則知人之生全이 出於憂患이요 而死亡이 由於安樂矣니라

윗글을 가지고 관찰한다면 사람이 살고 온전함이 憂患에서 나오고, 죽고 망함이 安樂에서 말미암음을 알 수 있다.

章下註 | ○尹氏曰 言 困窮拂鬱은 能堅人之志하여 而熟人之仁이니 以安樂失之者 多矣니라

○尹氏(尹焞)가 말하였다. "困窮하고 拂鬱함은 사람의 意志를 견고하게 하여 사람의 仁을 완숙하게 할 수 있으니, 安樂으로써 잃는 자가 많음을 말씀한 것이다."

|教亦多術章|

16. 孟子曰 教亦多術矣니 子不屑之教誨也者는 是亦教誨之而已矣 니라

孟子께서 말씀하셨다. "가르침이 또한 방법이 많으니, 내 좋게 여기지 아니하여 거절함으로써 가르쳐 줌은 이 또한 그를 가르치는 것일 뿐이다."

集註 | 多術은 言非一端이라 屑은 潔也라 不以其人爲潔而拒絕之 所謂不屑之教 誨也니 其人이 若能感此하여 退自修省이면 則是亦我教誨之也라

'多術'은 한 가지가 아님을 말한다. '屑'은 깨끗함이다. 그 사람을 깨끗하게 여기지 않아 거절함이 이른바 '不屑之教誨'라는 것이니, 그 사람이 만일 이에 감동되어 물러가 스스로 자신의 과오를 닦고 살핀다면 이 또한 내가 그를 가르쳐 준 것이다.

章下註 | ○尹氏曰 言或抑, 或揚, 或與, 或不與를 各因其材而篤之니 無非教也니 라

○尹氏(尹焞)가 말하였다. "혹은 억제하고 혹은 드날리며 혹은 허여해 주고 혹은 허여해 주지 않음을 각기 그 재질에 따라 돈독히 해주니, 가르침 아님이 없음을 말씀한 것이다."

--- 拂 어길 불 鬱 막힐 울, 답답할 울 屑 깨끗할 설 誨 가르칠 회

盡心章句 上

集註 | 凡四十六章이라

모두 46章이다.

| 盡心知性章 |

1-1. 孟子曰 盡其心者는 知其性也니 知其性則知天矣니라

孟子께서 말씀하셨다. "그 마음을 다하는 자는 그 性을 아니, 그 性을 알면 하늘을 알게 된다.

集註 | 心者는 人之神明이니 所以具衆理而應萬事者也[777]라 性은 則心之所具之理요 而天은 又理之所從以出者也라 人有是心이 莫非全體나 然不窮理면 則有所蔽而無以盡乎此心之量[778]이라 故로 能極其心之全體而無不盡者는 必其能窮夫理

---

[777] 心者……所以具衆理而應萬事者也 : 新安陳氏(陳櫟)는 "마음은 神明의 집이니, 여러 이치를 갖추고 있는 것은 마음의 體이고, 萬事에 응하는 것은 마음의 用이다.〔心者 神明之舍 具衆理 心之體也 應萬事 心之用也〕"하였다.

[778] 無以盡乎此心之量 : 茶山은 〈梁惠王上〉 3장의 "寡人은 나라에 대하여 마음을 다하고 있다.〔寡人之於國也 盡心焉耳矣〕"와 〈梁惠王上〉 7장의 "마음과 힘을 다하여 하더라도 뒤에 반드시 재앙이 있을 것이다.〔盡心力而爲之 後必有災〕"라고 한 것에 나오는 '盡心'과 여기의 '盡心'을 동일하게 해석해야 한다고 주장하였다. 茶山은 "저기의 '盡心'은 '마음을 다하는 것'이고, 여기의 '盡心'은 '量을 채우는 것'이라

··· 窮 궁구할 궁 蔽 가릴 폐

而無不知者也니 旣知其理면 則其所從出이 亦不外是矣라 以大學之序言之하면 知性은 則物格之謂요 盡心은 則知至之謂也⁷⁷⁹니라

'心'은 사람의 神明이니, 모든 理를 갖추고 萬事에 응하는 것이다. '性'은 心에 갖추어져 있는 理이고, '天'은 또 理가 부터 나온 바이다. 사람이 가지고 있는 이 마음은 全體 아님이 없으나 理를 궁구하지 않으면 가려진 바가 있어 이 心의 量을 다하지 못한다. 그러므로 능히 心의 全體를 지극히 하여 다하지 않음이 없는 자는 반드시 능히 그 理를 궁구하여 알지 못함이 없는 것이니, 이미 그 理를 안다면 理가 부터 나온 바(天)도 여기에서 벗어나지 않는다. 《大學》의 순서로써 말하면 知性은 物格을 이르고 盡心은 知至를 이른다.

1-2. 存其心하여 養其性은 所以事天也요

마음을 보존하여 性을 기름은 하늘을 섬기는 것이요,

按說 | '存其心 養其性'에 대하여, 茶山은

孟子의 操存하는 법은 장차 없어지려는 것을 보존하는 것이고, 후세의 操存하는 법은 장차 떠나려는 것을 붙잡아 두는 것(住存)이니, 그 차이는 비록 털끝만한 것 같지만 그 차이는 8尺이나 1丈에 이른다. 孟子의 이른바 '存心'은 일을 행할 때마다 私欲을 버리고 天命을 따르며, 惡을 버리고 善을 따라서 微微하여 장차 없어지려고 하는 이 한 점의 道心을 보존하는 것이니, 이것이 이른바 保存이다. 후세의 이른바 '存心'은 靜坐할 때마다 눈을 감고 敬을 주장하며 정신을 집중하고 생각을 그쳐서 조급하게 움직이고 고정되지 않는 이 人心을 붙잡

───────

고 한다면, 필시 옳지 않을 것이다.……나는 '마음과 힘을 다해 性을 따르면 그 性을 알 수 있다.'고 생각한다.……《禮記》〈表記〉에 '道를 향하여 가다가 中道에 힘이 다한 뒤에야 그만두어서 몸이 늙음을 잊어 年數가 부족함을 알지 못해서 날마다 부지런히 힘써 죽은 뒤에야 그만둔다.' 하였으니, 이를 盡心이라 이른다. 盡心은 行이니, 행하면 반드시 알게 되고 알면 반드시 행하니, 서로 발명하고 서로 닦는 것이다.〔彼盡心爲竭心 此盡心爲充量 必不然也……余謂竭心力以率性 則可以知其性矣……表記曰 鄕道而行 中道而廢 忘身之老也 不知年數之不足也 俛焉日有孶孶 斃而后已 此之謂盡心 盡心者 行也 行則必知 知則必行 互發而交修者也〕"라고 하였다.

779 以大學之序言之……則知至之謂也 : '物格'은 事物의 이치가 이르러 아는 것이고 '知至'는 萬事萬物의 이치를 모두 알아 지식이 지극한 것으로, 《大學》經 1장에 "事物의 이치가 이른 뒤에 지식이 지극해진다.〔物格而后知至〕"라고 보인다.

아 두는 것이니, 이것이 이른바 住存이다.……孟子의 이른바 養性은 오늘 한 가지 善한 일을 행하고 내일 한 가지 善한 일을 행하여 義理를 축적하고 善을 쌓아서, 善을 즐거워하고 惡을 부끄러워하는 性을 길러 浩然之氣가 충만해서 굶주리지 않게 하는 것이다. 후세의 이른바 養性은 눈을 감고 塑像처럼 오로지 未發 이전의 氣象을 보아 活潑潑한 경지를 구하는 것이니, 이것이 이른바 涵養이다.……후세의 유학자는 옛날의 存養을 動存·動養이라 하고, 지금의 存養을 靜存·靜養이라고 한다.〔孟子操存之法 保存其將亡 後世操存之法 住存其將去 其差雖若毫釐 其違乃至尋丈 孟子所謂存心者 每於行事之時 去私而循命 棄惡而從善 以存此幾希將亡之一點道心 此所謂保存也 後世之所謂存心者 每於靜坐之時 收視而主敬 凝神而息慮 以存此躁擾不定之人心 此所謂住存也…… 孟子之所謂養性者 今日行一善事 明日行一善事 集義積善 以養其樂善恥惡之性 使浩然之氣 充然不餒也 後世之所謂養性者 瞑目塑形 專觀未發前氣象 以求活潑潑地 此所謂涵養也……後儒以古之存養 爲動存動養 以今之存養 爲靜存靜養〕

하였으니, 이는 程朱學의 靜坐存心을 비판한 것이다.

集註 | 存은 謂操而不舍요 養은 謂順而不害라 事는 則奉承而不違也라

'存'은 잡고 놓지 않음을 이르고, '養'은 順히 하고 해치지 않음을 이른다. '事(섬김)'는 받들고 어기지 않는 것이다.

1-3. 夭壽에 不貳하여 修身以俟之는 所以立命也니라

요절하거나 장수함에 의심하지 않아 몸을 닦고 天命을 기다림은 命을 세우는 것이다."

集註 | 夭壽는 命之短長也라 貳는 疑也라 不貳者는 知天之至요 修身以俟死는 則事天以終身也라 立命은 謂全其天之所付하여 不以人爲害之라

'夭壽'는 命(수명)의 짧고 긴 것이다. '貳'는 의심함이다. '不貳'는 天理를 앎이 지극한 것이요, '修身以俟死'는 하늘을 섬겨 몸을 마치는 것이다. '立命'은 하늘이 부여해 준 것(性)을 온전히 보존하여 人爲로써 해치지 않음을 이른다.

··· 操 잡을조 舍 놓을사 承 받들승 夭 일찍죽을요 貳 의심할이 俟 기다릴사 付 줄부

章下註ㅣ○程子曰 心也, 性也, 天也는 一理也라 自理而言이면 謂之天이요 自稟受而言이면 謂之性이요 自存諸人而言이면 謂之心이니라

張子曰 由太虛하여 有天之名[780]하고 由氣化하여 有道之名[781]하고 合虛與氣하여 有性之名하고 合性與知覺하여 有心之名[782]하니라

愚謂 盡心知性而知天은 所以造其理也[783]요 存心養性以事天은 所以履其事也[784]니 不知其理면 固不能履其事라 然이나 徒造其理하고 而不履其事하면 則亦無以有諸己矣니라 知天而不以夭壽貳其心은 智之盡也요 事天而能修身以俟死는 仁之至也니 智有不盡이면 固不知所以爲仁이라 然이나 智而不仁이면 則亦將流蕩不法[785]하여 而不足以爲智矣니라

---

780 由太虛 有天之名 : 茶山은 "天의 主宰者는 上帝이다. 이것을 天이라고 하는 것은 國君을 國으로 부르는 것과 같으니, 감히 지적하여 말하지 않는 뜻이다.……무릇 천하에 靈이 없는 물건은 主宰者가 될 수 없다.……텅 비어있는 太虛의 한 理를 천지 만물을 主宰하는 근본으로 삼는다면 천지 사이의 일이 어찌 이루어짐이 있겠는가.〔天之主宰爲上帝 其謂之天者 猶國君之稱國 不敢斥言之意也……凡天下無靈之物 不能爲主宰……以空蕩蕩之太虛一理 爲天地萬物主宰根本 天地間事 其有濟乎〕"하였다.

781 由氣化 有道之名 : 茶山은 "道라는 것은 사람이 말미암는(행하는) 바이다.……저 陰陽의 조화와 金·木·水·火·土의 變動은 내 몸이 말미암을 수 있는 것이 아니니, 어찌 우리의 道가 되겠는가. 一陰一陽을 道라 이르는 것은《周易》〈繫辭傳〉에 근본하였는데, 이는 天道를 말한 것이지 人道가 아니다.……어찌 우리 사람의 率性之道를 一陰一陽에 돌릴 수 있겠는가.〔道者人所由也……夫陰陽造化金木水火土之變動 非吾身之所得由 則豈吾道乎 若云一陰一陽之謂道 本之易傳 則是言天道 不是人道……豈可以吾人率性之道 歸之於一陰一陽乎〕"하였다.

782 合虛與氣……有心之名 : 茶山은 "心은 우리 인간의 大體의 借名이고, 性은 心이 嗜好하는 것이다. 虛와 氣, 知覺은 또한 분명함이 부족한 듯하다.〔心者 吾人大體之借名也 性者 心之所嗜好也 虛氣知覺 亦恐欠分曉〕"하였다. '大體'는〈告子上〉15장에 보인다. 九峰蔡氏(蔡沈)는 "橫渠의 네 말씀은 다만 理와 氣 두 글자를 세세하게 나눈 것이니, '太虛로 말미암아 天이란 명칭이 있다.'는 것은 바로 無極이면서 太極을 이르니 理로써 말한 것이고, '氣化로 말미암아 道란 명칭이 있다.'는 것은 바로 한 번 陰하고 한 번 陽함을 道라 함을 이르니 氣로써 말한 것이고, '虛와 氣를 합하여 性이란 명칭이 있다.'는 것은 바로 계속하는 것은 善이고 완성된 것은 性임을 말한 것이니 사람과 물건이〔하늘에서〕 받은 것을 가지고 말한 것이고, '性과 知覺을 합하여 心이란 명칭이 있다.'는 것은 바로 人心과 道心을 이르니 마음의 體를 가지고 말한 것이다.〔橫渠四語 只是理氣二字而細分 由太虛有天之名 卽無極而太極之謂 以理言也 由氣化有道之名 卽一陰一陽之謂道之謂 以氣言也 合虛與氣有性之名 卽繼之者善, 成之者性之謂 以人物稟受而言也 合性與知覺有心之名 卽人心道心之謂 以心之體而言也〕"하였다.

783 造其理也 : '造'는 나아감으로 이치에 대한 造詣를 이르는바, 格物致知하여 眞理를 밝게 아는 知工夫이다.

784 履其事也 : 안 것을 가지고 일에 실천하는 것으로 誠意·正心·修身의 行工夫이다.

785 流蕩不法 : 雲峰胡氏(胡炳文)는 "'流蕩'은 앞의 '存養'과 상반되고 '不法'은 앞의 '修'와 상반된다."하였다.

••• 稟 받을 품 造 나아갈 조 履 행할 리 蕩 방탕할 탕

○程子(伊川)가 말씀하였다. "心과 性과 天은 똑같은 理이다. 理의 입장에서 말하면 天이라 이르고, 稟賦받은 입장에서 말하면 性이라 이르고, 사람에게 보존된 입장에서 말하면 心이라 이른다."

張子가 말씀하였다. "太虛로 말미암아 天이란 명칭이 있고, 氣化(陰陽二氣의 造化)로 말미암아 道란 명칭이 있고, 虛와 氣를 합하여 性이란 명칭이 있고, 性과 知覺을 합하여 心이란 명칭이 있는 것이다."

내가 생각하건대 心을 다하고 性을 알아서 天을 앎은 그 理에 나아가는 것이요, 心을 보존하여 性을 길러서 天을 섬김은 그 일을 실천하는 것이니, 그 理를 알지 못하면 진실로 그 일을 실천할 수 없다. 그러나 다만 그 理에 나아가기만 하고 그 일을 실천하지 않는다면 또한 이것을 자기 몸에 소유할 수 없다. 天을 알아 夭壽로써 그 마음에 의심하지 않음은 智가 극진한 것이요, 天을 섬겨서 능히 몸을 닦고 죽음을 기다림은 仁이 지극한 것이니, 智가 극진하지 못함이 있으면 진실로 仁을 행함을 알지 못한다. 그러나 智만 하고 仁을 하지 못한다면 또한 장차 방탕하여 법도가 없어서 智가 될 수 없을 것이다.

| 正命章(莫非命也章) |

2-1. 孟子曰 莫非命也나 順受其正이니라

孟子께서 말씀하셨다. "命 아님이 없으나 그 正命을 順히 받아야 한다.

集註 | 人物之生에 吉凶禍福이 皆天所命이라 然이나 惟莫之致而至者 乃爲正命이라 故로 君子修身以俟之는 所以順受乎此[786]也니라

人物(사람과 물건)이 태어나 살아갈 적에 吉·凶과 禍·福은 모두 하늘이 命한 것이다. 그러나 오직 이르게 함이 없이 저절로 이른 것이 正命이 된다. 그러므로 君子가 자기 몸을 닦고 기다림은 이것(正命)을 順히 받으려고 하는 것이다.

2-2. 是故로 知命者는 不立乎巖墻之下하나니라

---

786 此:《大全》에 "'此'자는 正命을 가리킨 것이다.〔此字 指正命〕" 하였다.

··· 致 오게할 치 巖 높을 암 墻 담장 장

이러므로 正命을 아는 자는 위험한 담장 아래에 서지 않는다.

> 集註│命은 謂正命이라 巖墻은 墻之將覆者라 知正命이면 則不處危地以取覆壓之
> 禍니라
>
> '命'은 正命을 이른다. '巖墻'은 담장이 장차 넘어지려고 하는 것이다. 正命을 안다면 위험
> 한 곳에 처해서 담이 전복되어 壓死하는 화를 취하지 않을 것이다.

2-3. 盡其道而死者는 正命也요

그 道를 다하고 죽는 것은 正命이요,

> 集註│盡其道면 則所値之吉凶이 皆莫之致而至者矣라
>
> 그 道를 다한다면 만나는 바의 吉·凶이 모두 이르게 함이 없이 저절로 이른 것이다.

2-4. 桎梏死者는 非正命也니라

桎梏으로 죽는 것은 正命이 아니다."

> 集註│桎梏은 所以拘罪人者[787]라 言 犯罪而死는 與立巖墻之下者로 同하니 皆人
> 所取요 非天所爲也니라
>
> '桎梏'은 죄인을 구속하는 것이다. 죄를 범하여 죽는 것은 위험한 담장 아래에 서 있다가 압
> 사하는 것과 같으니, 모두 인간이 취한 것이요 하늘이 한 것이 아님을 말씀한 것이다.

> 章下註│○ 此章與上章은 蓋一時之言이니 所以發其末句未盡之意니라
>
> ○ 이 章과 윗장은 아마도 한 때의 말씀인 듯하니,〈윗장〉末句의 未盡한 뜻을 發明한 것이다.

---

787 桎梏 所以拘罪人者 :《大全》에 "'桎'은 音이 質이니 발에 채우는 차꼬(형틀)이고, 梏은 姑沃反(곡)이
니 손에 채우는 차꼬이다.〔桎 音質 足械也 梏 姑沃反 手械也〕" 하였다.

⋯ 覆 엎어질 복 壓 누를 압 桎 형틀 질 梏 형틀 곡 拘 잡을 구

|求則得之章(求在我者章)|

3-1. 孟子曰 求則得之하고 舍則失之하나니 是求는 有益於得也니 求在 我者也일새니라

孟子께서 말씀하셨다. "구하면 얻고 버리면 잃으니, 이 구함은 얻음에 유익함이 있으니 자신에게 있는 것을 구하기 때문이다.

集註┃ 在我者는 謂仁義禮智凡性之所有者라

'자신에게 있다' 는 것은 仁·義·禮·智 등 모든 性에 있는 것을 이른다.

3-2. 求之有道하고 得之有命하니 是求는 無益於得也니 求在外者也일 새니라

구함에 道가 있고 얻음에 命이 있으니, 이 구함은 얻음에 유익함이 없으니 밖에 있는 것을 구하기 때문이다."

集註┃ 有道는 言不可妄求요 有命은 則不可必得이라 在外者는 謂富貴利達凡外物 이 皆是라

'道가 있다' 는 것은 망령되이 구해서는 안 됨을 말한 것이요, '命이 있다' 는 것은 반드시 얻을 수는 없는 것이다. '밖에 있다' 는 것은 富貴와 利達 등 모든 外物이 다 이것이다.

章下註┃ ○ 趙氏曰 言 爲仁由己요 富貴在天이니 如不可求인댄 從吾所好[788]니라

○ 趙氏(趙岐)가 말하였다. "仁을 행함은 자신에게 달려있고 富貴는 하늘에 달려있으니, 만일 富貴를 구할 수 없다면 내가 좋아하는 바를 따라야 함을 말씀한 것이다."

---

788 如不可求 從吾所好:《論語》〈述而〉 11장에 보이는 孔子의 말씀이다.

··· 舍 버릴 사(捨同) 達 영달할 달

|萬物皆備於我章|

4-1. 孟子曰 萬物이 皆備於我矣니

孟子께서 말씀하셨다. "萬物이 모두 나에게 갖추어져 있으니,

按說│ 朱子는 '萬物 皆備於我'를 '만물의 理가 나의 性에 갖추어져 있음'의 의미로 해석하였다. 반면 이러한 性理說을 부정하고 性을 嗜好로 이해하는 茶山은 朱子의 이 말씀을 다음과 같이 비판하였다.

만물은 이처럼 광대한 말로 해석할 필요가 없다. 천지 만물의 理는 각각 만물에게 있는 것이니, 어찌 나에게 모두 갖추어져 있을 수 있겠는가. 개에게는 개의 理가 있고 소에게는 소의 理가 있으니, 이는 분명히 나에게 없는 것이다. 어찌 억지로 '모두 나에게 갖추어져 있다'고 큰소리칠 수 있겠는가.〔萬物不必如是作廣大之言 天地萬物之理 各在萬物身上 安得皆備於我 犬有犬之理 牛有牛之理 此明明我之所無者 安得强爲大談曰皆備於我乎〕

그리고 자신의 性嗜好說에 입각하여 이 말을

날마다 쓰고 항상 행하는 만사만물의 감정과 욕망이 모두 나에게 갖추어져 있으니, 굳이 그 정상을 묻고 안색을 살핀 뒤에야 남이 나와 같음을 아는 것은 아니다.〔日用常行萬事萬物之情之慾 皆備於我 不必問其情察其色 而後知人之與我同也〕

라는 의미로 해석하였다.

集註│ 此는 言理之本然也라 大則君臣父子요 小則事物細微가 其當然之理 無一不具於性分之內也니라

이는 理의 本然을 말씀한 것이다. 크게는 君臣間과 父子間이요 작게는 事物의 細微한 것이 그 당연한 이치가 한 가지도 性分의 안에 갖추어지지 않음이 없는 것이다.

4-2. 反身而誠이면 樂莫大焉이요

몸에 돌이켜보아 성실하면 즐거움이 이보다 더 큰 것이 없고,

··· 備 갖출 비 細 가늘 세 微 작을 미 具 갖출 구 反 돌이킬 반

集註 | 誠은 實也라 言 反諸身而所備之理를 皆如惡惡(오악)臭, 好好色之實然[789]이면 則其行之 不待勉强而無不利[790]矣니 其爲樂이 孰大於是리오

'誠'은 성실함이다. 자기 몸에 돌이켜봄에 갖추어져 있는 바의 理를 모두 惡臭를 싫어하고 好色을 좋아하는 실제와 같이 한다면 그 행함이 억지로 힘쓰기를 기다리지 않고도 순하지 않음이 없을 것이니, 그 즐거움이 무엇이 이보다 크겠는가.

4-3. 强恕而行이면 求仁이 莫近焉이니라

恕를 힘써서 행하면 仁을 구함이 이보다 더 가까운 것이 없다."

集註 | 强은 勉强也라 恕는 推己以及人也라 反身而誠則仁矣니 其有未誠은 則是猶有私意之隔而理未純也라 故로 當凡事勉强하여 推己及人이면 庶幾心公理得而仁不遠也리라

'强'은 힘씀이다. '恕'는 내 마음을 미루어 남에게 미치는 것이다. 자신을 돌이켜봄에 성실하면 仁이니, 그 성실하지 못함이 있음은 이는 아직도 私意에 막힘이 있어서 理가 순수하지 못한 것이다. 그러므로 마땅히 모든 일을 힘써서 자기 마음을 미루어 남에게 미친다면 거의 마음이 공정하고 이치에 맞아서 仁이 멀지 않게 될 것이다.

章下註 | ○ 此章은 言 萬物之理 具於吾身하니 體之而實이면 則道在我而樂有餘[791]하고 行之以恕면 則私不容而仁可得[792]이니라

○ 이 章은 萬物의 理가 내 몸에 갖추어져 있으니, 이것을 體行하여 성실히 하면 道가 내 몸에 있어 즐거움이 有餘하고, 恕로써 행하면 私가 용납되지 않아 仁을 얻을 수 있음을 말씀한 것이다.

---

789 實然:壺山은 "몸에 체행하는 것을 가지고 말하여 '實然'이라 했다.〔以體之於身言曰實然〕" 하였다.

790 利:《大全》에 "利는 順이다.〔利 順也〕" 하였다.

791 體之而實 則道在我而樂有餘:《大全》에 "이는 聖賢의 일이다.〔聖賢之事〕" 하였다.

792 行之以恕 則私不容而仁可得:《大全》에 "이는 배우는 자의 일이다.〔學者之事〕" 하였다.

··· 臭 냄새 취 强 힘쓸 강 恕 용서할 서 推 미룰 추 隔 막힐 격

5. 孟子曰 行之而不著焉하며 習矣而不察焉이라 終身由之而不知其 道者 衆也니라

孟子께서 말씀하셨다. "행하면서도 밝게 알지 못하며 익숙하면서도 살피지 못한다. 이 때문에 종신토록 행하면서도 그 道를 모르는 자가 많은 것이다."

集註 | 著者는 知之明이요 察者는 識之精[793]이라 言 方行之而不能明其所當然하고 旣習[794]矣而猶不識其所以然[795]이라 所以終身由之而不知其道者多也니라

'著'는 앎이 밝음이요 '察'은 앎이 精한 것이다. 자신이 막 행하고 있으면서도 그 所當然을 분명히 알지 못하며, 이미 익숙하면서도 그 所以然을 알지 못하기 때문에 종신토록 행하면서도 그 道를 알지 못하는 자가 많음을 말씀한 것이다.

6. 孟子曰 人不可以無恥니 無恥之恥면 無恥矣니라

孟子께서 말씀하셨다. "사람은 부끄러움(염치)이 없어서는 안되니, 부끄러움(염치)이 없음을 부끄러워한다면 치욕스러운 일이 없을 것이다."

集註 | 趙氏曰 人能恥己之無所恥면 是能改行從善之人이니 終身無復有恥辱之 累矣니라

趙氏(趙岐)가 말하였다. "사람이 자신이 부끄러워하는 바가 없음을 부끄러워한다면 이는 나쁜 행실을 고쳐 善을 따르는 사람이니, 종신토록 다시는 恥辱의 累가 있지 않을 것이다."

---

793 著者……識之精:慶源輔氏(輔廣)는 "著는 밝힐 뿐이요, 察은 또 그 위에 정밀함을 더한 것이다.〔著則 明之而已 察則又加精焉〕" 하였다.

794 習:《大全》에 "習은 행함이 쌓여 익숙해진 지 이미 오래임을 이른다.〔習謂行之積習旣久〕" 하였다.

795 方行之而不能明其所當然 旣習矣而猶不識其所以然:'所當然'은 사람이 마땅히 행해야 할 도리로 자식이 되어서는 효도하고 신하가 되어서는 충성해야 하는 것을 이르며, '所以然'은 所當然의 원리인 본성을 이른다. 예를 들어 父子有親 등의 五倫은 所當然이고, 仁·義·禮·智·信의 五性과 太極·天道 등은 所以然이다.

··· 著 분명할 저 由 행할 유 辱 욕될 욕 累 얽매일 루

|恥之於人章|

7-1. 孟子曰 恥之於人에 大矣라

孟子께서 말씀하셨다. "부끄러움이 사람에게 있어서 매우 크다(중요하다).

集註 | 恥者는 吾所固有羞惡之心也니 存之則進於聖賢이요 失之則入於禽獸라 故로 所繫爲甚大니라

부끄러움은 내가 본래 가지고 있는 바의 羞惡之心이다. 이것을 보존하면 聖賢에 나아가고, 이것을 잃으면 禽獸에 들어간다. 그러므로 관계되는 바가 매우 큰 것이다.

7-2. 爲機變之巧者는 無所用恥焉이니라

機變의 공교로운 짓을 하는 자는 부끄러움을 쓰는 바가 없다.(부끄러워하지 않는다.)

集註 | 爲機械變詐[796]之巧者는 所爲之事 皆人所深恥로되 而彼方且自以爲得計라 故로 無所用其愧恥之心也니라

機械變詐의 공교로운 짓을 하는 자는 행하는 바의 일이 모두 사람들이 깊이 부끄러워하는 것인데도 자신은 스스로 得計(좋은 계책)라고 여긴다. 그러므로 부끄러워하는 마음을 쓰는 바가 없는 것이다.

7-3. 不恥不若人이면 何若人有리오

부끄러워하지 않음이 남(正常人)과 같지 않다면 어느 것이 남과 같은 것이 있겠는가."

集註 | 但無恥一事 不如人이면 則事事不如人矣라 或曰 不恥其不如人이면 則何

---

796 機械變詐 : 楊伯峻은 "經文의 '機變'은 機械變詐라는 말과 같다. 《淮南子》〈原道訓〉에 '機械의 마음이 가슴속에 감추어져 있다.〔機械之心 藏於胸中〕'한 것의 高誘의 註에 '機械는 巧詐(교묘하게 남을 속임)이다.〔機械 巧詐也〕'하였는데, 이로써 여기의 機變을 해석할 수 있다." 하였다. 《漢語大詞典》에 機械는 '巧詐'로 해석되어 있고 變詐도 '巧變詭詐'로 해석되어 있어, 機械變詐는 거의 같은 뜻의 단어가 중첩된 것으로 보는 것이 좋을 듯하다.

··· 繫 맬 계   機 기틀 기   械 기계 계   詐 속일 사   愧 부끄러울 괴

能有如人之事리오하니 其義亦通[797]이라

或問 人有恥不能之心이 如何닛고 程子曰 恥其不能而爲之는 可也요 恥其不能而掩藏之는 不可也니라

다만 부끄러워함이 없는 한 가지 일이 남(正常人)과 같지 못하다면 일마다 남과 같지 못할 것이다. 혹자는 말하기를 "남만 같지 못함을 부끄러워하지 않는다면 어찌 남과 같은 일이 있겠는가."라고 하니, 그 뜻이 또한 통한다.

혹자가 묻기를 "사람들이 자신의 능하지 못함을 부끄러워하는 마음을 두는(갖는) 것이 어떻습니까?" 하고 묻자, 程子(伊川)가 대답하였다. "능하지 못함을 부끄러워하여 힘써서 하는 것은 가하고, 능하지 못함을 부끄러워하여 가리고 감추는 것은 불가하다."

| 古之賢王章(忘勢章) |

8. 孟子曰 古之賢王이 好善而忘勢하더니 古之賢士 何獨不然이리오 樂其道而忘人之勢라 故로 王公이 不致敬盡禮면 則不得亟(기)見之하니 見且猶不得亟은 而況得而臣之乎아

孟子께서 말씀하셨다. "옛날 어진 君王들은 善을 좋아하고 세력(권력)을 잊었으니, 옛날 어진 선비가 어찌 홀로 그렇지 않았겠는가. 그 道를 즐거워하고 남의 세력을 잊었다. 그러므로 王公이 敬을 지극히 하고 禮를 다하지 않으면 자주 그를 만나볼 수 없었으니, 만나보는 것도 오히려 자주 할 수 없는데 하물며 그를 신하로 삼을 수 있겠는가."

按說 | '好善而忘勢'를 官本諺解에 '善을 好ᄒᆞ야 勢를 忘ᄒᆞ더니'로 해석하여 '而'를 'ᄒᆞ야'로 해석하였고, '樂其道而忘人之勢'도 'ᄒᆞ야'로 해석하였다. 이는 經文의 '好善而忘勢'를 《集註》에서 '屈己以下賢'으로 해석하였기 때문인 듯하다. 이에 대하여 壺山은

註에 거꾸로 해석하였으므로 '而'를 '以'로 바꿔 썼는데 官本諺解에는 두 '而'字를 마침내

---

797 或曰……其義亦通 : 혹자의 說은 趙岐가 "옛 聖賢만 못함을 부끄러워하지 않는다면 어찌 聖賢과 같은 명성이 있겠는가.〔不恥不如古之聖賢 何有如聖賢之名也〕" 한 것과 부합한다. 茶山은 혹자의 說을 따랐다.

••• 掩 가릴 엄 勢 형세 세 致 극진할 치 亟 자주 기

'以'字의 뜻으로 삼아 해석하였으니, 마땅히 다시 헤아려 보아야 할 듯하다.〔註倒釋 故變而作以 而諺解兩而字 遂作以字義釋之 恐合更商〕

하였다. '거꾸로 해석하였다〔倒釋〕'는 것은 經文의 내용을 약간 변형하여 屈己와 枉道를 앞에 놓은 것을 이른다. 栗谷諺解에는 위아래의 '而'를 모두 '흐고'로 해석하였다.

集註 | 言 君當屈己以下賢이요 士不枉道而求利니 二者勢若相反이나 而實則相成[798]이니 蓋亦各盡其道而已니라

君主는 마땅히 몸을 굽혀 어진이에게 낮추어야 하고, 선비는 道를 굽혀 이익을 구하지 않아야 함을 말씀한 것이다. 두 가지는 勢가 相反되는 듯하나 실제는 서로 이루어주니, 또한 각기 그 도리를 다할 뿐이다.

|子好遊乎章(囂囂章)|

9-1. 孟子謂宋句踐曰 子好遊乎아 吾語子遊호리라

孟子께서 宋句踐에게 말씀하셨다. "그대는 遊說하기를 좋아하는가? 내 그대에게 遊說하는 것을 말해 주겠다.

集註 | 宋은 姓이요 句踐은 名이라 遊는 遊說(세)也라

宋은 姓이요 句踐은 이름이다. '遊'는 遊說하는 것이다.

9-2. 人知之라도 亦囂囂하며 人不知라도 亦囂囂니라

남이 알아주더라도 囂囂(만족)하며, 남이 알아주지 않더라도 또한 囂囂하여야 한다."

集註 | 趙氏曰 囂囂는 自得無欲之貌라

---

798 二者勢若相反 而實則相成 :《大全》에 "여기의 '勢'는 本文의 두 '勢'字와는 상관이 없다.〔此勢字 不與本文二勢字相關〕"라고 하였는바, 여기의 '勢'는 事勢·形勢를 가리키며 本文의 '勢'는 權勢를 가리킨다. '실제는 서로 이루어 준다.'는 것은 上下가 사귀어 나라가 태평해짐을 이른다.

••• 屈 굽힐굴 下 낮출하 踐 밟을천 囂 만족할효

趙氏(趙岐)가 말하였다. "囂囂는 自得(만족)하여 욕심이 없는 모양이다."

9-3. 曰 何如라야 斯可以囂囂矣잇고 曰 尊德樂義면 則可以囂囂矣니라

宋句踐이 물었다. "어떠하여야 囂囂할 수 있습니까?"

孟子께서 대답하셨다. "德을 높이고 義를 즐거워하면 囂囂할 수 있다.

集註 | 德은 謂所得之善이니 尊之면 則有以自重而不慕乎人爵之榮이요 義는 謂所守之正이니 樂之면 則有以自安而不徇乎外物之誘矣니라

'德'은 얻은 바의 善을 이르니 이것을 높이면 自重(자신을 소중히 여김)함이 있어 人爵의 영화를 사모하지 않을 것이요, '義'는 지키는 바의 正道를 이르니 이것을 즐거워하면 스스로 편안함이 있어 外物의 유혹에 빠지지 않을 것이다.

9-4. 故로 士는 窮不失義하며 達不離道니라

그러므로 선비는 窮하여도 義를 잃지 않으며, 榮達하여도 道를 떠나지 않는 것이다.

集註 | 言 不以貧賤而移하고 不以富貴而淫이니 此는 尊德樂義 見(현)於行事之實也라

貧賤하다 하여 지조를 옮기지(변치) 않고 부귀하다 하여 방탕하지 않음을 말씀하였으니, 이는 德을 높이고 義를 즐거워함이 행실과 일의 실제에 나타난 것이다.

9-5. 窮不失義故로 士得己焉하고 達不離道故로 民不失望焉이니라

窮하여도 義를 잃지 않기 때문에 선비가 자신의 지조를 지키고, 榮達하여도 道를 떠나지 않기 때문에 백성들이 失望하지 않는 것이다.

集註 | 得己는 言不失己也[799]라 民不失望은 言人素望其興道致治러니 而今果如所

---

799 得己 言不失己也 :《大全》에 "'자기를 잃지 않는다.'는 것은 자기 몸의 지조를 잃지 않는다고 말하는 것

··· 爵 벼슬 작 徇 따를 순 誘 꾈 유 窮 곤궁할 궁 達 영달할 달 移 옮길 이 淫 방탕할 음 素 평소 소 致 이룰 치

望也라

'得己'는 자신의 지조를 잃지 않음을 말한다. '백성들이 失望하지 않는다.'는 것은 사람들이 평소에 그가 道를 일으켜 훌륭한 정치를 이룩할 것을 바랐는데, 이제 과연 그 所望과 같이 됨을 말한 것이다.

9-6. 古之人이 得志하얀 澤加於民하고 不得志하얀 修身見(현)於世하니 窮則獨善其身하고 達則兼善天下니라

옛사람들은 뜻을 얻으면 은택이 백성에게 加해지고 뜻을 얻지 못하면 몸을 닦아 세상에 드러냈으니, 窮하면 그 몸을 홀로 善하게 하고 榮達하면 천하를 겸하여 善하게 하였다."

集註ㅣ 見은 謂名實之顯著也라 此는 又言 士得己, 民不失望之實[800]하니라

'見'은 名과 實이 드러남을 말한 것이다. 이는 또 선비가 자신의 지조를 지키고 백성들이 失望하지 않는 실제를 말씀한 것이다.

章下註ㅣ ○ 此章은 言 內重而外輕이면 則無往而不善이니라

○ 이 章은 內面(德義)이 중하고 外物(榮達)이 가벼우면 가는 곳마다 善하지 않음이 없음을 말씀한 것이다.

|待文王而後興章|

10. 孟子曰 待文王而後에 興者는 凡民也니 若夫豪傑之士는 雖無文王이라도 猶興이니라

과 같다.〔不失己 如云不失其身〕" 하였다.

800 士得己 民不失望之實 : 新安陳氏(陳櫟)는 "뜻을 얻어 천하를 겸하여 善하게 함은 이는 백성들이 실망하지 않는 실제이고, 뜻을 얻지 못하여 홀로 자기 몸을 善하게 함은 이는 선비가 자기 몸의 지조를 지키는 실제이다.〔得志兼善 此民不失望之實 不得志獨善 此士得己之實也〕" 하였다.

··· 澤 은택 택 豪 호걸 호 傑 호걸 걸

孟子께서 말씀하셨다. "文王을 기다린 뒤에 흥기하는 자는 凡民(일반 백성)이니, 豪傑의 선비로 말하면 비록 文王 같은 聖君이 없더라도 오히려 흥기한다."

集註 | 興者는 感動奮發之意라 凡民은 庸常之人也요 豪傑은 有過人之才智者也라 蓋降衷秉彝⁸⁰¹는 人所同得이나 惟上智之資라야 無物欲之蔽하여 爲能無待於教而 自能感發以有爲也라

'興'은 감동하고 분발하는 뜻이다. '凡民'은 평범한 사람이고, '豪傑'은 남보다 뛰어난 재주와 지혜가 있는 자이다. 하늘이 내려준 衷(性)과 사람이 가지고 있는 彝倫은 사람들이 똑같이 얻은 것이나 오직 上智의 자품이어야만 物欲의 가리움이 없어서 가르침을 기다림이 없이 스스로 感發하여 훌륭한 일을 할 수 있는 것이다.

|附之以韓魏之家章(自視欿然章)|

11. 孟子曰 附之以韓魏之家라도 如其自視欿(감)然이면 則過人이 遠矣나라

孟子께서 말씀하셨다. "韓氏와 魏氏의 큰 집안을 덧붙여 주더라도 만일 스스로 보기를 하찮게 여긴다면 남보다 뛰어남이 먼 것이다.(훨씬 뛰어난 것이다.)"

集註 | 附는 益也라 韓魏는 晉卿이니 富家也라 欿然은 不自滿之意라
尹氏曰 言 有過人之識이면 則不以富貴爲事나라

'附'는 더해줌이다. 韓氏·魏氏는 晉나라의 卿이니, 부유한 집안이다. '欿然'은 스스로 만족스럽게 여기지 않는 뜻이다.
尹氏(尹煇)가 말하였다. "남보다 뛰어난 식견이 있으면 富貴를 일삼지 않음을 말씀한 것이다."

---

801 降衷秉彝 : '降衷'은 하늘이 내려준 衷을 이르며 '秉彝'는 사람이 항상 간직하고 있는 性을 이르는바, 降衷은 《書經》〈湯誥〉에 "위대하신 上帝가 衷을 下民에게 내리셨으므로 순히 하여 떳떳한 性(倫理)을 소유하였다.〔惟皇上帝 降衷于下民 若有恒性〕"라고 보이며, 秉彝는 《詩經》〈大雅 烝民〉에 보인다. '衷'은 中으로 '天命之性'을 이른다.

··· 奮 뽐낼분 衷 가운데충 秉 잡을병 彝 떳떳할이 蔽 가릴폐 附 붙일부 欿 부족할감

12. 孟子曰 以佚(逸)道使民이면 雖勞나 不怨하며 以生道殺民이면 雖死나 不怨殺者니라

孟子께서 말씀하셨다. "편안하게 해주는 방법으로 백성을 부리면 비록 수고롭더라도 백성들이 원망하지 않으며, 살려주는 방법으로 백성을 죽이면 비록 죽더라도 죽이는 자를 원망하지 않는다."

集註 | 程子曰 以佚道使民은 謂本欲佚之也니 播穀乘屋之類是也[802]요 以生道殺民은 謂本欲生之也니 除害去惡之類是也라 蓋不得已而爲其所當爲면 則雖咈民之欲이나 而民不怨이니 其不然者는 反是니라

程子(伊川)가 말씀하였다. "'편안하게 해주는 방법으로 백성을 부린다.'는 것은 본래 백성을 편안히 해주고자 함을 이르니, 곡식을 파종하고 지붕을 이는 따위가 이것이요, '살려주는 방법으로 백성을 죽인다.'는 것은 본래 백성을 살려주고자 함을 이르니, 害毒을 끼치는 자를 제거하고 악한 자를 제거하는 따위가 이것이다. 부득이하여 당연히 해야 할 것을 한다면 비록 백성들의 하고자 함을 어기더라도 백성들이 원망하지 않으니, 그렇지 못한 자는 이와 반대이다."

13-1. 孟子曰 霸者之民은 驩虞如也요 王者之民은 皡皡如也니라

孟子께서 말씀하셨다. "霸者의 백성들은 매우 즐거워하고, 王者의 백성들은 皡皡(스

---

802 佚道使民……播穀乘屋之類是也 : 茶山은 "'佚道使民'은 한 번 수고하여 오랫동안 편안해지게 하는 일이어야 한다. 곡식을 파종하고 지붕을 이는 일은 해마다 다시 일어나니, 어찌 반드시 '편안하게 해주는 방법'이 되겠는가. 도랑을 파고 경계를 정리하는 것이 한 번 수고하여 오랫동안 편안해지게 하는 것이고, 성곽을 보수하고 도로를 관리하는 것이 한 번 수고하여 오랫동안 편안해지게 하는 것이다.〔佚道使民 當是一勞久佚之事 播穀乘屋 年年復起 何必爲佚道乎 濬畎澮 修疆域 則一勞而久佚也 繕城郭 治道徑 則一勞而久佚也〕"하였다. '播穀乘屋'은 위 〈滕文公上〉 3장에 "빨리 그 지붕에 올라가 지붕을 이어야 〈다음 해에〉 비로소 百穀을 파종할 수 있다.〔亟其乘屋 其始播百穀〕"라고 보이는데, 이것을 축약하고 도치시킨 것이다.

… 佚 편안 일 播 뿌릴 파 乘 오를 승 屋 지붕 옥 咈 어길 불 驩 기쁠 환 虞 기쁠 우 皡 흴 호

스로 만족함)하다.

> 集註 | 驩虞는 與歡娛同이라 皥皥는 廣大自得之貌[803]라
>
> 程子曰 驩虞는 有所造爲而然이니 豈能久也리오 耕田鑿井하니 帝力이 何有於我[804]
> 는 如天之自然이니 乃王者之政이니라
>
> 楊氏曰 所以致人驩虞인댄 必有違道干譽之事하나니 若王者則如天하여 亦不令人
> 喜하고 亦不令人怒니라

'驩虞'는 驩娛와 같다. '皥皥'는 廣大하여 스스로 만족하는 모양이다.

程子(明道)가 말씀하였다. "驩虞는 조작한 바가 있어서 그러한 것이니, 어찌 오래 갈 수 있
겠는가. '내 밭을 갈아 먹고 내 우물을 파서 먹으니, 임금의 힘이 나에게 무슨 상관이 있겠는
가.' 한 것은 하늘의 自然과 같으니, 이것이 바로 王者의 정사이다."

楊氏(楊時)가 말하였다. "사람들을 즐거워하게 하려면 반드시 道를 어기고 명예(칭찬)를
요구하는 일이 있을 것이다. 王者로 말하면 하늘과 같아서 사람들로 하여금 기뻐하게 하지
도 않고 사람들로 하여금 노하게 하지도 않는다."

13-2. 殺之而不怨하며 利之而不庸이라 民日遷善而不知爲之者니라

죽여도 원망하지 않으며 이롭게 하여도 功으로 여기지 않는다. 그러므로 백성들이 날로
遷善改過를 하면서도 누가 그렇게 만드는지를 알지 못한다.

---

803 皥皥 廣大自得之貌 : 茶山은 '皥皥'를 '潔白하고 더러움이 없는 뜻〔潔白無垢之意〕'이라고 하였다.

804 耕田鑿井……何有於我 :《大全》에 《帝王通曆》에 '帝堯의 때에 어떤 노인이 길에서 壤을 두들기며
「나는 해가 뜨면 나가 일하고 해가 지면 들어와 쉬며, 우물을 파서 마시고 밭을 갈아 먹으니, 皇帝의 힘
이 나에게 무슨 상관이 있겠는가.」라고 노래(擊壤歌)했다.' 하였다. 《風土記》에 '擊壤은 나무로 만드는
데 길이가 1尺 4寸이고 모양이 신과 같으니, 섣달에 어린 아이들이 이것을 가지고 놀이를 한다. 놀이를
하게 되면 먼저 하나의 壤을 땅에 기울게 세워놓고 멀리 30~40보 밖에서 손에 쥐고 있는 다른 壤을 던
져서 맞추는 자가 上等이 된다.' 했다.〔帝王通曆 帝堯之時 有老人擊壤於路曰 吾日出而作 日入而息
鑿井而飲 耕田而食 帝力於我何哉 風土記云 擊壤者 以木爲之 長尺四寸 形如履 臘節 僮少以爲戲
將戲 先側一壤於地 遙於三四十步 以手中壤擿之 中者以爲上〕하였다. 《集註》의 '廣大自得'은 바
로 擊壤歌를 부른 노인처럼 자신의 생활에 만족함을 이른다. 훌륭한 제왕은 백성들에게 은덕을 베풀어
환심을 사는 것이 아니라 각자 자기 능력에 따라 누구의 간섭을 받지 않고 자유롭게 살아가게 한다.

··· 娛 기쁠 오 鑿 뚫을 착 干 요구할 간 庸 공용

集註 | 此所謂皞皞如也라 庸은 功也[805]라

豐氏曰 因民之所惡(오)而去之요 非有心於殺之也니 何怨之有리오 因民之所利而
利之요 非有心於利之也니 何庸之有[806]리오 輔其性之自然하여 使自得之라 故로 民
日遷善而不知誰之所爲也니라

이것이 이른바 '皞皞'라는 것이다. '庸'은 功이다.
豐氏(豐稷)가 말하였다. "백성들이 싫어하는 바를 따라 제거하고 백성들을 죽이려는 데에
마음을 둔 것이 아니니, 어찌 원망함이 있겠는가. 백성들이 이롭게 여기는 바를 따라 이롭게
하고 이롭게 해주려는 데에 마음을 둔 것이 아니니, 어찌 功으로 여김이 있겠는가. 그 性의
자연함을 도와주어 스스로 얻게 한다. 그러므로 백성들이 날마다 遷善改過를 하면서도 누
가 그렇게 만드는지를 알지 못하는 것이다."

13-3. 夫君子는 所過者化하며 所存者神이라 上下與天地同流하나니 豈
曰小補之哉리오

君子는 지나가는 곳에 敎化가 되며 마음에 두고 있으면 神妙해진다. 그러므로 上下
가 天地와 함께 유행하니, 어찌 조금만 보탬이 있다고 하겠는가."

按說 | '天地同流'는 天地의 造化와 함께 流行함을 이른다. 官本諺解에는 '上下與
天地'를 '上下ㅣ 天地로 더블어'로 해석되어 있는데, 壺山은

'上下'의 官本諺解의 訓讀은 다시 헤아려 보아야 할 듯하다.〔上下諺讀 恐合更商〕

하였는바, '上下하여'로 토를 달아 '오르고 내려'의 뜻으로 본 것이 아닌가 한다. 한편, 栗
谷諺解에는 '上下애 天地로 더브러'로 해석하였는데, '위아래의 天地와 더불어'의 뜻인

---

805 庸 功也:《周禮》〈夏官司馬 司勳〉에 "백성에게 功이 있는 것을 庸이라 한다.〔民功曰庸〕" 하였다. 楊伯
峻은 "'庸'은 《書經》〈舜典〉과 《春秋左傳》僖公 27년의 '수레와 의복으로 공에 보답하였다.〔車服以
庸〕'라는 '庸'으로 읽어야 하니 '功에 보답하다'의 뜻이다." 하고, 經文의 '利之而不庸'을 "좋은 것을 얻
어도 이것을 공덕으로 생각하지 않는 것이다."로 번역하였다.
806 因民之所利而利之……何庸之有:壺山은 "백성들이 이것을 上(군주)의 功으로 여기지 않는 것이
다.〔民不以此爲上之功〕" 하였다.

듯하다.

集註 | 君子는 聖人之通稱也[807]라 所過者化는 身所經歷之處에 卽人無不化니 如
舜之耕歷山而田者遜畔하고 陶河濱而器不苦窳(유)[808]也라 所存者神은 心所存主
處에 便神妙不測[809]이니 如孔子之立斯立, 道斯行, 綏斯來, 動斯和[810]하여 莫知其
所以然而然也라 是其德業之盛[811]이 乃與天地之化로 同運並行하여 擧一世而甄
陶之요 非如霸者但小小補塞其罅漏(하루)而已라 此則王道之所以爲大니 而學者
所當盡心也니라

'君子'는 聖人의 통칭이다. '所過者化'는 몸이 지나가는 곳에는 곧 사람들이 교화되지 않
음이 없는 것이니, 예컨대 舜임금이 歷山에서 밭을 갊에 농사짓는 자들이 밭두둑을 사양하
고 河濱에서 질그릇을 만듦에 그릇이 苦窳하지 않음과 같은 것이다. '所存者神'은 마음에
두어 주장하는 곳에는 곧 神妙하여 측량할 수 없게 되는 것이니, 예컨대 孔子의 '세우면 이
에 서고 인도하면 이에 행하고 편안히 하면 이에 오고 動하면 이에 和함'과 같아서 그 所以
然을 알지 못하고 그렇게 되는 것이다. 이는 그 德業의 성함이 天地의 조화와 함께 운행되
어 온 세상을 들어서 陶冶하는 것이요, 霸者들이 단지 小小하게 그 틈과 새는 곳을 땜질하
고 보충할 뿐인 것과는 같지 않다. 이는 王道가 위대함이 되는 이유이니, 배우는 자가 마땅
히 마음을 다해야 할 것이다.

---

807 君子 聖人之通稱也 : 壺山은 '君子'는 "바로 윗글의 王者이니, 事業을 가지고 말하면 王者이고 德을
가지고 말하면 君子이다.〔卽上文之王者 蓋以業曰王者 以德曰君子〕"하였다.

808 苦窳 : 찌그러지고 망가진 不良品을 이른다.

809 所存者神……便神妙不測 : 趙岐는 '所存者神'을 "이 나라에 있으면 그 교화가 神과 같아진다.〔存在
此國 其化如神〕"하였다. 程子(明道)는 "'所存者神'은 자기에게 있는 것이고, '所過者化'는 남에게 미
치는 것이다.〔所存者神 在己也 所過者化 及物也〕"하였다.《精義》茶山은 "나는 '所存者神'은 문 밖
을 나가지 않고도 천하를 알아 그 지혜가 神과 같음을 이르는 것이라고 생각한다.〔余謂所存者神 謂不
出戶而知天下 其知如神〕"하였다.

810 如孔子之立斯立……動斯和 : 子貢이 孔子의 神妙한 德을 표현한 것으로,《論語》〈子張〉25장에 자세
히 보인다.

811 德業之盛 : 慶源輔氏(輔廣)는 "德은 자기 몸에 얻은 것을 가지고 말하였고, 業은 일에 나타난 것을 가
지고 말하였다.〔德 以其得於己者而言 業 以其見於事者而言〕"하였다.

••• 遜 양보할 손 畔 밭두둑 반 濱 물가 빈 窳 찌그러질 유 道 인도할 도(導通) 綏 편안할 수 甄 질그릇 견(진)
陶 질그릇구울 도 補 때울 보 塞 막을 색 罅 틈 하 漏 샐 루

|仁言不如仁聲章(善敎章)|

14-1. 孟子曰 仁言이 不如仁聲之入人深也니라

孟子께서 말씀하셨다. "仁言은 仁聲이 사람에게 깊이 들어가는 것만 못하다.

> 集註 | 程子曰 仁言은 謂以仁厚之言으로 加於民이라 仁聲은 謂仁聞[812]이니 謂有仁
> 之實하여 而爲衆所稱道者也라 此는 尤見仁德之昭著라 故로 其感人이 尤深也니라
>
> 程子(伊川)가 말씀하였다. "仁言은 仁厚한 말로 백성들에게 加함을 이른다. 仁聲은 仁聞
> (인자하다는 명성)을 이르니, 仁한 실제가 있어서 여러 사람에게 칭송을 받음을 이른다. 이
> 仁聲은 더욱 仁德이 밝게 드러남을 볼 수 있다. 그러므로 사람을 감동시킴이 더욱 깊은 것
> 이다."

14-2. 善政이 不如善敎之得民也니라

善政은 善敎가 民心을 얻는 것만 못하다.

> 按說 | 朱子는 '善政'과 '善敎'를 《論語》〈爲政〉 3장의 '道之以政 齊之以刑'과 '道
> 之以德 齊之以禮'와 결부시켜 '善政'을 '법령과 금령으로 밖을 제재하는 것'으로, '善敎'
> 를 '道德과 齊禮로 안을 바로잡는 것'으로 설명하였다. 이 주석에 대하여, 慶源輔氏(輔
> 廣)는
>
> > 善政은 한갓 法度와 禁令을 숭상하는 것만은 아니요, 진실로 그 사이에 德行 또한 들어있
> > 다. 다만 政事로써 인도하고 형벌로써 가지런하게 함은, 끝내 德으로써 인도하고 禮로써 가
> > 지런하게 하여 백성들이 마음으로 감동하고 진실로 복종하는 것만 못한 것이다.〔善政 亦非
> > 徒尙夫法度禁令也 固亦有德行乎其間 但道之以政 齊之以刑 終不若道之以德 齊之
> > 以禮者 得民之心感而誠服也〕
>
> 라고 부연하였다.

---

812 仁聲 謂仁聞 : 趙岐는 "'仁聲'은 雅와 頌의 음악 소리이다.〔仁聲 樂聲雅頌也〕" 하였는데, 楊伯峻은 趙
 岐의 說을 취하여 '仁聲'을 '仁德의 음악'으로 번역하였다.

集註 | 政은 謂法度禁令이니 所以制其外也요 敎는 謂道德齊禮니 所以格其心也[813]라

'政'은 法度(制度)와 禁令을 이르니 그 밖을 제재하는 것이요, '敎'는 道德과 齊禮를 이르니 그 마음을 바로잡는 것이다.

14-3. 善政은 民이 畏之하고 善敎는 民이 愛之하나니 善政은 得民財하고 善敎는 得民心이니라

善政은 백성들이 두려워하고 善敎는 백성들이 사랑하니, 善政은 백성의 재물을 얻고 善敎는 백성의 마음을 얻는다."

集註 | 得民財者는 百姓足而君無不足也[814]요 得民心者는 不遺其親, 不後其君[815] 也라

'백성의 재물을 얻는다.'는 것은 백성이 풍족함에 군주가 풍족하지 않음이 없는 것이요, '백성의 마음을 얻는다.'는 것은 그 어버이를 버리지 않고 그 군주를 뒤로 하지 않는 것이다.

|人之所不學而能章(良知良能章)|

15-1. 孟子曰 人之所不學而能者는 其良能也요 所不慮而知者는 其良知也니라

孟子께서 말씀하셨다. "사람들이 배우지 않고도 능한 것은 良能이요, 생각하지 않고도

---

813 政謂法度禁令……所以格其心也 : '道德齊禮'는 '道之以德 齊之以禮'를 줄여 쓴 것으로, 爲政者가 德으로 백성을 인도하고 禮로 통일시킴을 뜻하는바, 이 내용은 《論語》〈爲政〉 3장에 "정사로써 인도하고 형벌로써 가지런히 하면 백성들이 형벌은 면하나 부끄러워함이 없다. 德으로써 인도하고 禮로 가지런히 하면 백성들이 부끄러워함이 있고 또 나쁜 마음을 바로잡는다.〔道之以政 齊之以刑 民免而無恥 道之以德 齊之以禮 有恥且格〕"라고 한 孔子의 말씀을 원용한 것이다.

814 百姓足而君無不足也 : 《論語》〈顏淵〉 9장의 "백성이 풍족하면 군주가 누구와 더불어 풍족하지 못하겠는가.〔百姓足 君孰與不足〕"라고 한 有若의 말을 뒤집어 인용한 것이다.

815 不遺其親 不後其君 : 위 〈梁惠王上〉 1장에 "仁하고서 그 어버이를 버리는 자는 있지 않으며, 義롭고서 그 군주를 뒤로 하는 자는 있지 않다.〔未有仁而遺其親者也 未有義而後其君者也〕"라고 한 말을 축약한 것이다.

··· 遺 버릴 유 良 어질 량

아는 것은 良知이다.

> 集註 | 良者는 本然之善也라
> 程子曰 良知, 良能은 皆無所由하니 乃出於天이요 不繫於人[816]이니라
>
> '良'은 本然으로 잘함이다.
> 程子(伊川)가 말씀하였다. "良知와 良能은 모두 말미암는 바가(緣由하는 것이) 없으니, 이는 바로 天然에서 나온 것이요 人爲에 달려 있지 않은 것이다."

15-2. 孩提之童이 無不知愛其親也며 及其長也하여는 無不知敬其兄也니라

어려서 웃고 손을 잡는 아이가 그 어버이를 사랑할 줄 모르는 이가 없으며, 장성함에 미쳐서는 그 兄을 공경할 줄 모르는 이가 없다.

> 集註 | 孩提는 二三歲之間에 知孩笑可提抱者也라 愛親, 敬長은 所謂良知良能者也라
>
> '孩提'는 2, 3세 사이에 웃을 줄을 알며 손을 잡아주고 안아줄 만한 어린아이이다. 어버이를 사랑하고 어른을 공경함이 이른바 良知·良能이란 것이다.

15-3. 親親은 仁也요 敬長은 義也니 無他라 達之天下也니라

어버이를 친애함은 仁이요 어른을 공경함은 義이니, 이는 다름이 아니라 온 천하에 공통되기 때문이다."

> 集註 | 言 親親, 敬長이 雖一人之私나 然達之天下하여 無不同者는 所以爲仁義也니라

---

816 良知……不繫於人:西山眞氏(眞德秀)는 "善은 性에서 나왔으므로 本然의 능함이 있어서 배우기를 기다리지 않고도 능하고, 本然의 앎이 있어서 배우기를 기다리지 않고도 아는 것이다.〔善出於性 故有 本然之能 不待學而能 本然之知 不待學而知也〕"하였다.

··· 繫 맬 계 孩 어릴 해, 웃을 해 提 끌 제 抱 안을 포

어버이를 친애하고 어른을 공경함이 비록 한 개인의 사사로운 일이나 이것이 온 천하에 공통되어 똑같지 않음이 없음은 仁義가 되는 所以임을 말씀한 것이다.

|舜之居深山章|

16. 孟子曰 舜之居深山之中에 與木石居하시며 與鹿豕遊하시니 其所以異於深山之野人者 幾希러시니 及其聞一善言하시며 見一善行하사는 若決江河라 沛然莫之能禦也러시다

孟子께서 말씀하셨다. "舜임금이 깊은 산중에 거처하실 적에 나무와 돌과 함께 사시며 사슴과 멧돼지와 함께 노시니, 깊은 산속의 野人과 다른 것이 별로 없으셨는데, 한 善言을 들으시고 한 善行을 봄에 미쳐서는 마치 江河를 터놓아 沛然하여 막을 수 있는 자가 없는 것과 같으셨다."

按說| 茶山은 '及其聞一善言'의 '及其' 이하에 闕文이 있는 듯하다 하여

堯임금의 부름을 받아 등용되는 내용의 節이 있어야 할 듯하다.(似有徵庸節)

하였다.

集註| 居深山은 謂耕歷山時也라 蓋聖人之心이 至虛至明하여 渾然之中에 萬理畢具하니 一有感觸이면 則其應甚速而無所不通하나니 非孟子造道之深이면 不能形容至此也니라

'居深山'은 歷山에서 밭 갈 때를 이른다. 聖人의 마음은 지극히 虛하고 지극히 밝아서 渾然한 가운데에 온갖 이치가 모두 갖추어져 있으니, 한번 感觸이 있으면 그 應함이 매우 신속하여 통하지 않는 바가 없다. 道에 나아가기를 깊이 한 孟子가 아니라면 형용함이 이에 이르지 못하였을 것이다.

··· 鹿 사슴록 豕 멧돼지시 希 드물희 決 터놓을결 沛 성할패 禦 막을어 渾 온전할혼 畢 모두필 觸 닿을촉

|無爲其所不爲章|

17. 孟子曰 無爲其所不爲하며 無欲其所不欲이니 如此而已矣니라

孟子께서 말씀하셨다. "하지 않아야 할 것을 하지 말며 하고자 하지 않아야 할 것을 하고자 하지 말 것이니, 이와 같을 뿐이다."

集註 | 李氏曰 有所不爲不欲은 人皆有是心也언마는 至於私意一萌而不能以禮義制之면 則爲所不爲하고 欲所不欲者 多矣니 能反是心이면 則所謂擴充其羞惡之心者而義不可勝用矣라 故로 曰如此而已矣라하시니라

李氏(李郁)가 말하였다. "하지 않아야 하고 하고자 하지 않아야 할 바를 갖고 있음은 사람마다 모두 이러한 마음을 갖고 있으나 私意가 한번 싹터서 禮義로써 제재하지 못함에 이르면 하지 않아야 할 것을 하고 하고자 하지 않아야 할 것을 하고자 하는 경우가 많다. 능히 이마음을 돌이킨다면 이른바 그 羞惡之心을 확충한다는 것이어서 義를 이루 다 쓸 수 없다. 그러므로 이와 같을 뿐이라고 말씀한 것이다."

|人之有德慧術知章(疢疾章)|

18-1. 孟子曰 人之有德慧術知(智)者는 恒存乎疢(진)疾이니라

孟子께서 말씀하셨다. "사람 중에 德의 지혜와 기술의 지혜를 가지고 있는 자는 항상 어려움 속에 있다.

集註 | 德慧者는 德之慧요 術知者는 術之知[817]라 疢疾은 猶災患也라 言 人必有疢疾이면 則能動心忍性하여 增益其所不能[818]也라

'德慧'는 德의 지혜요, '術知'는 기술의 지혜이다. '疢疾'은 災患과 같다. 사람들은 반드시 災患이 있으면 능히 마음을 분발하고 성질을 참아서 능하지 못한 것을 더 增益함을 말씀한

---

817 德慧者……術之知:經文의 '德慧術知'를 趙岐는 '德行·智慧·道術·才智'로 해석하였는데, 楊伯峻은 趙岐의 註를 따라 "도덕·총명·기량·재능"으로 번역하였다.

818 動心忍性 增益其所不能:위 〈告子下〉 15장에 보인다.

••• 萌 싹틀 맹 擴 넓힐 확 慧 지혜 혜 疢 열병진, 병들 진

것이다.

18-2. 獨孤臣孼子는 其操心也危하며 其慮患也深이라 故로 達이니라

오직 외로운 신하와 庶子들은 그 마음을 잡음이 위태로우며 患(禍)을 염려함이 깊다.
이 때문에 통달하는 것이다."

> 集註 | 孤臣은 遠臣[819]이요 孼子는 庶子[820]니 皆不得於君親而常有疢疾者也라 達은
> 謂達於事理니 即所謂德慧術知也라
>
> '孤臣'은 먼 곳에서 온 신하요 '孼子'는 庶子이니, 모두 군주와 어버이에게 사랑을 얻지 못
> 하여 항상 疢疾이 있는 자이다. '達'은 事理에 통달함을 이르니, 곧 이른바 德慧·術智라는
> 것이다.

|有事君人者章(安社稷臣章)|

19-1. 孟子曰 有事君人者하니 事是君이면 則爲容悅者也니라

孟子께서 말씀하셨다. "人君을 섬기는 사람이 있으니, 人君을 섬기게 되면 용납되고
기쁘게 하는 자이다.

> 按說 | 이 장에 '事君人者'와 유사한 표현이 네 번 나오는데, 이에 대해 官本諺解에는
> '事君人者'를 '君을 事하는 人', '安社稷臣者'를 '社稷을 安하는 臣', '天民者'를 '天民
> 인 者', '大人者'를 '大人인 者'로 해석하였다. 壺山은
>
> > '事君人者', '社稷臣者'의 두 '者'字는 虛辭이고 '天民者', '大人者'의 두 '者'字는 實辭
> > 이니, 官本諺解의 해석을 참고할 만하다.[事君人者, 社稷臣者 二者字虛 天民者, 大人

---

819 遠臣:'먼 곳에 와서 벼슬하는 자[遠方來仕者]'를 이른다.〈萬章上〉8장《集註》참조.

820 孼子 庶子:茶山은 "'孼'은 罪(治罪하다)의 뜻이다.[孼 罪也]" 하고, '孼子'는 舜임금과 伯奇와 같은
　　경우라고 하였다. 舜임금은 아버지 瞽瞍가 죽이려 하였고, 伯奇는 아버지 尹吉甫가 추방하였다.《漢
　　語大詞典》에는 "孼子는 자식으로 하여금 災難을 만나게 하는 것이다.[謂使其子遭災難]" 하였다.

··· 孼 서자얼 操 잡을조 容 용납할용

者 二者字 實 諺釋可考〕

하였다. 이는 '事君人者'와 '社稷臣者'는 '者'를 虛字로 보아 풀이하지 않고, '天民者'와 '大人者'는 '者'를 實字로 보아 者(사람)로 풀이함을 말한 것이다. 반면 栗谷諺解에는 네 '者'자를 모두 虛字로 보아 빼버리고 해석하지 않았다.

集註 | 阿徇以爲容하고 逢迎以爲悅[821]이니 此는 鄙夫之事요 妾婦之道也라

군주에게 아첨하고 따라 용납되며 군주의 마음에 逢迎(영합)하여 기쁘게 하는 것이니, 이는 鄙夫의 일이요 妾婦의 道이다.

19-2. 有安社稷臣者하니 以安社稷爲悅者也니라

社稷을 편안히 하는 신하가 있으니, 社稷을 편안히 함을 기쁨으로 삼는 자이다.

集註 | 言 大臣之計安社稷이 如小人之務悅其君[822]하여 眷眷於此而不忘也라

大臣이 社稷을 편안히 하기를 계획함이 小人이 군주를 기쁘게 하기를 힘쓰는 것과 같아서 이에 眷眷(戀戀)하여 잊지 못함을 말한 것이다.

19-3. 有天民者하니 達可行於天下而後에 行之者也니라

天民인 자가 있으니, 榮達하여 〈그 道가〉 온 천하에 행해질 만한 뒤에야 행하는 자이다.

---

821 阿徇以爲容 逢迎以爲悅 : 慶源輔氏(輔廣)는 "'군주에게 아첨하고 따라 용납됨'은 군주의 惡을 조장하여 자기 몸이 용납되기를 구하는 자를 이르고, '군주의 마음에 영합하여 기쁘게 함'은 군주의 惡을 맞이하여 군주가 기뻐하기를 구하는 자를 이른다.〔阿徇爲容 謂長君之惡 以求容其身者 逢迎爲悅 謂逢君之惡 以求君之悅者〕"하였다. '逢君之惡'은 군주가 惡을 하도록 미리 先導하는 것으로 '長君之惡'과 '逢君之惡'은 위 〈告子下〉7장에 보인다.

822 如小人之務悅其君 : 壺山은 "이 節의 '爲悅'은 스스로 기뻐함을 가리킨 것이나 윗절의 '爲悅'이란 文勢로부터 왔기 때문에 《集註》에서 윗절에 조응하여 그 뜻을 해석한 것으로, 한 '如'字를 더한 것이다.〔此節爲悅 是蓋指自悅 而以其從上節爲悅文勢來 故註照上節 釋其義 而添一如字〕"하였다.

••• 阿 아첨할 아 徇 따를 순 鄙 비루할 비 眷 돌아볼 권

集註│民者는 無位之稱이니 以其全盡天理하여 乃天之民이라 故로 謂之天民[823]이라 必其道可行於天下然後에 行之요 不然이면 則寧沒世不見知而不悔하여 不肯小用其道以徇於人也라

張子曰 必功覆(부)斯民然後에 出이니 如伊呂之徒라

'民'은 지위가 없는 자의 칭호이니, 天理를 온전히 다하여 하늘의 백성이기 때문에 天民이라고 이른 것이다. 반드시 그 道가 온 천하에 행해질 만한 뒤에야 행하고, 그렇지 않으면 차라리 종신토록 알아줌을 받지 못해도 후회하지 않아서 그 道를 조금 사용하여 남을 따르기를 즐거워하지 않는 것이다.

張子(張載)가 말씀하였다. "반드시 功이 이 백성들에게 덮여질 만한 뒤에야 나가니, 伊尹·呂尙과 같은 무리이다."

19-4. 有大人者하니 正己而物正者也니라

大人인 자가 있으니, 자기 몸을 바룸에 남이 바루어지는 자이다."

集註│大人은 德盛而上下化之[824]니 所謂見(현)龍在田天下文明[825]者라

'大人'은 德이 盛하여 上下가 교화되는 것이니, 이른바 '나타난 龍이 밭에 있음에 天下가 文明해진다.'는 것이다.

章下註│○此章은 言人品不同이 略有四等하니 容悅侫臣은 不足言이요 安社稷則

---

823 民者……謂之天民:呂氏(呂大臨)는 "孟子의 이른바 '天民 중에 窮하여 하소연할 곳이 없는 자'(〈梁惠王下〉 5장)와 伊尹의 이른바 '나는 天民 중에 먼저 깨달은 자'(〈萬章上〉 7장)는 다만 하늘이 낸 백성을 이르니, 여기의 天民과는 뜻이 모두 다르다.[孟子所謂天民之窮而無告 伊尹所謂予天民之先覺 止謂天生之民 與此義皆異]" 하였다.(《精義》) 程子(伊川)는 "하늘을 順히 하여 道를 행하는 자는 天民이고, 하늘을 順히 하여 政事를 행하는 자는 天吏이다.[順天行道者 天民 順天爲政者 天吏也]" 하였다.(《精義》)

824 大人 德盛而上下化之:朱子는 "天民은 오로지 은둔하여 지위를 얻지 못한 자를 가리키고, 大人은 그 德이 이미 드러난 자이다.[天民 專指潛隱未得位者 大人則其德已著]" 하였다.(《或問》)

825 見龍在田 天下文明:이 내용은 《周易》〈乾卦 文言〉에 보인다. '見龍在田'은 나타난 龍이 밭에 있는 것으로 아랫자리에 있는 聖賢을 가리키는바, 〈乾卦 九二〉 爻辭에 "나타난 龍이 밭에 있으니, 大人(聖君)을 만나봄이 이롭다.[見龍在田 利見大人]"라고 보인다.

··· 寧 차라리녕 沒 다할몰 肯 즐길긍 覆 덮을부 侫 아첨할녕, 간사할녕

忠矣라 然이나 猶一國之士也요 天民則非一國之士矣라 然이나 猶有意也니 無意無必하여 唯其所在而物無不化는 惟聖者能之니라

○ 이 章은 人品의 똑같지 않음이 대략 네 등급이 있음을 말씀하였으니, 용납되고 기쁘게 하는 佞臣(姦臣)은 족히 말할 것이 못되고, 社稷을 편안히 하는 신하는 충성스러우나 아직도 一國의 선비요, 天民은 一國의 선비가 아니나 아직도 의식함이 있으니, 의식함도 없고 기필함도 없어서 오직 그 있는 바에 사람들이 교화되지 않음이 없는 것은 오직 聖人만이 능하다.

|君子有三樂章|

20-1. 孟子曰 君子有三樂而王天下不與(예)存焉이니라

孟子께서 말씀하셨다. "君子에게는 세 가지 즐거움이 있는데, 천하에 왕 노릇 함은 여기에 들어있지 않다.

20-2. 父母俱存하며 兄弟無故 一樂也요

父母가 모두 생존해 계시고 兄弟가 無故한 것이 첫 번째 즐거움이요,

集註 | 此는 人所深願이나 而不可必得者어늘 今旣得之면 其樂을 可知니라

이는 사람들이 깊이 원하는 바이나 반드시 얻을 수는 없는 것인데, 이제 이미 얻었으면 그 즐거움을 알 만하다.

20-3. 仰不愧於天하며 俯不怍於人이 二樂也요

우러러 하늘에 부끄럽지 않고 굽어보아 사람들에게 부끄럽지 않은 것이 두 번째 즐거움이요,

集註 | 程子曰 人能克己면 則仰不愧, 俯不怍하여 心廣體胖이라 其樂을 可知니 有

··· 愧 부끄러울 괴 俯 구부릴 부 怍 부끄러울 작 胖 몸펴질 반

息則餒⁸²⁶矣니라

> 程子(明道)가 말씀하였다. "사람이 능히 자신의 사욕을 이기면 우러러 부끄럽지 않고 굽어 보아 부끄럽지 않아서 마음이 태연하고 몸이 펴진다. 그 즐거움을 알 수 있으니, 쉼(중단함) 이 있으면 굶주리게(부족하게) 된다."

20-4. 得天下英才而教育之 三樂也니

천하의 英才를 얻어 교육하는 것이 세 번째 즐거움이니,

> 集註 | 盡得一世明睿之才하여 而以所樂乎己者⁸²⁷로 教而養之면 則斯道之傳을 得 之者衆하여 而天下後世將無不被其澤矣리라 聖人之心所願欲者 莫大於此어늘 今 既得之면 其樂이 爲何如哉⁸²⁸오

> 온 세상의 총명하고 지혜로운 人才를 모두 얻어서 자신이 즐거워하는 것(道)을 가지고 그 를 가르쳐 기른다면 이 道의 전함을 얻은 자가 많아져서 天下와 後世에 장차 그 혜택을 입 지 않는 이가 없을 것이다. 聖人의 마음에 원하고 하고자 함이 이보다 더 큰 것이 없는데, 이제 이미 얻었다면 그 즐거움이 어떠하겠는가.

20-5. 君子有三樂而王天下不與存焉이니라

君子에게는 세 가지 즐거움이 있는데, 천하에 왕 노릇 함은 여기에 들어있지 않다."

---

826 心廣體胖……有息則餒 : '心廣體胖'은 마음에 여유가 있고 몸이 위축됨이 없이 펴지는 것으로《大學》 傳 6장에 보이며, '有息則餒'는 이와 반대로 한 일이 정직하지 못하여 부끄러운 마음이 있으면 心廣體 胖하지 못함을 이른다. 앞의 〈公孫丑上〉 2장(浩然章)에 浩然之氣를 논하면서 "그 氣(浩然之氣)는 義와 道에 배합되니, 이 浩然之氣가 없으면 〈몸이〉 굶주리게 된다.〔其爲氣也 配義與道 無是餒也〕"라 고 보인다. 浩然之氣는 자신이 행한 일이 정직하여 조금의 부끄러움도 없어서 생겨나는 자신감과 패기 를 이른다.

827 所樂乎己者 :《大全》에 "하늘에 부끄럽지 않고 사람들에게 부끄럽지 않은 즐거움이다.〔不愧不怍之 樂〕" 하였다.

828 爲何如哉 : 一本에는 '何如'가 '如何'로 되어 있다.

··· 餒 굶주릴 뇌 睿 밝을 예 衆 많을 중

集註 | 林氏曰 此三樂者는 一係於天하고 一係於人[829]이요 其可以自致者는 惟不愧不怍而已니 學者可不勉哉아

林氏(林之奇)가 말하였다. "이 세 가지 즐거움은 하나는 하늘에 달려 있고 하나는 사람에게 달려 있으며, 스스로 다할 수 있는 것은 오직 하늘에 부끄럽지 않고 사람들에게 부끄럽지 않은 것뿐이니, 배우는 자가 힘쓰지 않을 수 있겠는가."

|廣土衆民章|

21-1. 孟子曰 廣土衆民을 君子欲之나 所樂은 不存焉이니라

孟子께서 말씀하셨다. "토지(영토)를 넓히고 백성을 많게 함을 君子가 하고자 하나 즐거워함은 여기에 있지 않다.

> 按說 | '廣土衆民 君子欲之'에 대하여, 官本諺解에는 '土ㅣ 廣하며 民이 衆홈을 君子ㅣ 欲하나'라고 해석하였는데, 壺山은
>
> > 諺解의 해석은 이《集註》의 말을 따라 해석하였으나 本文의 문세에는 다시 살펴보아야 할 듯하다.〔諺解依此註語釋之 而於本文之勢 則恐合更商〕
>
> 하였다. 이는 '토지를 넓히고 백성을 많게 함'으로 해석해야 함을 말한 것으로, '이《集註》의 말을 따랐다.'는 것은 '地闢民聚'를 가리킨 것이다. 栗谷諺解는 '土를 廣케 하며 民을 衆케 홈'로 해석하였다.
> 朱子는
>
> > 〈여기의〉 君子는 바로 聖人을 통틀어 말한 것이다.〔君子 是通聖人言〕《語類》
>
> 하였다.

---

829 一係於天 一係於人 : 父母가 모두 생존하고 兄弟가 無故한 것은 하늘에 달려 있고, 天下의 英才를 얻어 교육함은 사람에게 달려 있는 것이다.

··· 係 맬 계 致 다할 치

集註 | 地闢民聚하여 澤可遠施라 故로 君子欲之라 然이나 未足以爲樂也니라

땅이 개척되고 백성이 모여서 혜택이 멀리 베풀어질 수 있다. 그러므로 君子가 이를 하고자 한다. 그러나 즐거움이 될 수는 없다.

21-2. 中天下而立하여 定四海之民을 君子樂之나 所性은 不存焉이니라

천하의 한 가운데에 서서 〈王者가 되어〉 四海의 백성을 안정시킴을 君子가 즐거워하나 本性은 여기에 있지 않다.

按說 | '立'에 대하여, 壺山은

立은 建極(極을 세움)과 같다.〔立 猶建極也〕

하였다. 建極은 《書經》〈洪範〉에 '皇建其有極'이라고 보이는데, 孔穎達의 疏에 "極은 中이다.〔極 中也〕"하였다.

'所性'에 대하여, 茶山은

내가 일찍이 性을 마음의 嗜好라고 하니 사람들이 모두 의심하였는데, 지금 그 증거가 여기에 있다. 欲·樂·性 세 글자를 孟子는 세 층으로 나누었는데, 가장 얕은 것이 欲이고 그 다음이 樂이며, 가장 깊어서 마침내 본인이 버릇처럼 즐겨 좋아하는 것이 性이다. '君子所性'은 '君子가 嗜好하는 바라는 말과 같다. 다만 嗜好는 오히려 얕고 性은 저절로 그러함의 명칭이다. 만약 性이 嗜好의 종류가 아니라면 '所性' 두 글자는 글이 되지 않는다. 欲·樂·性 세 글자가 같은 종류이니, 그렇다면 性은 嗜好이다.〔余嘗以性爲心之嗜好 人皆疑之 今其證在此矣 欲樂性三字 孟子分作三層 最淺者欲也 其次樂也 其最深而遂爲本人之癖好者性也 君子所性 猶言君子所嗜好也 但嗜好猶淺 而性則自然之名也 若云性非嗜好之類 則所性二字 不能成文 欲樂性三字 旣爲同類 則性者嗜好也〕

라고 하여 '性을 嗜好로 보아야 한다.'는 자신의 주장을 펼쳤다. 그러나 孟子는 아랫글에서 '所性'은 '仁義禮智根於心 其生色也 睟然見於面 盎於背 施於四體'라 하였으니, 茶山의 말대로라면 嗜好가 얼굴빛에 나타나고 등에 가득하고 四體에 베풀어지는 것이니, 만일 嗜好가 이렇게 나타난다면 狂人이 아니면 욕심쟁이일 것이다. 理解가 되지 않는 부

··· 闢 개간할 벽 聚 모을 취

분이다.

'所性'은 앞의 '所樂'에 맞추어 쓴 것으로, 굳이 해석한다면 '性으로 삼은 것'으로 해석해야 할 듯하다.

集註 | 其道大行하여 無一夫不被其澤이라 故로 君子樂之라 然이나 其所得於天者는 則不在是也니라

그 道가 크게 행해져서 한 지아비도 그 혜택을 입지 못하는 이가 없다. 그러므로 君子가 이를 즐거워한다. 그러나 하늘에서 얻은 바의 本性은 여기에 있지 않다.

21-3. 君子所性은 雖大行이나 不加焉이며 雖窮居나 不損焉이니 分定故也니라

君子의 本性은 비록 크게 행해지더라도 더 보태지지 않으며 비록 窮하게 살더라도 줄어들지 않으니, 분수가 정해져 있기 때문이다.

集註 | 分者는 所得於天之全體라 故로 不以窮達而有異니라

'分'은 하늘에서 얻은 바의 全體이다. 그러므로 窮하거나 榮達함에 따라 다름이 있는 것이 아니다.

21-4. 君子所性은 仁義禮智根於心이라 其生色也 睟然見(현)於面하며 盎於背하며 施於四體하여 四體不言而喩니라

君子의 本性은 仁義禮智가 마음속에 뿌리하여, 그 氣色에 발현됨이 깨끗이 얼굴에 드러나며 등에 가득하며 四體에 베풀어져서 四體가 굳이 말하지 않아도 저절로 깨달아 올바르게 된다."

按說 | '其生色也 睟然見於面'에 대하여, 官本諺解에 '그 色애 生ᄒᆞ욤이 睟然히 面에 見ᄒᆞ며'로 되어 있는데, 壺山은

··· 被 입을 피 睟 깨끗할 수 盎 가득할 앙 喩 깨달을 유

生色은 發華라는 말과 같으니, 官本諺解의 해석에 얼굴빛[色]에 나온다고 한 것은 잘못인

듯하다.[生色 猶發華也 諺釋作生於色 恐非也]

하였다. 楊伯峻은 句讀를 朱子와 다르게 끊어 '其生色也睟然 見於面'으로 읽고, 經文

을 "그 풍겨 나오는 기색이 온화하고 윤택하여, 이것이 얼굴에 나타나고 등에 나타나며 손

발의 사지에까지 미쳐서, 손발이 움직이는 중에 굳이 말하지 않아도 남들이 한 번 보면 알

게 된다."로 번역하였다.

集註 | 上言所性之分이 與所欲所樂不同하고 此乃言其蘊也라 仁義禮智는 性之四

德也라 根은 本也라 生은 發見(현)也라 睟然은 淸和潤澤之貌요 盎은 豐厚盈溢之意

라 施於四體는 謂見(현)於動作威儀之間也라 喩는 曉也니 四體不言而喩는 言四體

不待吾言而自能曉吾意也[830]라 蓋氣稟淸明하여 無物欲之累하면 則性之四德이 根

本於心하니 其積之盛이면 則發而著見於外者 不待言而無不順也니라

程子曰 睟面盎背는 皆積盛致然이니 四體不言而喩는 惟有德者能之니라

위에서는 所性의 분수가 所欲·所樂과 같지 않음을 말씀하였고, 여기서는 마침내 그 깊은

뜻을 말씀한 것이다. '仁·義·禮·智'는 性의 네 가지 德이다. '根'은 뿌리이다. '生'은 發

見되는 것이다. '睟然'은 淸和하고 윤택한 모양이요, '盎'은 豐厚하고 가득 차 넘치는 뜻이

다. '四體에 베풀어진다.'는 것은 動作과 威儀의 사이에 나타남을 이른다. '喩'는 깨달음이

니, '四體가 말하지 않아도 깨닫는다.'는 것은 四體가 내 말을 기다리지 않고도 저절로 내

뜻을 깨달음을 말한다. 氣稟이 淸明하여 物欲의 累가 없으면 性의 네 가지 德이 마음속에

뿌리하니, 그 쌓임이 盛하면 發하여 밖에 드러남이 말하기를 기다리지 않아도 順하지 않음

이 없는 것이다.

---

830 四體不言而喩 言四體不待吾言而自能曉吾意也:朱子는 "이는 四體가 마음의 명령을 기다리지 않고
저절로 이와 같게 되는 것이니, '손 모양을 공손히 함'은 자신이 손을 공손하게 하도록 시키지 않았는데
도 저절로 공손하고, '발 모양을 무겁게 함'은 자신이 발을 무겁게 하도록 시키지 않았는데도 저절로 무
거워져서, 이와 같도록 교화할 필요가 없이 저절로 이와 같음을 이른 것이다.[是四體不待命而自如
此 謂手容恭 不待自家敎他恭而自然恭 足容重 不待自家敎他重而自然重 不待敎化如此而自如此
也]" 하였다.《語類》 이는 곧 군이 마음이 육신을 하나하나 지시하지 않아도 言動이 모두 예법에 맞음
을 이른다. 수양이 안 된 우리들은 말을 조심해야 한다고 마음먹어도 말할 때가 되면 자신도 모르게 거
친 말과 거짓말이 나오며, 손 모양은 공손하고 발 모양은 무거워야 한다는 九容을 지키고자 하여도 마
음대로 되지 않는다.

··· 蘊 쌓일온 盈 가득찰영 溢 넘칠일 曉 깨달을효 稟 받을품

程子(伊川)가 말씀하였다. "睟面盎背는 모두 쌓고 많이 하여 이루어지는 것이니, 四體가 말하지 않아도 깨닫는 것은 오직 德이 있는 자만이 능하다."

章下註 | ○此章은 言 君子固欲其道之大行이나 然其所得於天者는 則不以是而有所加損也니라

○이 章은 君子가 진실로 道가 크게 행해지기를 바라나 하늘에서 얻은 것(本性)은 이 때문에 증가되거나 줄어드는 바가 있지 않음을 말씀한 것이다.

| 伯夷辟紂章(善養老章) |

22-1. 孟子曰 伯夷辟(避)紂하여 居北海之濱이러니 聞文王作하고 興曰 盍歸乎來리오 吾聞西伯은 善養老者라하고 大(太)公이 辟紂하여 居東海之濱이러니 聞文王作하고 興曰 盍歸乎來리오 吾聞西伯은 善養老者라하니 天下에 有善養老면 則仁人이 以爲己歸矣리라

孟子께서 말씀하셨다. "伯夷가 紂王을 피하여 北海의 가에 살고 있었는데, 文王이 일어났다는 말을 듣고 분발하여 말씀하기를 '어찌 돌아가지 않겠는가. 내 들으니 西伯(文王)은 老人을 잘 봉양한다.' 하였으며, 太公이 紂王을 피하여 東海의 가에 살고 있었는데, 文王이 일어났다는 말을 듣고 분발하여 말씀하기를 '어찌 돌아가지 않겠는가. 내 들으니 西伯은 老人을 잘 봉양한다.' 하였으니, 천하에 老人을 잘 봉양하는 자가 있으면 仁人들이 자기의 돌아갈 곳으로 삼을 것이다.

集註 | 己歸는 謂己之所歸라 餘見前篇하니라

'己歸'는 자기의 돌아갈 곳을 이른다. 나머지는 前篇(離婁上)에 보인다.

22-2. 五畝之宅에 樹墻下以桑하여 匹婦蠶之면 則老者足以衣帛矣며 五母鷄와 二母彘를 無失其時면 老者足以無失肉矣며 百畝之田을 匹夫耕之면 八口之家 可以無飢矣리라

··· 濱 물가 빈 作 일어날 작 盍 어찌아니 합 樹 심을 수 蠶 누에 잠 彘 돼지 체

5畝의 집에 담장 아래에 뽕나무를 심어 匹婦(한 지어미)가 누에를 치면 늙은이가(노인이) 충분히 비단옷을 입을 수 있으며, 다섯 마리의 암탉과 두 마리의 암퇘지를 새끼 칠 때를 놓치지 않게 하면 노인이 충분히 고기를 잃음이 없을 것이며, 100畝의 토지를 匹夫가 경작한다면 여덟 식구의 집안이 굶주림이 없을 수 있을 것이다.

集註 | 此는 文王之政也라 一家養母鷄五, 母彘二也라 餘見前篇하니라

이는 文王의 政事이다. 한 집에서 암탉 다섯 마리와 암퇘지 두 마리를 기르는 것이다. 나머지는 前篇(梁惠王上)에 보인다.

22-3. 所謂西伯이 善養老者는 制其田里하여 教之樹畜(휵)하고 導其妻子하여 使養其老니 五十에 非帛不煖하고 七十에 非肉不飽하나니 不煖不飽를 謂之凍餒니 文王之民이 無凍餒之老者는 此之謂也니라

이른바 '西伯(文王)이 노인을 잘 봉양했다.'는 것은 그 田里를 제정해 주어 곡식과 뽕나무를 심고 닭과 돼지를 기르는 법을 가르치며, 그 妻子를 인도하여 그들로 하여금 노인을 봉양하게 한 것이다. 50세에는 비단옷이 아니면 따뜻하지 못하며 70세에는 고기가 아니면 배부르지 못하니, 따뜻하지 못하고 배부르지 못함을 '凍餒'라 이른다. 文王의 백성이 凍餒의 노인이 없었다는 것은 이를 이른다."

集註 | 田은 謂百畝之田이요 里는 謂五畝之宅이라 樹는 謂耕桑이요 畜은 謂鷄彘也라 趙氏曰 善養老者는 教導之하여 使可以養其老耳요 非家賜而人益之也니라

'田'은 100畝의 토지를 이르고, '里'는 5畝의 집을 이른다. '樹'는 밭 갈고 뽕나무를 심음을 이르고, '畜'은 닭과 돼지를 기름을 이른다.

趙氏(趙岐)가 말하였다 "'노인을 잘 봉양한다.'는 것은 妻子를 가르치고 인도하여 자기 노인을 봉양하게 하는 것일 뿐이요, 집집마다 물건을 하사해 주고 사람마다 물건을 보태주는 것은 아니다."

••• 畜 기를휵 煖 따뜻할난 凍 얼동 餒 굶주릴뇌

| 易其田疇章 |

23-1. 孟子曰 易(이)其田疇하며 薄其稅斂이면 民可使富也니라

孟子께서 말씀하셨다. "田疇(농지)를 잘 다스리고 세금을 적게 거둔다면 백성들을 부유하게 할 수 있다.

集註 | 易는 治也라 疇는 耕治之田也라

'易'는 다스림이다. '疇'는 갈고 다스리는 밭이다.

23-2. 食之以時하며 用之以禮면 財不可勝用也니라

먹기를 제때에 하고 쓰기를 禮대로 하면 재물을 이루 다 쓸 수 없을 것이다.

集註 | 敎民節儉이면 則財用足矣[831]리라

백성들에게 절약과 검소함을 가르치면 財用이 풍족할 것이다.

23-3. 民非水火면 不生活이로되 昏暮에 叩人之門戶하여 求水火어든 無弗與者는 至足矣일새니 聖人이 治天下에 使有菽粟을 如水火니 菽粟이 如水火면 而民이 焉有不仁者乎리오

사람(백성)은 물과 불이 아니면 생활할 수가 없으나 어두운 저녁에 남의 門戶를 두드려서 물과 불을 구하면 주지 않을 자가 없는 것은 〈불과 물이〉 지극히 풍족하기 때문이다. 聖人이 천하를 다스림에 백성들로 하여금 콩과 곡식을 물과 불처럼 흔하게 소유하게 하였으니, 콩과 곡식이 물과 불처럼 흔하다면 사람들이 어찌 仁하지 않는 자가 있겠는가."

集註 | 水火는 民之所急이니 宜其愛之로되 而反不愛者는 多故也라

---

831 財用足矣:一本에는 '矣'가 '也'로 되어 있다.

··· 易 다스릴 이 疇 밭두둑 주 斂 거둘 렴 昏 어두울 혼 叩 두드릴 고 菽 콩 숙 粟 곡식 속

尹氏曰 言 禮義生於富足이니 民無常産이면 則無常心矣니라

'물과 불'은 사람에게 시급한 것이니, 마땅히 아껴야 할 터인데 도리어 아끼지 않는 것은 많기 때문이다.

尹氏(尹焞)가 말하였다. "禮와 義가 부유하고 풍족한 데서 생겨나니, 백성들이 떳떳이 살 수 있는 재산(生業)이 없으면 떳떳한 마음이 없어짐을 말씀한 것이다."

|觀水有術章(孔子登東山章)|

24-1. 孟子曰 孔子登東山而小魯하시고 登太山而小天下하시니 故로 觀於海者엔 難爲水요 遊於聖人之門者엔 難爲言이니라

孟子께서 말씀하셨다. "孔子께서 魯나라 東山에 올라가시어 魯나라를 작게 여기셨고, 太山에 올라가시어 天下를 작게 여기셨다. 그러므로 바다를 구경한 자에게는 큰물이 되기가 어렵고, 聖人의 門下에서 遊學한 자에게는 훌륭한 말이 되기가 어려운 것이다.

集註 | 此는 言聖人之道大也라 東山은 蓋魯城東之高山[832]이요 而太山則又高矣라 此는 言 所處益高면 則其視下益小요 所見旣大면 則其小者不足觀也라 難爲水, 難爲言은 猶仁不可爲衆之意[833]라

이는 聖人의 道가 큼을 말씀한 것이다. 東山은 魯나라 都城 동쪽에 있는 높은 山이요, 太山은 이보다 더 높다. 이는 處한 곳이 더욱 높으면 그 아래를 봄에 더욱 작아지고, 본 것이 이미 크면 작은 것은 볼 것이 못됨을 말씀한 것이다. '물이 되기가 어렵고 말이 되기가 어렵다.'는 것은 '仁者 앞에서는 많은 무리(적수)가 될 수 없다.'는 뜻과 같다.

24-2. 觀水有術하니 必觀其瀾이니라 日月이 有明하니 容光에 必照焉이

---

832 東山 蓋魯城東之高山 : 楊伯峻은 "바로 蒙山이니, 지금의 산동성 蒙陰縣 남쪽에 있다." 하였다.

833 難爲水……猶仁不可爲衆之意 : 潛室陳氏(陳埴)는 "太山의 앞에서는 산 되기가 어려움과 같은 것이다.〔如太山之前 難爲山〕" 하였다. '仁不可爲衆'은 孔子의 말씀으로 '爲'를 '되다'의 뜻으로 해석하였는바, 자세한 내용은 앞의 〈離婁上〉 7장 譯註에 보인다.

··· 爲 될 위 瀾 여울 란 照 비출 조

니라

물을 구경함에 방법이 있으니, 반드시 그 여울목을 보아야 한다. 해와 달이 밝음이 있으니, 빛을 용납하는 곳에는 반드시 비춘다.

按說 | '容光'에 대하여, 趙岐는 '작은 틈'이라고 하였는데, 焦循의 《孟子正義》에

만일 실이나 머리카락이 용납되는 작은 틈이 있으면 햇빛이 반드시 들어가 비춘다. 容光이 작은 틈의 명칭은 아니지만 작은 틈까지 비친다는 것은 그 용납됨이 미세한 데까지 이름을 지극히 말한 것으로, 그 비춤이 큰 것을 나타낸 것이다. 그러므로 趙岐가 작은 틈으로 容光을 설명한 것이다.〔苟有絲髮之隙可以容納 則光必入而照焉 容光非小隙之名 至於小隙 極言其容之微者 以見其照之大也 故以小隙明容光〕

하였다.

集註 | 此는 言道之有本也라 瀾은 水之湍急處也라 明者는 光之體요 光者는 明之用也라 觀水之瀾이면 則知其源之有本矣요 觀日月於容光之隙에 無不照면 則知其明之有本矣니라

이는 道가 근본이 있음을 말씀한 것이다. '瀾'은 물의 여울이 급한 곳이다. '밝음'은 빛의 體이고, '빛'은 밝음의 用이다. 물의 여울목을 보면 그 水源에 근본이 있음을 알 수 있고, 해와 달이 빛을 용납하는 작은 틈에도 비추지 않음이 없음을 보면 그 밝음에 근본이 있음을 알 수 있다.

24-3. 流水之爲物也 不盈科면 不行하나니 君子之志於道也에도 不成章이면 不達이니라

흐르는 물의 물건됨이 웅덩이가 차지 않으면 흘러가지 않으니, 君子가 道에 뜻을 둠에도 文章이 이루어지지 않으면 도달하지 않는다."

••• 湍 여울 단 隙 틈 극 盈 가득찰 영 科 구덩이 과 達 통할 달

按說 | '不成章'에 대하여, 茶山은

　　'不成章'은 衮服의 九章으로 비유한 것이다.〔不成章者 以衮服九章喩之也〕

하였다. 九章은 龍·山·華蟲(꿩)·火·宗彝(종묘의 제기)를 웃옷에 그리고, 藻(마름)·粉米(白米)·黼·黻을 아래 치마에 수놓은 것이다. 楊伯峻은

　　《說文解字》에 '음악이 〈한 단락〉 끝나는 것이 1章이다.〔樂竟爲一章〕' 하였는데, 이로부터
　　引伸하면 사물이 일정한 단계에 도달하고 일정한 규모를 갖추면 '成章'이라고 말할 수 있다.

하였다.

集註 | 言 學當以漸이라야 乃能至也라 成章은 所積者厚而文章外見(현)也라 達者는 足於此而通於彼也라

학문은 마땅히 漸進的으로 하여야 이를 수 있음을 말씀한 것이다. '成章'은 쌓인 것이 후하여 文章이 밖으로 드러나는 것이다. '達'은 여기에 충족하여 저기에 도달하는 것이다.

章下註 | ○ 此章은 言 聖人之道 大而有本하니 學之者必以其漸이라야 乃能至也니라

○이 章은 聖人의 道가 크면서도 근본이 있으니, 이것을 배우는 자가 반드시 점진적으로 하여야 비로소 이를 수 있음을 말씀한 것이다.

| 鷄鳴而起章 |

25-1. 孟子曰 鷄鳴而起하여 孳孳爲善者는 舜之徒也요

孟子께서 말씀하셨다. "닭이 울면 일어나서 부지런히 善을 행하는 자는 舜임금의 무리요,

　　集註 | 孳孳[834]는 勤勉之意라 言 雖未至於聖人이나 亦是聖人之徒也라

---

834 孳孳 : 《大全》에 "孳는 孜(부지런함)와 같다." 하였다.

… 漸 점점 점　孳 부지런할 자

'孳孳'는 부지런히 힘쓰는 뜻이다. 비록 聖人의 경지에 이르지 못하더라도 또한 聖人의 무리임을 말씀한 것이다.

25-2. 鷄鳴而起하여 孳孳爲利者는 蹠之徒也니

닭이 울면 일어나서 부지런히 이익을 추구하는 자는 盜蹠의 무리이니,

集註 | 蹠은 盜蹠也[835]라

蹠은 盜蹠이다.

25-3. 欲知舜與蹠之分인댄 無他라 利與善之間也니라

舜임금과 盜蹠의 구분을 알고자 한다면 다른 것이 없다. 利와 善의 사이인 것이다."

按說 | '間'에 대하여, 楊伯峻은 '不同(다름, 차이)'의 뜻이라 하였다.

集註 | 程子曰 言間者는 謂相去不遠하여 所爭이 毫末耳라 善與利는 公私而已矣니 才(纔)出於善이면 便以利言也니라

程子(明道)가 말씀하였다. "사이〔間〕라고 말한 것은 서로의 거리가 멀지 않아 다투는 바가 털끝 만할 뿐임을 말씀한 것이다. 善과 利는 公과 私일 뿐이니, 조금만 善에서 벗어나면 곧 利라고 말할 수 있다."

章下註 | ○ 楊氏曰 舜蹠之相去遠矣나 而其分은 乃在利善之間而已니 是豈可以

---

835 蹠 盜蹠也:《大全》에 "蹠은 跖과 같다." 하였다.《莊子》〈盜跖〉에 "柳下惠의 아우의 이름이 盜跖이었다. 盜跖은 병졸 9천 명을 거느리고 천하를 횡행하면서 제후국을 침범하여 약탈하고, 남의 집에 구멍을 뚫고 문을 떼어 牛馬를 몰고 가고 婦女를 데려갔다.〔柳下季之弟 名曰盜跖 盜跖從卒九千人 橫行天下 侵暴諸侯 穴室樞戶 驅人牛馬 取人婦女〕" 하였다.《史記正義》에 "蹠은 黃帝 때 大盜의 이름이다. 柳下惠의 아우가 천하의 大盜이기 때문에 세상에서 옛날 호칭을 따라 盜跖이라 일렀다.〔蹠者黃帝時 大盜之名 以柳下惠弟爲天下大盜 故世放古號 謂之盜跖〕" 하였다. 孫奭의《孟子正義》에는 "李奇의《漢書》주에 '盜蹠은 秦나라의 大盜이다.' 했다.〔李奇漢書傳云 盜蹠乃是秦之大盜也〕" 하였다.

··· 蹠 밟을 척 毫 터럭 호 才 겨우 재, 잠시 재(纔通)

不謹이리오 然이나 講之不熟하고 見之不明이면 未有不以利爲義者하니 又學者所當
深察也니라

或問 鷄鳴而起하여 若未接物이면 如何爲善이닛고 程子曰 只主於敬이 便是爲善이
니라

○ 楊氏(楊時)가 말하였다. "舜임금과 盜蹠의 相去(서로의 거리)가 멀지만 그 구분은 바로
利와 善의 사이에 있을 뿐이니, 이 어찌 삼가지 않을 수 있겠는가. 그러나 講論하기를 익숙
히 하지 않고 보기를 분명히 하지 않으면 利를 義라고 여기지 않을 자가 있지 않으니, 이는
또 배우는 자들이 마땅히 깊이 살펴야 할 것이다."

혹자가 묻기를 "닭이 울면 일어나서 만일 사물을 접하지 않았으면 어떻게 하여야 善을 합니
까?" 하자, 程子(明道)가 말씀하였다. "다만 敬을 주장하는 것이 곧 善을 하는 것이다."

|楊子取爲我章(子莫執中章)|

26-1. 孟子曰 楊子는 取爲我하니 拔一毛而利天下라도 不爲也하니라

孟子께서 말씀하셨다. "楊子는 자신을 위함을 취하였으니, 한 털을 뽑아서 天下를 이
롭게 하더라도 하지 않았다.

按說 | 楊子에 대하여, 《大全》에

이는 不及에 잘못된 자이다.(此失之不及者也)

하였다.
'取爲我'에 대하여, 楊伯峻은

'取'는 治(다스리다)로 訓해야 한다.

하고 '取爲我'를 '爲我를 주장하다'로 번역하였다.

集註 | 楊子는 名朱라 取者는 僅足之意니 取爲我者는 僅足於爲我而已요 不及爲人

--- 拔 뽑을 발 僅 겨우 근

也라 列子稱其言曰 伯成子高不以一毫利物⁸³⁶이라하니 是也라

楊子는 이름이 朱이다. '取'는 겨우 족하다는 뜻이니, '자신을 위함을 취한다.'는 것은 爲我에 겨우 족할 뿐이요, 爲人에 미치지 않는 것이다. 列子가 그의 말을 들어 말하기를 "伯成子高는 一毫라도 남을 이롭게 하지 않았다." 하였으니, 바로 이것이다.

26-2. 墨子는 兼愛하니 摩頂放踵이라도 利天下인댄 爲之하니라

墨子는 兼愛를 하였으니, 이마(정수리)를 갈아 발꿈치에 이르더라도 天下를 이롭게 하면 하였다.

> 按說 │ 墨子에 대하여, 《大全》에
>
> 이는 너무 지나침에 잘못된 자이다.〔此失於太過者也〕
>
> 하였다.

集註 │ 墨子는 名翟이라 兼愛는 無所不愛也라 摩頂은 摩突其頂也라 放은 至也라

墨子는 이름이 翟이다. '兼愛'는 사랑하지 않는 바가 없는 것이다. '摩頂'은 그 이마를 갈고 부딪치는 것이다. '放'은 이름이다.

26-3. 子莫은 執中하니 執中이 爲近之나 執中無權이 猶執一也니라

子莫은 중간을 잡았으니, 중간을 잡는 것이 〈道에〉 가까우나 중간을 잡고 저울질함(權道)이 없는 것은 한쪽을 잡는 것과 같다.

---

836 列子稱其言曰 伯成子高不以一毫利物 : 이 내용은 《列子》〈楊朱〉에 보인다. 《莊子》〈天地〉에도 伯成子高에 대한 내용이 보이는바, 伯成子高는 堯임금 때 제후였는데, 堯임금이 舜임금에게 禪位하고 舜임금이 禹임금에게 禪位하자, 은거하여 농사를 지으며 禹임금이 賞罰로 정치하는 것을 비판하기를 "德이 이로부터 쇠하고 형벌이 이로부터 확립되고 후세의 혼란이 이로부터 시작될 것이다.〔德自此衰 刑自此立 後世之亂 自此始矣〕" 하였다.

… 摩 갈마 頂 이마정 放 이를방 踵 발꿈치종 突 부딪칠돌

按說 | '執中無權'에 대하여, 壺山은

> 이 '中'字는 다만 '間'字와 같으니, 楊朱와 墨翟의 중간을 잡음을 이른다.〔此中字 只如間字 謂執楊墨之間也〕

하였으며, 程子는

> 中은 일정한 體가 없어서 오직 權道를 통달한 뒤에야 잡을 수 있는 것이다.〔中無定體 惟達權 然後能執之〕《二程粹言》

하였다.

'猶執一也'에 대하여, 官本諺解에는 '오히려 一을 執홈이니라' 하였고, 栗谷諺解에는 '一을 執홈 굳트니라' 하였는데, 壺山은

> 官本諺解는《集註》의 '是亦' 두 글자로 인하여 '猶'를 尙(오히려)의 뜻으로 해석하였으나 그 文勢가 마땅히 如(같음)의 뜻으로 보아야 한다. 圈下註(장하주)에 '是亦'의 아래에 또 '猶'字를 놓았으니, 또한 알 수 있다. 이것은 뒷장의 '猶爲'와는 같지 않다.〔諺解 因是亦二字 而釋猶爲尙義 然其文勢 當作如義 圈下註是亦下 又著猶字 有可知也 此與後章猶爲不同〕

하였다. 뒷장의 '猶爲'는 아래 29장의 '猶爲棄井也(오히려 우물을 버림이 된다.)'를 가리킨 것이다.

集註 | 子莫은 魯之賢者也[837]니 知楊墨之失中也라 故로 度(탁)於二者之間而執其中하니라 近은 近道也라 權은 稱錘也니 所以稱物之輕重而取中也라 執中而無權이면 則膠於一定之中而不知變이니 是亦執一而已矣니라

程子曰 中字最難識이니 須是默識心通이니라 且試言 一廳則中央爲中이요 一家則廳非中而堂爲中이며 一國則堂非中而國之中爲中이니 推此類면 可見矣니라

又曰 中不可執也[838]니 識得則事事物物에 皆有自然之中하여 不待安排하니 安排

---

837 子莫 魯之賢者也 : 趙岐는 "魯나라의 賢人이다." 하였으나, 楊伯峻은《說苑》〈修文〉의 顓孫子莫인 듯하다고 하였다.

838 中不可執也 : 新安陳氏(陳櫟)는 "子莫의 固執함과 같이해서는 안 될 뿐이요, 帝堯와 帝舜과 湯王이 中을 잡음을 不可하다고 말한 것은 아니다.〔不可如子莫之固執耳 非謂堯舜湯之執中爲不可也〕" 하

••• 權 저울 권 稱 저울 칭 錘 저울추 추 膠 붙일 교

著(착)이면 則不中矣니라

子莫은 魯나라의 賢者이니, 楊朱와 墨翟이 中道를 잃었음을 알았다. 그러므로 두 사람의 사이를 헤아려서 그 중간을 잡은 것이다. '近'은 道에 가까움이다. '權'은 저울의 추이니, 물건의 輕重을 달아서 맞음을 취하는 것이다. 중간을 잡고 저울질함(權道)이 없다면 일정한 中에 교착되어 변화를 알지 못하니, 이 또한 한쪽을 잡는 것일 뿐이다.

程子(伊川)가 말씀하였다. "'中'字가 가장 알기 어려우니, 모름지기 묵묵히 알고 마음속으로 통달하여야 한다. 우선 시험삼아 말한다면 한 대청에는 대청 중앙이 中(중앙)이 되고, 한 집안에는 대청이 中이 아니라 堂이 中이 되며, 한 나라에는 堂이 中이 아니라 나라의 한 가운데가 中이 되니, 이러한 類를 미루어 보면 알 수 있다."

또 말씀하였다. "中은 잡을 수가 없으니, 이것을 안다면 事事物物에 모두 自然의 中이 있어서 安排하기를 기다리지 않을 것이니, 安排한다면 中이 되지 못한다."

26-4. 所惡執一者는 爲其賊道也니 擧一而廢百也니라

하나만을 잡는 것을 미워하는 까닭은 道를 해치기 때문이니, 하나를 들고 백 가지를 폐하는 것이다."

集註 | 賊은 害也라 爲我는 害仁이요 兼愛는 害義[839]요 執中者는 害於時中이니 皆擧一而廢百者也니라

'賊'은 해침이다. 爲我는 仁을 해치고 兼愛는 義를 해치며 중간을 잡는 것은 時中을 해치니, 모두 하나를 들고 백 가지를 폐하는 것이다.

였다.

[839] 爲我害仁 兼愛害義 : 新安陳氏(陳櫟)는 "자신만을 위하는 자는 오직 자기가 있음만을 알고 남이 있음을 알지 못해서 義로운 듯하나 義가 아니므로 仁을 해치고, 겸하여 사랑하는 자는 사랑에 差等이 없어서 仁인 듯하나 仁이 아니므로 義를 해침이 있는 것이다.〔爲我者 惟知有己 不知有人 似義 非義而有害於仁 兼愛者 愛無差等 似仁非仁而有害於義〕"하였다. 茶山은 "군자의 학문은 두 가지를 벗어나지 않으니, 첫 번째는 修己이고 두 번째는 治人이다. 修己는 나를 善하게 하는 것이고 治人은 남을 사랑하는 것이다. 나를 선하게 하는 것은 義이고 남을 사랑하는 것은 仁이다. 仁과 義는 서로 함께 써야 하니, 한쪽을 폐해서는 안 된다. 楊朱와 墨翟 두 사람은 각각 그 하나만을 잡아 變通할 줄 몰랐으니, 이것이 그들의 잘못이다.〔君子之學 不出二者 一曰修己 二曰治人 修己者所以善我也 治人者所以愛人也 善我爲義 愛人爲仁 仁義相用 不可偏廢 二者各執其一 不知變通 是其謬也〕"하였다.

··· 賊 해칠 적 擧 들 거

章下註 | ○ 此章은 言 道之所貴者中이요 中之所貴者權이라

楊氏曰 禹稷이 三過其門而不入하시니 苟不當其可면 則與墨子無異요 顔子在陋巷하여 不改其樂⁸⁴⁰하시니 苟不當其可면 則與楊氏無異라 子莫은 執爲我兼愛之中而無權하니 鄕鄰有鬪而不知閉戶하고 同室有鬪而不知救之⁸⁴¹리니 是亦猶執一耳라 故로 孟子以爲賊道라하시니라 禹稷顔回易地則皆然은 以其有權也니 不然이면 則是亦楊墨而已矣⁸⁴²니라

○ 이 章은 道의 귀한 것은 中이요, 中의 귀한 것은 權道임을 말씀하였다.
楊氏(楊時)가 말하였다. "禹王과 后稷이 〈홍수를 다스리느라 8년 동안〉 세 번 자기 집 문 앞을 지나면서도 들어가지 않았으니, 만일 그 옳음에 맞지 않았다면 墨子와 다를 것이 없고, 顔子가 누추한 시골에 거처하면서 그 즐거움을 변치 않았으니, 만일 그 옳음에 맞지 않았다면 楊氏와 다를 것이 없다. 子莫은 爲我와 兼愛의 중간을 잡아 저울질함(변통하는 權道)이 없었으니, 鄕里와 이웃에 싸우는 사람이 있어도 문을 닫을 줄 모르고, 한 방에 같이 있는 사람이 싸우더라도 말릴 줄을 모를 것이니, 이 또한 하나만을 잡은 것과 같을 뿐이다. 그러므로 孟子께서 "道를 해친다."고 말씀한 것이다. 禹·稷과 顔回가 처지를 바꾸면 모두 그렇게 함은 權道가 있기 때문이니, 그렇지 않다면 이 또한 楊朱와 墨翟일 뿐이다."

---

840 禹稷三過其門而不入……不改其樂:위〈離婁下〉29장에 "禹王과 后稷이 平世를 당하여 세 번 자기 집 문 앞을 지나면서도 들어가지 않으시자, 孔子께서 그들을 어질게 여기셨다. 顔子가 亂世를 당하여 누추한 시골에 거처하면서 한 대그릇의 밥과 한 표주박의 음료로 사는 것을 딴 사람들은 그 근심을 견뎌내지 못하는데 顔子는 그 즐거움을 변치 않으시자, 孔子께서 그를 어질게 여기셨다.〔禹稷當平世 三過其門而不入 孔子賢之 顔子當亂世 居於陋巷 一簞食 一瓢飮 人不堪其憂 顔子不改其樂 孔子賢之〕"라고 보인다.

841 鄕鄰有鬪而不知閉戶 同室有鬪而不知救之:앞〈離婁下〉29장의 "이제 한 방에 같이 있는 사람이 싸우는 자가 있으면 이를 말리되, 비록 머리를 그대로 풀어 헤치고 갓끈만 매고 가서 말리더라도 可하다. 鄕里와 이웃에 싸우는 자가 있을 적에 머리를 풀어 헤치고 갓끈만 매고 가서 말린다면 미혹된 것이니, 비록 문을 닫더라도 可하다.〔今有同室之人鬪者 救之 雖被髮纓冠而救之 可也 鄕鄰有鬪者 被髮纓冠而往救之 則惑也 雖閉戶 可也〕" 한 내용을 순서를 바꾸어 인용한 것이다.

842 是亦楊墨而已矣:茶山은 "楊朱의 道는 禹와 稷의 시대에 顔回의 지킴을 한 것이고, 墨子의 道는 顔回의 시대에 禹와 稷의 행동을 한 것이다.〔楊朱之道 禹稷之時 而顔回之守也 墨子之道 顔回之世 而禹稷之行也〕" 하였다.

··· 鄰 이웃 린 鬪 싸울 투

27-1. 孟子曰 饑者甘食하고 渴者甘飲하나니 是未得飲食之正也라 饑渴이 害之也니 豈惟口腹이 有饑渴之害리오 人心이 亦皆有害하니라

孟子께서 말씀하셨다. "굶주린 자는 먹는 것을 달게 여기고 목마른 자는 마시는 것을 달게 여기니, 이는 음식의 올바른 맛을 알지 못하는 것이다. 굶주림과 목마름이 〈입맛을〉 해치기 때문이니, 어찌 다만 口腹만이 굶주림과 목마름의 해로움이 있겠는가. 사람의 마음 또한 모두 해로움이 있는 것이다.

集註| 口腹이 爲饑渴所害라 故로 於飲食에 不暇擇而失其正味요 人心이 爲貧賤所害라 故로 於富貴에 不暇擇而失其正理하나니라

口腹이 굶주림과 목마름에 해로움을 받기 때문에 음식에 대하여 가릴 겨를이 없어 그 올바른 맛을 잃는 것이요, 人心이 貧賤에 해로움을 받기 때문에 富貴에 대하여 가릴 겨를이 없어 그 올바른 이치를 잃는 것이다.

27-2. 人能無以饑渴之害로 爲心害면 則不及人을 不爲憂矣리라

사람이 능히 굶주림과 목마름의 해로움으로써 마음의 해로움을 삼지 않는다면 남에게 미치지 못함을 걱정하지 않을 것이다."

集註| 人能不以貧賤之故而動其心이면 則過人이 遠矣리라

사람이 貧賤의 이유 때문에 그 마음을 동요하지 않는다면 남보다 뛰어남이 멀 것이다.(훨씬 뛰어날 것이다.)

28. 孟子曰 柳下惠는 不以三公으로 易其介하니라

孟子께서 말씀하였다. "柳下惠는 三公으로 그 절개를 바꾸지 않았다."

··· 饑 굶주릴 기 渴 목마를 갈 暇 겨를 가 易 바꿀 역 介 지조 개

集註 | 介는 有分辨之意[843]라 柳下惠는 進不隱賢하여 必以其道하며 遺佚不怨하고 阨窮不憫하며 直道事人하여 至於三黜[844]하니 是其介也니라

'介'는 분변함이 있는 뜻이다. 柳下惠는 나아가서는 어짊을 숨기지 않아 반드시 그 道로써 하며, 벼슬길에서 버림을 받아도 원망하지 않고 곤궁해도 고민하지 않으며, 道를 곧게 하여 남(군주)을 섬겨서 세 번 내침을 당함에 이르렀으니, 이것이 그의 절개이다.

章下註 | ○ 此章은 言柳下惠和而不流[845]하니 與孔子論夷齊不念舊惡[846]으로 意正相類하니 皆聖賢微顯闡幽之意也[847]니라

---

843 介 有分辨之意 : 慶源輔氏(輔廣)는 "'介'字는 분변하는 뜻이 있으니, 界限(限界)이란 '界'字와 같다. 모든 일에 각각 한계가 있어서 매우 분명하여 넘을 수가 없는 것이다.〔介有分辨意 則與界限之界同 凡事各有界限 甚分明 不可踰越〕"하였다. 新安陳氏(陳櫟)는 "'介'에는 剛介, 介特, 廉介의 뜻이 있으니, 오직 분변함이 있기 때문에 능히 이와 같은 것이요, 또한 '廉'字의 본래 訓은 '모남〔廉隅〕'이니, 오직 廉隅가 分辨되기 때문에 淸廉潔白한 것과 같다.〔介有剛介介特廉介之意 惟其有分辨 所以能如此 亦如廉本訓廉隅 惟其廉隅分辨 所以淸廉廉潔也〕"하였다. '介'는 글자의 획이 左와 右로 분명히 나누어지기 때문에 義와 不義를 분명히 하여 취사선택하는 뜻이 된다.

844 柳下惠……至於三黜 : 앞의 〈公孫丑上〉 9장에 "柳下惠는 더러운 군주를 섬김을 부끄러워하지 않으며 작은 벼슬을 낮게 여기지 않아, 나아가서는 어짊을 숨기지 않아 반드시 그 道로써 하며, 벼슬길에서 버림받아도 원망하지 않고 곤궁해도 고민하지 않았다.〔柳下惠 不羞汚君 不卑小官 進不隱賢 必以其道 遺佚而不怨 阨窮而不憫〕"라고 보이며, 《論語》〈微子〉 2장에 "柳下惠가 士師가 되어 세 번 내침을 당하자, 혹자가 말하기를 '그대는 아직 떠날 만하지 않은가?' 하니, 柳下惠가 말하기를 道를 곧게 하여 사람을 섬긴다면 어디를 간들 세 번 내침을 당하지 않으며, 道를 굽혀 사람을 섬긴다면 어찌 굳이 父母의 나라를 떠나가겠는가.' 하였다.〔柳下惠爲士師 三黜 人曰 子未可以去乎 曰 直道而事人 焉往而不三黜 枉道而事人 何必去父母之邦〕"라고 보인다.

845 和而不流 : 龜山楊氏(楊時)는 "柳下惠의 和함을 보면 절개가 없을 듯하므로 여기에서 특별히 말씀하신 것이다.〔觀惠之和 宜若不介 故此特言之〕"하였다. 壺山은 "흐르지 않음은 바로 절개이다.〔不流 卽介也〕"하였다.

846 夷齊不念舊惡 : 伯夷와 叔齊는 사람들이 옛날에 저지른 惡行을 생각하지 않았다는 뜻으로, 《論語》〈公冶長〉 22장에 보인다.

847 聖賢微顯闡幽之意也 : '微顯闡幽'는 사람들이 잘 알고 있는 사실은 굳이 말하지 않고, 사람들이 잘 모르고 있는 사실을 밝혀 주는 것으로 《周易》〈繫辭傳〉 6장에 '易은 지나간 것을 드러내고 미래를 살피며, 드러남을 은미하게 하고 그윽함을 밝힌다.〔夫易 彰往而察來 而微顯闡幽〕'라고 보인다. 新安陳氏(陳櫟)는 "'微顯闡幽' 네 글자는 杜預의 《春秋左傳》 序文에 나오니, 본래 孔子께서 《春秋》를 지으신 뜻이 드러나고 분명한 것은 은미하게 하고, 그윽하고 어두운 것은 밝힘을 말한 것이다.……伯夷와 叔齊의 깨끗함과 柳下惠의 和함은 바로 드러나서 보기가 쉬운 것이요, 伯夷와 叔齊가 옛날의 잘못함을 생각하지 않은 것과 柳下惠의 절개는 그윽하여 보기가 어려운 것이다. 지금 드러난 것을 은미하게 하고 그윽함을 밝혔으니, 聖賢의 지극히 공정하고 지극히 밝음이 이와 같은 것이다.〔微顯闡幽四字 出杜預春秋傳序 本以言孔子作春秋之意 於顯明者則微之 幽昧者則闡之……蓋夷齊之淸 惠之和 此其顯而

••• 佚 빠질 일 阨 곤궁할 액 黜 내쫓을 출 微 은미할 미 闡 밝을 천 幽 그윽할 유

○이 章은 柳下惠가 和하면서도 흐르지 않았음을 말씀하였으니, 孔子께서 "伯夷와 叔齊는 옛날에 저지른 惡行을 생각하지 않았다."라고 논하신 것과 뜻이 서로 유사하다. 이는 모두 聖賢이 드러난 것은 隱微하게 하고 그윽한 것은 밝혀주신 뜻이다.

|掘井九軔章(有爲者辟若掘井章)|

29. 孟子曰 有爲者 辟(譬)若掘井하니 掘井九軔(仞)이라도 而不及泉이면 猶爲棄井也니라

孟子께서 말씀하셨다. "함이 있는 자는 비유하면 우물을 파는 것과 같으니, 우물을 아홉 길을 팠더라도 샘물에 미치지 못하면 오히려 우물을 버림이 되는 것이다."

集註 | 八尺曰仞(軔)[848]이라 言鑿井雖深이나 然未及泉而止면 猶爲自棄其井也니라

八尺을 仞이라 한다. 우물을 파기를 비록 깊이 했더라도 샘물에 미치지 못하고 중지하면 오히려 스스로 그 우물을 버림이 됨을 말씀한 것이다.

章下註 | ○呂侍講曰 仁不如堯하고 孝不如舜하고 學不如孔子하면 終未入於聖人之域이요 終未至於天道니 未免爲半塗而廢하여 自棄前功也니라

○呂侍講(呂希哲)이 말하였다. "仁이 堯임금과 같지 못하고 孝가 舜임금과 같지 못하고 學問이 孔子와 같지 못하면 끝내 聖人의 경지에 들어갈 수 없고 마침내 天道에 이르지 못할 것이니, 半塗(中道)에 폐하여 스스로 前日의 功을 버림이 됨을 면치 못하는 것이다."

易見者 夷齊之不念舊惡 惠之介 此其幽而難見者 今則微其顯而闡其幽 聖賢之至公至明如此)"하였다.

848 八尺曰仞(軔):《集註》의 音訓에 "'軔'은 仞과 같다'라고 하였다. 新安陳氏(陳櫟)는 《論語》의 '夫子之墻數仞'의 아래에 단 《集註》에는 '七尺曰仞'이라 하였다. 살펴보건대 《書經》〈周書〉의 '爲山九仞'에서 孔安國은 '八尺曰仞'이라 하였고 鄭玄은 '七尺曰仞'이라 하였으니, 《集註》는 두 가지 설을 모두 남겨둔 것인 듯하다. 蔡沈의 《書經集傳》은 孔安國의 說을 따랐는데, 내가 《周禮》의 〈匠人〉에 증거해 보건대……孔安國의 說이 옳다.〔集註於語夫子之墻數仞下云 七尺曰仞 愚按周書爲山九仞 孔安國云 八尺曰仞 鄭玄云七尺曰仞 集註兩存其說歟 蔡氏傳 從孔說 愚證之周禮匠人……孔說爲是〕"하였다.

··· 辟 비유할 비(譬通) 掘 팔굴 軔 길 인(仞同) 鑿 뚫을 착 域 지경 역 塗 길 도(途通)

|堯舜性之章(久假不歸章)|

30-1. 孟子曰 堯舜은 性之也요 湯武는 身之也요 五霸는 假之也니라

孟子께서 말씀하셨다. "堯·舜은 本性대로 하셨고, 湯·武는 몸으로 실천하셨고, 五霸는 빌린 것이다.

按說 | '身之'와 '假之'에 대하여, 程子(伊川)는

'身'은 실천하는 것이요, '假之'는 몸으로 행하지 않고 빌린 것이다.〔身 踐履也 假之者 身不
行而假借之也〕《精義》

하였다. 雲峰胡氏(胡炳文)는

'性之'라는 것은 자연히 그러한 것이요 '身之'라는 것은 당연히 그러한 것이요 '假之'라는 것
은 그런 듯하나 실제로는 그렇지 않은 것이다.〔性之者 自然而然 身之者 當然而然 假之者
似然而實不然〕

하였다.

集註 | 堯舜은 天性渾全하여 不假修習이요 湯武는 修身體道하여 以復其性이요 五霸
則假借仁義之名하여 以求濟其貪欲之私耳니라

堯·舜은 天性이 渾全하여 닦고 익힘을 빌리지 않았고(닦고 익힐 필요가 없었고), 湯·武
는 몸을 닦고 道를 體行하여 그 本性을 회복하였고, 五霸는 仁義의 이름을 빌려 그 貪慾
의 私를 이루기를 구했을 뿐이다.

30-2. 久假而不歸하니 惡(오)知其非有也리오

오래도록 빌리고 돌려주지 않았으니, 어찌 자기가 소유한 것이 아님을 알겠는가."

集註 | 歸는 還也라 有는 實有也라 言 竊其名以終身하여 而不自知其非眞有라 或曰

··· 假 빌릴 가 渾 온전할 혼 借 빌릴 차

蓋歎世人莫覺其僞者라하니 亦通이라 舊說에 久假不歸면 即爲眞有라하니 則誤矣[849]
니라

'歸'는 돌려줌이다. '有'는 실제로 소유한 것이다. 그 이름을 훔치고 일생을 마쳐서 참으로
소유하고 있는 것이 아님을 스스로 알지 못하였음을 말씀한 것이다. 혹자는 말하기를 "세상
사람들이 그 거짓을 깨달은 자가 없음을 탄식하신 것이다."라고 하니, 또한 통한다. 舊說에
"오래도록 빌리고 돌려주지 않으면 참으로 소유한 것이 된다." 하였는데, 이는 잘못된 해석
이다.

章下註 | ○尹氏曰 性之者는 與道一也요 身之者는 履之也니 及其成功則一也라
五霸則假之而已니 是以로 功烈이 如彼其卑也니라

○尹氏(尹焞)가 말하였다. "'性之'는 道와 더불어 하나인 것이요 '身之'는 道를 실천한 것
이니, 그 成功에 이르러서는 똑같다. 五霸는 빌렸을 뿐이니, 이 때문에 功烈이 저와 같이
낮은 것이다."

| 不狎于不順章 |

31-1. 公孫丑曰 伊尹曰 予不狎于不順이라하고 放太甲于桐한대 民이 大
悅하고 太甲이 賢커늘 又反之한대 民이 大悅하니

公孫丑가 물었다. "伊尹이 말하기를 '나는 의리에 順하지 못한 것을 익히 보지 않을
것이다.' 하고 太甲을 桐땅으로 추방하니 백성들이 크게 기뻐하였고, 太甲이 어질어지
자 다시 그를 돌아오게 하니 백성들이 크게 기뻐하였으니,

---

849 舊說……則誤矣:《大全》에 舊說은 "趙邠卿(趙岐)의 註이다." 하였다. 趙岐는 "五霸가 능히 오래도
록 仁義를 빌린 것은 비유하면 물건을 빌리고 오래도록 돌려주지 않은 것과 같으니, 어찌 그가 참으로
소유하지 않았음을 알겠는가.〔五霸而能久假仁義 譬如假物久而不歸 安知其不眞有也〕" 하였다. 朱
子는 舊說이 잘못되었다고 하였으나, 茶山은 "趙岐의 舊說에 '참으로 소유한 것이 된다'는 說이 없
다.〔舊說無即爲眞有之說〕" 하였으며, 壺山 또한 "만약 그렇다면(참으로 소유한 것이 된다면) 마땅히
經文을 '不爲有(소유한 것이 되지 않음)'라 해야 되고 '非有(소유한 것이 아님)'라고 해서는 안 된다.〔若
爾 則當曰不爲有也 不當曰非有也〕" 하였다.

··· 履 행할 리 狎 익숙할 압 放 내칠 방

集註 | 予不狎于不順은 太甲篇文이라 狎은 習見也[850]라 不順은 言太甲所爲 不順
義理也라 餘見前篇하니라

'나는 의리에 順하지 못한 것을 익히 보지 않을 것이다.'는 것은 《書經》〈太甲〉篇의 글이다.
'狎'은 익히 봄이다. '不順'은 太甲의 소행이 義理에 順하지 못함을 말한 것이다. 나머지는
前篇(萬章上)에 보인다.

31-2. 賢者之爲人臣也에 其君이 不賢이면 則固可放與잇가

賢者가 남의 신하가 되었을 적에 그 군주가 어질지 못하면 진실로 추방할 수 있습니
까?"

按説 | 內閣本에는 아랫절과 이어져 있으나 '固可放與'의 아래에 '與平聲'이라는 《集
註》의 聲音 표기가 되어 있으므로 別行으로 바로잡았다.

31-3. 孟子曰 有伊尹之志則可커니와 無伊尹之志則篡也니라

孟子께서 말씀하셨다. "伊尹의 뜻이 있으면 가하지만 伊尹의 뜻이 없으면 찬탈이다."

集註 | 伊尹之志는 公天下以爲心하여 而無一毫之私者也라

'伊尹의 뜻'은 천하를 공변되게 함을 마음으로 삼아서 一毫의 사욕이 없는 것이다.

---

850 狎 習見也:《大全》에 "이와 같음을 익숙히 보고자 하지 않음을 말한 것이다.〔言不欲狎見其如此〕"하
였다. 沙溪(金長生)는 《書經》의 註에 '나는 不順한 사람을 익숙히 친하게 할 수 없다.' 하였다. 申敬
叔이 말하기를 '本註(《集註》)의 말뜻이 박절하니 마땅히 《書經》의 註를 위주로 해야 할 듯하다.' 하였다.
持國은 '진실로 옳다. 진실로 옳다. 蔡氏(蔡沈)가 《書經》의 傳을 내면서 이 註를 따르지 않은 것은 이
유가 있는 것이다.' 했다.〔書註我不可使其狎習不順之人 申敬叔曰 本註辭意切迫 似當以書註爲主
持國曰 誠然 誠然 蔡氏之傳書也 不從此註說 有以也夫〕"하였다.《經書辨疑》壺山은 "살펴보건대
蔡氏의 註는 진실로 回護하는 뜻이 있으나 이 註 또한 정성스럽고 질박하고 분명하고 정직한 情을 볼
수 있으니, 마땅히 다시 살펴보아야 할 듯하다.〔按蔡註固有回護之意 而此註亦見其誠樸白直之情 恐
合更商〕"하였다. 申敬叔은 象村 申欽을 가리키고 持國은 谿谷 張維의 字이다. '回護'는 伊尹을 비
호함을 이른다.

··· 篡 빼앗을 찬

|詩曰不素餐章|

32. 公孫丑曰 詩曰 不素餐兮라하니 君子之不耕而食은 何也잇고 孟子曰 君子居是國也에 其君이 用之면 則安富尊榮하고 其子弟從之면 則孝弟忠信하나니 不素餐兮 孰大於是리오

公孫丑가 말하였다. "《詩經》에 이르기를 '공밥을 먹지 않는다.' 하였으니, 君子가 밭을 갈지 않고 먹는 것은 어째서입니까?"

孟子께서 말씀하셨다. "君子가 이 나라에 거주함에 그 군주가 등용하면 나라가 편안하고 부유해지고 〈권위가〉 높아지고 영화로우며, 子弟들이 이 君子를 따르면 孝·弟·忠·信을 하니, 공밥을 먹지 않는 것이 무엇이 이보다 더 크겠는가."

集註 | 詩는 魏國風伐檀之篇이라 素는 空也니 無功而食祿을 謂之素餐이라 此는 與告陳相彭更[851]之意同하니라

詩는 〈魏風 伐檀〉篇이다. 素는 空이니, 功이 없이 祿만 먹는 것을 '素餐'이라 이른다. 이는 陳相과 彭更에게 告한 뜻과 같다.

|王子墊問章(尚志章)|

33-1. 王子墊(점)이 問曰 士는 何事잇고

王子 墊이 물었다. "선비는 무엇을 일삼습니까?"

集註 | 墊은 齊王之子也라 上則公卿大夫와 下則農工商賈 皆有所事로되 而士居其間하여 獨無所事라 故로 王子問之也라

墊은 齊王의 아들이다. 위로는 公·卿과 大夫와 아래로는 農·工과 商賈가 모두 종사하는 바가 있는데, 士는 그 중간에 거하여 홀로 일삼는 것이 없다. 그러므로 王子가 물은 것이다.

---

851 陳相彭更:陳相과 彭更은 모두 孟子의 제자로, 孟子께서 陳相에게 한 말씀은 〈滕文公上〉 4장에, 彭更에게 한 말씀은 〈滕文公下〉 4장에 각각 보인다.

··· 素 흴소 餐 밥찬 檀 박달나무 단 彭 성 팽 墊 빠질 점

33-2. 孟子曰 尙志니라

孟子께서 말씀하셨다. "뜻을 고상히 한다."

集註 | 尙은 高尙也라 志者는 心之所之也라 士旣未得行公卿大夫之道하고 又不當 爲農工商賈之業이면 則高尙其志而已니라

'尙'은 고상히 하는 것이다. '志'는 마음이 가는 바이다. 선비는 이미 公·卿·大夫의 道를 행할 수 없고 또 農·工·商賈의 業을 해서도 안 되니, 그렇다면 그 뜻을 고상히 할 뿐이다.

33-3. 曰 何謂尙志잇고 曰 仁義而已矣니 殺一無罪 非仁也며 非其有 而取之 非義也라 居惡(오)在오 仁이 是也요 路惡在오 義是也니 居仁由 義면 大人之事 備矣니라

王子 墊이 물었다. "무엇을 뜻을 고상히 한다고 이릅니까?"
孟子께서 말씀하셨다. "仁·義일 뿐이니, 한 사람이라도 無罪한 사람을 죽임은 仁이 아니며, 자신의 소유가 아닌데 취하는 것은 義가 아니다. 거처할 곳은 어디에 있는가? 仁이 이것이요, 가야 할 길은 어디에 있는가? 義가 이것이다. 仁에 거하고 義를 따른다 면 大人의 일이 구비된 것이다."

集註 | 非仁非義之事를 雖小나 不爲하고 而所居所由 無不在於仁義하니 此士所以 尙其志也[852]라 大人은 謂公卿大夫라 言 士雖未得大人之位나 而其志如此면 則大 人之事 體用已全하니 若小人之事는 則固非所當爲也니라

仁이 아니고 義가 아닌 일은 비록 작더라도 하지 않고, 거하는 바와 따르는 바가 仁·義에 있지 않음이 없으니, 이것이 바로 선비가 그 뜻을 고상히 하는 것이다. '大人'은 公·卿· 大夫를 이른다. 선비가 비록 大人의 지위를 얻지 못했으나 그 뜻이 이와 같다면 大人의 일

---

852 非仁非義之事……士所以尙其志也 : 慶源輔氏(輔廣)는 "선비가 비록 지위를 얻어 道를 행하지는 못 하더라도 그 뜻은 모름지기 高尙히 하여야 옳은 것이니, 仁義에 뜻을 두면 고상해지고 利欲에 빠지면 비루해진다.〔士雖未得位以行其道 而其志則須高尙 方可 志於仁義則高尙 溺於利欲則卑汙〕" 하 였다.

에 體·用이 이미 완전하니, 小人의 일로 말하면 진실로 마땅히 할 바가 아님을 말씀한 것이다.

|仲子不義與之齊國章(人莫大焉章)|

34. 孟子曰 仲子不義로 與之齊國而弗受를 人皆信之어니와 是는 舍簞食(사)豆羹之義也라 人莫大焉이어늘 亡(無)親戚君臣上下하니 以其小者로 信其大者 奚可哉리오

孟子께서 말씀하셨다. "陳仲子는 不義로 齊나라를 주면 받지 않을 것을 사람들이 모두 믿지만 이것은 한 대그릇의 밥과 한 그릇의 국을 버리는 〈작은〉義이다. 사람에게는 人倫보다 더 큰 것이 없는데, 〈陳仲子는〉親戚과 君臣과 上下가 없으니, 작은 것으로써 큰 것을 믿는 것이 어찌 가하겠는가."

> 按說 | '人莫大焉 亡親戚君臣上下'에 대하여, 楊伯峻은 '焉'은 '於'와 같고 '亡'은 '無'와 같다 하고, '人莫大焉亡親戚君臣上下'로 붙여 읽어 "사람의 잘못은 父兄·君臣·尊卑를 무시하는 것보다 더 큰 것이 없다."라고 번역하였다.

集註 | 仲子는 陳仲子也라 言 仲子設若非義而與之齊國인댄 必不肯受리니 齊人이 皆信其賢이라 然이나 此但小廉耳라 其辟(避)兄離母하고 不食君祿은 無人道之大倫이니 罪莫大焉이라 豈可以小廉으로 信其大節하여 而遂以爲賢哉[853]리오

仲子는 陳仲子이다. '仲子는 만일 義가 아니면서 齊나라를 준다면 반드시 즐겨 받지 않을 것이니, 齊나라 사람들이 모두 그의 어짊을 믿고 있다. 그러나 이것은 단지 작은 청렴일 뿐이다. 그가 형을 피하고 어머니를 떠나며 군주의 祿을 먹지 않은 것은 人道의 큰 윤리가 없는 것이니, 죄가 이보다 더 큰 것이 없다. 어찌 작은 청렴을 가지고 큰 절개를 믿어서 마침내 어질다고 할 수 있겠는가.'라고 말씀한 것이다.

---

853 豈可以小廉……而遂以爲賢哉 : 南軒張氏(張栻)는 "陳仲子가 작은 청렴을 꾸미느라 큰 倫理를 폐하였으니, 義를 알지 못함이 너무 심하다.〔仲子飾小廉而廢大倫 其不知義 已甚矣〕"하였다.

··· 簞 대그릇 단 豆 나무그릇 두 羹 국 갱 奚 어찌 해 廉 청렴할 렴 辟 피할 피(避同)

|桃應問章|

35-1. 桃應이 問曰 舜爲天子요 皐陶(요)爲士어든 瞽瞍殺人이면 則如之何잇고

桃應이 물었다. "舜임금이 天子가 되시고 皐陶가 士가 되었는데, 瞽瞍가 사람을 죽였다면 어떻게 하겠습니까?"

集註┃ 桃應은 孟子弟子也라 其意以爲 舜雖愛父나 而不可以私害公이요 皐陶雖執法이나 而不可以刑天子之父라 故로 設此問하여 以觀聖賢用心之所極이요 非以爲眞有此事也라

桃應은 孟子의 弟子이다. 그의 뜻은 '舜임금이 비록 아버지를 사랑하나 사사로운 情으로 公義를 해칠 수 없고, 皐陶가 비록 법을 집행하나 天子의 아버지를 형벌할 수 없다.'라고 여겼다. 그러므로 이러한 질문을 가설하여 聖賢의 마음씀의 지극함을 보려 한 것이요, 참으로 이러한 일이 있었다고 말한 것은 아니다.

35-2. 孟子曰 執之而已矣니라

孟子께서 말씀하셨다. "〈皐陶는〉 法을 집행할 뿐이다."

按說┃ 沙溪(金長生)는

'執'은 마땅히 '拘執(구속)'의 뜻으로 보아야 한다.〔執 當作拘執之義看〕《經書辨疑》

하였다.

集註┃ 言 皐陶之心이 知有法而已요 不知有天子之父也니라

皐陶의 마음은 법이 있음을 알 뿐이요 天子의 아버지가 있음을 알지 못한다고 말씀한 것이다.

··· 桃 성도 皐 언덕고 陶 즐길요 瞽 소경고 瞍 소경수

35-3. 然則舜은 不禁與잇가

"그렇다면 舜임금은 금지하지 않겠습니까?"

> 集註 | 桃應問也라
>
> 桃應이 물은 것이다.

35-4. 曰 夫舜이 惡得而禁之시리오 夫有所受之也니라

孟子께서 말씀하셨다. "舜임금이 어떻게 금지할 수 있겠는가. 〈皐陶는〉 전수받은 바가 있는 것이다."

> 集註 | 言 皐陶之法이 有所傳受하니 非所敢私라 雖天子之命이라도 亦不得而廢之也니라
>
> 皐陶의 법은 전수받은 바가 있으니, 감히 사사로이 할 수 있는 것이 아니다. 비록 天子의 명령이라도 법을 폐할 수 없음을 말씀한 것이다.

35-5. 然則舜은 如之何잇고

"그렇다면 舜임금은 어떻게 하시겠습니까?"

> 集註 | 桃應問也라
>
> 桃應이 물은 것이다.

35-6. 曰 舜이 視棄天下하사되 猶棄敝蹝也하사 竊負而逃하사 遵海濱而處하사 終身訢然樂而忘天下하시리라

孟子께서 말씀하셨다. "舜임금은 천하를 버리는 것을 마치 헌신짝을 버리듯이 여기시어 몰래 업고 도망하여 바닷가를 따라 거처하면서 종신토록 흔쾌히 즐거워하여 천하를

··· 敝 해질 폐 蹝 신 사 竊 몰래 절 負 업을 부 遵 따를 준 濱 물가 빈 訢 기쁠 흔

잊으셨을 것이다."

集註 | 蹝는 草履也라 遵은 循也라 言 舜之心이 知有父而已요 不知有天下也라 孟
子嘗言 舜視天下를 猶草芥하시고 而惟順於父母라야 可以解憂라하시니 與此意로 互
相發하니라

'蹝'는 짚신이다. '遵'은 따름이다. 舜임금의 마음은 아버지가 있음을 알 뿐이요 천하가 있
음을 알지 못함을 말씀한 것이다. 孟子께서 일찍이 말씀하시기를 "舜임금은 천하 보기를 草
芥와 같이 하셨고, 오직 父母에게 順하여야 근심을 풀 수 있었다." 하셨으니, 이 뜻과 서로
發明된다.

章下註 | ○ 此章[854]은 言 爲士者는 但知有法而不知天子父之爲尊이요 爲子者는
但知有父而不知天下之爲大니 蓋其所以爲心者 莫非天理之極, 人倫之至라 學
者察此而有得焉이면 則不待較計論量이라도 而天下에 無難處之事矣리라

○ 이 章은 士師가 된 자는 다만 법이 있음만 알고 天子의 아버지가 높음을 알지 못하며, 자
식이 된 자는 다만 아버지가 있음만 알고 천하가 큼을 알지 못함을 말씀한 것이니, 그 마음
을 삼은 것이 天理의 극진함과 人倫의 지극함 아님이 없다. 배우는 자가 이것을 살펴서 터
득함이 있으면 計較하고 의논하고 헤아리기를 기다리지 않아도 천하에 처리하기 어려운 일
이 없을 것이다.

|孟子自范之齊章(居移氣章)|

36-1. 孟子自范之齊러시니 望見齊王之子하시고 喟然歎曰 居移氣하며
養移體하나니 大哉라 居乎여 夫非盡人之子與아

---

854 此章 : 茶山은 "내가 외람되이 논해 보건대, 《孟子》7편은 門人이 기술한 것이 섞여 나와 모두 다 孟子
의 친필은 아니다. 그러므로 齊나라와 梁나라 임금을 칭할 때에 모두 시호를 썼고, 伯夷·伊尹·柳下惠
를 논한 것과 伯夷와 太公이 紂를 피한 일이 중첩되어 나온다. 한 사람의 글이 아닌 것이 분명하므로
孟子의 말씀이라 한 것 중에도 의심이 없을 수 없는 것이 많다.〔愚竊嘗論孟子七篇 雜出門人之所記
述 而非皆孟子之 筆也 故其稱齊梁之君 皆書其諡 而論伯夷伊尹柳下惠及伯夷太公辟紂之事 重
見疊出 其非一人之筆 審矣 故其云孟子之言者 多不能無疑〕" 하고, 이 章에서도 皐陶의 법 집행과
舜임금이 왕위를 버리는 것이 의리에 맞지 않는 것으로 의심하였다.

··· 履 신 리 循 따를 순 芥 지푸라기 개 較 비교할교 范 성 범 喟 한숨쉴 위

孟子께서 范땅으로부터 齊나라에 가시어 齊王의 아들을 바라보시고는 喟然히 감탄하셨다. "거처가 기운을 옮겨놓고 봉양이 몸을 바꿔놓으니, 〈영향이〉 크구나 거처여. 모두(똑같이) 사람의 자식이 아니겠는가.

集註 | 范은 齊邑[855]이라 居는 謂所處之位라 養은 奉養也라 言 人之居處 所繫甚大하니 王子亦人子耳로되 特以所居不同이라 故로 所養不同하여 而其氣體有異也라

范은 齊나라 고을이다. '居'는 처하는 바의 자리(위치)를 이른다. '養'은 奉養함이다. 사람의 거처는 관계되는 바가 매우 크니, 王子 또한 사람의 자식일 뿐인데 다만 거처하는 바가 똑같지 않기 때문에 봉양하는 바가 똑같지 않아서 그 氣와 體가 다름이 있음을 말씀한 것이다.

36-2. (孟子曰)

(孟子께서 말씀하셨다.)

集註 | 張鄒[856]皆云羨文也라

張氏(張栻)와 鄒氏(鄒浩)는 모두 羨文(衍文)이라고 하였다.

36-3. 王子宮室車馬衣服이 多與人同이로되 而王子若彼者는 其居使之然也니 況居天下之廣居者乎아

王子의 宮室과 車馬와 衣服이 보통사람들과 같은 것이 많으나 王子가 저와 같이 훌륭한 것은 그 거처가 그렇게 만든 것이니, 하물며 天下의 廣居(仁)에 거하는 자에 있어서랴.

---

855 范 齊邑：楊伯峻은 "范은 옛 성이 지금의 山東省 范縣 동남쪽 20리에 있는데, 梁(魏)나라에서 齊나라로 가는 要路이다." 하였다.
856 張鄒：《大全》에 "張敬夫(張栻)와 鄒志完(鄒浩)이다." 하였다.

··· 繫 맬 계 鄒 성 추 羨 남을 연(衍通)

集註 | 廣居는 見前篇⁸⁵⁷하니라

尹氏曰 睟然見(현)於面, 盎於背는 居天下之廣居者 然也니라

'廣居'는 前篇(滕文公下)에 보인다.

尹氏(尹焞)가 말하였다. "睟然히 얼굴에 나타나고 등에 가득함은 天下의 廣居에 거하는 자만이 그러한 것이다."

36-4. 魯君이 之宋하여 呼於垤澤之門이어늘 守者曰 此非吾君也로되 何 其聲之似我君也오하니 此는 無他라 居相似也일새니라

魯나라 君主가 宋나라에 가서 垤澤의 문에서 고함을 치자, 문을 지키는 자가 말하기를 '이는 우리 군주가 아닌데, 어쩌면 그리도 음성이 우리 군주와 같은가.' 하였으니, 이는 다름이 아니라 거처가 서로 유사하기 때문이다."

集註 | 垤澤은 宋城門名也라 孟子又引此事爲證하시니라

垤澤은 宋나라 성문의 이름이다. 孟子께서 또 이 일을 인용하여 증명하신 것이다.

| 食而弗愛章(豕交章) |

37-1. 孟子曰 食(사)而弗愛면 豕交之也요 愛而不敬이면 獸畜(휵)之也니라

孟子께서 말씀하셨다. "먹이기만 하고 사랑하지 않으면 돼지로 사귀는 것이요, 사랑하기만 하고 공경하지 않으면 짐승(애완동물)으로 기르는 것이다.

集註 | 交는 接也요 畜은 養也라 獸는 謂犬馬之屬⁸⁵⁸이라

---

857 廣居 見前篇: 앞의 〈滕文公下〉 2장에 "天下의 넓은 집에 거하며 天下의 바른 자리에 서며 天下의 큰 道를 행한다.(居天下之廣居 立天下之正位 行天下之大道)"라고 보이는데, 《集註》에 "'廣居'는 仁이고 '正位'는 禮이고 '大道'는 義이다."라고 하였다.

858 獸 謂犬馬之屬: 壺山은 "'獸'字는 '豕'와 상대하여 말하였다. 그러므로 《集註》에서 개와 말로 실증하였다. 돼지는 다만 푸줏간에 채워 食用으로 제공되기 때문에 먹여 줄 뿐이요, 개는 밤을 지키고 말은 타고 짐을 싣기 때문에 먹여 주고 또 사랑하니, 이것은 돼지와 개와 말이 또 귀천의 차별이 있는 것이다.(獸字 與豕對說 故註以犬馬實之 蓋豕只可充庖 故食之而已 犬以守夜 馬以乘載 故旣食而又愛之 是

··· 睟 윤택할 수 盎 넘칠 앙 垤 개미뚝 질 食 먹일 사 豕 돼지 시 獸 짐승 수

'交'는 접함이요, '畜'은 기름이다. '獸'는 개와 말의 등속을 이른다.

37-2. 恭敬者는 幣之未將者也니라

恭敬은 폐백을 받들기 이전에 이미 있는 것이다.

> 集註 | 將은 猶奉也니 詩曰 承筐是將이라하니라
> 程子曰 恭敬이 雖因威儀幣帛而後發見(현)이나 然幣之未將時에 已有此恭敬之心
> 이요 非因幣帛而後有也니라
>
> '將'은 奉(받듦)과 같으니, 《詩經》〈小雅 鹿鳴〉에 이르기를 "광주리로 받아 받들어 올린다."
> 하였다.
> 程子(伊川)가 말씀하였다. "恭敬은 비록 威儀와 幣帛을 인한 뒤에 나타나나 幣帛을 받들
> 어 올리지 않았을 때에(받들어 올리기 전에) 이미 이 恭敬의 마음이 있는 것이요, 幣帛을
> 인한 뒤에 있는 것이 아니다."

37-3. 恭敬而無實이면 君子不可虛拘니라

恭敬을 하되 실제가 없으면 君子가 헛되이 얽매여서는 안 된다."

> 按說 | 《孟子注疏》의 疏에
>
> '實'은 공경하고 사랑하는 것을 이른다.〔實者謂敬愛者也〕
>
> 하였는데, 《大全》에 이를 인용하였는바, 壺山은
>
> '實'은 誠心으로 恭敬함을 이르니, 바로 윗절의 恭敬이다. 혹자는 幣帛을 '實'이라고 여기
> 는데, 이것은 진실로 말할 것이 못되고, 小註에 愛와 敬에 해당시킨 것 또한 모두 부합하지
> 는 못하다. 首節에 愛와 敬을 이미 분별하여 말씀했으니, 여기에서 또다시 뒤섞어 한 가지
> 일로 삼아서는 안 된다.〔實 謂誠心爲恭敬也 卽上節之恭敬也 或者以幣帛爲實 則固不

則豕與犬馬 又有貴賤之別耳〕" 하였다.

••• 幣 폐백 폐 將 받들 장 筐 광주리 광

足言 而小註以愛敬當之者 亦未盡合 蓋首節 愛與敬 旣分別言之 不當於此又混爲一
事耳〕

하였다. 茶山은

'無實'은 간하면 행하지 않고 말하면 들어주지 않으며 先王의 道로써 말해 주어도 행하지
않는 것이다. 이와 같으면 군자는 헛되이 붙잡혀 머물러 있어서는 안 된다.〔無實者 謂諫則
弗行 言則弗聽 語之以先王之道而莫之爲也 如是則君子不可虛執留也〕

하였다.

集註 | 此는 言 當時諸侯之待賢者 特以幣帛爲恭敬而無其實也라 拘는 留也라

이는 당시 諸侯들이 賢者를 대접함에 다만 幣帛으로써 恭敬을 삼고 그 실제가 없음을 말
씀한 것이다. '拘'는 얽매여 있는 것이다.

|形色天性章(踐形章)|

38. 孟子曰 形色은 天性也니 惟聖人然後에 可以踐形이니라

孟子께서 말씀하셨다. "形·色은 天性이니, 오직 聖人인 뒤에야 形·色을 실천할 수
있다."

集註 | 人之有形有色이 無不各有自然之理하니 所謂天性也라 踐은 如踐言[859]之踐
이라 蓋衆人은 有是形而不能盡其理라 故로 無以踐其形이요 惟聖人은 有是形而又
能盡其理하니 然後에 可以踐其形而無歉也[860]니라

사람이 갖고 있는 形體와 色은 각각 自然의 이치가 있지 않음이 없으니, 이것이 이른바 天

---

859 踐言 :《禮記》〈曲禮上〉에 "몸을 닦고 말을 실천함을 善行이라 한다.〔修身踐言 謂之善行〕"라고 보인
다.

860 人之有形有色……可以踐其形而無歉也 : 茶山은 "'形'은 身體이고 '色'은 顔色이고 '性'은 天命이다.
사람의 形·色이 만물 가운데 가장 존귀하니, 이 또한 天命이다. 오직 聖人만이 능히 실천하여 이 形을
저버리지 않는다.〔形者身形也 色者顔色也 性者天命也 人之形色 於萬物之中 最爲尊貴 斯亦天命
也 惟聖人爲能踐履 不負此形〕" 하였다.

••• 踐 밟을 천 歉 부족할 겸

性이란 것이다. '踐'은 踐言(말을 실천함)의 踐과 같다. 衆人은 이 형체를 갖고 있으나 그 이치를 다하지 못하므로 그 형체를 실천할 수 없고, 오직 聖人만이 이 형체를 갖고 있고 또 그 이치를 다할 수 있으니, 이러한 뒤에야 그 형체를 실천하여 부족함이 없을 수 있다.

章下註 | ○程子曰 此는 言 聖人이 盡得人道而能充其形也라 蓋人得天地之正氣 而生하여 與萬物不同하니 旣爲人인댄 須盡得人理然後에 稱其名이라 衆人은 有之 而不知하고 賢人은 踐之而未盡하니 能充其形은 惟聖人也시니라
楊氏曰 天生烝民에 有物有則(칙)⁸⁶¹하니 物者는 形色也요 則者는 性也라 各盡其則 이면 則可以踐形矣니라

○程子(伊川)가 말씀하였다. "이는 聖人이 人道를 다하여 능히 그 형체를 채울 수 있음을 말씀한 것이다. 사람은 天地의 正氣를 얻고 태어나 萬物과 똑같지 않으니, 이미 사람이 되 었다면 모름지기 사람의 도리를 다한 뒤에야 그 명칭에 걸맞는 것이다. 衆人은 이것을 갖고 있으나 알지 못하고 賢人은 실천하나 다하지 못하니, 능히 그 형체를 채우는 것은 오직 聖 人뿐이다."
楊氏(楊時)가 말하였다. "하늘이 여러 백성(사람)을 냄에 物(사물)이 있으면 則(법칙)이 있으니, 物은 形·色이고 則은 性이다. 각각 그 법을 다한다면 형체를 실천할 수 있다."

|齊宣王欲短喪章|

39-1. 齊宣王이 欲短喪이어늘 公孫丑曰 爲朞之喪이 猶愈於已乎인저

齊 宣王이 喪期를 단축하고자 하자, 公孫丑가 말하였다. "朞年喪을 하는 것이 그만 두는 것보다는 나을 것입니다."

集註 | 已는 猶止也라

'已'는 止(그만둠)와 같다.

---

861 天生烝民 有物有則:《詩經》〈大雅 烝民〉에 보이는 내용으로 위〈告子上〉6장에도 인용되었는데, 위의 인용에는 '烝'이 '蒸'으로 표기되어 있다.

··· 充 채울 충 烝 무리 증 朞 기년 기 愈 나을 유 已 그만둘 이

39-2. 孟子曰 是猶或이 紾其兄之臂어든 子謂之姑徐徐云爾로다 亦敎之孝弟而已矣니라

孟子께서 말씀하셨다. "이는 어떤 사람이 자기 형의 팔을 비틀면 그대가 그에게 이르기를 '우선 천천히 하라.'고 하는 것과 같다. 또한 그에게 孝·弟를 가르칠 뿐이다."

按說 | '亦'에 대하여, 楊伯峻은

但·祗(다만, 단지)의 뜻이다.

하였다.

集註 | 紾은 戾也라 敎之以孝弟之道면 則彼當自知兄之不可戾而喪之不可短矣리라 孔子曰 子生三年然後에 免於父母之懷하나니 予也有三年之愛於其父母乎[862] 아하시니 所謂敎之以孝弟者 如此하니 蓋示之以至情之不能已者요 非强之也니라

'紾'은 어긋나게 하는 것(비틈)이다. 孝·弟의 도리를 가르치면 저가 마땅히 형을 비틀어서는 안 되고 喪期를 단축해서는 안 됨을 스스로 알게 될 것이다. 孔子께서 말씀하시기를 "자식이 태어난 지 3년이 된 뒤에야 父母의 품에서 면하니, 宰予는 3년의 사랑이 그 父母에게 있었는가." 하셨으니, 이른바 孝·弟를 가르친다는 것은 이와 같은 것이다. 이는 지극한 情이 그칠 수 없음을 보여준 것이요, 억지로 하는 것이 아니다.

39-3. 王子有其母死者어늘 其傅爲之請數月之喪이러니 公孫丑曰 若此者는 何如也잇고

王子 중에 그 어머니가 죽은 자가 있었는데 그의 師傅가 그를 위해 수개월의 喪을 청하자, 公孫丑가 말하였다. "이와 같은 경우는 어떻습니까?"

---

862 孔子曰……予也有三年之愛於其父母乎 : 予는 孔子의 弟子인 宰予로, 이 내용은 《論語》〈陽貨〉 21장에 보인다.

… 紾 비틀 진 臂 팔뚝 비 姑 우선 고 徐 천천히 서 戾 어그러질 려 懷 품 회 强 억지로 강 傅 스승 부

集註 | 陳氏曰 王子所生之母死에 厭(壓)於嫡母하여 而不敢終喪[863]이어늘 其傳爲 請於王하여 欲使得行數月之喪[864]也라 時又適有此事하니 丑問如此者는 是非何 如오하니라 按儀禮컨대 公子爲其母하여 練冠, 麻衣, 緅(전)緣하고 旣葬에 除之[865]라하니 疑當時에 此禮已廢어늘 或旣葬而未忍卽除[866]라 故로 請之也라

陳氏(陳暘)가 말하였다. "王子를 낳은 어머니(後宮)가 죽었는데, 嫡母에게 壓尊되어 감히 喪期를 마칠 수가 없자, 그의 師傳가 王에게 청하여 그로 하여금 수개월의 喪期를 행할 수 있게 하고자 한 것이다. 이때에 또 마침 이러한 일이 있자, 公孫丑가 '이와 같은 경우는 是非가 어떻습니까?' 하고 물은 것이다. 《儀禮》를 상고해 보면 '公子는 자기를 낳아 준 어머니를 위해서 練冠을 쓰고 분홍색 布로 선을 두른 麻衣를 입고 〈3개월 만에〉 葬禮한 뒤에 벗는다.' 하였으니, 당시에 이러한 禮가 이미 폐지되었거나 또는 이미 장사지냈는데도 차마 곧바로 喪服을 벗을 수 없었기 때문에 청한 듯하다."

39-4. 曰 是欲終之而不可得也라 雖加一日이나 愈於已하니 謂夫莫之 禁而弗爲者也니라

孟子께서 말씀하셨다. "이는 喪期를 마치고자 해도 될 수 없는 경우이니, 비록 하루를 더하더라도 그만두는 것보다 낫다. 〈앞에서 말한 것은〉 禁하는 사람이 없는데도 하지 않는 경우를 말한 것이다."

---

863 厭於嫡母 而不敢終喪 : '厭'은 壓과 통하는바, 높은 분에게 눌림을 당함을 이르니, 王子의 所生母가 後宮이어서 嫡母에게 壓尊되어 齊衰 三年服을 입지 못함을 말한 것이다. 父在母喪의 경우에 아버지에게 壓尊되어 齊衰 朞年服을 입는 것도 한 예이다.

864 數月之喪 : 《大全》에 "大功은 9개월이고 小功은 5개월이다.[大功九月 小功五月]" 하였다.

865 按儀禮……除之 : 《儀禮》〈喪服〉記에 "公子(제후의 서자)는 자기 어머니를 위하여 마전한 冠에 牡麻로 만든 首絰과 腰絰을 하고 牡麻로 만든 深衣에 분홍색 布로 선을 두른 상복을 입으며, 자기 아내를 위하여 분홍색 冠에 葛로 만든 首絰과 腰絰을 하고 牡麻로 만든 深衣에 분홍색 布로 선을 두른 상복을 입으며, 모두 장례하고 벗는다.【公子는 군주의 庶子이다.】〔公子爲其母 練冠, 麻, 麻衣縓緣 爲其妻 縓冠, 葛絰帶, 麻衣縓緣 皆旣葬除之【公子 君之庶子也】〕" 하였다.

866 疑當時……或旣葬而未忍卽除 : 茶山은 "'王子의 師傳가 수개월의 喪을 청하였다.'는 것은, 당시 公의 庶子는 생모를 위하여 감히 喪事를 주관하지 못하고, 아울러 練冠과 總麻服의 首絰도 禮와 같이 하지 못하였기 때문에, 그의 師傳가 古禮(儀禮)를 따라 장례를 지내기 전의 居喪을 청한 것이다.【수개월은 장례 이전을 말한다.】〔王子傳請數月之喪者 當時公之庶子 爲其母 都不敢持喪 並其練冠緦絰亦不如禮 故其傳請依古禮 爲葬前之喪也【數月 謂葬前】〕" 하였다.

··· 厭 눌릴 압(壓通) 嫡 정실 적 適 마침 적 練 마전할 련 縓 붉을 전 緣 선두를 연

集註 | 言 王子欲終喪而不可得이어늘 其傅爲請하니 雖止得加一日이라도 猶勝不加하니 我前所譏는 乃謂夫莫之禁而自不爲者耳니라

'王子가 喪期를 마치고자 해도 될 수 없자 그의 師傅가 요청하였으니, 비록 다만 하루를 더하더라도 더하지 않는 것보다 나은 것이다. 내가 앞에서 〈齊 宣王의 喪期 단축을〉 비판한 것은 禁하는 사람이 없는데도 스스로 하지 않는 경우를 말한 것뿐이다.'라고 말씀한 것이다.

章下註 | ○ 此章은 言 三年通喪[867]은 天經地義라 不容私意有所短長이니 示之至情이면 則不肯者 有以企而及之矣리라

○ 이 章은 3년의 通喪은 하늘의 法이요 땅의 義이므로 사사로운 뜻으로 단축하고 연장할 수 있는 것이 아님을 말씀하였으니, 지극한 情을 보여주면 不肯한 자가 그를 바라보고 미칠 수 있을 것이다.

| 君子之所以教章 |

40-1. 孟子曰 君子之所以教者 五니

孟子께서 말씀하셨다. "君子가 가르치는 방법이 다섯 가지이니,

集註 | 下文五者는 蓋因人品高下와 或相去遠近先後之不同이라

아랫글의 다섯 가지는 人品의 高下나 혹은 거리의 遠近과 시대의 先後가 똑같지 않음으로 인한 것이다.

40-2. 有如時雨化之者하며

時雨(단비)가 변화시킨 것과 같은 경우도 있으며,

---

867 三年通喪: '通喪'은 天子로부터 庶人에 이르기까지 똑같이 입는 상복으로 父母喪을 가리키는바, 《論語》〈陽貨〉 21장에 "父母에 대한 三年喪은 天下의 공통된 喪이다.〔夫三年之喪 天下之通喪也〕"라고 보인다.

··· 止 다만 지 譏 기롱할 기 經 법 경 企 바랄 기

按説 │ 慶源輔氏(輔廣)는

　時雨가 變化시킴과 같은 것은 人品이 높은 자이고, 德을 이루고 재주의 所長을 통달함은
　그 다음이고, 물음에 答함은 낮은 자이며, 私淑艾는 同時代에 있어도 서로의 거리가 혹 멀
　거나 同時代가 아니어서 뒤늦게 태어나 門下에 이르러 受業하지 못한 자이다.〔如時雨化
　品之高者 成德達財 其次也 答問 下者也 私淑艾 有同時而相去或遠 不同時而其生
　也後 不能及門受業者也〕

하였다.

集註 │ 時雨는 及時之雨也[868]라 草木之生에 播種封植[869]하여 人力已至로되 而未能
自化하니 所少者는 雨露之滋耳라 及此時而雨之면 則其化速矣니 教人之妙 亦猶
是也니 若孔子之於顏曾이 是已라

'時雨'는 때에 알맞은 비이다. 草木이 자랄 적에 파종하고 잘 북돋아 주어 사람의 功力이
이미 지극하나 스스로 변화하지 못하니, 이때 부족한 것은 雨露의 滋養일 뿐이다. 이때에
미쳐서 비가 내리면 그 변화함이 빠르다. 사람을 교화시키는 妙함 또한 이와 같으니, 예를
들면 孔子가 顏子와 曾子에 대해서와 같은 것이 이런 경우이다.

40-3. 有成德者하며 有達財(材)者하며

德을 이루게 하는 경우도 있으며, 재질을 통달하게 하는 경우도 있으며,

按説 │ 朱子는

　'成德'은 그 덕을 成就하는 것으로 孔子가 冉伯牛와 閔子騫에 대해서와 같은 경우이니,
　德은 타고난 資稟이 純粹한 것이다. '達材'는 그 才를 통달하게 하는 것으로 孔子가 由(子
　路)와 賜(子貢)에 대해서와 같은 경우이니, 才는 明敏한 것이다.〔成德 成就其德 如孔子

868　時雨 及時之雨也 : 朱子는 "'時雨'라는 것은 이르지도 않고 늦지도 않아 제때에 알맞은 것이다.〔時雨云
　　者 不先不後 適當其時而已〕" 하였다.《語類》
869　封植 : 封殖, 封埴으로도 표기하는바, 封은 뿌리를 북돋아주는 것이고 植은 植物을 곧게 세워주는 것
　　이다.

⋯　播 뿌릴 파 封 북돋을 봉 滋 적실 자

於冉閔 德則天資純粹者 達材 通達其才 如孔子於由賜 才是明敏者〕《語類》

하였다.

集註 │ 財는 與材同이라 此는 各因其所長而敎之者也라 成德은 如孔子之於冉閔이
요 達財는 如孔子之於由賜라

'財'는 材와 같다. 이는 각각 그 所長을 인하여 가르친 것이다. '德을 이룬다.'는 것은 孔子
가 冉伯牛와 閔子騫에 대해서와 같은 것이요, '재질을 통달하게 한다.'는 것은 孔子가 由
(子路)와 賜(子貢)에 대해서와 같은 경우이다.

40-4. 有答問者하며

물음에 답한 경우도 있으며,

集註 │ 就所問而答之니 若孔孟之於樊遲萬章也라

그의 물음에 대하여 답한 것이니, 孔子와 孟子가 樊遲와 萬章에 대해서와 같은 경우이다.

40-5. 有私淑艾(예)者하니

사사로이 善으로 다스린 경우도 있으니,

按說 │ '艾'에 대하여, 朱子는

《說文解字》에 "艾는 풀을 베는 것이다." 하였다.……自艾와 淑艾가 모두 베고 끊어서 스스
로 새로워지는 뜻이 있으며, 懲艾와 創艾 또한 여기에서 취한 것이다.〔說文云 艾草也……
自艾淑艾 皆有斬絶自新之意 懲艾創艾 亦取諸此〕《朱子大全 答何叔京》

하였다.
'私淑艾'에 대하여, 楊伯峻은 焦循의 《孟子正義》에

《詩經》〈豳風 七月〉의 '九月에는 깨를 털며〔九月叔苴〕'에 대해,《毛傳》에 '叔은 拾이다.'하

… 冉 성염 閔 성민 樊 울타리 번 遲 더딜 지 淑 착할 숙 艾 다스릴 예

였으니,……淑은 叔과 통한다.……《詩經》〈周南 葛覃〉의 '是刈是濩'에 대해《經典釋文》
에 '刈는 어떤 본에는 또 艾로 되어 있다.' 하고,《韓詩》에 '刈는 取(취하다)의 뜻이다.' 하였
으니,……〈離婁下〉22장의 '私淑諸人'은 바로 私拾諸人이다. 淑과 艾 두 자의 뜻이 중첩되
니, '私淑艾'는 바로 私拾取이다.……실제는 私淑艾가 私淑과 같다.〔毛詩幽風七月九月
叔苴 傳云 叔拾也……淑與叔通……詩經周南葛覃是刈是濩 釋文云 刈本又作艾 韓
詩云 刈取也……蓋私淑諸人 卽私拾諸人也 淑艾二字義相疊 私淑艾者 卽私拾取也
……其實私淑艾猶私淑也〕

라고 한 내용을 취하여, '淑'은 '拾(주을 습)', '艾'는 '取(취하다)'라고 하여 "遺風과 餘韻
을 통하여 後人이 스스로 배워 익히다."라고 번역하였다.

集註 | 私는 竊也요 淑은 善이요 艾는 治也라 人或不能及門受業하고 但聞君子之道
於人하여 而竊以善治其身이면 是亦君子敎誨之所及이니 若孔孟之於陳亢夷之 是
也라 孟子亦曰 予未得爲孔子徒也나 予는 私淑諸人也[870]라하시니라

'私'는 竊(적이)이요, '淑'은 善이요, '艾'는 다스림이다. 사람이 혹 門下에 이르러 受業하
지 못하고, 다만 君子의 道를 남에게 들어서 적이 善으로써 그 몸을 다스리면 이 또한 君子
의 가르침이 미친 것이니, 예를 들면 孔子와 孟子가 陳亢과 夷之에 대해서와 같은 경우가
이것이다. 孟子 또한 말씀하시기를 "나는 孔子의 門徒가 되지는 못하였으나 나는 적이 남
에게서 얻어들어 몸을 善하게 하였다." 하셨다.

40-6. 此五者는 君子之所以敎也니라
이 다섯 가지는 君子가 가르치는 방법이다."

集註 | 聖賢施敎 各因其材하여 小以成小하고 大以成大하여 無棄人也니라
聖賢이 가르침을 베풂은 각기 그 재질에 따라서 작은 사람은 작게 이루어 주고 큰 사람은
크게 이루어 주어 버리는 사람이 없다.

---

870 孟子亦曰……私淑諸人也:위〈離婁下〉22장에 그대로 보인다.

••• 竊 사사로울 절 誨 가르칠 회 亢 높을 강(항)

41-1. 公孫丑曰 道則高矣美矣나 宜若登天然이라 似不可及也니 何不使彼로 爲可幾及而日孶孶也잇고

公孫丑가 말하였다. "道가 높고 아름다우나 하늘에 오르는 것과 같아서 따라갈 수 없을 듯하니, 어찌하여 저들로 하여금 거의 미칠 수 있다고 여겨서 날마다 부지런히 힘쓰게 하지 않습니까?"

按說 | '宜若'은 擬測이나 推斷을 표시하는 말로, '似乎(마치 ~인 듯하다)'와 같은 뜻이다.

41-2. 孟子曰 大匠이 不爲拙工하여 改廢繩墨하며 羿不爲拙射하여 變其彀率(구율)이니라

孟子께서 말씀하셨다. "큰 목수가 졸렬한 木工을 위하여 먹줄과 먹통을 고치거나 폐하지 않으며, 羿가 졸렬한 射手를 위하여 활시위를 당기는 率(기준)을 변경하지 않는다.

集註 | 彀率은 彎弓之限也라 言 敎人者 皆有不可易之法하니 不容自貶以徇學者之不能也니라

'彀率'은 활시위를 당기는 한계이다. 사람을 가르치는 자는 모두 바꿀 수 없는 法(원칙)이 있으니, 스스로 폄하하여 배우는 자의 능하지 못함을 따를 수 없음을 말씀한 것이다.

41-3. 君子引而不發하나 躍如也하여 中道而立이어든 能者從之니라

君子가 활시위를 당기기만 하고 쏘지 않으나 躍如하여 中道에 서 있거든 능한 자가 따르는 것이다."

按說 | 朱子는

··· 幾 거의 기 孶 부지런할 자 匠 목수 장 拙 못날 졸 繩 먹줄 승 墨 먹 묵 羿 이름 예 彀 활당길 구 率 비율 률 彎 당길 만 貶 낮출 폄 躍 뛸 약

'활을 당기기만 하고 發射하지 않는다.'는 것은 점점 그 단서를 열어 주고 그 말을 다해 주지 않음을 이르고, '躍如'는 義理가 밝게 드러나서 물건이 마음과 눈의 가운데로 뛰어오르는 듯함을 이른다.〔引而不發 謂漸啓其端而不竟其說 躍如 謂義理昭著 如有物躍然於心目之間〕《朱子大全 答或人》

하였다.

'君子引而不發'에 대하여, 官本諺解에는 '引而不發하야'로 懸吐하고 '引ᄒᆞ고 發티 아니ᄒᆞ야'라고 하였으나, 栗谷諺解에 '引코 發티 아니ᄒᆞ나'로 되어 있어 이를 따랐다. 《集註》에도 '如射者之引弓而不發矢 然'으로 되어 있다. 壺山은

'不發'의 官本諺解의 諺讀은 《集註》의〉 '然'의 뜻이 없는 듯하니, 《集註》의 뜻에 위배될 듯하다.〔不發之諺讀 無然義 恐違集註意〕

하였다.

'躍如也'에 대하여, 官本諺解에 '躍如也ᄒᆞ야'로 懸吐하였는데, 壺山은

살펴보건대 諺讀은 '躍如也'를 아랫글 '中道而立'과 연결하여 일관된 문세로 삼았으니, 《集註》의 뜻에 위배될 듯하다.〔按諺讀 以躍如也 連下文中道而立 爲一串文勢 恐違集註意〕

하였는바, 壺山의 說을 따를 경우 '躍如也하니'로 懸吐해야 할 듯하다. 《集註》에는 '其所不告者 已如踊躍而見於前矣 中者 無過不及之謂'라고 하여, 經文의 '引而不發 躍如也'를 해석한 뒤에 '中道而立'의 '中'字의 字訓을 언급하여, 壺山의 말대로 '躍如也'와 '中道而立'을 연결된 문세로 보지 않은 듯하다.

集註 | 引은 引弓也요 發은 發矢也라 躍如는 如踊躍而出也라 因上文彀率而言 君子敎人에 但授以學之之法이요 而不告以得之之妙니 如射者之引弓而不發矢라 然이나 其所不告者 已如踊躍而見於前矣니라 中者는 無過不及之謂니 中道而立은 言其非難非易요 能者從之는 言學者當自勉也니라

'引'은 활시위를 당김이요, '發'은 화살을 발사함이다. '躍如'는 踊躍하여 나옴과 같은 것이다. 윗글의 彀率을 인하여 말씀하시기를 "君子가 사람을 가르침에 다만 그것을 배우는 法(원칙)을 전수해 주고 그것을 터득하는 妙理는 말해 주지 않으니, 이는 마치 활 쏘는 자가

··· 矢 화살 시 踊 뛸 용 授 줄 수

활시위를 당기기만 하고 화살을 발사하지 않는 것과 같다. 그러나 말해 주지 않은 것(妙理)이 이미 踊躍하여 앞에 나타난 것과 같다." 하였다. 中은 過와 不及이 없음을 이르니, '中道而立'은 어렵지도 않고 쉽지도 않음을 말씀한 것이요, '能者從之'는 배우는 자가 마땅히 스스로 힘써야 함을 말씀한 것이다.

章下註 | ○ 此章은 言 道有定體하고 敎有成法하니 卑不可抗이요 高不可貶이요 語不能顯이요 默不能藏이니라

○ 이 章은 道는 일정한 體가 있고 가르침은 이루어진 法이 있으니, 낮은 것을 높여서는 안 되고 높은 것을 폄해서는(낮추어서는) 안 되며, 말해도 드러낼 수 없고 침묵해도 감출 수 없음을 말씀한 것이다.

| 天下有道章(以道殉身章) |

42-1. 孟子曰 天下有道엔 以道殉身하고 天下無道엔 以身殉道하나니

孟子께서 말씀하셨다. "천하에 道가 있을 때에는 道로써 몸을 따르고, 천하에 道가 없을 때에는 몸으로써 道를 따르는 것이니,

集註 | 殉은 如殉葬[871]之殉[872]이니 以死隨物之名也라 身出則道在必行이요 道屈則

---

[871] 殉葬:《禮記》〈檀弓下〉에 "〈齊나라 大夫〉 陳子車가 衛나라에서 죽자, 그 아내가 家臣들과 함께 殉葬할 것을 도모하였다. 〈殉葬할 사람을〉 결정한 뒤에 〈子車의 형제인〉 陳子亢이 이르자, 〈이 사실을 陳子亢에게〉 말하기를 '夫子가 질병이 있을 적에 아랫사람에게 제대로 봉양을 받지 못했으니, 아랫사람들로 殉葬할 것을 청한다.' 하였다. 陳子亢이 말하기를 '殉葬하는 것은 禮가 아니다. 그렇지만 저(陳子車)가 질병이 있을 적에 봉양했어야 할 사람으로 아내와 家臣만한 자가 어디 있겠는가. 殉葬을 그만둘 수 있다면 내 그만두겠지만, 부득이하여 殉葬을 해야 한다면 내 〈아내와 家臣〉 두 사람으로 殉葬을 하고자 한다.' 하니, 이에 殉葬을 하지 않았다.〔陳子車死於衛 其妻與其家大夫 謀以殉葬 定而後 陳子亢至 以告曰 夫子疾 莫養於下 請以殉葬 亢曰 以殉葬 非禮也 雖然則彼疾當養者 孰若妻與宰 得已則吾欲已 不得已 則吾欲以二子者之爲之也 於是弗果用〕"라고 보인다.
[872] 殉 如殉葬之殉:趙岐는 "'殉'은 '따르다'의 뜻이다. 천하에 道가 있어 王政을 행할 수 있으면 道가 몸을 따라 실제 功效를 베풀고, 천하에 道가 없어 道가 행해질 수 없으면 몸으로 道를 따라 道를 지키며 은거한다.〔殉從也 天下有道 得行王政 道從身施功實也 天下無道 道不得行 以身從道 守道而隱〕" 하였다. 茶山은 《集註》처럼 '殉葬의 殉'이라고 하면 '以道殉身'은 뜻이 통하지 않는다.〔若作殉葬之殉 則以道殉身 不可通〕"라고 《集註》를 비판하였다.

⋯ 卑 낮을 비 抗 높을 항(亢通) 貶 낮출 폄 黙 잠잠할 묵 殉 따를 순 葬 장사지낼 장

身在必退하여 以死相從而不離也라

'殉'은 殉葬의 殉과 같으니, 죽음으로 물건을 따름의 명칭이다. 몸이 나가면 道가 반드시 행해져야 할 처지에 있고, 道가 굽혀지면 몸이 반드시 물러나야 할 처지에 있어서 죽음으로써 서로 따르고 떨어지지 말아야 한다.

42-2. 未聞以道殉乎人者也로라

道를 가지고 남을 따른다는 것은 내 듣지 못하였다."

集註 | 以道從人은 妾婦之道라

道를 가지고 남을 따름은 妾婦의 道이다.

|滕更之在門章(挾貴章)|

43-1. 公都子曰 滕更(경)之在門也에 若在所禮而不答은 何也잇고

公都子가 말하였다. "滕更이 門下에 있을 적에 예우할 바(입장, 대상)에 있을 듯한데도 〈선생께서〉 그의 물음에 대답하지 않으심은 어째서입니까?"

集註 | 趙氏曰 滕更은 滕君之弟로 來學者也라

趙氏(趙岐)가 말하였다. "滕更은 滕나라 군주의 아우로, 와서 배운 자이다."

43-2. 孟子曰 挾貴而問하며 挾賢而問하며 挾長而問하며 挾有勳勞而問하며 挾故而問이 皆所不答也니 滕更이 有二焉하니라

孟子께서 말씀하셨다. "귀한 신분을 믿고 물으며 어짊을 믿고 물으며 나이 많음을 믿고 물으며 공로가 있음을 믿고 물으며 故(底意)를 가지고 묻는 경우는 모두 대답하지 않는 것(대상)이니, 滕更이 이 가운데 두 가지를 가지고 있었다."

··· 挾 낄협, 자세할협 勳 공훈 勞 공로

按說 | '長'에 대하여,《集註》의 音訓에 上聲으로 되어 있는데, 壺山은

〈音訓의〉上聲은 一本에는 去聲으로 되어 있다. 살펴보건대 長은 세 가지 音이 있다. 年長일 경우에는 上聲으로 읽고, 修長(길다)에는 平聲으로 읽고, 多餘에는 去聲으로 읽으니, 《論語》의 '長一身有半'의 長이 이것(去聲)이다. 여기에서 말한 長을 만약 去聲으로 읽는다면 이는 才藝가 남보다 뛰어남을 가리킨 것이다. 〔上 一作去 按長有三音 年長則爲上聲 修長則爲平聲 多餘則爲去聲 論語長一身有半之長 是也 此所云長 若作去聲 則是指才藝之過人〕

하였다.

集註 | 趙氏曰 二는 謂挾貴, 挾賢也라
尹氏曰 有所挾이면 則受道之心이 不專하니 所以不答也니라

趙氏(趙岐)가 말하였다. "'두 가지'는 挾貴와 挾賢을 이른다."
尹氏(尹焞)가 말하였다. "믿는 바가 있으면 道를 받아들이는 마음이 전일하지 못하니, 이 때문에 대답해 주지 않으신 것이다."

章下註 | ○ 此는 言 君子雖誨人不倦이나 又惡(오)夫意之不誠者니라

○ 이는 君子가 비록 사람을 가르치기를 게을리하지 않으나 또 뜻이 정성스럽지 못한 자를 미워함을 말씀한 것이다.

|於不可已而已章(進銳退速章)|

44-1. 孟子曰 於不可已而已者는 無所不已요 於所厚者薄이면 無所不薄也니라

孟子께서 말씀하셨다. "그만두어서는 안 될 경우에 그만두는 자는 그만두지 않는 것이 없고, 후하게 해야 할 것(대상)에 박하게 한다면 박하지 않은 것이 없을 것이다.

··· 誨 가르칠 회 倦 게으를 권 已 그만둘 이 薄 엷을 박

按說 │ 《大學》經1章에 "天子로부터 庶人에 이르기까지 일체 모두 修身을 근본으로 삼는다. 그 근본이 어지럽고서 지엽이 다스려지는 자는 없으며, 후하게 할 것(대상)에 박하게 하고서 박하게 할 것에 후하게 하는 자는 있지 않다.〔自天子以至於庶人 壹是皆以修身爲本 其本亂而末治者否矣 其所厚者薄 而其所薄者厚 未之有也〕"라고 보이는데, 朱子는 《集註》에서 "'本'은 몸을 이르고 '후하게 할 것'은 집안을 이른다.〔本謂身也 所厚謂家也〕" 하였으며, '其所厚者薄 而其所薄者厚'에 대하여

〈厚薄은〉 집을 가지고 나라와 상대하여 말한 것이다.〔以家對國說〕《語類 大學二》

하였고,

후하게 할 대상은 父子, 兄弟, 骨肉의 은혜를 이르니, 이치에 당연하여 人心에 능히 그칠 수 없는 것이다.〔所厚者 謂父子兄弟骨肉之恩 理之所當然而人心之不能已者〕《朱子大全 答江德功》

하였다. 반면, 茶山은

'不可已'는 修身이고 '所厚者'는 몸이다. 내가 후하게 해야 할 바는 내 몸과 같은 것이 없다. 몸이 닦이지 않았으면 백성을 가르치고 풍속을 교화함은 더욱 의논할 수 있는 것이 아니다. 몸 다음으로는 내 집안과 같은 것이 없다. 집안이 가지런하지 않으면 나라를 平治함은 더욱 의논할 수 있는 것이 아니다. 이것이 후하게 하고 박하게 하는 차이이다. 《大學》에서 말한 '所厚者'도 몸이다.〔不可已者修身也 所厚者身也 吾之所宜厚者 莫如吾身 身旣不修 則於敎民化俗 尤非可議者 次於身者 莫如吾家 家旣不齊 則於治國平邦 尤非可議者 此厚薄之差也 大學之云所厚者亦身也〕

하였다. 결국 朱子는 所厚는 家로, 所薄은 國으로 본 것인데, 茶山은 所厚는 身으로, 所薄은 家·國·天下로 본 것이다.

集註 │ 已는 止也니 不可止는 謂所不得不爲者也라 所厚는 所當厚者也라 此는 言不及者之弊하니라

已는 止(그만둠)이니, '不可止'는 하지 않을 수 없는 것을 이른다. '所厚'는 마땅히 후하게 해야 할 것이다. 이는 不及한 자의 폐단을 말씀한 것이다.

44-2. 其進이 銳者는 其退速이니라

그 나아감이 빠른 자는 그 후퇴가 속하다."

集註 | 進銳者는 用心太過하여 其氣易衰라 故로 退速이니라

나아감이 빠른 자는 마음을 씀이 너무 지나쳐서 그 기운이 쇠진하기 쉽다. 그러므로 후퇴가 속한 것이다.

章下註 | ○ 三者之弊는 理勢必然이니 雖過不及之不同이나 然卒同歸於廢弛니라

○ 세 가지의 병폐는 이치와 형세의 필연적인 것이니, 비록 過와 不及이 똑같지 않으나 마침내 똑같이 폐하고 해이한 데로 돌아가고 만다.

|君子之於物章(親親而仁民章)|

45. 孟子曰 君子之於物也에 愛之而弗仁하고 於民也에 仁之而弗親하나니 親親而仁民하고 仁民而愛物이니라

孟子께서 말씀하셨다. "君子가 물건(동물이나 식물)에 대해서는 아끼기만 하고 仁하지 않으며 백성(사람)에 대해서는 仁하기만 하고 親하지 않으니, 친척을 친히 하고서 백성을 仁하게 하고(사랑하고) 백성을 仁하게 하고서 물건을 아끼는 것이다."

按說 | 愛·仁·親은 모두 사랑하는 것으로 仁에 해당하나 이것을 구분하여 말하면 愛는 아껴 주는 것이고, 仁은 人道로 대우하는 것이고, 親은 친척으로 대하여 부모에게 효도하고 형제간에 우애하며 처자식을 사랑하는 따위를 이른다. 그리하여 愛보다 仁이 더 간절하고 仁보다 親이 더 간절하므로 親親을 하고서 仁民을 하고 仁民을 하고서 愛物을 하는 것이다. 예컨대, 齊 宣王이 벌벌 떨며 죽으러 가는 소를 차마 보지 못하여 羊으로 바꾸게 한 것 같은 것이 바로 愛物이다.

··· 銳 빠를 예 速 빠를 속 太 심할 태

集註 | 物은 謂禽獸草木이라 愛는 謂取之有時하고 用之有節[873]이라

程子曰 仁은 推己及人이니 如老吾老하여 以及人之老니 於民則可나 於物則不可라 統而言之하면 則皆仁이요 分而言之하면 則有序니라

楊氏曰 其分이 不同이라 故로 所施에 不能無差等하니 所謂理一而分殊者也니라

尹氏曰 何以有是差等고 一本故也니 無僞也[874]니라

'物'은 禽獸와 草木을 이른다. '사랑한다'는 것은 취함에 때가 있고 씀에 절도가 있음을 이른다.

程子(伊川)가 말씀하였다. "仁은 내 마음을 미루어 남에게 미치는 것이니, 내 노인을 노인으로 섬겨서 남의 노인에게 미치는 것과 같은 것이니, 이를 사람에게 하는 것은 可하나 물건에게 하는 것은 불가하다. 통틀어 말하면 이 세 가지가 모두 仁이고, 나누어 말하면 차례가 있는 것이다."

楊氏(楊時)가 말하였다. "그 分(신분 또는 분수)이 같지 않기 때문에 베푸는 바에 차등이 없을 수 없으니, 이른바 '이치는 하나이나 분수는 나뉘어 다르다.'는 것이다."

尹氏(尹焞)가 말하였다. "어째서 이러한 차등이 있는가? 근본이 하나이기 때문이니, 거짓이 없는 것이다."

|知者無不知章(急先務章)|

46-1. 孟子曰 知(智)者無不知也나 當務之爲急이요 仁者無不愛也나 急親賢之爲務니 堯舜之知로 而不徧物은 急先務也요 堯舜之仁으로 不徧愛人은 急親賢也니라

孟子께서 말씀하셨다. "지혜로운 자는 알지 않음이 없으나 마땅히 힘써야 할 일을 급하게 여기고, 仁者는 사랑하지 않음이 없으나 어진이를 친히 함을 급하게 여김을 힘쓰니,

---

873 愛謂取之有時 用之有節:東陽許氏(許謙)는 "'愛之而弗仁'의 愛는 愛惜의 뜻이니, 가벼이 물건을 쓰지 않고 하늘이 낸 물건을 함부로 버리지 않는다.'는 뜻이다.〔愛之而弗仁之愛 愛惜之義 不輕用物 不暴殄天物之意〕"하였다.

874 一本故也 無僞也:慶源輔氏(輔廣)는 "근본이 하나이기 때문에 거짓이 없고 차등이 있으니, 만약 차등이 없다면 이는 거짓이어서 근본이 둘인 것이다.〔一本 故無僞而有等差 若無等差 是僞而二本也〕"하였다.

··· 禽 새금, 짐승금 獸 짐승 수 殊 다를 수 徧 두루미칠 변(편)

堯舜의 지혜로 물건을 두루 알지 않음은 먼저 힘써야 할 것을 급히 여겼기 때문이요, 堯舜의 仁으로 사람을 두루 사랑하지 않음은 어진이를 친히 함을 급히 여겼기 때문이다.

集註 | 知者는 固無不知나 然常以所當務者爲急이면 則事無不治하여 而其爲知也大矣요 仁者는 固無不愛나 然常急於親賢이면 則恩無不洽하여 而其爲仁也博矣니라

지혜로운 자는 진실로 알지 않음이 없으나 항상 마땅히 힘써야 할 일을 급하게 여긴다면 일이 다스려지지 않음이 없어서 그 지혜로움이 클 것이요, 仁者는 진실로 사랑하지 않음이 없으나 항상 어진이를 친히 하는 것을 급하게 여긴다면 은혜가 흡족하지 않음이 없어서 그 仁이 넓을 것이다.

46-2. 不能三年之喪而緦小功之察하며 放飯流歠而問無齒決이 是之謂不知務니라

삼년상은 잘하지 못하면서 緦麻服과 小功服은 살피며, 밥숟갈을 크게 뜨고 국을 한꺼번에 마시면서 마른 고기포를 이로 끊지 말아야 함을 따지는 것을 급히 힘쓸 줄을 모른다고 이른다."

按說 | '放飯流歠而問無齒決'에 대하여, 《禮記》〈曲禮下〉에 "밥숟갈을 크게 뜨지 말고 국을 한꺼번에 마시지 말라.〔毋放飯 毋流歠〕"라고 보이며, 또 "젖은 고기는 이로 끊고 마른 고기포는 이로 끊지 말라.(손으로 끊으라.)〔濡肉齒決 乾肉不齒決〕"라고 보인다. '放飯'은 남과 함께 밥을 먹을 적에 밥숟갈을 크게 뜨는 것이라 하기도 하고 함부로 밥을 먹는 것이라 하기도 하는바, 朱子는 大飯이라고 하였으나 鄭玄은 '毋放飯'의 註에 "손에 남은 밥을 〈筐나 簋의 뚜껑에 털지 않고〉 본 그릇〔簋〕에 터는 것은 사람들이 더럽게 여기는 것이다.〔去手餘飯於器中 人所穢〕"하였다.

··· 緦 시마복 시 放 클 방 飯 밥 반 歠 마실 철 齒 이 치 決 끊을 결

集註 | 三年之喪은 服之重者也라 緦麻는 三月[875]이요 小功은 五月이니 服之輕者也라 察은 致詳也라 放飯은 大飯이요 流歠은 長歠이니 不敬之大者也라 齒決은 齧斷乾肉이니 不敬之小者也라 問은 講求之意라

3년의 상은 服의 중한 것이다. 緦麻는 3개월 服이요 小功은 5개월 服이니, 服의 가벼운 것이다. '察'은 자세함을 지극히 하는 것이다. '放飯'은 밥을 크게 뜨는 것이요 '流歠'은 길게 마시는 것이니, 不敬의 큰 것이다. '齒決'은 마른 고기를 이로 끊는 것이니, 不敬의 작은 것이다. '問'은 講求의 뜻이다.

章下註 | ○ 此章은 言 君子之於道에 識其全體면 則心不狹하고 知所先後면 則事有序니라
豐氏曰 智不急於先務면 雖徧知人之所知하고 徧能人之所能이라도 徒弊精神而無益於天下之治矣요 仁不急於親賢이면 雖有仁民愛物之心이라도 小人在位하여 無由下達하여 聰明이 日蔽於上하고 而惡政이 日加於下하리니 此는 孟子所謂不知務也니라

○ 이 章은 君子가 道에 대해서 그 全體를 알면 마음이 좁아지지 않고, 먼저 하고 뒤에 할 것을 알면 일에 순서가 있게 됨을 말씀한 것이다.
豐氏(豐稷)가 말하였다. "지혜를 씀에 있어 먼저 알아야 할 것을 급히 여기지 않는다면 비록 남이 아는 바를 두루 알고 남이 능한 바에 두루 능하다 하더라도 다만 정신을 피폐하게 할 뿐이요 天下의 다스림에는 유익함이 없을 것이다. 仁을 함에 있어 어진이를 친히 함을 급하게 여기지 않는다면 비록 백성을 사랑하고 물건을 아끼는 마음이 있더라도 小人들이 지위에 있어 德이 아래로 도달할 수가 없어서 聰明이 날로 위에서 가리워지고 惡政이 날로 아래에 가해질 것이니, 이는 孟子의 이른바 '급히 힘쓸 것을 알지 못한다.'는 것이다."

---

875 緦麻 三月:緦麻는 斬衰·齊衰·大功·小功·緦麻의 五服 중에서 가장 가벼운 것으로, 고운 삼베(熟布)로 喪服을 만든다.

··· 齧 깨물 설 乾 마를 간(건) 狹 좁을 협 徒 한갓 도 弊 피폐할 폐 聰 귀밝을 총 蔽 가릴 폐

盡心章句 下

集註 | 凡三十八章이라

모두 38章이다.

| 不仁哉梁惠王章 |

1-1. 孟子曰 不仁哉라 梁惠王也여 仁者는 以其所愛로 及其所不愛하고 不仁者는 以其所不愛로 及其所愛니라

孟子께서 말씀하셨다. "仁하지 못하다, 梁 惠王이여. 仁者는 자기가 사랑하는 바로써 사랑하지 않는 바에 미치고, 仁하지 못한 자는 자기가 사랑하지 않는 바로써 사랑하는 바에 미친다."

集註 | 親親而仁民하고 仁民而愛物이 所謂以其所愛로 及其所不愛也라

친척을 親愛하고서 백성(사람)을 사랑하고, 백성을 사랑하고서 물건을 아낌이 이른바 '자기가 사랑하는 바로써 사랑하지 않는 바에 미친다.'는 것이다.

1-2. 公孫丑曰 何謂也잇고 梁惠王이 以土地之故로 糜爛其民而戰之하여 大敗하고 將復(부)之호되 恐不能勝이라 故로 驅其所愛子弟하여 以殉

··· 糜 깨질 미 爛 터질 란 復 다시 부 驅 몰 구 殉 따라죽을 순

之하니 是之謂以其所不愛로 及其所愛也니라

公孫丑가 물었다. "무슨 말씀입니까?"

〈孟子께서 말씀하셨다.〉 "梁 惠王이 토지(영토)의 연고 때문에 그 백성을 糜爛(피와 살이 깨지고 터짐)시켜 싸우게 하여 大敗하고는, 장차 다시 싸우려 하되 이기지 못할까 두려우므로 자기가 사랑하는 子弟를 내몰아서 희생시켰으니, 이를 일러 '자기가 사랑하지 않는 바로써 사랑하는 바에 미친다.'고 하는 것이다."

按說 | '驅其所愛子弟 以殉之'에 대하여, 《大全》에

> 바로 이른바 '동쪽으로 齊나라에 敗함에 長子가 죽었다.'는 것이다.〔卽所謂東敗於齊 長子
> 死焉者〕

하였는바, 이 내용은 〈梁惠王上〉 5章에 보인다.

集註 | 梁惠王以下는 孟子答辭也라 糜爛其民은 使之戰鬪하여 糜爛其血肉也라 復之는 復戰也라 子弟는 謂太子申也라 以土地之故로 及其民하고 以民之故로 及其子하니 皆以其所不愛로 及其所愛也라

'梁 惠王' 이하는 孟子께서 대답하신 말씀이다. '그 백성을 糜爛시켰다.'는 것은 백성들을 싸우게 하여 그 피와 살을 糜爛시킨 것이다. '復之'는 다시 싸우는 것이다. '子弟'는 太子 申을 이른다. 토지의 연고 때문에 〈화가〉 그 백성에게 미치고, 백성의 연고 때문에 〈화가〉 그 아들에게 미쳤으니, 이것은 모두 자기가 사랑하지 않는 바로써 사랑하는 바에 미친 것이다.

章下註 | ○ 此는 承前篇之末三章之意[876]하여 言 仁人之恩은 自內及外하고 不仁之禍는 由疏逮親이니라

○ 이는 前篇의 끝 세 章의 뜻을 이어서 仁人의 은혜는 안으로부터 밖에 미치고, 不仁한 자

---

[876] 承前篇之末三章之意 : 雲峰胡氏(胡炳文)는 "후하게 할 것에 박하게 함과, 친척을 親愛하고 백성을 사랑함과, 仁者는 사랑하지 않음이 없음을 이어서 말씀한 것이다.〔承所厚者薄 親親仁民 仁者無不愛 而言〕" 하였다.

··· 鬪 싸울 투 疏 소원할 소 逮 미칠 체

의 禍는 소원한 것으로부터 친척에게 미침을 말씀한 것이다.

|春秋無義戰章|

2-1. 孟子曰 春秋에 無義戰하니 彼善於此는 則有之矣니라

孟子께서 말씀하셨다. "《春秋》에 의로운 전쟁이 없으니, 〈이 가운데〉 저것이 이것보다
나은 것은 있다.

> 集註 | 春秋에 每書諸侯戰伐之事에 必加譏貶하여 以著其擅興之罪하고 無有以爲
> 合於義而許之者라 但就中에 彼善於此者則有之하니 如召陵之師[877]之類 是也라
>
> 《春秋》에는 諸侯들이 戰伐한 일을 쓸 때마다 반드시 비판과 폄하를 가하여 멋대로 군대를
> 일으킨 죄를 드러내었고 義에 합한다고 여겨 허여한 것이 없다. 다만 그 가운데 저것이 이것
> 보다 나은 것은 있으니, 예를 들면 召陵의 군대와 같은 類가 이것이다.

2-2. 征者는 上伐下也니 敵國은 不相征也니라

征은 윗사람이 아랫사람을 정벌하는 것이니, 敵國(대등한 나라)은 서로 정벌하지 못한
다."

> 集註 | 征은 所以正人也라 諸侯有罪면 則天子討而正之하나니 此春秋所以無義戰
> 也[878]라
>
> '征'은 사람(남)을 바로잡는 것이다. 諸侯가 죄가 있으면 天子가 그를 토벌하여 바로잡는
> 것이니, 이 때문에 《春秋》에 의로운 전쟁이 없는 것이다.

---

877 召陵之師:《春秋》僖公 4년 조에 "〈齊侯가 楚나라를 정벌하자〉 楚나라 屈完이 〈諸侯의 軍中으로〉
와서 군중에서 盟約하고 召陵에서 結盟하였다.〔楚屈完來 盟于師 盟于召陵〕"라고 보인다. 楚나라가
天子國인 周나라에 貢物을 바치지 않는다 하여, 齊 桓公이 諸侯의 군대를 거느리고 楚나라를 정벌해
서 승리한 다음, 楚將 屈完과 召陵에서 會盟한 사실을 이른다.

878 諸侯有罪……此春秋所以無義戰也:壺山은 "天子가 토벌하여 바로잡아야 하는데 敵國이 마침내 서
로 정벌하였으니, 이것이 의로운 전쟁이 없는 것이다.〔天子討而正之 而敵國乃相征 此其無義戰也〕"
하였다.

⋯ 譏 기롱할 기 貶 낮출 폄 擅 마음대로할 천 就 나아갈 취 師 군대 사 敵 대등할 적 討 칠토

|盡信書章(血之流杵章)|

3-1. 孟子曰 盡信書면 則不如無書니라

孟子께서 말씀하셨다. "《書經》의 내용을 모두 믿으면《書經》이 없는 것만 못하다.

集註 | 程子曰 載事之辭에 容有重稱而過其實者하니 學者當識其義而已라 苟執
於辭하면 則時或有害於義하니 不如無書之愈也니라

程子(伊川)가 말씀하였다. "일을 기재한 내용에는 혹[容] 지나치게 칭하여 그 실제를 넘은
것이 있으니, 배우는 자들은 마땅히 그 義를 알 뿐이다. 만일 그 내용에 집착한다면 때로는
혹 의리에 해로움이 있으니,《書經》이 없는 것이 나음만 못하다."

3-2. 吾於武成에 取二三策而已矣로라

나는 〈武成〉에 대해서 두세 쪽을 취할 뿐이다.

集註 | 武成은 周書篇名이니 武王伐紂하고 歸而記事之書也라 策은 竹簡也니 取其
二三策之言이요 其餘는 不可盡信也라
程子曰 取其奉天伐暴之意와 反正施仁之法而已니라

〈武成〉은《書經》《周書》의 篇名이니, 武王이 紂王을 정벌하고 돌아와 그 사실을 기록한 글
이다. '策'은 竹簡이니, 그 가운데 두세 쪽의 말을 취하고 그 나머지는 다 믿을 수 없는 것
이다.
程子(伊川)가 말씀하였다. "하늘을 받들어 포악한 사람을 정벌한 뜻과 바름으로 돌이켜 仁
을 베푼 법을 취할 뿐이다."

3-3. 仁人은 無敵於天下니 以至仁으로 伐至不仁이어니 而何其血之流 杵也리오

仁人은 천하에 대적할 사람이 없다. 지극히 仁함으로써 지극히 不仁한 사람을 정벌하
였으니, 어찌 그 피가 흘러 절구공이를 표류하게 하는 일이 있었겠는가."

··· 載 기재할재 容 혹시용 愈 나을유 策 죽간책 簡 죽간간 暴 사나울포 杵 절구공이저

集註 | 杵는 舂杵(용저)也라 或作鹵하니 楯也라 武成에 言 武王伐紂에 紂之前徒倒戈하여 攻于後以北(배)하여 血流漂杵라하니 孟子言 此則其不可信者라 然이나 書本意는 乃謂商人自相殺이요 非謂武王殺之也라 孟子之設是言은 懼後世之惑[879]이요 且長不仁之心耳시니라

'杵'는 방아찧는 절구공이이다. 혹은 鹵로도 쓰니, 방패이다. 《書經》〈武成〉에 이르기를 "武王이 紂王을 정벌함에 紂王의 군대의 선두에 있던 무리들이 창을 거꾸로 들고서 뒤를 공격하여 패배시켜 피가 흘러 절구공이를 표류시켰다." 하였으니, 孟子께서 이것은 믿을 수 없는 일이라고 말씀한 것이다. 그러나 《書經》의 본래 뜻은 바로 商나라 사람들이 자기들끼리 서로 죽였음을 말했을 뿐이요, 武王이 그들을 죽였다고 말한 것은 아니다. 孟子께서 이 말씀을 하신 것은 後世 사람들이 의혹할까 두려워하였고 또 不仁한 마음을 助長할까 염려해서였다.

|我善爲陳章|

4-1. 孟子曰 有人曰 我善爲陳(陣)하며 我善爲戰이라하면 大罪也니라

孟子께서 말씀하셨다. "어떤 사람이 말하기를 '내가 陳을 잘 치며 내가 전쟁을 잘한다.'고 하면 그는 큰 죄인이다.

按說 | 《大全》에

帝王의 세상으로 기준해 보면 큰 罪人인 것이다.〔以帝王之世律之 大罪人也〕

하였다.

集註 | 制行伍(항오)曰陳이요 交兵曰戰이라

行伍를 통제하는 것을 '陳'이라 하고, 교전하는 것을 '戰'이라 한다.

---

879 懼後世之惑:壺山은 "武王이 사람을 많이 죽였다고 의심하는 것이다.〔疑武王多殺人〕" 하였다.

··· 舂 방아 용 鹵 방패 로(櫓通) 楯 방패 순(盾通) 倒 거꾸로 도 北 달아날 배 漂 표류할 표 懼 두려울 구
陳 진칠 진(陣同) 伍 대오 오

4-2. 國君이 好仁이면 天下에 無敵焉이니 南面而征에 北狄怨하며 東面而征에 西夷怨하여 曰 奚爲後我오하니라

國君이 仁을 좋아하면 천하에 대적할 자가 없으니, 〈湯王이〉 남쪽을 향하여 정벌함에 북쪽에 있는 오랑캐가 원망하며 동쪽을 향하여 정벌함에 서쪽에 있는 오랑캐가 원망하여 '어찌하여 우리나라를 뒤에 정벌하는가.' 하였다.

集註 | 此는 引湯之事以明之하니 解見前篇하니라

이것은 湯王의 일을 인용하여 밝힌 것이니, 해석이 前篇(梁惠王下)에 보인다.

4-3. 武王之伐殷也에 革車三百兩(輛)이요 虎賁이 三千人이러니라

武王이 殷나라를 정벌할 적에 革車가 3백 輛이었고, 虎賁(호랑이처럼 용감한 군사)이 3천 명이었다.

集註 | 又以武王之事明之也라 兩은 車數니 一車兩輪也라 千은 書序에 作百하니라

이는 또다시 武王의 일을 가지고 밝힌 것이다. '兩'은 수레의 數이니, 한 수레에는 바퀴가 둘이다. '千'은 《書經》〈牧誓〉의 序에는 '百'으로 되어 있다.

4-4. 王曰 無畏하라 寧爾也라 非敵百姓也라하신대 若崩厥角하여 稽首하니라

王(武王)이 말씀하기를 '두려워하지 말라. 너희들을 편안히 하려는 것이요 백성들을 대적하려는 것이 아니다.'라고 하시자, 〈商나라 사람들이〉 마치 짐승이 뿔을 땅에 대듯이 머리를 조아렸다.

按說 | '若崩厥角'에 대하여, 茶山은

'若崩厥角' 네 글자는 殷나라 백성들이 가뭄에 비를 만난 듯이 기뻐한 심정을 형용한 것이

··· 狄 북쪽오랑캐 적 奚 어찌 해 革 가죽 혁 兩 수레세는단위 량(輛通) 賁 클 분 輪 수레바퀴 륜 畏 두려워할 외 敵 대적할 적 崩 무너질 붕 厥 그 궐 稽 조아릴 계

다. 이제 이것을 〈梅賾의 《僞古文尙書》〈泰誓〉처럼〉 고쳐 "백성들이 두려워하여 마치 짐승들이 뿔을 땅에 대듯이 하였다."라고 하면, 項羽가 秦나라에 들어간 氣像이지, 어찌 天吏가 잔학한 자를 제거한 뜻이겠는가.【梅賾과 蔡沈은 백성들이 紂王의 虐政을 두려워하여 근심하고 불안해한 것이라고 했다.】〔若崩厥角四字 形容殷民如旱得雨之情 今改之曰 百姓懍懍 若崩厥角 則項羽入秦之氣象 豈天吏除殘之義乎【梅蔡以爲民畏紂之虐 憂懼不安】〕

하였다. 楊伯峻은

'厥角'의 '厥'은 '蹶(넘어질 궐)'과 같으니 '頓(조아리다)'의 뜻이다. 《說文解字》에 '頓은 머리를 아래로 내리는 것이다.〔頓 下首也〕' 하였다. '角'은 이마〔額角〕이다. '厥角'의 뜻은 바로 '머리를 조아리다〔頓首〕'이다.

하고, '若崩厥角稽首'를 "백성들이 모두 이마를 땅에 대고 머리를 조아리는데 그 소리가 마치 산이 무너지는 소리와 같았다."라고 번역하였다. 壺山은

'若'字로 보면 角은 소와 양의 뿔을 가리킨 것이다. 그러나 혹자는 "'厥'字로 보면 角은 자기의 머리를 가리킨다."라고 하였다.〔以若字觀之 角蓋指牛羊之角也 或曰以厥字觀之 蓋指其頭角也〕

하였다. 茶山은 '若崩厥角'을 분명히 설명하지는 않았으나 자신의 이마를 숙인 것으로 본 듯하다.

'稽首'는 《周禮》〈春官宗伯 大祝〉에 보이는 九拜 가운데 하나로, 凌廷堪의 《禮經釋例》 권1 〈周官九拜解〉에 따르면 신하가 임금에게 하는 절이다.

集註 | 書泰誓文은 與此小異하니 孟子之意는 當云 王謂商人曰 無畏我也하라 我來伐紂는 本爲安寧汝요 非敵[880]商之百姓也라하신대 於是에 商人이 稽首至地 如角之崩也라

《書經》〈泰誓〉의 글은 이와 조금 다르다. 孟子의 뜻은 마땅히 "武王이 商나라 사람들에게 이르시기를 '나를 두려워하지 말라. 내가 와서 紂王을 정벌함은 본래 너희들을 安寧하게 해주기 위한 것이요, 商나라 백성들을 대적하려는(살해하려는) 것이 아니다.'라고 하시

---

880 敵: 壺山은 "敵은 殺害와 같다.〔猶殺害也〕" 하였다.

자, 이에 商나라 사람들이 머리를 조아려 땅에 닿음이 마치 짐승들이 뿔을 땅에 대듯이 하였다."라고 말씀하신 것이다.

4-5. 征之爲言은 正也라 各欲正己也니 焉用戰이리오

征이라는 말은 바로잡는다는 뜻이다. 각기 자기 나라를 바로잡아주기를 바라니, 어찌 전쟁을 할 필요가 있겠는가."

集註 | 民爲暴君所虐하여 皆欲仁者來正己之國也라

백성들이 포악한 군주에게 학대를 받아 모두 仁者가 와서 자기 나라를 바로잡아주기를 바란 것이다.

|梓匠輪輿章|

5. 孟子曰 梓匠輪輿 能與人規矩언정 不能使人巧니라

孟子께서 말씀하셨다. "梓·匠과 輪·輿가 남에게 規矩(법도)를 일러 줄 수는 있을지언정 남으로 하여금 공교하게 할 수는 없다."

集註 | 尹氏曰 規矩는 法度니 可告者也요 巧則在其人하니 雖大匠이라도 亦末如之何也已라 蓋下學은 可以言傳이요 上達은 必由心悟니 莊周所論斲輪之意[881] 蓋如

---

881 莊周所論斲輪之意 : 《莊子》〈天道〉에 다음과 같이 보인다. "齊 桓公이 堂上에서 글을 읽고 있었는데, 輪扁(수레바퀴를 만드는 扁)이 堂下에서 수레바퀴를 깎고 있다가 몽치와 끌을 내려놓고 堂上으로 올라와서 桓公에게 묻기를 '감히 묻습니다. 임금께서 읽고 계신 책은 무슨 내용입니까?' 하니, 桓公이 聖人의 말씀이다.' 하고 대답하였다. 輪扁이 '성인이 지금 살아있습니까?' 하고 물으니, 桓公이 '이미 별세하셨다.' 하고 대답하였다. 輪扁이 '그렇다면 임금께서 읽고 계신 것은 옛사람의 찌꺼기입니다.'라고 하니, 桓公이 '寡人이 글을 읽고 있는데 수레 만드는 자가 어찌 왈가왈부 한단 말인가. 그럴만한 이유를 말한다면 괜찮겠지만 그렇지 못하면 죽임을 당할 것이다.' 하고 꾸짖었다. 이에 輪扁이 말하였다. '臣은 臣이 하는 일로 살펴보겠습니다. 수레바퀴를 여유 있게 깎으면 헐거워서 견고하지 못하고, 너무 꼭 맞게 깎으면 빡빡해서 들어가지 않으니, 여유롭게 깎지도 않고 너무 꼭 맞게 깎지도 않는 것은 손에서 터득하고 마음으로 응하는 것이어서 입으로 말해줄 수 없습니다. 교묘한 기술이 그 사이에 있으니, 臣도 이것을 臣의 자식에게 깨우쳐 줄 수 없고, 신의 자식도 이것을 신에게서 전수받을 수가 없습니다. 이 때문에 나이가 칠십에 이르도록 늙어서까지 수레바퀴를 깎고 있습니다. 옛사람도 〈말로〉 전해줄 수 없는 것과 함께 죽었을 것입니다. 그렇다면 임금께서 읽고 계신 것은 옛사람의 찌꺼기일 뿐입니다.'하였다.〔桓公讀書

··· 虐 모질학 梓 목수재 匠 목수장 輪 수레바퀴륜 輿 수레여 與 줄여 規 그림쇠규 矩 곡척구 巧 공교할교 斲 깎을착

此하니라

尹氏(尹焞)가 말하였다. "'規矩'는 법도이니 남에게 일러줄 수 있는 것이요, '공교로움'은 그 사람에게 달려 있으니 비록 큰 匠人이라도 어찌할 수가 없는 것이다. 아래로 〈인간의 일을〉 배움은 말로 전해 줄 수 있고, 위로 〈天理를〉 통달함은 반드시 마음으로 깨달아야 하니, 莊周가 논한 '수레바퀴를 깎는다.'는 뜻도 이와 같은 것이다."

|舜之飯糗茹草章|

6. 孟子曰 舜之飯糗茹草也에 若將終身焉이러시니 及其爲天子也하사는 被袗衣鼓琴하시며 二女果를 若固有之러시다

孟子께서 말씀하셨다. "舜임금이 마른 밥을 먹고 채소를 먹을 적에는 장차 그대로 終身할 듯이 하셨는데, 天子가 되어서는 袗衣를 입고 거문고를 타시며 두 여자가 모시는 것을 固有한 것처럼 여기셨다."

> 按説┃ '二女果'에 대하여, 官本諺解에는 '二女ㅣ 果ㅎ욤을'로 해석하였는데, 退溪(李滉)는 이와 달리 '果'를 명사로 보아 '두 여자와 시녀[二女며 婐]'로 해석하였다.《孟子釋義》 그러나 尤菴(宋時烈)은
>
>> 〈果는〉 두 여자가 舜을 모시는 뜻이다.〔二女侍御於舜之意〕
>
> 하였고, 壺山은
>
>> 살펴보건대 官本諺解와 尤翁의 말씀이 부합하니, 마땅히 정론이 되어야 한다.〔按諺解與 尤翁說合 當爲定言〕
>
> 하였다. 栗谷諺解는 '二女果를'로 해석하여 분명하지 않다.

於堂上 輪扁斲輪於堂下 釋椎鑿而上 問桓公曰 敢問公之所讀者 何言耶 公曰 聖人之言也 曰 聖人 在乎 公曰 已死矣 曰 然則君之所讀者 古人之糟魄已夫 桓公曰 寡人讀書 輪人安得議乎 有說則可 無說則死 輪扁曰 臣也以臣之事觀之 斲輪徐則甘而不固 疾則苦而不入 不徐不疾 得之於手而應 於心 口不能言 有數存焉於其間 臣不能以喩臣之子 臣之子亦不能受之於臣 是以行年七十而老斲 輪 古之人與其不可傳也死矣 然則君之所讀者 古人之糟粕已夫〕"

••• 飯 먹을 반 糗 말린밥 구 茹 먹을 여 袗 채색옷 진 鼓 연주할 고 琴 거문고 금 果 모실 과

集註 │ 飯은 食也라 糗는 乾糒也라 茹는 亦食也라 袗은 畫衣也라[882] 二女는 堯二女也라 果는 女侍也라 言 聖人之心이 不以貧賤而有慕於外하고 不以富貴而有動於中하여 隨遇而安하고 無預於己하니 所性이 分定故也[883]니라

'飯'은 먹음이다. '糗'는 마른밥이다. '茹' 또한 먹는 것이다. '袗'은 그림을 그린 옷이다. '二女'는 堯임금의 두 딸이다. '果'는 여자가 모시는 것이다. 聖人의 마음은 貧賤하다고 하여 밖에 사모함이 있지 않고 富貴하다고 하여 마음속에 동요함이 있지 않아 만나는 바(환경)에 따라 편안하고 자신에게 관여됨이 없음을 말씀하였으니, 天性이 분수에 정해져 있기 때문이다.

|吾今而後知殺人親之重章|

7. 孟子曰 吾今而後에 知殺人親之重也로라 殺人之父면 人亦殺其父하고 殺人之兄이면 人亦殺其兄하나니 然則非自殺之也언정 一間耳니라

孟子께서 말씀하셨다. "나는 이제야 남의 어버이를 죽임이 매우 중대한 일임을 알았노라. 내가 남의 아버지를 죽이면 남도 또한 내 아버지를 죽이고, 〈내가〉 남의 형을 죽이면 남도 또한 내 형을 죽인다. 그렇다면 자신이 직접 父兄을 죽인 것은 아니지만 한 사람 사이일 뿐이다."

集註 │ 言吾今而後知者는 必有所爲而感發也[884]라 一間者는 我往彼來하여 間一人

---

882 袗 畫衣也: 趙順孫은 "'畫衣'는 黼黻을 그리고 수놓은 옷이다.〔畫衣者 畫黼黻絺繡之衣也〕" 하였다.《孟子纂疏》楊伯峻은 "趙岐의 註에 '袗은 畫(그림 그리다)의 뜻이다.' 하였는데, 살펴보건대, 趙岐의 이 訓은 經傳에 例證이 없으므로 믿을 수 없을 듯하다. 孔廣森의《經學巵言》에 '袗은 畫가 아니다. 뜻이《論語》의 「袗絺綌(가는 葛布와 굵은 葛布로 만든 홑옷)」의 袗(홑옷)과 같다.《史記》〈本紀〉에 「堯임금이 舜에게 가는 삼베옷과 琴을 하사하였다.〔堯賜舜絺衣與琴〕」 한 것이 바로 이것이다.' 했다." 하고, '袗衣'를 '葛布로 만든 홑옷〔麻葛單衣〕'으로 번역하였다.

883 所性 分定故也: 위〈盡心上〉 21장에 "君子의 本性은 비록 크게 행해지더라도 더 보태지지 않으며 비록 窮하게 살더라도 줄어들지 않으니, 분수가 정해져 있기 때문이다.〔君子所性 雖大行不加焉 雖窮居不損焉 分定故也〕"라고 보인다.

884 必有所爲而感發也: 壺山은 "의심컨대 당시에 마침 이러한 일이 있었으므로 감동하여 이 의논을 말씀한 것이다. 이는 살인한 자를 죽이는 법과는 다르니, 다만 復讐하는 의리를 가지고 말씀한 것이다. 復讐하는 의리는 대처함이 나에게 있으므로 그 살해한 자를 놓아두고 옮겨서 그 부형을 죽이더라도 충분히 보복이 될 수 있지만, 살인한 자를 죽이는 법은 관청에서 결단하므로 다만 살인한 자를 죽임으로써 서

··· 糒 말린밥 비 預 간섭할 예

耳니 其實은 與自害其親으로 無異也라

范氏曰 知此면 則愛敬人之親이니 人亦愛敬其親矣리라

'나는 이제야 알았다.'고 말씀한 것은 반드시 이유가 있어서 感發하신 것이다. '一間'은 내가 가고 저가 와서 한 사람을 사이하였을 뿐이니, 실제는 자신이 그 어버이를 살해한 것과 다름이 없는 것이다.

范氏(范祖禹)가 말하였다. "이것을 알면 남의 어버이를 사랑하고 공경할 것이니, 그리하면 남들 또한 내 어버이를 사랑하고 공경할 것이다."

|古之爲關章|

8-1. 孟子曰 古之爲關也는 將以禦暴러니

孟子께서 말씀하셨다. "옛날에 關門을 만든 것은 장차 포악한 자를 막고자 해서였는데,

集註 | 譏察非常이라

非常(수상)한 사람을 譏察하는 것이다.

8-2. 今之爲關也는 將以爲暴로다

지금에 關門을 만든 것은 장차 포악한 짓을 하려 함이로다."

集註 | 征稅出入[885]이라

출입하는 자에게 세금을 거두는 것이다.

로 갚을 수 있으니, 이것이 다른 점이다.〔疑當時適有其事 故感而發此論耳 此與殺人者死之法異 只是以復讐之義言也 蓋復讐之義 則處之在我 故得以舍其人而移以殺其父兄 爲足以相報 殺人之法 則斷之在官 故只以殺相償 此其所異也〕하였다.

[885] 征稅出入:新安陳氏(陳櫟)는 "關門에서는 譏察을 하고 세금을 징수한다. 옛날에는 이상한 옷을 입은 자를 금지하고 이상한 말을 하는 자를 살펴 기찰을 위주로 하였는데, 지금은 세금을 징수하는 것을 위주로 할 뿐이다.〔關 有譏有征 古者 禁異服 譏異言 以譏爲主 今以征爲主而已〕"하였다.

••• 關 관문 관 禦 막을 어 暴 사나울 포 譏 살필 기

章下註 | ○范氏曰 古之耕者는 什一이러니 後世엔 或收太半之稅하니 此는 以賦斂
爲暴也오 文王之囿는 與民同之러니 齊宣王之囿는 爲阱國中[886]하니 此는 以園囿爲
暴也니 後世爲暴 不止於關이라 若使孟子用於諸侯면 必行文王之政이니 凡此之
類를 皆不終日而改也시리라

○范氏(范祖禹)가 말하였다. "옛날에는 농사짓는 자들에게 10분의 1의 租稅를 받았는데
후세에는 혹 太半(절반 이상)의 租稅를 징수하니 이것은 세금을 거둠으로써 포악한 짓을
한 것이요, 文王의 동산은 백성과 함께 이용하였는데 齊 宣王의 동산은 國中에 함정을 만
들었으니 이것은 園囿로써 포악한 짓을 한 것이다. 後世에 포악한 짓을 함은 關門에 그치
지 않았다. 만일 孟子께서 諸侯에게 등용되었다면 반드시 文王의 정사를 행하셨을 것이니,
무릇 이러한 따위를 모두 하루가 못되어 고치셨을 것이다."

| 身不行道章 |

9. 孟子曰 身不行道면 不行於妻子요 使人不以道면 不能行於妻子
니라

孟子께서 말씀하셨다. "자신이 道를 행하지 않으면 〈道가〉 妻子에게도 행해지지 않고,
사람을 부리기를 道로써 하지 않으면 〈명령이〉 妻子에게도 행해지지 않는다."

按說 | 朱子의 門人인 石子重이 이 章에 대하여

"자신이 만약 道를 행하지 않으면 처자식이 취하여 본받을 곳이 없어서 전혀 두려워하고 거
리낌이 없으나 그래도 부릴 수는 있다. 그러나 만약 사람을 부리기를 道로써 하지 않으면 처
자식도 부릴 수 없다."라고 말한 것이라 하니, 林擇之의 說이 이와 같습니다. 그런데 許順之
는 "'不行於妻子'는 온갖 일이 행해지지 않는 것이니 부릴 수 없는 것도 이 가운데에 들어
있고, '不能行於妻子'는 단지 사람을 부리는 한 가지 일을 가리켜 말한 것이다." 하였습니
다.〔言身若不行道 則妻子無所取法 全無畏憚了 然猶可使也 若使人不以道 則妻子亦
不可使矣 擇之如此說 順之云 不行於妻子 百事不行 不可使亦在其中 不能行於妻

---

886 文王之囿……爲阱國中 : 이 내용은 위 〈梁惠王下〉 2장에 보인다.

··· 斂 거둘 렴 囿 동산 유 阱 함정 정

子 卻只指使人一事言之〕

하니, 朱子는 "許順之의 說이 옳다." 하였다.《朱子大全 答石子重》

集註 | 身不行道者는 以行言之니 不行者는 道不行也요 使人不以道者는 以事言之니 不能行者는 令不行也라

'자신이 道를 행하지 않는다.'는 것은 행실로써 말한 것이니, '행해지지 않는다.'는 것은 道가 행해지지 않는 것이요, '사람을 부리기를 道로써 하지 않는다.'는 것은 일로써 말한 것이니, '행해지지 않는다.'는 것은 명령이 행해지지 않는 것이다.

|周于利章|

10. 孟子曰 周于利者는 凶年이 不能殺하고 周于德者는 邪世不能亂이니라

孟子께서 말씀하셨다. "利에 두루(완벽)한 자는 凶年이 그를 죽이지 못하고, 德에 두루한 자는 나쁜 세상이 그를 어지럽히지 못한다."

按說 | '不能殺'에 대하여, 楊伯峻은

'殺'은 결핍되다, 곤궁함이 있다는 뜻이다.

하였다.

集註 | 周는 足也[887]니 言積之厚則用有餘라

'周'는 족함이니, 쌓음이 厚하면 씀이 有餘함을 말씀한 것이다.

---

887 周 足也 : 茶山은 "'周'는 '密(빽빽하다)'의 뜻이니, 稠密하여 엉성함이 없는 것이다.〔周者密也 稠密無疏漏也〕" 하였다.

••• 周 완벽할주

11. 孟子曰 好名之人은 能讓千乘之國하나니 苟非其人이면 簞食豆羹에 見(현)於色하나니라

孟子께서 말씀하셨다. "명예를 좋아하는 사람은 千乘의 나라를 사양할 수 있으니, 만일 그럴 만한 사람이 아니면 한 대그릇의 밥과 한 그릇의 국에도 얼굴빛에 〈眞情이〉 나타난다."

集註 | 好名之人은 矯情干譽라 是以로 能讓千乘之國이라 然이나 若本非能輕富貴之人이면 則於得失之小者에 反不覺其眞情之發見(현)矣라 蓋觀人을 不於其所勉이요 而於其所忽然後에 可以見其所安之實也니라

명예를 좋아하는 사람은 실정을 속이고 명예를 구한다. 이 때문에 千乘의 나라를 사양할 수 있다. 그러나 만일 본래 富貴를 가볍게 여기는 사람이 아니면 작은 得失에 도리어 자기도 모르게 眞情이 나타난다. 사람을 관찰함을 그가 힘쓰는 바에 하지 말고 그가 소홀히 하는 바에 한 뒤에야 그가 편안히 여기는 바의 실제를 볼 수 있다.

|不信仁賢章|

12-1. 孟子曰 不信仁賢則國空虛하고

孟子께서 말씀하셨다. "仁賢을 믿지 않으면 나라가 텅 비고,

按說 | '仁賢'에 대하여, 新安陳氏(陳櫟)는

〈仁賢을〉 나누어서 말하면 仁은 仁한 사람이고, 賢은 德이 있는 사람이며, 합하며 말하면

仁과 德이 있는 賢人이다.〔分言 則仁仁人也 賢有德之人也 合言 則仁德之賢人也〕

하였다.

集註 | 空虛는 言若無人然이라

··· 簞 대그릇 단 羹 국 갱 矯 속일 교 干 구할 간 譽 기릴 예 忽 소홀할 홀

'空虛'는 사람이 없는 것과 같음을 말한다.

12-2. 無禮義則上下亂하고

禮義가 없으면 上下가 혼란하고,

集註 | 禮義는 所以辨上下, 定民志라

禮義는 上下를 구분하여 백성의 마음을 안정시키는 것이다.

12-3. 無政事則財用不足이니라

政事가 없으면 財用(財政)이 넉넉하지 못하다."

集註 | 生之無道하고 取之無度하고 用之無節故也라

생산함에 방법이 없고 취함에 일정한 제한이 없고 씀에 절도가 없기 때문이다.

章下註 | ○ 尹氏曰 三者는 以仁賢爲本이니 無仁賢이면 則禮義政事 處之에 皆不以 其道矣리라

○ 尹氏(尹焞)가 말하였다. "세 가지는 仁賢을 근본으로 삼으니, 仁賢이 없으면 禮義와 政事를 조처함에 모두 道로써 하지 못할 것이다."

| 不仁而得國章 |

13. 孟子曰 不仁而得國者는 有之矣어니와 不仁而得天下는 未之有也 니라

孟子께서 말씀하셨다. "仁하지 않고서 나라를 얻은 자는 있지만 仁하지 않고서 천하 를 얻은 자는 있지 않다."

集註 | 言 不仁之人이 騁其私智하여 可以盜千乘之國이나 而不可以得丘民之心이

··· 辨 분별할 변 騁 달릴 빙

나라

鄒氏曰 自秦以來로 不仁而得天下者⁸⁸⁸ 有矣라 然이나 皆一再傳而失之하니 猶不
得也라 所謂得天下者는 必如三代而後에 可니라

不仁한 사람이 사사로운 지혜를 구사하여 千乘의 나라를 훔칠 수는 있으나 丘民(백성)의
마음을 얻을 수는 없음을 말씀한 것이다.
鄒氏(鄒浩)가 말하였다. "秦나라로부터 이후로 不仁하면서 天下를 얻은 자가 있다. 그러
나 이들은 모두 한두 代를 전하고 잃었으니, 이는 얻지 못한 것과 같다. 이른바 '천하를 얻는
다.'는 것은 반드시 三代時代와 같은 뒤에야 가능한 것이다."

|民爲貴章|

14-1. 孟子曰 民이 爲貴하고 社稷이 次之하고 君이 爲輕하니라

孟子께서 말씀하셨다. "백성이 가장 귀중하고 社稷이 그 다음이고 君主는 가벼움이
된다.

集註 | 社는 土神이요 稷은 穀神⁸⁸⁹이니 建國則立壇壝⁸⁹⁰以祀之라 蓋國은 以民爲本

---

888 自秦以來 不仁而得天下者:《大全》에 "秦나라와 隋나라와 五代가 이것이다.〔秦隋五代是也〕"하였다.
    五代는 唐나라가 멸망한 이후의 後梁, 後唐, 後晉, 後漢, 後周로 극도의 혼란기였다.

889 社……穀神: 趙氏(趙順孫)는 "社는 五土의 神에게 제사하는 것이고 稷은 五穀의 神에게 제사하는
    것이니, 稷(五穀)은 흙이 아니면 자랄 수 없고 흙은 稷(五穀)이 아니면 낳고 낳는 공효를 볼 수 없다.
    그러므로 社에 제사할 때 반드시 稷에게도 함께 제사하니, 이는 社와 稷이 功과 利를 함께하여 사람을
    길러주기 때문이다.〔社 所以祭五土之神 稷 所以祭五穀之神 稷非土 無以生 土非稷 無以見生生之
    效 故祭社必及稷 以其同功均利 以養人故也〕"하였다. 五土는 다섯 가지 토양으로 山林과 川澤·丘
    陵·墳衍(물가와 낮고 평평한 곳)·原隰을 이른다.

890 壇壝:《周禮》〈地官司徒 大司徒〉에 "社·稷에 壇를 설치하고 田地에 神主로 사용할 나무를 심되, 각
    각 그 토질에 마땅한 나무를 심고, 이로써 그 社와 들을 이름하였다.〔設其社稷之壇而樹之田主 各以
    其野之所宜木 遂以名其社與其野〕"라고 보이고,〈地官司徒 封人〉에 "封人이 王의 社壇를 설치하는
    것을 관장하여 王畿의 사방에 흙을 모으고 나무를 심었다.【흙을 모아놓은 것을 封이라 하고, 壝는 壇과 낮은
    담장을 이른다.〕〔封人掌設王之社壝 爲畿封而樹之【聚土曰封 壝謂壇及堳埒也〕"라고 보인다. '그 社와 들
    을 이름하였다.'는 것은, 鄭玄의 註에 따르면 예컨대 松木을 田主로 삼았으면 그 社는 '松社'라 하고, 그
    들은 '松社之野'라고 하는 것이다.《大全》에 《白虎通》을 인용하여 "天子의 社壇은 너비가 다섯 길로
    五方의 다섯 색깔의 흙을 취하여 위를 封하고, 諸侯는 〈社壇의 너비가〉 天子의 반으로 각각 그 맡은
    地方의 한 가지 색깔의 흙을 가지고 封하되, 天子와 제후의 社壇 모두 黃土로 덮는다.〔天子社壇 方五
    丈 取五方五色土封之 諸侯半之 各以其所守之方一色土封之 皆冒以黃土〕"라고 하였다.

... 鄒 성추 猶 같을유 稷 곡신(穀神)직 穀 곡식곡 壇 단단 壝 담유

이요 社稷도 亦爲民而立이며 而君之尊은 又係於二者之存亡이라 故로 其輕重이 如此하니라

'社'는 土神이고 '稷'은 穀神이니, 나라를 세우면 壇과 壝(담장)를 세우고 제사한다. 나라는 백성을 근본으로 삼고 社稷 또한 백성을 위하여 세우며, 군주의 존귀함은 또 두 가지의 存亡에 달려 있다. 그러므로 그 輕重이 이와 같은 것이다.

14-2. 是故로 得乎丘民이 而爲天子요 得乎天子 爲諸侯요 得乎諸侯 爲大夫니라

그러므로 丘民의 마음을 얻은 사람이 天子가 되고, 天子에게 신임을 얻은 사람이 諸侯가 되고, 諸侯에게 신임을 얻은 사람이 大夫가 된다.

集註 | 丘民은 田野之民[891]이니 至微賤也라 然이나 得其心이면 則天下歸之요 天子는 至尊貴也나 而得其心者는 不過爲諸侯耳니 是는 民爲重也[892]라

'丘民'은 田野의 백성이니, 지극히 미천하다. 그러나 그 마음을 얻으면 天下가 돌아오고, 天子는 지극히 존귀하나 그 마음을 얻은 자는 諸侯가 됨에 불과할 뿐이니, 이는 백성이 귀중함이 되는 것이다.

'밭은 地方의 한 가지 색깔의 흙'이란 東方은 靑色, 南方은 赤色, 西方은 白色, 北方은 黑色의 흙을 말한다. 또 《大全》에 "《周禮圖》에 '社·稷의 壇은 나란히 있는데 社壇은 동쪽에 있고 稷壇은 서쪽에 있으며 각각 세 계단이다. 담장은 사방 귀퉁이에서 矩와 같이 曲方(方型)으로 한다.'〔周禮圖 社稷壇相並 社壇在東 稷壇在西 各三級 壝在四隅 如矩曲方〕" 하였다. 社·稷의 구조는 아래 그림과 같다.《欽定周官義疏》)

891 丘民 田野之民 : 朱子는 '田野의 백성'이라 하여 자세히 해석하지 않았으나 趙岐의 註에 "丘는 16井이다." 하였다. 《司馬法》을 살펴보면 "6尺을 1步라 하고 사방 100步를 1畝라 하고 100畝를 1夫라 하고 3夫를 1屋이라 하고 3屋을 1井이라 하고 10井을 1通이라 하고 10通을 1成이라 하니, 1成은 바로 1丘이다." 하였다. 楊伯峻은 "'丘'는 衆(많다)의 뜻이다. 혹자는 '丘는 區를 假借한 것이니 小(작다)의 뜻이다.'라고 한다." 하고, '丘民'을 '百姓'으로 번역하였다.

892 是民爲重也 : 壺山은 "'貴'字는 분수를 넘을까 의심스러우므로 《集註》에 모두 '重'字로 고친 것이다.〔貴字嫌於過分 故註皆改作重字〕" 하였다.

··· 係 맬 계 丘 田地 단위 구, 마을 구

14-3. 諸侯危社稷이면 則變置하나니라

諸侯가 社稷을 위태롭게 하면 바꾸어 세운다.

集註 | 諸侯無道하여 將使社稷爲人所滅이면 則當更(경)立賢君이니 是는 君輕於社稷也라

諸侯가 無道하여 장차 社稷이 남에게 멸망을 당하게 되면 마땅히 賢君으로 바꾸어 세워야 하니, 이는 군주가 社稷보다 가벼운 것이다.

14-4. 犧牲이 既成하며 粢盛이 既潔하여 祭祀以時호되 然而旱乾(간)水溢이면 則變置社稷하나니라

犧牲이 이미 이루어지며 粢盛이 이미 정결하여 제사를 제때에 지냈는데도 가뭄이 들고 홍수가 넘치면 社稷을 바꾸어 설치한다."

集註 | 祭祀不失禮로되 而土穀之神이 不能爲民禦災捍患이면 則毁其壇壝而更置之하나니 亦年不順成 八蜡(사)不通之意[893]니 是는 社稷이 雖重於君이나 而輕於民

---

[893] 年不順成 八蜡不通 : '年不順成'은 곡식이 잘 成熟하지 못하는 것이며, '八蜡'는 섣달에 지내는 여덟 神에 대한 제사로, 곧 神農인 先嗇, 옛 后稷인 司嗇, 옛 勸農官인 農, 勸農官이 머무는 郵亭의 神인 郵表畷, 농작물을 해치는 멧돼지와 쥐를 제거해 주는 虎神과 貓神, 堤防의 神인 坊, 溝渠의 神인 水庸, 蟲害를 제거하는 神인 昆蟲을 이른다. '通'은 여러 神과 함께 제사하는 것으로, 凶年이 들면 이들 八蜡의 神을 여러 方位의 神과 함께 제사하지 않는바, 《禮記》〈郊特牲〉에 다음과 같이 보인다. "天子의 큰 蜡祭가 여덟 가지이니, 伊耆氏가 처음 蜡祭를 만드셨다. '蜡'라는 것은 찾는다는 뜻이니, 매년 12월에 백성(사람)에게 공이 있는 萬物을 모아서 그 神을 찾아 제향하는 것이다. 蜡祭는 先嗇을 위주로 하고 司嗇을 배향하니, 百穀의 종자 神에게 제사함은 심고 거둔 공에 보답하는 것이다. 農神과 郵表畷과【郵表畷은 田官이 農事를 관장하고 감독하는 곳이다.】禽獸의 神에게 제향함은 仁이 지극하고 義가 극진한 것이다. 옛날의 君子는 부렸으면 반드시 보답하였으니, 고양이 神을 맞이함은 고양이가 밭의 쥐를 잡아먹기 때문이요, 호랑이 神을 맞이함은 호랑이가 밭의 멧돼지를 잡아먹기 때문이니, 두 神을 맞이하여 제사하는 것이다. 隄防과 水庸(봇도랑, 溝)의 神에 제사함은 농사일에 도움이 되기 때문이다.【제방으로 물을 막으니, 우리에게 농사짓게 하므로 제사하는 것이다.】……八蜡로써 사방의 풍흉을 기록하였으니, 사방이 농사가 순히 이루어지지 못했으면 그 지역의 八蜡를 통하지 않음은【여러 지역과 서로 通하여 제사하지 않는 것이다.】백성의 재물을 삼가려 해서이고, 순히 이루어진 지방에서 蜡祭를 비로소 통함은 백성을 풀어주기 위해서이다.〔天子大蜡八 伊耆氏始爲蜡 蜡也者 索(삭)也 歲十二月 合聚萬物而索饗之也 蜡之祭也 主先嗇而祭司嗇也 祭百種 以報嗇也 饗農及郵表畷(철)【郵表畷 田官督約農事之所也】禽獸 仁之至 義之盡也 古之君子使之 必報之 迎貓 爲其食田鼠也 迎虎 爲其食田豕也 迎而祭之也

··· 更 바꿀 경 犧 희생 희 牲 희생 생 粢 기장 자 盛 담을 성 潔 깨끗할 결 乾 마를 간(건) 溢 넘칠 일 捍 막을 한 蜡 臘享(납향)제사 사

也라

제사가 禮를 잃지 않았는데도 土神과 穀神이 백성을 위하여 재앙을 막아주고 患難을 막아주지 못하면 그 壇과 壝를 허물고 바꾸어 설치하니, 또한 '年事(농사)가 잘 이루어지지 못하면 八蜡를 통하지 않는다.'는 뜻이다. 이는 社稷이 비록 군주보다 重하나 백성보다는 가벼운 것이다.

|親炙章(聖人百世之師章)|

15. 孟子曰 聖人은 百世之師也니 伯夷, 柳下惠 是也라 故로 聞伯夷之風者는 頑夫廉하고 懦夫有立志하며 聞柳下惠之風者는 薄夫敦하고 鄙夫寬하나니 奮乎百世之上이어든 百世之下에 聞者莫不興起也하니 非聖人而能若是乎아 而況於親炙(자)之者乎아

孟子께서 말씀하셨다. "聖人은 百世의 스승이니, 伯夷와 柳下惠가 이런 경우이다. 그러므로 伯夷의 風度(遺風)를 들은 자는 완악한 지아비가 청렴해지고 나약한 지아비가 立志하게 되며, 柳下惠의 풍도를 들은 자는 경박한 지아비가 敦厚해지고 鄙陋한 지아비가 너그러워진다. 百世의 위에서 분발하면 百世의 아래(뒤)에서 풍도를 들은 자가 興起하지 않는 이가 없으니, 聖人이 아니고서 이와 같을 수 있겠는가. 더구나 이분들을 직접 가까이하여 감화를 받은 자에 있어서랴."

集註 | 興起는 感動奮發也라 親炙는 親近而薰炙[894]之也라 餘見前篇하니라

興起는 감동하고 분발함이다. 親炙는 친근히 하여 薰炙함이다. 나머지는 前篇(萬章下)에 보인다.

祭坊(防)與水庸 事也【坊以止水 以其事於我而祭之】……八蜡以記四方 四方年不順成 八蜡不通【不與諸方相通而祭】以謹民財也 順成之方 其蜡乃通 以移民也]"

894 薰炙 : 불을 지펴 굽는 것으로 직접 가르침을 받아 감화됨을 이른다.

··· 頑 완고할 완 廉 청렴할 렴 懦 나약할 나 薄 경박할 박 敦 도타울 돈 鄙 비루할 비 寬 너그러울 관
炙 친근할 자, 고기구울 자 奮 뽐낼 분 薰 향기쐴 훈

16. 孟子曰 仁也者는 人也니 合而言之하면 道也니라

孟子께서 말씀하셨다. "仁은 사람이라는 뜻이니, 합하여 말하면 道이다."

集註| 仁者는 人之所以爲人之理也라 然이나 仁은 理也요 人은 物也니 以仁之理로 合於人之身而言之하면 乃所謂道者也라

'仁'은 사람이 사람된 所以의 이치이다. 그러나 仁은 이치이고 사람은 물건이니, 仁의 이치로써 사람의 몸에 합하여 말하면 이것이 바로 이른바 '道'라는 것이다.

章下註| ○程子曰 中庸所謂率性之謂道 是也니라
或曰 外國本에 人也之下에 有義也者宜也, 禮也者履也, 智也者知也, 信也者實也 凡二十字[895]라하니 今按如此면 則理極分明이라 然이나 未詳其是否也로라

○程子(明道)가 말씀하였다. "《中庸》에 이른바 '性을 따름을 道라 이른다.' 한 것이 이것이다."

혹자는 말하기를 "外國本에는 '人也'의 아래에 '義는 마땅하다는 뜻이요 禮는 이행한다는 뜻이요 智는 안다는 뜻이요 信은 신실하다는 뜻이다.(義也者宜也 禮也者履也 智也者知也 信也者實也)'라는 모두 20字가 있다." 한다. 지금 살펴보건대 이와 같다면 이치가 지극히 분명해진다. 그러나 이것이 옳은지는 자세하지 않다.

17. 孟子曰 孔子之去魯에 曰 遲遲라 吾行也여하시니 去父母國之道也요 去齊에 接淅而行하시니 去他國之道也니라

孟子께서 말씀하셨다. "孔子께서 魯나라를 떠나가실 적에는 '더디고 더디다, 나의 발걸음이여.' 하셨으니 이는 父母의 나라를 떠나는 도리요, 齊나라를 떠나실 적에는 밥을

---

895 外國本……凡二十字 :《大全》에 尤延之가 말하기를 "《孟子》의 '仁也者人也'의 아래에 高麗本에는 이러하리라 말하였으니, 이 說이 옳은 듯하다.(孟子仁也者人也下 高麗本云云 此說近是)" 하였다.

… 率 따를 솔 履 밟을 리 遲 더딜 지 接 받을 접 淅 쌀일 석, 쌀뜨물 석

지으려고 담갔던 쌀을 건져 가지고 떠나가셨으니 이는 他國을 떠나는 도리이다."

> 集註ㅣ 重出[896]이라
>
> 거듭 나왔다.

|君子之戹於陳蔡章|

18. 孟子曰 君子之戹(厄)於陳蔡之間은 無上下之交也니라

孟子께서 말씀하셨다. "君子(孔子)가 陳·蔡의 사이에서 곤액을 당하신 것은 上下에 사귈 사람이 없었기 때문이었다."

> 按說ㅣ '君子之戹於陳蔡之間'은 《論語》〈衛靈公〉 1장에 〈孔子께서〉 陳나라에 계시
> 면서 양식이 떨어지니, 從者들이 병들어 일어나지 못하였다.〔在陳絶糧 從者病 莫能興〕
> 한 것이 바로 이 일이다.

> 集註ㅣ 君子는 孔子也라 戹은 與厄同이라 君臣皆惡하여 無所與交也라
>
> '君子'는 孔子이다. '戹'은 厄과 같다. 군주(上)와 신하(下)가 모두 악하여 더불어 사귈 사
> 람이 없었던 것이다.

|稽大不理於口章(士憎玆多口章)|

19-1. 貉稽曰 稽大不理於口호이다

貉稽가 말하였다. "저(稽)는 크게 입에 덕을 보지 못합니다."

> 按說ㅣ 孔安國의 疏에는 '理'를 治의 뜻으로 보아 벼슬하는 자가 백성들의 비방하는
> 말을 다스리지 못하는 것으로 해석하였다. 楊伯峻은 '理'를 '順'으로 해석하여 '不理於

口'는 '不順於人口'와 같다 하고, "다른 사람들이 저를 나쁘게 말합니다."라고 번역하였다.

集註 | 趙氏曰 貉은 姓이요 稽는 名이니 爲衆口所訕이라 理는 賴也라하니라 今按漢書 컨대 無俚를 方言에 亦訓賴[897]하니라

趙氏(趙岐)가 말하기를 "貉은 姓이요 稽는 이름이니, 여러 사람들의 입에 비방을 받았다. '理'는 賴(의뢰함)이다." 하였다. 지금 《漢書》를 살펴보면 無俚를 《方言》에 또한 賴라고 訓하였다.

19-2. 孟子曰 無傷也라 士憎(增)兹多口하니라

孟子께서 말씀하셨다. "나쁠 것이 없다. 선비는 더욱 口舌이 많은 것이다.

集註 | 趙氏曰 爲士者 益多爲衆口所訕[898]이라하니라 按此則憎當從土어늘 今本에 皆從心하니 蓋傳寫之誤라

趙氏(趙岐)가 말하기를 "선비가 된 자(벼슬하는 자)는 더욱 사람들의 입에 비방을 받는 일이 많다." 하였다. 이를 상고해 보면 '憎'字는 마땅히 土를 따라 增으로 써야 할 것인데, 지금 本(册)에는 모두 心을 따라 憎으로 썼으니, 이는 傳寫의 잘못일 것이다.

19-3. 詩云 憂心悄悄어늘 慍于群小라하니 孔子也시고 肆不殄厥慍하시

---

897 今按漢書……亦訓賴 : 《漢書》〈季布傳〉의 贊에 "婢妾과 賤人들이 감개하여 자살하는 것은 용기가 있어서가 아니요, 그 생각이 전혀 의뢰할 데가 없기 때문이다.〔夫婢妾賤人 感慨而自殺 非能勇也 其畫無俚之至耳〕" 하였는데, 晉灼의 註에 "揚雄의 《方言》에 '俚는 聊이다.〔俚 聊也〕'라 하였고, 許愼의 《說文解字》에 '俚는 賴이다.〔俚 賴也〕'라 했다." 하였다. 段玉裁의 《說文解字注》에 "賴는 各本에 聊로 되어 있으니, 《方言》을 따라 許愼의 本文을 고친 것이다." 하였는바, 朱子의 註에 《方言》이라 한 것은 《說文解字》의 오류로 보아야 할 것이다.

898 爲士者 益多爲衆口所訕 : 新安陳氏(陳櫟)는 "선비가 된 자가 왕왕 많은 사람들의 口舌에 미움을 받으니, 《論語》에 '사람들에게 여러 번 미움을 받는다.'는 것과 같은 것이다.〔爲士者往往見憎於此多口 如語之屢憎於人〕" 하였다.

··· 訕 꾸짖을 산 賴 의뢰할 뢰 俚 힘입을 리 憎 미워할 증 增 더할 증 悄 근심할 초 慍 성낼 온 肆 마침내 사
殄 끊을 진

나 亦不隕厥問(聞)이라하니 文王也시니라

《詩經》에 이르기를 '마음에 근심하기를 悄悄히 하는데 여러 小人들에게 노여움을 받는다.' 하였으니 이는 孔子이시고, '그들의 노여움을 끊지는 못했으나 또한 그 명성을 잃지 않았다.' 하였으니 이는 文王이시다."

集註ㅣ詩는 邶風柏舟及大雅緜之篇也라 悄悄는 憂貌요 慍은 怒也라 本言 衛之仁人이 見怒於群小어늘 孟子以爲孔子之事可以當之[899]라하시니라 肆는 發語辭라 隕은 墜也요 問은 聲問也라 本言 大(太)王事昆夷에 雖不能殄絶其慍怒나 亦不自墜其聲問之美어늘 孟子以爲文王之事可以當之[900]라하시니라

詩는 〈邶風 柏舟〉篇과 〈大雅 緜〉篇이다. '悄悄'는 근심하는 모양이요, '慍'은 노함이다. 이는 본래 衛나라의 仁人이 여러 小人들에게 노여움을 받은 것을 말한 것인데, 孟子께서 孔子의 일이 여기에 해당된다고 말씀한 것이다. '肆'는 發語辭이다. '隕'은 실추함이요, '問'은 聲問(聲聞, 名聲)이다. 이는 본래 太王이 昆夷를 섬길 적에 비록 그들의 성냄을 끊지는 못했으나 또한 스스로 그 명성의 아름다움을 실추하지 않았음을 말한 것인데, 孟子께서 文王의 일이 여기에 해당된다고 말씀한 것이다.

章下註ㅣ○尹氏曰 言 人顧自處如何니 盡其在我者而已니라

○尹氏(尹焞)가 말하였다. "사람은 다만 自處하기를 어떻게 하느냐에 달려 있으니, 자신에게 있는 것을 다할 뿐임을 말씀한 것이다."

|使人昭昭章|

20. 孟子曰 賢者는 以其昭昭로 使人昭昭어늘 今엔 以其昏昏으로 使人

---

899 孟子以爲孔子之事可以當之:《大全》에 "〈孔子가〉叔孫武叔에게 훼방을 당함과 같은 것이 이것이다.[如見毁於叔孫 是也]" 하였다. 叔孫武叔이 孔子를 훼방한 것은 《論語》〈子張〉 24장에 보인다.

900 孟子以爲文王之事可以當之:《大全》에 "〈文王이〉羑里에 갇힘을 당함과 같은 것이 이것이다.[如見囚於羑里 是也]" 하였다. 羑里는 地名으로, 文王이 直諫을 하다가 紂王에게 미움을 받아 羑里의 獄에 갇혀 있었다.

… 隕 떨어질 운 問 명예 문(聞通) 邶 나라이름 패 緜 이을 면 見 당할 견 墜 떨어질 추 昆 종족이름 곤 昭 밝을 소 昏 어두울 혼

昭昭로다

孟子께서 말씀하셨다. "賢者는 자기의 밝음으로써 남을 밝게 하였는데, 지금에는 자기의 어둠으로써 남을 밝게 하려 하는구나."

集註 | 昭昭는 明也요 昏昏은 闇(暗)也라
尹氏曰 大學之道는 在自昭明德而施於天下國家하니 其有不順者寡矣니라

'昭昭'는 밝음이요 '昏昏'은 어둠이다.
尹氏(尹焞)가 말하였다. "大學의 道는 스스로 明德을 밝혀서 天下와 國·家에 베풂에 있으니, 그 순종하지 않는 자가 적은 것이다."

|山徑之蹊間章|

21. 孟子謂高子曰 山徑之蹊間이 介然用之而成路하고 爲間不用이면 則茅塞之矣나니 今에 茅塞子之心矣로다

孟子께서 高子에게 이르셨다. "산길에 사람들이 다니는 곳이 삽시간만 사용하면 길을 이루고 한동안 사용하지 않으면 띠풀이 자라서 길을 막으니, 지금에 띠풀이 그대의 마음을 꽉 막고 있구나."

按說 | '山徑之蹊間'에 대하여, 茶山은

'蹊間'의 '間'字와 '爲間不用'의 '間'의 두 '間'字가 서로 조응하니, 다르게 해석해서는 안된다.(蹊間之間 與爲間不用之間 兩間字相照 不當異釋)

하고는, '山徑之蹊 間介然用之而成路 爲間不用'으로 句讀를 끊고,

'며칠 사용하면 길을 이루고 며칠 사용하지 않으면 띠풀이 자라서 길을 막는다.'라는 말과 같다.(猶言數日用之則成路 數日不用則茅塞也)

하였다. 楊伯峻도 茶山과 같이 句讀를 끊었으나 字訓을 달리하여, '徑'은 陘(산비탈)과 같고, '蹊'는 徯(작은 길)와 같고, '間介然'은 '뜻이 전일하여 다른 일을 두루 하지 않는 모

··· 闇 어두울 암 徑 지름길 경 蹊 길 혜 介 잠깐 개 茅 띠풀 모 塞 막을 색

870 · 附 按說 孟子集註

습이고, '爲間'은 곧 '有間'이니 '시간이 오래지 않음'의 뜻이라고 하고, "산비탈의 작은 길도 사람들이 항상 이 길만을 다니면 하나의 넓은 길로 변하고, 단지 잠깐 동안 그 길로 다니지 않으면"으로 번역하였다.

集註 | 徑은 小路也요 蹊는 人行處也라 介然은 倏(숙)然之頃也라 用은 由也라 路는 大路也라 爲間은 少頃也라 茅塞은 茅草生而塞之也라 言 理義之心이 不可少有間斷也라

'徑'은 작은 길이고, '蹊'는 사람들이 다니는 곳이다. '介然'은 倏然의 시간(삽시간)이다. '用'은 由(다님)이다. '路'는 큰길이다. '爲間'은 작은(짧은) 시간이다. '茅塞'은 띠풀이 자라서 길을 막는 것이다. 義理의 마음이 조금이라도 間斷함이 있어서는 안 됨을 말씀한 것이다.

|禹之聲章(追蠡章)|

22-1. 高子曰 禹之聲이 尙文王之聲이로소이다

高子가 말하였다. "禹王의 음악이 文王의 음악보다 낫습니다."

集註 | 尙은 加尙也라
豐氏曰 言 禹之樂이 過於文王之樂이라

'尙'은 더 나음이다.
豐氏(豐稷)가 말하였다. "禹王의 음악이 文王의 음악보다 나음을 말한 것이다."

22-2. 孟子曰 何以言之오 曰 以追蠡(퇴려)니이다

孟子께서 말씀하셨다. "무엇을 가지고 그렇게 말하는가?"
高子가 말하였다. "追蠡 때문입니다."

··· 倏 잠깐숙 頃 잠깐경 追 종끈퇴 蠡 좀먹을 려

集註 | 豐氏曰 追는 鐘紐也[901]니 周禮所謂旋蟲[902]이 是也라 蠡者는 齧木蟲也라 言 禹時鐘在者는 鐘紐如蟲齧而欲絶하니 蓋用之者多요 而文王之鐘은 不然이라 是以로 知禹之樂이 過於文王之樂也[903]라

豐氏(豐稷)가 말하였다. "'追'는 鐘을 매다는 고리이니, 《周禮》에 이른바 '旋蟲'이 이것이다. '蠡'는 나무를 좀먹는 벌레이다. 禹王 때의 鐘으로 현재 남아 있는 것은 종의 고리가 벌레가 파먹은 것과 같아서 끊어지려고 하니, 이는 음악을 사용한 자가 많은 것이요, 文王의 鐘은 그렇지 않다. 이 때문에 禹王의 음악이 文王의 음악보다 나음을 안다고 말한 것이다."

22-3. 曰 是奚足哉리오 城門之軌 兩馬之力與아

孟子께서 말씀하셨다. "이로써 어찌 알 수 있겠는가. 城門의 수레바퀴 자국이 두 말의 힘으로 이루어진 것이겠는가."

集註 | 豐氏曰 奚足은 言 此何足以知之也라 軌는 車轍迹也라 兩馬는 一車所駕也라 城中之涂(途)는 容九軌[904]하니 車可散行이라 故로 其轍迹淺하고 城門은 惟容一車하니 車皆由之라 故로 其轍迹深[905]하니 蓋日久車多所致요 非一車兩馬之力이 能使

---

901 追 鐘紐也 : 趙氏(趙順孫)는 "종을 매다는 고리이다.〔縣鍾之紐也〕" 하였다. 茶山은 "종의 방망이〔槌〕에 맞는 부분이므로 '追'라고 이름한 것이다. 종이 오래되면 방망이에 맞는 부분이 닳아 여러 구멍이 뚫어져 벌레가 갉아먹은 듯한 모양이 있다.〔以其爲鍾槌所擊之處 故名之曰追也 鍾老則槌處磨弊 諸孔漏穿 有似蟲齧之狀也〕" 하였다. '追'는 槌와 통하는바, 종의 방망이를 맞아 우묵하게 들어가 광채가 나는 부분이다.

902 周禮所謂旋蟲 : 《周禮》〈冬官考工記 鳧氏〉에 보인다.

903 知禹之樂 過於文王之樂也 : 壺山은 "高子의 생각에 禹王의 음악이 더욱 아름답기 때문에 종을 많이 사용하여 고리가 끊기려 했다고 여긴 것이다.〔高子之意 以爲禹樂尤美 故用鍾之多而紐欲絶也〕" 하였다.

904 城中之涂 容九軌 : 《周禮》〈冬官考工記 匠人〉에 "匠人이 國都를 경영하되, 넓이가 方 9里이고 王城 사방에 각각 세 개의 門이 있으며, 國中(도성 안)에는 9개의 經涂(남북으로 난 길)와 9개의 緯涂(동서로 난 길)가 있으니, 經涂와 緯涂의 너비는 모두 9軌이다.〔國中은 도성의 안이고 經·緯는 길을 이르며, 經·緯의 길은 모두 너비가 9軌를 용납할 수 있다. 무릇 8尺을 軌라 하니, 너비가 9軌이면 모두 72尺이 되니 이 길은 12步인 것이다.〕〔匠人營國 方九里 旁三門 國中九經九緯 經涂九軌〔國中 城內也 經緯 謂涂也 經緯之涂 皆容方九軌 凡八尺爲軌 廣九軌 積七十二尺 則此涂十二步也〕〕" 하였다. 1步는 6尺이다.

905 城中之涂……其轍迹深 : 茶山은 豐氏가 城中과 城門의 수레바퀴 자국으로 夏禹의 음악에 비유한 것은 孟子의 뜻에 어긋난다고 하고, "城中의 길과 城門의 수레바퀴 자국의 깊이는 원래 비교할 필요도 없다. 孫奭의 《孟子正義》에 인용된 '태산의 방울 물도 오래면 돌을 뚫고, 매우 가는 두레박줄도 오래면

··· 鐘 쇠북 종 紐 끈 뉴 旋 돌 선 蟲 벌레 충 齧 씹을 설 奚 어찌 해 軌 바퀴자국 궤 轍 바퀴자국 철 駕 멍에할 가 涂 길 도(塗·途同)

之然也라 言 禹在文王前千餘年이라 故로 鐘久而紐絶이요 文王之鐘은 則未久而紐全이니 不可以此而議優劣也라

豐氏(豐稷)가 말하였다. "'奚足'은 이것을 가지고 어찌 충분히 알 수 있겠느냐고 말씀한 것이다. '軌'는 수레바퀴 자국이다. '두 말'은 한 수레에 멍에한 것이다. 城中의 길은 아홉 대의 수레바퀴를 용납하니 수레가 흩어져 다닐 수 있기 때문에 수레바퀴 자국이 얕고, 城門은 오직 한 대의 수레만을 용납하니 수레가 모두 한 길을 따르기 때문에 수레바퀴 자국이 깊은 것이다. 이는 날짜가 오래되고 수레가 많이 다녀 이렇게 된 것이요, 한 수레에 두 마리 말의 힘이 이렇게 만든 것이 아니다. 禹王은 文王보다 천여 년 전에 있었기 때문에 鐘이 오래되어 끈이 끊어지려 한 것이고 文王의 鐘은 오래되지 않아 끈이 온전한 것이니, 이것을 가지고 優劣을 의논해서는 안 됨을 말씀한 것이다."

章下註 | ○ 此章文義는 本不可曉라 舊說이 相承如此하고 而豐氏差明白이라 故로 今存之어니와 亦未知其是否也로라

○ 이 章의 글 뜻은 본래 분명하게 알 수 없다. 옛 해설이 서로 이어오는 것이 이와 같고, 豐氏의 말이 다소 明白하므로 지금 여기에 두었으나 또한 이것이 옳은지는 알지 못하겠다.

|將復爲發棠章|

23-1. 齊饑어늘 陳臻曰 國人이 皆以夫子로 將復爲發棠이라하니 殆不可復(부)로소이다

齊나라가 흉년이 들자, 陳臻이 말하였다. "나라 사람들이 모두 夫子께서 장차 다시 棠邑의 창고를 열어 주게 하실 것이라고 기대하는데, 이는 다시 할 수 없을 듯합니다."

集註 | 先時에 齊國嘗饑어늘 孟子勸王發棠邑之倉하여 以賑貧窮이러니 至此又饑한대 陳臻이 問言 齊人이 望孟子復勸王發棠이라하고 而又自言恐其不可也라

매달아놓은 나무를 자른다.'는 말이 가장 사리에 맞는 의논이다.〔經塗城門之轍跡淺深 原不必計較 孫奭正義引太山之溜 久而穿石 單極之綆 久而斷幹 最是達論〕" 하였다.

··· 優 나을 우 劣 용렬할 렬 曉 깨달을 효 差 조금 차 饑 흉년들 기 臻 이를 진 棠 아가위 당 殆 자못 태 賑 구휼할 진

이보다 먼저(앞서) 齊나라에 일찍이 흉년이 들었었는데, 孟子께서 王에게 권하여 棠邑의 창고를 열어서 貧窮한 자들을 구휼했었다. 이때에 이르러 다시 흉년이 들자, 陳臻이 묻기를 "齊나라 사람들이 孟子께서 다시 王에게 권하여 棠邑의 창고를 열어 주게 하실 것을 바랍니다." 하고, 또 스스로 "아마도 不可할 듯합니다."라고 말한 것이다.

23-2. 孟子曰 是爲馮婦也로다 晉人有馮婦者 善搏虎하더니 卒爲善士하여 則之野할새 有衆逐虎하니 虎負嵎어늘 莫之敢攖하여 望見馮婦하고 趨而迎之한대 馮婦攘臂下車하니 衆皆悅之하고 其爲士者는 笑之하니라

孟子께서 말씀하셨다. "이것은 바로 나를 馮婦로 만들려는 것이다. 晉나라 사람 중에 馮婦라는 자가 범을 잘 잡았는데, 마침내 善士가 되어 들에 갈 적에 여러 사람들이 범을 쫓고 있었다. 범이 산모퉁이를 의지하고 있자, 사람들이 감히 달려들지 못하다가 馮婦를 멀리 바라보고는 달려가서 맞이하였다. 馮婦가 팔뚝을 걷어붙이고 수레에서 내려오니, 여러 사람들은 모두 이를 좋아하였고 선비들은 이를 비웃었다."

按說 │ '是爲馮婦也'에 대하여, 官本諺解에는 '이 馮婦ㅣ로다'로 되어 있고, 栗谷諺解에는 '이는 馮婦ㅣ 되옴이로다'로 되어 있다. 壺山은

'是爲馮婦'는 이는 나로 하여금 馮婦가 되게 하고자 함을 말한 것이니, 官本諺解의 해석은 분명치 못하다.〔是爲馮婦 言是欲使我爲馮婦也 諺釋未瑩〕

하였다.

'卒爲善士 則之野 有衆逐虎'에 대하여, 周密의 《志雅堂雜抄》에는 '卒爲善 士則之野有衆逐虎'로 句讀를 떼어 '마침내 善한 행동을 하니 선비들이 본받고 있었는데, 들에 여러 사람들이 범을 쫓고 있었다.'로 해석하였으며, 閻若璩의 《四書釋地》도 이를 따랐다. 壺山은 朱子의 註를 따르되

'則'은 忽(갑자기)과 같다.

하였다.

··· 馮 성풍   搏 잡을박   負 의지할부   嵎 산모퉁이 우   攖 달려들 영   趨 달릴 추   攘 걷어붙일 양   臂 팔뚝 비

集註 | 手執曰搏이라 卒爲善士는 後能改行爲善也라 之는 適也라 負는 依也라 山曲曰嵎라 攖은 觸也라 笑之는 笑其不知止也라 疑此時에 齊王이 已不能用孟子하고 而孟子亦將去矣라 故로 其言이 如此하시니라

손으로 잡는 것을 '搏'이라 한다. '마침내 善士가 되었다.'는 것은 뒤에 행실을 고쳐 善한 사람이 된 것이다. '之'는 감이다. '負'는 의지함이다. 산굽이를 '嵎'라 한다. '攖'은 달려듦이다. '笑之'는 그칠 줄 모름을 비웃은 것이다. 의심컨대 이때에 齊王이 孟子를 등용하지 못하였고, 孟子 또한 장차 떠나려 하신 듯하다. 그러므로 그 말씀이 이와 같으신 것이다.

|有命有性章(口之於味章)|

24-1. 孟子曰 口之於味也와 目之於色也와 耳之於聲也와 鼻之於臭也와 四肢之於安佚也에 性也나 有命焉이라 君子不謂性也니라

孟子께서 말씀하셨다. "입이 좋은 맛에 있어서와 눈이 좋은 색깔에 있어서와 귀가 좋은 음악에 있어서와 코가 좋은 냄새에 있어서와 四肢가 安佚에 있어 本性이나, 여기에는 命이 있다. 그러므로 君子가 이것을 性이라고 이르지 않는다.

按說 | 楊伯峻은 味·色·聲·臭는 본래 좋고 나쁨의 의미를 포함하지 않는 글자이지만 여기서는 좋은 맛과 좋은 색, 좋은 음악 소리와 좋은 향기를 가리킨다고 하였다.

集註 | 程子曰 五者之欲은 性也[906]라 然이나 有分하여 不能皆如其願이면 則是命也[907]니 不可謂我性之所有而求必得之也라
愚按 不能皆如其願은 不止爲貧賤이요 蓋雖富貴之極이라도 亦有品節限制하니 則是亦有命也니라

程子(伊川)가 말씀하였다. "다섯 가지의 하고자 함은 本性이나, 분수가 있어서 모두 다 그

---

906 五者之欲 性也:《大全》에 "性이 하고자 하는 바는 바로 '食色이 性이다'라고 할 때의 性이다.〔性之所欲 此卽食色性也之性〕" 하였다.

907 有分……則是命也:《大全》에 "'願'은 바로 하고자함이다. '命'은 天理의 법칙이니 그 分限을 넘을 수 없는 것이다.〔願 卽欲也 命 則天理之則也 不可踰越其分限〕" 하였다.

··· 執 잡을 집 適 갈 적 攖 달려들 촉 臭 냄새 취 佚 편안 일

소원과 같이 할 수 없다면 이는 命이니, 이것을 내 本性에 있는 것이라고 생각해서 반드시 얻으려고 해서는 안 된다."

내(朱子)가 상고해 보건대 모두 다 그 소원과 같이 할 수 없음은 다만 貧賤만이 아니요, 비록 富貴가 지극하더라도 또한 品節과 制限이 있으니, 이 또한 命이 있는 것이다.

24-2. 仁之於父子也와 義之於君臣也와 禮之於賓主也와 智之於賢者也와 聖人之於天道也에 命也나 有性焉이라 君子不謂命也니라

仁이 父子間에 있어서와 義가 君臣間에 있어서와 禮가 賓主間에 있어서와 智가 賢者에 있어서와 聖人이 天道에 있어 命이나, 여기에는 本性이 있다. 그러므로 君子가 이것을 命이라고 이르지 않는다."

按說 | 《集註》에 인용한 程子(伊川)의 說에는 '命'을 '하늘에서 품부받은 것으로 그 氣質에 淸濁厚薄의 차이가 있음'의 의미로 보아, '不謂命'을 性의 善함을 누구나 다 배워서 발휘할 수 있으므로 命이라 하지 않는다는 의미로 풀이하였다. 반면 趙岐는 '命'을 '命祿을 만남'의 의미로 보고 다음과 같이 註하였다.

仁者는 父子間에 은혜와 사랑을 베풀 수 있고, 義로운 자는 君臣間에 義理를 베풀 수 있고, 禮를 좋아하는 자는 賓主間에 禮와 공경을 베풀 수 있고, 지혜로운 자는 밝은 지혜로써 어진 사람을 알고 善한 자를 드러나게 할 수 있고, 聖人은 天道로써 천하에 왕 노릇 할 수 있는데, 이는 모두 命祿이니 〈이 命祿을〉 만나야 비로소 그 자리에 거하여 행할 수 있고, 만나지 못한 자는 시행하지 못한다. 그러나 또한 才性이 이것을 지니고 있기 때문에 할 수 있는 것이다. 보통 사람은 命祿에 돌려 하늘에 맡길 뿐이고 다시는 性을 다스리지 않는다. 君子의 道로 말하면 仁・義를 닦아 행하고 禮・智를 닦아 배워서 聖人이 되고자 부지런히 노력하고 게을리하지 않으며, 다만 앉아서 命만을 따르지는 않는다. 그러므로 '君子가 이것을 命이라고 이르지 않는다'라고 한 것이다.〔仁者得以恩愛施於父子 義者得以義理施於君臣 好禮者得以禮敬施於賓主 智者得以明智知賢達善 聖人得以天道王於天下 此皆命祿遭遇 乃得居而行之 不遇者不得施行 然亦才性有之 故可用也 凡人則歸之命祿 在天而已 不復治性 以君子之道 則修仁行義 修禮學知 庶幾聖人亹亹不倦 不但坐而聽

··· 賓 손빈

命 故曰君子不謂命也〕

茶山은 '命'을 程子의 說대로 해석하면 '聖人之於天道'와는 통하지 않는다고 하여 趙岐
의 說을 따랐는데, 程子의 說을 부정한 데에는 性을 心의 내재적 理로 보지 않는 茶山의
견해가 반영된 것이다.

南塘(韓元震)은

여기서 말한 命은, 비록 오로지 氣로써 말하였으나 그 뜻에는 두 가지가 있으니, 자기가 품
부받은 바에 좋고 좋지 못함이 있는 것과, 남에게 만난 바에 幸과 不幸이 있는 것이 이것인
바, 모름지기 두 뜻을 겸하여 말하여야 비로소 구비된다.……《集註》에는 비록 오로지 품부
받은 바를 가지고 말했으나 실은 만난 바의 뜻 또한 이 가운데 포함되어 있다.……《集註》가
운데 橫渠의 말씀을 들어 '晏子의 현명함으로 孔子를 알지 못하였으니, 어찌 命이 아니겠
는가' 한 것에 이미 이 뜻이 있다.〔此言命 雖專以氣言 其義亦有兩般 所稟於己之有好
不好 所遇於人之有幸不幸 是也 須兼兩義言之 方備……集註雖專以所稟言之 然實
亦包所遇之義在其中……集註中學橫渠說云 以晏子之賢而不識孔子 豈非命也 已
有此意了〕《朱子言論同異攷》

하였는데, 壺山은

살펴보건대 仲尼의 입장에서 보면, 이는 만난 바가 不幸한 것이다.〔按以仲尼觀之 則是所
遇不幸也〕

하였다.

集註│程子曰 仁義禮智天道 在人이면 則賦於命者니 所稟이 有厚薄淸濁이라 然而
性善하여 可學而盡이라 故로 不謂之命也니라
張子曰 晏嬰이 智矣로되 而不知仲尼하니 是非命邪아
愚按 所稟者厚而淸이면 則其仁之於父子也에 至하고 義之於君臣也에 盡하고 禮之
於賓主也에 恭하고 智之於賢否也에 哲하고 聖人之於天道也에 無不脗(문)合而純
亦不已焉이요 薄而濁이면 則反是하니 是皆所謂命也니라 或曰 者는 當作否요 人은
衍字라하니 更詳之니라

程子(伊川)가 말씀하였다. "仁·義·禮·智와 天道가 사람에게 있으면 命에 부여받은 것이

··· 賦 받을 부 薄 엷을 박 濁 흐릴 탁 晏 늦을 안 嬰 어릴 영 尼 산이름 니 稟 받을 품 脗 합할 문 衍 남을 연

니, 받은 것(氣質)이 厚·薄과 淸·濁이 있다. 그러나 本性이 善하여 배워서 다할 수 있으므로 命이라고 이르지 않는 것이다."

張子(張載)가 말씀하였다. "晏嬰이 지혜로웠으나 仲尼를 알아보지 못하였으니, 이는 命이 아니겠는가."

내가 상고해 보건대 받은 것이 厚하고 淸하면 仁이 父子間에 있어서 지극하고, 義가 君臣間에 있어서 극진하고, 禮가 賓主間에 있어서 공손하고, 智가 賢否에 대해서 밝고, 聖人이 天道에 대해서 부합되지 않음이 없어 순수함이 또한 그치지 않는 것이요, 〈받은 것이〉薄하고 濁하면 이와 반대이니, 이는 모두 이른바 命이라는 것이다. 혹자가 말하기를 "'者'는 마땅히 否가 되어야 하고, '人'은 衍字이다." 하니, 다시 살펴보아야 할 것이다.

章下註 | ○ 愚聞之師하니 曰 此二條者는 皆性之所有而命於天者也라 然이나 世之人이 以前五者로 爲性이라하여 雖有不得이라도 而必欲求之하고 以後五者로 爲命이라하여 一有不至하면 則不復致力이라 故로 孟子各就其重處言之[908]하사 以伸此而抑彼也시니 張子所謂 養則付命於天이요 道則責成於已니 其言이 約而盡矣로다

○ 내 스승께 들으니, 말씀하시기를 "이 두 조항은 모두 本性에 있는 것으로서 하늘에서 命해 받은 것이다. 그러나 세상 사람들은 앞의 다섯 가지를 本性이라고 여겨서 비록 얻지 못함이 있더라도 반드시 구하고자 하고, 뒤의 다섯 가지를 命이라고 여겨서 한 번(조금)이라도 이르지 못함이 있으면 다시는 힘을 다하지 않는다. 그러므로 孟子께서 각각 그 중요한 부분을 가지고 말씀하시어 이것을 펴고 저것을 억제하려 하신 것이다. 張子(張載)의 이른바 '봉양은 하늘에 命을 맡기고 道는 자신에게 이룸을 責한다.'는 것이니, 그 말씀이 요약하고도 극진하다." 하셨다.

| 浩生不害章(善信章) |

25-1. 浩生不害問曰 樂正子는 何人也잇고 孟子曰 善人也며 信人也니라

浩生不害가 물었다. "樂正子는 어떠한 사람입니까?"

---

908 孟子各就其重處言之:《大全》에 "앞절은 重함이 命에 있고, 뒷절은 重함이 性에 있다.〔前重在命 後重在性〕" 하였다.

···   伸 펼 신 抑 누를 억

孟子께서 말씀하셨다. "善人이며 信人이다."

> 集註 | 趙氏曰 浩生은 姓이요 不害는 名⁹⁰⁹이니 齊人也라

趙氏(趙岐)가 말하였다. "浩生은 姓이고 不害는 이름이니, 齊나라 사람이다."

25-2. 何謂善이며 何謂信이잇고

〈浩生不害가 말하였다.〉 "무엇을 善人이라 이르고, 무엇을 信人이라 이릅니까?"

> 集註 | 不害問也라

不害가 물은 것이다.

25-3. 曰 可欲之謂善이요

孟子께서 말씀하셨다. "可欲스러움을 善人이라 이르고,

> 按說 | '可欲'은 可憎의 반대로 누구나 좋아하고 따를 만한 사람을 가리킨다. 그러나
> 茶山은
>
> 여섯 단계가 모두 자신을 위주하여 말하였는데, 유독 제1단계만 타인의 可欲이라고 하는 것
> 이 옳겠는가. '可欲'은 道가 하고 싶어할(좋아할) 만한 것임을 아는 것이다. 〈道를〉 아는 자가
> 道를 좋아하는 자만 못하고, 道를 좋아하는 자가 道를 즐거워하는 자만 못하니, 지금 이 可
> 欲의 단계도 이런 종류이다.〔六層皆主自身說 獨以第一層爲他人之可欲可乎 可欲者 知
> 道之可欲也 知之者不如好之者 好之者不如樂之者 今此層級亦此類也〕

---

909 浩生……名:壺山은 "살펴보건대, 혹자는 '浩生不害가 의심컨대 바로 告不害(告子)인 듯하다.'라고 한
다. 이 책에 樂正子의 이름 克과 屋廬子의 이름 連과 白圭의 이름 丹은 모두 책 가운데에서 알 수 있는
데, 告子의 이름 不害는 책 가운데 보이는 바가 없고 '告'와 '浩'字가 서로 비슷하니, 이 章의 '浩'字는
혹 傳寫의 오류인 듯하다. 그러나 이는 글 뜻에 관계된 바가 아니니, 굳이 따질 것이 못된다.〔按或云浩
生不害 疑卽告不害也 此書如樂正子名克 屋廬子名連 白圭名丹 皆於書中得之 告子之名不害 則
書中無所見 而告與浩字相似 此章浩字 或是傳寫之誤也 然此非文義所係 不足究也〕"하였다.

하였다.

> **集註** | 天下之理 其善者는 必可欲이요 其惡者는 必可惡(오)니 其爲人也 可欲而不可惡면 則可謂善人矣니라

천하의 이치가 善한 자는 반드시 可欲스럽고 惡한 자는 반드시 可憎스러우니, 그 사람됨이 可欲스럽고 可憎스럽지 않다면 善人이라고 이를 만하다.

25-4. 有諸己之謂信이요

善을 자기 몸에 소유함을 信人이라 이르고,

> **集註** | 凡所謂善을 皆實有之하여 如惡惡臭하고 如好好色이면 是則可謂信人矣라
> ○⁹¹⁰ 張子曰 志仁無惡之謂善이요 誠善於身之謂信이라

무릇 이른바 善을 모두 실제로 소유하여 〈惡을 미워하기를〉 惡臭를 미워하듯이 하고 〈善을 좋아하기를〉 아름다운 女色을 좋아하듯이 한다면 이는 信人이라고 이를 만하다.
○張子(張載)가 말씀하였다. "仁에 뜻하고 악함이 없음을 善人이라 이르고, 진실로 자기 몸을 善하게 함을 信人이라 이른다."

25-5. 充實之謂美요

善을 充實함을 美人이라 이르고,

> **集註** | 力行其善하여 至於充滿而積實이면 則美在其中而無待於外矣⁹¹¹니라

善을 힘써 행해서 충만하여 쌓이고 참에 이르면 아름다움이 이 가운데에 있어서 밖에 기다

---

910 ○ :壺山은 "두 節을 통틀어 말하였으므로 圈을 놓은 것이다.〔通論兩節 故著圈〕"하였다.

911 則美在其中而無待於外矣 :壺山은 "밖에 발현되기를 구하지 않으니, '안에 두고 내놓지 않는다.'는 말과 같다.〔不求發見於外 猶言內而不出也〕"하였다. '안에 두고 내놓지 않는다.〔內而不出〕'는 것은 《禮記》〈內則〉에 "20세에 冠禮를 하고서 비로소 禮를 배우며……널리 배우되 가르치지 않으며, 안에 두고 내놓지 않는다.〔二十而冠 始學禮……博學不敎 內而不出〕"라고 보인다.

··· 滿 찰 만

릴 것이 없는 것이다.

25-6. 充實而有光輝之謂大요

充實하여 빛남이 있음을 大人이라 이르고,

集註 | 和順積中而英華發外[912]하여 美在其中而暢於四支하고 發於事業이면 則德業至盛而不可加矣니라

和順이 마음속에 쌓여 英華(외형의 아름다움)가 밖에 드러나서 아름다움이 이 가운데에 있어 四肢에 드러나고 事業에 발로된다면 德業이 지극히 성하여 더할 수 없는 것이다.

25-7. 大而化之之謂聖이요

大人이면서 저절로 化함을 聖人이라 이르고,

集註 | 大而能化하여 使其大者로 泯然無復可見之迹이면 則不思不勉하여 從容中道[913]하여 而非人力之所能爲矣니라
張子曰 大는 可爲也어니와 化는 不可爲也니 在熟之而已矣니라

大人이면서 능히 化하여 그 큰 것으로 하여금 泯然히 다시는 볼 만한 자취가 없게 한다면 생각하지 않고 힘쓰지 않아도 從容히 道에 맞아서 人力으로 할 수 있는 바가 아닌 것이다.
張子(張載)가 말씀하였다. "大人은 억지로 할 수가 있지만 化는 억지로 할 수가 없으니, 익숙히 함에 달려 있을 뿐이다."

---

912 和順積中而英華發外 : 《禮記》〈樂記〉에 "德은 性의 단서이고, 음악은 德의 英華이고, 金·石·絲·竹은 음악의 악기이다. 詩는 그 뜻을 말한 것이고 歌는 그 소리를 길게 읊는 것이고 舞는 그 용모를 동하는 것이니, 세 가지가 마음에 근본한 뒤에 樂器가 뒤따른다. 이 때문에 情이 깊고 文이 밝고 기운이 성하고 교화가 신묘하여, 和順이 마음속에 쌓여 英華가 외면에 드러나니, 오직 음악은 거짓으로 할 수 없는 것이다.〔德者 性之端也 樂者 德之華也 金石絲竹 樂之器也 詩 言其志也 歌 咏其聲也 舞 動其容也 三者本於心 然後樂器從之 是故情深而文明 氣盛而化神 和順積中而英華發外 惟樂 不可以爲僞〕"라고 보인다.

913 不思不勉 從容中道 : 《中庸》20장의 "不思而得 不勉而中 從容中道 聖人也"를 축약하여 인용한 것이다.

··· 輝 빛날 휘 暢 통할 창 支 사지 지 泯 빠질 민

25-8. 聖而不可知之之謂神이니

聖스러워 알 수 없는 것을 神人이라 이르니,

集註 | 程子曰 聖不可知는 謂聖之至妙하여 人所不能測이니 非聖人之上에 又有一等神人也⁹¹⁴니라

程子(伊川)가 말씀하였다. "聖스러워 알 수 없다는 것은 聖人이 지극히 神妙하여 사람들이 측량할 수 없음을 이르니, 聖人의 위에 다시 한 등급의 神人이 있는 것은 아니다."

25-9. 樂正子는 二之中이요 四之下也니라

樂正子는 두 가지의 중간이고 네 가지의 아래이다."

集註 | 蓋在善信之間이니 觀其從於子敖⁹¹⁵하면 則其有諸己者 或未實也라
張子曰 顏淵, 樂正子皆知好仁矣⁹¹⁶로되 樂正子는 志仁無惡⁹¹⁷而不致於學이라 所以但爲善人信人而已요 顏子는 好學不倦하여 合仁與智하여 具體聖人⁹¹⁸하니 獨未至聖人之止耳시니라

아마도 善人과 信人의 사이에 있었을 것이니, 그가 子敖(王驩)를 따라온 것을 본다면 자기

---

914 非聖人之上 又有一等神人也 : 壺山은 "化로써 말하면 聖이라 이르고 妙함으로써 말하면 神이라 한다.〔以化而謂之聖 以妙而謂之神〕"하였다.

915 觀其從於子敖 : 子敖는 王驩의 字로, 이 내용은 앞의 〈離婁上〉 24장에 "樂正子가 子敖를 따라 齊나라에 갔었다.〔樂正子從於子敖 之齊〕"한 것과 25장에 "孟子께서 樂正子에게 말씀하시기를 '자네가 子敖를 따라 〈齊나라에〉 온 것은 한갓 먹고 마시기 위해서이다.' 하였다.〔孟子謂樂正子曰 子之從於子敖來 徒餔啜也〕"한 것에 보인다.

916 顏淵 樂正子皆知好仁矣 : 新安陳氏(陳櫟)는 "樂正子의 資質의 순수함이 대략 顏子와 유사하였으므로 張橫渠가 이것을 인용하여 論을 세운 것이다.〔樂正子資質純粹 略似顏子 故橫渠引此立論〕"하였다.

917 志仁無惡 :《論語》〈里仁〉 4장에 "진실로 仁에 뜻을 두면 惡함이 없을 것이다.〔苟志於仁矣 無惡也〕"라고 보인다.

918 具體聖人 : 聖人의 전체를 갖추고 있는 것으로 위 〈公孫丑上〉 2장에 "子夏·子游·子張은 모두 聖人의 一體(일부분)를 가지고 있었고, 冉牛·閔子·顏淵은 전체를 갖추고 있었으나 미약하다.〔子夏, 子游, 子張 皆有聖人之一體 冉牛, 閔子, 顏淵 則具體而微〕"라고 보인다.

··· 敖 오만할 오 致 이를 치 倦 게으를 권

몸에 소유한 것이 아마도 성실하지 못한 듯하다.

張子(張載)가 말씀하였다. "顔淵과 樂正子가 모두 仁을 좋아할 줄 알았으나, 樂正子는 仁에 뜻하여 惡함이 없었을 뿐, 學問에 힘을 다하지 않았기 때문에 다만 善人과 信人이 되었을 뿐이요, 顔子는 學問을 좋아하고 게을리하지 않아서 仁과 智를 합하여 聖人의 體를 갖추었는데, 다만 聖人의 그침에 이르지 못했을 뿐이시다."

章下註 | ○程子曰 士之所難者는 在有諸己而已니 能有諸己면 則居之安하고 資之深[919]하여 而美且大를 可以馴致矣어니와 徒知可欲之善而若存若亡而已면 則能不受變於俗者 鮮矣[920]니라

尹氏曰 自可欲之善으로 至於聖而不可知之神이 上下一理니 擴充而至於神이면 則不可得而名矣니라

○程子(伊川)가 말씀하였다. "선비가 하기 어려운 것은 善을 자기 몸에 소유함에 있을 뿐이다. 능히 善을 자기 몸에 소유하면 居함이 편안하고 이용함이 깊어서 美人과 大人에 점점 이를 수 있지만, 다만 可欲의 善만을 알아서 있는 듯 없는 듯할 뿐이라면 세속에 변화를 받지 않을 자가 드물 것이다."

尹氏(尹焞)가 말하였다. "可欲之善으로부터 聖而不可知之神에 이르기까지 上下가 한 이치이다. 이를 擴充하여 神에 이른다면 〈그 神妙함을〉 명칭할 수 없는 것이다."

|逃墨必歸於楊章(歸斯受章)|

26-1. 孟子曰 逃墨이면 必歸於楊이요 逃楊이면 必歸於儒니 歸커든 斯受之而已矣니라

孟子께서 말씀하셨다. "墨翟에서 도피하면 반드시 楊朱로 돌아오고, 楊朱에서 도피하면 반드시 儒學으로 돌아오니, 돌아오면 받아줄 뿐이다.

---

919 居之安 資之深 : 〈離婁下〉 14장에 "君子가 깊이 나아가기를 道(방법)로써 함은 自得하고자 해서이니, 自得하면 居함이 편안하고, 居함이 편안하면 이용함이 깊다.〔君子深造之以道 欲其自得之也 自得之則居之安 居之安則資之深〕"라고 보인다.

920 程子曰……鮮矣 : 新安陳氏(陳櫟)는 "이 조항은 중점이 善을 자기 몸에 소유하는 信에 있다.〔此條重在有諸己之信〕"하였다.

··· 馴 길들일 순 鮮 드물 선 逃 달아날 도

集註 ┃ 墨氏는 務外而不情하고 楊氏는 太簡而近實이라 故로 其反正之漸이 大略如此하니라 歸斯受之者는 憫其陷溺之久而取其悔悟之新也라

墨氏는 외면을 힘써 진실되지 못하고, 楊氏는 너무 간략하여 실제에 가깝다. 이 때문에 正道로 돌아옴의 점점함이 대략 이와 같은 것이다. '돌아오면 받아준다.'는 것은 그 빠짐이 오래됨을 민망히 여기고, 뉘우쳐 깨달아서 새로워짐을 취한 것이다.

26-2. 今之與楊墨辯者는 如追放豚하니 旣入其苙이어든 又從而招之로다

지금에 楊朱·墨翟의 학자들과 변론하는 자들은 마치 뛰쳐나간 돼지를 쫓는 것과 같으니, 이미 그 우리로 돌아왔는데 또다시 따라서 발을 묶어놓는구나.'

按說 ┃ '辯'과 '追'에 대하여, 壺山은

'辯'은 말하여 따지는 것이고, '追'는 뒤쫓아 다스리는 것이다.〔辯 辯詰也 追 追治也〕

하였다.

'旣入'에 대하여, 楊伯峻은

'入'은 納(들이다)과 같다.

하였다.

集註 ┃ 放豚은 放逸之家豚也라 苙은 闌也라 招는 罥(견)也니 羈其足也라 言 彼旣來歸어든 而又追咎其旣往之失也라

'放豚'은 뛰쳐나간 돼지이다. '苙'은 우리이다. '招'는 얽어맴이니, 그 발을 얽어매는 것이다. 저들이 이미 儒學으로 돌아왔는데 또다시 旣往의 잘못을 허물함을 말씀한 것이다.

章下註 ┃ ○ 此章은 見聖賢之於異端에 距之甚嚴이나 而於其來歸에 待之甚恕하니 距之嚴故로 人知彼說之爲邪하고 待之恕故로 人知此道之可反이니 仁之至요 義之盡也니라

··· 漸 점점 점 憫 불쌍할 민 陷 함정에빠질 함 溺 물에빠질 닉 悔 뉘우칠 회 悟 깨달을 오 放 방탕할 방
豚 돼지 돈 苙 우리 립 招 얽매일 초 逸 뛰쳐나갈 일 豕 돼지 시 闌 우리 란 罥 걸 견, 덫 견 羈 얽을 기
咎 허물 구 異 다를 이 距 막을 거

○이 章은 聖賢이 異端에 대하여 막기를 매우 엄하게 하나 그 돌아옴에 있어서는 대하기를 매우 恕(관대)하게 함을 볼 수 있다. 막기를 엄하게 하기 때문에 사람들이 저 학설이 부정함을 알고, 대하기를 恕하게 하기 때문에 사람들이 이 道(儒學)로 돌아올 줄을 아는 것이니, 仁의 지극함이요 義의 극진함이다.

|布縷之征章|

27. 孟子曰 有布縷之征과 粟米之征과 力役之征하니 君子 用其一이요 緩其二니 用其二면 而民有殍(표)하고 用其三이면 而父子離니라

孟子께서 말씀하셨다. "베와 실에 대한 稅와 곡식에 대한 稅와 힘으로 부역하는 稅가 있으니, 君子는 이 중에 한 가지만 쓰고 두 가지는 늦춘다. 두 가지를 함께 쓰면(징수(징집)하면) 백성들이 굶어 죽고, 세 가지를 함께 쓰면 父子間이 離散할 것이다."

按說| '布縷之征 粟米之征 力役之征'에 대하여, 茶山은

'布縷'는 里布이고 '粟米'는 屋粟이고 '力役'은 公旬이다.〔布縷者里布也 粟米者屋粟也 力役者公旬也〕

하였다. '里布'는 위 〈公孫丑上〉 5장에도 보이는바, 집에 뽕나무와 삼을 심지 않는 자를 罰하여 1里 25家의 베를 내게 한 것이고, '屋粟'은 농지가 있는데 경작하지 않은 자를 罰하여 부과한 稅粟이고, '公旬'은 均平하게 부과한 勞役이니, 모두 《周禮》에 보인다.

'用其二', '用其三'에 대하여, 新安陳氏(陳櫟)는

두 가지를 사용한다는 것은 한때에 두 가지를 함께 취하는 것이요, 세 가지를 사용한다는 것은 한때에 세 가지를 함께 취하는 것이다.〔用其二 一時倂用二端也 用其三 一時倂取三者也〕

하였다.

集註| 征賦之法이 歲有常數라 然이나 布縷는 取之於夏하고 粟米는 取之於秋하고 力

··· 縷 실오라기 루 征 세금 정 粟 곡식 속 緩 늦출 완 殍 굶어죽을 표

役은 取之於冬하여 當各以其時⁹²¹하니 若幷取之면 則民力이 有所不堪矣라 今兩稅三限之法⁹²²이 亦此意也니라

尹氏曰 言 民爲邦本이니 取之無度면 則其國이 危矣리라

賦稅를 징수하는 법은 해마다 일정한 數가 있다. 그러나 베와 실은 여름에 취하고 곡식은 가을에 취하고 힘으로 부역함은 겨울에 취하여 각각 때에 맞게 하여야 하니, 만일 한꺼번에 아울러 취한다면 백성들의 힘이 감당하지 못하는 바가 있을 것이다. 지금 兩稅三限의 법도 또한 이러한 뜻이다.

尹氏(尹焞)가 말하였다. "백성은 나라의 근본이니, 취하기를 限度가 없이 하면 그 나라가 위태로워짐을 말씀한 것이다."

|諸侯之寶章|

28. 孟子曰 諸侯之寶三이니 土地와 人民과 政事니 寶珠玉者는 殃必及身이니라

孟子께서 말씀하셨다. "諸侯의 보배가 세 가지이니, 土地와 人民과 政事이니, 珠玉을 보배로 여기는 자는 殃禍가 반드시 몸에 미친다."

集註 | 尹氏曰 言 寶得其寶者는 安하고 寶失其寶者는 危니라

尹氏(尹焞)가 말하였다. "보배로 여김이 보배로 여길 만한 것을 얻은 자는 편안하고, 보배로 여김이 보배로 여길 만한 것을 잃은 자는 위태로움을 말씀한 것이다."

|盆成括仕於齊章|

29. 盆成括이 仕於齊러니 孟子曰 死矣로다 盆成括이여 盆成括이 見殺

---

921 當各以其時 : 一本에는 '其'가 빠져 있다.

922 今兩稅三限之法 : '兩稅'는 夏稅와 秋稅를 이르며, '三限'은 布縷·粟米·力役을 각각 夏·秋·冬의 세 철에 한정하여 거둠을 이른다. 이 兩稅三限의 法은 唐나라 德宗 때 제정되었는데, 朱子 때에 이르러 다시 시행되었으므로 '今'이라고 한 것이다.《四書蒙引》 一說에는 夏稅는 지역에 따라 수확기가 다르므로 납부 기한이 두 번이며 여기에 한 번 기한인 秋稅를 합하여 三限이라 한다 하였다.

··· 堪 견딜 감 殃 재앙 앙 盆 동이 분 括 맺을 괄

이어늘 門人이 問曰 夫子何以知其將見殺이시니잇고 曰 其爲人也 小有才요 未聞君子之大道也하니 則足以殺其軀而已矣니라

盆成括이 齊나라에서 벼슬하였는데, 孟子께서 "죽겠구나, 盆成括이여." 하셨다.
盆成括이 죽임을 당하자, 門人이 물었다. "夫子께서는 어찌하여 그가 장차 죽임을 당할 것을 아셨습니까?"
孟子께서 대답하셨다. "그의 사람됨이 조금 재주가 있고 君子의 大道를 듣지 못했으니, 족히 그 몸을 죽일 뿐이다."

集註 | 盆成은 姓이요 括은 名也라 恃才妄作은 所以取禍니라
徐氏曰 君子 道其常而已라 括有死之道焉하니 設使幸而獲免이라도 孟子之言이 猶信也니라

盆成은 姓이고 括은 이름이다. 재주를 믿고 함부로 행동함은 禍를 취하는 것이다.
徐氏(徐度)가 말하였다. "君子는 그 常道를 말할 뿐이다. 盆成括이 죽을 방도가 있었으니, 설사 요행으로 죽음을 면했다 하더라도 孟子의 말씀이 맞는 것이다."

|孟子之滕館於上宮章|

30-1. 孟子之滕하사 館於上宮이러시니 有業屨於牖(유)上이러니 館人이 求之弗得하다

孟子께서 滕나라에 가서 上宮에 머물고 계셨다. 작업하던 신이 창문 위에 있었는데, 旅館 주인이 찾아도 찾지 못하였다.

集註 | 館은 舍也라 上宮은 別宮名이라 業屨는 織之有次業而未成者라 蓋館人所作을 置之牖上而失之也라

'館'은 머무름이다. 上宮은 別宮의 이름이다. '業屨'는 신을 짬에 다음 작업이 있어 아직 완성되지 않은 것이다. 여관 주인이 만들던 것을 창 위에 놓아두었다가 잃어버린 것이다.

⋯ 軀 몸구 恃 믿을시 獲 얻을획 滕 나라이름등 館 머물관 業 일할업 屨 신구 舍 머물사 織 짤직
牖 창문유

30-2. 或이 問之日 若是乎從者之廋也여 日 子以是爲竊屨來與아 日
殆非也라 夫子之設科也는 往者를 不追하며 來者를 不拒하사 苟以是心
으로 至커든 斯受之而已矣니이다

혹자가 물었다. "이와 같습니까? 從者들의 숨김이……"
孟子께서 "그대는 이것을 가지고 〈우리가〉 신을 훔치러 왔다고 여기는가?" 하셨다.
혹자가 대답하기를 "아닙니다. 夫子께서 敎科를 설치함은 가는 자를 붙잡지 않고 오는
자를 막지 않으시어 만일 이 배우려는 마음을 가지고 오면 받아주실 뿐입니다." 하였다.

> 集註 | 或問之者는 問於孟子也라 廋는 匿也니 言 子之從者乃匿人之物이 如此乎
> 인저하니라 孟子答之에 而或人이 自悟其失하고 因言 此從者固不爲竊屨而來[923]라
> 但夫子設置科條하여 以待學者하시니 苟以向道之心而來면 則受之耳라 雖夫子라
> 도 亦不能保其往也라하니 門人이 取其言이 有合於聖賢之指라 故로 記之하니라

'혹자가 물었다.'는 것은 孟子에게 물은 것이다. '廋'는 숨김이니, 夫子의 從者가 마침내
남의 물건을 숨김이 이와 같다고 말한 것이다. 孟子께서 이에 답하시자, 혹자가 스스로 자
기가 失言한 것을 깨닫고 인하여 말하기를 "이 從者가 진실로 신을 훔치기 위하여 온 것은
아닙니다. 다만 夫子께서 科條(科目)를 설치하여 배우는 자들을 대하시니, 〈배우는 자가〉
만일 道를 향하는 마음으로 찾아오면 받아줄 뿐입니다. 비록 夫子라도 또한 그의 過去를
보장할 수는 없습니다."라고 하니, 門人이 그의 말이 聖賢의 뜻에 부합됨이 있음을 취하였
다. 그러므로 기록한 것이다.

| 人皆有所不忍章(以言餂章) |

31-1. 孟子曰 人皆有所不忍하니 達之於其所忍이면 仁也요 人皆有所
不爲하니 達之於其所爲면 義也니라

孟子께서 말씀하셨다. "사람들은 모두 차마 못하는 마음을 가지고 있으니 〈그 차마 못

---

923 此從者固不爲竊屨而來 : 壺山은 "본래 신을 훔치러 온 것이 아니고 바로 道를 향하여 왔을 뿐임을 말
한 것이다.〔本非竊屨而來 乃向道而來耳〕" 하였다.

··· 廋 숨길 수 竊 훔칠 절 殆 거의 태 科 과정 과 追 쫓을 추 拒 막을 거 匿 숨길 닉 悟 깨달을 오 忍 차마할 인

하는 마음을〉차마 할 수 있는 바에까지 도달한다면 仁이요, 사람들은 모두 하지 않는 바(지조)가 있으니 〈그 하지 않는 바를〉할 수 있는 바에까지 도달한다면 義이다.

按說 | '所不爲'는 크게 義롭지 못한 일이어서 죽어도 하지 않는 양심과 지조를 이르며, '其所爲'는 작은 비리로 큰 잘못이 아니어서 때로 할 수 있는 일을 가리킨다.

集註 | 惻隱羞惡之心을 人皆有之라 故로 莫不有所不忍不爲하니 此는 仁義之端也라 然이나 以氣質之偏과 物欲之蔽로 則於他事엔 或有不能者하니 但推所能하여 達之於所不能이면 則無非仁義矣리라

惻隱之心과 羞惡之心을 사람들이 다 갖고 있다. 그러므로 차마 못하는 바와 하지 않는 바를 갖고 있지 않음이 없으니, 이는 仁·義의 단서이다. 그러나 氣質의 편벽됨과 物慾의 가리움 때문에 다른 일에는 혹 능하지 못한 것이 있으니, 다만 능한 바를 미루어서 능하지 못한 바에까지 도달한다면 仁·義가 아님이 없을 것이다.

31-2. 人能充無欲害人之心이면 而仁을 不可勝用也며 人能充無穿踰 之心이면 而義를 不可勝用也니라

사람이 능히 남을 해치려고 하지 않는 마음을 채운다면 仁을 이루 다 쓸 수 없을 것이며, 사람이 능히 담을 뚫거나 넘어가서 도둑질하지 않으려는 마음을 채운다면 義를 이루 다 쓸 수 없을 것이다.

集註 | 充은 滿也라 穿은 穿穴이요 踰는 踰牆이니 皆爲盜之事也라 能推其所不忍하여 以達於所忍이면 則能滿其無欲害人之心하여 而無不仁矣요 能推其所不爲하여 以達於所爲면 則能滿其無穿踰之心하여 而無不義矣리라

'充'은 가득함(충만함)이다. '穿'은 구멍을 뚫는 것이고 '踰'는 담을 넘는 것이니, 모두 도둑질하는 일이다. 능히 그 차마 못하는 바를 미루어서 차마 할 수 있는 바에까지 도달한다면 능히 남을 해치려고 하지 않는 마음을 채워서 仁하지 않음이 없을 것이요, 능히 그 하지 않는 바를 미루어서 할 수 있는 바에까지 도달한다면 능히 담을 뚫거나 넘어가서 도둑질하지

••• 隱불쌍할은 蔽 가릴 폐 充 채울 충 穿 뚫을 천 踰 넘을 유 穴 구멍 혈 牆 담장 장

않으려는 마음을 채워서 義롭지 않음이 없을 것이다.

31-3. 人能充無受爾汝之實이면 無所往而不爲義也니라

사람이 능히 爾汝(너)라는 칭호를 받지 않으려는 실제를 채운다면 가는 곳마다 義가
아님이 없을 것이다.

> 集註 | 此는 申說上文充無穿踰之心之意也라 蓋爾汝는 人所輕賤之稱이니 人雖或
> 有所貪昧隱忍[924]而甘受之者나 然其中心에 必有慚忿而不肯受之之實하니 人能
> 卽此而推之하여 使其充滿하여 無所虧缺이면 則無適而非義矣리라
>
> 이것은 윗글의 '담을 뚫거나 넘어가서 도둑질하지 않으려는 마음을 채운다.'는 뜻을 거듭 말
> 씀한 것이다. '爾汝'는 사람들이 경시하고 천시하는 칭호이다. 사람이 비록 혹 탐욕에 어두
> 워 속으로 참으면서 이러한 칭호를 달게 받는 경우가 있으나, 그 中心에는 반드시 부끄럽고
> 분하게 여겨서 즐겨 받지 않으려는 실제가 있을 것이니, 사람이 이것을 가지고 미루어 채워
> 서 이지러진 바가 없게 한다면 가는 곳마다 義가 아님이 없을 것이다.

31-4. 士未可以言而言이면 是는 以言餂(첨)之也요 可以言而不言이면 是는 以不言餂之也니 是皆穿踰之類也니라

선비가 말해서는 안 될 적에 말한다면 이는 말로써 물건을 핥아먹는 것이요, 말을 해야
할 적에 말하지 않는다면 이는 말하지 않음으로써 물건을 핥아먹는 것이니, 이는 모두
담을 뚫거나 넘어가서 도둑질하는 종류이다."

> 集註 | 餂은 探取之也라 今人이 以舌取物曰餂이라하니 卽此意也라 便佞,[925] 隱默[926]

---

924 貪昧隱忍：壺山은 '貪昧'는 "탐함으로써 어두운 것이다.〔以貪而昧〕"하고, '隱忍'은 "마음에 남몰래
참는 것이다.〔潛忍於心〕"하였다. 또 "'貪昧'는 지혜롭지 않은 것이고, '隱忍'은 용맹스럽지 않은 것이
다.〔貪昧 不智 隱忍 不勇〕"하였다.

925 便佞：《大全》에 "말해서는 안 될 적에 말하는 것이다.〔未可以言而言〕"하였다.

926 隱默：《大全》에 "말해야 할 적에 말하지 않는 것이다.〔可以言而不言〕"하였다.

··· 昧 어두울 매 慚 부끄러울 참 忿 성낼 분 肯 즐길 긍 虧 이지러질 휴 缺 이지러질 결 餂 핥아먹을 첨
探 더듬을 탐 便 잘할 편 佞 말잘할 녕 隱 몰래 은 默 잠잠할 묵

은 皆有意探取於人이니 是亦穿踰之類라 然이나 其事隱微하여 人所易忽이라 故로 特擧以見例하여 明必推無穿踰之心하여 達於此而悉去之然後에 爲能充其無穿踰之心也니라

'餂'은 더듬어 취함이다. 지금 사람들이 혓바닥으로 물건을 취하는 것을 餂이라 하니, 바로 이 뜻이다. 아첨하는 말을 함과 침묵을 지킴은 모두 남에게서 물건을 探取하려는 데에 뜻이 있는 것이니, 이 또한 담을 뚫거나 넘어가서 도둑질하는 종류이다. 그러나 그 일이 은미하여 사람들이 소홀히 하기 쉽다. 그러므로 특별히 들어서 例를 나타내어 반드시 穿踰하지 않으려는 마음을 미루어 여기에까지 도달시켜서 모두 제거한 뒤에야 능히 穿踰하지 않으려는 마음을 채움이 됨을 밝히신 것이다.

| 言近而指遠章 |

32-1. 孟子曰 言近而指遠者는 善言也요 守約而施博者는 善道也니 君子之言也는 不下帶而道存焉이니라

孟子께서 말씀하셨다. "말이 천근하면서도 뜻이 遠大한 것은 善한 말이요, 지킴이 요약하면서도 베풂이 넓은 것은 善한 道이니, 君子의 말은 띠를 내려가지 않고도 道가 있다.

按說 | '守約而施博'에 대하여, 楊伯峻은

　'施'는 '恩惠(은혜를 베풂)'의 뜻이다.

하였다.

'下帶'에 대하여, 程子(伊川)는

　'帶'는 가까운 곳을 가리키고 '下'는 '머물다,' '붙어 있다'와 같다.〔帶 蓋指其近處 下 猶舍也離也〕《精義》

하였다.

… 帶 띠 대

集註 | 古人은 視不下於帶[927]하니 則帶之上은 乃目前常見至近之處也라 擧目前之近事에 而至理存焉하니 所以爲言近而指遠也라

옛사람들은 시선이 띠를 내려가지 않았으니, 그렇다면 띠 위는 바로 目前에 항상 볼 수 있는 지극히 가까운 곳이다. 목전의 가까운 일을 듦에 지극한 이치가 여기에 있으니, 이 때문에 말이 천근하면서도 뜻이 원대한 것이다.

32-2. 君子之守는 修其身而天下平이니라
君子의 지킴은 그 몸을 닦음에 天下가 平해지는 것이다.

集註 | 此所謂守約而施博也라

이것이 이른바 '지킴이 要約하면서도 베풂이 넓다.'는 것이다.

32-3. 人病은 舍其田而芸人之田이니 所求於人者 重이요 而所以自任者 輕이니라
사람들의 병통은 자기 밭을 버려두고 남의 밭을 김매는 것이니, 남에게 요구하는 것은 重하고 스스로 책임지는 것은 가볍다."

集註 | 此는 言不守約而務博施之病이라

이는 지킴이 요약하지 않으면서 널리 베풀기를 힘쓰는 병통을 말씀한 것이다.

|堯舜性者也章|
33-1. 孟子曰 堯舜은 性者也요 湯武는 反之也시니라

---

927 古人 視不下於帶:《禮記》〈曲禮下〉에 "天子를 뵐 때에는 시선이 동정보다 올라가지 않고 띠보다 내려가지 않는다.……무릇 시선은 얼굴보다 높으면 오만해 보이고 띠보다 내려가면 근심스럽게 보이고 기울면 간사해 보인다.[天子視 不上於袷(겁) 不下於帶……凡視 上於面則傲 下於帶則憂 傾則姦]"라고 보인다.

··· 舍 버릴 사 芸 김맬 운(耘通) 反 돌아올 반

孟子께서 말씀하셨다. "堯·舜은 性대로 하신 분들이고 湯·武는 性을 회복하셨다.

按說 | '堯舜性者也 湯武反之也'는 원래 '堯舜性之者也 湯武反之者也'라고 써야 하는데, 윗구에서는 '之'字를 빼고 아랫구에서는 '者'字를 뺀 것으로, 이러한 문체를 互文이라 한다.

集註 | 性者는 得全於天하고 無所汚壞하여 不假修爲하니 聖之至也요 反之者는 修爲以復其性하여 而至於聖人也라
程子曰 性之, 反之는 古未有此語러니 蓋自孟子發之하시니라
呂氏曰 無意而安行은 性者也요 有意利行而至於無意는 復性者也라 堯舜은 不失其性이요 湯武는 善反其性이니 及其成功則一也니라

'性之'는 하늘에서 온전함을 얻고 더럽히거나 파괴한 바가 없어서 修爲(닦음)를 빌리지 않는 것이니 聖人의 지극함이요, '反之'는 修爲하여 그 性을 회복해서 聖人에 이른 것이다.
程子(明道)가 말씀하였다. "性之와 反之는 옛날에는 이러한 말씀이 있지 않았는데, 孟子로부터 말씀한 것이다."
呂氏(呂大臨)가 말하였다. "뜻(의식)이 없이 편안히 행함은 性대로 하는 것이고, 뜻이 있어 이롭게 여기고 행해서 의식이 없음에 이르는 것은 性을 회복한 것이다. 堯·舜은 그 性을 잃지 않았고 湯·武는 그 性을 잘 회복하였으니, 成功에 이르면 똑같은 것이다."

33-2. 動容周旋이 中禮者는 盛德之至也니 哭死而哀 非爲生者也며 經德不回 非以干祿也며 言語必信이 非以正行也니라

動容하고 周旋함이 禮에 맞는 것은 盛德이 지극한 것이니, 죽은 자를 哭하여 슬퍼함이 살아 있는 사람(상주)에게 잘 보이기 위해서가 아니요, 떳떳한 德을 지키고 간사하지 않음이 祿을 구해서가 아니요, 言語를 반드시 信實하게 함이 행실이 바르다는 이름을 위해서가 아니다.

····· 汚 더러울 오 壞 무너질 괴 旋 돌 선 經 떳떳할 경 回 간사할 회 干 구할 간

言語는 마땅히 신실하게 할 바이지만 만약 이로써 행실을 바로잡으려는데 뜻을 둔다면 곧 위함이 있어서 하는 것이다.〔言語 在所當信 若有意以此而正行 便是有所爲而然也〕(《語類》)

하였다.

集註 | 細微曲折이 無不中禮는 乃其盛德之至니 自然而中이요 而非有意於中也라 經은 常也요 回는 曲也928라 三者 亦皆自然而然이니 非有意而爲之也라 皆聖人之事니 性之之德也라

細微하고 周旋(曲折)함이 禮에 맞지 않음이 없는 것은 바로 盛德의 지극함이니, 자연스럽게 맞는 것이요 맞게 하려는 데에 뜻을 둔 것이 아니다. '經'은 떳떳함이요 '回'는 굽음이다. 세 가지 또한 모두 자연히 그러한 것이니, 뜻이 있어 하는 것이 아니다. 이는 모두 聖人의 일이니, 性之의 德이다.

33-3. 君子는 行法하여 以俟命而已矣니라

君子는 法을 행하여 命을 기다릴 뿐이다."

集註 | 法者는 天理之當然者也라 君子行之而吉凶禍福을 有所不計하니 蓋雖未至於自然이나 而已非有所爲而爲929矣라 此는 反之之事니 董子所謂正其義不謀其利하며 明其道不計其功930이 正此意也라

---

928 經常也 回曲也 : 楊伯峻은 "趙岐의 註에 '經은 行(행하다)이다.' 하였다. '回'는 違와 같은데 違는 예절을 어긴다는 뜻이다." 하고, '經德不回'를 "도덕에 따라 행하여 禮를 어기는 데에까지 이르지 않는다."라고 번역하였다.

929 有所爲而爲 : 위하는 바가 있어 하는 것으로, 명예나 이익을 얻기 위하여 善行을 함을 이른다. 南軒 張栻은 "위하는 바가 없이 하는 것은 義이고, 위하는 바가 있어서 하는 것은 利이다.〔無所爲而爲之者 義也 有所爲而爲之者 利也〕" 하였는데,《近思錄集註 卷7》朱子는 義와 利의 구분을 잘 형용한 말이라고 칭찬하였다.

930 董子所謂正其義不謀其利 明其道不計其功 : 이 내용은《漢書》〈董仲舒傳〉에 "仁人은 그 義를 바르게 하고 이익을 도모하지 않으며, 그 道를 밝히고 功을 계산하지 않는다.〔夫仁人者 正其誼(義)不謀其

··· 折 꺾을 절 俟 기다릴 사 董 성동

'法'은 天理의 당연함이다. 君子는 이것을 행하고 吉凶禍福을 계산하지 않으니, 이는 비록 자연스러움에 이르지 못했으나 이미 위함이 있어서 하는 것이 아니다. 이는 反之의 일이니, 董子(董仲舒)의 이른바 '그 義를 바르게 하고 이익을 도모하지 않으며, 그 道를 밝히고 功을 계산하지 않는다.'는 것이 바로 이 뜻이다.

章下註 | ○程子曰 動容周旋이 中禮者는 盛德之至요 行法以俟命者는 朝聞道夕死可矣[931]之意也니라

呂氏曰 法由此立하고 命由此出은 聖人也요 行法以俟命은 君子也니 聖人은 性之요 君子는 所以復其性也니라

○程子(明道)가 말씀하였다. "'動容하고 周旋함이 禮에 맞음'은 盛德의 지극함이요, '法을 행하여 命을 기다림'은 아침에 道를 들으면 저녁에 죽어도 可하다는 뜻이다."

呂氏(呂大臨)가 말하였다. "法이 이로 말미암아 확립되고 命이 이로 말미암아 나옴은 聖人이요, 法을 행하여 命을 기다림은 君子이니, 聖人은 性대로 하고 君子는 그 性을 회복하는 것이다."

|說大人章|

34-1. 孟子曰 說(세)大人則藐(묘)之하여 勿視其巍巍然이니라

孟子께서 말씀하셨다. "大人을 설득할 적에는 하찮게 여겨서 그의 드높음을 보지 말아야 한다.

集註 | 趙氏曰 大人은 當時尊貴者也라 藐는 輕之也[932]라 巍巍는 富貴高顯之貌라 藐焉而不畏之하면 則志意舒展하여 言語得盡也리라

趙氏(趙岐)가 말하기를 "'大人'은 당시의 尊貴한 자이다." 하였다. '藐'는 가볍게(하찮게) 여김이다. '巍巍'는 富貴가 높고 드러난 모양이다. 하찮게 여겨서 두려워하지 않는다면 뜻

利 明其道不計其功"라고 보인다.

931 朝聞道夕死可矣 : 孔子의 말씀으로 《論語》〈里仁〉 8장에 보인다.

932 藐 輕之也 : 南軒張氏(張栻)는 "'藐'는 眇와 같이 읽는다.〔藐讀如眇〕" 하였다.

··· 藐 작을 묘 巍 높을 외 舒 펼 서 展 펼 전

이 펴져서 말을 다할 수 있을 것이다.

34-2. 堂高數仞과 榱(최)題數尺을 我得志라도 弗爲也하며 食前方丈과 侍妾數百人을 我得志라도 弗爲也하며 般樂(락)飲酒와 驅騁田獵과 後車 千乘을 我得志라도 弗爲也니 在彼者는 皆我所不爲也요 在我者는 皆古 之制也니 吾何畏彼哉리오

堂의 높이가 몇 길이 되는 것과 서까래 머리가 몇 자가 되는 집(高臺廣室)을 나는 뜻을 얻더라도 하지 않으며, 좋은 음식이 밥상 앞에 한 길로 진열됨과 侍妾이 수백 명인 것을 나는 뜻을 얻더라도 하지 않으며, 즐기며 술을 마심과 말을 달리며 사냥함과 뒤따르는 수레가 천 대인 것을 나는 뜻을 얻더라도 하지 않을 것이니, 저에게 있는 것은 모두 내가 하지 않는 바요 나에게 있는 것은 모두 옛 법이니, 내 어찌 저들을 두려워하겠는가."

按說 | '堂高數仞'에 대하여, 楊伯峻은 焦循의《孟子正義》에

經傳에서 '堂高'라고 한 것은 모두 '堂의 계단(堂階)의 높이'를 가리켜 말한 것이다.

한 것을 따라, "殿堂의 基礎가 몇 길이 되는 것"으로 번역하였다.
'我得志'는 내 마음대로 얻을 수 있음을 이른다.

集註 | 榱는 桷也요 題는 頭也라 食前方丈은 饌食列於前者 方一丈也라 此는 皆其 所謂巍巍然者니 我雖得志나 有所不爲요 而所守者는 皆古聖賢之法이니 則彼之 巍巍者[933]를 何足道哉리오

'榱'는 서까래요, '題'는 머리이다. '食前方丈'은 음식이 앞에 진열된 것이 한 길인 것이다. 이는 모두 이른바 '巍巍하다'는 것이니, 내가 비록 뜻을 얻더라도 이를 하지 않을 것이요, 내가 지키고 있는 것은 모두 옛 聖賢의 법이니, 그렇다면 저 巍巍한 것을 어찌 말할 것이 있 겠는가.

---

933 彼之巍巍者 : 一本에는 '之'가 빠져 있다.

··· 仞 길인 榱 서까래최 題 머리제 丈 길장 般 즐길반 騁 달릴빙 獵 사냥렵 桷 서까래 각 饌 음식찬

章下註 | ○ 楊氏曰 孟子此章은 以己之長으로 方人之短하니 猶有此等氣象[934]이요 在孔子則無此矣[935]니라

○ 楊氏(楊時)가 말하였다. "《孟子》의 이 章은 자신의 장점으로 남의 단점을 비교하였으니, 〈孟子는〉아직도 이러한 氣象이 있고, 孔子에게는 이러한 것이 없다."

| 養心莫善於寡欲章 |

35. 孟子曰 養心이 莫善於寡欲하니 其爲人也寡欲이면 雖有不存焉者라도 寡矣요 其爲人也多欲이면 雖有存焉者라도 寡矣니라

孟子께서 말씀하셨다. "마음을 수양함은 욕심을 적게 하는 것보다 더 좋은 것이 없으니, 그 사람됨이 욕심이 적으면 비록 보존되지 않음이 있더라도 〈보존되지 않은 것이〉 적을 것이요, 사람됨이 욕심이 많으면 비록 보존됨이 있더라도 〈보존된 것이〉 적을 것이다."

按說 | '存'에 대하여, 楊伯峻은

> 이는 孟子의 이른바 '선한 性〔善性〕'과 '夜氣'를 보존하는 것을 가리켜 말한 것이다. 〈離婁下〉 19장에 '사람이 禽獸와 다른 것이 얼마 안 되니, 庶民(衆人)들은 이것을 버리고 君子는 이것을 보존한다.〔人之所以異於禽獸者 幾希 庶民去之 君子存之〕' 한 것과 〈告子上〉 8장에 '비록 사람에게 보존된 것인들 어찌 仁義의 마음이 없겠는가.〔雖存乎人者 豈無仁義之心哉〕' 한 것의 여러 '存'字가 바로 이 '存'이다.

---

934 此等氣象 : 程子(明道)는 "孟子는 泰山의 우뚝한 氣象이다.〔孟子泰山巖巖之氣象也〕" 하였는데,《精義》壺山은 "이는 어세가 너무 쾌함을 가지고 말한 것이다.〔此以其語勢之太快而言也〕" 하였다.

935 孟子此章……在孔子則無此矣 : 慶源輔氏(輔廣)는 "孟子가 泰山의 우뚝한 氣象이 있다는 것은 바로 이러한 부분을 가리켜 말한 것이다. 만약 孔子라면 大人이면서 저절로 化하여 泯然히 그 큰 자취를 보지 못하므로 이와 같음에 이르지 않는 것이다. 그러나 聖人이 이것을 깨달아 하지 않는 것이 아니요, 德이 성하고 仁이 익숙해서 大人이면서 저절로 화하면 自然히 이러한 氣象(孟子의 우뚝한 기상)이 있음에 이르지 않는 것이다.〔孟子有泰山巖巖然之氣象 便是指此等處言也 若聖人則大而化之 泯然不見 其大之迹 故不至如此 然非聖人覺此而不爲也 德盛仁熟 大而化之 則自然不至有此等氣象矣〕" 하였다. 壺山은 "살펴보건대 '英氣' 두 글자를 이미 〈序說〉에서 앞에 놓아 말하였는데, 이 章이 더욱 심한 부분이다. 그러므로 이 註에 특별히 총괄하여 말한 것이다.〔按英氣二字 已於序說冠之 而此章爲 其尤者 故於此註 特總言之〕" 하였다.

⋯ 方 비교할 방 寡 적을 과

하였다. 壺山은

'不存'과 '存'은 모두 위의 '心'字를 이어받았는데, 마음이 보존되지 않은 것이 적고 마음이
보존된 것이 적음을 말씀한 것이니, 마음이 보존된 것이 적음은 그 本心을 잃은 것이다.〔不
存存 皆蒙上心字 謂心不存者寡 心存者寡也 心存者寡 是失其本心也〕

하였다.

集註 | 欲은 如口鼻耳目四支(肢)之欲이니 雖人之所不能無나 然多而不節이면 未
有不失其本心[936]者니 學者所當深戒也니라
程子曰所欲은 不必沈溺이요 只有所向이면 便是欲이니라

'欲'은 입과 코와 귀와 눈과 四肢의 욕망 같은 것이니, 비록 사람에게 없을 수 없는 것이나
〈욕망이〉 많고 절제하지 않는다면 그 本心을 잃지 않을 자가 없으니, 배우는 자가 마땅히 경
계하여야 할 것이다.
程子(伊川)가 말씀하였다. "所欲은 반드시 여기에 빠지는 것만이 아니요, 다만 향하는 바
가 있으면 바로 欲이다."

|曾晳嗜羊棗章|

36-1. 曾晳이 嗜羊棗러니 而曾子不忍食羊棗하시니라

曾晳이 羊棗를 좋아했었는데, 曾子께서 차마 羊棗를 먹지 못하셨다.

集註 | 羊棗는 實小하고 黑而圓하니 又謂之羊矢棗[937]라 曾子以父嗜之하니 父沒之

---

936 不失其本心 : 茶山은 "孟子가 일생 동안 살핀 것은 바로 道心의 存亡이었다. 욕망이 적으면 道心이 없
어지는 것도 적고, 욕망이 많으면 道心이 없어지는 것도 많은 것이다.〔孟子一生所察 卽道心之存亡也
慾寡則道心亡者亦寡 慾多則道心亡者亦多〕" 하였다.

937 羊矢棗 : '矢'는 똥으로, 곧 염소똥 모양의 작은 대추라는 뜻이다. 楊伯峻은 "何焯의 《義門讀書記》에
'羊棗는 대추가 아니라 바로 감나무과의 작은 것이다. 처음 자랄 때에는 황색이지만 익으면 검게 되어
염소의 똥과 비슷한데, 그 나무를 다시 接木하면 감이 된다. 지금은 고욤〔牛奶柹(梬櫓子)〕이라 부르고,
다른 이름은 梬棗이다' 했다." 하였다. 沙溪(金長生)는 《古今韻會擧要》의 栚(영)字의 註에 '지금은
羊矢棗로 불리니 바로 지금의 輭棗이다. 열매는 작고 둥글며 검붉은색이다. 《爾雅翼》에 「늦가을에 열
매가 맺는데 붉은색이며 이를 말리면 검붉은색으로 포도와 같다. 지금 丁香柹라 이르고, 또 牛乳柹라

··· 沈 빠질 침 溺 빠질 닉 晳 밝을 석 嗜 즐길 기 棗 대추 조 矢 똥 시

後에 食必思親이라 故로 不忍食也하시니라

'羊棗'는 열매가 작고 색깔이 검으며 둥그니, 또 羊矢棗라고도 이른다. 曾子는 아버지가 羊棗를 좋아하셨으니, 아버지가 별세한 뒤에 이것을 먹으면 반드시 어버이가 생각났으므로 차마 먹지 못하신 것이다.

36-2. 公孫丑問曰 膾炙(자)與羊棗孰美니잇고 孟子曰 膾炙哉인저 公孫丑曰 然則曾子는 何爲食膾炙而不食羊棗시니잇고 曰 膾炙는 所同也요 羊棗는 所獨也니 諱名不諱姓하나니 姓은 所同也요 名은 所獨也일새니라

公孫丑가 물었다. "膾炙와 羊棗는 어느 것이 더 맛있습니까?"
孟子께서 말씀하셨다. "膾炙일 것이다."
公孫丑가 말하였다. "그렇다면 曾子는 어찌하여 膾炙는 잡수시면서 羊棗는 잡수시지 않았습니까?"
孟子께서 말씀하셨다. "膾炙는 누구나 똑같이 좋아하는 것이고 羊棗는 독특하게 좋아한 것이다. 이름은 諱하고 姓은 諱하지 않으니, 이는 姓은 똑같고 이름은 독특하기 때문이다."

集註 | 肉을 聶而切之爲膾라 炙(자)는 炙(적)肉也라

고기를 저며 썬 것을 '膾'라고 한다. '炙'는 구운 고기이다.

| 孔子在陳章(狂獧章) |
37-1. 萬章이 問曰 孔子在陳하사 曰 盍歸乎來리오 吾黨之士狂簡하여 進取호되 不忘其初라하시니 孔子在陳하사 何思魯之狂士시니잇고

萬章이 물었다. "孔子께서 陳나라에 계시면서 말씀하시기를 '어찌 돌아가지 않겠는가.

이름한다.」하였다.' 했다.〔韻會 梬字註 今呼羊矢棗 卽今頓棗 實小而圓 紫黑色 爾雅翼 結實秋晩而 紅 乾之則紫黑如蒲萄 今謂丁香柿 又名牛乳柿〕" 하였다.《經書辨疑》
梬은 고욤이며 牛奶柿는 바로 牛乳柿이니, 그렇다면 羊棗는 대추가 아니고 고욤이다.

··· 膾 회 회 炙 불고기 자, 고기구울 적 諱 꺼릴 휘 聶 저밀 섭 切 끊을 절 盍 어찌아니 합 狂 미칠 광
簡 간략할 간

吾黨의 선비가 狂簡하여 진취적이나 그 처음을 버리지 못한다.' 하셨으니, 孔子께서 陳나라에 계시면서 어찌하여 魯나라의 狂士들을 생각하셨습니까?"

按說 | '吾黨之士'에 대하여, 壺山은

'吾黨'은 바로 吾鄕이란 말과 같다.〔吾黨 猶吾鄕也〕

하였다. 옛날 '黨'은 500가호의 행정 단위이므로 '吾黨'을 吾鄕으로 해석한 것이다. 吾黨을 朱子는 《論語集註》에서 "吾黨小子는 門人 중에 魯나라에 있는 자를 가리킨 것이다."라고 풀이하였다. 그러나 후세에는 吾黨은 우리의 무리란 뜻으로 쓰였으며 四色黨派가 생긴 조선조에서는 특히 자기 당파를 가리키는 말로 많이 쓰였다. 楊伯峻은 '士'가 '小子'로 되어 있는 판본을 취하였다.

集註 | 盍은 何不也라 狂簡은 謂志大而略於事[938]라 進取는 謂求望高遠이요 不忘其初는 謂不能改其舊也라 此語는 與論語小異[939]하니라

'盍'은 何不(어찌 아니)이다. '狂簡'은 뜻은 크나 일에 소략함을 이른다. '進取'는 高遠한 것을 추구하고 바람을 이르고, '그 처음을 버리지 못한다.'는 것은 예전의 잘못을 고치지 못함을 이른다. 이 말씀은 《論語》와 조금 다르다.

37-2. 孟子曰 孔子〈曰〉 不得中道而與之인댄 必也狂獧(견)乎인저 狂者는 進取요 獧者는 有所不爲也라하시니 孔子豈不欲中道哉시리오마는 不可必得이라 故로 思其次也시니라

孟子께서 말씀하셨다. "孔子께서 말씀하시기를 '中道(中庸)의 인물을 얻어 함께하지

---

938 狂簡 謂志大而略於事 : 慶源輔氏(輔廣)는 "'뜻이 큼'은 狂을 이르고, '일에 소략함'은 簡을 이른다.……〈經文의〉'狂簡' 두 글자는 또 아래 두 句를 다 포함하였는바, '進取'는 바로 '뜻이 큼'이고, '그 처음을 버리지 못함'은 바로 '일에 소략함'이다.〔志大 謂狂 略於事 謂簡……狂簡二字 又該括得下兩句 進取 卽是志大 不忘其初 卽是略於事也〕"하였다.

939 與論語小異 : 이 내용은 《論語》〈公冶長〉 21장에 보이는바, 《論語》에는 "돌아가야겠다. 돌아가야겠다. 吾黨의 小子들이 뜻은 크나 일에는 소략하여 찬란하게 文章을 이루었을 뿐이요, 이것을 마름질할 줄을 알지 못하는구나.〔歸與歸與 吾黨之小子狂簡 斐然成章 不知所以裁之〕"라고 되어 있다.

··· 獧 고집스러울 견

못한다면 반드시 狂者나 獧者와 함께할 것이다. 狂者는 진취적이요 獧者는 하지 않는 바가 있다.' 하셨으니, 孔子께서 어찌 中道의 인물을 얻기를 원하지 않으셨겠는가마는 반드시 얻을 수는 없었다. 이 때문에 그 다음을 생각하신 것이다."

按說 | '其次'에 대하여, 《大全》에

　'其次'는 狂者를 이른다.〔其次 謂狂者〕

하였고, 壺山은

　이 '其'字는 中道의 사람을 가리킨다.〔此其字 指中道〕

하였다.

集註 | 不得中道로 至有所不爲는 據論語[940]컨대 亦孔子之言이니 然則 孔子字下에 當有曰字라 論語에 道作行하고 獧作狷하니라 有所不爲者는 知恥自好[941]하여 不爲 不善之人也라 孔子豈不欲中道以下는 孟子言也라

'不得中道'로부터 '有所不爲'까지는 《論語》를 근거해 보면 또한 孔子의 말씀이니, 그렇다면 '孔子'라는 글자 아래에 마땅히 '曰'字가 있어야 할 것이다. 《論語》에 '道'는 '行'으로 되어 있고 '獧'은 '狷'으로 되어 있다. '하지 않는 바가 있다.'는 것은 부끄러움(염치)을 알고 스스로 지조를 아껴서 不善을 하지 않는 사람이다. '孔子豈不欲中道' 이하는 孟子의 말씀이다.

37-3. 敢問何如라야 斯可謂狂矣니잇고

〈萬章이 말하였다.〉 "감히 묻겠습니다. 어떠하여야 狂이라 이를 수 있습니까?"

940　據論語 : 이 내용은 《論語》〈子路〉 21장에 보인다.

941　知恥自好 : '知恥'는 不義를 부끄러워할 줄을 아는 것이며, '自好'는 자신의 지조와 명예를 스스로 아끼는 것으로 앞의 〈萬章上〉 9장에 '鄕黨自好者'라고 보이는바, 《集註》에 "'自好'는 스스로 자기 몸을 아끼는 사람이다.〔自好 自愛其身之人也〕" 하였다.

• • •　狷 견개(狷介)할 견　好 아낄 호

37-4. 曰 如琴張, 曾皙, 牧皮者 孔子之所謂狂矣니라

孟子께서 말씀하셨다. "琴張·曾皙·牧皮와 같은 자가 孔子께서 말씀하신 '狂'이라는 것이다."

集註 | 琴張은 名牢요 字子張이라 子桑戶死에 琴張이 臨其喪而歌하니 事見(현)莊子[942]하니 雖未必盡然이나 要必有近似者라 曾皙은 見前篇하니라 季武子死에 曾皙이 倚其門而歌하니 事見檀弓[943]이요 又言志異乎三子者之撰(선)하니 事見論語[944]하니라 牧皮는 未詳이라

琴張은 이름이 牢이고 字가 子張이다. 子桑戶가 죽자 琴張이 그의 喪에 임하여 노래를 불렀으니, 이 사실이 《莊子》〈大宗師〉에 보인다. 비록 반드시 다 그렇지는 않더라도 요컨대 반드시 이와 近似한 점이 있었을 것이다. 曾皙은 前篇(離婁上)에 보인다. 季武子가 죽자 曾皙이 그 門에 기대어 노래하였으니 이 사실이 《禮記》〈檀弓下〉에 보이며, 또 자신의 뜻은 세 사람이 가지고 있는 것과 다르다고 말하였으니, 이 사실이 《論語》에 보인다. 牧皮는 자세하지 않다.

---

942 子桑戶死……事見莊子: 《莊子》〈大宗師〉에 "子桑戶와 孟子反과 子琴張은 서로 친구였다.……子桑戶가 죽어서 장례하기 전에 孔子가 이 소식을 듣고 子貢으로 하여금 가서 장사 일을 돕게 하였다. 〈子貢이 가보니〉 한 사람은 箔(발)을 짜고 또 한 사람은 거문고를 타면서 서로 화답하여 노래하기를 '아! 슬프다. 子桑戶여. 아! 슬프다. 子桑戶여. 그대는 이미 참된 세계로 돌아갔는데 우리는 아직도 사람으로 남아 있구나.' 하였다. 子貢이 종종걸음으로 나아가 말하기를 '감히 묻노니 시신을 앞에 두고 노래하는 것이 禮입니까?' 하니, 두 사람이 서로 마주보고 웃으면서 말하기를 '이 사람이 어찌 禮의 뜻을 알겠는가.' 하였다.〔子桑戶, 孟子反, 子琴張相與友……子桑戶死未葬 孔子聞之 使子貢往待事焉 或編曲 或鼓琴 相和而歌曰 嗟來桑戶乎 嗟來桑戶乎 而已反其眞 而我猶爲人猗 子貢趨而進曰 敢問臨尸而歌禮乎 二人相視而笑曰 是惡知禮意〕"라고 보인다.

943 季武子死……事見檀弓: 《禮記》〈檀弓下〉에 "季武子가 병이 위독하였는데……그가 죽자, 曾點이 문에 기대어서 노래했다.〔季武子寢疾……及其喪也 曾點倚其門而歌〕"라고 보인다.

944 志異乎三子者之撰 事見論語: 孔子가 제자들의 뜻을 묻자, 曾皙이 대답한 것으로, 이 내용은 《論語》〈先進〉 25장에 보인다.

··· 琴 성금 牧 성목 牢 굳을뢰 倚 기댈의 撰 가질선

37-5. 何以謂之狂也니잇고

〈萬章이 말하였다.〉 "어찌하여 狂이라 일렀습니까?"

> 集註 │ 萬章問이라
>
> 萬章이 물은 것이다.

37-6. 曰 其志嘐嘐(효효)然曰 古之人, 古之人이여호되 夷考其行而不掩焉者也니라

孟子께서 말씀하셨다. "그 뜻이 높고 커서 말하기를 '옛사람이여, 옛사람이여.'라고 하나 평소에 그 행실을 살펴보면 행실이 말을 가리지 못하는 자이기 때문이다.

> 按說 │ '夷考其行而不掩'은 言行이 일치하지 못하여 말은 비록 큰 소리를 치나 행실 이 그에 미치지 못함을 이른다.

> 集註 │ 嘐嘐는 志大言大也라 重言古之人은 見(현)其動輒稱之[945]요 不一稱而已也 라 夷는 平也[946]라 掩은 覆(부)也라 言 平考其行하면 則不能覆其言也라 程子曰 曾晳 言志에 而夫子與之하시니 蓋與聖人之志同하니 便是堯舜氣象也라 特行有不掩焉 耳니 此所謂狂也니라
>
> '嘐嘐'는 뜻이 크고 말이 큰 것이다. '古之人'이라고 거듭 말한 것은 말할 때마다 칭하고 한 번만 칭할 뿐이 아님을 나타낸 것이다. '夷'는 평소이다. '掩'은 덮음이다. 평소에 그 행실을 살펴보면 행실이 그 말을 덮지(가리지) 못함을 말씀한 것이다.
>
> 程子(明道)가 말씀하였다. "曾晳이 뜻을 말함에 夫子께서 허여하셨으니, 이는 聖人의 뜻 과 같은 것이니, 곧 堯·舜의 氣象이었다. 다만 행실이 말을 가리지 못함이 있었을 뿐이니,

---

945 動輒稱之: '動輒'은 '번번이, 언제나, 걸핏하면'의 뜻으로, 말을 할 때마다 번번이 '古之人'을 칭했음을 이른다.

946 夷 平也 : 楊伯峻은 "'夷'字는 해석할 수 없다. 前人 중에 뜻이 없는 語首助詞로 추측한 사람도 있다." 하였다. 語首助詞는 語氣助詞 또는 發語詞라고도 하는데, 문장의 첫머리에 쓰이며 뜻이 없다.

··· 嘐 큰소리칠 효 夷 평소 이 掩 가릴 엄 輒 문득 첩 覆 덮을 부 特 다만 특

이것이 이른바 狂이라는 것이다."

37-7. 狂者를 又不可得이어든 欲得不屑不潔之士而與之하시니 是獧也니 是又其次也니라

狂者를 또 얻을 수 없거든 不潔한 것을 좋게 여기지 않는 선비를 얻어서 함께하고자 하셨으니, 이것이 獧이니, 이는 또 그 다음이다."

按說 | 朱子는

狂者는 知가 지나친 것이고, 獧者는 行이 지나친 것이다.〔狂者 知之過 獧者 行之過〕《語類 論語 子路》

하였다.

集註 | 此는 因上文所引하여 遂解所以思得獧者之意라 狂은 有志者也요 獧은 有守者也니 有志者는 能進於道하고 有守者는 不失其身이라 屑은 潔也[947]라

이는 윗글에 인용한 것을 인하여 마침내 獧者를 얻을 것을 생각하신 뜻을 해석한 것이다. '狂'은 뜻이 있는 자이고 '獧'은 지킴이 있는 자이니, 뜻이 있는 자는 道에 나아갈 수 있고 지킴이 있는 자는 자신의 지조를 잃지 않는다. '屑'은 깨끗이 여김이다.

37-8. 孔子曰 過我門而不入我室이라도 我不憾焉者는 其惟鄕原乎인저 鄕原은 德之賊也라하시니 曰 何如면 斯可謂之鄕原矣니잇고

〈萬章이 말하였다.〉"孔子께서 말씀하시기를 '내 문 앞을 지나면서 내 집에 들어오지 않더라도 내 서운해하지 않을 자는 오직 鄕原일 것이다. 鄕原은 德의 賊이다.' 하셨으

---

947 屑 潔也 : 趙岐는 "'屑'은 깨끗함이니, 더러움을 깨끗하지 않게 여김이다. 狂者를 얻을 수 없으면 절개가 있는 사람을 얻고자 한 것이니, 행실이 깨끗하지 못한 자를 부끄럽게 여기고 천하게 여길 수 있는 자는 더불어 말할 수 있다.〔屑潔也 不潔汚穢也 旣不能得狂者 欲得有介之人 能恥賤惡行不潔者 則可與言矣〕" 하였는데, 茶山은 "趙岐의 주를 刪削해서는 안 된다.〔趙註不可刪也〕" 하였다.

··· 屑 달갑게여길 설 潔 깨끗할 결 憾 한할 감 原 공손할 원(愿同)

니, 어떠하면 鄕原이라 이를 수 있습니까?"

集註 │ 鄕原은 非有識者⁹⁴⁸라 原은 與愿同이라 荀子原慤字를 皆讀作愿하니 謂謹愿
之人也⁹⁴⁹라 故로 鄕里所謂愿人을 謂之鄕原이라 孔子以其似德而非德이라 故로 以
爲德之賊이라하시니라 過門不入而不恨之는 以其不見親就⁹⁵⁰로 爲幸이니 深惡(오)而
痛絶之也라 萬章이 又引孔子之言而問也라

'鄕原'은 知識이 있는 자가 아니다. '原'은 愿과 같다.《荀子》에 '原慤'의 '原'字를 모두 愿
으로 읽으니, 삼가는 사람을 이른다. 그러므로 鄕里의 이른바 '愿人'을 鄕原이라 이른다.
孔子는 〈鄕原이〉 德 같으면서도 德이 아니기 때문에 '德의 賊'이라고 하신 것이다. '문 앞
을 지나면서 들어오지 않더라도 恨하지 않는다.'는 것은 그가 친히 찾아옴을 받지 않는 것
을 다행으로 여긴 것이니, 깊이 미워하고 통렬히 끊으신 것이다. 萬章이 또다시 孔子의 말
씀을 인용하고 물은 것이다.

37-9. 曰 何以是嘐(효)嘐也하여 言不顧行하며 行不顧言이요 則曰 古之人, 古之人이여하며 行何爲踽踽涼涼이리오 生斯世也면 爲斯世也하여 善斯可矣라하여 閹然媚於世也者 是鄕原也니라

孟子께서 말씀하셨다. "〈鄕原이 狂者를 비난하기를〉 '어찌하여 이처럼 말과 뜻이 커서
말은 행실을 돌아보지 않으며 행실은 말을 돌아보지 않고, 말하기를 「옛 사람이여, 옛
사람이여.」하는가' 하며, 〈鄕原이 獧者를 비난하기를〉 '행실을 어찌하여 이처럼 외롭

---

948 鄕原 非有識者：壺山은 "學識이 없으면서 善한 이름을 도둑질한 자이다.〔無學識而竊善名者〕" 하였
다.

949 荀子原慤字……謂謹愿之人也：《荀子》〈榮辱篇〉에는 "효도하고 공손하고 삼가고 조심하며 괴로움을
참고 열심히 노력하여 그 事業을 다스린다.〔孝悌原慤 輶錄疾力 以敦比其事業〕" 하였고, 〈富國篇〉에
는 "신하와 여러 官吏로서 탐욕스러운 자가 모두 교화되어 행실을 닦고, 사나운 자가 모두 교화되어 삼
가고, 교활한 자가 모두 교화되어 조심하니, 이는 현명한 군주의 공효이다.〔其臣下百吏 汚者皆化而脩
悍者皆化而愿 躁者皆化而慤 是明主之功已〕" 하였고, 〈正論篇〉에는 "윗사람이 단정하고 정성스러우
면 아랫사람들이 삼가고 조심하며, 윗사람이 公正하면 아랫사람들이 마음이 평탄하고 정직하다.〔上端
誠則下愿慤矣 上公正則下易直矣〕" 하였다.

950 以其不見親就：壺山은 "親近히 하여 와서 찾아옴을 받지 못하는 것이다.〔不被親近而來就之〕" 하였
으니, '見'을 被(입다, 당하다)의 뜻으로 해석한 것이다.

⋯ 慤 공손할 각 見 당할 견 顧 돌아볼 고 踽 홀로걸을 우 涼 엷을 량 閹 가릴 엄 媚 아첨할 미

고 쓸쓸하게 하는가. 이 세상에 태어났으면 이 세상 사람들을 위하여 남들로 하여금 善하다고 하게 하면 可하다.'라고 하여 閹然히 세상에 아첨하는 자가 鄕原이다."

按說 | '生斯世也'에 대하여, 官本諺解에는 '이 世예 生ᄒ연는디라'로 되어 있는데, 壺山은

　　이 句는 官本諺解의 해석이 분명하지 못하다.〔此句 諺釋欠明〕

하였으며, 栗谷諺解에는 '이 世예 生ᄒ란디'로 해석하였다. 이에 본인은 《集註》의 '人旣 生於此世 則但當爲此世之人'을 따라 '生斯世也면'으로 懸吐하고 '이 세상에 태어났으면'으로 번역하였다.

集註 | 踽踽는 獨行不進之貌라 涼涼은 薄也니 不見親厚於人也라 鄕原이 譏狂者曰 何用如此嘐嘐然行不掩其言하고 而徒每事必稱古人邪오하며 又譏狷者曰 何必 如此踽踽涼涼하여 無所親厚哉아 人旣生於此世면 則但當爲此世之人하여 使當世 之人으로 皆以爲善則可矣라하니 此鄕原之志也라 閹은 如奄人之奄이니 閉藏之意 也[951]라 媚는 求悅於人也라 孟子言 此深自閉藏하여 以求親媚於世하니 是鄕原之 行也라하시니라

'踽踽'는 혼자서 길을 가 나아가지 못하는 모양이다. '涼涼'은 薄함이니, 남에게 親厚함을 받지 못하는 것이다. 鄕原이 狂者를 비난하기를 "어찌하여 이와 같이 말과 뜻이 커서 행실 이 말을 가리지 못하면서 한갓 매사에 반드시 古人을 칭하는가." 하며, 또 狷者를 비난하기 를 "어찌 반드시 이와 같이 외롭고 쓸쓸하여 親厚한 바가 없는가. 사람이 이미 이 세상에 태어났으면 다만 마땅히 이 세상 사람들을 위하여 當世의 사람들로 하여금 모두 善하다고 하

---

951 閹……閉藏之意也 : 《周禮》〈春官宗伯〉에 "守祧(祧를 지키는 직책)는 奄이 8명이다.【먼 선조의 廟를 祧 라 한다. 奄은 지금의 宦者와 같은 것이다.】〔守祧 奄八人【遠廟曰祧 奄 如今之宦者】〕"라고 보인다. 茶山은 "'閹' 은 奄(가릴 엄)·弇(덮을 엄)과 통하니, 《禮記》〈月令〉에 '그릇을 속은 넓고 위는 좁게 한다.' 하였다.…… 소인이 생각을 가슴속에 담아 두고 분명하게 밝히지 않으면서 남에게 아첨하는 것을 閹이라고 하니, 오 늘의 이른바 '婾婀(우물쭈물 결정하지 못하고 아첨하며 따라함)'가 바로 이 뜻이다.〔閹與奄弇通 月令 曰其器閎以奄……小人含意不宣 以媚於人 謂之閹 今之所謂婾婀 卽此意〕" 하였다. 壺山은 "鄕原 이 그 心情을 닫고 감춘 것이 奄人이 그 氣를 닫고 감춘 것과 같다.〔鄕原之閉藏其情 如奄人之閉藏其 氣〕" 하였다.

··· 薄 엷을 박, 야박할 박 譏 나무랄 기 奄 내시 엄 閉 닫을 폐 藏 감출 장

게 하면 可하다." 하니, 이것이 鄕原의 뜻이다. '閹'은 奄人(內侍)의 奄과 같으니, 닫고 감추는 뜻이다. '媚'는 남에게서 사랑을 구하는 것이다. 孟子께서 말씀하시기를 "이는 깊이 스스로 닫고 감추어서 세상으로부터 친함과 사랑을 구하는 것이니, 이것이 鄕原의 행실이다." 라고 하신 것이다.

37-10. 萬章曰 一鄕이 皆稱原人焉이면 無所往而不爲原人이어늘 孔子以爲德之賊은 何哉잇고

萬章이 말하였다. "한 지방이 모두 原人(삼가는 사람)이라고 칭한다면 가는 곳마다 原人이 되지 않을 곳이 없을 터인데 孔子께서 '德의 賊'이라고 하심은 어째서입니까?"

集註 | 原은 亦謹厚之稱이어늘 而孔子以爲德之賊이라 故로 萬章疑之하니라

原 또한 謹厚함의 칭호인데, 孔子께서 '德의 賊'이라고 하셨으므로 萬章이 의심한 것이다.

37-11. 曰 非之無擧也하며 刺(자)之無刺也하고 同乎流俗하며 合乎汚世하여 居之似忠信하며 行之似廉潔하여 衆皆悅之어든 自以爲是而不可與入堯舜之道라 故로 曰 德之賊也라하시니라

孟子께서 말씀하셨다. "비난하려 해도 들출 것이 없으며 풍자하려 해도 풍자할 것이 없고 流俗과 동화하며 더러운 세상에 영합하여, 居함에 忠信한 듯하며 행함에 廉潔(청렴결백)한 듯해서 사람들이 다 좋아하면 스스로 옳다고 여기나 그와 함께 堯·舜의 道에 들어갈 수는 없다. 그러므로 '德의 賊'이라고 하신 것이다.

按說 | '居之似忠信 行之似廉潔'에 대하여, 壺山은

'居'는 마음으로 말하였고, '行'은 몸으로 말하였다.(居 以心言 行 以身言)

하였다.

集註 | 呂侍講曰 言 此等之人은 欲非之則無可擧요 欲刺之則無可刺也라 流俗者

··· 刺 찌를 자 汚 더러울 오 廉 청렴할 렴

는 風俗頹靡 如水之下流하여 衆莫不然也라 汚는 濁也라 非忠信而似忠信하고 非廉潔而似廉潔이니라

呂侍講(呂希哲)이 말하기를 "이러한 사람은 비난하고자 하면 들출 만한 것이 없고 풍자하고자 하면 풍자할 만한 것이 없음을 말씀한 것이다. '流俗'은 풍속의 무너짐이 물이 아래로 흐르는 것과 같아서 모든 사람이 그렇지 않음이 없는 것이다." 하였다. '汚'는 濁함이다. 忠信이 아니면서 忠信한 듯하고, 廉潔이 아니면서 廉潔한 듯한 것이다.

37-12. 孔子曰 惡似而非者하노니 惡莠는 恐其亂苗也요 惡佞은 恐其亂義也요 惡利口는 恐其亂信也요 惡鄭聲은 恐其亂樂也요 惡紫는 恐其亂朱也요 惡鄕原은 恐其亂德也라하시니라

孔子께서 말씀하시기를 '같은 듯하면서 아닌 것〔似而非〕을 미워하노니, 가라지(피)를 미워함은 벼싹을 어지럽힐까 두려워해서요, 말재주가 있는 자를 미워함은 義를 어지럽힐까 두려워해서요, 말을 많이 하는 자를 미워함은 信을 어지럽힐까 두려워해서요, 鄭나라 音樂을 미워함은 正樂을 어지럽힐까 두려워해서요, 자주색을 미워함은 붉은 색을 어지럽힐까 두려워해서요, 鄕原을 미워함은 德을 어지럽힐까 두려워해서이다.' 하셨다.

集註 | 孟子又引孔子之言以明之하시니라 莠는 似苗之草也라 佞은 才智之稱이니 其言이 似義而非義也라 利口는 多言而不實者也라 鄭聲은 淫樂也요 樂은 正樂也라 紫는 間色이요 朱는 正色也[952]라 鄕原은 不狂不獧하여 人皆以爲善하니 有似乎中道而實非也라 故로 恐其亂德이니라

孟子께서 또다시 孔子의 말씀을 인용하여 밝히셨다. '莠'는 苗(벼싹)와 유사한 풀이다. '佞'은 재주와 지혜가 있는 자의 칭호이니, 그 말이 의로운 듯하나 義가 아니다. '利口'는 말이 많으나 성실하지 못한 자이다. '鄭聲'은 음탕한 음악이고 '樂'은 正樂이다. '紫'는 중간색이고 '朱'는 바른 색이다. 鄕原은 狂하지도 않고 獧하지도 않아서 사람들이 모두 善하다 하니, 中道와 유사하나 실제는 아니다. 그러므로 그 德을 어지럽힐까 두려워하신 것

---

[952] 紫……正色也 : 靑·黃·朱(赤)·白·黑의 五色을 正色이라 하여 좋게 여기고, 紫色은 黑色과 朱色의 中間色이라 하여 좋지 않게 여기기 때문에 말한 것이다.

··· 頹 무너질 퇴 靡 쓰러질 미 濁 흐릴 탁 莠 가라지유, 피유 苗 싹묘 佞 말잘할녕 鄭 나라이름정
紫 자줏빛 자 朱 붉을 주 淫 음탕할 음

이다.

37-13. 君子는 反經而已矣니 經正則庶民興하고 庶民興이면 斯無邪慝矣리라

君子는 經道(떳떳한 道)를 회복할 뿐이니, 經道가 바루어지면 庶民이 〈善에〉 흥기하고, 庶民이 흥기하면 邪慝함이 없어질 것이다."

集註 | 反은 復(복)也라 經은 常也니 萬世不易之常道也라 興은 興起於善也라 邪慝은 如鄕原之屬이 是也라 世衰道微하여 大經不正이라 故로 人人得爲異說하여 以濟其私하여 而邪慝幷起하니 不可勝正이라 君子於此에 亦復其常道而已니 常道旣復이면 則民興於善하여 而是非明白하여 無所回互하여 雖有邪慝이나 不足以惑之矣니라

'反'은 회복함이다. '經'은 常道이니, 萬世에 변하지 않는 常道이다. '興'은 善에 興起함이다. '邪慝'은 鄕原과 같은 등속이 이것이다. 세상이 쇠하고 道가 미약해져서 큰 經道가 바루어지지 못하였다. 그러므로 사람마다 異說을 하여 자기의 사욕을 이루려 해서 사특함이 함께 일어나니, 이루 다 바로잡을 수가 없다. 君子가 이에 대하여 또한 그 常道를 회복할 뿐이니, 常道가 이미 회복되면 백성들이 善에 흥기하여 是非가 명백해져서 回互(감추고 숨김)하는 바가 없어 비록 사특한 자가 있더라도 사람을 혹하게 할 수 없는 것이다.

章下註 | ○尹氏曰 君子取夫狂獧者는 蓋以狂者는 志大而可與進道요 獧者는 有所不爲而可與有爲也며 所惡於鄕原而欲痛絶之者는 爲其似是而非하여 惑人之深也라 絶之之術은 無他焉이라 亦曰反經而已矣니라

○尹氏(尹焞)가 말하였다 "君子(孔子)가 저 狂者와 獧者를 취하신 까닭은 狂者는 뜻이 커서 더불어 道에 나아갈 수 있고 獧者는 하지 않는 바가 있어서 더불어 훌륭한 일을 할 수 있기 때문이며, 鄕原을 미워하여 통렬히 끊고자 하신 까닭은 옳은 것 같으면서 아니어서 사람을 혹하게 함이 깊기 때문이다. 이를 끊는 방법은 다른 것이 없다. 또한 經道를 회복하는 것뿐이다."

··· 反 돌아올 반 經 법 경 邪 간사할 사 慝 간악할 특 回 돌 회 互 서로 호 惑 미혹할 혹

|由堯舜至於湯章(見而知之章)|

38-1. 孟子曰 由堯舜至於湯이 五百有餘歲니 若禹皋陶(고요)則見而知之하시고 若湯則聞而知之하시니라

孟子께서 말씀하셨다. "堯·舜으로부터 湯王에 이르기까지가 5백여 년이니, 禹王과 皋陶는 직접 보고서 알았고 湯王은 들어서 아셨다.

> 集註 | 趙氏曰 五百歲而聖人出은 天道之常이라 然이나 亦有遲速하여 不能正五百年이라 故로 言有餘也라 尹氏曰 知는 謂知其道也라
>
> 趙氏(趙岐)가 말하였다. "5백 년 만에 聖人이 나옴은 天道의 떳떳함이다. 그러나 또한 더디고 빠름이 있어서 바로(참으로) 5백 년이 되지는 못한다. 그러므로 '有餘'라고 말씀한 것이다."
> 尹氏(尹焞)가 말하였다. "'知'는 그 道를 앎을 이른다."

38-2. 由湯至於文王이 五百有餘歲니 若伊尹萊朱則見而知之하고 若文王則聞而知之하시니라

湯王으로부터 文王에 이르기까지가 5백여 년이니, 伊尹과 萊朱는 직접 보고서 알았고 文王은 들어서 아셨다.

> 集註 | 趙氏曰 萊朱는 湯賢臣이라 或曰 卽仲虺也니 爲湯左相이라하니라
>
> 趙氏(趙岐)가 말하였다. "萊朱는 湯王의 賢臣이다."
> 혹자는 말하기를 "바로 仲虺이니, 湯王의 左相이 되었다." 하였다.

38-3. 由文王至於孔子 五百有餘歲니 若太公望散宜生則見而知之하고 若孔子則聞而知之하시니라

文王으로부터 孔子에 이르기까지가 5백여 년이니, 太公望과 散宜生은 직접 보고서 알았고 孔子는 들어서 아셨다.

··· 皋 언덕 고 陶 즐길 요 遲 더딜 지 速 빠를 속 萊 쑥 래 虺 뱀 훼 散 성 산, 흩을 산

集註 │ 散은 氏요 宜生은 名이니 文王賢臣也라 子貢曰 文武之道 未墜於地하여 在人이라 賢者는 識(지)其大者하고 不賢者는 識其小者하여 莫不有文武之道焉하니 夫子焉不學[953]이시리오하니 此所謂聞而知之也라

散은 氏이고 宜生은 이름이니, 文王의 賢臣이다. 子貢이 말하기를 "文王 · 武王의 道가 아직 땅에 떨어지지 않아 인간에 남아 있다. 어진 자는 그 큰 것을 기억하고 어질지 못한 자는 그 작은 것을 기억하고 있어서 文王 · 武王의 道가 있지 않음이 없으니, 夫子께서 어찌 배우지 않으셨겠는가." 하였으니, 이것이 이른바 '들어서 아셨다'는 것이다.

38-4. 由孔子而來로 至於今이 百有餘歲니 去聖人之世 若此其未遠也며 近聖人之居 若此其甚也로되 然而無有乎爾하니 則亦無有乎爾로다

孔子로부터 이래로 오늘에 이르기까지가 백여 년이니, 聖人의 세대와의 거리가 이와 같이 멀지 않으며 聖人이 거주하신 곳과 가까움이 이와 같이 심한데도 〈이와 같이 보고서 아는 자가〉 없으니, 그렇다면 또한 들어서 아는 자가 없겠구나."

集註 │ 林氏曰 孟子言 孔子至今時未遠하고 鄒魯相去又近이라 然而已無有見而知之者矣하니 則五百餘歲之後에 又豈復有聞而知之者乎리오

愚按 此言은 雖若不敢自謂已得其傳하여 而憂後世遂失其傳이라 然[954]이나 乃所以自見其有不得辭者요 而又以見夫天理民彝不可泯滅하니 百世之下에 必將有神會而心得之者耳라 故로 於篇終에 歷序群聖之統하시고 而終之以此하시니 所以明其傳之有在[955]이요 而又以俟後聖於無窮也시니 其旨深哉로다

---

953 子貢曰……夫子焉不學 : 이 내용은 《論語》〈子張〉 22장에 보인다.

954 雖若不敢自謂已得其傳……然 : 全體를 한 句로 보고 '若'과 '然'을 연계시켜 '雖若不敢自謂其傳하여 而憂後世遂失其傳然이니'로 懸吐하는 것이 옳을 듯하나, 諸本이 대부분 '傳'에서 句를 떼었고 艮齋(田愚) 역시 '傳이나'로 懸吐하였으므로 위와 같이 懸吐하였음을 밝혀 둔다.

955 所以明其傳之有在 : 新安陳氏(陳櫟)는 "이는 '그런데도 〈보고서 아는 자가〉 없다'는 뜻을 거듭 말씀한 것이다. 孟子가 은연히 道統의 傳함이 자신에게 있다고 말씀하셨으나, 다만 그 말씀이 완곡하고 意味가 深長하여 자세히 살펴보고 음미하지 않으면 알지 못한다.〔此申言然而無有乎爾之意 孟子隱然謂道統之傳在己 但其辭婉 其意深 非詳玩味之 不能見耳〕" 하였다.

… 墜 떨어질 추 識 기억할 지 鄒 나라이름 추 辭 사양할 사 彝 떳떳할 이 泯 없어질 민 會 알 회 俟 기다릴 사

林氏(林之奇)가 말하였다. "孟子께서 '孔子로부터 지금에 이르기까지가 멀지 않고 鄒나라와 魯나라의 거리가 또 가깝다. 그러나 이미 보고서 안 자가 없으니, 그렇다면 5백 년 뒤에 어찌 다시 들어서 아는 자가 있겠는가.'라고 하신 것이다."

내가 살펴보건대 이 말씀은 비록 감히 스스로 자신이 그 전통을 얻었다고 이르지 못하여, 後世에 마침내 그 傳함을 잃을까 근심한 말씀인 듯하다. 그러나 바로 〈자신이〉사양할 수 없는 것이 있음을 스스로 나타내신 것이요, 또 天理와 民彝가 없어질 수 없으니, 百世의 뒤에 반드시 장차 정신으로 이해하고 마음으로 터득하는 자가 있을 것임을 나타내신 것이다. 그러므로 篇의 끝에 여러 聖人의 전통을 차례로 서술하고 이로써 끝마치셨으니 그 전함이 있는 데가 있음을 밝힌 것이요, 또 聖人을 無窮한 후세에 기다리신 것이니, 그 뜻이 깊다.

章下註 | ○有宋元豐八年에 河南程顥伯淳이 卒한대 潞公文彦博이 題其墓曰 明道先生[956]이라하니 而其弟頤正叔이 序之曰 周公沒에 聖人之道不行[957]하고 孟軻死에 聖人之學不傳[958]하니 道不行이라 百世無善治하고 學不傳이라 千載無眞儒하니 無善治라도 士猶得以明夫善治之道하여 以淑諸人하여 以傳諸後어니와 無眞儒면 則天下貿貿焉莫知所之하여 人欲肆而天理滅矣[959]라 先生이 生乎千四百年之後[960]하여 得不傳之學於遺經하여 以興起斯文으로 爲己任하사 辨異端하고 闢邪說하여 使聖人之道로 煥然復明於世하시니 蓋自孟子之後로 一人而已라 然이나 學者於道에 不知所向이면 則孰知斯人之爲功이며 不知所至면 則孰知斯名之稱情也哉리오

---

956 河南程顥伯淳卒……明道先生 : 壺山은 "살펴보건대 南軒(張栻)의 《二程粹言》序文에 '시호가 明道先生이다.' 하였으니, 아마도 사사로이 지은 시호일 것이다.〔按南軒二程粹言序文云 諡明道先生 蓋私諡也〕" 하였다.

957 聖人之道不行 : 壺山은 "窮하면서 아래에 있었기 때문이다.〔窮而在下故也〕" 하였다.

958 聖人之學不傳 : 壺山은 "異端과 功利의 說이 盛行했기 때문이다.〔異端功利之說盛行故也〕" 하였다.

959 道不行……人欲肆而天理滅矣 : 雲峰胡氏(胡炳文)는 《論語》의 끝부분에는 帝堯의 뒤에 武王으로써 끝마쳤고, 《孟子》의 끝부분에는 孔子와 孟子로써 끝마쳤다. '道가 행해지지 아니하여 百世동안 좋은 정치가 없음'은 武王 이후의 일이요, '학문이 전해지지 아니하여 천 년 동안 참다운 학자가 없음'은 孔孟 이후의 일이다. '善治가 없다.' 이하는 또 道가 밝아지지 못하면 그 폐해가 道가 행해지지 않는 것보다 심함이 있음을 말씀한 것이다.〔論語之末 堯而後 終之以武王 孟子之末 終之以孔孟 道不行 百世無善治 武王以後事 學不傳 千載無眞儒 孔孟以後事 無善治而下 又言道之不明 其害有甚於道之不行者也〕" 하였다.

960 先生 生乎千四百年之後 : 新安陳氏(陳櫟)는 "孟子가 별세하고 明道가 태어날 때에 이르기까지 대략 年數가 이와 같다.〔孟子沒 至明道生 大約年數如此〕" 하였다.

••• 程 길정 顥 흴호 潞 물이름로 彦 클언 題 쓸제 頤 기를이 軻 맹자이름 가, 수레 가 載 해재 儒 선비유 淑 착할숙 貿 어두울 무 肆 방사할 사 遺 남을 유 闢 물리칠 벽 煥 밝을 환 稱 걸맞을 칭

○ 宋나라 元豐 8년(1085)에 河南 程顥 伯淳이 죽자, 潞公 文彦博이 그 墓에 쓰기를 '明道先生'이라 하였다. 이에 그의 아우인 程頤 正叔이 다음과 같이 序하였다.

"周公이 별세함에 聖人의 道가 행해지지 못하였고, 孟軻가 죽음에 聖人의 學問이 전해지지 못하였다. 道가 행해지지 못하여 百世에 善한 정치가 없었고 學問이 전해지지 못하여 千年에 眞儒가 없었으니, 善한 정치가 없더라도 선비는 오히려 善治의 道를 밝혀서 남에게 私淑하여 後世에 전할 수 있지만, 眞儒가 없으면 천하가 貿貿(몽매함)하여 갈 곳을 알지 못해서 人慾이 함부로 펴지고 天理가 멸하게 된다. 先生은 천 4백 년 뒤에 태어나서 전해지지 않던 학문을 遺經에서 얻어 斯文(道學)을 흥기시킴을 자신의 책임으로 삼으시어 異端을 분별하고 邪說을 막아서 聖人의 道로 하여금 환하게 세상에 다시 밝아지게 하셨으니, 孟子 이후로 한 사람일 뿐이다. 그러나 배우는 자가 道에 대해서 향할 바를 알지 못한다면 어찌 이 분의 공로를 알며, 그 경지를 알지 못한다면 어찌 〈明道라는〉 이 명칭이 실정에 걸맞음을 알겠는가."

朝鮮朝 內閣本 銅活字 刊行 來歷[961]

國朝屢鑄銅字　而世宗朝甲寅所鑄　集其大成　歲久寢刓矣　英宗朝壬辰　我殿
下在春邸　以甲寅字爲本　使芸閣鑄十五萬字藏之　是爲壬辰字　卽經書正文等
書印本　卽位之元年　復以甲寅字本　鑄十五萬字于關西　藏于內閣　是爲丁酉字
卽八子, 百選等書印本　而今又印經書　內外閣所藏　凡三十萬字　太宗朝癸未
以經筵古註詩書左傳爲本　命李稷等　鑄十萬字　是爲癸未字　世宗朝庚子　命李
蕆(천)等改鑄　是爲庚子字　甲寅以庚子字纖密　出經筵所藏孝順事實　爲善陰
隲等書　爲字本　命金墩等　鑄二十餘萬字　是爲甲寅字　於是癸未, 庚子字　入
於重鑄　而惟甲寅字　行三百有餘年　至我聖上　再命開鑄　而悉以甲寅字爲本
宣廟朝　以安平大君書爲本　鑄于訓局　今之昌黎集諸書印字　是也　實錄, 誌
狀, 史, 漢等書印字　及文獻備考印字　各有一本　年條不可攷

國朝(朝鮮朝)에서 여러 번 동활자를 주조하였는데, 世宗朝 갑인년(1434)에 주조한 것이
集大成한 것이었으나, 세월이 오래되어 점점 망가졌다. 英宗朝 임진년(1772)에 우리 殿下
(正祖)께서 春宮(東宮)에 계실 적에 甲寅字로 底本을 삼아서 芸閣(校書館)으로 하여금
15만 자를 주조하여 보관하게 하니, 이것이 壬辰字로 經書 正文 등의 책을 인쇄한 本이다.
卽位하신 元年(1777)에 다시 甲寅字本으로 15만 자를 關西에서 주조하여 內閣(奎章閣)

961　朝鮮朝……來歷:이 내용은 內閣本의 편 끝에 실려 있는 것으로 이 책을 銅活字로 인쇄한 내용을 서
술한 것인데, 간혹 學生들 중에 이 글의 뜻을 제대로 이해하지 못하여 질문하는 자가 있으므로 번역하
여 실은 것이다.

에 보관하니, 이것이 丁酉字로 八子(八家文)와 百選 등의 책을 인쇄한 本인데, 지금은 또 經書를 인쇄하여 內閣과 外閣에 보관한 것이 모두 30만 자이다.

太宗朝 계미년(1403)에 經筵에 있는 古註의 《詩經》, 《書經》, 《春秋左傳》을 底本으로 삼아 李稷 등에게 명하여 10만 자를 주조하니 이것이 癸未字이고, 世宗朝 경자년(1420)에 李蕆 등에게 명하여 다시 주조하니 이것이 庚子字이고, 갑인년(1434)에 庚子字가 섬세하고 稠密하다 하여 經筵에 보관된 孝順한 사실과 善行을 하여 神明이 도와준 내용의 책들을 꺼내어 字本으로 삼아 金墩 등에게 명하여 20여만 자를 주조하니 이것이 甲寅字이다. 이에 癸未字와 庚子字가 다시 주조함에 들어갔으나 오직 甲寅字는 3백여 년 동안 그대로 사용되었다.

우리 聖上(正祖)에 이르러 다시 開鑄하도록 명하되 모두 甲寅字를 저본으로 삼았다. 宣祖 때에 安平大君의 글씨를 저본으로 삼아 訓鍊院에서 주조하니 지금의 《昌黎集》 등 여러 책을 인쇄한 글자가 바로 이것이요, 實錄과 誌狀과 《史記》와 《漢書》 등의 책을 인쇄한 글자와 《文獻備考》를 인쇄한 글자는 각각 따로 한 本이 있는데, 연도는 상고할 수 없다.

跋文

    지난 1997년에 법학자와 법조인 여럿이 모여 동서학문의 회통에 뜻을 모아 한학자 成百曉 선생을 모시고 동양고전을 공부하기로 하고, 寡尤會를 결성하여 四書三經을 강독한 지가 어언 17년의 긴 세월이 흘렀다. 공부모임에서는 《論語》에서 출발하여 《孟子》, 《大學》, 《中庸》의 순으로 四書를 끝마친 후에 三經을 계속 강독하였다. 물론 참여자들이 세간의 일에 쫓겨 욕심만큼 하지는 못했으나, 고전을 읽는 재미가 더해가며 강독을 계속하였고, 예전에 번역본을 놓고 보았던 四書에 대한 공부와는 느낌이 달랐다.

    2008년 海東經史研究所를 설립하고, 강독에서 선생님으로부터 들은 내용을 문자화해 놓을 필요가 있다고 판단하여 成百曉 선생께 선생의 사유가 담긴 지금의 '附按說' 형태의 《論語》와 《孟子》를 출간할 것을 청하였다. 그 결과 선생은 그 작업을 계속하시어 작년에는 《附按說 論語集註》를 출간하였고, 이번에 《附按說 孟子集註》를 출간하게 되었다. 참으로 감개무량하다. 孟子는 당시 富國强兵을 추구하였는데, 혼란한 戰國時代에 나라를 바로 세우고자 仁義道德을 강조하고 이익을 추구하는 욕심을 버릴 것을 강조하였다. 후세에 《孟子》에 대하여 天理를 보존하고 人慾을 막는〔存天理 遏人慾〕 내용이라고 평하는 이유도 여기에 있다. 天理는 바로 仁義道德이고 人慾은 利를 뜻한다.

    司馬遷의 다음의 말이 다시금 떠오른다.

    내가 《孟子》를 읽다가 梁 惠王이 '어떻게 하면 내 나라를 이롭게 하겠습니까?' 하고 물은 부분에 이르면, 일찍이 읽던 책을 덮어놓고 탄식하지 않은 적이 없었다. 아! 利는 실로

亂의 시초이다. 孔子가 利에 대하여 잘 말씀하지 않은 것은 항상 亂의 근원을 막고자 하셨기 때문이다. 그리하여 孔子는 '利에 따라 행동하면 원망이 많다'고 하였으니, 利를 좋아하여 추구하는 병폐가 天子로부터 庶人에 이르기까지 어찌 다르겠는가."

위 내용은 《孟子》 첫 장 章下註에 소개되어 있다. 오늘날 우리 사회는 仁과 義 그리고 禮를 내팽개치고 오직 利를 쫓는 함정으로 빠져들고 있다. 정치인이든 공부하는 사람이든 이런저런 명분을 내세우지만, 결국 속셈은 자신의 출세나 이익을 추구하는데 몰두한다. 자신의 욕망에 따라 질주하는 이러한 잘못을 바로잡지 않으면 사회는 더욱 혼란에 빠져들 뿐이다.

이번에 새로 출간된 《孟子集註》를 一讀하기 권한다. 2,400여 년 전, 나라를 다스림에 백성이 주인이라는 民本主義를 그토록 강조한 孟子야말로 선각자가 아닐 수 없다. 책을 읽을 때 이러한 이치를 일관성 있게 해석한 朱子의 集註를 간과해서는 안 되며, 우리나라이 丁茶山과 朴壺山, 중국의 楊伯峻의 說까지 함께 읽으면 더욱 좋을 것이다. 이번 작업에 이어 《大學》과 《中庸》이 계속 출간되어 成百曉 선생의 사유가 담긴 四書集註가 완간되기를 기대해 마지않는다.

2014년 10월

安全行政部長官 鄭宗燮

편집후기

寒松 成百曉 선생님의 按說 총서, 그 두 번째 책이 출간을 앞두고 있다. 총서를 완성하는 일은 선생님 스스로 세우신 誓願이자 이 책을 기다리는 후학들과의 약속이기에, 稀年을 맞이하셨음에도 불구하고 선생님께서는 쉼 없이 작업을 해나가셨다. 한편으로는 감사하고 한편으로는 부끄럽다.

두 번째 책 《附按說 孟子集註》의 구성 역시 《附按說 論語集註》과 다르지 않다. 按說에서는 經文을 이해하는데 도움이 되는 諸家의 說을 소개하고 해설하였으며, 각주에는 朱子의 《集註》를 이해하는데 도움이 되는 내용들을 실었다. 다른 점이 있다면, 이번 책에서는 각 장마다 章名을 붙여주었다는 것이다. 예컨대, 〈梁惠王上〉 1장은 '亦有仁義章'으로, 〈告子上〉 10장은 '熊魚章'으로 표기하였으며, 〈公孫丑上〉 2장처럼 '不動心章'과 '浩然章'의 두 이름이 있는 경우에는 둘 다 표기하였다. 《孟子》를 해설하는 여러 문헌들이 대체로 이런 식의 章名을 사용하기 때문에 章名을 소개할 필요가 있다고 판단한 것이다.

《孟子》를 공부할 때에 흔히 겪는 두 가지 어려움이 있다. 하나는 제도나 문물에 대한 지식이 없이는 이해하기 어려운 내용들이 있다는 점이고, 또 하나는 心과 性 등에 대한 孟子의 철학적 논의를 이해하기 어렵다는 점이다.

제도나 문물에 대한 정보는 朱子의 《集註》에서 어느 정도 소개하고 있으나, 좀 더 자세한 내용과 철저한 고증을 필요로 하는 독자를 위해, 《大全》에 실려 있는 禮書 등 여러 문헌을 발췌하여 기재하였으며, 이에 대한 諸家의 해석도 소개하였다. 諸家說의 채

택에 있어서는 특정한 說에 구애되지 않고 여러 說을 넓게 소개하는 방식을 채용하였는
데, 옛 제도나 문물에 대한 해석은 어떤 것이 옳다고 기필하기가 어렵기 때문이다.

　물론 선생님께서 시비를 판단하실 수 있는 내용에 있어서는 명쾌한 해설을 덧붙여 주
셨다. 예를 들면, 〈梁惠王上〉 3장 "狗彘食人食而不知檢"의 '檢'을 朱子는 檢束의 뜻
으로 보아 '不知檢'을 "단속할 줄 모른다."로 해석하였고, 趙岐와 茶山은 '檢'을 '斂'의
뜻으로 보아 '不知檢'을 "남은 곡식을 거두어들일 줄 모른다."로 해석하였는데, 어떤 해
석이 더 近理한 지에 대하여 선생님께서는 당신이 직접 농사를 지으셨던 경험을 토대로
판단하고 해설해주셨다. 농사에 한 번도 종사해본 적이 없는 사람에게는 참으로 감사한
지남철이 아닐 수 없다.

　《論語》와 달리, 《孟子》에는 心과 性에 대한 직접적 서술이 많다. 그러나 《孟子》가 철
학적 논술이 아닌 대화체의 형식이기 때문에, 산발적 내용들을 종합적 체계로 수렴하
여 이해하는 것은 쉬운 일이 아니다. 朱子의 《集註》는 바로 그 역할을 해주는 주석서이
지만, 朱子의 해석이 과연 孟子의 本意에 맞는 것인지, 혹은 朱子의 해석 외에 어떤 다
른 해석이 있을지에 대해 의문을 품을 수 있다. 이를테면, 孟子가 "惻隱之心은 仁의 端
이다."라고 한 것은 몇 가지 해석이 가능하다. 이 구절을 朱子는 '端'을 '밖으로 나온 실
마리'로 해석하여 '仁은 心 안의 본유적 性이고, 측은해 하는 마음은 그 性이 발현한 것
이다.'의 의미로 보았으나, 茶山은 '端'을 '처음'으로 해석하여, '측은해 하는 마음을 미루
고 확장하여 仁이라는 외재적 德을 이룬다.'는 의미로 보았다. 이러한 해석의 차이는 孟
子가 心性을 논한 곳 전체에 나타나는데, 按說에서 거의 빠짐없이 두 해석을 제시하고
비교하였으며 선생님의 평 또한 실려 있으니, 독자는 孟子 뿐만 아니라, 朱子와 茶山을
알고 이해하는 데에도 도움을 받을 수 있을 것이다.

　《孟子》는 經學史, 哲學史적으로 매우 중요하게 다루어지는 책이지만, 한문 학습을
위한 교재로도 중시되어 왔다. 이와 관련하여 본인이 고전번역교육원에 있으면서 선생
님들께 얻어 들은 이야기를 소개할까 한다.

　첫째는 《孟子》를 많이 읽어야 한다는 것과 관련된 이야기였다.

　어떤 글방 선생님이 학생들에게 "《孟子》를 천 번을 읽으면 '퉁탕' 하는 소리와 함께 文理

가 通暢해진다." 하였다. 학생은 스승의 말씀을 믿고 열심히 읽어 그 숫자를 채웠지만 文理가 났다는 느낌이 전혀 없었다. 오히려 모르는 내용이 더 많아진 것 같았다. 그래서 학생은 스승에게 "선생님께서 《孟子》를 천 번 읽으면 文理가 通暢해져 「퉁탕」소리가 난다.' 하셨으므로 지금 이 제자가 이미 천 번을 읽었으나 아직도 '퉁탕' 소리를 듣지 못했으니, 선생님의 말씀이 틀렸습니까? 제자의 의혹이 더욱 심해집니다.〔先生有言曰 讀孟子千遍 則文理通暢 有퉁탕之聲 今弟子旣讀千遍 而未聞有퉁탕之聲 先生之言非歟 弟子之惑滋甚〕"라고 항의성 글월을 올렸다. 그랬더니 선생은 이 글을 보고서 "너는 '퉁탕' 소리가 난 지 이미 오래이다."라고 하였다. 학생이 올린 짧은 이 몇 마디의 글이 이미 行文의 체제를 얻었기 때문이었다.

둘째는 이렇게 많이 읽는 과정에서 스스로 의미를 깨치게 되는데 그때 懸吐의 역할이 중요하다는 취지의 이야기였다.

《孟子》〈梁惠王上〉제2장의 《集註》에 "鴻雁之大者 麋鹿之大者"라는 구절이 있다. 經文의 "鴻雁과 麋鹿을 돌아보고 말하였다.〔顧鴻雁麋鹿曰〕"에 대한 주석이다. 어떤 학생이 오전에 이 부분을 "鴻雁之大者요 麋鹿之大者라"로 읽었는데, 선생은 그냥 놔두고 나가셨다. 저녁에 돌아와 보니 그 학생이 "鴻은 雁之大者요 麋는 鹿之大者라"로 고쳐 읽고 있었다.

글을 여러 번 반복해서 읽다보면 스스로 의미를 깨칠 수 있게 되는데, 그 과정에 懸吐가 큰 역할을 한다는 것, 그리고 글의 의미를 알고 모르고가 懸吐에서 드러난다는 것을 말해주는 사례라 하겠다. 懸吐를 해서 읽는다는 것은 원문을 가공하고 의미를 확정하는 일이다. 그래서 懸吐와 함께 글을 읽으면 의미를 분명하게 파악하며 읽을 수 있다. 오늘날 우리들이 懸吐도 하지 않은 채 대충 몇 번 읽고는 이미 알았다고 생각하는 습관과는 다르다 할 것이다.

《孟子》〈盡心上〉에 다음과 같은 내용이 보인다.

"바다를 구경한 자에게는 큰 물이 되기가 어렵다.〔觀於海者 難爲水〕"

　　너른 바다를 이미 경험한 사람은 어지간한 강물을 보고서 '크다!'는 감흥을 얻기가 어렵다는 말이다. 이는 학문에도 그대로 적용될 수 있다. 大家의 학문을 경험한 사람은 어떤 학문에 대해 '훌륭한 학문이다!'는 감흥을 얻기가 어렵다. '어떤 학문'이란 자신의 학문도 포함한다. 그래서 스스로를 '학문하는 사람'이라고 여기는 이에게 大家를 접하는 일은 중요하다. 스스로의 학문에 만족할 수 없으므로 겸허히 정진하게 되기 때문이다. 按說 총서의 발간은 큰 바다를 볼 수 있는 기회가 생기는 것과 다름없다고 생각하기에, 初學의 한 사람으로서 기쁘고 또 감사하다.

2014년 11월

申相厚

성백효 成百曉

충남忠南 예산禮山 출생
가정에서 부친 월산공月山公으로부터 한문 수학
월곡月谷 황경연黃璟淵, 서암瑞巖 김희진金熙鎭 선생 사사
민족문화추진회 부설 국역연수원 연수부 수료
고려대학교 교육대학원 한문교육과 수료
한국고전번역원 명예교수(현)
전통문화연구회 부회장(현)
사단법인 해동경사연구소 소장(현)

번역서
사서집주四書集註,『시경집전詩經集傳』
『서경집전書經集傳』,『주역전의周易傳義』
『고문진보古文眞寶』,『근사록집해近思錄集解』
『심경부주心經附註』,『통감절요通鑑節要』
『당송팔대가문초唐宋八大家文抄 소식軾蘇軾』
『고봉집高峰集』,『독곡집獨谷集』
『다산시문집茶山詩文集』,『송자대전宋子大全』
『약천집藥泉集』,『양천세고陽川世稿』
『여헌집旅軒集』,『율곡전서栗谷全書』
『잠암선생일고潛庵先生逸稿』
『존재집存齋集』,『퇴계전서退溪全書』
『부안설 논어집주附按說 論語集註』

국립중앙도서관 출판예정도서목록(CIP)

(懸吐新譯) 孟子集註 : 附 按說 / 지은이: 성백효. -- 파주 : 한
국인문고전연구소, 2014
    p. ;   cm. -- (해동경사연구소 국역총서 = 海東經史研究
所國譯叢書 ; 2)

판권기 표제: 현토신역 부 안설 맹자집주
ISBN 978-89-97970-12-4 94140 : ₩63000
ISBN 978-89-97970-06-3 (세트) 94140

맹자(사서)[孟子]
사서집주[四書集注]

148.4-KDC5
181.11-DDC21   CIP2014032127

현토신역 부 안설 맹자집주

懸吐新譯 附 按說 孟子集註
– 해동경사연구소 국역총서 2

1판 1쇄 인쇄 2014년 11월 10일
1판 1쇄 발행 2014년 11월 21일

지은이 성백효
편집인 김형석, 박성자, 신상후, 윤은숙, 이상아
총괄기획 권희준
디자인 씨오디
인쇄 (주)재원프린팅

발행처 한국인문고전연구소 **발행인** 조옥임

출판등록 2012년 2월 1일(제406-2012-000027호)
주소 경기 파주시 미래로 562 (901-1304)
전화 02-323-3635 **팩스** 02-6442-3634 **이메일** books@huclassic.com

정가 63,000원
ISBN 978-89-97970-12-4 94140